In den literarischen Zentren Berlin, München, Wien und Leipzig vollzieht sich um die Wende zum 20. Jahrhundert der Durchbruch der Moderne. Eine Vielfalt von einander bekämpfenden und ablösenden Programmen streitet um zukünftige Kunstformen und Lebensweisen, die großstädtischen Subkulturen artikulieren sich zunehmend in der literarischen Öffentlichkeit, während ein Massenpublikum Heimatliteratur und ›Gartenlaube‹ liest. Nach dem Ringen um neue Formen, um individuelle Profilierung kristallisiert sich mit dem Expressionismus wieder eine verbindliche literarische Ausdrucksform heraus.
Dieser Band von Hansers Sozialgeschichte der deutschen Literatur behandelt die großen Strömungen der Literatur, die durch rapide gesellschaftliche Veränderungen ebenso geprägt ist wie durch eine Reihe bedeutender und auch heute noch viel gelesener Autoren wie Hauptmann, Hofmannsthal, Wedekind, Nietzsche, H. und Th. Mann, Musil, Schnitzler, Rilke, Trakl und Benn.

Der Herausgeber York-Gothart Mix, geboren 1951, Studium der Germanistik, Geschichtswissenschaft und Soziologie in Berlin und in München, ist a. o. Professor am Institut für Deutsche Philologie an der Universität München.

Hansers Sozialgeschichte
der deutschen Literatur
vom 16. Jahrhundert bis zur Gegenwart

Begründet von Rolf Grimminger

Band 7

Naturalismus
Fin de siècle
Expressionismus
1890 – 1918

Herausgegeben von York-Gothart Mix

Deutscher Taschenbuch Verlag

Register: York-Gothart Mix

Mai 2000
Deutscher Taschenbuch Verlag GmbH & Co. KG,
München

Umschlagkonzept: Balk & Brumshagen
Satz: Satz für Satz. Barbara Reischmann, Leutkirch
Druck und Bindung: Appl, Wemding
Printed in Germany
ISBN 3-446-12782-8 (Hanser)
ISBN 3-423-04349-0 (dtv)

Inhalt

Anhang

Vorbemerkung

Die Konzeption des *Bandes Naturalismus, Fin de siècle, Expressionismus (1890–1918)* berücksichtigt die aktuellen Debatten über eine kulturwissenschaftliche und sozialgeschichtliche Orientierung der Disziplin[1] und sucht die ausgrenzende Antithetik »zwischen interner und externer Literaturbetrachtung«[2] beim Blick auf die frühe Moderne zu überwinden. Neben den Werkanalysen werden die Selektions- und Transformationsschritte im literarischen Kommunikationssystem sowie die Korrelation zwischen Autor, Œuvre und Wirksamkeit von ästhetisch *und* medienökonomisch definierten Standpunkten fokussiert. Ausgehend von einem Kulturbegriff, der die medial vermittelte, symbolisch verschlüsselte Interpretation und Thematisierung von Wirklichkeit in das Zentrum rückt, erhellt der Band die Eigendynamik, Vermittlung, symbolische Ökonomie[3] und den Institutionalisierungsgrad epochentypischer, literaturgebundener Leitideen. Im Bewußtsein, daß die Favorisierung eines vermeintlich allgemeingültigen Zugangs mit inakzeptablen Simplifizierungen verbunden ist, führen die Beiträge eine auf die jeweilige Themenstellung bezogene historisch orientierte Vorgehensweise vor. Dieses Plädoyer für eine Verschiedenartigkeit des Zugriffs erweist sich nicht nur in Hinsicht auf die enorme Themenvielfalt der zu analysierenden Literatur, sondern auch angesichts der völlig unterschiedlich akzentuierten theoretischen und ästhetischen Grundsatzdebatten der Zeit als sinnvoll.

Die Gliederung des Bandes basiert auf einer Epochengliederung, ohne die temporäre Parallelität verschiedener ästhetischer Konzeptionen und intellektueller Generationen zu negieren. Gleichfalls wird der Verschiedenartigkeit territorialer Entwicklungen und lokaler Zentren (Deutsches Reich, Österreich, Schweiz, Berlin, Wien, München, Leipzig, Dresden, Prag) Rechnung getragen. Neben den durch ihre vielschichtige Wirkungs- und Rezeptionsgeschichte hochgewerteten und kanonisierten Werken widmet sich der Band im Sinne eines erweiterten Literaturbegriffs auch jenen Texten und Autoren, die heute nicht mehr unbedingt geläufig sind, die aber, wie etwa die Heimatliteratur, die literarische Praxis nachweisbar intensiv beeinflußt haben. Dabei bleibt jedoch die literarhistorische Relevanz ein wichtiger Maßstab, die Fokussierung auf das ephemere Schrifttum der zahllosen als Zeitschriftenbeiträger, Herausgeber, Feuilletonschreiber oder Romanautoren tätigen poetae minores der Zeit wird einer auf den »Gesamtzusammenhang«[4] ausgerichteten Literaturgeschichte nicht gerecht. Auf einen wie auch immer definierten Anspruch auf Vollständigkeit wird deshalb ungeachtet einer quellenorientierten Vorgehensweise verzichtet. So uneinlösbar wie die Forderung nach Vollständigkeit ist der Anspruch auf eine gleichrangige Behandlung aller literarästhetischen Strömungen oder epochen- und stilgeschichtlichen Phänomene.

Der in der jüngsten Forschungsdiskussion monierten Disparatheit einiger als *sozialgeschichtlich* etikettierten Ansätze, gesellschaftsgeschichtliches Faktenwissen zu referieren und unter Ausblendung ästhetischer Kriterien auf die literarische Produktion zu projizieren, wird durch eine explizite und systematische Thematisierung form- und gattungsgeschichtlicher Fragestellungen begegnet. Das Problem, warum und unter welchen Voraussetzungen sich eine mit ästhetischen Kategorien zu charakterisierende literarische Entwicklung verändert, steht im Vordergrund. Gleichzeitig wird beleuchtet, »auf welche Weise Literatur soziokulturelles Wissen repräsentiert und in welchen Beziehungen literarische Konstruktionen solchen Wissens zu den Wissenskonstruktionen anderer Sozialsysteme«[5] stehen. Der die Theoriedebatten um die Grundlegung einer Sozialgeschichte in Rechnung stellende Anspruch ist somit auch nicht im Sinne einer »Sektorwissenschaft«[6] zu verstehen, sondern ist darauf gerichtet, Literatur vor dem Hintergrund einer »Multiplizität der gesellschaftlichen Zeiten«[7] als soziales Interaktionsmedium zu begreifen und nach dem Stellenwert des Textes im geschlechtsspezifischen, alltags-, bildungs-, medien- und mentalitätsgeschichtlichen Kontext zu fragen. Vor diesem Hintergrund erweisen sich die von Wilhelm Voßkamp und Roger Chartier in ihren analytischen Essays *Einheit in der Differenz. Zur Situation der Literaturwissenschaft in wissenschaftshistorischer Perspektive* sowie *Zeit der Zweifel. Zum Verständnis gegenwärti-*

ger Geschichtsschreibung skizzierten Untersuchungsperspektiven als gleichermaßen variable wie interdisziplinär zu bedenkende Paradigmen.[8] Dabei ist zu berücksichtigen, daß sich viele programmatische, ästhetisch und philosophisch innovative Texte negativ oder dezidiert kritisch zu den allgemein in das Bewußtsein gehobenen soziokulturellen Normen und Konventionen stellen und deshalb nicht zwangsläufig eine »synchronisierte Entsprechung von sozialstruktureller und semantischer Fixierung eines Systems im Verhältnis zu seiner Umwelt«[9] zugrunde gelegt werden kann. Es ist also gleichermaßen von einer »Korrelation oder Kovariation von Wissenbeständen und gesellschaftlichen Strukturen«[10] auszugehen.

Da jeder literarische Text ungeachtet einer relativen Autonomie der ästhetischen Kommunikation im Sinne einer Ökonomie symbolischer Formen auf die Gegebenheiten der kulturellen Öffentlichkeit und des Marktes bezogen ist, steht die Untersuchung der zeittypischen Bedingungen und Veränderungen künstlerischer Produktion, Distribution und Rezeption keineswegs im Hintergrund. Die Rolle epochemachender Verleger (S. Fischer, E. Diederichs, K. Wolff, P. Reclam) wird ebenso beleuchtet wie die Bedeutung von Anthologien und des periodischen Schrifttums, der Zensur, der technischen Medien oder der sogenannten Caféhausliteratur. In diesem Zusammenhang erweist es sich als unumgänglich, den Kanon des Überlieferten mit einer Literaturgeschichte des faktisch Gelesenen zu ergänzen. Die Bezugnahme auf die in den gängigen Literaturgeschichten marginal berücksichtigte Unterhaltungs- und Heimatliteratur ist unter diesen Vorzeichen zu sehen. Im Gegensatz zu anderen Literaturgeschichten rekurriert der Band nicht auf eine simplifizierende Polarisierung der Kategorien *progressiv, sozialkritisch, subjektivistisch* und *ästhetizistisch*, sondern ist bemüht, der zeittypischen Pluralität Rechnung zu tragen und neben Dichotomien auch das Ineinandergreifen von Gegensätzlichem darzustellen. Thematisch Vergleichbares (Geschlechterdifferenz, Generationskonflikte, Kindheit, Phantastik u. a.) wird deshalb mehrfach aufgegriffen, um epochentypische Ambivalenzen und Entwicklungen augenfälliger zu umreißen. Es ist selbstverständlich, daß sich die unkritische Adaption von Deutungsmustern und Stereotypen verbot, die noch immer als akzeptable literarhistorische Orientierungsgrößen angesehen werden, aber monokausal Widerständiges ausblenden, um die vermeintliche Plausibilität des auf Kosten der Quellen entworfenen Erklärungsmodells nicht zu gefährden.

York-Gothart Mix

Horst Thomé

Modernität und Bewußtseinswandel in der Zeit des Naturalismus und des Fin de siècle

Mit dem Begriff »modern« beschreiben sich bereits seit dem Mittelalter Gesellschaften oder soziale Gruppen selbst und bestimmen so ihre Identität über die Abgrenzung ihrer eigenen Epoche von der Vergangenheit (den »antiqui«).[1] Im letzten Drittel des 19. Jahrhunderts erhält der Begriff universelle Geltung. Seither gibt es kaum eine Erscheinung des politischen, wirtschaftlichen, kulturellen oder privaten Lebens, die nicht von ihren Trägern als »modern« eingestuft wird. Diese inflationäre Verwendung geht so weit, daß sogar Bestrebungen, die einander ausschließen, gleichermaßen Anspruch auf Modernität erheben. So versteht sich etwa die naturalistische Bewegung [→ 28 f.] mit ihrer Tendenz zur Auflösung des alteuropäischen Systems der literarischen Gattungen ebenso als »modern«[2] wie antinaturalistische Strömungen, die die Wiederherstellung eben dieser tradierten Gattungen betreiben.[3] Ähnliches gilt für die politische Auseinandersetzung, in der sich Liberale, Sozialisten oder Apologeten des autoritären Staates gleichermaßen als »modern« einschätzen.[4] In dieser Konstellation verliert das Wort jeden prägnanten Gehalt, nicht aber seine Funktion in der Konkurrenz der Ideen und Konzepte. »Modern« wird zu einem Kampfbegriff, mit dem sich die Träger von Lebensformen und Ideen die eigene Übereinstimmung mit der je verschieden und stets kontrovers gedeuteten geschichtlichen Bewegung bestätigen und gegnerische Positionen als historisch überholt disqualifizieren. Weiter bringt es die enge Verzahnung von Modernität und Geschichtsbewußtsein mit sich, daß »modern« nicht mehr nur den Zustand der Gegenwart in Abgrenzung von der Vergangenheit beschreibt, sondern eine progressive Bedeutungskomponente erhält. Kunstformen, Lebensweisen oder Strukturen der sozialen Ordnung, die als »modern« eingestuft werden, müssen erst noch auf der Grundlage eines Programmes verwirklicht werden, das seine Vertreter ihrer Gegenwart zur Gestaltung der Zukunft anbieten. Seit dem Ausgang des 19. Jahrhunderts ist »die Moderne« endgültig zum »Projekt« geworden.[5]

Die skizzierte Verwendung von »modern« zeigt die Zeichen des Meinungspluralismus, weil sich die Gesellschaft nicht mehr über die fundamentalen Gegebenheiten verständigen kann, die die Situation der Gegenwart prägen, und der massiven Verzeitlichung, da das Wort keinen Zustand meint, sondern einen Vorgang. Von einer sozialwissenschaftlichen Außenperspektive her kann diese Strukturierung eines Leitbegriffs selbst wieder als Merkmal einer modernen Gesellschaft bestimmt werden. »Modern« erscheint hier, und das ist die zweite Komponente des Begriffsfeldes, als theoretischer Terminus zur Analyse sozialer Strukturen und Evolutionen. In dieser Verwendung meint »Modernität« den stets vorläufigen Endpunkt eines im Mittelalter einsetzenden, von Rückbildungen unterbrochenen, in den betroffenen Staaten, Regionen oder sozialen Teilbereichen unterschiedlich und ungleichzeitig verlaufenden Modernisierungsprozesses, durch den die westlichen Gesellschaften schließlich einen einmaligen, von den alten Hochkulturen deutlich unterschiedenen Typus der sozialen Organisation erreicht haben. Innerhalb dieses langwährenden Vorgangs bildet die 19. Jahrhundertwende, wie sich bereits an der Industrialisierung, der Urbanisierung oder der Entstehung der Massengesellschaft ablesen läßt, eine markante Schwelle.

Die Inflationierung des Begriffes »modern« verrät, daß die damalige Intelligenz den offenkundigen Modernisierungsschub als Zeitenwende erfahren hat. Die neue Gesellschaft ist denn auch das große Thema der entstehenden Soziologie. Zu erinnern ist an mittlerweile klassische Untersuchungen von Ferdinand Tönnies[6] oder Georg Simmel,[7] vor allem aber an die Thesen Max Webers, die die Modernisierungsdebatte bis heute bestimmen. Nach Weber ist die Dynamik der okzidentalen Gesellschaften durch eine spezifische Form von Rationalität ausgelöst, die die Realisierung eines Zweckes intendiert, und deren Konsequenzen für zentrale soziale Funktionen er analysiert. Im Bereich des Wissens wird die ursprüngliche mythische oder religiöse Weltdeutung durch die empirische, an Problemlösungsverfahren ausgerichtete Experimentalwissenschaft ersetzt. Die alte Bedarfsdeckungswirtschaft wird von der an der

Profitmaximierung orientierten kapitalistischen Industrieproduktion verdrängt, das Recht wird formalisiert, die traditionale, über das Herkommen legitimierte Herrschaft wird durch die Bindung an Recht und Verfassung legalisiert und bedient sich zur Durchsetzung ihrer Ziele einer regelgeleiteten, immer weiter sich ausbreitenden und sich verselbständigenden Bürokratie.[8] Parsons' systemtheoretische Reformulierung faßt die Webersche Rationalisierung als dynamische ›Interpenetration‹ von Kultur und Gesellschaft, also als Tendenz, Ideen und Werte in sozialen Interaktionssystemen praktisch zu realisieren und von einer solchermaßen veränderten Praxis aus Ideen und Werte zu modifizieren.[9] In Luhmanns wissenssoziologischen Überlegungen rücken die Konsequenzen dieser Prozesse für das System der kulturellen Symbole ins Zentrum. Rechnet Parsons auch bei fortgeschritten modernisierten Gesellschaften noch mit einem prinzipiell konsensfähigen Fundus an Werten und Ideen, die die unter ihrer je spezifischen Zweckrationalität ausdifferenzierten und sich autonomisierenden Subsysteme (Wirtschaft, Politik, Wissenschaft, Recht) integrieren und für die Gesamtgesellschaft interpretieren (etwa im Sinne der Basiswerte westlicher Demokratien), so betont Luhmann die Unmöglichkeit einer solchen gehaltvollen Hierarchisierung der Teilbereiche. Moderne Gesellschaften können sich auf keine gemeinsamen Ziele verständigen und die Steuerungsmechanismen, die immer noch soziale Ordnung einspielen, weder durchschauen noch mit dem Anspruch auf allgemeine Geltung deuten.[10] Eben diese Zersetzung tradierter kultureller Semantiken dürfte für das Verständnis der Moderne von zentraler Bedeutung sein.

Eine ausgearbeitete Sozialgeschichte der Jahrhundertwende hätte die nach Theorien und Ergebnissen teils konvergierende, teils kontroverse soziologische Diskussion zu sichten, den Untersuchungszeitraum als Phase innerhalb des dort sehr global bestimmten Modernisierungsprozesses zu beschreiben, deutsche, schweizerische und österreichische Entwicklungen zu berücksichtigen und die Ergebnisse durch die Vielgestaltigkeit der Regionen, Institutionen und Klassen hindurch zu verfolgen. Die vorliegende Skizze beschränkt sich darauf, einige bekannte Phänomene von Modernität zu benennen und zu illustrieren. Nach einer Formulierung Luhmanns beantworten Gesellschaften Wandlungen ihrer Struktur mit Veränderungen ihrer »Semantik«. Der Begriff, der an die Stelle des problematischen Terminus' »Bewußtsein« treten mag, meint die Menge der im Alltagswissen oder in schriftlicher Fixierung bewahrten Sinnverarbeitungsregeln, durch die einerseits Interaktionen typisiert und an andere angeschlossen werden und andererseits das Erleben der beteiligten Personen geführt wird.[11] So modelliert die Liebessemantik einer Gruppe die Abfolge der erotischen Interaktionen vom ersten Blickkontakt bis zur Scheidung und bietet zugleich Leitlinien, an denen entlang Gefühle ausgebildet und Erlebnisse formuliert werden können. Hier sollen Wandlungen in der Semantik des Wahren, Schönen und Guten oder, weniger gemüthaft gesprochen, der Wissenschaft, der Kunst und der individuellen Verhaltensregulierung im Zentrum stehen – dies mit der Vermutung, daß diese Bereiche für die damalige Literatur von besonderer Relevanz gewesen sind.

Am Ausgang des 19. Jahrhunderts ist die funktionale Ausdifferenzierung der Wissenschaften, vor allem der Naturwissenschaften [→ 158 ff.], abgeschlossen.[12] Methoden, Fragestellungen und Theoriebildungen haben sich von den Vorgaben eines umfassenden Weltbildes, etwa der idealistischen Metaphysik und der romantischen Naturspekulation, um 1900 schließlich auch vom naiven Materialismus, emanzipiert und ihre eigene Forschungslogik entwickelt. Die Universitätsinstitute, über die der Ordinarius herrscht, betreiben eine Grundlagenforschung, die sich auf technisch immer aufwendiger werdende Experimentreihen stützt und auf die Ermittlung gesicherter Tatsachen und deren logischer Verknüpfung zu Naturgesetzen zielt. Der Perfektionsdruck verwandelt die mit einigen primitiven Apparaten ausgestattete ›private‹ Studierstube der alten Zeit in Forschungslabors, die den Charakter von Industriebetrieben annehmen,[13] und treibt die Binnendifferenzierung der Fächer voran, die sich in neue Teildisziplinen aufspalten. Beispielsweise gliedern sich aus der Inneren Medizin die Neurologie, die Gynäkologie oder die Laryngologie aus.[14] Damit verändern sich auch die Rollen der am Forschungsprozeß Beteiligten. An die Stelle des universalen Gelehrten, der das Fach in seiner ganzen Breite repräsentiert, tritt der Spezialist, der sich die gründliche Kenntnis einer isolierbaren Teildisziplin und die Lösung präzise eingrenzbarer Detailprobleme zur Ehre anrechnet.

Der strukturelle Wandel zeitigt größten Erfolg. Das vom System ›Wissenschaft‹ produzierte Wissen explodiert, die neue Verbindung von naturwissenschaftlicher Grundlagenforschung, technischer Umsetzung (vor allem Chemie, Elektrizität, Maschinenbau) und industrieller Auswertung verändert alle Lebensverhältnisse rapide und mit imposantem Ergebnis,[15] zugleich erlangen die deutsche Wissenschaft und ihre Institutionen Weltruhm und kommen so dem nationalen Geltungsstreben entgegen. Der Siegeszug der Naturwissenschaften bewirkt die methodologische Homogenisierung der Wissenschaften, da Geistes- und Humanwissenschaften die Teilhabe am Prestige der Naturwissenschaften anstreben und deshalb deren Paradigma übernehmen. Erinnert sei nur an die Tendenz, die Soziologie als Wissenschaft von empirischen Tatsachen zu konstituieren (Emile Durkheim, Max Weber), an die Fixierung der Literaturwissenschaft auf die nachweisbaren Fakten des »Ererbten, Erlebten und Erlernten« (Wilhelm Scherer), an die Verwissenschaftlichung der Ästhetik (vor allem in der naturalistischen Programmatik) und an Freuds »szientistisches Selbstmißverständnis« (Jürgen Habermas). Parallel dazu schwindet die Dignität der neuhumanistischen Bildung [→ 317 f.]. Im 19. Jahrhundert ergänzte sich das Bildungsbürgertum aus den Universitätsabsolventen, die ihrerseits von einem von Klassischen Philologen konzeptionell geprägten und institutionell beherrschten Gymnasium geformt waren. Es entstand so eine schmale Schicht, die bei allen berufsspezifischen Differenzen zwischen Medizinern, Juristen oder Theologen durch gemeinsames Wissen, gemeinsame Rituale und Werte homogenisiert war. Daran ändert sich am Ausgang des Jahrhunderts noch wenig, doch löst die Spezialisierung die Gemeinsamkeit des Bildungsfundus auf, während die rasante Vermehrung der akademisch Ausgebildeten die Einheitlichkeit von Sozialisation und Habitus zersetzt. Zugleich gewinnen die Techniker und Ingenieure, die aus nichthumanistischen Ausbildungsinstitutionen wie dem Realgymnasium und der Technischen Hochschule hervorgegangen sind, hinsichtlich ihrer Berufe und ihres Wissens zunehmend und auf Kosten der alten Bildungsschichten an Sozialprestige.[16] Die »Sinnstiftungskompetenz« der neuhumanistischen »Bildungsreligion« verfällt, so daß deren Träger, wie die Schriften so prominenter Autoren wie Friedrich Nietzsche [→ 192 ff.] oder Jacob Burckhardt zeigen, die Gegenwart nicht mehr unter dem Leitbegriff des »Fortschritts«, sondern unter denen des »Kulturverfalls« und der »Krise« deuten.

Dieses Krisenbewußtsein wird dadurch verschärft, daß die Naturwissenschaften, die noch um 1850 komplette materialistische Weltdeutungen anboten,[17] die Funktionen von Neuhumanismus und Idealismus nicht übernehmen können. Der methodologischen Homogenisierung steht nämlich die Fragmentierung des Wissens gegenüber, da die Detailergebnisse der hochspezialisierten Teildisziplinen nicht miteinander verbunden und zu einem System synthetisiert werden können, das die traditionell ›letzten Fragen‹ beantwortet, damit handlungsregulierende Werte begründet und so eine befriedigende Interpretation der sozialen Organisation liefert. Das Sinnstiftungsdefizit der Wissenschaften gleichen politische ›Ersatzreligionen‹ aus. Nun entstehen Massenbewegungen auf weltanschaulicher Grundlage (die Sozialisten, die Alldeutschen, in Österreich die Christlich-Sozialen) und mit ihnen moderne Parteien, die die alten Honoratiorenclubs ablösen.[18] Aus der Perspektive der ›strengen‹ Wissenschaftler hingegen hat die Spezialisierung zur Konsequenz, daß die Forschungsarbeit nicht mehr, wie noch für die Wissenschaftsheroen in der Gründungsphase um 1830, in ein umfangreiches Lebenswerk münden kann, das ein umfassendes Wissensgebiet, wie etwa die Physiologie, abschließend und mit Anspruch auf objektive Geltung darstellt und zugleich die Persönlichkeit des Forschers repräsentiert. Die Menge der Detailerkenntnisse, die die Lebensarbeit ausmacht, ist Beitrag zu einem Wissenschaftsganzen, das die Auffassungskraft des einzelnen übersteigt. Gleichzeitig bewirkt die Explosion des Wissens und die ständige Verfeinerung der experimentellen Verfahren das rasche Veralten der Resultate. Die Welt, die die Wissenschaften entwerfen, ist in rascher Veränderung begriffen und bewegt sich auf einen offenen und unabsehbaren Horizont hin.[19] Die Pluralität der Meinungen,[20] die Verschärfung der bereits um 1800 einsetzenden Temporalisierung der Leitbegriffe[21] und die Trennung von Wertsphäre und beruflicher Leistung (Max Weber), die das Wissen der Gesellschaft kennzeichnen, kehren mit spezifischen Differenzen in den anderen Subsystemen wieder.

Im ›Handlungssystem Literatur‹ verbreitert die größere Alphabetisierung, der steigende Wohlstand und vor allem neue Medien wie die Presse,[22] die literarische Genres und Darstellungsverfahren übernimmt, die Trägerschichten, die dadurch ihre soziale Homogenität verlieren. War die Literatur des Realismus noch an die Erwartungen des bürgerlichen Bildungspublikums und an die Regeln seiner Institutionen wie der Familienzeitschriften und der führenden Hoftheater (Wien, Berlin) gebunden, so können sich nun in der literarischen Öffentlichkeit ganz unterschiedliche Gruppen artikulieren. Die Entwicklung treibt einerseits die Anonymisierung des Marktes [→ 137ff.] voran und emanzipiert die Autoren von ihrem Zielpublikum, ermöglicht andererseits aber auch die Entstehung von Subkulturen (z.B. Frauen- und Jugendbewegung, antibürgerliche Boheme [→ 259ff.] und semireligiöse Weltanschauungszirkel) mit einer je eigenen identitätsverbürgenden Literatur.[23] Die Pluralität der Programme, Stile, Themen und Meinungen ist die Folge. Für die literarische Produktion entfallen die Beschränkungen, die die Gattungspoetik und die Rhetorik formuliert hatten, für die Literaturkritik die allgemein akzeptierten Maßstäbe der literarischen Wertung.

Die Tendenz zur Pluralisierung wird durch die funktionale Ausdifferenzierung des Literatursystems verstärkt und gerät in den Sog der Temporalisierung. Die Autonomisierung der Literatur mag bedeuten, daß der ästhetische Leitbegriff des Schönen vom Guten (Vermittlung von Werten und Handlungsanweisungen) und vom Wahren (Vermittlung von Wissen und Erkenntnis) getrennt wird (so im Programm des europäischen Ästhetizismus). Autonomie heißt aber auch, daß die Relation des Literatursystems zu den anderen sozialen Systemen nicht mehr, wie etwa noch im ›bürgerlichen Realismus‹, festgelegt ist, sondern von Fall zu Fall und in unvorhersehbarer Weise entschieden werden kann. Der Autor kann so sein Werk beliebig ›verwissenschaftlichen‹ oder ›politisieren‹ und dabei aus den konkurrierenden Angeboten auswählen oder diese kritisieren. Parallel dazu verschärft sich der Innovationsdruck [→ 139ff.].[24] Zwar stellt sich schon im 18. Jahrhundert die Ästhetik vom Imitationsgebot, also von der Forderung einer Nachahmung mustergültiger Werke, auf das Imitationsverbot, die Festsetzung des Neuen als Qualitätskriterium, um, doch schließt dies die Etablierung längerfristig geltender Textmodelle noch nicht aus, wie denn noch das realistische Erzählen über drei oder vier Jahrzehnte hinweg gepflegt und nur in engen Grenzen variiert wurde. Seit dem Ausgang des Jahrhunderts folgen die Literaturprogramme in rascher Folge aufeinander und treten mit dem Anspruch auf ›Überbietung‹ oder ›Überwindung‹ des eben noch Gültigen auf (z. B. Hermann Bahrs *Überwindungen* [→ 492 f.]). Dergleichen Argumentationen legitimieren sich über eine Historisierung der Gegenwart, durch die die neue Poetik als Ausdruck der gewandelten Zeitverhältnisse bestimmt und bereits auch die Position der erst noch zu schaffenden neuen Dichtung in der Geschichte der Literatur festgelegt wird.[25] Schließt sich so die Literatur an den Pluralismus und die Verzeitlichung an, so verweigert sie sich, von wenigen Ausnahmen abgesehen, einer Reflexion der Trennung von Wertsphäre und Beruf. In Abwehr solcher Erfahrungen sieht gerade die Zeit der Jahrhundertwende in der Kunst den prominenten oder auch letzten Bereich, in dem die Einheit von Person und Werk realisiert ist, und bereitet damit Stilisierungen und Auratisierungen der Dichterrolle (z. B. bei Stefan George [→ 231 ff.]) den Weg.

Mit Luhmann sei angenommen, daß sich mit dem Strukturwandel von der Ständegesellschaft des alten Europa zur funktional differenzierten Gesellschaft bereits im 18. Jahrhundert die Semantik von »Individualität« und »Identität« und damit der persönlichen Handlungsregulierung umstrukturiert. »Identität« läßt sich nicht mehr über »Inklusion«, also über die Teilhabe an einem Stand oder einer Korporation bestimmen, so daß soziales Handeln durch einen Standeskodex normiert wäre, sondern nur noch über einen Prozeß der »Exklusion«. »Identität« meint nun den »eigentlichen Menschen«, der in den unterschiedlichen Rollen nicht aufgeht, die er in der Teilhabe an den sozialen Subsystemen zu spielen hat, und muß dies meinen, weil sich der Zweckprimat des einen Systems nicht auf die anderen übertragen läßt. So kann etwa der Chemiker die Regeln, nach denen er in seiner Wissenschaft arbeitet, nicht auf sein Liebesverhalten oder seinen Kunstgenuß anwenden. Die Konkretisierung dieser persönlichen Eigenheit muß ein jeder selbst leisten, eben weil die Selbstvergewisserung nur über einen prinzipiell nicht verallgemeinerungsfähigen Reflexionsprozeß erreicht werden kann. Das Aussinnen der individuellen Identität wird so zu einer privaten

Aufgabe.[26] Noch in der Gesellschaft des 19. Jahrhunderts wird dies nur mit Einschränkungen gelten. Vor allem die Mitglieder bürgerlicher Schichten definierten ihre Identität über einen Eliteberuf, dem sie immer noch einen persönlichen Bildungswert zuschreiben konnten. Gleichwohl eintretende Erfahrungen von Fremdbestimmtheit wurden wohl durch die Familie ausgeglichen. Nach bürgerlichem Selbstverständnis ist sie nicht der gesellschaftlichen Rationalität verpflichtet, sondern in der zweckfreien personalen Liebe der Gatten begründet und konnte deshalb als Ort des selbstbestimmten Lebens eingeschätzt werden. Der eigentliche Mensch verwirklicht sich in der familiären Intimität. Er tritt hier zudem in eine Welt ein, die vor dem unberechenbaren und irritierenden Wandel menschlicher Stimmungen, Emotionen und Triebimpulse geschützt ist, da der Status der Mutter, des Vaters oder der Kinder [→ 80 ff.] nicht als gesellschaftlich erzeugte und damit veränderbare Rollen erkannt, sondern als Naturformen der Liebe interpretiert werden.[27] Wenn aber Beruf und Familie den Menschen ausmachen, dann dauern in der funktional differenzierten Gesellschaft Relikte der alten Inklusionsidentität fort. Diese zerfallen um 1900 und lösen so eine Krise der individuellen Handlungsregulierung aus.

Max Webers Trennung von Wertsphäre und Beruf hat der Sache nach bereits Hegel unter dem Begriff der »Entfremdung« analysiert. Unternimmt es Hegels Philosophie noch, die reich ausgebildete individuelle Seelenkultur der Subjekte mit den gesellschaftlichen Institutionen dadurch zu versöhnen, daß sie deren Vernünftigkeit und substantielle Sittlichkeit erweist, so kann für Weber die Diskrepanz nur mehr als unausweichliches Schicksal der modernen Gesellschaft benannt und heroisch ertragen werden. Die Umwertung des soziologischen Befundes, daß zweckrational strukturierte Handlungssysteme auf Anonymisierung der Funktionen und Austauschbarkeit der Funktionsträger hin angelegt sind, wird, sofern man dergleichen Intellektuellenklagen zur ›Zeitstimmung‹ hochrechnen darf, ein Indiz dafür sein, daß diese Modernisierungslast seit dem Ausgang des Jahrhunderts als drückend empfunden wurde. Man wird vermuten dürfen, daß die quantitative Aufblähung, die Differenzierung der Tätigkeitsfelder, die zunehmende Rationalisierung und vor allem die Bürokratisierung der Institutionen, die die Funktionsträger sehr viel stärker an Regeln und an den Instanzenweg bindet als die deutlich patrimonialer organisierte Gesellschaft des früheren 19. Jahrhunderts, beim einzelnen den Eindruck verstärkt haben, er sei ›ein Rad in der Maschine‹.

Nach bürgerlicher Auffassung ist die vollwertige Sexualität an die Liebe und die Liebe an die unauflösliche Ehe gebunden. In der Zeit der Jahrhundertwende schwinden die gesellschaftlichen Rahmenbedingungen, die die Geltung dieses Konzepts garantiert haben. In den Großstädten ist die private Lebensführung kaum mehr der sozialen Außenkontrolle unterworfen, es entstehen Schichten (Proletariat, Boheme), die sich nicht an die etablierte Sexualmoral gebunden fühlen und deren Beispiel Alternativen zum bürgerlichen Kodex denkbar macht. Die Ehen, die die Berufsaufsteiger schließen, dienen kaum mehr der Herstellung sozialer Allianzen zwischen Familienclans und müssen ohne solche sekundären Stützen erhalten werden, schließlich erringen die Frauen [→ 243 ff.] erste Freiräume, in denen sie sich patriarchalischen Rollenzuweisungen partiell entziehen können. Mit diesen Wandlungen setzt in der Jahrhundertwende der Übergang von der Viktorianischen Moral zur ›permissive society‹ ein. Die Zeitgenossen konstatieren denn allgemein die Krise des überkommenen Geschlechterverhältnisses und der bürgerlichen Familie, obwohl die Scheidungsrate, die Zahl der unehelichen Geburten oder der freien Liebesverhältnisse keineswegs dramatisch ansteigen.[28] Es scheint, als sei das Krisenbewußtsein nicht so sehr durch eine Veränderung der realen Lebensverhältnisse als durch deren »moderne Semantisierung« ausgelöst worden. In modernen Gesellschaften sind Intimbeziehungen doppelt kontingent. Ego kann eine solche Beziehung vorschlagen oder auch nicht, Alter kann den Vorschlag annehmen oder ablehnen.[29] Das bürgerliche Familienkonzept beschränkt diese Kontingenz auf den Heiratsantrag und damit auf den Augenblick der Familiengründung, während nun die permanente Unsicherheit der solchermaßen gestifteten Relationen beredet wird. Weiter gilt für moderne Gesellschaften, daß Personen nicht dadurch zu definieren sind, daß sie einem Subsystem zugerechnet werden, während zumindest die Frauen und die heranwachsenden Kinder durch ihre Stellung in der Familie, also im Subsystem Intimität, bestimmt waren. Mit der

Frauen- und Jugendbewegung schaffen diese Gruppen eine eigene identitätsstiftende Sonderkultur, gehen damit in ihrer Familienrolle nicht mehr auf und problematisieren so auch den scheinbar naturwüchsigen Status der Väter [→ 315 f.].

Erst mit der skizzierten Funktionsreduzierung von Beruf und Familie bekommt die Identitätskrise des modernen Subjekts ihre volle Schärfe. Selbstverständlich hat das Wissen der Gesellschaft für das private Aussinnen der persönlichen Eigenheit immer schon »Deutungsmuster« und »Interpretationshilfen« angeboten. So produzieren um 1900 die Ärzte, Philosophen, Theologen, Politiker, Journalisten und Schriftsteller ein gigantisches lebensreformatorisches Schrifttum, das Liebe, Ehe, Familie und Kindererziehung [→ 77 ff., 125 ff., 147 f.] zum Thema hat und mit dieser Fixierung auf die zentrale Obsession der Zeit verweist. Die ideologische Bandbreite reicht von der Verteidigung oder Reformierung der traditionellen Lebensformen über den wissenschaftlichen Sozialismus oder unterschiedliche feministische Auffassungen bis zu Otto Weiningers *Geschlecht und Charakter*. Die Lebenshilfen sind pluralistisch, heben einander auf und verweisen das verunsicherte Individuum immer wieder nur auf sich selbst zurück. Private Freiheit wird, wenn man so plakativ formulieren darf, nicht als Chance, sondern als Bedrohung erfahren.

Allem Anschein nach hat die deutsche und österreichische Gesellschaft die humanen, demokratischen und emanzipativen Potenzen des Modernisierungsprozesses unterschätzt.[30] Sie reagiert mit einem Modernisierungsschock, bildet zu dessen Bewältigung die Semantiken des »Ganzen«, des »Eschatologischen« und des »Individuellen« aus und organisiert damit ein Wissen, das sich, trotz gelegentlicher Überschneidungen, neben und gegen den harten Positivismus der Ordinarien und Geheimräte behauptet. Gegen die Pluralität der Meinungen und Werte steht die Suche nach einer integrativen Idee, die die ›letzten Fragen‹ klärt, gesellschaftliche Ordnung begründet und das individuelle Handeln leitet. Da dieses Bedürfnis über alle Gruppen und Lager hinwegreicht, kann es ganz unterschiedlich konkretisiert werden. Zu denken ist an den wissenschaftlichen Sozialismus [→ 48 ff.], an die spekulative Biologie, die von der Ausweitung des Darwinismus [→ 31 ff.] zu einer allgemeinen, Natur und Gesellschaft umfassenden Evolutionstheorie (z. B. bei Ernst Haeckel oder bei Wilhelm Bölsche) bis zum Völkischen und zum Rassismus reicht, an rückwärtsgewandte kulturkonservative Utopien (die Griechen, das christliche Mittelalter, die Weimarer Klassik) oder an die Aktivierung von Fragmenten der idealistischen Philosophie (etwa Immanuel Kants und Platons in Weiningers *Geschlecht und Charakter*, beim frühen Georg Lukács oder bei Paul Ernst). Da die Krise der Moderne durch das Fehlen des Integrativen erklärt wird, muß der baldige Zusammenbruch ihrer Gesellschaft und die Heraufkunft eines neuen Weltzustandes erwartet werden. Die Denkfigur gilt nicht nur für die revolutionären Erwartungen der radikalen Sozialisten oder Anarchisten, sondern auch für darwinistische Spekulationen zur Höherentwicklung der Gattung Mensch oder für die kulturkonservativen Utopien, da sich diese nicht mehr auf eine scheinbar problemlos restituierbare jüngste Vergangenheit berufen, sondern auf einen geschichtlich weit zurückliegenden Zustand. Die traditionell konservative Verteidigung etablierter oder absteigender Eliten (etwa des preußischen Adels) transformiert sich hier in eine »rechte Eschatologie« (Julius Langbehn [→ 305 f.], Paul de Lagarde). Der (pseudo?)nietzscheanische Kult der autonomen Persönlichkeit, die ästhetizistischen Dichterstilisierungen, die vielfältigen psychotherapeutischen Richtungen, von denen allein die Psychoanalyse den Verdrängungswettbewerb der Ideen überlebt hat, die Gesundheits-, Nacktbade- und Vegetarierbewegungen, schließlich die Kritik an der Phrasenhaftigkeit und leeren Theatralität der gesellschaftlichen Öffentlichkeit oder an den Widersprüchen der geltenden Sexualmoral (z. B. Karl Kraus oder Arthur Schnitzler) suchen das vereinzelte Individuum in der Sphäre seiner Privatheit auf, distanzieren es von unglaubwürdig gewordenen sozialen Normen und bieten ihm durch eine geregelte Lebensführung oder durch einen permanenten Prozeß der Reflexion und Selbsterforschung Formen der Selbststeuerung an. Die Grenzen zwischen dieser therapeutischen Wendung zum Subjekt und seiner Selbstsorge und dem »Ganzen« und »Eschatologischen« sind fließend, da die Rettung des Individuums in Gemeindebildungen (z. B. des George-Kreises [→ 231 ff.]) oder in die Hoffnung münden kann, der zu sich selbst befreite einzelne werde Ursprung und Vorbild der neuen Gesellschaft werden (z. B. der »neue Mensch« des Expressionismus [→ 566 ff.]).

Auch die vorschnellen Hypothesen und Generalisierungen, an denen die Jahrhundertwende so reich ist, müssen sich, wenn sie mit dem Anspruch auf Wahrheit auftreten, im wissenschaftlichen Zeitalter an wissenschaftlichen Rationalitätskriterien messen lassen und obendrein mit dem grundsätzlichen und vernichtenden Widerspruch der anderen Meinungen rechnen. Der Essay, das autobiographische weltanschauliche Bekenntnis [→ 509 ff.], das literarische Manifest oder gar die ›Dichtung‹ selbst können nicht in gleicher Weise der Geltungsprüfung unterzogen oder auf eine begrifflich fixierbare These festgelegt werden. Die plastischen Gestalten der Kunst haben den Schein der Wirklichkeit und damit eine Plausibilität, die die ›Meinung‹ des Autors, wäre sie ›rund ausgesprochen‹ worden, nicht gefunden hätte. Ihre Vieldeutigkeit erlaubt es ganz unterschiedlichen, wenn auch nicht allen beliebigen, Rezipienten, ihre eigenen Weltanschauungen, Ressentiments oder Vorurteile wiederzuerkennen und bestätigt zu sehen. Die Literatur der Jahrhundertwende bietet demgemäß ein vorzügliches Medium, in dem die skizzierten Semantiken ausgearbeitet und gegen Kritik und Pluralität geschützt werden können. Daß diese Funktionszuweisung nur eine Seite des vielschichtigen Phänomens Literatur betrifft, versteht sich von selbst.

Theo Meyer
Naturalistische Literaturtheorien

I. Funktion der Theorie

Die neue realistische Strömung bringt von den siebziger Jahren bis zur Jahrhundertwende eine Reihe theoretisch-programmatischer Texte hervor, in denen sich kritische Geister mit Gesellschaft und Kunst, insbesondere der Dichtung, auseinandersetzen und auf gesellschaftliche und ästhetische Reformen drängen. Es entwickelt sich eine Bewegung, deren zentrale Forderung die Orientierung an der Wirklichkeit, der empirischen Wirklichkeit [→ 163 f.], ist und die gesellschaftliche Mißstände kritisiert und eine realistische Ästhetik verkündet. Der neue ›Realismus‹ wird mit Verve proklamiert. Dichter, Schriftsteller und Literaturkritiker treten mit großem Engagement für den Realismus ein. In den einschlägigen Publikationen, vor allem in den Zeitschriften, besonders in der *Gesellschaft* [→ 118 ff.] und der *Freien Bühne*, sowie in einer Fülle von Broschüren, Flugschriften und Rezensionen wird der Realismus als Durchbruch zu einer neuen, wirklichkeitsnahen Literatur gepriesen.

In der literarischen Programmatik der Realisten schälen sich bestimmte Schlüsselbegriffe heraus. Zentral sind die Begriffe »Realismus« und »Naturalismus.« Es dominiert der Begriff »Realismus.« Der Begriff »Naturalismus« wird aber auch benutzt, manchmal als Synonym für »Realismus«, manchmal als Verschärfung und Zuspitzung des »Realismus.« Er ist der von Emile Zola (1840–1902) übernommene und durch ihn sanktionierte Begriff.[1] Leitbegriffe sind die Begriffe »realistisch«, »sozial«, »modern.« Alle diese Begriffe werden eingesetzt unter dem Vorzeichen der ›Wahrheit‹, das heißt der wirklichkeitstreuen Abbildung. Insgesamt herrscht ein Enthusiasmus des Aufbruchs, der Glaube an die Erneuerung von Gesellschaft und Kunst aus dem Geiste des Realismus. Nicht nur die deterministische, von Zola übernommene Theorie von Trieb, Milieu und Vererbung, sondern auch ein Pathos der Erneuerung und des kreativen Individuums prägt viele Programmschriften des deutschen Realismus.

II. Gesellschaftskritik

Die Gesellschaftskritik der deutschen Realisten läuft nicht auf Revolution, sondern auf Reform hinaus. Umstürzlerische Bestrebungen liegen ihnen fern. Sie akzeptieren im Prinzip den bestehenden nationalen Staat, kritisieren aber Mißstände. Im Vordergrund steht die Kulturkritik, die sich häufig mit politischer Kritik verbindet, während die unmittelbare Sozialkritik in den Programmschriften eher seltener ist und ihren Niederschlag im naturalistischen Drama vor allem Gerhart Hauptmanns (1862–1946) findet. Man fordert Geistesfreiheit und Freiheit der Kunst, beansprucht Unterstützung der Kunst durch den Staat, kritisiert das Desinteresse des Staates an der Kunst, protestiert gegen die Reglementierung der Kunst durch den Staat, wendet sich gegen Militarismus und Zensur und überhaupt gegen die restaurativen Tendenzen des Wilhelminischen Staates. Seinen markantesten Ausdruck findet der Konflikt zwischen Kunst und Staat im »Leipziger Realistenprozeß«[2] und im »Weber«-Prozeß.[3]

Der unermüdliche Vorkämpfer für Geistesfreiheit, Humanität und Realismus war Michael Georg Conrad (1846–1927). In zahlreichen kulturkritischen Schriften setzt er sich seit den siebziger Jahren vehement für Liberalität und Fortschritt ein. In der Einleitung zur *Gesellschaft*, dem 1885 erstmals erschienenen, von Conrad herausgegebenen Zentralorgan des Realismus mit dem Untertitel *Realistische Wochenschrift für Litteratur, Kunst und öffentliches Leben* heißt es programmatisch:

> Wir brauchen ein Organ des ganzen, freien, humanen Gedankens, des unbeirrten Wahrheitssinnes, der resolut realistischen Weltauffassung! 〈...〉 Unsere ›Gesellschaft‹ wird keine Anstrengung scheuen, der herrschenden jammervollen Verflachung und Verwässerung des litterarischen, künstlerischen und sozialen Geistes starke, mannhafte Leistungen entgegenzusetzen 〈...〉.[4]

Kritik des gesellschaftlichen und kulturellen Establishments und Entwurf einer neuen, realistischen Kunst – das ist die Zielsetzung der *Gesellschaft.* In einer Fülle von Essays und Kritiken, in Beiträgen von zentraler und marginaler Bedeutung sucht man dem Realismus in Gesellschaft und Literatur Bahn zu brechen. Das primäre Interesse der *Gesellschaft* gilt der realistischen Kunst.

In den Programmschriften vor allem des Frühnaturalismus zeigt sich eine starke Tendenz zum Utopischen. Zeitkritik und Utopie gehen Hand in Hand. Häufig spitzen sich die Ausführungen zum plakativen Aufruf zu. So heißt es in den *Kritischen Waffengängen* [→ 117f.] der Brüder Heinrich Hart (1855–1906) und Julius Hart (1859–1930) im Manifest *Wozu, Wogegen, Wofür?* (1882):

> Hinweg also mit der schmarotzenden Mittelmäßigkeit, hinweg alle Greisenhaftigkeit und alle Blasirtheit ⟨...⟩ Reißen wir die jungen Geister los aus dem Banne, der sie umfängt, machen wir ihnen Luft und Muth ⟨...⟩.[5]

Die Realisten treten an im Zeichen der Modernität. ›Modern‹ ist eine Lieblingsvokabel der Zeit. In den *Kritischen Waffengängen* ist die Rede von der »modernen Poesie« und den »modernen Ideen.«[6] Arno Holz (1863–1929) formuliert im *Buch der Zeit* (1886):

> Programm
>
> Kein rückwärts schauender Prophet,
> Geblendet durch unfaßliche Idole,
> Modern sei der Poet,
> Modern vom Scheitel bis zur Sohle![7]

Die Hauptkritik der Realisten und Naturalisten richtet sich gegen die staatlichen Repressionen der Bismarck-Ära [→ 394ff.]. In der Schrift *Der Übermensch in der Politik. Betrachtungen über die Reichs-Zustände am Ausgange des Jahrhunderts* (1895), einer gesellschaftskritischen Bestandsaufnahme, verurteilt Conrad die »Kulturkampfgesetze«, das »Sozialistengesetz« und überhaupt die Unterdrückung der »freiheitlichen«, »sozialreformatorischen« Ideen »unter Bismarcks Diktatur«.[8] Die politische Kritik kann sich zur

Sozialkritik zuspitzen. Karl Bleibtreu (1859–1928) verweist in der Schrift *Der Kampf um's Dasein der Literatur* (1888) auf den engen Zusammenhang zwischen Literatur und Sozialproblematik: »Die sociale Frage gilt als die Frage der Zukunft. Aber diese grosse Frage hängt auf's Engste mit der literarischen Frage zusammen.« Bleibtreu befürchtet, daß die vom Staat ins Abseits getriebenen, proletarisierten Literaten zur »Anarchie« tendieren und die bestehende »Gesellschaftsordnung« gefährden könnten. »Revolutionäre« und »socialistische Strömungen« bedrohten die Gesellschaft.[9] Nach Conrad werden »die politischen Fragen in der wahrhaften sozialen Frage aufgehen.«[10] Conrad Alberti (1862–1918) verweist auf die »fanatische Zähigkeit«, »mit der der Großkapitalismus an seiner brutalen Tyrannei und Korruption festhält«, und sagt eine ›blutige‹ »Revolution« voraus.[11]

III. Milieutheorie und Evolutionslehre

Der literarische Realismus beziehungsweise Naturalismus steht im Spannnungsfeld zwischen der sozialen Theorie des Milieus und der biologischen Theorie der Vererbung. Es sind vor allem die Milieutheorie Emile Zolas und die Evolutionstheorie von Charles Darwin. Hinzu kommt die Wirkung des Positivismus von Auguste Comte [→ 156f.], der milieuspezifischen Geschichtsdeutung Hippolyte Taines, des Induktionsprinzips John Stuart Mills, der Entwicklungslehre Herbert Spencers, der induktiven Methode Henry Thomas Buckles. Zola hat unter dem Einfluß Taines, der Theorie der drei Determinationsfaktoren Rasse, Milieu und Zeit,[12] und des Physiologen Claude Bernard seine Theorie von Milieu und Vererbung sowie die experimentelle Methode entwickelt. Die von Zola ins Soziale zugespitzte Milieutheorie wird zum großen Anreger des literarischen Naturalismus. Zugleich ist die biologische Entwicklungslehre, die Theorie Darwins, von zentraler Bedeutung. An die Stelle der religiösen Schöpfungslehre tritt die biologistische Evolutionstheorie. In Deutschland hat Ernst Haeckel [→ 167f.] die Darwinsche Deszendenztheorie weitergeführt. Es erfolgt dezidiert der Abbau des christlichen Schöpfungsgedankens zugunsten einer naturphilosophischen Evolutionslehre. Wilhelm Bölsche [→ 158f.] hat dann die Darwin-Haeckelsche Evolutionstheorie popularisiert.

Im Zeichen von Milieutheorie und Evolutionslehre halten die Naturwissenschaften Einzug in die Literatur und die Literaturprogrammatik. Hier muß man allerdings feststellen, daß die naturwissenschaftlichen Aspekte meist nur als Schlagworte eingesetzt werden. ›Milieu‹ und ›Vererbung‹ sind Topoi des Zeitgeistes. Eine ›wissenschaftliche‹ Durchdringung der Sujets ist im deutschen Realismus eher selten. Abgesehen von der Programmatik und den Sprachexperimenten Arno Holz' und der Gestaltung von Milieu und Vererbung in den naturalistischen Dramen Hauptmanns, gelingt es den deutschen Realisten nur selten, die naturwissenschaftlichen Erkenntnisse wirklich ästhetisch fruchtbar zu machen. Das hat seinen Grund in der für den deutschen Realismus weitgehend symptomatischen Verquickung von Naturwissenschaft und Innerlichkeit. Auch im naturwissenschaftlichen Zeitalter wahrt der romantische Poesiebegriff seine Dignität.

IV. Kunstauffassung

Die Programmatik des deutschen Realismus beziehungsweise Naturalismus unterliegt einem Entwicklungsprozeß. Die Hauptforderung ist die Forderung nach Wirklichkeitsnähe der Literatur. Schon 1882 wird in den *Kritischen Waffengängen* [→ 117f.] ein »erdfrischer Realismus« verkündet, unter Berufung auf den »jungen Goethe und seine Zeit«, das heißt auf den Sturm und Drang, freilich auch auf die »germanische Volksseele«.[13] Es mischt sich ein ›revolutionäres‹ Aufbruchsgefühl mit romantischen, nationalkonservativen Motiven – eine für viele deutsche Realisten symptomatische Weltsicht.

In der Folgezeit rückt die konkrete Wirklichkeit stärker ins Blickfeld der Realisten. Bleibtreu definiert in der Schrift *Revolution der Litteratur* (1886) den »Realismus« wie folgt:

Unter diesem Namen versteht man diejenige Richtung der Kunst, welche allem Wolkenkukuksheim entsagt und den Boden der Realität bei Wiederspiegelung des Lebens möglichst innehält.[14]

Es entspricht den realistischen Doktrinen der psychologischen Analyse, wenn Bleibtreu fordert, mit der »Gabe des *technischen Sehens*« die »seelischen Vorgänge in ihren intimsten Verschlingungen mit dem Mikroskop psychologischer Forschung zu verfolgen«, »sinnlich« zu »photographiren.«[15] Unbeschadet dieser progressiven Äußerungen ist Bleibtreu aber weiterhin dem romantischen Poesiebegriff verpflichtet:

Die *Neue Poesie* wird vielmehr darin bestehen, Realismus und Romantik derartig zu verschmelzen, dass die naturalistische Wahrheit der trockenen und ausdruckslosen Photographie sich mit der künstlerischen Lebendigkeit idealer Composition verbindet.[16]

Die romantischen Realisten sperren sich gegen das Häßliche in der Literatur. Die »Poesie» soll das »Wahre, Gute und Schöne« zum Ausdruck bringen.[17] Demgegenüber rückt Wilhelm Bölsche (1861–1939) in seiner Programmschrift *Die naturwissenschaftlichen Grundlagen der Poesie. Prolegomena einer realistischen Aesthetik* (1887) das Verhältnis von Dichtung und Naturwissenschaft ins Blickfeld. Ihm schwebt ein »besonnener Realismus« vor, der nicht vom »metaphysischen«, sondern vom »realen Standpuncte« ausgeht und an dem »der Naturforscher und der Dichter gleich grossen Antheil nehmen«.[18] In lapidarer Bündigkeit heißt es: »Die Basis unseres gesammten modernen Denkens bilden die Naturwissenschaften.«[19] Mit Bezug auf Zolas [→ 50] »Experimental-Roman« ist der Dichter für Bölsche »ein Experimentator, wie der Chemiker«.[20] Der positivistische Naturalismus der nackten Fakten liegt Bölsche aber noch fern. Er möchte im Faktischen die Idee aufleuchten lassen:

Macht der Welt klar, dass der Realismus in Wahrheit der höchste, der vollkommene Idealismus ist, indem er auch das Kleinste hinaufrückt in's Licht des grossen Ganzen, in's Licht der Idee.[21]

Alberti veröfftentlicht 1889 die *Zwölf Artikel des Realismus*. In diesem Manifest werden in apodiktischen Thesen die wichtigsten Aspekte und Postulate des Realismus vorgetragen.[22] Die Kunst soll auf naturgesetzlicher Basis die Erfahrungswirklichkeit widerspiegeln und den kulturellen Fortschritt fördern. Auch in der Aufsatzsammlung *Natur und Kunst* (1890) vertritt Alberti diese realistische Ästhetik. Gefordert wird eine moderne Ästhetik, die im Unterschied zur normativen »alten Ästhetik« nicht »deduktiv«, sondern »induktiv«, »praktisch, empirisch, historisch« verfährt.[23] Der »wahre Realismus« basiert auf der »physiologischen« Theorie der »Vererbung« und den »sozialen« Problemen der Gesellschaft.[24]

Holz hat, mit Verve, die Crux des Realismus der achtziger Jahre, nämlich die weitgehende Beschränkung auf das Inhaltliche, durch ein ausgeprägtes Formbewußtsein und intensive Methodenreflexion überwunden und damit einem ›konsequenten‹ Naturalismus Bahn gebrochen. Zwar hieß es schon in den *Kritischen Waffengängen* von 1882: »auf das *Wie*, nicht auf das *Was* kommt es an«,[25] aber das blieb eher eine Ausnahmeformel und in der dichterischen Praxis ohne Konsequenzen. Erst bei Holz kommt es zu einer Theorie der Form. Schon 1885 trifft er die lapidare Feststellung: »Denn ohne Form nützen in der Kunst 〈...〉 die besten Ideen nichts!«[26] Später konstatiert er, »daß der Naturalismus eine Methode ist, eine *Darstellungsart* und nicht etwa ›Stoffwahl‹«.[27] Es sind die formalen Aspekte, die in der Kunst einen Umbruch ermöglichen: »Man revolutioniert eine Kunst also nur, indem man ihre Mittel revolutioniert.«[28] Mit bohrender Intensität entwickelt Holz eine Kunsttheorie. In seiner programmatischen Hauptschrift *Die Kunst. Ihr Wesen und ihre Gesetze* (1891/92), einer im Parlandostil gehaltenen, aber ästhetische Axiome fixierenden Schrift, versucht er, ein zeitlos gültiges, normatives Kunstgesetz zu kodifizieren. Dabei dominieren zwei Grundsätze: erstens Nachahmung beziehungsweise Wiedergabe der Natur als Ziel der Kunst, zweitens experimentelle Handhabung der Darstellungsmittel. Als Grundprinzip schält sich heraus:

> Die Kunst hat die Tendenz, wieder die Natur zu sein. Sie wird sie nach Massgabe ihrer jedweiligen Reproductionsbedingungen und deren Handhabung.[29]

Die reduzierte Formel lautet: »Kunst = Natur – x.«[30] Dabei bedeutet x die Darstellungsmittel und die Subjektivität des Künstlers. Idealiter wäre Kunst = Natur, aber das x schränkt diese Möglichkeit ein. Das x ist allerdings nicht nur ein defizienter Modus, sondern impliziert zugleich die künstlerische Kreativität. Das Mimesis-Prinzip bedeutet für Holz nicht mechanische Reproduktion der Wirklichkeit, sondern ›kreative‹ Wiedergabe der Realität. Nicht ohne Grund hat er die Formel später verändert:

> Die Kunst hat die Tendenz, die Natur zu sein; sie wird sie nach Maßgabe ihrer Mittel und deren Handhabung.[31]

Der Begriff ›Reproduktion‹ wird getilgt, weil er die Vorstellung der mechanischen Abbildung nahelegen könnte. Konsequent weist Holz die Unterstellung zurück, er fordere »eine ›exakte Reproduction‹ der Wirklichkeit« und das Kunstwerk sei bei ihm »eine höchst überflüssige Doublette der Natur«.[32] Den Vorwurf des bloßen ›Photographierens‹ hält er für völlig verfehlt: »So eine Blindheit! Wie kann ein ›Hirn‹ ›photographieren‹!?«[33] Den Begriff ›Nachahmung‹ möchte er durch den Begriff ›Wiedergabe‹ ersetzen: »Die dramatische Dichtung, wie alle, ist *Wiedergabe.*«[34] Das »Wort Nachahmung«, das er »detestiere«, soll »Entweder *überhaupt* raus, oder im Sinne von Wiedergabe. Aber natürlich, selbstverständlich: *überhaupt raus*!!«[35] Auch den Begriff ›Sekundenstil‹ lehnt Holz als das »Haarsträubendste« an »Pedantenkniffligkeit« ab.[36] Höchst suspekt sind ihm die Ismen – »›Naturalismus‹ und ›Photographie‹ lehnte ich in meinen Schriften mit aller Klarheit und Deutlichkeit ab«[37] – weil sie für ihn ein Prokrustesbett sind: »Als Theoretiker stehe ich weder auf dem Boden des ›Realismus‹, noch des ›Naturalismus‹, noch sonst eines Ismus.«[38] Unbeschadet der Tatsache, daß seine eigenen Theoreme und Formeln sich zu einem Theoriewasserkopf aufzublähen drohen, beharrt Holz auf der Freiheit des Schaffens, des Experimentierens gegenüber der schematisierenden Theorie, wie sie sich in den Ismen zeigt.

Arno Holz' Intention ist die Darstellung der Natur. Aber was versteht er unter ›Natur‹? Er hat seinen Naturbegriff nie exakt definiert. Aber aus seinen programmatischen Äußerungen und dichterischen Werken geht hervor, daß er unter ›Natur‹ die Totalität des Lebens, der äußeren, dinglichen und der inneren, seelischen Natur, das soziale Umfeld ebenso wie die kosmische Natur verstand.[39] Aber primär interessierte ihn weniger die inhaltliche Bestimmung der Natur als vielmehr ihre formale Darstellung. Dabei ist die Wissenschaft, die Naturwissenschaft, für ihn von zentraler Bedeutung. Er geht wie selbstverständlich aus vom naturwissenschaftlichen Weltbild seiner Zeit, von Evolutionstheorie und Kausalitätsprinzip. Er ist geprägt vom Gedanken eines durch Gesetzmäßigkeit, durch Ursache und Wirkung determinierten Weltzusammenhangs. Gemäß dem Fundamentalsatz »Es ist ein Gesetz, dass jedes Ding ein Gesetz hat«[40] kommt es darauf an, auch die Gesetze der Kunst zu definieren. »All unser gegenwärtiges *Wissen* von der Kunst« ist »noch keine *Wissenschaft* von der Kunst«.[41] Daher muß die Ästhetik in eine Wissenschaft verwandelt werden. Holz beruft sich dabei auf Naturwissenschaft und Sozialwissenschaft. Er erblickt die »wahren Repräsentanten unserer Zeit« in »den Comtes, den Mills, den Taines, den Buckles, den Spencers, mit einem Wort, in den Männern der Wissenschaft!«[42] Auch Karl Marx wird als Kronzeuge angeführt.[43]

V. Die dichterischen Gattungen

»Die dramatische Dichtung, wie alle, ist *Wiedergabe*. Die epische durch Erzählung, die lyrische durch Ausdruck, die dramatische durch *Darstellung*.«[44] Hier zeigt sich noch im Naturalismus ein ausgeprägtes Bewußtsein der literarischen Gattungsunterschiede – unbeschadet der gerade bei Holz durch die Episierung des Dramas erfolgenden Gattungsmischung. Holz' Gattungsunterscheidung ist eher vage, aber sie scheint die Prosa als objektiven Bericht, die Lyrik als Ausdruck des Subjekts und das Drama als unmittelbare Darstellung des Lebens zu meinen. Jedenfalls werden in den Programmschriften des Realismus die dichterischen Gattungsunterschiede gewahrt.

1. *Prosa*

In der literarischen Diskussion der achtziger und neunziger Jahre, in Programmatik und Kritik, wird immer wieder die Forderung nach einer ›realistischen‹, ›modernen‹, ›sozialen‹ Prosa, vor allem im Roman, erhoben. Der literarische Gewährsmann ist Zola [→ 50]. In der Schrift *Le roman expérimental* (1880) hebt Zola die Synthese von Literatur und Naturwissenschaft, Kunst und Experiment hervor und konstatiert, »que le romancier est fait d'un observateur et d'un expérimentateur«.[45] Der Romanschriftsteller muß wie ein Wissenschaftler den Menschen studieren. Er muß die den Menschen determinierenden psychischen, physischen und sozialen Mechanismen erforschen. »Au bout, il y a la connaissance de l'homme, la connaissance scientifique, dans son action individuelle et sociale.«[46] Psychologische, physiologische und soziologische Studien sind die unabdingbare Voraussetzung des naturalistischen Romans. Die entscheidenden Faktoren sind Vererbung und Milieu, »la question d'hérédité« und »le milieu social«.[47] Wie in einer Versuchsanordnung sollen diese Faktoren im Roman zur Geltung kommen. Der Roman wird zum Experimentalroman. Die deutschen Realisten berufen sich immer wieder auf Zola. So preist Conrad den »realistischen oder naturalistischen« Roman, den »roman expérimental« Zolas, als den »einzig bedeutungsvollen, geistig dominierenden Roman« der Epoche.[48]

Innovative Aspekte formaler Art zu einer modernen Prosa finden sich nur selten in den realistischen Programmschriften. Die Ausnahme ist Arno Holz. In seinen Hinweisen zu *Papa Hamlet* beziehungsweise den *Neuen Gleisen* (1892) betont er, diese Texte seien »nicht etwa bereits als abgerundete Kunstwerke, sondern nur als ›Studien‹ zu solchen« aufzufassen. Sie seien das »lebendige Produkt einer Zeit, von der das Wort geht, daß ihre Anatomen Dichter und ihre Dichter Anatomen sind.«[49] Der Dichter ist ›Anatom‹, das heißt Analytiker des Lebens, der in ›Studien‹, das heißt präzisen Bestandsaufnahmen, Lebensausschnitte exakt festhält. Die anstehenden Prosatexte sind nicht mehr als geschlossene Erzählungen, sondern als offene Skizzen konzipiert. An die Stelle der traditionellen einfühlungsästhetischen Novelle mit ihrem geschlossenen Erzählkontext tritt die szientifische, selektive Skizze, die nur noch Wirklichkeitsfragmente darstellt. Diese »Studien« sind Fragmente, Fragmente im ästhetischen Sinne. Sie sind nicht etwas, das noch vollendet werden müßte. Holz nennt zwar die »Studien« Vorstufen zu »abgerundeten Kunstwerken«, aber das scheint ein Understatement zu sein, denn es geht ihm um eben diese »Studien«. Es geht nicht um die Studie als Vorarbeit, sondern um die Studie als Stilprinzip. Bezeichnenderweise nennt Hauptmann seine Prosaveröffentlichung *Der Apostel. Bahnwärter Thiel* (1892) »Novellistische Studien«. Mit dem *Bahnwärter Thiel* legt er eine psychologische, eine Charakter-, eine Fallstudie vor.

2. *Drama*

Auch in der Gattung Drama herrscht in den programmatischen Schriften die Forderung nach einer modernen, realistischen, sozialen Literatur. Man fordert ein realistisches Milieu, konkrete Menschen und eine lebensechte Sprache. Es zeichnet sich allerdings auch hier eine Entwicklung von einem noch eher konventionellen Realismus zu einem modernen Naturalismus ab. In den *Kritischen Waffengängen* verlangen die Brüder Hart noch »eine bedeutsame große Handlung, tiefe packende Conflikte, mächtige und scharf ausgeprägte Charaktere«.[50]

In der Folgezeit rücken dann Aspekte eines modernen Realismus stärker in den Vordergrund. Schon Julius Hillebrand (1862–1895) fordert in *Naturalismus schlechtweg!* (1886) das »soziale Drama« und die »Sprache des Lebens«.[51] In seinem *Berliner Brief* (1889) fordert Max Halbe (1865–1944) ein lebensechtes Drama, frei von den Gattungsgrenzen und den Zwängen der Theorie. »Ja, das Leben! Roman, Drama. Namen! *Lebensdarstellung*! Es giebt nichts an sich Episches. Es giebt nichts an sich Dramatisches.«[52] Mit Bezug auf Ibsen konstatiert Halbe, daß sich in der »Moderne« das »Eindringen der Erzählung, des Epischen in das Allerheiligste der ›reinen Dramatik‹« vollziehe.[53] Besondere Bedeutung kommt dem Dialog zu. Das Drama ist ein »dialogisierter Roman«.[54] Die Episierung des Dramas ist hier bereits mit aller Entschiedenheit angezeigt. Entscheidend ist die Darstellung des Lebens:

Die Hauptsache also ist, daß das Stück Leben, das Stück Entwicklung 〈...〉 uns überzeugend glaubhaft gemacht, mit zwingender Gewalt vor uns in den Boden eingerammt wird 〈...〉.[55]

Worauf es ankommt, ist die »dichterische Bewältigung und Dienstbarmachung des Lebens, der Wirklichkeit«.[56] Damit hat bereits Halbe das Hauptprinzip des naturalistischen Milieutheaters hervorgehoben: die Aufhebung der Trennwand zwischen Theater und Leben und die Illusion des wirklichen Lebens auf der Bühne.

Bei Holz spitzt sich diese Problematik weiter zu. Auch er fordert die »Sprache des Lebens«. Im Vorwort zur Komödie *Socialaristocraten* (1896) schreibt er: »die Sprache des Theaters ist die Sprache des Lebens. *Nur* des Lebens!«[57] Es komme darauf an, an die Stelle des »posirten Lebens« das »nahezu wirkliche zu setzen, mit einem Wort, aus dem Theater allmählich das ›Theater‹ zu drängen«.[58] Vom konsequenten Milieudrama *Die Familie Selicke* (1890) heißt es, daß man durch sie »in ein Stück Leben wie durch ein Fenster sah«.[59] Die »Sprache des Lebens« impliziert die Absage an die »Handlung« zugunsten der »Charaktere«:

die Menschen auf der Bühne sind nicht der Handlung wegen da, sondern die Handlung der Menschen auf der Bühne wegen. 〈...〉 Mit anderen Worten: nicht Handlung ist also das Gesetz des Theaters, sondern Darstellung von Charakteren.[60]

Die Preisgabe der Handlung ist begründet im Vorrang der Zuständlichkeit. In dem Maße, in dem sich das Tragische im Milieu auflöst und damit handelnde Existenzen aufgegeben sind zugunsten des sozial determinierten Menschen, verliert die traditionelle Handlungsdynamik ihren Sinn. Die Beschreibung des Milieus steht an. Die naturalistischen »Charaktere« sind nicht zu verwechseln mit klassischen Charakteren. Sie sind passive Gestalten in einem Milieu. Sie haben allerdings nach Arno Holz den Vorzug, daß sie nicht konstruierte, sondern lebensechte Charaktere sind. »Denn Menschen ohne Milieu, konstruierte, abstrakte, kann ich für meine Zwecke nicht brauchen.«[61]

Auch Hauptmann betont den Vorrang des Charakters vor der

Handlung, aber der Charakter ist bei ihm, wie bei Holz, Ausdruck des sozialen Milieus. So notiert er (um 1910):

> Der dramatische Dichter entwickelt, gleich wie das Leben selbst, seine Gestalten in Raum und Zeit. Der moderne Mensch ist nicht zu denken, außer sozial, also ist er auch im Drama nicht darzustellen, wenn man ihm seine sozialen Beziehungen nimmt.[62]

Gegenstand des Dramas sind »Persönlichkeiten«, die »im natürlichen Gang sozialen Lebens« »gemeinsamen Geschicken unterliegen«.[63] Hauptmanns Drama *Vor Sonnenaufgang* (1889) trägt denn auch die Gattungsbezeichnung »Soziales Drama«. Der Begriff ›sozial‹ taucht im übrigen häufiger als dramatische Gattungsbezeichnung auf. So nennt Alberti sein Drama *Brot!* (1888) »Ein soziales Schauspiel«, Bleibtreu sein Drama *Der Erbe* (1889) »Soziales Schauspiel«, Halbe sein Drama *Ein Emporkömmling* (1889) »Sociales Schauspiel«.[64] Der Begriff ›sozial‹ ist vielfach allerdings ein Synonym für gesellschaftlich, gesellschaftskritisch. Bei Hauptmann meint er die konkrete soziale Wirklichkeit. Die Handlung erscheint irrelevant gegenüber der Zuständlichkeit, gegenüber den im sozialen Milieu lebenden Charakteren. Hauptmann notiert (1906): »Das moderne Drama entwickelt die Fabel folgerecht aus den Charakteren.«[65] Es geht nicht um Handlung, sondern um Darstellung des Lebens:

> Handlung im Drama: das Unwichtigste! das Gleichgiltigste! das Undarstellbare! Alles, was die Handlung bewirkt, das Brutale bewirkt und was ihr folgt, ist das, was menschliche Erscheinungsform des Lebens bedeutet.[66]

Bei Hauptmann vollzieht sich allerdings eine Entwicklung von der naturalistischen Wirklichkeitsdarstellung zu einer symbolischen Kunst des zeitlosen Lebens. Schon 1897 spricht er von der »ewigen Tragik«.[67] In der Rede *Kunst und Wissenschaft* (1912) heißt es in programmatischer Bündigkeit: »So wird das Ewigkeitsschicksal der Menschen immer ein größeres Thema als das zerebral bewußte Schicksal einer Epoche sein.«[68] Es geht um das »große Drama des Universums«.[69] In der »menschlichen Psyche« spielt sich ein »Urdrama« ab.[70] Das dichterische Drama ist Ausdruck des menschlichen »Urdramas«:

> Das, woraus jedes Gebilde der Kunst seinen Ursprung nimmt und was im Haupte des Menschen wirkt, solange er lebt, nenne ich: das Urdrama![71]

Das »Urdrama« ist von universeller Präsenz. Es ist »immer und überall gegenwärtig«.[72] Mit Idee und Praxis des »Urdramas« löst sich Hauptmann mehr und mehr vom sozialen und sozialkritischen Milieudrama und wird zum Dramatiker des Zeitlos-Mythischen.

3. *Lyrik*

Auch in der Lyrik fehlt es nicht an Erneuerungsbestrebungen – die man programmatisch begründet. Dies findet in den achtziger Jahren seinen zeittypischen Ausdruck in der 1885 von Wilhelm Arent (1864–verschollen) herausgegebenen Lyrik-Anthologie *Moderne Dichter-Charaktere* [→ 350 ff.]. Die Einleitungen von Hermann Conradi (1862–1890) und Karl Henckell (1864–1929) sind getragen von einem Enthusiasmus des Aufbruchs, einem Pathos der Erneuerung. Conradi verkündet in *Unser Credo* (1884) den Bruch mit den »alten, überlieferten Motiven« zugunsten einer »*neuen* Lyrik«. Bezeichnenderweise soll die neue Lyrik aber eine Synthese aus aktueller Problematik und zeitloser Bedeutung sein: »Alles Urewige und doch zeitlich Moderne.«[73] Das Ganze liest sich wie ein Sturm-und-Drang-Manifest. Henckell betont in *Die neue Lyrik* (1884) die Modernität und die Zukunftsperspektive. Die »moderne deutsche Lyrik«, »durchtränkt von dem Lebensstrome der Zeit«, soll »ein jauchzender Morgenweckruf der siegenden und befreienden Zukunft« sein. Auch hier schöpft die »Poesie«, ein »Heiligthum«, »mit tiefster Seele aus dem Born des Ewigen«.[74] Der in den eruptiven Einleitungen bekundete Anspruch wird in den Gedichten der Anthologie nur in wenigen Fällen eingelöst. Es dominiert der konventionelle Naturlyrismus. Immerhin, es gibt auch das Zeitgedicht, das soziale, sozialkritische Zeitgedicht. Hier sind zu erwähnen Henckells realistisches *Lied vom Arbeiter* und Holz' lyrische Milieustudien *Ein*

Bild, Ein Andres, Meine Nachbarschaft. Als Großstadtgedicht ist zu erwähnen Julius Harts *Auf der Fahrt nach Berlin.*

In der Lyrik-Programmatik und -Praxis der ›realistischen‹ Literatur-›Revolutionäre‹ bleibt der traditionelle Poesie- und Geniebegriff gewahrt. Die neuen ›Stürmer und Dränger‹ betreiben im Grunde die Erneuerung der romantischen Natur- und Stimmungslyrik unter Einfügung moderner Motive. »Wahrheit der Empfindung, innige Verschmelzung von Form und Inhalt und eigenartige Persönlichkeit« sind die Kriterien auch der neuen Poesie.[75] Eine spezifisch ›naturalistische‹ Lyrik-Konzeption ist kaum erkennbar.

Den sich avantgardistisch gebärdenden ›Realisten‹ fehlt es an Methodenreflexion. Man proklamiert neue Stoffe, aber Gestaltung und Form werden kaum zum Gegenstand der Programmatik. Hier ist es erneut Arno Holz [→ 353f.], der, in Kunsttheorie und Dichtungspraxis, der Lyrik neue Bahnen zu eröffnen versucht. Im Lichte des Formproblems unterzieht er die traditionelle, die zeitgenössische und auch die eigene frühere Lyrik einer schonungslosen Kritik. In der programmatischen Schrift *Revolution der Lyrik* (1899) distanziert er sich von der früheren Lyrikproduktion:

> Daß wir Kuriosen der »Modernen Dichtercharaktere« damals die Lyrik »revolutioniert« zu haben glaubten, war ein Irrthum; und vielleicht nur deshalb verzeihlich, weil er so ungeheuer naiv war.[76]

Holz strebt nun die Identität von Inhalt und Ausdruck an. Er löst die konventionellen Schemata von Reim, Strophe und Metrum auf, um statt dessen durch die typographisch neuartige Mittelachse, einen natürlichen Rhythmus und eine präzise Mimesistechnik die völlige Einheit von Inhalt und Ausdruck zu erreichen. Es kommt ihm an auf

> eine Lyrik, die auf jede Musik durch Worte als Selbstzweck verzichtet und die, rein formal, lediglich durch einen Rhythmus getragen wird, der nur noch durch Das lebt, was durch ihn zum Ausdruck ringt.[77]

Holz verdeutlicht seine Methode an einem Beispiel. Er glaubt, den prosaischen Satz »Der Mond steigt hinter blühenden Apfelbaumzweigen auf.« in den lyrischen Ausdruck umzuformen, wenn er schreibe:

Hinter blühenden Apfelbaumzweigen
steigt der Mond auf.

»Das ist meine ganze ›Revolution der Lyrik‹. Sie genügt, um ihr einen neuen Kurs zu geben.«[78] In dieser Umformung sieht Holz eine kopernikanische Wende in der Lyrik.[79] Im *Phantasus* hat Holz in akribischer Detailbeobachtung der sinnlichen Wirklichkeit und in visionärer Vergegenwärtigung der Welttotalität von archaischen Anfängen bis zur aktuellen Gegenwart seine Kunsttheorie zu verifizieren versucht. Das »letzte ›Geheimnis‹« der »Phantasuskomposition« besteht in der phylogenetischen Identifikation des Ich mit allen Erscheinungsformen des Lebens:

Wie ich *vor* meiner Geburt die ganze *physische* Entwicklung meiner Spezies durchgemacht habe 〈...〉, so *seit* meiner Geburt ihre *psychische*. Ich war »alles« und die Relikte davon liegen 〈...〉 in mir aufgespeichert. Ein Zufall, und ich bin nicht mehr Arno Holz 〈...〉.[80]

Der *Phantasus*, gewissermaßen eine lyrische Manifestation von Haeckels »biogenetischem Grundgesetz«,[81] zeichnet die Entwicklungsgeschichte des Menschen nach, naturalistische Mimesis mit expressionistischer Vision, Milieurealismus mit Jugendstilmotiven verbindend. Der *Phantasus* von 1899 setzt ein mit einer archetypischen Metamorphose des Ich ins Vegetabilische:

Sieben Billionen Jahre vor meiner Geburt
war ich eine Schwertlilie.[82]

Später endet der *Phantasus* mit den Versen:

Mein Staub
verstob;
wie ein Stern
strahlt mein Gedächtnis![83]

Manuela Günter

Sozialistische Literaturtheorie im Wilhelminismus: Franz Mehring

Als Franz Mehring (1846–1919) im Jahr 1888 für die Wochenschrift der Sozialdemokratie *Die Neue Zeit* seinen ersten Beitrag – einen Artikel über den Arbeiterdichter Robert Schweichel (1821–1907) – verfaßte, hatte er bereits eine ungewöhnlich vielseitige Karriere als Journalist hinter sich. Während seiner Mitarbeit bei den verschiedensten Zeitschriften und Tageszeitungen – unter anderem auch bei der *Frankfurter Zeitung*, den *Grenzboten* und der *Gartenlaube* [→ 116 f.] – wirkte er als politischer Korrespondent ebenso wie als Historiker und als Feuilletonredakteur. Diese rege publizistische Tätigkeit fand erst spät ihre theoretische Bestimmung und ihren praktischen Ort in der Arbeiterbewegung. Es war die ungelöste soziale Frage, die den Liberalen Mehring letztlich zur Sozialdemokratie führte. Während seiner Arbeit für die Partei verlagerte sich sein Schwerpunkt zunehmend in den kulturellen Bereich: Als Vorsitzender der *Freien Volksbühne* (1892–1896), als Mitglied des Zentralbildungsausschusses (seit 1906) sowie als Feuilletonredakteur der *Neuen Zeit* beschäftigte ihn vor allem die Aufgabe einer materialistischen Literaturgeschichtsschreibung sowie die Frage nach der Notwendigkeit und den Grenzen der Rezeption bürgerlicher Literatur durch proletarische Leser und das Problem einer proletarischen Gegenkultur.

Wenn in der Folge seine Arbeiten zur Literatur im Mittelpunkt stehen werden, so nicht aufgrund ihres etwaigen repräsentativen Status: Weder konnte Mehrings Position innerhalb der Zeitschrift eine dominante Stellung erlangen (es gab einen großen Anteil nichtmarxistischer Mitarbeiter), noch verfügte *Die Neue Zeit* als theoretisches Organ der Intellektuellen über eine große Breitenwirkung. Auch war Mehring keineswegs der einzige, der sich über den Stellenwert der Kultur im Klassenkampf systematische Gedanken machte und eine marxistische Literaturanalyse anstrebte.[1] Aber er war auf diesem Feld der exponierteste und produktivste Denker der deutschen Sozialdemokratie.

1892 eröffnet Mehring in der *Neuen Zeit* eine Artikelserie unter dem Titel »Die Lessing-Legende«, in der er auf direkten Konfrontationskurs zur offiziellen Geschichtsschreibung wie auch zur offiziellen Literarhistorie geht. Sein Angriff gilt den historischen Fiktionen von der angeblich engen politischen Beziehung zwischen dem aufgeklärten preußischen Absolutismus und der vorklassischen Literatur; politisch richtet er sich gegen das »Bündnis von Bourgeoisie und Hohenzollernstaat« in der zweiten Hälfte des 19. Jahrhunderts, dem diese Fiktionen dienten.[2] In zwei Teilen analysiert Mehring die zentralen Mythen des Wilhelminischen Kaiserreichs: die Verklärung Friedrichs II. durch bürgerliche Historiker, allen voran Heinrich von Treitschke (1834–1896), und die literaturwissenschaftliche Aneignung Lessings durch die Scherer-Schule.

In seiner Analyse des preußischen Staates führt er die ›aufgeklärten‹ Komponenten des friderizianischen Absolutismus auf ökonomische Zwänge zurück, die vor allem in der ständigen Erweiterung des Militärapparats gründeten.[3] In Mehrings Betrachtung konvergieren die herrschende Ideologie des Kaiserreichs und die Legende vom aufgeklärten Preußenkönig in der glücklichen Verbindung von angeblichem sozialem Fortschritt und manifestem Militarismus. Zugleich erhält die Figur Lessing als Aufklärer und historischer Gegenspieler Friedrichs des Großen neue Konturen: Seine Schriften zeugten von Widerstand und Kritik, in seinen Dramen konkretisiere sich erstmals die Idee einer bürgerlichen Opposition gegen den Feudalabsolutismus. Kunst wird hier als historisch vermittelt begriffen, sie ist nicht politisch neutral, sondern bezieht Position in der Geschichte der Klassenkämpfe:[4] aktiv und bewußt wie Lessing, oder letztlich resignativ wie Klopstock, weshalb der eine noch am Ende des 19. Jahrhunderts gefeiert werde, während der andere längst vergessen sei.[5] Damit wird die Stellung des Dichters in den historischen Auseinandersetzungen zu einer ästhetischen ›Produktivkraft‹, die über dessen Nachleben entscheiden kann.

Erstmals nutzt Mehring hier den historischen Materialismus als »Leitfaden beim Studium der Geschichte«.[6] Literaturgeschichte wird zum integralen Bestandteil des ökonomisch determinierten historischen Verlaufs. Seine Energie bezieht dieses Vorgehen aus dem »Kontrast zwischen der heroischen Entwicklungsphase der aufsteigenden Bourgeoisie und der Miserabilität der Ideologie ihrer niedergehenden 〈...〉 Gegenwart.«[7] Die Grenzen dieser Konzeption liegen auf der Hand: Unvermittelt werden kulturelle Überbau-Phänomene aus der materiellen Basis abgeleitet, die strikte zeitliche Parallelisierung verstellt den Blick für Ungleichzeitigkeiten und Disproportionen, für das »unegale Verhältnis der Entwicklung der materiellen Produktion z. B. zur künstlerischen«.[8] Ein Nebeneinander von ideologiekritischen Inhaltsanalysen und psychologisierenden Dichterbiographien ist das Resultat.

Georg Lukács' Vorwurf des Schematismus ist deshalb ebenso ernst zu nehmen wie seine Kritik an Mehrings Subordination des theoretischen unter das historische Interesse. Tatsächlich betrachtet Mehring die »Erörterung allgemein-ästhetischer Fragen stets nur als Hilfsmittel zum Erforschen der Literaturgeschichte.«[9] Zu fragen bleibt, welches ästhetische Konzept Mehrings Theorie zugrunde liegt, das es ihm erlaubt, die ästhetischen Probleme den literarhistorischen unterzuordnen.

Die Kritik von Lukács, die sich an Mehrings Verabsolutierung des historischen Materialismus gegenüber der Dialektik, der Suprematie des (geschichts-)wissenschaftlichen gegenüber dem philosophischen marxistischen Erbe entzündete, bezieht ihre Legitimation aus Marx' systematischer Beschäftigung mit der idealistischen Philosophie, der Lukács eine an Hegel orientierte Ästhetik zur Seite stellen möchte.[10] Während es Lukács um den Wahrheitsanspruch von Kunst geht, profiliert Mehring die Geschichtlichkeit des Kunstwerks, seine Geltung als historisches Dokument. Konsequent betrachtet er deshalb Kants *Kritik der Urteilskraft* als Grundlegung einer wissenschaftlichen Ästhetik auf idealistischer Basis, an die eine materialistische Kunsttheorie kritisch anschließen könne. Auch Mehring geht – wie Kant – zur Erklärung der spezifischen ästhetischen Form von einem anthropologischen Vermögen im »Urteil des geschichtlich und sozial determinierten Kunstbetrachters« aus.[11] Unter dieser ›rezeptionsästhetischen‹ Voraussetzung bleiben die besondere künstlerische Struktur und der Anspruch auf Erkenntnis und Wahrheit unvermittelbar.[12] Während ›Schönheit‹ in diesem Denken also nicht auf soziale und ökonomische Parameter bezogen werden kann, läßt sich der Geschmack durchaus in solchen Kategorien fassen.

> Daraus folgt für die Methode, daß Geschmacksurteile historisch-soziologisch beschrieben und aus dem allgemeinen Gang der Geschichte erklärt werden können. Das ideologisch vermittelte Geschmacksurteil ist 〈...〉 Ersatz für die erkenntnistheoretisch nicht erfaßte ästhetische Struktur des Objekts ›Kunst‹.[13]

Mehring spaltet das Kunstwerk auf in eine inkommensurable schöne Form und in eine wissenschaftlich rekonstruierbare Rezeption. Damit steht seine Kunsttheorie quer zum Postulat ›relativer Autonomie‹ der Kunst, das schon bei Engels anklingt, wenn er betont, daß nur »in letzter Instanz« das gesellschaftliche Sein das Bewußtsein bestimmt.[21] Indem bei Mehring ein subjektives Moment in der Ästhetik erhalten bleibt, geht die spezifische Differenz des Kunstwerks freilich nicht im historischen Geschehen auf. Sie ist der Erkenntnis unzugänglich wie das Ding an sich. Auf diesem Weg kommt unversehens »die einmal als klassisch bewährte 〈absolute, die Verf.〉 Autonomie des Kunstwerks durch die Hintertür wieder zum Vorschein.«[15] Die Weigerung, die widersprüchlichen Momente – Historisierung und materialistische Begründung der Kunst einerseits, Wiederbelebung des idealistischen Kunstschönen andererseits – in einem dialektisch konstruierten System aufeinander zu beziehen, bringt bei allen theoretischen Mängeln den Vorzug, daß ein Inkommensurables anerkannt wird, das in der marxistischen Ästhetik à la Lukács in der dialektischen Widerspiegelung verschwindet. Es trägt – wenn auch auf eine sehr unreflektierte Weise – dem Moment des Nicht-Repräsentierbaren Rechnung, das jeder Kunst eignet. Insofern scheint es geboten, Mehrings Verdienste für eine ›Soziologie der Literatur‹ nicht an späteren Entwürfen marxistischer Ästhetik zu messen, sondern zu prüfen, worin seine zeitgenössische Leistung besteht.

In der sogenannten ›Schiller-Nummer‹ der *Neuen Zeit*, die 1905 zum hundertsten Todestag des Klassikers erschien und deren Beiträge nur einen geringen Teil der von Schiller-Begeisterung überströmenden Nation darstellten, lobte Rosa Luxemburg (1871–1919) die kurz zuvor erschienene Schiller-Biographie Mehrings als

> hochwillkommene Gabe an die deutsche Arbeiterschaft, um ihr ein von bürgerlich-tendenziöser und andererseits auch von partei-tendenziöser Verzerrung freies Bild des großen Dichters zu liefern.[16]

Während die bürgerliche Ideologie Schiller für die Versöhnung der sozialen Gegensätze zu vereinnahmen suche, übernähmen die Revisionisten aus der eigenen Partei deren stilisiertes Bild vom Apostel der bürgerlichen Revolution.[17] Eine adäquate Interpretation liefere Mehring, der Schiller in seinem »tiefen Zwiespalt« zwischen Revolte und Resignation interpretiere und damit den »eigenartigen Assimilierungsprozeß« begreife,

> in dem sich das Arbeiterpublikum nicht den Schiller als ein geistiges Ganzes ⟨...⟩ aneignete, sondern sein geistiges Werk zerpflückte und es unbewußt in der eigenen revolutionären Gedanken- und Empfindungswelt umschmolz.[18]

Die Rettung Schillers für den Sozialismus erfolgt durch die kritische Differenzierung, die Aneignung durch die Dekomposition des Werkganzen. Damit ist eine klare Absage an die kulturelle Integration des Proletariats verbunden, wie sie die ›Lassalleaner‹ innerhalb der Sozialdemokratie forderten. Arbeiterbildung soll nicht mehr den Weg in die bürgerliche Gesellschaft bahnen, sondern aus ihr heraus, indem die revolutionäre ›Energie‹ der Kunstwerke gegen diese Gesellschaft gewendet wird. Deshalb gilt es genau zu unterscheiden, welche Literatur für einen solchen Bildungsweg in Frage kommt und welche von vornherein ausscheidet. Nur durch die ›kulturelle Desintegration‹ könnten die Arbeiter der hegemonialen bürgerlichen Ideologie entkommen. In seiner kulturpolitischen Offensive greift Mehring deshalb ostentativ auf die vor- und die nachklassische Literatur der Aufklärung (Lessing, der junge Schiller) und des Jungen Deutschland (Heine, Freiliggrath) zurück und lehnt die die bürgerliche Literaturwissenschaft dominierende Klassik als resignative Flucht in eine idealistische Ästhetik ab. Damit schreibt er eine andere Literaturgeschichte des 18. und 19. Jahrhunderts und markiert aus damaliger Sicht eine wirkliche Alternative zur politischen ›Umschrift‹ der (Literar-)Historie im Interesse der Hohenzollern-Dynastie, wie sie Wilhelm Scherer (1841–1886) und seine Schüler vornahmen. Gemäß der Vorstellung von kultureller Desintegration verbindet sich damit die nachhaltige Infragestellung der vermeintlichen organischen Geschlossenheit geistiger Gebilde und Gebiete; in den Vordergrund rückt ihr interdiskursiver Zusammenhang mit der Ökonomie sowie der Sozial- und Rechtsgeschichte, der für die Literatursoziologie des 20. Jahrhunderts von zentraler Bedeutung werden sollte. Auch die Öffnung des Blicks für die Produktions- und Rezeptionsbedingungen von Kunst gehört in diesen Kontext. Schließlich setzte Mehring das historistische Paradigma von der geschichtlichen Abgeschlossenheit der Epochen außer Kraft, indem er sich der »kritischen Konstellation« bewußt zu werden sucht, »in der gerade dieses Fragment der Vergangenheit mit gerade dieser Gegenwart sich befindet.«[19]

Mehrings Bezug zur literarischen Vergangenheit beruht auf einer geschichtsteleologischen Konstruktion. Literaturgeschichtliche Periodisierung wird »absolut an die Bewegung einer Klasse gebunden. Befindet sich eine Klasse auf dem Zenit ihrer politischen und ökonomischen Macht, so erreicht auch die Literatur ihren Höhepunkt; treibt sie durch Krisen hindurch ihrer Auflösung entgegen, verfällt auch die Literatur.«[20] Die literarische Entwicklung des 18. und 19. Jahrhunderts stellt sich deshalb für Mehring folgendermaßen dar: Aufstieg des Bürgertums (Aufklärung) – politische Resignation (Klassik und vor allem Romantik) – erneute kämpferische Auseinandersetzung (Junges Deutschland, Vormärz) – restaurative Phase (Realismus) – endgültiger Niedergang des Bürgertums durch den Aufstieg des Proletariats (Moderne). Die literarische Moderne bietet deshalb vielfältigen Ansatz zur Kritik. Während aber etwa die ›Neuromantik‹, sofern sie überhaupt Beachtung findet, als dekadente und verderbliche Mode rundweg abgelehnt wird,[21] gestaltet sich Mehrings Auseinandersetzung mit dem Naturalismus, der, zumindest in Teilen, den Anspruch der poetischen Vertretung der Arbeiterbewegung in der Literatur erhebt, sehr viel differenzierter.

Bereits 1885 entbrannte in der *Neuen Zeit* eine Diskussion um die Romane Emile Zolas [→ 37] (1840–1902), dem insbesondere die Hypostasierung des Elends und politischer Pessimismus vorgeworfen wurden.[22] Ins Bewußtsein einer breiteren Öffentlichkeit trat die Frage aber erst 1896 auf dem Parteitag der Sozialdemokraten in Gotha, wo die Delegierten heftig um den Abdruck zweier naturalistischer Romane in der Familienzeitschrift *Neue Welt* stritten. Auch hier wiederholte sich die Argumentation gegen den Naturalismus: er verletze den guten Geschmack und widerspreche dem sozialistischen Weltbild. Im Unterschied zu seinen Parteigenossen war Mehring zunächst bereit, zu differenzieren und an Stelle einer pauschalen Verurteilung des ›Naturalismus‹ jeden Autor einzeln zu bewerten. Auch gestand er den Naturalisten das Verdienst zu, das gesellschaftliche Elend in seiner Wahrheit zu schildern und damit als bürgerliche Schriftsteller an der eigenen Klasse Kritik zu üben.[23]

In diesem Sinn konnte er die 1893 von der *Freien Bühne* aufgeführten *Weber* Gerhart Hauptmanns [→ 71 f.] als Musterstück eines klassenbewußten und zugleich ästhetisch hochwertigen Dramas feiern: »Die Weber quellen über von echtestem Leben, aber nur, weil sie mit dem angestrengten Fleiße eines feinen Kunstverstandes gearbeitet sind.«[24] Auch die Lyrik von Arno Holz [→ 353 f.] (1863–1929) lobte Mehring überschwenglich.[25] Von solchen Ausnahmen abgesehen, die die ästhetischen Normen des Naturalismus bereits transzendierten, obsiegte aber letztlich dessen Ablehnung, wie sie am Ende der *Ästhetischen Streifzüge* aus dem Jahr 1898 formuliert ist:

> Die bürgerlichen Naturalisten sind sozialistisch gesinnt, wie die feudalen Romantiker bürgerlich gesinnt waren, nicht mehr und nicht weniger; bei ihren zahllosen Experimentierereien halten sie sich mit heiliger Scheu jeder künstlerischen Darstellung fern, die sich auch nur von fern mit dem proletarischen Emanzipationskampfe berühren könnte.[26]

Man kann also bei Mehring nur insofern von einem Antimodernismus sprechen, als es ihm nicht um die Ablehnung der literarischen Moderne im Namen des klassischen Kunstideals ging, wohl aber um deren Indifferenz gegenüber dem proletarischen Klassenkampf, dem er, wie oben ausgeführt, alles andere unterordnet. In der Konsequenz bedeutet diese Abkehr von der Moderne aber, daß es für ihn keine zeitgenössische Literatur in Deutschland gibt, die den (bevorstehenden) Auftritt der Arbeiterklasse auf der historischen Bühne künstlerisch begleitet und für die Nachwelt dokumentiert. Aus diesem Dilemma hilft sich Mehring mit einer dürftigen Konstruktion. Anders nämlich als das Bürgertum habe das Proletariat eine solche Begleitung gar nicht nötig:

〈...〉 wenn die bürgerliche Klasse in Deutschland ihr Heldenzeitalter auf künstlerischem Gebiete gehabt hat, so doch nur, weil ihr der ökonomische und politische Kampfplatz verschlossen war. Dagegen steht dieser Kampfplatz dem modernen Proletariat wenigstens bis zu einem gewissen Grad offen, und es ist ebenso natürlich wie notwendig, daß es hier seine Kräfte zusammenfaßt. Solange es in diesem heißen Kampfe steht, kann und wird es keine große Kunst aus seinem Schoße gebären.[27]

Diese ›Entschuldigung‹ aber transportiert ein pauschales Werturteil, das für alle Versuche, eine eigene Arbeiterliteratur zu konstituieren, nur entmutigend sein kann. In bezug auf die ›politisch korrekte‹ Literatur seiner Zeit triumphiert letztlich das idealistische Kunstparadigma vom interesselosen Schönen, das zu entmachten Mehring nie intendierte. Zwar werden die Kunstwerke von ihren ökonomischen und sozialen Entstehungsdaten her relativiert, der Maßstab für die ästhetische Bewertung bleibt davon aber unberührt: Die »Möglichkeit eines Funktionswandels der Literatur im Zeitalter des aufsteigenden Proletariats und daher die Notwendigkeit neuer literarischer Techniken«[28] zieht Mehring nicht in Erwägung. Insofern wird die wahre sozialistische Literatur, die ›bessere Klassik‹ – deren Konturen im übrigen völlig undeutlich bleiben – in die Zukunft projiziert,[29] während für die Gegenwart Werke von Schweichel, Minna Kautsky (1836–1912) oder Otto Krille (1878–1954) zwar wohlwollend besprochen werden, aber nur unter der Voraussetzung, daß sie »keine neue Ära der Kunst zu eröffnen 〈beanspruchten〉«.[30] Zwischen der Kunst des niedergehenden Bürgertums und derjenigen des siegreichen Proletariats gibt es keinerlei Vermittlung.

Damit verbleibt Mehring nicht nur innerhalb der klassisch-romantischen Wertungskategorien, er weicht auch einem zentralen

Problem aus: Auf das Unterhaltungsbedürfnis der Arbeiter, die jenseits ihres 10–12-Stunden-Arbeitstages möglicherweise gar nicht ›gebildet‹ werden möchten, weiß die Sozialdemokratie vor 1914 keine befriedigende Antwort. Aus dieser Hilflosigkeit resultiert auf der einen Seite eine ›rote Gartenlaubeliteratur‹, die traditionelle Formen mit sozialistischer Tendenz auffüllt, auf der anderen die immer wieder beklagte Bevorzugung der öffentlichen Leihbibliotheken vor den speziellen Arbeiterbibliotheken.[31] Ohne ästhetisches Gegenkonzept stimmen die sozialistischen Intellektuellen ein in das konservative Lied gegen die ›Schund- und Afterliteratur‹, die ihre Leser verderbe und mit billigen Träumen von ihrer historischen Mission ablenke. Gleichzeitig lehnen sie literarische ›Experimente‹, wie sie 1896 in der *Neuen Welt* versucht wurden, mit dem sozialhygienischen Stereotyp von der ›Volksgesundheit‹ entschieden ab.[32] Erst nach dem Ersten Weltkrieg entwickeln sich mit ›Agitprop‹ und Brechts ›Epischem Theater‹ theoretische Ansätze für eine eigenständige proletarische Kultur, die sich nicht mehr an den kulturellen Normen des Bildungsbürgertums orientiert.

Günter Häntzschel

Geschlechterdifferenz und Dichtung. Lyrikvermittlung im ausgehenden 19. Jahrhundert

Die These der vorliegenden Skizze lautet, daß die bekannte Trivialisierung der Lyrik hinsichtlich ihrer Produktion und Rezeption in der zweiten Hälfte des 19. Jahrhunderts aus ihrer Bindung an das weibliche Publikum [→ 243 ff.] resultiere und daß sich kurz vor der Jahrhundertwende, als aufgrund emanzipativer Ansätze die restringierte weibliche Sozialisation nicht mehr fraglos hingenommen wurde, Anzeichen einer wieder substantielleren, ernsthafteren und ästhetisch anspruchsvolleren Lyrik einstellen, die auch das männliche Interesse zurückgewinnt.

Wie ist diese These angesichts des uferlosen und unübersehbaren lyrischen Materials von etwa achthundert jährlich erscheinenden Lyrikbänden zu verfolgen? Wer sich allein auf die wenige von der bisherigen Forschung beachtete Lyrik ausgewählter Autoren des Realismus, des Naturalismus und des Expressionismus verlassen will, geht ebenso fehl wie derjenige, der versuchen würde, auch nur einen Bruchteil der gesamten Veröffentlichungen zu erfassen. In dem ersten Fall läge nämlich der Untersuchung nur das zugrunde, was in der Epoche selber die Ausnahme, das Untypische gewesen ist, die auf elitäre Leserkreise bezogenen Spitzenleistungen; in dem zweiten brächte ein solches Vorgehen kaum verbindliche Informationen über das Lesepublikum und die Art der Rezeption, weil die einzelnen Bände meist nur in kleinen Auflagen von wenigen Hundert Exemplaren erschienen und die Schwierigkeiten, die Bände vollständig bibliographisch zu erfassen, einzusehen und auszuwerten, kaum zu bewältigen sind.

Aus diesem Dilemma hilft die Möglichkeit, die Untersuchung auf diejenigen Organe zu gründen, die nachweisbar die weiteste Verbreitung fanden, die das massenhafte lyrische Materal bündelten, die am meisten gekauft wurden und die in vielen Fällen für mehr oder weniger genau definierte Leserkreise konzipiert waren: auf die

Anthologien. Zwischen 1871 und 1914 sind einschließlich sämtlicher, meist veränderter Auflagen über viertausend Lyrikanthologien auf dem Markt.[1]

Ich konzentriere mich zunächst auf ein Stichjahr, 1890, und suche von dort aus übergreifende Zusammenhänge einzubeziehen.

Während von der bisherigen Forschung in der Lyrik um 1890 lediglich die kurzlebigen Reformversuche der Naturalisten [→ 350 ff.] und Stefan Georges [→ 231 ff.] in diesem Jahr erschienene *Hymnen* als Innovationen beachtet wurden, ergibt die Analyse der in diesem Jahr erscheinenden Anthologien ein ganz anderes Bild vom Umgang mit Lyrik in der historischen Lebenswirklichkeit. Die 77 ermittelten Bände lassen sich in zwölf Grupierungen gliedern, wobei Überschneidungen im einzelnen üblich sind: Drei literaturgeschichtlichen Überblickssammlungen für Schule und Haus (1) stehen sechzehn populäre, meist illustrierte für Mädchen und Frauen bestimmte Lyrikauswahlen gegenüber (2), denen sich drei ähnliche Bände der neueren Lyrik (3) anschließen. Eine weitere größere Gruppe besteht aus Anthologien mit christlicher Lyrik, deren zehn Bände ebenfalls an das weibliche Publikum zur Erbauung gerichtet sind (4). Von diesen nicht immer exakt zu trennen, finden sich vier Sammlungen, die ihre Herausgeber als besonders dem weiblichen Geschlecht notwendige Lebenshilfe anbieten (5), sowie neun Gedenkbüchlein für alle Tage (6). Drei weitere Bücher enthalten Kinderlieder oder Lieder für Mutter und Kind (7), und vierzehn Anthologien sind als Deklamatorien für unterschiedliche, meist häusliche Anlässe zusammengestellt (8). Sieben national-patriotischen Lyrikbänden (9) stehen eine Sammlung mit sozialdemokratischen Liedern (10) und zwei Bände mit Lyrik fremder Nationen in deutschen Übersetzungen gegenüber (11), gefolgt von fünf Veröffentlichungen mit Lyrik einzelner deutscher Regionen (12).

Schon diese Bestandsaufnahme zeigt, daß fast 60 Prozent der Lyrik – die Bände der Gruppen 2 bis 7 – ausschließlich für Mädchen und Frauen konzipiert sind. Aber auch die Auswahl der Texte in den Deklamatorien zum mündlichen Vortrag in häuslichen und gesellschaftlichen Kreisen erfolgt mit Rücksicht auf das anwesende weibliche Publikum; die national-patriotischen Sammlungen gelten Männern und Frauen gleichermaßen; und die Übersetzungen fremder Lyrik ins Deutsche werden häufig in Hinblick auf Leserinnen ausgewählt und zeichnen sich dadurch aus, daß adaptierende Übersetzungsverfahren stärker Anwendung finden als originalgerechte, deren Schwierigkeiten man den Frauen nicht zutraute. Somit ergibt sich, daß auch die geschlechtsspezifisch nicht getrennten Anthologien von der weiblichen Ära beeinflußt, wenn nicht geprägt werden und im Grunde nur die Sammlungen der ersten Gruppe überwiegend für die männlichen Absolventen der Gymnasien konzipiert sind.

Die Ausrichtung der Anthologien auf die weibliche Rezipientenschaft bedingt ein erhebliches Qualitätsgefälle der dargebotenen Lyrik und ihrer Präsentation. Ex negativo ist das aus der ersten Gruppe abzulesen, die sich in ihrem hohen Niveau eindeutig von den an Mädchen und Frauen gerichteten Gruppen abhebt. Gemeinsamer Nenner dieser bevorzugt den männlichen Schülern geltenden Anthologien für Schule und Haus, von denen neben Hermann Kluges *Auswahl deutscher Gedichte*[2] vor allem die Sammlungen von Theodor Echtermeyer[3] und Oskar Ludwig Bernhard Wolff[4] in der Epoche richtungsweisend sind, besteht darin, daß ihre Herausgeber – Literaturprofessoren und gleichzeitig Verfasser von Literaturgeschichten – die ganze Fülle der unterschiedlichen lyrischen Ausprägungen dokumentieren und diese gleichzeitig, da die Schüler auch zu eigenen Dichtungen angeregt wurden, als lyrische Verfahrensweisen präsent halten. Ob nach literaturgeschichtlichen Kriterien, nach der Chronologie der Texte, nach Gattungen oder – aus didaktischen Gründen – vom Leichteren zum Schwereren geordnet, in jedem Fall findet der Leser ein durchdachtes Konzept vor, das ihn über Struktur und historischen Stellenwert der einzelnen Gattungen der Lyrik gründlich informiert. Die *Ausgabe B für die höheren Bildungsanstalten der weiblichen Jugend* von Echtermeyers Anthologie bietet dagegen nur eine verminderte, weniger anspruchsvolle, auf das Gefällige eingegrenzte Lyrikauswahl in reduzierter Gattungsvielfalt und nach stofflichen Kriterien geordnet, aus der die ästhetischen Besonderheiten der lyrischen Texte kaum noch wahrgenommen werden können.

Eine gravierendere Niveausenkung erfolgt in den populären Bänden der zweiten Gruppe, die meist schon in ihren Titeln die weiblichen Leser ansprechen: *In zarte Frauenhand,*[5] *Eine Festgabe für Frauen und Jungfrauen,*[6] *Knospen und Blumen,*[7] *Aus der Rosenzeit.*[8] Der literaturwissenschaftliche und historische Zusammenhang gerät aufgrund der in solchen Anthologien üblichen zyklischen Anordnung der Texte nach Themen und Motiven aus dem Blick. Die Sammlungen zielen vor allem auf eine gefühlsmäßige, intuitive, unmittelbare Rezeption ohne kritische Distanz. Auch ihre äußere Aufmachung ist auf den weiblichen Rezipientenkreis abgestimmt. Das Bändchen mit dem Titel *Der Schönsten die Rose*[9] kommt zum Beispiel mit angebundenem Riechkissen auf den Markt; beinahe alle Sammlungen sind mit Illustrationen versehen, die als gleichwertig neben den literarischen Texten plaziert sind oder diese überlagern und eine kritische Lektüre verhindern. Goldschnitt, üppiger Buchschmuck und kolorierte Bildseiten weisen viele Bände als Geschenkliteratur aus, in denen die Gedichte nur noch dekorative Funktion einnehmen. Ein überlegtes Konzept fehlt, Qualitätsunterscheidungen werden hinfällig, so daß entweder Gedichte von hochgewerteten Autoren aufgrund gleicher Themen neben denen von Epigonen stehen oder die Ausrichtung auf das Liebliche und Harmonische dazu führt, nur noch Texte trivialer Modeautoren wie Viktor Blüthgen, Emanuel Geibel, Frida Schanz, Julius Wolff, Ernst Ziel, Albert Träger und ähnlichen Tagesgrößen zu veröffentlichen. Diesem Verfahren entspricht, daß von hochgewerteten Autoren in der Regel weniger charakteristische als anspruchslose, periphere Proben dargeboten werden, die sich der dominierenden epigonalen Lyrik angleichen. Der inhaltlichen Verengung auf Häuslichkeit, Liebe und Freundschaft korrespondieren Gattungs- und Epochenverengungen. In den Anthologien für Mädchen und Frauen begegnet bevorzugt das einfache, keine Verständnisprobleme erfordernde Lied, das allenfalls von ebenso mühelos rezipierbaren Romanzen und Balladen begleitet ist, während etwa Gedankenlyrik, philosophische Gedichte oder die eine intensivere Auseinandersetzung verlangenden Oden, Hymnen oder Elegien und andere ›schwierige‹ Gattungen an den Rand gedrängt sind. Texte aus ferner liegenden Epochen wie dem Barock oder der Frühromantik sind selten vertreten. Die ›Poetischen Hausschätze‹ und ›erbaulichen Lebensbegleiter‹, die frommen christlichen Anthologien und die Gedenkbüchlein in gleitendem Übergang zu Brevieren und Zitatenschätzen zeigen, daß die an Mädchen und Frauen gerichtete Lyrik kaum literarischer Ambitionen wegen, sondern in erster Linie aus therapeutischen Gründen veröffentlicht wird.

Die Ursachen dafür liegen im Charakter der zeitspezifischen weiblichen Sozialisation, die sich im oberen Mittelstand als dem Hauptträger literarischer Kultur gravierend von der männlichen unterscheidet. Während die Männer dieser gesellschaftlichen Schicht aufgrund ihrer beruflichen Tätigkeit in Verwaltung, Kommerz und Politik an den rapiden Modernisierungsvorgängen teilnehmen, verbleiben die Frauen gezwungenermaßen als höhere Töchter, Gattinnen, Hausfrauen und Mütter in ihrer häuslichen Abgeschiedenheit. Dem isolierten häuslichen Dasein entspricht eine reduzierte Schulbildung, da die höheren Töchterschulen nicht auf Studium oder Beruf vorbereiten, sondern letztlich nur eine ziellose ästhetische Bildung vermitteln. Die auf das Harmonische, Gefällige und Private begrenzte Lyrikauswahl in den Schulanthologien für Mädchen ist der Spiegel ihrer gesellschaftlichen Situation, die sich auch in den Sammlungen für die aus der Schule entlassenen höheren Töchter und künftigen Ehefrauen und Mütter fortsetzt. Je mehr die öffentliche Lebenswelt durch die als bedrohlich empfundenen Entwicklungen in Industrialisierung, Volkswirtschaft, Politik und Naturwissenschaft verändert wird und ein Klima mentaler Irritation hervorruft, desto stärker bemüht man sich, die häusliche Welt stabil zu erhalten, das abgeschirmte Heim als Refugium hochzuschätzen, in der Familie Schutz vor den Bedrängnissen des Alltags und der Umwelt zu suchen und die Frau als Bewahrerin der ersehnten Ordnung zu verehren. Zu diesem zeitbedingten Bedürfnis tragen die Anthologien entschieden bei. Viele von ihnen verkünden schon im Titel ein Beschwichtigungsprogramm: *Im Heiligtum der Familie,*[10] *Für Haus und Herz,*[11] *Am eignen Herd.*[12] Ihre Herausgeber und Herausgeberinnen verklären die Idylle des Hauses, grenzen sie als heiles Gegenbild von der verunsicherten Öffentlichkeit ab und nehmen dementspechend nur solche Texte auf, die dem beabsichtigten Zweck dienen. Ästhetische Innovationen sind in diesem auf Traditionserhalt und Gediegenheit beharrenden Kontext ebenso unerwünscht wie alle übrigen Qualitäten anspruchsvoller Lyrik:

Irritationspotential, politische Dimension, philosophische Substanz, Utopiecharakter oder subversive Elemente.

Die für Mädchen und Frauen vorgenommene Instrumentalisierung der Lyrik zu ethischen und moralisch-erbaulichen Mustern läßt sich insgesamt auf dem weiblichen Buchmarkt verfolgen. Verfasserinnen der verbreiteten weiblichen Anstandsbücher und Lebenshilfen sind vielfach im literarischen Leben gleichzeitig als Herausgeberinnen von Anthologien tätig oder empfehlen Anthologien in ihren popularethischen Schriften. Eine der bekanntesten ist die Frauenschriftstellerin Elise Polko (1823–1899). Mehrere ihrer zahlreichen Anthologien, zum Beispiel der *Hausgarten*,[13] die *Poetischen Albumssprüche*[14] oder die Sammlung *Unser Glauben, Lieben und Hoffen. Fromme und ernste Lieder und Verse neuerer und neuester Dichter*,[15] verbinden sich mit ihrer populären, das häusliche weibliche Leben glorifizierenden Schrift *Unsere Pilgerfahrt von der Kinderstube bis zum eignen Heerd.*[16] Üblich sind Mischformen von Anstandsbüchern, Zitatenschätzen und Anthologien in teilweise aufwendiger Ausstattung wie etwa *Das deutsche Haus im Schmucke der Poesie und Kunst.*[17] Die Verfasser popularethischer Schriften ersetzen die dort mit eigenen Worten formulierten moralischen Betrachtungen hier, in den Zitaten- und Lyriksammlungen, durch geborgte Sentenzen und Gedichte aus der deutschen Literatur der klassischen Epoche und ihrer Epigonen.

Anthologien sind weiterhin mit den für Mädchen und Frauen bestimmten Literaturgeschichten und Familienblättern verzahnt, deren Veröffentlichung oft in ein und derselben Hand liegt. Der als Leiter mehrerer Mädchenschulen amtierende Robert Koenig (1828–1900) zum Beispiel ist Redakteur des christlich-konservativen Familienblatts *Daheim* und Autor einer erfolgreichen »dem deutschen Hause« gewidmeten *Literaturgeschichte*[18] und gibt gleichzeitig mehrere Anthologien für Frauen heraus, unter anderen *Deutsches Frauenleben im deutschen Liede*[19] und *Weibliches Leben.*[20] Die Normen von weiblichem Schulsystem, Familienblattkultur, populärer Literaturgeschichtsschreibung und Lyrikpräsentation greifen ineinander und steuern nicht nur die Rezeption der Lyrik, sondern bestimmen auch deren weitere Produktion. Da viele Verlage von Frauen- und Familienblättern auch Frauenbibliotheken,

›gereinigte‹ Klassiker-Ausgaben [→ 394 ff.], Anstandsbücher, hauswirtschaftliche und gastronomische Schriften, für Frauen bestimmte Übersetzungsliteratur, Zitatensammlungen und Lyrikanthologien herausgeben, die einzelnen Werke gegenseitig inserieren, über ein dichtes Distributionsnetz verfügen und neue Lesebedürfnisse wecken, kann sich die weibliche literarische Kultur für lange Zeit stabilisieren und den literarischen Markt [→ 139 f.] prägen oder ihn auf Teilbereichen sogar beherrschen.

Für die Lyrik bleibt diese Feminisierung nicht ohne Folgen. Zum einen läßt sich beobachten: Je komplexer und vielschichtiger lyrische Texte sind, desto mehr sind sie der Gefahr ausgesetzt, sobald sie für das weibliche Publikum herausgegeben werden, nur selektiv, um ihre Polyperspektive vermindert, präsentiert und und ebenso rezipiert zu werden. Zum andern ist offenkundig, daß für diesen Adressatenkreis nach heutigen Maßstäben triviale Lyriker erfolgreicher sind als solche, die anspruchsvolle, komplizierte und nicht so leicht konsumierbare Gedichte verfassen. Konsequenterweise verliert der überwiegende Teil des männlichen Publikums das Interesse an Lyrik.

Die Lyrik hat ihre Rolle als ernstzunehmende Gattung weitgehend eingebüßt. Seit Mitte der achtziger Jahre mehren sich die Stimmen von Autoren gegen die verbreitete weibliche Kultur als Ursache literarischer Trivialisierung. Seitdem zeichnen sich einige Neuerungsversuche ab, allerdings nur in der Spitze der Anthologienpyramide, in elitären Kreisen, für kleine Rezipientengruppen und oft in Außenseiterverlagen, deren auflagenschwache Sammlungen zwar gegen den bürgerlichen Anthologientyp opponieren, ihn aber nicht zu verdrängen vermögen.

Die Versuche der Naturalisten zeigen beispielhaft, wie erdrückend das Gewicht der durch die patriarchalisch bestimmte weibliche Kultur beeinflußten trivialen Lyrik ist, so daß Neuerungen sich nur in einigen Themenbereichen [→ 350 ff.], nicht im Gesamtcharakter der Lyrik einstellen können. Auch in anderen Sparten der sogenannten »modernen Lyrik« um die Jahrhundertwende, die der bisherigen Prüderie und engen Moral [→ 257 ff.] ein Ende setzt, gelingen nur gelegentlich überzeugende Beispiele. Die neue Großstadtlyrik verbleibt häufig im Deskriptiven, bis ihr die Expressionisten [→ 454 f.] tiefere Dimensionen verleihen. Die sozialkritische und sozialistische Lyrik gewinnt kurzfristig Resonanz, weniger jedoch durch neue Ausprägungen als durch ihren Rückgriff auf entsprechende Muster der Vormärzzeit. Die pazifistische Lyrik kann sich nicht gegen die dominierende nationale Kriegslyrik durchsetzen.

Die emanzipatorischen Impulse der Frauenbewegung ermöglichen im ausgehenden Jahrhundert das Erscheinen von Anthologien, die nicht mehr wie bisher Lyrik *für* Frauen, sondern Lyrik *von* Frauen als Symptom offener Aussprache und endlich befreiter Sinnlichkeit an die Öffentlichkeit bringen. Die *Liebeslieder moderner Frauen*,[21] unter ihnen auch die Gedichte von Else Lasker-Schüler (1869–1945), legen zum Beispiel

> Zeugnis ab von ihrem innersten Fühlen und Denken. Was die Frauen seit Jahrtausenden stumm gelitten und getragen, was sie an Wonnen und Seligkeiten verschwiegen gekostet, nun wird es aller Welt rückhaltlos verkündet – vielfach mit einer naiven Offenheit und Unbedenklichkeit, die der Mann nicht kennt. Und nicht bloß das sich in den normalen Bahnen bewegende Liebesleben des Weibes tritt uns in diesen Selbstbekenntnissen entgegen, sondern auch seine Steigerungen ins Dämonische und Verirrungen ins Krankhafte werden uns enthüllt.

Daß derartige neue Lebensmöglichkeiten auch einen neuen, dynamischeren Stil erzeugen, möge ein abschließender kurzer Vergleich zumindest andeuten.

In den anonym erschienenen *Blumen der Liebe*, einer herkömmlichen *Sammlung lyrischer Gedichte im Garten neuerer deutscher Dichtung ausgewählt von Frauenhand*[22] formuliert Dilia Helena:

> Wohl gabst du mir, o theurer Mann,
> Mit dir des höchsten Glückes Gabe,
> Indes ich dir nichts bieten kann:
> Die Lieb ist alles, was ich habe.
>
> Die Liebe, die zu dir mich zieht,
> Du kannst sie nimmermehr ergründen,
> Die Treue, die der Brust erglüht,
> So heiß mir niemals nachempfinden.

Ich wünsche, ich ersehne nur –
Von dieser nicht'gen Welt geschieden –
Zu folgen deines Daseins Spur:
In dir ruht all mein Glück, mein Frieden.

In der *Frauenlyrik unserer Zeit*[23] inszeniert Thekla Lingen (1866–1931) dagegen eine

Befreiung

Nur immer von Liebe flüstert dein Mund,
Nur immer von heißer, verschwiegener Stund,
Von dunkler Sehnsucht verstohlener Lust,
Von seligen Nächten an deiner Brust!
Und Perlen giebst du und gleißend Gold
Und seidne Gewänder als Liebessold;
In reichen Gemächern hältst du mich fein
Bei leckeren Bissen und perlendem Wein –
Zu meinen Füßen windest du dich,
Als liebtest du mich –
Nein, nein!
Nimm ihn nur hin, deinen thörichten Tand,
Reich mir die starke, die leitende Hand,
Führ mich an deiner Seite hinaus
An das jubelnde Licht aus verschlossenem Haus,
Reiß meine Seele aus dunklem Traum,
Gieb meinen wachsenden Schwingen Raum,
Hoch laß mich fliegen, weit laß mich gehn,
Bis ich das Leben, das Leben gesehn
Nicht dir als Herrin, noch Sklavin – nein –
Deine Genossin will ich sein –
So bin ich dein!

Im ersten Gedicht, einem von tausend ähnlichen, gibt sich das lyrische Ich als unselbständige, keine Identität beanspruchende Frau, die nach eigener Aussage dem geliebten Mann »nichts bieten kann«, sondern allein durch die Liebe zu ihm existiert und gänzlich auf ihn fixiert ist: nur »in dir ruht all mein Glück, mein Frieden«. Eigene Welterfahrung ist weder erstrebt, noch überhaupt vorstellbar: »Von dieser nicht'gen Welt geschieden«, wünscht sie allein, dem Dasein des Geliebten zu »folgen«, ohne an eigene Wege zu denken, denn nur in der Unterordnung scheint das »Glück« erfahrbar, wie auch »die Liebe« lediglich mit »Treue« konnotiert und so formuliert ist, daß eine gleichwertige Partnerschaft außerhalb jeglicher Vorstellung bleibt, suggeriert der Text doch, daß der Mann weder ihre Liebe »ergründen«, noch ihre Treue »nachempfinden« könne. Zweifel an der Güte des »theuren Manns« bleiben unerörtert.

Dieser letztlich resignierenden, dem Mann ausgelieferten Haltung widerspricht Thekla Lingen in aller Entschiedenheit. Die Liebe ist nicht weniger intensiv geschildert, bekommt aber ganz andere und gewichtige Dimensionen, die programmatisch im Titel »Befreiung« ausgesprochen sind. Im Gegensatz zu dem in gleicher Tonlage bleibenden dreistrophigen Gedicht von Dilia Helena ist Thekla Lingens nicht strophisch abgesetzter Text inhaltlich zweigeteilt. Der erste Abschnitt enthält eine Verweigerung all jener männlichen Liebesfloskeln und Verführungsangebote, die unter anderem dazu dienen, sich der Frau zu bemächtigen, und die nicht unbedingt aufrichtig sein müssen (»als liebtest du mich –«). Der zweite Abschnitt formuliert dagegen die eigenen Vorstellungen einer Liebe, die sich durch die ersehnte »Befreiung« erfüllt, die die Frau selbständig und welterfahren macht und sie befähigt, weder »Herrin«, noch »Sklavin«, sondern »Genossin«, also dem Mann gleichberechtigte Partnerin zu sein.

Dieser Text hat programmatische Funktion; beinahe alle Gedichte der ›modernen‹ Frauen stehen mit ihm in Verbindung oder bilden Varianten davon. Nicht nur der neue Inhalt, auch die Form ist Ergebnis der jetzt erwachten Selbständigkeit. Die übliche strophische Gliederung mit vierhebigen alternierenden Zeilen im Kreuzreim und Wechsel von männlicher und weiblicher Kadenz ist eine in der deutschen Lyrik gebräuchliche Form, die – unselbständig übernommen – der dargestellten inneren Unselbständigkeit entspricht. Die thematisierte »Befreiung« führt dagegen auch zu einer Befreiung von überkommenen Formen. Thekla Lingens Text ›befreit‹ sich vom metrischen Zwang der Strophenbindung ebenso wie von der dort herrschenden Alternation. Ihre Zeilen – hier noch im Paarreim, in anderen Gedichten auch reimlos – weisen Senkungsfreiheit bei unterschiedlicher Länge auf, die mit der unterschiedlichen Stimmung korrespondiert und unterschiedliche Akzentuierungen ermöglicht. Die Zweiteilung des Textes, durch die Kurzzeile »Nein, nein!« exponiert, entspricht der doppelten Perspektive von Ablehnung und Wunsch. Formeln und Floskeln, die sich durch das Gedicht von Dilia Helena ziehen – typisierende Epitheta, Doppelformen, Parallelismen –, sind im ersten Teil des modernen Gedichts gleichsam zitatweise aufgenommen, um als »thörichter Tand« verweigert zu werden; im zweiten Teil ist die Diktion konkreter und individueller. Sie entspricht hier und in anderen Texten der jetzt erwachten Urteilsfähigkeit und Entscheidungsfreiheit, Momente, die zu so divergenten Realisationen führen, daß in den Anthologien moderner Frauenlyrik Generalisierungen wie zuvor nicht mehr möglich sind.

Theo Meyer

Das naturalistische Drama

I. Problemstellung

Es fehlte uns auch damals die Zeit, subtile und komplizierte Gespinste des Gehirns, die wesentlich Selbstzweck schienen, zu verfolgen. Nein, wir hatten Besseres zu tun. Wir wollten blühen, wir wollten Frucht bringen. Um dies zu bewirken, mußten wir zugleich Bauer und Gärtner sein. Beide haben es mit dem Boden zu tun.[1]

So äußert sich Gerhart Hauptmann (1862–1946) in seiner Autobiographie *Das Abenteuer meiner Jugend* (1937) zu den Bestrebungen der naturalistischen Literaturrevolution um 1890. Die gegen Nietzsche [→ 192 ff.] gerichtete Marginalie signalisiert die aufkommenden realistischen Tendenzen in der Literatur. Die realistische Avantgarde will den unmittelbaren Kontakt zum Leben, zur Realität des Alltags, herstellen und Anstöße zur Gestaltung dieser Wirklichkeit geben. Im Zeichen der Einbindung der Literatur in den sozialen, soziokulturellen Kontext der Epoche erfolgt die Absage an den Kult des vom Leben losgelösten, einsamen Genies. Angesichts der industriellen Revolution, der Proletarisierung der Arbeiterschaft und der Sozialmisere in weiten Bereichen des Kleinbürgertums wird der Milieu-Realismus zur programmatischen Forderung und literarischen Praxis der Naturalisten.

Eine herausragende Stellung nimmt dabei das Drama ein, da es von allen literarischen Gattungen auf Grund der unmittelbaren sinnlichen Präsenz eines Geschehens auf der Bühne am ehesten die Trennwand zwischen Kunst und Leben, Bühne und Zuschauer aufzuheben und die Illusion der unvermittelten Wirklichkeit zu erzeugen vermag. Das naturalistische Theater ist Illusions- und Identifikationstheater. Es ist weitgehend geprägt vom Ethos der Wahrheit, der Darstellung der empirischen Realität, und der Wahrhaftigkeit, des sozialkritischen Engagements. Das hat dramaturgische Konsequenzen. In den drei Hauptkonstituenten des Dramas, in Handlung, Person und Sprache, erfolgt der Bruch mit dem klassischen Drama. Die geschlossene, zielgerichtete Handlung wird aufgegeben zugunsten der Zustandsbeschreibung. Es erfolgt die Episierung des Dramas.[2] Dies schließt freilich Handlungselemente, ja dramatische Zuspitzungen nicht aus. Hauptmann konstatiert: »Das Epische und Dramatische ist nie rein zu sondern.«[3] In der Tat fließen in den naturalistischen Dramen epische und dramatische Elemente vielfach ineinander, so daß sich eine eigentümliche Mischform ergibt. Dennoch erfolgt im ganzen eine deutliche Reduktion der Handlung zugunsten der episierenden Milieudarstellung bzw. der Menschen im Milieu. Hauptmann notiert: »Die Fabel muß einfach bleiben und die Personen nicht belasten ⟨...⟩. Was man der Handlung gibt, nimmt man den Charakteren.«[4] Und in lapidarer Bündigkeit: »Handlung im Drama: das Unwichtigste!«[5] Die zum Sujet des Dramas erklärten Personen sind determiniert durch das Milieu, das soziale Milieu, und die biologischen Faktoren von Trieb und Vererbung. Insbesondere das soziale Umfeld wird als die den Menschen prägende Dimension herausgestellt. Der Mensch erscheint als *soziales* Lebewesen. Für Hauptmann gewinnen die *dramatis personae* ihre Evidenz nur aus der Beziehung zum »natürlichen Gang sozialen Lebens«: »Der moderne Mensch ist nicht zu denken, außer sozial, also ist er auch im Drama nicht darzustellen, wenn man ihm seine sozialen Beziehungen nimmt.«[6] Zentrale Bedeutung im Kontext des Sozialen erlangt die Sprache. Sie wird zum dominanten Darstellungsmittel, denn in der Sprache, sowie in Gestik und Gebärde, gelangt das Leben unmittelbar zum Ausdruck. Da es um die aus empirischer Beobachtung gewonnene Darstellung des konkreten Lebens, des alltäglichen Lebens und der sozialen Realität, geht, wird die Alltagssprache, die natürliche, ›normale‹ Sprache, zur Sprache des naturalistischen Dramas, wobei die Sprachebenen von der Hochsprache bis zum Dialekt bzw. Soziolekt reichen, entsprechend dem Sprachniveau der jeweiligen Personen. Arno Holz (1863–1929) erklärt, daß nicht mehr die »Handlung«, sondern die den »Menschen selbst« charakterisierende »Sprache des Lebens« das neue Drama präge.[7]

Aus diesen diversen Faktoren erwächst im naturalistischen Drama die Preisgabe des Tragischen. Das Tragische als die unausweichliche Kollision zwischen Freiheit und Notwendigkeit setzt eine, wie auch immer eingeschränkte Handlungs- und Entscheidungsmöglichkeit des Individuums voraus. In dem Maße, in dem das handelnde Subjekt zum Objekt des Milieus wird, wird das Tragische obsolet. Es vollzieht sich der Abbau des Erhabenen zugunsten des Alltäglichen, der ›geistigen‹ Auseinandersetzungen und Ideale zugunsten der ›ungeistigen‹, sozialen Determination des Menschen.

Dies ist die Grundstruktur des naturalistischen Dramas. Nun sind aber innerhalb des Epochenstils spezifische Individualstile zu unterscheiden. *Das* naturalistische Drama gibt es nicht. Es gibt nur die generelle Tendenz zur Nachahmung der empirischen Realität. Innerhalb dieser Grundtendenz zeigen sich in der faktischen Dramenproduktion charakteristische individuelle Ausprägungen des naturalistischen Prinzips der Nachahmung der konkreten Wirklichkeit. Das Mimesis-Prinzip ist der gemeinsame Nenner. Aber die Problemstellungen und Ausdrucksformen können durchaus variieren. Es ist zu differenzieren zwischen dem analytischen, sozialkritischen Naturalismus Emile Zolas (1840–1902), dem gesellschaftskritischen, emanzipatorischen Drama Henrik Ibsens (1828–1906), der radikalen psychologischen Spannungsdramatik August Strindbergs [→ 367ff.] (1849–1912), dem moralischen, religiösen Milieurealismus Lew Tolstois (1828–1910), dem sozialen Drama Hauptmanns und dem konsequenten Naturalismus von Arno Holz. Im Hinblick auf diese Hauptvertreter des naturalistischen Dramas zeichnet sich deutlich eine Typologie des Dramas ab. Obschon der Realismus, die entschiedene Hinwendung zur empirischen Wirklichkeit, die verbindende Klammer ist, entwickeln die einzelnen Autoren unterschiedliche dramatische Typen. Als Haupttypen schälen sich heraus: das sozialkritische Drama, das mit moralischem Engagement gesellschaftliche Mißstände geißelt (Zola), das soziale Milieudrama, das eine Symptombeschreibung der desolaten Situation des Proletariats und des Kleinbürgertums bietet (Hauptmann), das gesellschaftskritische Tendenzdrama, das die Gesellschaftslüge entlarvt und zu geistig-moralischer Erneuerung aufruft (Ibsen), das religiöse Wandlungsdrama, in dem ein Schuld-Sühne-Zusammenhang entfaltet wird (Tolstoi), das psychologische Enthüllungsdrama, das, vor dem Hintergrund eines gesellschaftlichen Milieus, in extremer Zuspitzung den interindividuellen Konflikt, vor allem die Auseinandersetzung zwischen den Geschlechtern, exponiert (Strindberg), der konsequente Naturalismus, dessen Intention die Wiedergabe der unverstellten Wirklichkeit ist (Holz).

II. Europäischer Naturalismus

Seinen literarischen, weltliterarischen Rang gewinnt das moderne realistische Drama erst im europäischen Horizont. Die entscheidenden Impulse gehen von dem Norweger Ibsen, dem Russen Tolstoi und dem Schweden Strindberg aus. Zola ist hinsichtlich des Dramas von eher sekundärer Bedeutung.

Der europäische Repräsentant des modernen realistischen Dramas ist Ibsen. In seinen gesellschaftskritischen Dramen entfaltet er in radikaler Provokation das Spannungsfeld von Wahrheitsethos und Gesellschaftslüge. In einem von Søren Kierkegaard beeinflußten Wahrheitsrigorismus des Entweder-Oder entlarvt er die Lebenslüge der Gesellschaft. In der analytischen Technik der Enthüllungsdramaturgie, in der die Ursache des Geschehens vor der Bühnenhandlung liegt, wird Zug um Zug im Dialog die Vergangenheit bzw. die Determination durch die Vergangenheit aufgedeckt, woraus entweder das Postulat nach moralischer Erneuerung oder die resignative Hinnahme der Katastrophe erwächst. In *Die Stützen der Gesellschaft* (1877) bekennt am Ende der hochangesehene Besitzbürger Konsul Bernick, daß seine gesellschaftliche Reputation auf einer Lüge, einer Schuld beruht. Der individuelle Fall wird als zeitsymptomatischer Vorgang gedeutet.[8] Dabei wird die Gesellschaftsanalyse mit der Verkündung einer Idee verbunden. Die von der Lüge geprägte *alte Zeit* soll abgelöst werden durch eine *neue Zeit*, in der »Wahrheit und Freiheit« die »Stützen der Gesellschaft« sind.[9] Das kritische Gesellschaftsdrama wird zum appellierenden Läuterungs- und Wandlungsdrama. Im Emanzipationsdrama *Nora oder Ein Puppenheim* (1879), in dem die Protagonistin um ihrer

Selbstverwirklichung willen aus der verlogenen bürgerlichen Ehe ausbricht, verzichtet Ibsen auf den deklamatorischen Appell. Einem Brief Ibsens ist zu entnehmen, daß dieses Vorgehen reichte, um das bürgerliche Publikum zu provozieren:

> Hier hat »Nora« ebensolchen Sturm entfacht wie daheim. Man hat leidenschaftlich für und gegen das Stück Partei genommen; kaum je ist in München eine dramatische Arbeit so lebhaft diskutiert worden.[10]

Ibsens Dramen sind Provokationen. In *Ein Volksfeind* (1882) rückt, in den Reden Stockmanns, die direkte programmatische Aussage wieder stärker in den Vordergrund. Aus moralischer Verantwortung erfolgt der individualistische Protest gegen einen sozialen Mißstand, die Verseuchung des Heilbades um materieller Vorteile willen. In diesem Schauspiel wird das gesellschaftskritische Drama zum sozialen Drama. Freilich, die soziale Frage ist nicht das Zentralthema Ibsens. Seine Probleme sind ›bürgerliche‹ Probleme: die Rechte des Individuums in einer korrumpierten bürgerlichen Gesellschaft. Dabei zeigt sich allerdings in wachsendem Maße ein Skeptizismus Ibsens. Mehr und mehr werden seine Helden zu scheiternden Gestalten. Sie scheitern an ihrer gesellschaftlichen und biologischen Determiniertheit. In den *Gespenstern* (1881) ist Oswald Alving das paralytische Opfer der Vererbung und des ausschweifenden Lebens, das sein Vater geführt hat. Der Vererbungsgedanke ist ein Grundgedanke des Naturalismus.[11] Er wird verbunden mit der Milieutheorie. Aus milieubedingtem Fehlverhalten von Personen erwachsen Erbschäden. Immer stärker blockieren Milieu, Trieb und Vererbung die idealen Forderungen. In den *Gespenstern* will Ibsen nichts »verkünden«, sondern den »unter der Oberfläche« brodelnden »Nihilismus« aufdecken.[12] Die Milieuzwänge [→ 31 f.] führen im Drama des Naturalismus häufig zum Freitod. In der *Wildente* (1884), in der die Beziehungen der Menschen auf der ›Lebenslüge‹ aufgebaut sind, in der die ›Ideale‹ sich als ›Lügen‹ enthüllen, wird ein Mädchen durch die Umwelt in den Selbstmord getrieben. In *Hedda Gabler* (1890) geht Hedda in den Freitod, um sich der Repression, der Erpressung durch die Männerwelt, zu entziehen. In *Baumeister Solness* (1893) scheitert der durch seine Vergangenheit, durch sexuellen Mißbrauch und Brandstiftung, innerlich belastete und dem Andrängen der Jugend nicht mehr gewachsene Solness an seinem großen Bauprojekt und bringt sich um. Ein tiefpessimistischer Zug prägt diese Dramen Ibsens. Bezeichnenderweise tragen die *Gespenster* die Gattungsbezeichnung »Familiendrama«. Die gesellschaftlichen Probleme werden im familiären Bereich entfaltet.[13] Diese für die naturalistischen Dramatiker überhaupt symptomatische Darstellung der Probleme im innerfamiliären Umfeld [→ 79 ff., 320 ff.] sichert dem Drama mehr psychologische Wahrheit und Lebensechtheit, als dies in einem abstrakten Tendenzdrama möglich wäre. Ibsens Drama hat einen starken Einfluß insbesondere auf den deutschen Naturalismus ausgeübt.[14]

Gleichfalls eine große Wirkung geht von Tolstoi aus. Die ›Freie Bühne‹ in Berlin, die im September 1889 ihre Theateraufführungen mit Ibsens *Gespenstern* eröffnet, führt im Januar 1890 Tolstois *Macht der Finsternis* auf. Das Drama findet starke Resonanz und gibt den deutschen Dramatikern wichtige Anstöße.[15] *Macht der Finsternis oder Steckt die Kralle in der Falle, ist der Vogel schon verloren* (1886) verbindet realistische Milieubeschreibung mit psychologischer Motivierung der Handlung und religiösem Aufruf. In epischer Breite wird das bäuerliche Leben geschildert. Es erfolgen dramatische Zuspitzungen durch Morde aus Selbstsucht. Am Ende bekennt der Mörder öffentlich seine Schuld und bittet um Vergebung »um Christi Willen«. Das Drama ist geprägt durch einen religiösen Milieurealismus. Im Drama *Und das Licht scheinet in der Finsternis* aus dem letzten Lebensjahrzehnt Tolstois rücken gesellschafts- und sozialkritische Motive stärker in den Vordergrund. In dem autobiographischen Stück will der Protagonist, ein Gutsbesitzer, seine Besitztümer an die Bauern verteilen. Aus dem Geist der Bergpredigt soll soziale Gerechtigkeit praktiziert werden. Ein weiteres Motiv ist die Verweigerung des Militärdienstes, gleichfalls aus einem urchristlichen Antrieb. Dies stößt auf den Widerstand von Familie und Gesellschaft. Es ist der Autor Tolstoi, der auf Grund konkreter Erfahrungen (Schrecknisse im Krimkrieg, soziale Unterdrückung der Bauern) seine Solidarität mit den Unterprivilegierten bekundet. Dies hat Konsequenzen für die eigene Lebensgestaltung: Tolstoi verzichtet auf seinen Besitz. Und was die Kunst betrifft, so fordert er in einer Reihe von Schriften eine realistische, volksnahe Kunst.[16]

Während Ibsen die individuellen Freiheitsrechte fordert und Tolstoi der mitmenschlichen Solidarität huldigt, ist Strindberg auf die zwischenmenschliche Auseinandersetzung, vor allem den Kampf der Geschlechter [→ 243 ff.], fixiert. Seine naturalistischen Dramen sind exzessive Seelendramen, in denen der Autor mit bohrender Intensität, ja monomanischer Verbissenheit die Tiefenschichten des Menschen, das Triebhaft-Unbewußte, den Aggressionstrieb, den Machtwillen, schonungslos bloßlegt. Im »naturalistischen Trauerspiel« *Fräulein Julie* (1888) führt er ein durch Charakter, Milieu und Geschlechtergegensatz bedingtes mörderisches Psychoduell zwischen Mann und Frau vor. In der Motivation der Spannung verknüpft er das psychologische Problem des Geschlechtergegensatzes mit dem sozialen Problem des Milieus, dem Klassengegensatz zwischen Julie und Jean. Nicht Liebe, sondern Machtwille bestimmt das Verhältnis zwischen Mann und Frau. Eine harmonische Lösung ist unmöglich. Als Ausweg bleibt Julie nur der Freitod. Der Geschlechterkampf wird bei Strindberg [→ 368] zur Obsession. Dies zeigt sich vor allem auch in Dramen wie *Der Vater* (1887) und *Totentanz* (1901). Es zeigt sich bei Strindberg eine antiemanzipatorische Tendenz. Er wird zum Gegenpol Ibsens. Er wendet sich gegen die »große Farce, die man die Frauenfrage nennt« und apostrophiert Ibsen als den »berühmten norwegischen Blaustrumpf männlichen Geschlechts«.[17]

III. Deutscher Naturalismus

Im Drama des deutschen Naturalismus drängt die soziale Frage in den Vordergrund, zumindest bei dem Repräsentanten des deutschen naturalistischen Dramas, bei Gerhart Hauptmann. Sein naturalistischer Erstling *Vor Sonnenaufgang* (1889) trägt die Gattungsbezeichnung *Soziales Drama*. Die soziale Realität der Bergarbeiter wird aber nur am Rande dargestellt. Die soziale Frage ist in erster Linie Gegenstand der gesellschaftskritischen Rhetorik des Reformidealisten Loth, des Boten aus der Fremde. Im übrigen spielt sich der dramatische Vorgang in der Familie eines Bauerngutsbesitzers, eines Alkoholikers, ab. Stärker als die eigentlich soziale Frage, die Situation des Proletariats, prägen Alkoholismus und Vererbungstheorie sowie die Liebesbeziehung zwischen Loth und Helene den dramatischen Konflikt. Das ›soziale Drama‹ wird zum ›Familiendrama‹ [→ 80 ff.]. Hauptmann, der sich im übrigen gegen die Identifikation mit Loth wehrt, bemerkt, zum »Realismus« des Stückes gehöre nicht nur das Häßliche, sondern auch die Liebesszene.[18] Ein wirklich ›soziales‹ Drama hat Hauptmann in den *Webern* (1892) geschaffen. In diesem »Schauspiel aus den vierziger Jahren« hat Hauptmann, nach eingehenden Quellenstudien[19] anhand eigener Erfahrungen und Studien vor Ort,[20] dem historischen Weberaufstand von 1844 aktuelle Relevanz verliehen. Das eigentliche Thema ist die soziale Misere der Weber in der eigenen Gegenwart. Das Sujet ist ein Kollektiv, die Berufsgruppe der Weber; einzelne Charaktere sind allerdings hervorgehoben, aber sie haben gruppendynamische Funktion, entweder als revoltierende Agitatoren (Bäcker, Jäger) oder als konservative, affirmative Gestalten (der alte Hilse, der Pastor). *Die Weber* enthalten sozialen Zündstoff wie kein anderes naturalistisches Drama, das Verbot der öffentlichen Aufführung und der Weber-Prozeß sind dafür das markante Indiz. Hauptmann selbst hat allerdings betont, er habe kein sozialrevolutionäres Drama, sondern ein von »Mitleid« geprägtes »Kunstwerk« schreiben wollen.[21] Aber die herrschenden Kreise fürchten die Sprengwirkung der *Weber* und empfinden sie als Provokation [→ 397 f.]. Als endlich im September 1894 die erste öffentliche Aufführung erfolgt, kündigt Wilhelm II. seine Loge im Deutschen Theater.[22] *Die Weber* sind zwar der Durchbruch des sozialen Dramas in Deutschland, aber im Prinzip hält Hauptmann am Familiendrama fest bzw. entfaltet soziale Fragen im familiären Milieu mit interindividuellen Konflikten. So trägt denn das *Friedensfest* (1890) die Gattungsbezeichnung »Eine Familienkatastrophe«. In *Einsame Menschen* (1891) ist nicht der soziale Konflikt, sondern die Spannung zwischen einem einsamen Individuum und den Verhaltensnormen der bürgerlichen Familie das Thema [→ 82 f.]. Verknüpft ist diese Frage mit dem Problem der Emanzipation des Individuums, speziell der Frau. Da das Problem in der Realität unlösbar ist, geht der Protagonist in den

Freitod. In *Fuhrmann Henschel* (1899), *Der rote Hahn* (1901) und *Rose Bernd* (1903) herrscht gleichfalls der innerfamiliäre, interindividuelle Konflikt, aber er ist stärker verquickt mit dem sozialen Umfeld: Rose Bernd ist eine von den Männern gehetzte Kreatur, ein Opfer des Milieus.

Darüber hinaus thematisiert Hauptmann das Problem der realistischen Kunst und die Situation des Künstlers: *College Crampton* (1892), *Gabriel Schillings Flucht* (1906) und *Michael Kramer* (1900) sind Künstler-Dramen, Dramen über das Verhältnis von Künstler und Bürgertum, Kunst und Wirklichkeit, unbedingtes Wollen und Scheitern des Künstlers. Die Problematik kann tragische Züge annehmen. Gabriel Schilling und Michael Kramer enden im Freitod. Eine besondere Rolle spielt das Kunstgespräch. In der Milieustudie *Die Ratten* (1911) erfolgt in Gesprächen die Ablehnung der klassischen Kunst zugunsten einer realistischen Kunst [→ 32 ff.]. Daß im naturalistischen Drama auch die Komödie weiterhin eine Ausdrucksmöglichkeit ist, hat Hauptmann mit dem *Biberpelz* (1893) gezeigt. Diese naturalistische Komödie, die auf die traditionelle Intrige verzichtet und das freie Spiel zugunsten von Illusion und Identifikation einschränkt,[23] ist eine lebensnahe Geschichte mit gesellschaftskritischen Spitzen. Hauptmann hält auch am Geschichtsdrama fest. Dies zeigt *Florian Geyer. Die Tragödie des Bauernkrieges* (1896), wo das historische Individuum im Mittelpunkt steht. Wie schon in Goethes *Götz von Berlichingen* (1773), aber auch noch in Ferdinand Lassalles (1825–1864) *Franz von Sickingen* (1859) wird das tragische Scheitern eines historischen Individuums an der geschichtlichen Konstellation dargestellt. Die politisch-sozialen Aspekte der Bauernkriege werden im Spannungsfeld von Individuum und Geschichte vergegenwärtigt. Dabei verleiht die Thematik der individuellen Freiheit, der sozialen Gerechtigkeit und des politischen Umsturzes dem Stück aktuelle Brisanz.[24]

Aber nicht das Geschichtsdrama, sondern das Milieudrama ist die genuine naturalistische Gattung. Nicht historische, sondern aktuelle Stoffe dominieren. Nicht große Individuen, sondern Alltagsmenschen sind das Sujet. Am konsequentesten ist dies durchgeführt in der *Familie Selicke* (1890) von Arno Holz und Johannes Schlaf (1862–1941). Unter Verzicht auf eine fortschreitende Handlung mit dramatischen Konflikten wird in episierender Technik ein Lebensausschnitt, eine kleinbürgerliche Alltagsmisere, dargestellt. Hier wird das naturalistische Familiendrama [→ 82f.]zur reinen Situationsbeschreibung, »durch die man in ein Stück Leben wie durch ein Fenster sah«.[25] Holz war überzeugt, mit der minutiösen Darstellung selektiver Alltagswirklichkeit alle bisherige Dramatik übertroffen zu haben, nicht nur das klassische Drama, die Rhetorik Schillers, und das Drama Shakespeares, sondern auch das Drama von Ibsen, Tolstoi und Hauptmann.[26] Er sieht seine entscheidende Leistung in der Ablösung der »Sprache des Theaters« durch die »Sprache des Lebens«.[27] Die Sprache des Lebens zu sprechen – das war Holz' Anliegen. Darüber hinaus verfolgte er keine Absichten. *Die Familie Selicke* ist zwar ein soziales, aber kaum ein sozialkritisches Drama. Holz schildert ein niederziehendes Milieu, aber er zieht daraus keine gesellschaftskritischen Konsequenzen. Das Ganze war für ihn in erster Linie ein Methodenproblem. In der Komödie *Socialaristokraten* (1896) allerdings übt er parodistische und satirische Kritik am zeitgenössischen Sozialaristokratentum, an der modischen Verbindung von sozialem Engagement und aristokratischem Individualismus,[28] sowie am grassierenden Chauvinismus und Antisemitismus. Hier zeigt sich die spezielle Funktion einer naturalistischen Komödie. Sie bietet die Möglichkeit der Literatur- und Gesellschaftssatire. Holz' zentrales Interesse gilt der Kunst. In der voluminösen Tragödie *Sonnenfinsternis* (1908), deren *dramatis personae* nicht mehr aus Alltagsmenschen, sondern aus Künstlerexistenzen bestehen, dreht sich alles um das Problem der Kunst, um die Frage nach dem Verhältnis von Kunst und Natur. Das Drama besteht aus Kunstgesprächen. Der von Selbstzweifeln nicht freie Protagonist will das große Bild des universellen Lebens malen.

Das naturalistische Drama ist nicht allein durch das Milieu festgelegt, es zeigt durchaus variable Züge. So legt Schlaf mit dem Drama *Meister Oelze* (1892) eine psychologische Studie vor. Hier ist der Protagonist nicht durch das soziale Milieu, sondern durch eine individuelle Schuld determiniert. Schlaf konstatiert, er habe der in der *Familie Selicke* geübten »neuen intimen Technik« eine »besondere individuelle Wendung« gegeben. »Und zwar insofern, als die *Familie Selicke* vorwiegend Milieudrama ist, während der

Meister Oelze sich seinerseits mehr als Charakterdrama darstellt.«[29] Auffällig ist in manchen naturalistischen Dramen auch die Verbindung von Milieu und Natur. Das symptomatische Beispiel ist Max Halbe. In *Freie Liebe* (1890) übt er im Zeichen der freien Liebe Kritik an den bestehenden Gesellschaftskonventionen. In *Jugend* (1893) erfolgt der Protest gegen einen lebensfeindlichen Moralismus zugunsten des natürlichen, freien Lebens. In *Eisgang* (1892) artikuliert Halbe radikale Sozialkritik an den Zwängen des durch die Technik funktionalisierten Menschen. Zugleich kommt durch die elementare Natur, die die Technik überrollt, das Zeitlos-Mythische ins Spiel. In *Mutter Erde* (1897) wendet sich Halbe der heimatlichen Scholle zu. Im Drama *Der Strom* (1903) wird die übermächtige Natur den Menschen zum Schicksal. Sozialkritik erfolgt hier kaum. Es ist eine vor der latenten Drohung durch die Naturgewalten sich abspielende Familientragödie. Vor dem Hintergrund der zeitlosen Natur entwickelt sich in den Menschen ein archetypisches Geschehen. Das soziale Drama wird zum mythischen Drama. Die Tendenz, die zeitlich-aktuelle Lage auch als Ausdruck zeitloser Ursituationen aufzufassen, läßt sich allerdings auch in den sozialkritischen Dramen des Naturalismus beobachten. Hauptmann betont später, das »Ewigkeitsschicksal der Menschen« sei »immer ein größeres Thema als das zerebral bewußte Schicksal einer Epoche«.[30] Dennoch ist das naturalistische Drama im Grundzug ein soziales und sozialkritisches Drama. Dabei ist allerdings zu unterscheiden zwischen echter Wirklichkeitsdarstellung (Hauptmann und Holz) und bloß rhetorischer Gesellschaftskritik, wie sie etwa im theatralischen, effektvollen, aber wenig realistischen Schauspiel *Die Ehre* (1889) von Hermann Sudermann (1857–1928) vorgeführt wird.

IV. Kritik

Das naturalistische Drama fordert Kritik heraus, soziale, politische und ästhetische Kritik. In seinen *Ästhetischen Streifzügen* (1898) wirft Franz Mehring (1846–1919) [→ 44 ff.] Hauptmann die »entsetzliche Trivialität seiner Weltanschauung« vor.[31] Hauptmann zeige zwar »eine mikroskopisch feine und kleine Beobachtung der Wirklichkeit« und nenne »*Vor Sonnenaufgang*« ein »soziales Drama«, aber er versäume es, den »Kampf zwischen Kapitalismus und Sozialismus« darzustellen.

> *Vor Sonnenaufgang* spielt in einer Bergwerksgegend, aber Hauptmann denkt gar nicht daran, die Bergleute und ihre Ausbeuter dramatisch gegenüberzustellen.[32]

Überhaupt führe das bloße »Abkonterfeien«, das nicht zum »Wesen der Dinge« vordringe, im »modernen Naturalismus« zu einer »unglaublichen Beschränktheit seines Gesichtskreises«.[33] Symptomatisch sind die Spannungen zwischen Naturalismus und Sozialdemokratie, zwischen naturalistischer Elendsschilderung und progressiver Arbeiterbewegung. Man wollte nicht den verelendeten, sondern den selbstbewußten Proletarier auf der Bühne sehen.[34]

Zugleich setzt bereits in den neunziger Jahren die ästhetische Opposition gegen den Naturalismus ein. In den *Blättern für die Kunst* wird unter der Ägide Stefan Georges (1868–1933) [→ 234 f.] schon 1892 der Naturalismus als »verbrauchte und minderwertige schule die einer falschen auffassung der wirklichkeit entsprang« verworfen.[35] Im Zeichen einer Neuen Innerlichkeit verkündet Hermann Bahr (1863–1934) [→ 22] schon 1891 die »Überwindung des Naturalismus«.[36] In der Folgezeit verschärft sich der Protest gegen den Naturalismus, das naturalistische Drama. Die Expressionisten wollen das Drama vom naturalistischen Determinismus [→ 538 f.] befreien. So erteilt der expressionistische Dramatiker Paul Kornfeld (1889–1942) in seinem Aufsatz *Der beseelte und der psychologische Mensch* (1918) dem durch »Charakter«, »Alltag« und »Kausalität« geprägten »psychologischen Naturalismus« eine vehemente Absage und proklamiert die Erneuerung des Dramas durch eine Gestaltung, in der »der Mensch Mittelpunkt des Dramas ist«, der schöpferische, auf ewige Werte, auf »Gott« sich richtende Mensch.[37] Kritik erfährt der Naturalismus dann vor allem durch eine sozial engagierte Literatur, die sich nicht auf eine Phänomenbeschreibung der Wirklichkeit beschränken, sondern die ökonomischen Gesetzmäßigkeiten aufdecken will. Bertolt Brecht (1898–1956), ausgehend von einer nichtaristotelischen Dramatik, die die »Einfühlung« zugunsten der »Verfremdung« aufgibt,[38] erklärt, der Naturalismus habe nur die »Symptome der Oberfläche« wiedergegeben, nicht aber die »tieferliegenden sozialen Kausalkomplexe« erfaßt.[39] Aber er konzediert dem »naturalistischen Drama«, daß mit ihm das »epische Drama« in Europa eingesetzt habe.[40]

Helmut Scheuer

Generationskonflikte im naturalistischen Familiendrama

I. Ein »neu Geschlecht« – Die »Jüngstdeutschen«

Als in den 20er Jahren eine Debatte über die ›Generationslagerung‹, den ›Generationszusammenhang‹ oder die ›Generationseinheit‹ (Karl Mannheim) geführt wurde, nahm die Wissenschaft auf, was Kunst und Literatur schon beschäftigt und auch die Öffentlichkeit erregt hatte.[1] 1914 empörte sich im Bayerischen Landtag ein konservativer Abgeordneter über den angeblichen Autoritätsverlust staatstragender Institutionen. Seine Anklage liest sich wie ein Katalog literarischer Sujets jener ›modernen‹ Literatur, die wir seit den 1880er Jahren entstehen sehen:

> Kampf gegen das Elternhaus, Kampf gegen die Schule, Kampf gegen jede positive Religion, Kampf gegen die christliche Moral, Kampf gegen einen gesunden Patriotismus ⟨...⟩ also anarchistische Auflösung unentbehrlicher, unersetzlicher Werte ⟨...⟩.[2]

Schon 1904 hatte Arthur Moeller van den Bruck (1876–1925) »eine Empörung der Söhne gegen die Väter, die Ersetzung des Alters durch die Jugend« gefordert.[3] Diesem Kult der Jugend wird nicht erst durch die Jugendbewegung gehuldigt, sondern es ist bereits die künstlerisch-literarische Bewegung des Jugendstils vor 1900, die den ›Mythos Jugend‹ [→ 127f.] entwirft. Der Kampf der ›Jungen‹ gegen die ›Alten‹ hat jedoch eine längere Tradition. In den 80er Jahren spitzte sich diese Konfrontation zu. Sie wurde im wesentlichen durch die Generation der Naturalisten getragen, die nach dem Reichsgründungsrausch mit kritischen Fragen und Provokationen an die Öffentlichkeit ging und die selbstgefällige Vätergeneration herausforderte. Schon 1883 hatte Max Nordau (1849–1923) mit seinem polemischen Buch *Die conventionellen Lügen der Kultur-*

menschheit den Schleier wegzureißen versucht, den die Herrschenden über alle politischen und sozialen Probleme der Zeit ausgebreitet hatten. Ein wichtiges Kapitel galt der ›Ehelüge‹:

> Die konventionelle Ehe 〈...〉 ist daher ein tief unsittliches, für die Zukunft der Gesellschaft verhängnißvolles Verhältniß. Sie bringt diejenigen, welche sie eingehen, früher oder später in einen Konflikt zwischen beschworenen Pflichten und der unausrottbaren Liebe und läßt ihnen nur die Wahl zwischen Gemeinheit und Untergang. Statt eine Quelle der Verjüngung für die Art zu sein, ist sie ein Mittel langsamen Selbstmordes derselben.[4]

»Die Kinder der Ehe ohne Liebe sind Jammergeschöpfe«, weil der »Egoismus« die Familie beherrsche.[5] Über solche unwürdigen Zustände sollte aufgeklärt werden. Dabei wurde der Kunst und Literatur eine hohe Aufgabe zugemessen: sie sollten jene ›Lebenslügen‹, die Henrik Ibsen (1828–1906) in seinen Dramen [→ 67 f.] in den Mittelpunkt stellte, aufdecken. So waren Heinrich (1855–1906) und Julius Hart (1859–1930) überzeugt, daß sie in ihrer seit 1882 erscheinenden Zeitschrift *Kritische Waffengänge* [→ 117 f.] der »schmarotzenden Mittelmäßigkeit« in der Kunst und der selbstgefälligen Vätergeneration Paroli bieten könnten. »Hinweg alle Greisenhaftigkeit und alle Blasiertheit, hinweg das verlogene Recensententhum«, so lautete die Kampfansage im ersten Heft.[6] Bis 1885 hatten sich in Berlin und München junge Literaten und Intellektuelle zusammengefunden, die sich – so der Titel einer Lyrikanthologie von 1885 – als *Moderne Dichter-Charaktere* empfanden. Im Zeichen dieser ›Moderne‹ wurde in der Einleitung der Anthologie »ein prophetischer Gesang und ein jauchzender Morgenweckruf der siegenden und befreienden Zukunft« verheißen.[7] In München verkündete 1885 Michael Georg Conrad (1846–1927) in seiner Zeitschrift *Die Gesellschaft* [→ 118 f.] »Fehde dem Verlegenheits-Idealismus des Philistertums, der Moralitäts-Notlüge der alten Parteien- und Cliquenwirtschaft auf allen Gebieten des modernen Lebens.«[8] In Berlin legte 1886 der literarische Verein mit dem programmatischen Titel *»Durch!«* in zehn Thesen sein Bekenntnis zur ›Moderne‹ ab und benannte auch zugleich die Kampfrichtung: »gegen die überlebte Epigonenklassizität, gegen das sich spreizende Raffinement und gegen den blaustrumpfartigen Dilettantismus.« (7. These)[9]

Getroffen werden sollte mit solchen Attacken die ›Goldschnittlyrik‹ [→ 56 f.] und Burschenschaftsherrlichkeit, die mit nationalem Pathos und philisterhafter Familienideologie, mit trivialem Naturkult und germanisierendem Geschichtsmythos aufwarteten. Die Naturalisten – verspottet als neue »Stürmer und Dränger«, als »Jungdeutsche« bzw. »Jüngstdeutsche« – entwickelten ein Gruppengefühl, empfanden sich – wie es Arno Holz (1863–1929) in *Das Buch der Zeit* (1886) stolz verkündete – als ein »neu Geschlecht«, das den »Conventionellen« den Kampf ansagte: »Ich biet euch Kampf, Kampf bis aufs Messer, / Und gehe meinen eignen Gang!«[10]

»Das jüngste Deutschland«, so Hermann Bahr (1863–1934), suchte »das Neue, Eigene und Besondere an Gedanken, Wünschen und Hoffnungen, das sie von ihren Vätern unterschied, die ganz veränderte Tonart des Lebens«.[11] Die Literatur der Naturalisten [→ 32 f.] sollte politisch und sozial, kritisch und aufmüpfig sein. Eine »Revolution der Litteratur« klagte 1886 Karl Bleibtreu (1859–1928) ein und meinte eine »Poesie«, die sich »der grossen Zeitfragen zu bemächtigen« habe.[12] Die Vorbilder für eine solche Literatur nannte Arno Holz 1885 in *Unterm Heilgenschein*:

Zola, Ibsen, Leo Tolstoi,
eine Welt liegt in den Worten,
eine, die noch nicht verfault,
eine, die noch kerngesund ist![13]

So ›kerngesund‹ zeigten sich die Themen der drei ausländischen Autoren allerdings nicht, denn immer wieder ging es ihnen um die Familie, um jene soziale Institution, deren Probleme die europäische Literatur des 19. Jahrhunderts beherrschten.

II. Das Familiendrama

1. *›Familiendrama‹ und ›Soziales Drama‹*

1890 vergleicht Otto Brahm (1856–1912) das Drama *Das Friedensfest* von Gerhart Hauptmann (1862–1946) mit dessen 1889 erschienenem Stück *Vor Sonnenaufgang*: »Kein ›soziales Drama‹, ein Seelendrama gibt der Dichter jetzt. Ein Familiendrama, wie der Verfasser der Gespenster sagen würde.«[14] Hingewiesen wird damit auf Ibsens [→ 67f.] beklemmende Familienstudie *Gespenster*, die 1881 mit der Typuskennzeichnung »Ein Familiendrama in drei Akten« erschienen und bereits 1884 ins Deutsche übersetzt worden war. Wenn Hauptmann sein Drama *Das Friedensfest* mit der Bezeichnung »Eine Familienkatastrophe« versieht, so ist das eine Reverenzbezeugung gegenüber dem Norweger, der gerade mit jenen Dramen in Deutschland reüssierte, die die ›Lebenslüge‹ als Problem der Familie abhandeln. Neben Ibsens Familiendramen und Leo Tolstois (1828–1910) Bauerndrama *Die Macht der Finsternis* (1886), das besonders für Hauptmanns *Vor Sonnenaufgang* wichtig ist, haben Emile Zolas (1840–1902) Romane des *Rougon-Macquart*-Zyklus (1871–1893) die Aufmerksamkeit der Naturalisten auf die Familie gelenkt. Wobei Zolas Anspruch, die »histoire naturelle et sociale d'une famille« – so der Untertitel – entfalten zu wollen, übernommen wurde.

Außer diesen Anregungen gibt es wichtige historische Einflüsse auf das naturalistische Familiendrama. Mit Blick auf diese Traditionslinie läßt sich Otto Brahms Behauptung besser verstehen, Hauptmanns *Das Friedensfest* (1890) sei zwar ein »Familiendrama«, aber kein »soziales Drama«. Diese Trennung hat sich bis in die Gegenwart erhalten: Für das »soziale Drama« sei ein »bestimmter sozialer Untergrund die Voraussetzung« (Dosenheimer),[15] die Dramenfigur müsse als Mitglied einer »gesellschaftlichen Gruppe, als deren abhängiges Glied« erkennbar werden (Schrimpf).[16] Was in *Vor Sonnenaufgang* [→ 70f.] – von Hauptmann selbst als »soziales Drama« klassifiziert – unmittelbar sichtbar werde, fehle dem reinen »Familiendrama«: Die Konfliktgestaltung als Ergebnis allgemeiner gesellschaftlicher Prozesse.

Aber ein genauerer Blick auf die Geschichte des ›sozialen Dramas‹ – vom ›bürgerlichen Trauerspiel‹ bis zu den Expressionisten [→ 537 ff.] – belehrt uns, daß dieser Dramentypus seine wesentliche Konfliktgestaltung fast immer über die Familie inszeniert. Zwar wird im großen ›sozialen Drama‹ des 18. Jahrhunderts, dem ›bürgerlichen Trauerspiel‹, die Tragik vorrangig über den Standeskonflikt organisiert, aber es ist nicht zu übersehen, daß auch die Familienstrukturen dafür verantwortlich sind. Deshalb konnte es Friedrich Hebbel auch wagen, für sein ›bürgerliches Trauerspiel‹ *Maria Magdalena* (1844) auf das »Zusammenstoßen des dritten Standes mit dem zweiten und ersten in Liebesaffären« zu verzichten und die Tragik »aus der schroffen Geschlossenheit«, aus »dem beschränktesten Kreis« heraus entfalten zu wollen.[17] Trotzdem hat Hebbel die Tragik »ganz einfach aus der bürgerlichen Welt selbst«[18] entstehen sehen und damit auch eine sozialkritische Bestimmung gegeben. Mit *Maria Magdalena* hat er gezeigt, daß innerfamiliäre Konflikte auch ihre gesellschaftliche Dimension besitzen, daß die »bewegenden sittlichen Mächte der Familie, der Ehre und der Moral«[19] ausreichen, um den tragischen Knoten zu schürzen. Wir haben seit Hebbel gelernt, das Familiäre als Chiffre des Sozialen zu sehen. Wer also ›Seelendrama‹ bzw. ›Familiendrama‹ – wie Otto Brahm – vom ›sozialen Drama‹ trennt, zeigt sich einem engen Verständnis des ›Sozialen‹ verpflichtet. Hinter dieser Differenzierung steckt eine bestimmte literarhistorische Sicht, die das naturalistische ›Familiendrama‹ mit dem ›bürgerlichen Rührstück‹, wie wir es seit dem 18. Jahrhundert kennen, verbindet.[20] Gerade dieser Typus des ›Familiendramas‹, der sich bewußt der Politik und der Gesellschaftskritik entziehen wollte, hatte im 19. Jahrhundert – es sei nur auf die Erfolge der Theaterstücke von Charlotte Birch-Pfeiffer (1800–1868) verwiesen[21] – die Bühnen erobert.

Wenn in der literaturwissenschaftlichen Forschung zum naturalistischen ›Familiendrama‹ so gern auf die »Tradition des sentimentalen Rühr- und Familienstücks« (Schrimpf) und auf die angebliche »Oberflächengefühligkeit der Empfindsamkeit« (W. Kayser), auf die »Larmoyanz« (Kluge) und »abgegriffene Romantik, trivialisierte Frühzeitsymbolik« (Koopmann) verwiesen wird,[22] so wird eine für den Naturalismus nicht haltbare Trennungslinie zwischen

›sozialem Drama‹ und ›Familiendrama‹ gezogen. Bei einer differenzierten Textanalyse würde es sehr schwerfallen, Hauptmanns ›soziale Dramen‹ *Vor Sonnenaufgang* (1889), *Der Biberpelz* (1892) oder *Die Ratten* (1910) nicht auch als ›Familiendramen‹ und die ›Familiendramen‹ *Das Friedensfest* (1890), *Einsame Menschen* (1891), Arno Holz' und Johannes Schlafs (1862–1941) *Die Familie Selicke* (1890) oder Schlafs *Meister Oelze* (1892) und Max Halbes (1865–1944) ›Liebestragödie‹ *Die Jugend* (1893) oder auch Frank Wedekinds (1864–1918) ›Kindertragödie‹ *Frühlingserwachen* (1891) nicht auch als ›soziale Dramen‹ zu verstehen.[23]

Es ist keineswegs so, daß »das sentimentale Seelendrama im Familienmilieu« das »Soziale« verdrängt,[24] sondern dieses »Familienmilieu« *ist* das Soziale – wenn auch auf eine vermittelte Weise. Da die Naturalisten sich einer ›Milieutheorie‹ [→ 31 ff.] verpflichtet fühlten, ist es folgerichtig, daß ihre ›Familienkatastrophen‹ keineswegs bloßes sentimentales Anrühren im Sinne haben, sondern im Einzelschicksal auch das Kollektivproblem erfassen wollen. Ihre leidenden Dramenfiguren sind als Repräsentanten des verunsicherten »Klein-«Bürgertums auszumachen, das am Ende des 19. Jahrhunderts eine schwierige Veränderung der Sozialstruktur erfährt. Wie in Hebbels *Maria Magdalena* in der bornierten Ehrsucht des Meisters Anton die verhärtete kleinbürgerliche Moral aufscheint, so ist auch das individuelle familiäre Verhaltensmuster in den Dramen des Naturalismus dem Zwang der ›Verhältnisse‹ bzw. des ›Milieus‹ geschuldet. Ibsen hat in seinen Familiendramen noch das Gesellschaftliche und Politische mit dem Privaten und Familiären konfrontiert, aber in seinen Dramen wird auch die Konzentration auf das Enge und Unausweichliche der Familienwelt deutlich. Im neuen naturalistischen ›Familiendrama‹ wird nicht im Sinne des ›bürgerlichen Rührstücks‹ eine vorbildliche familiäre Gefühlsgemeinschaft entworfen, sondern auf das ›falsche Gefühl‹, auf die Sentimentalität verwiesen. Das Sentimentale muß als Korrelat eines Entfremdungsprozesses erkannt werden, als Zeichen personaler Verunsicherung.[25]

Auch wenn die Dramenfiguren selbst keine Aufklärung über ihre ausweglose Situation erleben, den Zuschauern werden genügend Signale gegeben, daß im individuellen Fall sich ein allgemeines soziales Problem erfassen läßt. Norbert Elias hat eindrucksvoll beschrieben, wie der *Prozeß der Zivilisation*[26] auch jene Zonen bestimmt, die wir als ›Natur‹ des Menschen empfinden: Auch unsere Gefühle sind historischen und gesellschaftlichen Einflüssen unterworfen. Max Horkheimer hat in seinem berühmten Aufsatz *Autorität und Familie* (1936) zudem gezeigt, wie der Sozialverband Familie »bei relativer Eigengesetzlichkeit und Resistenzfähigkeit« auch »von der Dynamik der Gesamtgesellschaft« abhängig ist.[27] Solcher Auffassung zeigen sich auch die Naturalisten verpflichtet, wenn sie allgemeine gesellschaftliche Veränderungsprozesse für die prekäre familiäre Situation, für das ›Milieu‹ und für das ›Schicksal‹ des Einzelnen verantwortlich machen. Das ›Seelendrama‹ bzw. ›Familiendrama‹ ist also immer auch ›soziales Drama‹.

Schriftsteller, die sich dem Sturm und Drang, dem Jungen Deutschland und Georg Büchner (1813–1837) verpflichtet fühlten, die sich als Vertreter einer sozialkritischen Kunst verstanden, wollten keine gefälligen, den sozialen Status quo betonenden ›bürgerlichen Rührstücke‹ verfassen. Im Gegenteil, ihre ›Familiendramen‹ müssen als engagierte ›soziale Dramen‹ eingestuft und deshalb eher in der Tradition des sozialkritischen ›bürgerlichen Trauerspiels‹ gesehen werden. Mit diesen teilt das naturalistische ›Familiendrama‹ eine Reihe von Gemeinsamkeiten.

2. *»Mein Vater ist ein Tyrann« – Die Krise des Patriarchalismus*

In Hauptmanns Drama *Michael Kramer* (1900) buhlt ein Vater um die Zuneigung seines Sohnes:

> Tat ich dir unrecht? Belehre mich doch! Rede! du kannst doch reden wie wir. Warum kriechst du denn immer vor mir herum? Die Feigheit veracht' ich, das weißt du ja. Sage: mein Vater ist ein Tyrann. Mein Vater quält mich. Mein Vater plagt mich. Er ist wie der Teufel hinter mir her. Sag das und sag es ihm frei heraus. Sage mir, wie ich mich bessern soll. Ich werde mich bessern, auf Ehrenwort. Oder meinst du, ich habe in allem recht?[28]

Aber diese Selbstkritik eines verunsicherten Vaters kann die Beziehung nicht mehr retten. Der Sohn wählt den Freitod und ertränkt sich – ein ›weiblicher‹ Tod, für den sich auch Johannes

Vockerat in Hauptmanns Drama *Einsame Menschen* entscheidet. Auch ihm fehlt der starke »Wille«,[29] einem Vater zu widerstehen, der »Gehorsam« und »Dankbarkeit«[30] einfordert und den Sohn im Namen der Liebe zur Räson ruft: »Lohnst du so unsere Liebe?«[31] Darauf kann der Sohn nur noch antworten: »Eure Liebe hat mich gebrochen.«[32] Die Väter in *Einsame Menschen* und *Michael Kramer* reagieren auf den Tod ihrer Kinder jedoch anders als der stolze Meister Anton in Hebbels *Maria Magdalena*, der am Schluß des Dramas behauptet: »Ich verstehe die Welt nicht mehr!«, weil ihm die Tochter mit ihrem Freitod »Schande« bereitet habe. Der alte Vockerat ruft verzweifelt am Schluß des Stückes nach seinem Sohn; der Maler Michael Kramer erkennt verbittert: »Ich hab' diese Pflanze vielleicht erstickt. Vielleicht hab' ich ihm seine Sonne verstellt: dann wär' er in meinem Schatten verschmachtet.«[33] Einen schweren Schatten wirft auch der Vater in Hauptmanns »Familienkatastrophe« *Das Friedensfest* auf das Leben seiner Söhne und der Tochter. Der jüngste Sohn Wilhelm, der sich anschickt, eine Ehe einzugehen, bekennt der Braut:

> Man hat mir hier mein Leben gegeben, und hier hat man mir dasselbe Leben – zu dir gesagt – fast möchte ich sagen: systematisch verdorben – bis es mich anwiderte – bis ich daran trug, schleppte, darunter keuchte wie ein Lasttier – mich damit verkroch, vergrub, versteckte, was weiß ich – aber man leidet namenlos – Haß, Wut, Reue, Verzweiflung – kein Stillstand![34]

Auch Wilhelm ist ein schwacher Sohn, der sogar – wiederum Zeichen ›weiblicher‹ Reaktion – vor dem Vater in Ohnmacht fällt.[35] Doch dieser Vater hat die Macht bereits verloren, auch wenn er auf Herrschaftssicherung in der Familie besteht: »Ich bin der Herr im Hause. Ich werde euch das beweisen.«[36] Dieser Vater will die Söhne demütigen, ihren Eigenwillen brechen. Aber den Generationskonflikt [→ 314 ff.] kann er nicht mehr für sich entscheiden. Schließlich muß er doch gestehen: »ich – glaube – es geht – zu Ende – mit – mir.«[37] Sein physischer Tod ist symbolisch als Verlust der universalen Vaterautorität zu deuten. In *Das Friedensfest* fordert zwar die zukünftige Schwiegermutter den Sohn Wilhelm auf, vor dem Vater zu kapitulieren: »Sie *müssen* sich vor Ihrem *armen* Vater erniedrigen. – Erst dann werden Sie sich wieder ganz frei fühlen. Rufen Sie ihn an! Beten Sie ihn an!«[38] Doch wird die Vaterautorität in *Das Friedensfest* nicht mehr restituiert. Das gilt eigentlich für alle naturalistischen Dramen, die sich dieses Themas annehmen: Sie zeigen das Patriarchat in der Krise.

Auch in Holz' und Schlafs *Die Familie Selicke*, in Schlafs *Meister Oelze*, in Hermann Sudermanns (1857–1928) *Die Ehre* (1889) oder in Wedekinds *Frühlingserwachen* wird der Entfremdungsprozeß zwischen Eltern und Kindern durchgespielt. Zwar wünschen sich die Väter von den Söhnen »eherne Disziplin, Grundsätze und einen moralischen Zwang«[39] oder »Gehorsam« und »Dankbarkeit«,[40] aber sie selbst sind nicht mehr in der Lage, solche Erziehungsmaximen durchzusetzen. Wie Dr. Scholz in *Das Friedensfest* gibt auch bei Wedekind der Vater bezeichnenderweise die Verantwortung an eine staatliche Institution – die »Korrektionsanstalt«[41] – ab. In beiden Dramen fliehen die Söhne aus diesen Anstalten. Die Resignation der Väter gehört zu einem Hauptmotiv der naturalistischen Literatur, denn auch in der Epik und Lyrik wird die Autorität des Vaters in Frage gestellt. In Conrad Albertis (1862–1918) sozialem Roman *Die Alten und die Jungen* (1889) lautet eines der Mottos: »Was Du ererbt von Deinen Vätern hast, Verwirf es, um Dich zu besitzen!«[42] Und in John Henry Mackays' »Welt-Dichtung in 13 Gesängen« *Am Ausgang des Jahrhunderts* wird programmatisch verkündet:

> Der Vater erkennt sich wieder im eigenen Sohn nicht –
> Recht nennt er, was jener fluchwürdigen Frevel nennt!
> ⟨...⟩
> Noch wähnt er, das Siegel des Knechts auf des Sohnes Stirn zu drücken,
> Und sieht doch in machtlosem Zorn seines Wahnes Kränze zerpflücken
> Die Hand, der ein höherer Gedanke, als Rücksicht, die Kraft verlieh![43]

Wenn auch in den meisten Texten nicht recht klar wird, was »ein höherer Gedanke« der »Jungen« meint, gespottet wird dennoch über den »machtlosen Zorn« der »Alten«, denen der Gehorsam verweigert wird – wie in Richard Dehmels *Lied an meinen Sohn* (1893):

Und wenn dir einst von Sohnespflicht,
mein Sohn, dein alter Vater spricht,
gehorch ihm nicht, gehorch ihm nicht;
⟨...⟩[44]

Auch wenn erst das expressionistische Drama mit Reinhard Sorges (1892–1916) *Der Bettler* (1912), Walter Hasenclevers (1890–1940) *Der Sohn* (1914)[45] und vor allem Arnolt Bronnens (1895–1959) *Der Vatermord* (1920) das Thema der brutalsten Abrechnung mit dem Vater [→ 320 ff.] auf die Bühne bringt, kennt bereits das naturalistische Drama solche mörderischen Phantasien. Der heute vergessene Richard Voß (1851–1918) bot 1889 in Conrads *Die Gesellschaft* seinen Einakter *Der Kronprinz* an, in dem er einen Sohn sagen läßt: »Mir ist, als ob ich einen Vatermord vollbracht hätte.«[46]

Die naturalistische Dichtung thematisiert den Konflikt der Vater-Sohn-Beziehung gern mit dem alten Motiv des verlorenen bzw. heimkehrenden Sohnes, der sich nicht mehr in die enge Welt des väterlichen Hauses einzufügen vermag, wie in Ibsens *Gespenster* (1881), Sudermanns Drama *Die Ehre* (1889) oder in Georg Hirschfelds (1873–1942) Einakter *Zu Hause* (1895), wo der Sohn seine Familie wieder verläßt und der Mutter gesteht: »Ich will nicht richten. Schuld habt ihr beide. Aber ich darf nicht hierbleiben. Ich muß mir retten, was ich noch habe.«[47] Können Söhne in Familiendramen seit dem 18. Jahrhundert – wie Ferdinand in *Kabale und Liebe* (1784) (II, 6) – den »Schuldbrief der kindlichen Pflicht« zerreißen, so bleibt den Töchtern nur bittere Resignation: »Meine Pflicht heißt mich bleiben und dulden« (III, 4). Was Luise Miller in *Kabale und Liebe* bekennt, hätte schon Gotthold Ephraim Lessings Sara Sampson oder seine Emilia Galotti oder Heinrich Leopold Wagners (1747–1779) *Kindermörderin* und Jacob Michael Reinhold Lenz' (1751–1792) Marie Wesener in den *Soldaten* sagen können. Alle diese Töchter sind vom Vater abhängige Töchter, die unter dessen Mischung von »Herrschaft und Zärtlichkeit« (Sørensen) leiden.[48] »Daß die Zärtlichkeit noch barbarischer zwingt als Tyrannenwut!« (V, 1), läßt Luise Miller verzweifeln. Es verwundert dann nicht mehr, daß auch 1844 Hebbels Klara in *Maria Magdalena* sich als

»Tochter meines Vaters« vorstellt (III, 2) und ihre Rolle einzig über ihre Familienstellung definiert.

Auch wenn es im naturalistischen Drama Töchter gibt, die – wie Helene in *Vor Sonnenaufgang* – ihre Väter hassen und den Ausbruch aus der Familie proben, es bleibt dennoch meist bei dem Modell, das Holz und Schlaf in *Die Familie Selicke* anbieten.[49] Wie in *Kabale und Liebe* muß sich Toni Selicke auch 1890 noch »opfern«.[50] Statt männlicher Explosion erfolgt immer noch die weibliche Implosion. Die (klein-)bürgerliche Familie verliert zwar allmählich die Söhne, aber die Töchter hält sie fest im Griff. Denn in dieser Beziehung kann sich noch die schwindende Autorität des Familienvaters entfalten.

Verständlich werden solche zunächst als psychologisch nicht gut motiviert erscheinende Reaktionen der Töchter nur vor dem Hintergrund der Vaterrolle, wie sie sich seit dem 18. Jahrhundert im ›Familiendrama‹ präsentiert. Dabei steht nicht so sehr die Geschlechterproblematik [→ 243 ff.], also das Verhältnis zwischen den Eltern, sondern fast immer der Generationskonflikt im Mittelpunkt. Und fast immer sind es die Töchter, die zu Opfern in diesem ›Spiel‹ werden; an ihnen demonstriert der Vater seine Macht. Hatte der gute Hausvater im ›bürgerlichen Rührstück‹ seine Familie durch jene schon angesprochene Mischung von ›Herrschaft und Zärtlichkeit‹ regiert, so zeigt sich im ›bürgerlichen Trauerspiel‹ schon die mögliche Autoritätseinbuße. Die Väter in *Miß Sara Sampson*, *Emilia Galotti*, *Die Soldaten*, *Die Kindermörderin* und schließlich am eindrucksvollsten in *Kabale und Liebe* können ihre patriarchalische Rolle nur bedingt durchhalten, weil entweder der Eingriff von außen oder der – meist unbewußte – Widerstand ihrer Kinder selbst ihre Herrschaft in Frage stellt. Blicken wir über Hebbels *Maria Magdalena* bis zum naturalistischen oder gar expressionistischen Drama, so stellen wir fest, wie sehr die Vaterautorität schwindet – und deshalb gerade so demonstrativ in Szene gesetzt werden muß.

Was hier als literarisches Phänomen beschrieben wird, findet in der Realität seine Entsprechung. Die Familiendramen nehmen seit Mitte des 18. Jahrhunderts am allgemeinen Diskurs über die Familie teil,[51] indem sie unterschiedliche Familienmodelle – oft sogar in einem Drama – und unterschiedliche Lösungsstrategien für Konfliktfälle offerieren. Dem Vater wächst dabei eine zentrale Funktion zu. Läßt sich für die Frühaufklärung behaupten, über die *Moralischen Wochenschriften* oder das Gellertsche ›Rührstück‹ werde der Diskurs erst entworfen, so zeigt sich seit Lessing und dem ›bürgerlichen Trauerspiel‹ deutlicher, daß Diskurskritik geübt und das schöne Familienmodell in Frage gestellt wird.[52] Einzig das ›bürgerliche Rührstück‹ um 1800 – und in seiner Nachfolge das ›bürgerliche Drama‹ des 19. Jahrhunderts – will nochmals den alten Diskurs stabilisieren und eine heile Familienwelt inszenieren.[53] Für solche Modelle standen weder Hebbel noch die Naturalisten zur Verfügung. Sie stehen in der diskurskritischen Tradition und handeln diese vorrangig über den Generationskonflikt ab. Das 20. Jahrhundert wird den geschlechtsspezifischen Konflikt zwischen den Ehepartnern auf die Bühne bringen.

Dabei ist schwer auszumachen, was die ›Jungen‹ um 1890 gegenüber den ›Alten‹ fordern. Was im Drama des Expressionismus deutlichere Konturen gewinnt, bleibt im Drama des Naturalismus noch recht vage. Einmal sind es im Sinne der biologistisch bestimmten ›Vererbungslehre‹ jene von Ibsen angeklagten ›Sünden der Väter‹, die die Söhne erregen. »Verpfuscht in der Anlage, vollends verpfuscht in der Erziehung«, lautet das zynische Resümee des Sohnes in *Das Friedensfest*.[54] Andererseits wird auch in alter Tradition mit Berufung auf die Geschlechterliebe bzw. das Recht auf die eigene Sexualität gegen die Väter rebelliert, die immer noch auf Familienehre und Sittsamkeit, auf Tugend und Ordnung bestehen. Wer gar für eine ›freie‹ Liebe plädiert, wie Vockerat in *Einsame Menschen*, muß scheitern. Auch wenn dieser Sohn verkündet: »Ich habe etwas über mich gehängt, was mich regiert. Ihr und eure Meinung habt keine Macht mehr über mich.«,[55] so zeigt sich immer wieder, welche Kraft das alte Familienmodell besitzt und daß im Namen der Liebe (»Lohnst du so unsere Liebe?«[56]) die schlimmsten Wunden in der Familie geschlagen werden. Die Opfer sind fast immer die Kinder – und da meist die jungen Frauen, die z. B. immer noch zum Heiraten gezwungen (vgl. Ludwig Anzengrubers (1839–1889) *Das vierte Gebot* (1878)) oder an der Entfaltung ihrer Liebe gehindert werden. Aber es ist nicht zu übersehen, daß auch die Väter zu Opfern werden können, wie es dann im expressionistischen Drama üblich wird.

Dabei ist eine aufschlußreiche Beobachtung zu machen, die im Blick auf das expressionistische Drama [→ 537ff.] noch bedeutsamer wird: je schwächer die Väter werden, desto stärker trumpfen sie auf. Gegenüber den Söhnen wird der Herr-im-Haus-Standpunkt – wie in *Das Friedensfest* oder *Einsame Menschen* – meist nur verbal eingefordert, gegenüber den Töchtern ist jedoch manifeste Gewalt möglich. Droht der betrunkene Buchhalter Selicke seiner Tochter Toni nur an: »Z-zerdrück'n könnt' ich dich mit meinen Händen!«,[57] so vergreift sich der betrunkene Bauer Krause in *Vor Sonnenaufgang* sogar an seiner Tochter.

Es sind Hauptmanns Dramen, die den Generationskonflikt am schärfsten ausleuchten. Hatte er ursprünglich *Das Friedensfest* als *Der Vater* herausbringen[58] und damit die Rolle des Familienoberhauptes ins Zentrum stellen wollen, so gibt es von ihm auch Werke, die die Rolle der Mutter, die bis dahin in den Familiendramen fast nur eine Nebenrolle gespielt hat, neu bestimmen. *Der Biberpelz* ist – nach Ibsens *Gespenster* – das eindrucksvollste Beispiel für eine starke Mutterrolle im naturalistischen Drama. Das Patriarchat scheint vom Matriarchat abgelöst. Jedenfalls läßt sich Hauptmann von einer Einsicht bei seinen Werken leiten, die auch andere Naturalisten teilen: »Jede Familie trägt einen heimlichen Fluch oder Segen. Ihn finde! Ihn lege zugrunde!«[59] Der Fluch ist offensichtlich im Generationskonflikt erkennbar, wobei auf Seiten der Väter ebensosehr Orientierungslosigkeit und Verzweiflung herrschen wie bei den Kindern. Was Anzengrubers Martin Schalanter, Sohn eines leichtlebigen Drechslermeisters, im Drama mit dem beziehungsvollen Titel *Das vierte Gebot* resignierend dem Priester und Schulfreund kurz vor seiner Hinrichtung wegen eines Mordes verkündet, betrifft alle Familiendramen des Naturalismus:

> Mein lieber Eduard, du hast's leicht, du weißt nit, daß's für manche 's größte Unglück is, von ihren Eltern erzog'n zu werd'n. Wenn du in der Schul' den Kindern lernst: »Ehret Vater und Mutter!« so sag's auch von der Kanzel den Eltern, daß s' darnach sein sollen. (IV, 5)

Die Frage nach den Pflichten der Eltern gegenüber den Kindern und die Forderung nach einer Selbstverwirklichung der Kinder werden im naturalistischen Drama zugespitzt, ohne daß überzeugende Lebensmodelle für die Familie angeboten werden. Anzengruber hat noch versucht, in *Das vierte Gebot* unterschiedliche Familienmodelle nebeneinander zu stellen, aber als am wirkungsmächtigsten wird sich das Modell der Familie Schalanter erweisen: die ›Familienkatastrophe‹ als Folge zunehmender ›Degeneration‹ in der Familie. Es wäre auch zuviel verlangt, wollte man von den Naturalisten positive Familienmodelle erwarten, wird doch erst im 20. Jahrhundert klar, wie sehr sich die traditionelle Familie verändert und wie sehr es neuer Konfliktstrategien zur Bewältigung der ›Krise der Familie‹ bedarf.

Erst aus heutiger Rückschau wird erkennbar, wie hellsichtig die Naturalisten die Verhältnisse ihrer Zeit erfaßt und wiedergegeben haben. Man müßte die sozialhistorische, soziologische, psychologische bzw. psychoanalytische Literatur heranziehen, um zu zeigen, wie genau die Naturalisten die Destabilisierung der Familie erkannt und dargestellt haben. Dabei können wir immer noch jene 1936 vom Frankfurter Institut für Sozialforschung veröffentlichten *Studien über Autorität und Familie* als wissenschaftliche Beschreibung der künstlerisch im Naturalismus – und Expressionismus – schon vorgestellten Familienmodelle heranziehen. Vor allem Horkheimer hat den Reputationsverlust des Vaters eindringlich beschrieben: Seine Behauptung, der Vater verliere an »Achtung und Liebe«, die Familie gerate »in Verzweiflung und Verfall«, wenn der Vater nicht genügend Geld verdiene,[60] ließe sich leicht an der *Familie Selicke* verdeutlichen. Seine weitere Beobachtung, daß die Mutter die Rolle des Vaters festige, indem sie eine »autoritätsstärkende Funktion«[61] in der Familie wahrnehme, und daß den Kindern »der Eigenwille«[62] gebrochen werden solle, ließe sich ebenso leicht mit *Das Friedensfest* oder *Einsame Menschen* illustrieren. Vor allem hat Horkheimer auf die Veränderung der Vaterrolle [→ 243 f.] hingewiesen: »Im Anfang der bürgerlichen Ordnung war die väterliche Hausgewalt zweifellos eine unerlässliche Bedingung des Fortschritts.«[63] Was wir im ›bürgerlichen Rührstück‹ oder auch im ›bürgerlichen Trauerspiel‹ kräftig ausgespielt finden, verändert sich in der modernen Gesellschaft: Durch die einschneidenden sozialen und ökonomischen Veränderungen fällt der Vater aus seinem patriarchalischen Himmel und verliert an Macht. Was nicht heißt, daß er diesen Machtverlust akzeptiert. Horkheimer weist darauf hin, daß unter den Bedingungen der modernen Gesellschaft der Vater – »auch wenn er im sozialen Leben eine armselige Funktion ausübt und einen krummen Rücken machen muss«[64] – dennoch seine Autorität in der Familie behaupten will:

> Infolge der scheinbaren Natürlichkeit der väterlichen Macht, die aus der doppelten Wurzel seiner ökonomischen Position und seiner juristisch sekundierten physischen Stärke hervorgeht, bildet die Erziehung in der Klein-Familie eine ausgezeichnete Schule für das kennzeichnende autoritäre Verhalten in dieser Gesellschaft.[65]

Horkheimers Feststellung stärkt die oben vertretene These, daß sich im individuellen Fall der naturalistischen ›Familiendramen‹ der generelle Fall eines ›sozialen Dramas‹ ereigne, das sich vorrangig über den Familien- und Generationskonflikt entfaltet. Die Konturen dieses ›sozialen Dramas‹ werden im 20. Jahrhundert noch schärfer nachgezogen, wie ein Blick zum expressionistischen Theater und besonders zum neuen ›Volksstück‹ von Ödön von Horváth und Marieluise Fleißer bis zu Franz Xaver Kroetz und Martin Sperr beweist. Alle diese Theaterstücke sind kritische Zeitstücke mit hohem diagnostischem Potential.

Ken Moulden

Naturalistische Novellistik

Der Naturalismus ist keine einheitliche, in sich geschlossene literarische Bewegung, sondern eine Koinzidenz vieler Strömungen; das beweisen die widersprüchlichen programmatischen Forderungen seiner Theoretiker [→ 28 ff.]. Er stellt eine Weiterentwicklung des Realismus dar; er teilt Formen und Ideen mit den im einzelnen divergierenden Richtungen der gleichen Zeit (z. B. Impressionismus, Symbolismus); und seine sprachlichen Experimente und seine oft eigenartige Metaphorik nehmen Aspekte des Expressionismus und der Moderne vorweg. Eine Untersuchung der Kurzprosa des Naturalismus (Novellen, Skizzen, Erzählungen und Studien) zeigt die Vielseitigkeit dieser Bewegung.

Der »Urstoff« aller Kunst ist, nach Heinrich Hart (1855–1906), »das Leben und Weben des Menschenherzens«, und obwohl dieses Thema immer dasselbe bleibt, »wechselt der Ausdruck dieses Lebens unendlich in den verschiedenen Zeiten«.[1] Im poetischen Realismus war das Bild des Menschen noch verhältnismäßig positiv: Dichter wie Gottfried Keller (1819–1890) priesen den »goldnen Überfluß der Welt« (*Abendlied*[2]); der Mensch war für sein eigenes Leben verantwortlich; und obwohl unbekannte Mächte seine Existenz bedrohten, konnte der einzelne mit schlichtem, wenn auch resignierendem Humor, zu einer versöhnenden Ordnung des Lebens zurückfinden. Aber im Laufe des Jahrhunderts änderte sich diese Situation. Die rapide Entwicklung der Technik und der Wissenschaft, die aus der Industrialisierung resultierenden gesellschaftlichen Umwälzungen und der Einfluß der sich verbreitenden materialistischen Philosophien führten zu einem Verlust an Geborgenheit: statt ein Subjekt zu sein, das sein Schicksal bestimmen konnte, wurde der Mensch Objekt, Produkt der ihn bestimmenden sozialen Umstände und der Einflüsse einer als brutal empfundenen Welt, Opfer seiner eigenen Psyche und Physiologie. Nach Emile Zolas (1840–1902) Forderung[3] hatte die Dichtung die naturwissenschaftlichen Mittel des Experiments [→ 158 f.] zu übernehmen, den Menschen im Wirkungsfeld dieser neuen Wirklichkeit zu beobachten und in soziologischen und psychologischen Studien ihre Beobachtungen objektiv und mit klinischer Genauigkeit aufzuzeichnen.

Es sind vor allem die unteren Schichten der Gesellschaft, die im Mittelpunkt dieser Studien stehen: ihr Leben in den Fabriken, wo sie arbeiten, und in den Großstädten, wo sie wohnen. In seinem 1886 erschienenen Roman über das Elend der Berliner Arbeiter, *Die Sozialisten*, der eigentlich kein richtiger Roman ist, sondern eher eine lose Aneinanderreihung von Skizzen Episoden und Erzählungen, beschreibt Peter Hille (1854–1904) zum Beispiel die Ausbeutung des Arbeiters im Kapitalismus. In der kleinen Szene *Die Striken* (1886)[4] stehen die Arbeiter, die für bessere Arbeitsbedingungen streiken, einem gefühllosen Fabrikbesitzer gegenüber. Der Streik wird gebrochen, als der Direktor unter den Arbeitslosen Arbeitskräfte findet, die nur allzu bereit sind, für gesunkene Löhne zu arbeiten. Als die verzweifelten Streikenden die Neuangestellten angreifen, wird ihr Aufstand durch die Armee niedergeschlagen. Dadurch aber wird nicht nur der Frieden wiederhergestellt, sondern auch die Weiterexistenz eines ungerechten Systems. Der unmenschliche, nur auf Profit bedachte Kapitalismus wird auch von dem Österreicher Philipp Langmann (1862–1931) in seiner Erzählung *Ein Unfall*[5] kritisiert. Die Fabrik wird hier als eine Art Gefängnis geschildert, dessen Reglementierung und stinkender Chlorgeruch hinter der »glasscherbengekrönten« Fabrikmauer im starken Kontrast zu dem »wiesenblütendurchdufteten Ruch«[6] der freien Natur stehen. Ein Fabrikant beutet seine Arbeiter aus. Wenn ein Arbeitsgang nicht erledigt werden kann, weil der zuständige, überanstrengte Arbeiter betrunken ist, übernimmt ein »Büblein« aus Solidaritätsgefühl mit dem Kollegen den Auftrag, obwohl dieser seine Kräfte überschreitet. Der Junge wird von der »Bestie«[7], der Maschine, die er bedienen will, getötet. In beiden Erzählungen führt der Arbeiter, im Vergleich zum vorindustriellen Zeitalter, wo er sich mit seiner Arbeit noch identifizieren konnte, eine unsichere, entfremdete Existenz; durch die Industrialisierung verliert der einzelne Arbeiter seine Bedeutung: Er ist anonymes Opfer eines profitgierigen Kapitalismus, der von einer selbstsicheren höheren Klasse propagiert wird.

Im Gegensatz zu der geborgenen Existenz dieser höheren Klassen führen die Arbeiter in den Großstädten ein Leben im Elend und Schmutz. In seinen 1886 erschienenen *Brutalitäten. Skizzen und Studien*[8] dokumentiert Hermann Conradi (1862–1890), wie auch Conrad Alberti (1862–1918) in seiner 1887 veröffentlichten Sammlung *Plebs. Novellen aus dem Volke*,[9] den Kontrast zwischen den beiden Gesellschaftsklassen. In seiner Erzählung *Ekel*[10] vermittelt John Henry Mackay (1864–1933) ein atmosphärisches Bild der brutalen Wirklichkeit der Großstädte, in deren Slums die Arbeiter untergebracht waren: der Erzähler wohnt »in einer schmutzigen Stube« über einem Schlachterladen »in einer schmutzigen Straße irgendwo in Berlin«.[11] Obwohl er versucht, aus dieser ekelerregenden Realität in eine private Welt der Liebe und Schönheit zu fliehen, kann er der Stadt und dem Gefühl des Abscheus nicht entkommen; am Ende bleibt er gezwungen, »das Leben eines Kettenhundes ⟨...⟩ in dieser verpesteten Höllenglut«[12] der Hauptstadt weiterzuführen. Während Mackay der Jämmerlichkeit der Welt passiv gegenübersteht, protestieren andere Dichter aktiv gegen die Not der arbeitenden Klassen.

Am stärksten ist ein soziales Engagement in den Miniaturen der Berliner Novellen und Sittenbilder von Max Kretzer (1854–1941) zu finden; die Geschichte *Die Engelmacherin*[13] nähert sich in ihrem moralistischen und pathetischen Ton sogar dem sozialistischen Pamphlet. Die Geschichte einer »gnädigen Frau« wird erzählt, die »die reine Luft« atmet, »frei vom Dunst der Arbeiterviertel und jenem aus dem Geruch von Menschenschweiß, aufgehängter Wäsche und Küchenabfällen zusammengesetzten fragwürdigen Duft, den man am besten mit den Worten ›Es riecht nach Armut‹ bezeichnet.[14] Es ist die Geschichte von Frau Rührmund. In Berlin, wo in einem Jahr 6000 außereheliche Kinder geboren wurden, meint Frau Rührmund den ledigen Müttern aus der Arbeiterklasse zu helfen, indem sie die ihr in Pflege gegebenen Kinder sterben läßt. Kretzers Absicht ist nicht so sehr, Frau Rührmund des Mordes zu beschuldigen: sie ist doch schließlich nur eine »Vertreterin einer ganzen Gattung«.[15] Der Dichter protestiert mit dieser Geschichte gegen die verständnislosen, ausbeutenden Klassen, für die die »gnädige Frau« stellvertretend steht.

Neben soziologischen Studien [→ 31 f.], in denen der Mensch als Produkt und Opfer seiner gesellschaftlichen Situation untersucht wird, erscheinen im Naturalismus auch psychologische Studien, in denen die psychischen und physiologischen Mächte, die das Verhalten des Menschen mitbestimmen, analysiert werden. Thomas Mann (1875– 1955), der wie Arthur Schnitzler (1862–1931) anfangs naturalistisch schrieb, benutzt die von Darwin abgeleitete Vererbungslehre, um seine Künstlerfiguren zu charakterisieren. In seiner Erzählung *Ein Arzt*[16], wo ein objektiv berichtender Arzt die psychologischen Gründe für den Mord eines Sohnes an dessen Mutter aufspürt, betreibt Schnitzler selbst eine Art Psychoanalyse; dabei stellt er vor Sigmund Freud fest, daß Erlebnisse aus der frühesten Kindheit in den Neurosen und Psychosen des Erwachsenen weiterwirken:

> Und wenn der erste Blick der Mutter uns mit unendlicher Liebe umfängt, schimmert er nicht in den blauen Kinderaugen süß und unvergeßlich wider? – Wenn aber dieser erste Blick ein Blick der Verzweiflung und des Hasses ist, glüht er nicht mit zerstörender Macht in jene Kinderseele hinein, die ja tausenderlei Eindrücke aufnimmt, lange bevor sie dieselben zu enträtseln vermag?[17]

Vor allen anderen Themen spielt aber in diesen psychologischen Studien die Sexualität und deren Befriedigung die Hauptrolle, und in den Erzählungen des Naturalismus wird das Thema auf unterschiedlichste Weise behandelt. Daß die Sexualität mit der Liebe nichts zu tun hat, wird von Arno Holz (1863–1929) und Johannes Schlaf (1862–1941) in *Krumme Windgasse 20* sarkastisch festgestellt: die Liebe sei »nischt weiter als die Berührung zweier Epidermen!«.[18] Ähnliches wird auch von Conradi in seiner in ihrem Inhalt fast expressionistischen Skizze *Eine Frühlingsnacht*[19] gesagt, wo das Romantische in den Beziehungen zwischen den Geschlechtern zynisch aufgelöst wird: Der Kuß eines seit langem geliebten Mädchens endet nicht in einer »Flut von strömenden, wirbelnden Empfindungen«,[20] sondern in einer kalt wissenschaftlichen Beobachtung: die durch die rosarote Brille der Liebe wahrgenommene Wirklichkeit kann nur gesehen werden, »weil sich ein chemischer Prozeß auf ⟨der⟩ Netzhaut vollzogen hätte«.[21] Im Kontrast zu diesen

Dichtern zelebriert Hermann Bahr (1863–1934) in *Die gute Schule*[22] die fleischliche Liebe, »die Wollust, ewig die Wollust, in welcher allein die Wahrheit ist!«,[23] während in *Rabbi Esra*[24] Frank Wedekind (1864–1918), der konsequente Anwalt von sexueller Aufklärung, der in seinem Werk stilistisch zwischen Naturalismus und Expressionismus steht, für eine Synthese von Sinnenlust und Seelenfrieden plädiert:

> die fleischliche Liebe ⟨ist⟩ nicht Teufelsdienst, wenn der Mensch die Pfade wandelt, die ihm der Herr gewiesen, weil er zwei Menschen hat für einander geschaffen außen und innen, an Leib und an Seele.[25]

Otto Erich Hartleben (1864–1905) nähert sich in seiner Erzählung *Vom gastfreien Pastor*[26] den Themen der Sexualität und der Prostitution von einer leichteren Seite. Ein Landpastor übernachtet unwissentlich in einem Bordell in einer Großstadt; Unheil droht, wird aber abgewendet, als höhere Funktionäre der Kirche und der Stadt, die selbst zum Kundenkreis des Bordells gehören, einschreiten, um einen Skandal zu verhindern. Hartlebens Geschichte enthält zwar sozialkritische Züge, vor allem in der Kritik gegen die doppelte Moral der geistlichen und weltlichen Obrigkeit, aber die Behandlung des Themas Prostitution bleibt, im Vergleich mit Kretzers moralisierender Erzählung *Das Rätsel des Todes*, wo Prostitution als der »Riesenwurm, der an der Fäulnis der Gesellschaft arbeitet«[27] bezeichnet wird, nur Stoff für eine heitere Unterhaltung. In seiner Geschichte *Zum ersten Mal*[28] zeigt Paul Ernst (1866–1933), wie der Mensch seinen sexuellen Trieben völlig ausgeliefert ist. Ein junger Theologiestudent gerät immer tiefer in den Sog der dekadenten Hauptstadt und verliert am Ende gegen seinen Willen und seine moralischen Bedenken seine Unschuld. Daß der Student der Macht des Fleischlichen nicht widerstehen kann, trotz religiösen Glaubens, scheint eine ironische Bestätigung für Zolas Behauptung zu sein, daß der metaphysische Mensch tot sei und daß nur der physiologische Mensch noch existiere.[29]

Die zerstörerische Macht dieser Triebhaftigkeit wird am extremsten in den Geschichten gezeigt, wo das Thema der sexuellen Hörigkeit behandelt wird. In der ersten der *Litauischen Geschich-*

ten[30] von Hermann Sudermann (1857–1928) fährt der Fischer Ansas Balczus mit seiner Frau Indre auf einem Fischerkahn nach Tilsit unter dem Vorwand, ihr die neue Eisenbahn zu zeigen, in Wirklichkeit aber, um sie zu ermorden, weil die Magd Busze, der er hörig ist, es verlangt. Nach einem herrlichen Sommertag in der Großstadt versöhnt sich das Ehepaar, und als auf der Rückreise der Kahn umschlägt, rettet Ansas seine Frau, indem er Binsen, mit denen er selbst ans Land schwimmen wollte, an ihrem Leib befestigt; er ertrinkt. Neun Monate später gebiert Indre einen Sohn, und am Ende der Geschichte weiß sie als alte Frau, »daß sie nun bald im Himmel mit Ansas vereint sein wird, denn Gott ist den Sündern gnädig«.[31] Sudermanns Geschichte, in der die Macht der Liebe über die Triebhaftigkeit triumphiert, steht nur am Rande des Naturalismus, ein sentimentalisches, klischeehaftes Überbleibsel aus dem bürgerlichen Realismus.

Clara Viebig (1860–1952), die als bedeutendste Vertreterin des Naturalismus gilt, sitzt mit ihrer Geschichte *Simson und Delila*[32] gewissermaßen zwischen zwei Stühlen. Ein im Grunde guter Mann, Hubert Pantenburg, wird durch sexuelle Hörigkeit zugrundegerichtet. Die schöne Suß, eine Verführerin vom gleichen Schlag wie Wedekinds Femmes fatales, bringt Hubert dazu, seinen Vater, der ihn um das Erbe seiner Mutter betrogen hatte, zu ermorden; dann verrät sie ihn an die Polizei. Viebigs Geschichte ist ein Sammelsurium naturalistischer Ideen und Formen: sie spielt im Armeleutemilieu eines ländlichen Proletariats (mit »Gewinsel von krankem Weib, hungrigen Kinder, kein Brot, keine Arbeit«[33]); in den Kasernenszenen, wo Hubert seinen Militärdienst ableistet, wird die Ausbeutung der unteren Schichten durch eine willkürlich handelnde Obrigkeit dargestellt; und Hubert und sein Vater sind beide Opfer ihrer Triebhaftigkeit: Hubert steht vor Suß, und »durch seine Adern schlich ein zehrendes Etwas, es ließ ihm keine Ruhe; er sah sie im Traum und mit wachen Augen, er glaubte sie zu hassen und verging vor Begehren«.[34] Aber diese naturalistischen Züge werden dadurch relativiert, daß sie »übergoldet ⟨werden⟩ mit jener volksliedhaften Stimmung der Brunnen, die verschlafen rauschen in der linden Sommernacht«:[35] die Geschichte ist eine unsichere Mischung naturalistischer und romantisch-sentimentalischer Elemente.

Die konsequenteste Auseinandersetzung mit dem Thema der sexuellen Hörigkeit wird in der novellistischen Studie *Bahnwärter Thiel*[36] von Gerhart Hauptmann (1862–1946) gefunden. Diese Geschichte, die 1888 in *Die Gesellschaft*, dem Organ der Münchener Naturalisten, veröffentlicht wurde, gehört zu den Glanzleistungen der naturalistischen Dichtung, verschmelzt aber ihre realistisch-naturalistischen Ideen mit impressionistischen, symbolistischen und irrational-mystizierenden Formen und Ideen zu einer Einheit. Die Geschichte ist die psychologische Studie eines Mannes, der versucht, mit einem Problem zurechtzukommen, das über seine intellektuellen Fähigkeiten hinausgeht. Nach dem Tode seiner ersten Frau Minna im Wochenbett heiratet Thiel die Magd Lene, weil er angeblich eine Mutter für seinen Sohn Tobias braucht. Tyrannisiert von dieser herrschsüchtigen und leidenschaftlichen Frau, aber mehr von seinem eigenen Geschlechtstrieb, flüchtet er in eine Traumwelt: er richtet seine Arbeitsstelle, das Bahnwärterhäuschen in der »Waldeinsamkeit«[37] des märkischen Forstes, als eine Kapelle ein, wo er mit seiner verstorbenen Frau geistig verkehrt. Gewissenhaft hält er die beiden Welten, die die Seiten seiner Persönlichkeit metaphorisch darstellen, auseinander, bis eines Tages Lene in sein Heiligtum eindringt, um Kartoffeln zu stecken. Bei der Arbeit achtet sie nicht auf Tobias, der auf die Bahngleise wandert und überfahren wird. Thiel bricht zusammen. Getrieben von seinem schlechten Gewissen und dem Wahnsinn tötet er Lene und ihr Kind; am Ende wird er ins Irrenhaus eingeliefert.

Hauptmanns Novelle ist im poetischen Realismus fest verankert. Die Figur des »Vater Thiel«,[38] der den Kindern der Kolonie bei ihren Hausaufgaben oder beim Lernen der Bibel- und Gesangbuchverse hilft, die stolze Identifizierung des Bahnwärters mit seinem Beruf, Thiels inniges Gefühl der Verbundenheit mit der Natur – das sind Reste eines lebensbejahenden poetischen Realismus. Typisch naturalistisch aber sind die pessimistische Auffassung der menschlichen Situation und das Milieu, in dem die Geschichte spielt, eine verarmte Arbeiterkolonie. Thiels Charakter wird nicht nur durch diese elende Umwelt mitbestimmt; sein Benehmen wird ständig von den Mitmenschen bewertend kommentiert: »wie die Leute meinten«,[39] paßte die schmächtige und kränklich aussehende erste Frau zu der herkulischen Gestalt des Bahnwärters wenig; gegen seine zweite Frau aber »hatten die Leute äußerlich durchaus nichts einzuwenden«.[40] Daß sich die öffentliche Meinung irren kann und nur nach Äußerlichkeiten beurteilt, wird nach dem Unfall gezeigt: Lene, deren Unachtsamkeit für den Unfall verantwortlich war, wird als »das arme, arme Weib 〈...〉 die arme, arme Mutter«[41] von den Passagieren bemitleidet, während der durch den Tod seines geliebten Sohnes vernichtete Thiel kaum beachtet wird. Thiel und Lene sind auch typisch naturalistische Figuren: Lene, ein tierischer Mensch von brutaler Leidenschaftlichkeit und seelischer Armut, und Thiel, ein pflichtgetreuer Arbeiter, dessen intellektuelle Beschränktheit, sexuelle Hörigkeit und Phlegma ihm zum Schicksal werden. Die psychologische Studie von Thiels allmählich entstehendem Wahnsinn, als Folge seiner Unfähigkeit, seine mystischen Neigungen mit der Macht roher Triebe zu vereinbaren, ist typisch für den Naturalismus.

Im ersten Abschnitt der Novelle, wo die gesellschaftlichen und seelischen Bedingungen, unter denen Thiel lebt, beschrieben werden, neigt die Erzählweise zu einer naturalistischen Objektivität; in den beiden anderen Teilen ist es eher ein Dichter als ein wissenschaftlicher Beobachter, der erzählt. Hinter den Bildern von der »Waldeinsamkeit« und von dem »alte〈n〉, heil'ge〈n〉 Schweigen der Natur«[42] spürt man den Romantiker; in der Klangmalerei und den Farben der Bilder aus der natürlichen und technischen Welt erkennt man den Impressionisten. Wenn der Kampf im Inneren des Bahnwärters zwischen den Mächten des Spirituellen und des Triebhaften in den wechselnden Wetterverhältnissen in der Natur (Stille und Sturm) widergespiegelt wird, oder wenn Lenes zerstörende Sexualität – »leicht gleich einem feinen Spinngewebe und doch fest wie ein Netz von Eisen«[43] – metaphorischen Ausdruck im Bild der »ungeheuren eisernen Netzmasche« der Eisenbahnstrecke findet, auf der der Zug wie eine dämonische »Riesenspinne«[44] erscheint, dann ahnt man in dieser Identität der inneren und der äußeren Vorgänge den Symbolisten. Und in der Szene, wo die Eisenbahnstrecke um Thiel zu kreisen scheint, »wie die Speiche eines ungeheuren Rades, dessen Achse sein Kopf war«,[45] und in den Beschreibungen der Sonne, die eine »Sintflut von Licht«[46] über die Erde ausgoß, oder

der Stämme der Kiefern, die sich »wie bleiches, verwestes Gebein zwischen die Wipfel«[47] hineinstreckten, kündigt sich der Expressionismus an. Hauptmanns Novelle mag vom Inhalt her als naturalistisch klassifiziert werden, aber stilistisch ist sie zugleich Höhepunkt und Überwindung des Naturalismus.

Neben den Schriftstellern, die sich mit den soziologischen und psychologischen Problemen des einzelnen Menschen vor dem Hintergrund der Industrialisierung auseinandersetzen, gibt es einige wenige, für die das Formale im Vordergrund steht. Bei den Brüdern Hart heißt es sogar: »Das ist es! auf das Wie, nicht auf das Was kommt es an.«[48] Die »Darstellungsart« sei wichtiger als die »Stoffwahl«[49] behauptet Holz, Begründer und erster bedeutender Dichter und Theoretiker des konsequenten Naturalismus. Er fordert eine Methode, die später als »Sekundenstil«[50] bezeichnet wird: ein Ausschnitt aus dem Alltag sollte in minutiöser Beobachtung phonophotographisch protokolliert werden, ohne daß ein Erzähler das Dargestellte auf irgendeine Weise deutete.

Holz probiert diese Methode in der Erzählung *Der erste Schultag*[51] aus, in der die Ereignisse am ersten Schultag des kleinen Jonathan chronologisch aufgezeichnet werden, aber eine dichterische Deutung der Fakten kann er nicht vermeiden; der erste Schultag wird im Laufe der Geschichte zum Symbol für die Einweihung des Jungen in die Härte des Lebens und die Schrecken des Todes. Erst in seiner Zusammenarbeit mit Schlaf gelingt es Holz, seine Theorien in die Praxis umzusetzen. Ein Beispiel seiner Experimentprosa ist die Berliner Studie *Die papierne Passion*:[52] In einer Wohnung in einem Berliner Mietshaus arbeitet Mutter Abendroth und beschimpft ihre elfjährige Tochter Wally, weil sie so spät nach Hause kommt. Vom Hof her dringen Geräusche des Großstadtlebens: dröhnende Maschinen in einer Fabrik, der dünne Ton einer Ziehharmonika im Keller, ein rasselnder Wagen auf der Straße, ein streitendes Ehepaar. Einige Untermieter kommen vorbei, unterhalten sich kurz mit Mutter Abendroth und gehen wieder. Der Olle Kopelke bastelt eine Passion Christi aus Zeitungsschnitzeln zusammen; Wally pustet sie auseinander. Das Prosastück hat keine Handlung im normalen Sinnes des Wortes, und die Bedeutung der »papiernen Passion« wird nie erklärt; die Studie beschreibt einen Ausschnitt aus dem Alltagsleben. Handlungen und Dinge werden aufs genauste dargestellt: Mutter Abendroth bäckt Kartoffelpuffer, und

> die Schicht auf dem mit blauen Phantasieblumen bemalten Kuchenteller ⟨...⟩ wird immer höher. Goldgelb, mit kleinen, bräunlichen Erhöhungen, sehen die Puffer zwischen der dicken Zuckerschicht drüber vor. Ein feiner, bläulicher Brodem steigt seitwärts von ihnen in die Höhe. Er zieht sich vom Herde her gerade über den Tisch hin. Die ganze Küche duftet nach ihm.[53]

Diese detaillierten Beschreibungen werden wie Bühnenanweisungen in einer kleineren Type wiedergegeben und stehen im Präsens. Um die Illusion der Wahrhaftigkeit des Dargestellten zu erhöhen, wird in großen Teilen der Studie auf die kommentierende Erzählprosa verzichtet; diese wird durch die »Sprache des Lebens«[54] ersetzt, Dialoge im Berliner Dialekt; sogar die Gegenstände können reden: statt »es klingelt« heißt es im Text einfach »Zing, zing!«.[55]

Die stilistische Methode, die Holz und Schlaf in dieser Studie entwickelten, um die Wirklichkeit naturalistisch darzustellen, hat aber ihre Grenzen, und durch eine Analyse der Geschichte, die sie als programmatische Verwirklichung ihrer Theorien [→ 37 f.] schrieben, *Papa Hamlet*,[56] kann dies am besten gezeigt werden. Die Geschichte erschien 1889 unter dem Pseudonym Bjarne P. Holmsen, wobei die Mystifikation ein ironischer Angriff auf deutsche Kritiker war, die nur ausländischen Schriftstellern gestatteten, »ungestraft gewisse Wagnisse zu unternehmen«.[57] Als Grundlage für das Experiment hatte Johannes Schlafs Novellistische Skizze *Ein Dachstubenidyll* (1890)[58] gedient, in der das Kind eines mittellosen Schauspielers geboren wird, erkrankt und stirbt. Holz und Schlaf radikalisieren das Stoffliche, indem sie die Charaktere und ihr Milieu im grellen Licht des Naturalismus neu konzipieren. Der *große* Niels Thienwiebel ist ein verkommener Schauspieler an der Grenze der Verzweiflung, des Alkoholismus und des Wahnsinns. In einer kleinen schmutzigen Mietwohnung lebt er in einem streitsüchtigen, triebhaft-dumpfen Verhältnis zu seiner tuberkulösen Frau Amalie, die ein stumpfsinniges Leben »zur reinen Maschine«[59] gemacht hat; seinem Kleinkind Fortinbras gegenüber verhält er sich bald liebevoll, bald brutalherrschsüchtig. In der Nacht, bevor die Familie aus der gekündigten Wohnung ausziehen muß, erwürgt der betrunkene Schauspieler den Sohn, weil dieser nicht aufhört zu husten. Acht Tage später wird die erfrorene Leiche des Thienwiebel auf der Straße aufgefunden. Als nächstes wird dieser neue Stoff sprachlich-formal neu ausgestaltet. In der neuen Version wird der deutende Erzähler der novellistischen Skizze so weit wie möglich ausgeschaltet; die Geschichte fängt ohne Exposition an, was den Eindruck erweckt, daß es sich hier um die Darstellung eines Ausschnitts aus dem Alltagsleben handelt; im »Sekundenstil« werden sogar die kleinsten Dinge und Geräusche registriert und kommentarlos nebeneinandergestellt; und große Teile der Prosaszenen werden in alltägliche Dialoge aufgelöst, ohne daß der jeweilige Sprecher identifiziert wird. Aus dieser verwirrenden Fülle muß der Leser die Handlung der Geschichte zusammenstellen, aber während er das macht, vielleicht erst beim zweiten Lesen, wird er erkennen, daß die Autoren trotz ihrer Absichten und Theorien die dargestellte Wirklichkeit doch deuten.

Wenn Bilder wiederholt erwähnt werden, durchbricht, wie Fritz Martini gezeigt hat,[60] der Symbolgehalt den konsequenten Naturalismus: der tropfende Schnee, der gegen Ende der Geschichte sogar seine eigene Stimme bekommt (»Tipp...Tipp...Tipp...«[61]), wird zur Chiffre der ablaufenden Zeit und der Schicksalschläge, die auf Thienwiebel und seine Familie unaufhaltsam niederprasseln. Wenn der Erzähler kurz vor der Katastrophe beschreibt, wie die Titelseite von Shakespeares *Sommernachtstraum* sich aufblättert, nimmt er eine ironische Distanz zu seiner Erzählung: die elende Wirklichkeit der Thienwiebels wird hier mit der Traumwelt Shakespeares kontrastiert, und darüber hinaus wird gleichzeitig ein höhnisches Werturteil über diese Wirklichkeit gefällt. Sogar die Sprache der Erzählung deutet auf etwas Tieferes hin. Die Sprache der Figuren ist die »Sprache des Lebens«, eine Sprache voll unvollendeter Sätze, Stockungen, Fragen ohne Antworten, Ausrufe und Seufzer, die die zusammenbrechende Welt der Thienwiebels widerspiegelt; im Gegensatz dazu steht die hohe Sprache der Zitate aus *Hamlet*, die Thienwiebel vorträgt. Diese Zitate dienen als eine Art illustrierender oder parodierender Kommentar zur Handlung, was die Objektivität des Erzählers in Frage stellt. Aber ihre Bedeutung im Text geht noch tiefer. Wenn ein brutaler Egoist wie Thienwiebel die noblen Worte Shakespeares in den Mund nimmt, dann wird diese Sprache und die ganze Tradition, die sie vertritt, entwertet. *Papa Hamlet* macht klar, daß die Zeit des Idealismus, für die der seit Goethe geheiligte Shakespeare stellvertretend steht, endgültig vorbei ist und daß nur eine fragmentarische Wirklichkeit voller Ekel, Gier und Elend noch existiert. Als solches ist die Geschichte mehr als eine objektive Darstellung der Wirklichkeit; sie ist auch eine Deutung dieser Wirklichkeit, eine Kritik an der zerfallenden Kultur.

In den gewählten Beispielen aus der Novellistik des Naturalismus, die heute zum größten Teil vergessen sind, zeigten sich verschiedene Aspekte der Vielseitigkeit des literarischen Naturalismus. Formen und Ideen, die er von früheren Bewegungen übernommen hat, entwickelt er im Lichte einer neuen Wirklichkeit und im Kontakt mit anderen kontemporären stilistischen Richtungen; Formen und Ideen späterer Epochen antizipiert er mit neuen sprachlich-formalen Experimenten.

Günter Helmes

Der ›soziale Roman‹ des Naturalismus – Conrad Alberti und John Henry Mackay

I. Der ›soziale Roman‹ und die Literaturgeschichtsschreibung

Hans Adler hat darauf hingewiesen, daß Literaturgeschichtsschreibung das Ergebnis einer »reflektierten« (Theorie) und einer »pragmatischen« (Vergessen, Unwissen) »Selektion« ist.[1]

Das bedeutet in *einer* Akzentuierung, daß Literaturgeschichtsschreibung als Ausschluß- und Diskriminierungspraxis zu verstehen ist. Große Teile des literarischen Lebens eines vergangenen Zeitraums werden nicht für wert befunden, in das ›kollektive Gedächtnis‹[2] einer Jetztzeit aufgenommen zu werden und können somit nicht zu einer ›kollektiven Identität‹ und zu gesellschaftlicher Praxis[3] beitragen. Im besonderen ist der deutschsprachige ›soziale Roman‹ das Opfer einer solchen Diskriminierungspraxis geworden. Einst weitverbreitet und vielgelesen,[4] hat er lange Zeit bestenfalls ein »Schattendasein perhorreszierter Trivialität und Epigonalität« geführt.[5]

Selbst im Feld der Deklassierten nimmt der soziale Roman des deutschsprachigen Naturalismus nur einen der unteren Rangplätze ein. Er hat zudem die Bürde zu tragen, auch innerhalb der Naturalismus-Forschung nur einem eher peripheren Interesse begegnet zu sein. Diese Reserve selbst der Naturalismus-Forschung gegenüber dem sozialen Roman[6] irritiert allerdings, da sowohl die Produktion als auch die akademische und nichtakademische Rezeption von ›sozialen‹ Romanen in dieser Epoche dominierte.[7]

II. Der ›soziale Roman‹ als Genre[8]

Für die Genrebezeichnung ›sozialer Roman‹ kann ›Roman‹ aufgrund zeitspezifischer Semiotisierungsverfahren als »formale Konstante« angenommen werden; das »Soziale« hingegen ist als »inhaltliche Variable« näher zu bestimmen.[9] Im Sinne einer funktionellen Engführung der Bezeichnung ist es allerdings nicht sinnvoll, das Lexem ›sozial‹ in seiner ganzen Bedeutungsbreite zu verwenden. Daher wird hier mit ›sozial‹ zum einen derjenige gesellschaftliche Bereich bezeichnet, den das 19. Jahrhundert selbst seit den späten 30er Jahren[10] mit dem Schlagwort der »sozialen Frage« benannt hat. Zum anderen wird unter ›sozial‹ eine bestimmte Haltung bzw. Absicht der Autorinnen und Autoren verstanden: Anhand des etablierten, der Annahme nach wirkungsmächtigen Interaktionsmediums ›Literatur‹ soll durch die bloße Darstellung sozialen Elends und/oder durch die Entfaltung politischer, ökonomischer, ethischer etc. Theorien zur Lösung der »soziale Frage« beigetragen werden.

III. Die ›soziale Frage‹

Der ursprüngliche ›Kern‹ dieses sozialpolitischen Schlagworts, die »Erreichung oder zumindest unmittelbar bevorstehende Erreichung eines neuen Standes der ökonomischen Entwicklung«,[11] läßt sich für das letzte Drittel des 19. Jahrhunderts u. a. durch den Verweis auf zahlreiche Innovationen und Entwicklungen im naturwissenschaftlich-technologischen,[12] landwirtschaftlichen,[13] gewerblichen,[14] institutionell-administrativen,[15] demographischen[16] und im Dienstleistungsbereich[17] konkretisieren. Der ursprüngliche ›Kern‹ des Schlagworts ist aber in diesem Zeitraum zudem untrennbar mit politischen Ereignissen, Gegebenheiten und Entwicklungen verbunden, auf die historiographische Stichworte wie ›Reichsgründung‹, ›Dreiklassenwahlrecht‹, ›Kulturkampf‹, ›Verpreußung‹,[18] ›Sozialistengesetz‹, ›Katheder bzw. Staatssozialismus‹, ›Sozialgesetzgebung‹, ›Arbeiterschutz-Gesetze‹ und ›Steuerreform‹ verweisen. Zudem spielen in diesem Umfeld verschiedene alltagsgeschichtliche Befunde[19] eine Rolle. Schließlich ist auf literarische Diskurse außerhalb Deutschlands[20] sowie auf außerliterarische Diskurse und Diskursformen hinzuweisen.[21]

Vor diesem Hintergrund stellt sich die ›soziale Frage‹ im letzten Drittel des 19. Jahrhunderts als ein heterogener gesellschaftlicher Problembereich dar, der u. a. Phänomene wie Pauperismus, Proletarisierung, Familienzerrüttung, Degeneration, Prostitution, Alkoholismus, Vagabundentum und Suizid umfaßt. Als epochaler Skandal und Signifikant der inneren Reichswirklichkeit wird dieser Problembereich freilich erst dann ganz erkennbar, wenn man ihn mit den Verhältnissen am anderen Ende der Sozialskala – sinnfällig geworden etwa in den Berliner Bank- und Handelshäusern sowie in den Gründerzeitvillen des Berliner Westens[22] – konfrontiert. Es ist unter anderem diese erhellende und der Absicht nach politisch aktivierende Konfrontation, die die Autorinnen und Autoren des Naturalismus in ihren Romanen immer wieder suchen oder die sie dadurch herbeizuführen versuchen, daß sie ihre düsteren Bilder aus dem Alltag der Massen vor allem für ein bürgerliches oder bourgeoises Lesepublikum entwerfen.[23]

IV. Der ›soziale Roman‹ des Naturalismus: Erkenntnisinteresse und Paradigmen

Die (›sozialen‹) Romane des Naturalismus geben Aufschluß über traditionsbildende Frühformen modernen Erzählens, über politisch und wirtschafts-, alltags-, kultur- sowie mentalitätsgeschichtlich einschlägige Verhältnisse und Entwicklungen am Ausgang des 19. Jahrhunderts, über einflußreiche Positionen der literarischen Intelligenz um 1900, über das komplexe Verhältnis gesellschaftlicher Subsysteme und deren jeweiligen gesellschaftlichen Status,[24] sowie über die Kanonisierungspraxis bzw. die (Ideologie-)Geschichte unseres Faches.

Die hier vorgestellten Romane *Maschinen* (1895) und *Die Anarchisten* (1891), die in Fortschreibung vormärzlicher Traditionen den Blick auf die Arbeits- und Lebenswelt des Proletariats in provinziellen und in urban-weltstädtischen Räumen lenken, sind für den ›sozialen Roman‹ des Naturalismus repräsentativ. An ihnen lassen sich Beobachtungen festmachen, die auch für jene Romane gelten, die wie Annie Bocks (1867–?) *Der Zug nach dem Osten* (1898),[25] Wilhelm von Polenz' (1861–1903) *Der Büttnerbauer* (1895) oder Hermann Sudermanns (1857–1928) *Frau Sorge* (1890) die dem Realismus verpflichtete Ausprägung der Heimatliteratur [→ 300 ff.] aufgreifen und ländliche Anti-Idyllen entwerfen, oder die sich wie Wilhelm Hegelers (1870–1947) *Mutter Bertha* (1893) und Max Kretzers (1854–1941) *Meister Timpe* (1888)[26] auf das vor allem hinsichtlich des Handwerkerstandes literarisch etablierte Milieu des Kleinbürgertums und dessen »Kampf ums Dasein«[27] konzentrieren.

V. Zur Poetik des ›sozialen Romans‹ des Naturalismus

Für die Konstruktionsmodi von Wirklichkeit bzw. Rekonstruktionsmodi von soziokulturellem Wissen und für den Bedeutungsaufbau erzählender Texte sind u. a. Spezifika von Bedeutung, die Erzähler, Autor und Figuren betreffen.

(1) In der Regel kennt der naturalistische Roman keine *Erzählerfigur*, die als ein weitere Distanzen und Perspektivierungen schaffendes Medium vom *Autor* zu unterscheiden wäre. Auch ohne Zuhilfenahme anderweitiger Quellen sind die Autorinnen und Autoren des Naturalismus in ihrem intellektuellen, politischen und professionellen Profil sowie in ihrem Verhältnis zur Romanwirklichkeit meist klar erkennbar. Die Autorinnen und Autoren setzen sich zum einen durch zahlreiche programmatische Paratexte und binnentextliche Aussagen selbstbewußt in Szene und treten als Verkünder von unumstößlichen Wahrheiten auf. Zum anderen nutzen sie zur Kennzeichnung von Romanfiguren und deren Denken und Handeln eine Reihe indirekter Kommentarformen, von denen der zu Inkonsequenzen führenden Selbstdarstellung der Figuren, der physiognomischen Präsentation der Figuren sowie der Namensgebung der Figuren[28] besondere Bedeutung zukommt.

(2) Wenn es um die *Sprache des Naturalismus* geht, wird seit langem auf »einen nicht mehr überbietbaren Verismus in der Abbildung verbalen und nicht-verbalen Alltagsverhaltens« hingewiesen.[29] So zutreffend diese Aussage auch für die den Untersuchungen zugrunde liegenden Texte sein mag,[30] so irreführend ist sie doch hinsichtlich der Erzählsprache naturalistischer Romane. Die eigensprachlich, nicht figurensprachlich vermittelte Darstellung von Figuren, Räumen, Geschehensverläufen etc. nämlich orientiert sich meist an dem forciert ›dichterischen‹ Sprachduktus des epigonalen Klassizismus und ist von einem Pathos getragen, das deklamatorisch und affektiert-emphatisch wirkt. Dieser Eindruck wird durch das theatralische Arrangement bestimmter Schlüsselsituationen, durch die Verwendung superlativischer Attribute und Verben und durch den ausgiebigen Gebrauch von publikumserprobten Floskeln verstärkt.

(3) In der Regel sind die *Figuren* im ›sozialen‹ Roman des Naturalismus individualisierte Repräsentanten von Segmenten der reichsdeutschen Gesellschaft. Repräsentanten sind die Figuren in dem Sinn, daß sie die Deskription, Wertung und Konzeption umfassende Perspektive der Autorinnen und Autoren auf soziologische und ideologische Segmente dieses Kaiserreichs wiedergeben. Entscheidend dabei ist, daß die jeweilige segmentale Repräsentation für das Figurenprofil konstitutiv ist. Individuen sind die Figuren insofern, als die Anzahl und Auswahl der repräsentierten Segmente und die nach soziologischer oder ideologischer Dominanz gewichtende Art und Weise ihrer Verknüpfung variabel und damit figurenspezifisch ist.[31] Die Individualität der Figuren ist also in quantitativen und relationalen Specifica begründet.[32] Darüber hinaus gilt, daß den Figuren im Romanverlauf ein eigengesetzliches Denken und Handeln meist verwehrt ist. Als unflexibles, vorab festgelegtes Konstrukt mit explikativer Funktion bleiben die Figuren im wesentlichen statisch. Das führt dazu, daß die meisten Romane als belebter und bebilderter Ausdruck diskursiver Kalkulationen wirken.

VI. Arbeiterinnen- und Arbeiterelend: Conrad Albertis *Maschinen* und John Henry Mackays *Die Anarchisten*

Conrad Albertis (1862–1918) *Maschinen* (1895) gehört dem Sujet nach zur Weber-Literatur. Der Roman spielt in den frühen 80er Jahren des 19. Jahrhunderts und hat eine schlesische Flachsbrecherei und Spinnerei zum zentralen Handlungsort. Alberti hat den Roman so konzipiert, daß die hier angesprochenen sozialen, politisch-ökonomischen und ideologischen Konflikte an ein durch familiäre oder sonstige private Beziehungen vernetztes, oppositionelles Figurenensemble zurückgebunden sind.[33] Das hat zur Folge, daß es im Roman nur ansatzweise zu einer theoretisch fundierten Durchdringung etwa der ›sozialen Frage‹ kommt. Gesellschaftliche Konflikte und deren Genese und Lösung scheinen mehr oder minder das Ergebnis individueller Insuffizienz oder Superiorität zu sein. Ein vorangestelltes Motto aus Luthers *Tischgesprächen*[34] soll für den monistisch eingefärbten Sozialdarwinismus Albertis stehen und die Natur-, Menschheits-, Kultur- und Gesellschaftsentwicklung als Ausformung ein und desselben Grundprinzips exemplifizieren: Passion. Im Roman selbst wird dieses Grundprinzip an verschiedenen Figuren und in unterschiedlichen Aspekten demonstriert, am einläßlichsten durch die Schilderungen der ans Apokalyptische heranreichenden Lebens- und Arbeitsbedingungen der Arbeiterfamilien und ihrer Kinder. Diese Lebens- und Arbeitsbedingungen sind dem Roman zufolge zum einen durch den Übergang von handwerklicher Verlagsarbeit zu maschinell betriebener Industrieproduktion verursacht worden; unablässig werden Maschine und Fabrik in einer Mischung aus Schrecken und Faszination und in anthropomorphisierender Manier als beseelte, tyrannische »Ungeheuer« dargestellt:

> Jetzt stiegen die Wandrer hinunter, nach dem Maschinenhaus. ⟨...⟩ Von ein paar ⟨...⟩ Arbeitern bedient, schnaubte und prustete das riesige, kunstvolle Ungethüm ⟨...⟩ einer der Wärter ⟨...⟩ lag auf dem Bauche vor seiner Herrin, mit peinlichster Sorgfalt einen winzigen Flecken entfernend, den er tief unten, fast in ihren Eingeweiden bemerkt hatte. Ja, sie war streng und eitel, dieses Seele des Ganzen ⟨...⟩ Was kümmerten sie jene Hunderte mitleidenswerther Geschöpfe? (216 f.)

Zum anderen aber – und nach Alberti vorrangig – gehen diese Lebens- und Arbeitsbedingungen zu Lasten eines abgründig boshaften Fabrikanten, der geradewegs aus den Höllenszenarien antikapitalistischer Sozialrevolutionäre entsprungen zu sein scheint. Bei Segonda nämlich, dem »Brotherrn und Gebieter fast aller Einwohner« (20), handelt es sich um einen selbst in familiären Belangen skrupellosen und zynischen Ausbeuter, der etwa für die schwärmerischen »Volksbeglückungsideen« seiner literaturbeflissenen[35] Tochter Ottilie nur Widerstand und Hohn übrig hat und dessen wortwörtlich einziges Interesse der Profitmaximierung gilt:

> Ich will Arbeiter, die 〈...〉 schuften wie die Maschinen, die ihr bischen Thätigkeit auch ganz mechanisch verrichten 〈...〉. Der Einzelne muß zum Nutzen des Gesammtwerkes zur Maschine werden wie der Soldat im Heere. (104 f.)[36]

Dem Fabrikanten Segonda ist der Arbeiter Karl Schurig kontradiktorisch gegenübergestellt. Er, der einzige Rebell im Dorf, ist ein von alttestamentarischem Zorn besessener, nur an Gewalt glaubender Maschinenstürmer in der Nachfolge der englischen Ludditen. Schurig stößt freilich bei den übrigen Dorfbewohnern und bei seinem gottesfürchtigen, obrigkeitshörigen Vater, deren Verhalten die Rede von der Religion als dem »Opium des Volks« bestätigt, auf erbitterten Widerstand:

> So zerfressen und unterspült waren diese Leute schon von 〈...〉 der Verzweiflung, daß der ihrem Hasse verfiel, welcher nicht mit ihnen immer tiefer in den Schlamm der Thatlosigkeit versinken wollte. Sie 〈...〉 empörten sich, daß er in seinem Leibe Eingeweide und in ihnen noch Haß, Liebe, Selbstgefühl haben wollte. (187)

Die vermittelnde Kraft zwischen den in ihrer monströsen Einseitigkeit nach Alberti gleich verwerflichen Segonda und Schurig stellt der Fabrikdirektor Henning dar. Ihn machen die eigene Biographie,[37] seine umfassenden technischen, ökonomischen und verwaltungstechnischen Kenntnisse und vor allem seine entschiedenen Ansichten zu Themen wie ›soziale Frage‹, ›Fremde bzw. Rasse‹,

›Frauenemanzipation‹, ›(Freie) Liebe‹ [→ 243 ff.], ›Kunst‹ oder ›Religion‹ zum Helden des Romans und zum Sprachrohr des Autors.[38] Freilich ist nicht zu übersehen, daß Hennings Ansichten in der erdrückenden Mehrzahl von einem strammen Konservativismus zeugen. Henning ist ein vom preußischen Geist beseelter, ein ebenso eigensüchtiger wie selbstgefälliger Philister, der im Grunde seines Herzens verächtlich zu den Arbeitern hinabschaut und ihnen gegenüber bestenfalls ein von Fatalismus[39] geprägtes Mitleid entwickelt. Vor diesem Hintergrund läuft sein Engagement letztlich nur darauf hinaus, zu system- und herrschaftsstabilisierenden Zwecken gegen die schreiendsten Mißstände zu opponieren.

Aufs Ganze gesehen ergibt sich daher, daß Conrad Albertis Roman *Maschinen* die ›soziale Frage‹ zwar schonungslos zur Anschauung, doch keinesfalls auf den Begriff bringt. Die ›soziale Frage‹ erscheint nicht als ein historisch spezifisches Ensemble von Phänomenen, das ursächlich an bestimmte Produktionsverhältnisse und an ein diesen korrespondierendes staatliches System gebunden ist (und die von daher auch nicht grundsätzlich in Frage gestellt werden); sie erscheint vielmehr als kontingente Ausformung jenes überzeitliche Gültigkeit beanspruchenden Konzepts ›Kampf ums Dasein‹, das Alberti gleich zweifach – religiös-protestantisch und naturwissenschaftlich-darwinistisch – bewahrheitet sieht. Gott und die Natur selbst – allegorisiert in der Maschine – stehen dafür ein, daß Geschichte als ein von Herrschaft, Unterwerfung, Ungleichheit und Leiden geprägter Prozeß verläuft. Auf diesen Prozeß, notwendig wie er ist, kann nur akzidentiell und im Sinne von Verschärfung (Segonda) oder von Mäßigung (Henning) Einfluß genommen werden. Eine Geschichte hingegen, deren Subjekt der Mensch selber wäre (Schurig jun.), ist nach Alberti grundsätzlich nicht möglich; von daher kommt es für ihn letztlich darauf an, die Geschichte richtig – das heißt so wie er das tut – »zu interpretieren«, und nicht darauf, sie »zu verändern«.[40]

Das sieht der Stirnerianer John Henry Mackay (1864–1933) in seinem Schlüsselroman[41] *Die Anarchisten* (1891) ganz anders. In dieser Mischung aus Autobiographie, fiktiver Handlung, Schilderung von realem Zeitgeschehen,[42] sozialer Autopsie, ökonomischer Theorie, kulturphilosophischem Essay und politischem Pamphlet geht es dem sich selbst als »Forscher« präsentierenden Autor um zweierlei: zum einen möchte er »die völlige Unvereinbarkeit anarchistischer und kommunistischer Weltanschauung ⟨...⟩ sowie die Unmöglichkeit irgend einer ›Lösung der sozialen Frage‹ durch den Staat« (IX) beweisen; zum zweiten will er »in diesen Tagen der wachsenden Reaktion, welche in dem Siege des Staats-Sozialismus ihren Höhepunkt erreichen wird, ⟨...⟩ der erste Verfechter der anarchistischen Idee« (XI) sein, will also unmittelbar auf Deutschland[43] und auf die seines Erachtens durch die Sozialgesetzgebungen seit 1883 und durch die SPD[44] korrumpierte Arbeiterschaft Einfluß nehmen.

Das Alter ego des Autors im Roman ist der »philosophische Anarchist« Carrard Auban, der nur den »Gesetzen ⟨...⟩ der Natur«, der »Logik« und der »Freiheit« verpflichteter Kämpfer »gegen Alles, was ihn umgab«. Auban wird als ein Mann vorgestellt, »welcher wußte, daß es nie und nirgendwo Gerechtigkeit auf der Erde gab, und der den Glauben an eine himmlische Gerechtigkeit ⟨...⟩ verachtete, oder ⟨...⟩ fürchtete« (18). Glauben tut Auban nur noch »an die langsam, langsam wirkende Macht der Vernunft, welche endlich jeden Menschen dorthin führen wird, für sich, statt für andere zu sorgen«. (28) Vor diesem Hintergrund hat sich Auban nur noch dem Ziel verschrieben, »dorthin Licht zu tragen, wo noch das Dunkel herrscht – in die duldenden, unterdrückten Massen«. (6)

Dieser Zielsetzung versucht der hinsichtlich der politisch-sozialen Zukunft äußerst skeptische Auban auf verschiedene Weise gerecht zu werden. Zum einen führt er, teils in Begleitung seines ehemaligen Freundes, dem im Londoner East-End wohnenden ›Kommunisten‹ Otto Trupp, durch das zeitgenössische London und präsentiert uns dort die Viertel eines entsetzlichen Elends. Zum anderen führt er die Welt der aristokratischen Paläste und der großen Clubs, der luxuriösen Läden und der fashionablen Kunst vor.

Auban konzentriert sich also zum ersten auf eine Bestandsaufnahme des ökonomisch-politischen und des soziokulturellen Zustandes im Zentrum des damaligen Hochkapitalismus. Die Fakten selbst in ihrer Monstrosität und Gegensätzlichkeit sollen die Rezipienten von der schreienden Ungerechtigkeit und der Unhaltbarkeit dieses auch für andere Länder geltenden (bzw. prognostizierbaren) Zustandes überzeugen und so zu politischem Handeln aktivieren.

Zum zweiten konzentriert sich Auban auf eine Bestandsaufnahme derjenigen Mentalitätssignaturen, Denk- und Handlungsweisen, die sich insbesondere beim ›Volk‹ bzw. der ›Masse‹ herausgebildet haben. Auban demontiert radikal sozialromantische Vorstellungen wie die vom ›edlen Volk‹ oder vom ›heroischen Arbeiter‹. Bei aller Anteilnahme am Schicksal der Arbeitslosen, des Lumpemproletariats oder all derjenigen, die noch das zweifelhafte »letzte ›Recht‹« haben, »sich für Andere totschinden zu dürfen« (69): an keiner Stelle des Romans läßt sich irgendeine Idealisierung des ›Volkes‹ oder auch nur eine Entlastung desselben für etwaiges Fehlverhalten ausmachen. Im Gegenteil: ob grausame Kinder, ordinäre Halbwüchsige oder betrunkene Erwachsene vorgeführt werden, ob die Sprecher des ›Volkes‹ der »Selbstgefälligkeit« (33) geziehen werden oder ob das ›Volk‹ selbst gar in Situationen gezeigt wird, die seine »Ekel« erregende »Unzurechungsfähigkeit« (335) unter Beweis stellen – durchgängig werden die Romanadressaten ›Volk‹ und seine Fürsprecher mit solch verächtlichen Urteilen konfrontiert, wie sie ein Dr. Hurt, ein Auban sehr nahestehender englischer Arzt, formuliert:

> Ich fange an, dieses Volk zu hassen. 〈...〉 Es hat der Gewalt all' ihre Attitüden bereits abgelauscht: die lächerliche Unfehlbarkeit, den dünkelhaften Hochmuth, die bornirte Selbstgefälligkeit. 〈...〉 die Zeit ist nicht mehr fern, wo es für jeden 〈...〉 Geist eine Unmöglichkeit sein wird, sich noch Sozialist zu nennen, da man ihn sonst in eine Linie stellen könnte mit jenen elenden Kriechern und Erfolgsanbetern, die jetzt schon vor jedem Arbeiter auf den Knieen liegen 〈...〉, nur weil er ein Arbeiter ist! (261 f.)

Trotz dieser überaus harschen Schelte der Romanadressaten ›Volk‹ und ›Sozialreformer‹, die, wie Mackay sehr genau weiß, für die Rezeption des Romans und dessen politischer Botschaft alles andere als zuträglich sein kann,[45] bemüht sich Auban zum dritten in immer wieder anders akzentuierten Argumentationsketten, von der Wahrheit des Anarchismus[46] [→ 416 f.] und von der gänzlichen Verwerflichkeit des ›Kommunismus‹ zu überzeugen. Diese Verwerflichkeit des ›Kommunismus‹ soll sich an der charakterlichen Deformierung erweisen, die der bereits erwähnte Otto Trupp in seinem Verhalten Auban gegenüber erkennen läßt. Wenn Trupp nämlich aus den unüberbrückbaren Differenzen zwischen sich und Auban schließlich den Schluß zieht: »Du bist immer ein Bourgeois gewesen. Geh' hin, woher Du gekommen bist. 〈...〉 Wer nicht für uns ist, der ist wider uns!« (316 f.), dann spricht er dem ihm doch seit vielen Jahren vertrauten Auban nicht nur die Lauterkeit ab, sondern entpuppt sich selbst als mentales Alter ego von einer der ›profiliertesten‹ Inkarnationen des gemeinsamen Gegners: von Wilhelm II.

Die Stichworte, um die es in den Argumentationsketten Aubans immer wieder geht, lauten ›soziale Frage‹, ›Anarchismus‹, ›Sozialismus‹ bzw. ›Kommunismus‹, ›Religion‹, ›Individualismus‹, ›Egoismus‹ und ›Altruismus‹ sowie ›Freiheit‹, ›Staat‹ und ›Gewalt‹. Im Staat wird der »größte, ja einzige Feind« des »konsequenten Individualisten«, der Freiheit und des Anarchismus gesehen, da er die »oekonomische Unabhängigkeit« jedes einzelnen als »die erste Grundbedingung der Freiheit« (146) verhindere und »die Harmonie der Natur in die Unordnung des Zwanges« (351) verwandele. Erst wenn »dieser Schwindel dümmster Art« (266) abgeschafft und jeder einzelne ein »Kapitalist« geworden sei, ende die »Ausbeutung des Menschen durch den Menschen« (147). Von daher sei die ›soziale Frage‹ auch keine der »einzelnen Klasse« sie könne auch nicht durch den »Sozialismus« bzw. »Kommunismus«,[47] das heißt durch die »privilegierte Gewalt« der »Unterdrückung der Starken durch die Schwachen« (159) beseitigt werden. Vielmehr könne die ›soziale Frage‹ »nicht anders gelöst werden 〈...〉, als durch die Initiative des Einzelnen, der sich endlich entschließt, die Besorgung seiner Angelegenheiten selbst zu übernehmen«. (148) Das Ziel müsse es daher sein, sich von »dem Fluche einer völlig unnatürlichen Idee: der christlichen« (260) zu lösen und stattdessen den von der Natur gewollten Kampf »Aller gegen Alle« (161) zu ermöglichen.

*

Alberti und Mackay stimmen darin überein, daß sie weder in (radikal-)demokratischen noch in sozialistischen Gesellschaftsentwürfen eine Antwort auf die ›soziale Frage‹ sehen. Beide halten zudem den ›Kampf ums Dasein‹ für das Grundprinzip aller geschichtlichen Entwicklungen und Formierungen. Allerdings werten sie dieses Grundprinzip unterschiedlich und ziehen aus ihm mit Blick auf die damalige Situation unterschiedliche Schlüsse.

Für Alberti, einen Vertreter der monarchistisch und patriotisch gesinnten Naturalisten [→ 29f.],[48] ist der ›Kampf ums Dasein‹ letztlich ein unumgängliches Übel, dem zum a priori hochgewerteten Wohle der größtmöglichen Zahl am ehesten mit einer an Hobbes erinnernden Gesellschafts- oder Staatskonstruktion begegnet werden kann. Alberti möchte um der Erhaltung des Status quo willen, den er dem Grundsatz nach für den bestmöglichen hält, Geschichte an ein Ende kommen lassen. Er versucht von daher, akute soziale Konflikte vor allem durch Appelle an das soziale Gewissen von Bourgeoisie und Adel zu regulieren.[49]

Für den Geistesaristokraten Mackay hingegen ist der ›Kampf ums Dasein‹ zwar auch unumgänglich, aber beileibe kein Übel. Unter der Voraussetzung, daß (Natur-)Geschichte in der »Selbstherrlichkeit« des starken einzelnen ihr Ziel und ihren Zweck habe, wird der ›Kampf ums Dasein‹ – und damit auch die ›soziale Frage‹ – vielmehr als Katalysator von Auslese und Autogenese begrüßt. Mackay entwickelt eine regressive Utopie, die zivilisatorische und kulturelle Errungenschaften, so gebrechlich und unzureichend sie im einzelnen auch sein mögen, außer Kraft setzen will und die allen friedliebenden Bekenntnissen zum Trotz[50] zunächst einmal nur den von Hobbes perhorreszierten ›bellum omnium contra omnes‹ als zuträgliche Lebensform offerieren kann.[51]

Günter Butzer / Manuela Günter

Literaturzeitschriften der Jahrhundertwende

I. Das Erbe der Gründerzeit

Betrachtet man den deutschen Zeitschriftenmarkt, der in der zweiten Hälfte des 19. Jahrhunderts stark expandiert [→ 137f.] und zur Jahrhundertwende bereits über 5000 Titel aufweist,[1] so lassen sich innerhalb der literarisch-publizistischen Landschaft bis zu Beginn der 1880er Jahre – neben den hier nicht weiter berücksichtigten Rezensionsorganen[2] – im wesentlichen zwei Zeitschriftentypen unterscheiden. Auf der einen Seite stehen die Familienblätter, die auf sehr unterschiedlichem Niveau die bürgerlichen Mittelschichten ›unterhalten und belehren‹: *Westermann's Monatshefte* (1856 ff.) sollen hier stellvertretend für das anspruchsvolle Magazin nach englischem Vorbild genannt werden, während die bekannte *Gartenlaube* (1853 ff.) den Typus der beschaulichen Familienillustrierten repräsentiert. Mit meist sehr hohen Auflagen und niedrigen Preisen verbreiten diese Blätter zeitgenössische Literatur aller Art. Auf der anderen Seite stehen die dem programmatischen Realismus verpflichteten Rundschauzeitschriften, die ein ästhetisches Qualitätsbewußtsein mit einem dezidiert politischen Profil verbinden. Der Bogen reicht von den seit 1841 existierenden *Grenzboten* und den *Preußischen Jahrbüchern* (1858 ff.) bis zu Julius Rodenbergs (1831–1914) *Deutscher Rundschau* (1874 ff.), die mit dem Anspruch auftritt, die »*Gesammtheit* der deutschen Culturbestrebungen« in einem »repräsentativen Organ« zur Geltung zu bringen.[3] Auf den literarischen Realismus fixiert, wird ihre Position als Meinungsführerin im kulturellen Bereich durch den Aufbruch der ›Jungen‹ bereits zehn Jahre nach ihrer Gründung nachhaltig in Frage gestellt. Schon in der ersten Hälfte der 80er Jahre treten die frühnaturalistischen Zeitschriften in Erscheinung, und Anfang der 90er Jahre beginnt mit dem Ästhetizismus die zweite Phase der literarischen Moderne. Diese ist Mitte der 90er Jahre im literarischen Feld weitgehend etabliert, was sich am Massenerfolg einiger künstlerisch-belletristischer Journale ablesen läßt, der jedoch mit einem Verlust des programmatischen Profils einhergeht. Gleichzeitig öffnen sich die Grenzen der Moderne für Konzepte des Regionalismus und der Heimatkunst [→ 300 ff.], die nach der Jahrhundertwende zusehends die literarischen Zeitschriften dominieren.

II. Der Aufbruch in die Moderne

1. *Kritische Waffengänge*

Die *Kritischen Waffengänge* der Brüder Heinrich (1855–1906) und Julius Hart (1859–1930) erscheinen in sechs Heften unregelmäßig zwischen März 1882 und Frühsommer 1884 in Leipzig; die hier publizierten, ausnahmslos von den Harts selbst verfaßten, literaturkritischen Aufsätze üben auf die Formierung des Naturalismus in Deutschland großen Einfluß aus, obwohl sie sich selbst letztlich von naturalistischen Positionen distanzieren. In aggressiven Polemiken gegen zeitgenössische Dichtergrößen wie Paul Lindau (1839–1919) und Heinrich Kruse (1815–1902), die der Epigonalität bezichtigt werden, weil sie den dichterischen Stoff auf harmonische Idyllen bzw. heroische Vergangenheit reduzieren, prangern die Harts Effekthascherei, Eklektizismus, Verflachung durch literarische Fabrikarbeit und Geschmacksverirrung des Publikums als negative Zeiterscheinungen an.[4] Dagegen fordern sie eine neue lebensnahe Dichtung, die ein emphatisches Wahrheitspostulat erfüllen soll, indem sie die gesellschaftliche Wirklichkeit des Dichters zum Gegenstand der Literatur macht. In ihrem programmatischen Aufsatz *Wozu, Wogegen, Wofür?* formulieren sie für die *Kritischen Waffengänge* die Aufgabe, die »jungen Geister« zu entfesseln, damit diese »aus der germanischen Volksseele heraus« eine »echt nationale Dichtung« schaffen können und damit die Poesie »zur Mundart des Volkes« befreien.[5] Mit einer solchen Betonung des ›Volkscharakters‹ wird die historische Abgrenzung gegen die »Alten« um diejenige gegen die französische und skandinavische Moderne [→ 67 f.], die auch im Deutschen Reich zunehmend auf positive Resonanz stößt, erweitert. Zwar würdigt man Emile Zolas (1840–1902) Bemühungen um Wahrheit in der Dichtung, deren wissenschaftlich-rationale Fundierung im ›roman expérimental‹ wird jedoch kategorisch abgelehnt. Den Harts schwebt ein »Naturalismus des Genies« vor, der die Natur zum Ideal verklärt und als dessen Boten sie Robert Hamerling (1830–1889) und Gottfried Keller (1819–1890) verehren.

Das eigene ästhetische Ideal erweist sich als diffuse Mischung aus einem realistischen Anspruch auf Wirklichkeitsschilderung und einem kruden Irrationalismus, der die ›deutsche Seele‹ in einer jedem selbstzerstörerischen Grübeln abholden Dichtung zum Ausdruck bringen soll. ›Gesundheit‹, ›Männlichkeit‹ und die ›Verbundenheit mit der Scholle‹ bilden die Pfeiler der neuen Weltanschauung, deren literarische Realisation bereits an die ab 1890 propagierte Heimatkunst denken läßt. Ihr Gestus von Aufbruch und Erneuerung der Literatur verkehrt sich bei den Harts in ein affirmatives Deutschtum, dessen Dichtkunst in einem konservativ gewendeten Realismus aufgeht. Mit der Ablehnung nicht nur der klassischen, sondern auch jeder »fremden« Ästhetik versuchen die Harts, einen deutschen Sonderweg außerhalb der europäischen Moderne zu begründen.

2. *Die Gesellschaft*

Während die Sozialdemokratie noch unter den Restriktionen der Sozialistengesetze [→ 394 f.] 1883 *Die Neue Zeit* unter der Leitung von Karl Kautsky (1854–1938) gründet und damit die Opposition der Arbeiterklasse im Deutschen Reich in Form einer »Zeitschrift für das *Volk*«[6] publizistisch institutionalisiert, artikuliert die 1885 von Michael Georg Conrad (1846–1927) in München gegründete kulturelle Rundschauzeitschrift *Gesellschaft*[7] den individualistischen Protest der unorganisierten, meist kleinbürgerlichen Intellektuellen gegen die Beschränkungen des einzelnen in der modernen Massengesellschaft.

In seinem Einführungsartikel zum ersten Heft diagnostiziert Conrad einen allgemeinen Kulturverfall, den er als »Tyrannei der

›höheren Töchter‹«, als »journalistischen Industrialismus« und als niveaulose »Familienblätterkocherei« anprangert.[8] Wieder gilt der Kampf den Epigonen – hier dem Münchner Dichterkreis um Paul Heyse (1830–1914) –, allerdings wird der Gegensatz zwischen Jung und Alt nun um die Geschlechterdifferenz ergänzt [→ 53 f.]: Alles Weibliche ist danach steril, dem Schund verhaftet und korrupt, das Männliche dagegen wird einem ehrlichen, stolzen Deutschtum gleichgesetzt, das – zu einer »Geistesaristokratie« formiert – im »Dienst des gesunden schöpferischen Lebens«[9] allein in der Lage sei, Deutschland als Kulturnation zu retten. Bedenklich stimmen indes deren literarische Repräsentanten: Martin Greif (1839–1911) und Wilhelm von Walloth (1854–1932), Alberta von Puttkamer (1849–1923), Marie Eugenie delle Grazie (1864–1931) und Oberst a. D. Heinrich von Reder (1824–1909), der als berüchtigter Verfasser von Landser- und Trinkliedern vom Anfang bis zum Ende vertreten ist.

Conrads Projekt tendiert, wie das der Harts, zum Heimatkunstrealismus.[10] Das Leben der Bauern bildet das gesellschaftspolitische Ideal, das (vorkapitalistische) Dorf umhüllt utopischer Glanz. Dementsprechend beherrschen heimatliche Idylle und heroische Historie das Gros der literarischen Texte. Entgegen ihrem modernen Titel steht *Die Gesellschaft* im Kontext der Begründung einer ›wehrhaften‹ und ›sauberen‹ (Volks-)Gemeinschaft. Gesellschaftliche Reformen werden nur erwogen, soweit sie die bestehende monarchistische, hierarchische Gesellschaftsordnung nicht bedrohen.[11] Sämtliche Stereotypen des politischen Irrationalismus – Sozialdarwinismus, völkischer Nationalismus, Antisemitismus – finden Verbreitung.

Im Horizont der *Gesellschaft* ist der Dichter/Künstler Führer und Erzieher, der die Gemeinschaft mit Werten versorgt.[12] Dieser missionarische Anspruch hat erheblichen Einfluß auf die Kritik: In aggressiven und polemischen Rezensionen wird der gegenwärtigen Literatur, die den eigenen Ansprüchen nicht gerecht wird, der Prozeß gemacht. Dabei erweisen sich die angelegten Kriterien als antimodernistisch. Karl Bleibtreu (1859–1928) fordert in seiner Abhandlung *Revolution der Litteratur* von 1886 eine Verschmelzung von Romantik und Realismus, und Friedrich Lienhard (1865–1929), der Führer der Heimatkunstbewegung [→ 306 f.], propagiert eine

»gesunde Vereinigung von ›Realismus‹ und ›Idealismus‹«.[13] Auch das »litterarische Glaubensbekenntnis« Conrad Albertis (1862–1918) [→ 109ff.], der am radikalsten Darwins »Naturgesetze« – Kampf ums Dasein, natürliche Auslese, Vererbung etc. – auf die Kunst überträgt, mündet in die Forderung nach einem »objektiven Realismus«, der den natürlichen Stoff zum Kunstwerk veredelt, indem er sein wahres Wesen schaut.[14] Gemeinsam ist allen diesen frühen Positionen die Gegnerschaft zum konsequenten Naturalismus der Berliner.[15]

Der Protest gegen die Epigonalität der zeitgenössischen Literatur wird auch in der *Gesellschaft* mit einem Gestus des Angriffs und der Erneuerung vorgetragen, der inhaltlich ›Volkstum‹ und ›Rasse‹ verherrlicht, Großstadtkultur verachtet und die Liebe zur ›Scholle‹ einklagt. »Im Geheimnis des Blutes und des Bodens ruht das Geheimnis der Kunst.«[16] Jedoch zeigt sich bei der *Gesellschaft* auch paradigmatisch die Differenz, die zwischen den programmatischen Vorgaben der Herausgeber und der konkreten literarischen Praxis der Zeitschriften oftmals besteht: Neben den heute vergessenen Heimatliteraten finden sich immer wieder auch Texte von Richard Dehmel (1863–1920), Detlev von Liliencron (1844–1909), Stefan Zweig (1881–1942), Else Lasker-Schüler (1869–1945), Heinrich Mann (1871–1950) u. a. m.

Obgleich *Die Gesellschaft* eine beachtliche Anzahl von Mitarbeitern um sich versammeln kann – die Rubrik *Dichteralbum* zählt im Jahrgang 1890 allein 94 Autorinnen und Autoren[17] –, bestimmen in den ersten acht Jahrgängen doch nur wenige Mitarbeiter die theoretische Linie: neben Conrad v. a. Gottreich Cristaller (1857–1922), Bleibtreu und Alberti. Seit 1887 erscheint die Zeitschrift im renommierten Verlag Wilhelm Friedrichs in Leipzig, ihre Auflage liegt bis 1886 bei 450, 1890 bei 1000 Exemplaren. Nach 1890 übernimmt die *Freie Bühne* die Meinungsführerschaft in Sachen Moderne, während die Verfechter der Heimatkunst wenig später im *Kunstwart* einen weit größeren Wirkungskreis finden.

3. *Freie Bühne/Neue Deutsche Rundschau*

Während der Anteil der beschriebenen Zeitschriften an der Entwicklung der literarischen Produktion des Naturalismus gering ist, gilt die 1890 von Otto Brahm (1856–1912) und Samuel Fischer (1859–1934) unter dem Titel *Freie Bühne für modernes Leben* initiierte Zeitschrift als diejenige Institution, die dem Naturalismus in Deutschland zum Durchbruch verhilft. Hervorgegangen aus dem 1889 in Berlin gegründeten Verein *Freie Bühne*, der, um der Zensur zu entgehen, in geschlossenen Vorstellungen Stücke von Henrik Ibsen (1828–1906) und Gerhart Hauptmann (1862–1946) aufführt, wird sie bereits mit ihrer Gründung zur schärfsten Konkurrentin der *Gesellschaft*, die sie innerhalb kurzer Zeit aus ihrer intellektuellen und publizistischen Führungsrolle für die junge Autorengeneration verdrängt.[18]

In dem Artikel *Zum Beginn* spielt Brahm auf die Konkurrenz zu den Münchnern direkt an: Zwar will er die »Jungen« um die Zeitschrift versammeln, aber »die geblähte Talentlosigkeit bleibe uns fern, die mit lärmenden Uebertreibungen eine gute Sache zu entstellen droht.« Ziel ist die Förderung der neuen Kunst, die sich mit dem Anspruch auf »individuelle Wahrheit« dem »Leben« verbindet, indem sie »Natur und Gesellschaft« thematisiert und die Konventionen und Lügen des »ewig Gestrigen« bekämpft. Dabei wird von vornherein eine Offenheit gegen das »geheimnißvoll Künftige«, gegen das »stürmend Neue in all seiner gährenden Regellosigkeit« postuliert. In Brahms Ausführungen wird deutlich, daß keine überzeitliche Ästhetik mehr angestrebt wird, sondern daß es darum geht, jenseits von Schulen oder Gruppen stets auf der Höhe der Zeit zu sein. Obwohl Arno Holz (1863–1929) hier seine naturalistische Poetik veröffentlicht, legt sich die ambitionierte Rundschauzeitschrift also keineswegs auf den Naturalismus fest, sondern begreift diesen von Anfang an als Übergangserscheinung und kann deshalb später problemlos auch alle anderen avancierten literarischen Richtungen integrieren. »Denn an keine Formel, auch an die jüngste nicht, ist die unendliche Entwickelung menschlicher Cultur gebunden.«[19] Damit aber wird die Moderne als permanente Innovation in den Rang eines Programms erhoben. Ziel ist die »Durchsetzung der

›modernen Strömungen‹ auf dem Markt« [→ 138f.], der »Kampf einer neuen Generation um die führende Position im System«.[20] Der Erfolg dieses Konzepts spiegelt sich auch in der Auflagenhöhe wider, die in der Blütezeit zwischen 1904 und 1914 mit mindestens 5000 Exemplaren zu veranschlagen ist.[21]

Prägend sind auch hier die Redakteure, die in den ersten Jahren ständig wechseln und jeweils eigene künstlerische Ziele verfolgen; nach Brahm, der eng mit Paul Schlenther (1854–1916) zusammenarbeitet, versuchen sich noch Wilhelm Bölsche (1861–1939), Julius Hart und Otto Julius Bierbaum (1865–1910) an der Leitung, bis 1894 für eine lange und sehr erfolgreiche Zeit Oscar Bie (1864–1938) gemeinsam mit Samuel Saenger (1864–1944) und in enger Kooperation mit dem Verleger Samuel Fischer die Leitung des Blattes – nun unter dem Titel *Neue Deutsche Rundschau* – übernimmt.[22] Die enge Bindung der Zeitschrift an den Verlag entfaltet eine äußerst produktive Wechselwirkung: In Annoncen bewirbt Fischer die eigene Verlagsproduktion (Thomas Mann (1875–1955), Hugo von Hofmannsthal (1874–1929), Jakob Wassermann (1873–1934) u. v. a.), und im Rezensionsteil, der von namhaften Kritikern der Zeit – neben Moritz Heimann (1868–1925) und Arthur Eloesser (1870–1938) vor allem Alfred Kerr (1867–1948) – bestritten wird, können die jeweiligen Neuerscheinungen zahlreich und würdigend berücksichtigt werden. Die Zeitschrift etabliert sich nun unter der Führung Oscar Bies als niveauvolle, ästhetischer Neuerung stets aufgeschlossene Zeitschrift, die mit ihrem vergleichsweise hohen Frauenanteil,[23] einer sehr hohen Beteiligung jüdischer Autoren[24] und ihrer internationalen Ausrichtung sowie ihrem Einsatz für moderne Literatur aller Richtungen auf dem Niveau der heute als klassische Moderne kanonisierten Epoche zum führenden Organ des gebildeten, liberalen Bürgertums wird.

4. *Blätter für die Kunst*

Eine erste Abgrenzung des Ästhetizismus vom Naturalismus vollzieht sich im Zeitschriftenbereich mit der *Modernen Dichtung* und deren Nachfolgerin *Moderne Rundschau*, die Eduard Michael

Kafka (1868–1893) in den Jahren 1890 und 1891 in Brünn und Wien herausgibt. Zunächst als österreichische Parallelaktionen zur Münchner *Gesellschaft* und zur Berliner *Freien Bühne* gegründet, finden in diesen Blättern auch die Autoren des ›Jungen Wien‹ (Hofmannsthal, Arthur Schnitzler (1862–1931)) ihr erstes Publikationsforum. Der Schriftsteller und Essayist Hermann Bahr (1863–1934), führender Theoretiker des Fin de siècle, proklamiert hier bereits Anfang der 90er Jahre die *Überwindung des Naturalismus*.[25] Nach der Einstellung der *Modernen Rundschau* im Dezember 1891 besitzt das ›Junge Wien‹ keine eigene Zeitschrift mehr. Kafka entläßt seine Mitarbeiter und Leser im letzten Heft mit der Aufforderung, zur *Freien Bühne* zu wechseln, bei der er selbst bis zu seinem frühen Tod 1893 als Redakteur tätig ist. Einen anderen Weg geht der junge Hugo von Hofmannsthal, der sich 1892 für Stefan Georges (1868–1933) *Blätter für die Kunst* gewinnen läßt.[26]

Die *Blätter für die Kunst* (1892–1919) werden konzipiert und realisiert als programmatisches Gegenprojekt zur *Freien Bühne*. Die Zeitschrift »will die GEISTIGE KUNST auf grund der neuen fühlweise und mache – eine kunst für die kunst – und steht deshalb im gegensatz zu jener verbrauchten und minderwertigen schule die einer falschen auffassung der wirklichkeit entsprang.«[27] Damit ist, in anspielungsreicher Diktion, die Front gegen den Naturalismus eröffnet und der literarische Kontext benannt, in den sich die Gründer – neben George [→ 358 f.] und Hofmannsthal vor allem Carl August Klein (1867–1952), der als offizieller Herausgeber auftritt – stellen. Das Schlagwort »kunst für die kunst« verweist auf den in der deutschen Öffentlichkeit zu dieser Zeit nicht präsenten europäischen Symbolismus, dessen Verbreitung George sich durch die eigene literarische Produktion ebenso wie durch eine umfangreiche Übersetzungsarbeit verschrieben hat.

Doch nicht nur ihre programmatische Ausrichtung, auch ihre Situierung innerhalb der literarischen Öffentlichkeit soll die Zeitschrift von allen konkurrierenden Projekten klar abgrenzen. George verfolgt eine Publikationsstrategie, die er Hofmannsthal gegenüber als den Versuch beschreibt, an die Öffentlichkeit zu treten, ohne sich öffentlich zu machen.[28] Die *Blätter* werden zeit ihres Erscheinens im Selbstverlag in kleiner Auflage (ca. 300 Exemplare) herausgegeben und zu Beginn nicht in Buchhandlungen verkauft, sondern an Freunde der Mitarbeiter auf deren Empfehlung weitergereicht. Jeder Leser ist als potentieller Autor zu Beiträgen eingeladen, so daß sich eine auf persönlicher Bekanntschaft beruhende homogene und symmetrische Kommunikationsform herausbildet, die schließlich jene Gruppe von Schriftstellern hervorbringt, die als »George-Kreis«[→ 231 ff.] in die Literaturgeschichte eingegangen ist.[29]

Das Streben nach Exklusivität bedeutet für die Autoren der *Blätter* eine ungewöhnlich enge Bindung an die Zeitschrift, die es ihnen prinzipiell verbietet, auch in anderen Organen zu veröffentlichen.[30] Dies hat jedoch auch einen ganz praktischen Grund, ist es doch gerade in der Anfangsphase, als die *Blätter* in Deutschland ebenso unbekannt sind wie die von ihnen vertretene Kunstrichtung, schwierig, den angestrebten Umfang von 32 Seiten pro Band mit geeigneten Beiträgen zu füllen, zumal die neue »fühlweise und mache« eine deutliche Präferenz für die Lyrik vorschreibt und auch sonst eine weitgehende Homogenität der Texte fordert. Deshalb wird jeder Band durch einen umfangreichen, im wesentlichen von George besorgten Übersetzungsteil abgeschlossen, der verwandte Autoren des europäischen Auslandes sowie der literarischen Tradition (Dante Alighieri, William Shakespeare, Charles Baudelaire, Dante Gabriel Rossetti, Paul Verlaine) präsentiert. Darüber hinaus gibt George häufig Gedichte für die *Blätter* in Vorabdruck, wodurch diese zugleich als Werbefläche für seine Buchpublikationen genutzt werden.

Die strenge Verbindlichkeit, mit der George den neuen Dichtungsstil und damit letztlich das eigene Vorbild für alle Autoren der *Blätter* einfordert, führt zwangsläufig zu einem epigonalen Charakter vieler Texte.[31] Die Tatsache, daß George diese Publikationspraxis stets zu verteidigen pflegt,[32] weist auf einen ihr übergeordneten Zweck hin: Es ist ihm weniger um die Hebung der literarischen Qualität der Zeitschriftenbeiträge zu tun, die wohl für ihn nur ein Umfeld für die eigene Produktion darstellen,[33] als vielmehr um die Dokumentation der künstlerischen Lebenspraxis seines Kreises. Die Entwicklung der *Blätter*, die ab der V. Folge 1901 ihren Zeitschriftencharakter verlieren und als eine Art Jahrbuch erscheinen, in dem die Autorennamen zunehmend der Anonymität der Beiträger weichen, belegt, daß, zu Beginn noch kaum merklich, die rein ästhetische Tendenz allmählich von einer Kritik am bürgerlichen Kulturbetrieb des Wilhelminismus abgelöst wird, die das eigene Modell einer hierarchisch strukturierten Gemeinschaft als Vorbild für ein zukünftiges Deutschland propagiert.[34]

III. Künstlerisch-belletristische Journale

1. *Pan*

Nicht nur ideologisch,[35] sondern auch buchkünstlerisch stehen die *Blätter für die Kunst* in Beziehung zum Jugendstil – bzw. zu dessen englischem Vorläufer, dem ›Arts and Crafts Movement‹ –, was durch die besondere Sorgfalt, die auf Schrift, Druck, Papier und Einband der Zeitschrift verwendet wird, zum Ausdruck gelangt. Künstler wie Melchior Lechter (1865–1937) und Thomas Theodor Heine (1867–1948), die später zu führenden Figuren des deutschen Jugendstils werden, sind an der Gestaltung der *Blätter* beteiligt. Daß diese dennoch nicht als erste deutsche Kunstzeitschrift in die Geschichte der Buchkunst eingegangen sind, liegt allein daran, daß ihre auf den Buchstaben ausgerichtete Kargheit sich all dem, was ab der zweiten Hälfte der neunziger Jahre ›Buchschmuck‹ genannt wird, verweigert.[36] Dieser Erstlingsruhm gebührt dem Berliner *Pan* (1895–1900), der jene Exklusivität, die Georges Blatt inhaltlich wie kommunikativ vertreten hat, vornehmlich durch Ausstattung und Preis zu erlangen sucht.[37]

Um die Marktunabhängigkeit der Zeitschrift zu erreichen, rufen die Gründer des *Pan*, der Schriftsteller Otto Julius Bierbaum und der Kunstkritiker Julius Meier-Graefe (1867–1935), eine Genossenschaft in Form einer GmbH ins Leben. Dem Industriellen Eberhard von Bodenhausen (1868–1918), der den Vorsitz der Genossenschaft übernimmt, stehen ein Aufsichtsrat mit Vertretern aus Kultur, Wissenschaft und Wirtschaft sowie ein Redaktionsausschuß zur Seite, die den geordneten Gang von Geschäftsführung und Redaktionsarbeit zu überwachen haben. Das Programmatische des Blattes wird, wie mehrere Beiträge insbesondere von prominenten Mäzenen aus dem Aufsichtsrat belegen, in seiner innovativen Form als ästhetisch-belletristische Zeitschrift gesehen.[38] Ihre künstlerische Ausstattung umfaßt zum einen den Buchschmuck, d. h. die Verzierung der Texte durch kunstvolle Initialen, Vignetten, Randleisten und Ornamente,[39] zum anderen die Integration von Kunstbeilagen, die der *Pan* erstmals auch als Originaldrucke und nicht nur in phototechnischen Reproduktionen liefert.[40] Die Beigabe dieser Kunstblätter erfordert ein ungewöhnlich großes Format (Folio) und trägt wesentlich zum stattlichen Preis der Zeitschrift bei, die als die teuerste ihrer Zeit gilt.

Scheint es zunächst, als sei durch die Vereinigung von Künstlern wie Arnold Böcklin (1827–1901) und Aubrey Beardsley (1872–1898) und von Autoren wie Theodor Fontane (1819–1898), Hofmannsthal und Holz nicht nur die Überwindung der Feindschaft zwischen Naturalismus und Ästhetizismus, sondern tatsächlich die Aussöhnung von Tradition und Moderne zumindest zwischen den Einbanddeckeln eines *Pan*-Heftes gelungen, so offenbart sich schon bald die Realitätsferne dieses Unterfangens. Bereits ein Aufsatz von Alfred Lichtwark (1852–1914) im zweiten Heft[41] macht deutlich, worum es den Kunstfunktionären des Aufsichtsrates letztlich geht. Lichtwark, Direktor der Hamburger Kunsthalle, fordert die Konkurrenzfähigkeit insbesondere der angewandten deutschen Künste gegenüber dem französischen und englischen Ausland, und in den Dienst dieses Feldzuges will er die Zeitschrift gestellt wissen. Daß diese kulturimperialistische Haltung in Konflikt mit der internationalen Ausrichtung der Moderne[42] [→ 67f.] geraten muß, liegt auf der Hand. Nach der Auseinandersetzung um die Veröffentlichung einer Lithographie von Henri de Toulouse-Lautrec[43] werden die Gründer Bierbaum und Meier-Graefe schon im September 1895 entlassen und durch Cäsar Flaischlen (1864–1920, Literatur) und Richard Graul (1862–1944, Kunst) ersetzt, welche nunmehr der Weisungsmacht der vom Aufsichtsrat bestimmten Redaktionskommission unterworfen sind. Damit geht eine Revokation der Programmatik einher, die Lichtwark im dritten Heft vom November 1895 skizziert.[44] Er fordert darin die Rückkehr zu einer traditionsgebundenen, volkserzieherischen und nationalen Kunstauffassung, die allenfalls die gemäßigte deutsche Moderne zu integrieren beabsichtigt, und nähert sich damit der ästhetischen Volkspädagogik des *Kunstwart*, von dem sich der *Pan* anfangs durch die Herausstellung seiner Exklusivität streng abzuheben trachtete. Damit büßt dieser seine Sonderstellung auf dem Zeitschriftenmarkt ein und verliert zusehends an Bedeutung (die Auflage wird von 1.600 auf 1.100 Exemplare gesenkt, welche sich jedoch bei weitem nicht absetzen lassen), bis sein Erscheinen im Jahre 1900 nach insgesamt 21 Heften eingestellt wird.

2. *Jugend*

Daß die Erneuerung der Buchkunst aus einem Kompromiß zwischen etablierter Kultur und moderner Kunst heraus das Vorwärtsweisende des *Pan* bildet, bestätigt eine Zeitschriftengründung, die ein Jahr nach derjenigen des *Pan* in München erfolgt: Georg Hirths (1841–1916) *Jugend* (1896–1940). Dieses Wochenblatt reicht zwar in drucktechnischer Hinsicht an den *Pan* nicht heran, trägt jedoch »dank seiner Massenauflagen und seines günstigen Preises die neuen Bestrebungen in die Breite.«[45] Es steht damit am Beginn jener künstlerischen Bewegung der Jahrhundertwende, die später in Anlehnung an den Titel der Hirthschen Zeitschrift ›Jugendstil‹ heißen wird[46] und die sich als programmatischer Kontrapunkt zur Dekadenz des Fin de siècle konstituiert.

Konzipiert als »lustiges Blatt an der Wende des Jahrhunderts«,[47] verortet die im Kunstverlag Hirths herausgegebene und von Fritz von Ostini redigierte *Jugend* »das Zukünftige, Kommende nicht in einer neuen, politisch-sozialen Ordnung, sondern im Künstlerischen, im biologisch Jungen«.[48] Durch die inhaltliche wie formale Transformation der traditionellen Familienblätter gelingt es Hirth, ehemals Mitarbeiter der *Gartenlaube*, an den Erfolg derselben anzuknüpfen und zugleich ein modernes Profil zu entwickeln. In einem breiten Spektrum an Themen und Formen wird pluralistisch alles integriert, »was schön, gut, charakteristisch, flott und – echt künstlerisch ist.«[49] Von Politik, Mode und Sport bis zu den Künsten soll abgehandelt werden, was den Zeitgeist bewegt. »Kurz und gut«

heißt die Devise gerade für die literarischen Beiträge, die sich in einer Präferenz für die kleine Form (Lyrik, Witze, Epigramme, Novellen) umsetzt.

Der große Erfolg der *Jugend* – sie erreicht 1904 eine Auflage von 54 000 und steigert sich bis 1908 auf immerhin 74 000 – erklärt sich nicht allein aus der Verbreitung moderner Kunst, für die sie einen beachtlichen künstlerischen und literarischen Mitarbeiterstab beschäftigt,[50] sondern vor allem aus der unanstößigen Zurichtung erotischer Phantasmen für ein Massenpublikum. Die Entdeckung des nackten Frauenkörpers [→ 245] »in allen möglichen Formen, Entkleidungsgraden und Stellungen«[51] als attraktives publizistisches Potential bildet neben der formalen Erneuerung einen wesentlichen Bestandteil des Erfolges.[52] An die Stelle der züchtigen Jung- bzw. Hausfrau der Familienblätter treten nackte Kindfrauen, Huren und Vamps. Aber im Unterschied zu Bleis *Opalen* präsentiert die *Jugend* eine »saubere Nacktheit«,[53] die den Kult der Schönheit und Gesundheit mit einem Hang zum neugermanischen Übermenschentum verbindet. Damit wird zugleich die politische Ambivalenz des Jugendstils[54] sichtbar: Neben antiklerikalen und antimilitaristischen Humoresken finden sich »Blaustrumpf«-Karikaturen und Tiraden gegen die Sozialdemokratie.

Für die *Jugend* – ebenso wie für Albert Langens (1869–1909) *Simplicissimus* – läßt sich festhalten, daß sie bewußt auf die Profilierung durch ein literarisch-ästhetisches Programm verzichtet und ihre enorme Wirkung auf dem Zeitschriftenmarkt sich einem genauen marktstrategischen Kalkül verdankt, das sich perfekt dem Zeitgeist [→ 77 f.] und den Leserbedürfnissen anschmiegt.[55]

3. *Die Insel*

Von den naturalistischen und ästhetizistischen Zeitschriften unterscheiden sich die künstlerisch-belletristischen Journale durch den Verlust literarisch-künstlerischer Gruppenidentität; damit einher geht – wie für die *Jugend* dargelegt – die Tendenz zur Kommerzialisierung und Popularisierung der Buchkunst um die Jahrhundertwende,[56] die auch von der Monatsschrift *Die Insel* (1899–1902) angestrebt wird. Deren jugendliche Gründer, Alfred Walter Heymel (1878–1914) und Rudolf Alexander Schröder (1878–1962), die als Mitherausgeber den erfahrenen Otto Julius Bierbaum anwerben, glauben aus der Erfolglosigkeit ihres Vorbildes *Pan* gelernt zu haben, indem sie eine exklusive Ausstattung mit einem populären Preis verbinden. Die unübersichtliche Vielfalt in der Gestaltung des Vorbildes wird homogenisiert, indem eine einheitliche Schrift gewählt und die buchkünstlerische Ausstattung für jeweils ein Quartal einem einzigen Künstler anvertraut wird (im ersten Jahrgang sind dies Georges Lemmen (1865–1916), Heinrich Vogeler (1872–1942) und Emil Rudolf Weiß (1845–1942). Was das literarische Programm anbetrifft, beschränkt es sich auf die vage Vorstellung von »künstlerisch wertvollsten Produktionen moderner einheimischer und zum Teil auch ausländischer Litteratur«.[57]

Trotz der Änderungen gegenüber dem Vorläufer *Pan* kann sich *Die Insel* nicht auf dem Zeitschriftenmarkt behaupten. Zwar ist das Unternehmen durch das Millionenerbe Heymels finanziell abgesichert, doch bleibt die Differenz zwischen Auflage und verkauften Abonnements so eklatant (von 3000 produzierten Exemplaren jedes Heftes werden 300–400 abgesetzt[58]), daß das Ziel einer Popularisierung der Buchkunstbewegung, die, so die optimistische Einschätzung Schröders, »in Deutschland Epoche machen sollte«,[59] in weite Ferne rückt und erst Jahre nach der Einstellung der Zeitschrift durch den Insel-Verlag unter der Leitung von Anton Kippenberg (1874–1950) erreicht wird.[60]

Die Weigerung, der Zeitschrift ein strengeres literarisches Profil zu verleihen, wird bis zum letzten Jahrgang, den Bierbaum allein verantwortet, aufrechterhalten.[61] Lediglich in den von Schröder redigierten Heften (Juli bis September 1901) zeichnet sich das Programm einer ›konservativen Moderne‹ ab, die ein klassizistisches Stilideal mit einer experimentellen Haltung verbindet und von Schröder, dem jungen Rudolf Borchardt (1877–1945) und Hofmannsthal getragen wird.[62] Die weitere Entwicklung dieser Richtung ist jedoch unabhängig von der *Insel*, deren Ende Borchardt mit »lebhafter Erleichterung« zur Kenntnis nimmt und resümiert: »Das war die Insel. Ein schlechtes Blatt voller Anläufe zu einem guten.«[63]

4. *Die Opale und Hyperion*

Die Tradition des künstlerisch-belletristischen Journals setzt Franz Blei (1871–1942), vormals literarischer Berater der *Insel*, in mehreren Projekten zwischen 1903 und 1914 fort, als deren wichtigste *Die Opale* (2 Bände, 1907) und *Hyperion* (12 Hefte, 1908–1910) zu nennen sind.[64] Der (Wieder-)Entdeckung und Verbreitung der Erotik in der Kunst, die als wesentliches Kennzeichen für den Jugendstil wie für die frühe Moderne insgesamt und insbesondere für die *Jugend* konstatiert worden ist,[65] wird in den *Opalen* eine historische Dimension verliehen, die die Tradition erotischer Literatur und Kunst ausgehend von der Gegenwart (Oscar Wilde, Verlaine, Beardsley) über das Barock (Christian Hoffmann von Hoffmannswaldau, Christian Reuter, Christian Weise) bis zur italienischen Novellistik der Renaissance zurückverfolgt. In einer umfangreichen Rubrik *Sonderbare Bücher und deren Verfasser* stellt der Herausgeber entlegene Erotika vor und kommentiert sie. Das Blatt, das nur an Subskribenten abgegeben wird, spiegelt Bleis persönliches Interesse an erotischer Kunst und Literatur wider; es ist zugleich ein bemerkenswertes Beispiel dafür, wie eine homogene Verbindung von Text und Bild in einer anspruchsvollen Kunstzeitschrift möglich ist.

Der *Hyperion*, von Blei zusammen mit Carl Sternheim (1878–1942) im Verlag Hans von Webers (1872–1924) in München herausgegeben, präsentiert sich als purifizierter Nachfolger von *Pan* und *Insel*. Der buchkünstlerischen Tendenz der Zeit im Übergang vom Jugendstil zur Sachlichkeit des Werkbundes[66] entsprechend, findet sich kein Buchschmuck mehr; hingegen wird auf die Qualität von Papier, Schrift und Druck weiterhin großer Wert gelegt. Jedem Band ist ein Bildteil mit bislang unveröffentlichten Originaldrucken und photomechanischen Reproduktionen beigefügt. Entsprechend den Vorlieben Bleis und seines künstlerischen Beraters Meier-Graefe ist der *Hyperion* sehr stark nach Frankreich orientiert. Daraus erklärt sich wohl auch die neuartige ideologische Ausrichtung, die diese Zeitschrift gegenüber ihren Vorgängerinnen auszeichnet. In der literarischen Szene Frankreichs hat sich nach der Jahrhundertwende die von Paul Claudel (1868–1955) repräsentierte Bewegung des ›renouveau catholique‹ etabliert, die an einen Umschwung vom

Ästhetizismus zu einer Art existentiellen Katholizismus innerhalb der Décadence [→ 219 ff.] selbst anknüpft.[67] Der *Hyperion* kann als Dokument der Rezeption dieser Entwicklung in der deutschen Literatur gelesen werden. Bereits das erste Heft bringt eine *Katholische Meditation* Bleis, und Claudel zählt neben dem katholischen Mystiker Gilbert K. Chesterton (1874–1936) zu den Stammautoren. Die Zeitschrift ist Ausdruck einer »Suche nach neuen Wertmaßstäben«, die sich »gegen den dogmatischen Determinismus eines positivistisch ausgerichteten Naturalismus einerseits und andererseits gegen die ästhetisierende Gefühlskultur des Fin de siècle« wendet.[68] Mit ihrem undogmatischen, individualistischen und ästhetischen Katholizismus sowie mit ihrer internationalistischen Ausrichtung steht diese Bewegung in Opposition zum wilhelminischen Kulturchauvinismus, wie er zur selben Zeit vom *Kunstwart* vertreten wird.[69] Der *Hyperion*, in dem Autoren wie Robert Musil (1880–1942) und Franz Kafka (1883–1924) ihre ersten Texte veröffentlichen, markiert den Übergang von Fin de siècle und Jugendstil zum Expressionismus; er schafft ein Gegengewicht zur Monumentalkunst der Zeit nach 1900, die von der Heimatkunst angefangen bis hin zur konservativen Moderne das damalige literarische Leben in Deutschland dominiert.[70]

IV. Heimatkunst

Nach 1900 läßt sich eine Regionalisierung des Zeitschriftenmarktes feststellen, die nicht immer klar von den Tendenzen der Heimatkunst-Bewegung abzugrenzen ist.[71] Borchardt, Schröder, Hofmannsthal und Heymel werden ab 1907 Mitarbeiter der von Paul Nikolaus Cossmann (1869–1942) seit 1904 herausgegebenen *Süddeutschen Monatshefte* und propagieren dort die konservative Moderne als süddeutsche Opposition gegen die Berliner Literaten, insbesondere gegen Hauptmann und George.[72] In den Zusammenhang der konservativen Moderne gehört auch die von Albert Langen nach der organisatorischen Selbständigkeit des *Simplicissimus* 1907 gegründete politisch-literarische Revue *März*. Deren Literaturteil wird von Hermann Hesse (1877–1962) geleitet, der das ›Junge Wien‹ sowie das Fin de siècle insgesamt als dekadent verurteilt und demgegenüber eine ›gesunde‹ Neoromantik vertritt.[73]

Die Idee einer regionalen Kunstzeitschrift wird von dem ab Oktober 1900 in Düsseldorf von Wilhelm Schäfer (1878–1952) herausgegebenen Blatt *Die Rheinlande* verwirklicht. Neben der Betonung der Herkunft soll hier jedoch, wie der Untertitel »Monatsschrift für deutsche Kunst« verdeutlicht, auch das ästhetische Nationalgefühl befördert werden. Zwar wendet man sich gegen die verflachende Volkstümlichkeit der Heimatkunst und proklamiert die Ausrichtung auf ›große Kunst‹,[74] doch bestätigt die Auswahl von Autoren und Künstlern immer wieder den Vorrang der Herkunft vor der ästhetischen Qualität.[75]

1. *Der Kunstwart*

Ferdinand Avenarius (1856–1923), Mitarbeiter der *Gesellschaft,* entschließt sich bereits 1887 zur Gründung einer Zeitschrift mit dem Ziel, das Nationalbewußtsein der Deutschen durch die Vermittlung von Kunst zu fördern. Obgleich der Zeitschriftenmarkt mit knapp 3000 Titeln schon stark angewachsen ist, verspricht er sich von der Gründung des *Kunstwart* (1887–1932)[76] zugleich die wirtschaftliche Sicherung seiner bürgerlichen Existenz durch die Befriedigung des »Informations- und Meinungsbedarfs eines breit gestreuten, am gesamten kulturellen Leben interessierten, jedoch fachlich unqualifizierten und relativ einkommensschwachen Mittelschichtpublikums.«[77] Die ökonomische und soziale Situierung zwischen den kulturellen Rundschauzeitschriften und den unterhaltenden Familienblättern korespondiert mit der ästhetischen; einerseits gilt auch Avenarius' Kampf der epigonalen Literatur und den Unterhaltungsromanen, andererseits hat er für die Moderne keinen Sinn, sondern stellt seine Zeitschrift in den Dienst der Heimatkunst.[78] [→ 300 ff.]

Für das ästhetische Ideal des *Kunstwart* ist das ebenso absurde wie hybride Konstrukt Julius Langbehns (1851–1907) maßgebend, der Rembrandt zum Vorbild des deutschen Künstlers schlechthin stilisiert: Der »Maler der deutschen Volksseele«[79] praktiziere die Kunst als ins Alltagsleben integriertes Handwerk. In dieselbe Richtung weisen die Volkskunst-Propaganda Lienhards[80] und die Pamphlete des Antisemiten und späteren Nationalsozialisten Adolf Bartels (1862–1945), der fünfzehn Jahre lang den Literaturteil redigiert, in dem er die avancierte Literatur als krankhafte »Modernitis« beschimpft;[81] unterstützt wird diese Tendenz auch durch die Heimatschutz-Ideologie eines Paul Schultze-Naumburg (1869–1949), der in der Kommentierung der beigelegten Kunstblätter die heile Natur und die dörfliche Gemeinschaft gegenüber der »zerstörerischen« wissenschaftlich-technischen Rationalität und der »Entartung« der Gesellschaft verteidigt. Abgerundet wird dieses Bild durch die Tatsache, daß Avenarius' missionarischer Eifer während des Ersten Weltkrieges in die publizistische Rechtfertigung des Krieges mündet.[82]

Die populäre Aufbereitung der unterschiedlichen Künste – Literatur, Musik, Bildende Künste, Kunstgewerbe etc. – sowie der Anspruch, zugleich eine »Sprechbühne« für deren verschiedene Richtungen zur Verfügung zu stellen, ergeben sich aus dem Bestreben, den Leserkreis möglichst groß zu halten. Durch die »Tendenz auf das Populäre von Niveau«[83] soll Allgemeinverständlichkeit mit ›objektiver‹ Kunstvermittlung verbunden werden. Dieses von vornherein auf Wirtschaftlichkeit abgestellte Konzept unterscheidet sich von den gehobenen Familienblättern im wesentlichen darin, daß es einen Anspruch auf Führerschaft in Fragen der Kunst erhebt: Ein »Wart« hat nicht nur Vermittler-, sondern auch Kontrollfunktion.[84]

Trotz des auf Massenwirksamkeit bedachten Programms bleibt die gewünschte Resonanz in den ersten Jahren aus: Die Auflage stagniert bis 1897 bei höchstens 1000 Exemplaren, und finanzkräftige Geldgeber finden sich ebensowenig wie bedeutende Mitarbeiter; so wäre das Blatt aufgrund des ökonomischen Mißerfolgs wohl längst eingestellt worden, hätte sich Avenarius nicht, wie er selbst zu Protokoll gibt, in seine Zeitschrift verbissen »wie eine rabiate Dogge«.[85] Man improvisiert Vielfalt, indem man zwei Drittel der Beiträge über unautorisierte, also auch unbezahlte, Nachdrucke aus anderen Zeitschriften bestreitet, während die Originalbeiträge der ersten Jahrgänge fast ausschließlich vom Herausgeber selbst und seinem Mitstreiter Wolfgang Kirchbach (1857–1906) stammen. 1893 gewinnt Avenarius den Münchner Verleger Georg D. W. Callwey (1854–1931) für sein Projekt. Doch Avenarius' Hartnäckigkeit macht sich erst ab 1897 tatsächlich bezahlt: Die Auflage steigt bis Ende 1903 rapide auf 20 000, bis 1913 auf ca. 23 000 Exemplare.

Der sensationelle Erfolg des *Kunstwart* basiert auf der geschickten »Kombination einer kleinbürgerlich-konservativen Haltung, die als höchste Werte ›deutsche‹ Gradheit, Selbstlosigkeit und Treue verkündete, mit kunstpädagogischen Erörterungen«,[86] durch die er ein breites Publikum anzusprechen vermag. Dieses zu organisieren und zu erweitern, wird 1901 der »Dürerbund« ins Leben gerufen als Zusammenschluß von Gebildeten, der das Kulturleben pflegen und kontrollieren soll. Durch die Institutionalisierung »deutscher Kunstgesinnung und volkstümlicher Naturverbundenheit«[87] in einem überschaubaren Kommunikationsraum gelingt es, auf die Reformbewegungen der Zeit – vor allem die Gebildetenreform- und die Heimatschutzbewegung – großen Einfluß auszuüben.[88]

Der liberale Impetus, etwa im Kampf gegen Pressebeschränkungen und in den Diskussionen über Frauenemanzipation [→ 245 ff.], wird im *Kunstwart* sehr schnell von einer chauvinistischen Deutschtümelei überlagert, die, vermittelt durch seine wichtigsten Mitarbeiter – Bartels, Schultze-Naumburg u. a. – direkt in den Nationalsozialismus führt.

2. *Charon*

Einen anderen Weg zur Heimatkunst geht die Monatsschrift *Charon* (1904–1914), das Organ des Berliner Dichterkreises um Otto zur Linde (1873–1938), der das Blatt zusammen mit Rudolf Pannwitz (1881–1969) herausgibt.[89] Zwar nennt sich der *Charon* im Untertitel eine Zeitschrift für »Dichtung, Philosophie, Darstellung«, tatsächlich jedoch erscheint vor allem Lyrik. In einer Wendung gegen die formalistische Tendenz in der Moderne wird die enge Verknüpfung von Kunst und Ethik gefordert; zugleich ist diese Wendung gegen den Ästhetizismus beim Charon-Kreis verbunden mit der Ablehnung jeglicher Regeln poetischer Produktion und dem Anspruch einer unbedingten Freisetzung menschlicher Schöpferkraft. In seiner Auseinandersetzung mit Arno Holz [→ 353f.] beschreibt zur Linde die Wirkung, die die naturalistische Thematisierung des Häßlichen bei ihm gezeitigt habe, als Ermunterung, »auch in der Theorie jedes Dogma hinauszuwerfen.«[90] Man verkündet einen »neuen Naturalismus«, »der weder Armeleutepose noch Dreckliteratur propagiert noch einen Tempel der Göttin Kunst kennt, sondern ein weiter Garten ist, eine ›Lebenszone, in der alles Echte reifen und alles Reife wirken kann‹.«[91] Die Authentizität als Ausdruck des »Eigenen« stellt für die Charontiker das einzige Wertkriterium der Kunst dar. Die Befreiung von allem ästhetischen Regelwerk geht jedoch einher mit einer antimodernistischen Haltung, die in der Abwendung von der Holzschen Materialästhetik zugleich die Organismus-Metaphorik des Klassizismus restituiert. Alles Technische, Planvolle wird aus der künstlerischen Produktion ausgegrenzt, so daß diese als reiner Ausdruck des naturhaft-organischen Lebens erscheint. Während der Naturalismus [→ 32ff.] die Beziehung von Natur und Kunst als durch Technik vermittelte Annäherung bestimmt, postuliert zur Linde deren totale Identität[92] und suggeriert damit eine Versöhnung von Kunst und Leben, die lediglich erpreßt ist. Durch den Angriff auf die ›Institution Kunst‹ als ganze antizipieren die Charontiker den avantgardistischen Gestus;[93] zugleich vollführen sie aber eine reaktionäre Rückwendung zum Althergebrachten. Der antiliterarische Affekt, der den modernistischen Innovationszwang durchbricht, endet schließlich im Handwerksideal der Heimatkunstbewegung. Die Rückführung der Kunst ins Leben mündet somit in deren Aufgabe, »Sprache der Volksgenossen zu sein.«[94] Die antibürgerliche Ausrichtung dieses reaktionären Avantgardismus läßt ihn als Vorläufer des italienischen Futurismus [→ 470ff.] erscheinen,[95] mit dem er auch die Kriegsbegeisterung [→ 555ff.] teilt, die 1914 zur Einstellung des *Charon* führt.

*

Bei der Beschreibung des Mediums Zeitschrift zeigt sich sehr deutlich ein immanentes Problem: Programmatik und reales Erscheinungsbild divergieren oftmals erheblich, da dem sich verändernden Publikumsgeschmack ebenso Rechnung zu tragen ist wie dem jeweiligen Angebot an Texten. Spätestens in der zweiten Hälfte der neunziger Jahre hat sich der Marktmechanismus auf dem Zeitschriftensektor so weit durchgesetzt, daß eine Differenzierung der verschiedenen Periodika nach Autoren schlechterdings unmöglich ist. Darüber hinaus macht die Untersuchung deutlich, daß die heute kanonisierten Autoren der frühen Moderne in einem literarischen und medialen Umfeld stehen, das von sowohl formal als auch ideologisch konservativen bzw. reaktionären Schriftstellern dominiert wird. Die These von zwei getrennt existierenden Kulturen im Wilhelminismus – einer staatlich legitimierten epigonal-konservativen und einer oppositionellen modern-fortschrittlichen Kultur[96] – ist daher aus der Sicht der Zeitschriften nicht aufrechtzuerhalten: Hier prallen sie unmittelbar aufeinander. Wenn man davon ausgeht, daß das Medium, in dem ein Text publiziert wird, über Kontextualisierung und Adressierung Einfluß auf dessen Rezeption und damit auch auf seinen Inhalt nimmt, so tritt gerade hier eine politisch-kulturelle Ambivalenz der Moderne zu Tage, die nicht zuletzt in den Biographien ihrer Repräsentanten zum Ausdruck gelangt. Der ästhetische Wert der Innovation impliziert nicht notwendigerweise den politischen Wert der Emanzipation. Das durchgängig zu beobachtende Pathos des Aufbruchs und des Generationenwechsels geht nur allzu oft einher mit dem Ideal einer nationalen Kunst, das geradezu zwangsläufig in der Heimatkunst endet.

Stephan Füssel

Das Autor-Verleger-Verhältnis in der Kaiserzeit

I. Die Produktionsverhältnisse

Otto Freiheim gibt in den achziger Jahren des 19. Jahrhunderts seine Beamtenkarriere auf, um sich ganz der Literatur zu widmen, um zu »nützen, erheben, beglücken, der Wahrheit, der Gerechtigkeit und der Schönheit zu dienen«.[1] Da ihn die zeitgenössischen geringen Honorare aber nicht in die Lage versetzen, sein subtiles Opus *Es muß anders werden* finanziell gesichert zu schreiben und zu publizieren, muß er sich – wie so viele andere – tagsüber als Lohnschreiber für Zeitungen verdingen und kommt nur nachts zu seiner Dichtung. Unter diesen Belastungen zusammenbrechend, erblindet er schließlich und endet im Wahnsinn. Bertha von Suttner (1843–1914) hat in ihrem *Schriftstellerroman* 1888 diesen fiktiven Lebenslauf auf dem Hintergrund tragischer Schriftsteller-Viten verfaßt und damit sowohl die wirtschaftliche Not als auch die mangelnde gesellschaftliche Anerkennung des Schriftstellers in der Kaiserzeit gegeißelt.

Von außen betrachtet schien in der allgemeinen Aufbruchsphase der Hochindustrialisierung nach 1870 die Lage auch für die Literatur nicht ungünstig. Die Titelproduktion stieg von 12 843 im Jahr 1875 auf 18 059 im Jahr 1890; sie steigerte sich bis 1900 auf 24 792 und erreichte 1910 schließlich 30 317 Titel; die Titelzahl der Belletristik stieg absolut und relativ: 1890 betrug sie 9,2 %, 1908 bereits 14,2 % der Neuerscheinungen.

Noch deutlicher waren die Steigerungen bei den Zeitschriften [→ 116 ff., 272 ff., 437 ff.], die sich im Verlauf der Kaiserzeit verdreifachten: 1961 Zeitschriften im Jahre 1875 standen 5891 Titel 1910 gegenüber. Wie bei der Buch-Belletristik nahm auch hier die Zahl der Literaturzeitschriften überproportional zu, von 27 Titeln 1867 zu 198 Titeln im Jahre 1902.[2]

Aber nicht nur die Titelzahl, sondern auch die Auflagenhöhen waren rasant gestiegen. Besonders bei den beliebten Familienzeitschriften stiegen die Auflagenziffern in der zweiten Hälfte des 19. Jahrhunderts deutlich an; bei der *Gartenlaube* betrug die wöchentliche Auflage 1875 immerhin 382 000 Exemplare. Auch die Zeitungsproduktion florierte: 1916 erschienen in Deutschland 2900 Zeitungen, die in den Großstädten Auflagen bis zu 200 000 Exemplaren erreichten. Mit dieser Entwicklung hielt auch der Ausbau des Buchhandels Schritt, 1910 wurden 12 650 Firmen registriert, der Gesamtumsatz steigerte sich zwischen 1875 und 1913 um etwa das Zehnfache von 50 Millionen Mark auf 500 Millionen Mark.[3]

Der 1825 gegründete Börsenverein der deutschen Buchhändler hatte es 1887 mit einer Satzungsänderung erreicht, daß der gebundene Ladenverkaufspreis sowohl für alle seine Mitglieder als auch für alle in seinem Geschäftsbereich wirkenden Buchhandlungen festgeschrieben wurde. Damit konnte positiv erreicht werden, daß jedes Buch zum gleichen Preis überall im Deutschen Reich verkauft wurde, d. h., daß das Provinzsortiment nicht mehr gegenüber den Buchhandelszentren vernachlässigt wurde. Für den Börsenverein war dies ein Meilenstein in der Entwicklung von einer reinen Standesvertretung hin zu einem wirklichen Interessenverband. Gleichzeitig sicherte die Preisbindung die Literaturversorgung und die Existenz von Sortimentsbuchhandlungen im ganzen Reich.[4] Der Börsenverein reagierte dagegen restriktiv auf neue Entwicklungen der Buchdistribution, die er aber in keiner Weise verhindern konnte. Im Gegenteil provozierte er damit den Zusammenschluß der Kolportagebuchhändler und die Vereinigung der Bahnhofsbuchhändler.[5] Mit diesen Distributionsformen erreichte die Literatur völlig neue Schichten, da bei einem Durchschnittspreis von 2,22 Mark ein gebundenes Buch um 1900 auch für breitere Schichten der Bevölkerung finanziell erreichbar wurde. Der seit dem Klassikerjahr 1867 (das die Urheberrechts-Freigabe der vor 1837 verstorbenen Schriftsteller und damit der Hauptschriftsteller der Klassik und Romantik betraf) einsetzende Boom von preiswerten Ausgaben, wie z. B. Reclams Universalbibliothek, fand durch innovative Verkaufsformen, wie etwa 1911 der Einführung von Reclams Bücherautomaten auf den Bahnhöfen oder in Kasernen sowie der Zunahme im Warenhausvertrieb einen rapiden neuen Aufschwung.

Da um 1900 eine fast hundertprozentige Alphabetisierung erreicht worden war, belief sich das potentielle Lesepublikum in den deutschsprachigen Ländern auf etwa 50 Millionen Menschen.

II. Die wirtschaftliche und gesellschaftliche Lage der Autoren

Die Familien- und Publikumszeitschriften der siebziger und achziger Jahre hatten einigen Schriftstellern wie Conrad Ferdinand Meyer, Gottfried Keller, Theodor Storm, Wilhelm Raabe oder Theodor Fontane ansehnliche Erwerbsmöglichkeiten durch die Vorveröffentlichung ihrer Romane oder die Aufnahme ihrer Novellen und Gedichte eingeräumt.[6] Aber diese Verdienstmöglichkeiten hatten auch die Entstehung eines Berufsschriftstellertums deutlich befördert, dessen Zahlen in den letzten beiden Jahrzehnten des 19. Jahrhunderts sprunghaft anstiegen. Wir können von etwa 4000 freien Schriftstellern um 1895 ausgehen,[7] 1900 Personen, darunter 6,3 % Frauen, waren darüber hinaus nebenberuflich als Schriftsteller tätig; 1907 finden wir etwa 7000 freie Schriftsteller im Haupt- und Nebenberuf. Im *Literaturkalender* für das Jahr 1893 äußert sich Joseph Kürschner (1853–1902) kritisch zu diesem Überangebot: »Die unangenehmen Folgen dieses Wachstums für den guten Berufsschriftsteller liegen auf der Hand, sie rufen neben anderem eine Proletarisierung hervor, die dem mühsam errungenen Ansehen des Standes schadet, und sie führen in vielen Fällen zu einer Entlohnung, die der geistigen Tätigkeit weder würdig noch günstig ist.«[8] Aus den Akten der ›Deutschen Schillerstiftung‹ ist erschütternd zu sehen, in welch großen wirtschaftlichen Schwierigkeiten sich führende Lyriker und Poeten der Jahrhundertwende befanden, so u. a. Detlev von Liliencron, Arno Holz, [→ 352 ff.] Gustav Falke oder Max Dauthendey, die vor 1900 kaum 200 Mark im Jahr verdienten.[9] Die Bücher wurden in aller Regel nach einem Bogenhonorar von 30 bis 60 Mark honoriert, bei einem durchschnittlich starken Band mit 20 Bogen waren also 600 bis 1200 Mark zu erreichen. Die Verlagsverträge banden in aller Regel die Autoren mit einem de facto ›ewigen Verlagsrecht‹, da sie das Recht an ihren Werken für die erste und alle weiteren Auflagen übertragen mußten. Erst das ›Gesetz, betreffend das Urheberrecht an Werken der Literatur und der Tonkunst‹ vom 19. Juni 1901 brachte für die Autoren einige Fortschritte. So sollte nun das Verlagsrecht nur für eine Auflage von 1000 Exemplaren übertragen werden, ein Rücktrittsrecht für die Autoren eingeräumt und ihnen selbst eine Kontrolle über die Verlagsabrechnung gegeben werden. Der mangelnde Rechtsschutz und die wirtschaftliche Ausbeutung bis 1901 werden besonders dadurch deutlich, daß erst durch dieses Gesetz Nachdrucke von Gedichten, Aufsätzen und Erzählungen in Zeitschriften, Zeitungen und Anthologien honorarpflichtig wurden, da bis 1901 nur in seltenen Fällen Tantiemen für solche Nachdrucke gezahlt werden mußten. In der Praxis ließ sich allerdings diese gesetzliche Regelung erst nach und nach durchsetzen. Als Detlev von Liliencron (1844–1909) sich im Jahre 1905 weigerte, seine Erzählung *Die vergessene Hortensie* dem Verlag B. G. Teubner kostenlos für den Abdruck in einem Lesebuch zu überlassen, erhielt er vom Verleger eine geharnischte Abfuhr:

> Allerdings hatte ich dies bei Dichtern Ihres Namens nicht erwartet, umso weniger, als heute erfreulicherweise unsere Dichter von Ruf auf einer höheren Warte stehen. Denn diese denken nicht daran, unserem Volk ihr geistiges Eigentum zu enthalten, sie freuen sich vielmehr, ihr Scherflein zur ästhetischen Bildung der Jugend beizutragen 〈...〉 Da Sie dieser meiner Bitte nicht zu entsprechen geneigt sind, werde ich gerne darauf verzichten, auch werde ich nicht verhehlen, die Herausgeber meines Lesebuches Ihrem Wunsche gemäß darauf aufmerksam zu machen, daß Sie nicht zu unserem Volke zu sprechen wünschen, und ich werde sie auch bitten, möglichst wenig zur Verbreitung Ihrer Werke beizutragen.[10]

Die arrogante Haltung des Verlages wird besonders dadurch deutlich, daß er sich nur um eines wirtschaftlichen Vorteils willen auf die ideellen Werte des Dichtertums beruft. Die Honorierung von Nachdrucken ließ sich auch trotz der Gesetzeslage von 1901 nicht in allen Fällen erreichen, auch wurde der Nachdruck nicht geahndet, wenn der Verleger »im guten Glauben« gehandelt hatte. Das Organ des ›Allgemeinen Schriftstellervereins‹ (ASV), *Die Feder*, schätzte denn auch, daß ca. 9000 Zeitungen und Zeitschriften weiterhin ungehemmt nachdruckten.[11] Viele Autoren verzichteten darauf, die Nachdruckhonorare einzuklagen, weil sie es sich mit den Zeitschriftenredaktionen nicht verderben wollten und gelegentlich auch den Nachdruck mit gewissem Stolz und als eine Reklame für künftige Publikationen sahen.[12]

Bezeichnend für das soziale Klima zwischen Autoren und Verlegern ist die Gründung eines Interessenverbandes der Lyriker [→ 352 ff.], die sich nun nach der Rechtslage von 1901 endlich eine Abrechnung ihrer Gedichte in Zeitschriften, Zeitungen und Anthologien erhoffen durften. Da – wie das Beispiel Liliencron gezeigt hat – einige Verleger durchaus nicht bereit waren, der Rechtslage entsprechend konsequent zu honorieren, schlossen sich am 1. August 1902 Otto Julius Bierbaum, Carl Busse, Richard Dehmel, Gustav Falke, Hugo von Hofmannsthal, Holz und von Liliencron zu einem ›Kartell lyrischer Autoren‹ zusammen und forderten, mit mindestens 50 Pfennig Honorar für jede Verszeile für jede Auflage honoriert zu werden, Fahnenkorrekturen und ein Belegstück zu erhalten. Diese Forderungen stießen zunächst auf brüske Ablehnung, auch erschrak die Verlegerseite sichtlich die Benennung des Zusammenschlusses als »Kartell«. Ausgerechnet die gemeinhin als empfindsame Autoren angesehenen Lyriker schufen als erste eine Autoren-›Gewerkschaft‹, die sich ihrer ideellen, juristischen und ökonomischen Lage annehmen sollte. Sie verpflichteten ihre Mitglieder, prinzipiell ihre Forderungen anzumelden und stets auf der Honorarpflicht zu bestehen, wobei der Mindestpreis pro Zeile (ab 1904 fünfundzwanzig Pfennig – daraus resultierte das Schmähwort ihrer Gegner »25-Pfennig-Lyriker«) eingehalten werden sollte. Die Abwicklung der Abrechnung mit den Anthologien-Verlegern lief über die Geschäftsstelle des »Kartells lyrischer Autoren«.[13] Dem Aufruf der Erstunterzeichner folgten relativ schnell die wichtigsten lyrischen Schriftsteller. 1906 zählte der Verband bereits 123 Mitglieder, 1919 165; es fehlten nur alle Mitglieder des George-Kreises [→ 231 ff.], da Stefan George dem Kartell prinzipiell ablehnend gegenüberstand. Nach dem Ersten Weltkrieg gelang es nur bedingt, die jüngeren Lyriker dazu zu gewinnen, auch die meisten expressionistischen Lyriker fehlen. Das Kartell kümmerte sich nur um die Zweitverwertung und um die Nachdrucke, hielt sich aus dem Geschäft der Erstveröffentlichungen bewußt heraus. Mit erstaunlich geringem organisatorischen Aufwand gelang es ihm, den Zeitschriften- und Anthologien-Markt zu beobachten und die Honorare für seine Mitglieder einzufordern. Die eingegangene Honorarsumme belief sich in den Jahren 1910–1918 auf 60 800 Reichsmark.[14] Für eine 1907 erschienene Anthologie in 50 000er Auflage erhielten z. B. durch das Zeilenhonorar Liliencron 362,50 Mark, Paul Heyse 282,75 Mark, Alfons Paquet 110 Mark. Im Interesse seiner Mitglieder versuchte der Verband auch, die Zahl der Anthologien sinnvoll zu beschränken, um nicht wieder zu einer Überproduktion zu kommen.

Mit dem Rückgang der Anthologien in den zwanziger Jahren, den Wirren der Inflationsjahre und vor allen Dingen auch mit dem Erstarken der großen Schriftstellerorganisationen ging die Bedeutung des Fachverbandes zurück, der sich seit 1927 eng an den 1910 gegründeten ›Schutzverband deutscher Schriftsteller‹ (SDS) anlehnte und schließlich integriert wurde. Es bleibt sein Verdienst, als erster spezialisierter Fachverband sich massiv für die Rechte der Schriftsteller gegenüber den Verlegern und Redakteuren eingesetzt zu haben. Höchstwahrscheinlich hatte das Kartell Modellfunktion für den von Ludwig Fröder, Max Dreier, Holz und anderen 1908 gegründeten ›Verband deutscher Bühnenschriftsteller und Bühnenkomponisten‹ (VdBuB).[15] Es wurde darauf hingewiesen, daß nur spezialisierte Fachverbände die Interessen ihrer Mitglieder optimal vertreten könnten. Der VdBuB wurde zu einem wirklichen Kartell, das allein Rechte mit den Bühnenverbänden und den Verbänden der Bühnenverleger abschließen konnte und seine Forderungen gegebenenfalls mit Boykott durchsetzte, da weitgehend alle Bühnenautoren dem Verband angehörten. Der Verband hatte eine eigene Vertriebsstelle, die nicht nur die Honorare überwachte, sondern auch selbst als Bühnenverlag fungierte. Die Dramenschriftsteller hatten relativ gesehen die wenigsten Geldsorgen, da sie sowohl mit der Publikation ihrer Stücke als auch mit einem regelmäßigen Honorar pro Aufführung rechnen konnten. Alle Schriftsteller waren daran interessiert, möglichst Zweitverwertungen zu erreichen, u. a. Vorabdrucke in literarischen Zeitschriften, die häufig besser honoriert wurden als die Buchpublikation; allerdings kamen nur wenige Schriftsteller in den Genuß dieser Doppelpublikationen. Wie wir schon beim Kartell lyrischer Autoren gesehen haben, waren die Verfasser von Gedichten und Novellen besonders benachteiligt. Sicherlich wohlmeinend schrieb der Verleger Wilhelm Friedrich mehrfach an Detlev von Liliencron: »Im Roman steckt für Sie die Zukunft – lassen Sie um Gottes Willen den Novellenkram beiseite, da ist materiell absolut nichts zu holen.«[16] Oder drei Jahre später noch eindringlicher:

> Wer heute Geld verdienen will, der muß verkäufliche Ware auf Lager haben, aber mit Dramen und Gedichten ist als unverkäufliche Ware kein Geld zu verdienen 〈...〉. In der unverkäuflichen Ware liegt auch Ihr pekuniäres Mißgeschick, das nur behoben werden kann, wenn Sie anstelle der unverkäuflichen – verkäufliche Ware setzen. Lachen Sie nicht über diese Prosa. In der Prosa liegt die Poesie des Geldes! 〈...〉 Gedichte soll sich eigentlich nur der Freiherr von Liliencron auf Schloss Liliencron leisten.[17]

Diese Ratschläge waren natürlich eine Bankrotterklärung an den selbstverantwortenden Schaffensprozeß der Dichter. Aus finanzieller Notlage heraus wurden sie vielfältig zu der ›Fronarbeit‹ des Tagesschrifttums gedrängt. Dazu kam, daß ihre finanzielle Misere mit ihrer mangelnden gesellschaftlichen Stellung und einer allgemeinen Legitimationskrise der Literatur einherging. Joseph Kürschner stellte in seinem *Literaturkalender* von 1895 fest, daß »ein besonders scharfer Zug der Mißachtung und Nichtachtung literarischer Leistung durch die sogenannte gute Welt« gehe.[18] Es war kein Widerspruch, daß der Klassikerkult gleichzeitig gepflegt wurde, für die zeitgenössischen Autoren allerdings kein Raum blieb. So wurde z. B. 1884 mit einem Gutachten von Theodor Mommsen die Erweiterung der Berliner Akademie der Wissenschaften um eine literarische Klasse abgelehnt, da es nicht möglich sei, »die Pflege unserer eigenen herrlichen Dichterwelt in die Hand der vereinigten, zur Zeit reimenden oder nicht reimenden Poeten zu verlegen«. Man solle sie dagegen »den Männern anvertrauen, die jene Welt liebevoll und einsichtig durchforscht haben und deutsche Art und Kunst kennen und beherrschen.«[19] Die Professoren-, Beamten-, Titel- und Militärgesellschaft der Kaiserzeit erhob sich mit Arroganz über die zeitgenössischen Autoren. Dies lag auf der Linie von Kaiser Wilhelm II., der Kunst einzig auf das (äußerlich) Schöne reduzieren wollte und ein anachronistisches Kulturideal [→ 398ff.] propagierte. Bei der Einweihung der Berliner Siegesallee am 8. Dezember 1901 führte er aus, daß es Aufgabe der Kunst sei,

> ⟨...⟩ mitzuhelfen, erzieherisch auf das Volk einzuwirken, sie solle auch den unteren Ständen nach harter Mühe und Arbeit die Möglichkeit geben, sich an den Idealen wieder aufzurichten ⟨...⟩. Wenn nun die Kunst, wie es nun vielfach geschieht, weiter nichts tut, als das Elend noch scheußlicher darzustellen, wie es schon ist, dann versündigt sie sich damit am deutschen Volke. Die Pflege der Ideale ist zugleich die größte Kulturarbeit.[20]

Britta Scheideler konstatiert zu Recht, daß damit der Literatur allein die Funktion eines »gesellschaftlichen Sedativs zugewiesen«[21] wird. Theodor Fontane beschrieb 1891 resignativ die »gesellschaftliche Stellung der Schriftsteller«:[22]

> Die Stellung eines Schriftstellers ist miserabel. Welchem Lande nach dieser Elendsseite hin der Vortritt gebührt, mag schwer festzustellen sein, doch wird sich vielleicht sagen lassen, daß Preußen-Deutschland immer mit in erster Reihe figuriert hat und erfolgreich bemüht ist, sich auf dieser alten Höhe zu halten. Die, die mit Litteratur und Tagespolitik handeln, werden reich, die, die sie machen, hungern entweder oder schlagen sich durch. Aus diesem Geld-Elend resultiert dann das Schlimmere: Der Tintensklave wird geboren. Die für ›Freiheit‹ arbeiten, stehen in Unfreiheit und sind trauriger dran, als der mittelalterliche Hörige.[23]

Die persönliche Schwierigkeit, sich als Schriftsteller in der Gesellschaft zu behaupten, zeigt Thomas Mann (1875–1955) auf eine sehr subtile Art und Weise in seiner Novelle *Tonio Kröger*, die die Gebrochenheit und gleichzeitig die Heimatlosigkeit des Schriftstellers Kröger zeigt, eines Bürgers, »der sich in die Kunst verirrte«, der unter der gesellschaftlichen Geringschätzung gerade dieses Bürgertums besonders litt.[24] Nicht immer wurde aber so gefühlvoll die Psyche des Schriftstellers zwischen Herkunft und Berufung gezeichnet; gerade die avantgardistisch auftretenden Naturalisten forderten, den bürgerlichen Literaturbetrieb abzulehnen und sich aus diesem Grunde gewerkschaftsähnlich zusammenzuschließen. Michael Georg Conrad (1846–1927) konstatierte 1892:

Eine Verlags-Aktiengesellschaft ist in allererster Linie eine Erwerbsgenossenschaft zur Ausbeutung der schriftstellerischen Arbeit, behufs Erreichung höchstmöglichen Gewinnes für die Aktionäre. Der Schriftsteller ist proletarisiert, d. h. er ist Lieferant des Verlegers und wird nur in dem Maße geachtet und geschätzt, als sich aus seiner Arbeit kapitalistischer Nutzen herausschlagen läßt.[25]

Eine der Folgerungen daraus war ein genossenschaftlicher Zusammenschluß, den er aber nicht in einem auf Standesrepräsentation angelegten Verband wie dem ›Deutschen Schriftsteller-Verband‹ seit 1887 verwirklicht sah. Max Hirschfeld regte 1898 die Gründung eines berufsgenossenschaftlichen Verbandes an, den ›Allgemeinen Schriftstellerverein‹. Dieser Verband wandte sich an alle Erwerbs- und Gelegenheitsschriftsteller, d. h. auch an Journalisten oder Kolporteure. Er forderte eine effektive Nachdrucküberwachung und bot eine Reihe von berufsgenossenschaftlichen Servicefunktionen, wie eine Rechtsabteilung, eine Unterstützungskasse und auch eine Stellenvermittlung. Das literarische Fachblatt *Die Feder*, ebenfalls von Hirschfeld herausgegeben, wurde als Verbandsorgan übernommen und kostenlos an die Mitglieder versandt. Da es sehr praxisorientiert war und Marktbeobachtungen bot, ist es heute eine aussagekräftige Quelle für die materiellen Grundlagen der Schriftsteller der Kaiserzeit und der Weimarer Republik.

Auf eine ganz andere Akzeptanz – auch bei Staat und Öffentlichkeit – und bei den Verlegern, stieß der ›Schutzverband deutscher Schriftsteller‹ (SDS); seinem Vorstand gehörten Georg Hermann, Ulrich Rauscher, Hans Landsberg und Theodor Heuss an. Der Verband verstand sich als Interessenvertretung gegenüber den Verlagen und forderte eine berufspolitische Fundierung und Absicherung gegenüber dem Staat. Er erreichte seine Rolle konsequenter wirtschaftlicher Interessenvertretung der Berufsschriftsteller relativ rasch, von 250 Mitgliedern 1910 stieg die Zahl 1914 bereits auf 804, worunter so bekannte Berufsschriftsteller waren wie Johannes R. Becher, Richard Dehmel, Gerhart Hauptmann, Hugo von Hofmannsthal, Annette Kolb, Thomas Mann, Hermann Sudermann, Arthur Schnitzler, Kurt Tucholsky, Frank Wedekind oder Stefan Zweig.[26]

Die schwierige ökonomische Situation und das mangelnde gesellschaftliche Ansehen der Schriftsteller führten um 1900 zum Bestreben, sich zu wirtschaftlich und sozial orientierten Berufsgenossenschaften zusammenzuschließen, die sowohl den Verlegern gegenüber ihre Interessen vertreten als auch Staat und Öffentlichkeit gegenüber das Bild einer ernst zu nehmenden, für Kultur und Gesellschaft wichtigen Berufsgruppe vermitteln sollten.

III. Die Situation der Verlage

Die Geschichte der Verlage ist bis 1900 durch dominante Familientraditionen geprägt. Der Verleger zeigte seine Verantwortung schon dadurch, daß er in aller Regel der Firma den Namen seiner Familie gab und nur innerhalb der Familie den Verlag weitervererbte. Durch die persönliche Verantwortung eines patriarchalisch entscheidenden Verlegers gab es selten nachvollziehbare Kriterien literarischer oder wissenschaftlicher Wertung. Wenn die Familientradition abbrach, kam es häufig genug zu Turbulenzen in der wirtschaftlichen Entwicklung und zu mehrfachen Weiterverkäufen, bis sich gegebenenfalls ein neuer Verleger für das bestehende Sortiment fand. Ein persönlich leitender Verleger prägte damit das Programm in entscheidendem Maße, mußte auch in aller Regel keine Rechenschaft über Fehlentscheidungen geben. Die zunehmende Industrialisierung im Druckgewerbe und die bereits erwähnte Expansion brachten es mit sich, daß neben den Markthelfern und Schreibern weitere Personen in die Verlagsführung aufgenommen wurden; die ersten Lektoren lassen sich seit den neunziger Jahren des 19. Jahrhunderts nachweisen. In nicht wenigen Fällen war auch die familiäre Kapitaldecke nicht groß genug, so daß Fremdmittel aufgenommen werden mußten, Firmen in Kapitalgesellschaften oder Aktiengesellschaften umgewandelt wurden. Von 1871 bis 1909 kam es zur Gründung von 85 Aktiengesellschaften im Buchgewerbe und im Buchhandel, zumeist bei Verlagen mit Druckereibetrieben.[27]

Im wissenschaftlichen Bereich ist als ein Beispiel für die rechtlichen Veränderungen die Vereinigung wissenschaftlicher Verleger

Walther de Gruyter und Co. 1919 zu erwähnen, da Walther de Gruyter zwischen 1897 und 1919 die Firmen Georg Reimer, Karl J. Trübner, Veit & Comp., Georg Joachim Göschen und J. Guttentag durch Kauf oder Teilhaberschaft an sich brachte. Eine Nacherzählung der Schicksale der hier zusammengeführten Verlage – für die hier nicht der Platz ist – würde das wechselvolle Schicksal renommierter Verleger des 18. und 19. Jahrhunderts und ihrer Familien ergeben. Es bleibt festzuhalten, daß sich gerade im Wissenschafts- und Sachbuchbereich das Bild des Verlegers deutlich veränderte, der mit einem größeren Personalapparat ausgestattet und angewiesen auf die Hilfe finanzkräftiger Geldgeber nun häufig genug einem Konzern vorstand und nicht mehr unbeschränkt schalten und walten konnte. Auf der anderen Seite standen ihm als Autoren nun nicht mehr die umfassend gebildeten Gelehrten gegenüber, sondern eine neue Schicht von Fachbuchautoren, die nun auch für ein neues Publikum in einer veränderten wirtschaftlichen und gesellschaftlichen Umgebung schrieben.

Bei dem hier besonders interessierenden literarischen Verlag ist – abweichend von den bisher skizzierten allgemeinen Tendenzen – der Typus des modernen Literaturverlegers eigens anzusprechen, der sich mit den Autoren der jeweils modernsten Richtung eng verband und so zum Partner von Autoren einer bestimmten literarischen Richtung wurde, ob wir an den Vertreter des Frühnaturalismus, Wilhelm Friedrich (1851–1925) denken, an den Naturalismusverleger Samuel Fischer (1859–1934), an Albert Langen (1869–1909) oder an Ernst Rowohlt (1887–1960) und Kurt Wolff (1887–1963), schließlich auch an Eugen Diederichs (1867–1930), der seinen Verlag in den Dienst einer umfassenden Lebensreformbewegung stellte. Auch die idealistischen Gründungen der Kunst- und Kulturverleger des Inselverlages sollten mit ihren besonderen engen Beziehungen zwischen Verleger und Autor hier Erwähnung finden.

Der Verleger Wilhelm Friedrich hatte ein hohes Maß an Identifikationsbereitschaft mit seinen Autoren und ihren Werken, die in vielen Fällen über rein geschäftliches Interesse weit hinausging: »Auf der Grundlage gemeinsamer künstlerischer und weltanschaulicher Überzeugungen wird der Verleger zum geistigen Partner und

Mitarbeiter eines Autors.«[28] Bald nach der Geschäftsöffnung seiner ›Internationalen Buchhandlung‹ im Oktober 1878 in Leipzig übernahm er zum 1. Januar 1879 den Verlag des *Magazins für die Literatur des Auslandes*, einer traditionsreichen Wochenschrift. Ihm gelang es mit Hilfe des Herausgebers Eduard Engel, dieses Magazin innerhalb von zwei Jahren zu einer Publikationsplattform für die neueste deutsche Literatur zu machen, die sich ab 1884 selbst das »Jüngste Deutschland« nannte. Gut geführte Zeitschriften bieten für die Verleger immer die Chance, Kontakt zu neuen Autoren aufzunehmen, Werke auszugsweise oder zur Probe dort zu publizieren und die Leser auch auf die Buchpublikationen des eigenen Hauses hinzuweisen. Da das Magazin von 1881 bis 1885 auch noch das offizielle Organ des ›Allgemeinen Deutschen Schriftstellerverbandes‹ (ADS) war, bekam Friedrich sehr rasch Kontakt zu den aktuellen Literaten. Karl Bleibtreu, von Liliencron, Ernst von Wolzogen, Heyse, Fontane, Theodor Wildenbruch und C. F. Meyer gehörten sehr schnell zu seinen Autoren. Die für den Naturalismus grundlegend werdende Rezeption von Emile Zola ging 1879 bereits von seinem *Magazin* aus und wurde in den 80er Jahren dort heftig weiterdiskutiert. Friedrich engagierte sich immer eindeutiger für die früh-naturalistische Programmatik und wurde damit zum »publizistischen Zentrum der neuen Literaturbewegung«.[29] 1886 publizierte er das höchst umstrittene Manifest von Karl Bleibtreu (1859–1928) *Die Revolution der Literatur*, die wirkungsvollste früh-naturalistische Programmschrift. Seine einseitige Bevorzugung der Schriften des ›Jüngsten Deutschland‹ führte allerdings zu einer Distanzierung durch andere Schriftsteller und Verlegerkollegen, und auch dazu, daß der ADS das *Magazin* nicht mehr als Verbandsorgan ansah. Bis an die Grenze der Selbstverleugnung und auch des wirtschaftlichen Verlustes hielt Friedrich zu seinen Autoren, die er auch bei sinkenden Absatzzahlen anständig zu entlohnen suchte. Zum Beispiel bat er in einem Brief vom 28. April 1889 von Liliencron um Verständnis:

⟨...⟩ und mit welchen Gedichten machen die Verleger denn Geschäfte? mit Baumbach und Konsorten. Schiller und Goethe, Heyne und Tuttiquanti sind zuallererst auch mit Ausschluß der Öffentlichkeit erschienen. Die Verleger haben ihr Geld ›verlegt‹, und erst die zweite Generation erntet das, was die erste gesät hat. Ich wünschte nur, ich wäre mein eigener Sohn, dann wäre ich schön raus ⟨...⟩ Also um gotteswillen nicht mehr verlangen, als die Gegenwart überhaupt gewähren kann![30]

Schon zeitgenössisch sprach man von dem »opferfreudigen Mute« dieses Verlegers, der sich durch die »uneigennützige Förderung der jungen deutschen Dichtung« einen bleibenden Namen in der Literaturgeschichte erworben habe.[31] In der Auseinandersetzung mit seinen Herausgebern Bleibtreu und Conrad rieb sich Friedrich jedoch auf und kam zu verlegerischen Fehlentscheidungen, von denen die mindestens zweimalige Ablehnung der Werke von Gerhart Hauptmann die bekannteste ist. Psychologisch verheerend wirkte sich auch ein Prozeß 1889 gegen die bei Friedrich erschienenen Romane von Hermann Conradi (1862–1990) *Adam Mensch* und von Wilhelm Walloth (1854–1932) *Der Dämon des Neides* aus, die Friedrich den Ruf eines staatsfeindlichen, unmoralischen Verlegers einbrachten. Die spätere naturalistische Literatur fand ihre verlegerische Heimat in Samuel Fischers am 1. September 1886 gegründetem Verlag, der sie vor allen Dingen dann in der *Freien Bühne* [→ 121 f.] propagierte. Das sehr enge und persönliche Verhältnis zwischen Verleger und Autor kennzeichnet auch S. Fischer.[32] Wie schwierig jedoch das Verhältnis eines engagierten, sich neu am Markt etablierenden Verlegers und eines kreativen Schriftstellers sein kann, zeigt das Verhältnis von Reinhard Piper zu Arno Holz. Piper eröffnete 1904 seine Verlegertätigkeit mit den Stücken *Daphnis* und *Traumulus* von Holz, die den Verlag sehr gut auf den Markt und beim Publikum einführten und jeweils 10 000 Stück verkaufen ließen. Holz hatte bisher bereits bei sechs Verlegern einzelne Werke untergebracht und im Kommissionsverlag publiziert. Seine kritische Haltung Verlegern gegenüber – bekannt ist sein Vierzeiler

Einem Verleger ins Stammbuch

Künstler ist der Schaffende,
Kritiker der Blaffende,
Publikum das Gaffende,
rate, wer – der Raffende? –

behielt er jedoch auch bei diesem positiven Verhältnis bei und ließ sich in keiner Weise Vorschriften machen. Auf eine Bitte von Piper, den *Daphnis* rascher abzufassen, antwortete er:

Erstens: der definitive Umfang des Buches ist meine Sache. Ich habe das Recht, bis 23 Bogen zu gehen, aber nicht die Pflicht. Nicht irgendeine Seitenzahl wird entscheiden, sondern mein Empfinden![33]

Es kam zu erheblichen Streitigkeiten, da Holz, der an einen weiteren guten Verkauf glaubte, den Verlagsvertrag nun in einen Kommissionsvertrag ändern wollte, allerdings nicht die dann fälligen Herstellungskosten dem Verlag erstatten konnte. Als ihn Piper an seine vertraglichen Verpflichtungen erinnerte, antwortete er: »Fassen Sie den Vertrag auf, wie Sie wollen. Für mich existiert nur meine Auffassung!«[34] Es kam zur Trennung zwischen Piper und Holz, der künftighin seine Werke, zum Beispiel über den Weg von Dichterlesungen, selbst propagierte. Mit erheblichem persönlichen Einsatz engagierte er sich auch im Kartell lyrischer Autoren.

Nicht gerade zur Entspannung des Verhältnisses von Autoren und Verlegern führte ein Börsenblattartikel von 1910, in dem »ein Verleger« über das »Darniederliegen des belletristischen Buchhandels und seine Ursachen« spekulierte.[35] Als das Grundübel benannte er:

Die maßlosen Honoraransprüche der Autoren –, vielfach hervorgerufen lediglich durch deren überaus großzügige Lebensführung. 〈...〉 Autoren stehen leider nicht auf dem Standpunkt zu fragen: Wieviel wird mir der Absatz meines Buches bringen, sondern sie dekritieren einfach: Herr Verleger, ich brauche zu meiner Lebensführung soundsoviel jährlich, und ich muß deshalb aus meinem Buche soundsoviel Honorar herausschlagen.

Die Redaktion des *Blaubuches,* Wochenschrift für öffentliches Leben, Literatur und Kunst, nahm dies im ersten Quartal 1910 zum Anlaß, die Schriftsteller zu einer Reaktion aufzurufen.[36] Unter anderem nahm Hermann Hesse (1877–1962) in einem ruhigen Beitrag Stellung, der aber die Anwürfe des Verlegers zurückwies: »Daß man im Ernst von einem Niedergang des deutschen Belletristikverlags reden könne, glaube ich nicht. Und was die Lebensführung der Autoren und Verleger betrifft, so kenne ich manche automobilfahrende Verleger, aber keinen Dichter, der sich das leisten kann.«[37] Viele Schriftsteller antworten ausgesprochen differenziert, verweisen vor allen Dingen aber darauf, daß Schriftsteller nicht gleich Schriftsteller sei, daß in dem Artikel im Börsenblatt und in der Anfrage nicht zwischen Berufsschriftstellern und Gelegenheitsschriftstellern, nicht zwischen Feuilleton-Schreibern und Literaten unterschieden werde. Stefan Zweig etwa warnt Schriftsteller, die erfolgreich ein erstes Buch veröffentlicht haben:

Die Gefährlichkeit bestand und besteht darin, daß Dichterische in ein sicheres Einkommen, die Schriftstellerei in einen Beruf zu verwandeln. Denn hier beginnt die Ungerechtigkeit: Der Flinkere ist siegreich und nicht der Bessere, der Oberflächliche mehr mit Luxusgütern gesegnet als der Bedachtsame. Was nützt eine Verbesserung der Honorare, so lange sie nicht nach dem inneren Wert erfolgt, so lange ein Artikel von Julius Bab, von Paul Wiegler, der eine Summe von Wissen, eine wunderbare Anspannung zu künstlerischer Vollendung enthält, ebenso oder minder bezahlt wird wie ein aktuelles Feuilletönchen, das ein anderer in die Schreibmaschine diktiert (und dann siebenmal abklopfen läßt). Was helfen Organisationen, wenn dieser Unterschied zwischen dem Ernst des Essayisten und dem Hudler nicht deutlich markiert wird 〈...〉 Nein – nicht vereinigen, nicht sich solidarisieren, nicht Ochs und Pferd, den Schreiber und den Dichter, das ungeheure literarische Proletariat und die Künstler, vor denselben Pflug spannen! Nein, im Gegenteil, distanzieren – das tut uns Not![38]

Auch Julius Hart (1859–1930) beteiligt sich an dieser Diskussion und an der Frage der Definition von Schriftstellern. Es handelt sich um solche Menschen,

welche als Geistesmenschen, als Künstler allein jenes höchste Zielstreben nach dem möglichst besten Leben in sich tragen und ganz bewußt auf die Mittel sinnen, die Experimente anstellen, wie sich dieses in Tat und Wirklichkeit als das Gesamtkunstwerk aller Gesamtkunstwerke herstellen läßt 〈...〉. Das erste und wichtigste Interesse einer solchen aus Standesgefühl, Standesehre und Standesideal begründeten Schriftsteller-Organisation, die in Tat und Wahrheit zunächst nicht sein will, als der stärkste Kulturfaktor der Menschheit, besteht in dieser Unterscheidung. Und sie muß und soll alle von sich fernhalten, welche jenes Standesideal nicht besitzen, welches als Gelehrte, Künstler, Schriftsteller, auch nichts als Brotberuf betreiben, und mit Dramen, Romanen, wissenschaftlichen Arbeiten, Aufsätzen, nur einen Handel betreiben, wie andere mit alten Hosen und Westen auf den Markt ziehen.[39]

Auch ein Verleger, Georg Müller aus München, meldet sich zu Wort und kommentiert die ausführliche Diskussion. In nicht wenigen Fällen trifft er sich mit den Äußerungen der Dichter, wenn auch er die Qualität vor die Quantität setzt, eine Einschränkung der belletristischen Produktion fordert und dafür plädiert, daß keine »unausgereiften Werke« publiziert werden und schließlich für ein partnerschaftliches, vertrauensvolles Verhältnis zwischen Verleger und Autor eintritt. Wie Stefan Zweig (1881–1942) warnt er davor, nach einem einmaligen schriftstellerischen Erfolg sofort den bürgerlichen Beruf hinter sich zu lassen und freier Schriftsteller werden zu wollen.

IV. Lektoren als Mittler

Das literarische Werturteil des Verlegers bestimmte seit Jahrhunderten über Annahme oder Ablehnung eines Manuskriptes, wie begründet oder unbegründet dieses Urteil auch sein mochte. Veränderte Betriebsgrößen und auch ein stärker differenzierter literarischer Markt brachten es mit sich, daß die Verleger sich zunehmend der Mithilfe von Lektoren versicherten. Als Redakteure waren schon Jahrzehnte zuvor Autoren in den Verlagen beschäftigt, z. B. ist Johann Gottfried Seume als Korrektor von Friedrich Gottlieb Klopstock in die Verlagsgeschichte Georg Joachim Göschens eingegangen.[40] Über die frühe Geschichte des Lektorats, ihre historische Entwicklung und ihre soziologische Stellung gibt es bisher keine zusammenfassende Studie.[41] Zunächst baten die Verleger ihre Haus-Autoren, sie bei der Überprüfung der Manuskripte zu beraten, die Lektoratstätigkeit fand auch in aller Regel als freie Mitarbeit außerhalb des Verlages statt. Zu den frühen Beispielen gehören der Autor

Moritz Heimann (1868–1925), der 1895 bei Fischer eintrat, aber auch Oskar Loerke (1884–1941), der Fischers zweiter, langjähriger Lektor wurde und den Beruf des Lektors als Hauptberuf ausübte. Rainer Maria Rilke (1875–1926) war mehrere Jahre als freier Lektor bei Axel Juncker tätig. Der Lyriker Paul Mayer arbeitete seit 1919 bei Rowohlt, Anton Kippenberg hatte einen Germanisten, Fritz Adolf Hünich, für sein historisch ausgerichtetes Programm angestellt.[42] Zum frühen Rowohlt- und, seit 1913, Kurt Wolff-Verlag, gehörten die Lektoren Kurt Pinthus (1886–1975) und Franz Werfel (1890–1945), der 1912 einen vierjährigen festen Lektoratsvertrag erhielt. Die Schwierigkeit der Beurteilung von Lektoratstätigkeit liegt häufig darin, daß ihre wichtige beratende Funktion mit den Autoren meist nur mündlich erfolgte, auch die Besprechungen mit den Verlegern eher mündlich geschahen, Manuskripte mit ihren Randbemerkungen und Beurteilungen sich nur in sehr seltenen Fällen erhalten haben. Nur in den Fällen, in denen die Autoren räumlich getrennt von den Verlegern arbeiteten, haben sich aussagekräftige Briefe und Dokumente erhalten. Lektoratsgutachten für den frühen Ernst Rowohlt Verlag haben sich u. a. von Walter Hasenclever (1890–1940) erhalten, die »Hasenclevers scharfen Blick und sein sicheres Gefühl für literarische Qualität beweisen«.[43] Werfels Meinung (der 6 Mark pro Manuskript bekam) wurde für Wolff immer wichtiger, er nahm kaum ein Manuskript an, das nicht auch von Werfel gelesen war. Werfel drängte u. a. auch dazu, Robert Musil (1880–1942) in den Verlag zu nehmen, die Verhandlungen scheiterten aber, da Musil im Januar 1914 mit Samuel Fischer abschloß. Während sich die Verleger oft genug auch von der Persönlichkeit des Autors leiten ließen, wie sowohl Wolff als auch Rowohlt eingestanden, so waren ihre Lektoren häufiger Sachwalter der Werke, ließen sich in weniger Fällen durch den äußeren Eindruck blenden. Auch die Gattung der Autorenkorrespondenz veränderte sich, da die Lektoren in erheblich höherem Maße über Stilfragen, Formalia, Problemlösungen debattierten, als es die Verleger selbst getan hatten. Die Bandbreite der Interessen in den Verlagen wurde größer, je mehr und je unterschiedlichere Lektoren an der Auswahl beteiligt wurden. Der Verleger entfernte sich weiter von den Literaten und überließ den persönlichen Kontakt seinen Lektoren. So konnte Kurt

Wolff zwar der Verleger des Expressionismus [→ 438 f.] werden, ohne selbst wie noch Wilhelm Friedrich sich allzusehr persönlich mit diesen Autoren zu verbinden. In interessanten Fällen schaltete sich der Verleger aber in die Korrespondenz ein und schrieb Herrn Dr. Kafka am 20. März 1913 »Herr Franz Werfel hat mir so viel von Ihrer neuen Novelle – heißt sie ›Die Wanze‹ – erzählt, daß ich sie gerne kennenlernen möchte. Wollen Sie sie mir schicken?«[44] Auch wenn die Übersendung der *Verwandlung* noch einige Zeit auf sich warten ließ, so war das freundliche und ehrliche Interesse, das Wolff an dem Werk von Franz Kafka [→ 478 ff.] (1883–1924) erkennen ließ, eine gute Grundlage für eine intensive verlegerische Betreuung. Als Wolff im August 1914 an die Front einrücken mußte, trat sein Verlagsmitarbeiter Georg Heinrich Meyer in diese Korrespondenz ein und vertrat Wolff bis zu seiner Rückkehr in allen Positionen. Die Edition der Verlagskorrespondenz von Kurt Wolff zeigt die enge Verbindung zwischen dem Verleger, seinem Geschäftsführer, seinen Lektoren und seinen Autoren, denen jedem die höchste Aufmerksamkeit gewidmet wurde. Die Einführung des Lektorats brachte also keine Entfremdung des Autors von seinem Verleger mit sich, sondern im Gegenteil eine differenzierte und kritische Vertiefung des Verhältnisses. Die Individualverleger vom Typus Eugen Diederichs, Samuel Fischer, Ernst Rowohlt und Kurt Wolff schufen für die Autoren in der Kaiserzeit eine Atmosphäre, in der sie sich bei aller äußeren Bedrängnis verstanden und aufgehoben fühlen durften. Der schwierigen sozialen Situation auf der einen Seite stand damit eine verständnisvolle, oft fürsorgliche Betreuung auf der anderen Seite gegenüber, die die Partnerschaft von Verleger und Autor am gemeinsamen kulturellen Werk sichtbar werden ließ.

Wolf Wucherpfennig

Antworten auf die naturwissenschaftlichen Herausforderungen in der Literatur der Jahrhundertwende

I. Das Ende der Metaphysik

Die Betrachtung *Über Wahrheit und Lüge im außermoralischen Sinne*, 1873 von Friedrich Nietzsche (1844–1900) niedergeschrieben, beginnt mit den Worten:

> In irgend einem abgelegenen Winkel des in zahllosen Sonnensystemen flimmernd ausgegossenen Weltalls gab es einmal ein Gestirn, auf dem kluge Tiere das Erkennen erfanden. Es war die hochmütigste und verlogenste Minute der ›Weltgeschichte‹: aber doch nur eine Minute. Nach wenigen Atemzügen der Natur erstarrte das Gestirn, und die klugen Tiere mußten sterben. – So könnte jemand eine Fabel erfinden und würde doch nicht genügend illustriert haben, wie kläglich, wie schattenhaft und flüchtig, wie zwecklos und beliebig sich der menschliche Intellekt innerhalb der Natur ausnimmt. Es gab Ewigkeiten, in denen er nicht war; wenn es wieder mit ihm vorbei ist, wird sich nichts begeben haben.[1]

Zwei Jahre früher hatte der Naturwissenschaftler Emil Du Bois-Reymond (1818–1896) geschrieben:

> Wir Kinder des 19. Jahrhunderts sind ein bevorzugtes Geschlecht. ⟨...⟩ Was hervorragende Geister längst in der Wüste predigten, sahen wir zur anerkannten heilbringenden Lehre werden: die mit Bewußtsein erstrebte Herrschaft des Menschen über die Natur. Wir sahen die ersten Dampfwagen und elektrischen Telegraphen der Schranken von Raum und Zeit spotten, und nach wenigen Jahrzehnten Europäische Gesittung rings um den Erdball im Weltverkehr die Hand sich reichen. Solchen Fortschritten gegenüber, welche der Menschheit immer neue Triumphe verhießen, durften wir Hutten's Wort uns zu eigen machen ⟨...⟩: Es ist eine Lust zu leben![2]

Fortschrittsoptimismus steht gegen Nihilismus. Man kennt die Dialektik, die hier wirkt: naturwissenschaftliches Denken, das den Menschen als alles beherrschendes Zentrum voraussetzt, zwingt ihn, mit der Natur auch sich selbst als Objekt zu betrachten, und zwar als peripheres und vergehendes. Wissenschaftliche Herrschaft, die der eine als zivilisatorischen Fortschritt preist, führt zu dem Verlust metaphysischer Sicherheit, den der andere beklagt.

Damit stoßen wir auf eine grundlegende Erfahrung, auf welche die künstlerische Intelligenz gegen Ende des 19. Jahrhunderts zu antworten hatte. Es ging jedoch nicht nur um den Verlust metaphysischer Sicherheit und um religiöse Erschütterung, sondern gerade in Deutschland auch darum, daß die Intelligenz in Frage gestellt sah, worauf sie seit Beginn des Jahrhunderts Selbstverständnis und Selbstwertgefühl gegründet hatte: das bildungsbürgerliche Ideal des Individuums, das sich am Vorbild griechischer und deutscher Klassik zu harmonischer Allseitigkeit und Selbständigkeit ausbildet. Wie war das Ideal jenes harmonischen Individuums, das im Mittelpunkt der Welt steht, zu verbinden mit einem überindividuellen naturgesetzlichen Zusammenhang, der alles Besondere ausschließt?

Wie auch immer die Antwort ausfiel, sie beruhte nicht mehr auf der alten metaphysischen Unterscheidung von Wesen und Erscheinung.[3] Ausgesprochen oder unausgesprochen, bewußt oder nicht, akzeptierte man den von Auguste Comte (1798–1857) begründeten Positivismus, der als wirklich nur die von den Sinnen ermittelten Daten anerkannte. Wenn man noch vom ›Wesen‹ sprach, dann nicht mehr, um eine Wirklichkeit *hinter* der sinnlichen, sondern nur um eine *in* ihr gegebene zu bezeichnen. Dabei berief man sich immer wieder darauf, daß Kant die Unerkennbarkeit des ›Dinges an sich‹ gezeigt habe. Auf der Grundlage sinnenhafter Wahrnehmungen, ohne metaphysische Absicherung, mußte man also der naturwissenschaftlichen Herausforderung begegnen.

Das hat drei bedeutsame Folgen für das künstlerische Selbstverständnis. Die erste: einerseits wird die Kunst enger als früher auf die sinnlichen Wahrnehmungen und das Bewußtsein davon bezogen; eben damit wird sie philosophisch aufgewertet, während die Philosophie zugleich ästhetisiert wird. Andererseits aber wird die Kunst in Frage gestellt: kann sie die ihr zugemutete Vermittlung der sinnlichen Erfahrung wirklich leisten? Sind Sprache und sinnliche Unmittelbarkeit einander nicht grundsätzlich fremd? Sollte die Literatur sich gar naturwissenschaftlicher Methoden [→ 34 f.] bedienen? Kunst und Literatur der Jahrhundertwende machen den Selbstzweifel zu ihrem Thema.

Die zweite Folge: nan denkt sozusagen zweidimensional. Nicht was hinter den Dingen ist, interessiert, sondern wie sie miteinander verknüpft sind. An die Flächigkeit der Jugendstilmalerei ist hier ebenso zu denken wie an die beliebten Metaphern von Netz und Teppich der Allverwobenheit.[4] Philosophie und Literatur erzeugen solche Verwobenheit durch Analogiebildungen.[5] Geschichte wird im Bild der Kette gesehen, keiner Kette, die in eine andere, verborgene Dimension reicht, sondern einer der simplen Kontinuität bzw. kontinuierlicher Entwicklung. Kontinuität und Analogie sind wie die Längs- und Querfäden eines Gewebes. Die Sprache soll nicht mehr symbolisch auf eine jenseitige Wirklichkeit verweisen, sondern den so verstandenen Gesamtzusammenhang sinnlich erfahrbar machen.

Freilich – und das ist die dritte Folge – einen Zusammenhang mit einem Janusgesicht, das Individuelles und Subjektives auf der einen Seite, Überindividuelles, Objektives auf der anderen Seite zeigt, Körperliches hier, Geistiges dort. Beide Seiten sind gleichberechtigt, das eine wird zum Ausdruck des anderen, der Körper zum Ausdruck des Geistig-Seelischen und umgekehrt. So drückt sich im Körperlichen, z. B. in einer Gebärde, ein seelisches Ganzes aus, das selbst wiederum Ausdruck körperlicher Gegebenheiten ist. Der Selbstzweifel der Dichtung, der Zweifel an der Sprache, kann somit begleitet werden von sprachlich äußerst anspruchsvollen Versuchen, Körperliches wie etwa Gebärde oder Tanz, so auszudrücken, daß sie wiederum als Ausdruck des Geistig-Seelischen erkennbar werden.

Wie also sah die Antwort aus, wie versuchte man, beide Seiten sinnlich erfahrbar miteinander zu verbinden? Kurz gesagt: man versuchte, die Grenze zwischen beiden, zwischen Psychischem und Physischem, zwischen Individuum und All, Fühlen und Bewußtsein, Gesichertem und Bedrohlichem sinnlich zu erleben. Um das zu verstehen, ist die Palette der verschiedenen Antworten auf die naturwissenschaftliche Herausforderung zu betrachten. Sie reicht vordergründig von begeisterter Bejahung bis zu entschiedener Abwehr der Naturwissenschaften. Scheinbar schließen die Positionen einander aus, tatsächlich jedoch sind sie eng miteinander verwandt.

II. Monismus und Empiriokritizismus

Zunächst der pro-naturwissenschaftliche Flügel. Hier lassen sich zwei Gruppen unterscheiden. Die erste Gruppe orientiert sich an der Biologie, insbesondere an der Evolutionslehre Charles Darwins (1809–1882), die sie mit einem naturphilosophischen, auf die Romantik zurückgehenden Denken zu vereinen sucht.

Einer ihrer bekanntesten Vertreter ist Wilhelm Bölsche (1861–1939) [→ 32f.], der mit seinen *Naturwissenschaftlichen Grundlagen der Poesie* (1887) das naturalistische Selbstverständnis mitformulierte. Dort heißt es:

> Die Basis unseres gesammten modernen Denkens bilden die Naturwissenschaften. Wir hören täglich mehr auf, die Welt und Menschen nach metaphysischen Gesichtspuncten zu betrachten, die Erscheinungen der Natur selbst haben uns allmählich das Bild einer unerschütterlichen Gesetzmässigkeit alles kosmischen Geschehens eingeprägt, dessen letzte Gründe wir nicht kennen, von dessen lebendiger Bethätigung wir aber unausgesetzt Zeuge sind.[6]

Hinter dem naturwissenschaftlich-antimetaphysischen Pathos deuten sich Sehweisen an, die der literarisch-künstlerischen Intelligenz der Zeit gemeinsam sind. Dazu gehört als erstes die Phantasie der Allverwobenheit. Der naturwissenschaftlichen Methode soll es gelingen, die miteinander verflochtenen Kausalketten zu beschreiben, die das Menschenleben bestimmen: »Ein ganzes Menschenleben bis in dieses feine Gewebe seines Schicksals hinein zu zergliedern: das wäre ein Kunstwerk, wie wir es noch nicht einmal ahnen.«[7] Überblickt man das Gewebe als Ganzes, im kosmischen Zusammenhang,[8] so gewinnt es eine geheimnisvolle Schönheit, man muß nur die evolutionären Bezüge erkennen; sie reichen, so Bölsche 1904, von den Linien unseres Menschenkörpers über die lange Entwicklungskette tierischer und pflanzlicher Formen bis zum Kristall und zum System leuchtender Sonnen, das als Ganzes eine geheimnisvolle Arabeske durch den Weltraum zieht«.[9]

Die treibende Kraft, die diesen harmonischen Zusammenhang erschafft, ist die sinnenhafte Liebe. Bölsches Sachbuch-Bestseller *Das Liebesleben in der Natur. Eine Entwicklungsgeschichte der Liebe* (1898–1900) sucht dies dem Leser nahezubringen.

Die Natur zu ästhetisieren, indem man sie als harmonisches Geflecht aus Evolutionslinien darstellt, das hat Bölsche von dem Zoologen Ernst Haeckel (1834–1919) gelernt, dem Begründer der monistischen Bewegung. Monismus hieß für Haeckel, »alles Existierende als eine entwicklungsgeschichtliche Reihe von Modifikationen einer einzigen Substanz aufzufassen, die Materie und Geist, Natur und Gott zugleich ist.«[10] Dabei gilt die Frage, welches von beiden, Geist und Materie, ursprüngliches Wesen und welches nur Erscheinung sei, als unzulässig. Mit Bölsches Worten:

Die Frage, in welchem Causalitätsverhältnis diese Doppelerscheinungen der geistigen und stofflichen Disposition unter sich wohl stehen möchten, ob der Geist als solcher existire oder bloss eine subjective Rückansicht desselben Dinges sei, das wir äusserlich als Stoff, respective mechanische Kraft uns gegenüber stellen, geht uns hier als eine erkenntniss-theoretische, wissenschaftlich nicht lösbare gar nichts an.[11]

Die Rede von den »Doppelerscheinungen der geistigen und stofflichen Dispositionen« geht auf den Psychologen Gustav Theodor Fechner (1801–1887) zurück, der die Psychophysik, die Lehre vom Parallelismus körperlicher und geistiger Abläufe begründet und sie zugleich aufs Weltganze ausweitet. Dementsprechend statuiert er eine der materiellen Außenwelt entsprechende geistige Innenwelt, einen Weltgeist, der allerdings nichts Ursprüngliches, Vormaterielles ist, sondern sich im Materiellen ausdrückt. Materielles und Geistiges sind sozusagen zwei Seiten einer Medaille.[12] Man muß den Ausdruck des einen im anderen nur zu sehen wissen. Darauf beruft sich Haeckel nicht ganz zu Recht, wenn er von Zellseelen oder später gar von Atomseelen spricht und damit die Einheit von Materie und Empfindung aus den großen Systemen in die kleinsten organischen bzw. anorganischen Einheiten verlegt.[13]

Es wird verständlich, wie die künstlerische Intelligenz mit Hilfe der Biologie den Verlust metaphysischer Sicherheit kompensieren kann, den ihr die Naturwissenschaften zugefügt hatten. Zwar muß sie die Vertreibung des Menschen aus dem »Mittelpunkt des Erdenlebens« anerkennen, wie Haeckel es formuliert,[14] kann dafür aber das All in seiner ganzen materiellen Ausdehnung sinnlich erfahren als Harmonie unterschiedlichster Entwicklungslinien, die in »lebendiger Bethätigung«, wie es bei Bölsche heißt, unausgesetzt die Grenze zwischen Geist und Materie überspringen. Das ständige Umschlagen des einen ins andere macht die Allverwobenheit erst lebendig, erlebbar als Bewegtes.

Und wo bleibt das humanistisch gebildete Individuum? Es bleibt erhalten als Betrachter der All-Harmonie, der kraft seiner Bildung den ästhetischen Charakter der Natur zu erkennen und auszusprechen vermag. In seiner kleinen Schrift *Das lebendige All. Idealistische Weltanschauung auf naturwissenschaftlicher Grundlage im Sinne Fechners* (1905) machte Bölsches Friedrichshagener Freund Bruno Wille deutlich, wie leicht man von der zur Weltanschauung erweiterten Naturwissenschaft zurück zu den traditionellen Bildungswerten gelangt, zum »Glück innerer Harmonie«,[15] das er der Welt der Maschinen und großen Städte entgegensetzt. Ebenso wie Haeckel und Bölsche beruft er sich auf Goethe:

> Allumfassend die Welt anschauen, heißt, sie als *ganzer* Mensch erleben, mit *allen* Formen unseres Bewußtseins und zugleich *einheitlich*. Wenn wir Goethe als ein Ideal allseitig und harmonisch entwickelten Menschentums verehren 〈...〉, so dürfen wir auch wohl Goethes Art, die Welt anzuschauen, zum Muster nehmen. Seine sinnliche Anschauung ergänzte er durch die innerliche.[16]

Die Faszination der Allverwobenheit, die von der Liebe erzeugt und an Analogieketten erkennbar ist, ist romantisch-naturmagischen Sehnsüchten und Anschauungen verwandt. Dies erklärt die neuromantischen Züge der Literatur der Jahrhundertwende.

Darwins monistische Anhänger deuten ihren Ziehvater auf bezeichnende Weise um. Sie berufen sich auf seine Evolutionstheorie, die sie noch aufs Anorganische ausdehnen, und vergessen darüber, zum Teil erst nach einer naturalistischen Phase kämpferischen Auf- und Durchbruchs, aber dann um so entschiedener, seine Selektionstheorie, die allgemein als blutiger »Kampf ums Dasein« gedeutet wird.[17] Man sollte beim monistischen Denken daher nicht von Sozialdarwinismus und Szientismus sprechen, sofern man unter Sozialdarwinismus eine Ideologie versteht, die mit dem Schlagwort vom Kampf ums Dasein bestehende oder zu errichtende soziale oder koloniale Herrschaftsformen rechtfertigt, und unter Szientismus die Auffassung, Psychisches mit methodischer Gewißheit aus materiellen Gegebenheiten herleiten zu können. Wenn man in der naturalistischen Phase vom Kampf ums Dasein spricht, als Kampf um künstlerische Anerkennung verstanden und im Grunde wohl nur beim frühen Arno Holz (1863–1929) mit szientistischen Anschauungen verbunden, dann hat das nichts mit Monismus zu tun, sondern mit der kurzzeitigen Erwartung einer jungen Generation, zu den Siegern der Geschichte zu gehören, eine Haltung, die sich bald von der monistischen Auffassung ablöst und verflüchtigt. Zudem verbirgt die Rede von den biologischen Gesetzen weitgehend das eigentliche naturalistische Interesse, nämlich Psychisches exakt zu beschreiben.

Zweifellos gibt es die Verbindung von Sozialdarwinismus und Szientismus. Ein Beispiel ist der Germanist Wilhelm Scherer (1841–1886). Er verbindet seinen Ausspruch von der »Naturwissenschaft als Triumphator auf dem Siegeswagen 〈...〉, an den wir alle gefesselt sind«,[18] mit szientistischer Methodengläubigkeit:

> Es wäre in der Tat sehr schön, wenn wir die Methoden so ausbilden könnten, daß sie wie Maschinen wirkten und daß es ganz gleichgültig wäre, ob sie ein Esel oder ein gescheiter Mensch handhabt. Aber vorerst ist für einen so großartigen Fortschritt der Philologie wenig Aussicht vorhanden.[19]

Dazu gehört bei Scherer, der an der Universität Straßburg im eroberten Elsaß preußische Kultur zu verbreiten sucht, auch ein passender Nationalismus, der sich nach 1870/71 auf der Seite der Sieger im Daseinskampf wähnt:

Gewaltig fortschreitende Zeiten wie die unsrige führen eine wunderbar beseligende und erhebende Kraft mit sich. Die Menschen wachsen moralisch über sich selbst hinaus. Die Frage nach dem Lebensglück des Einzelnen tritt weit zurück. Der Soldat, der auf dem Schlachtfelde mit dem Tode kämpft, jubelt mit dem letzten Athemzuge den siegenden Cameraden ein Hurrah zu.[20]

Doch anders als der Monismus hat diese Verbindung von Szientismus und Nationalismus sich nicht in der schönen Literatur niedergeschlagen.

Pro-naturwissenschaftlich wie der Monismus ist auch der Empiriokritizismus des Physikers Ernst Mach (1838–1916) und des Philosophen Richard Avenarius (1843–1896). Die beiden berufen sich allerdings nicht auf die Biologie, sondern ziehen Konsequenzen aus der positivistischen Erkenntnislehre, indem sie als gegeben nur die Empfindungen anerkennen. Über etwas wie Kraft, Kausalität, Substanz als objektive Größen kann man demnach nichts aussagen. Man soll diese Begriffe daher nur aus praktischen, ›denkökonomischen‹ Gründen benutzen. Damit wird die Praxis, auch die naturwissenschaftliche, die ohne solche Denkökonomie nicht auskommt, von ihren erkenntnistheoretischen Voraussetzungen getrennt.

Folgenreich für Kunst und Literatur sind die Schlüsse, die Mach daraus zieht. Einerseits sieht er die Empfindungen als objektiv gegebene *Elemente* an, andererseits löst er alle vorgegebene Realität in subjektive Empfindung auf. Mit anderen Worten: »Das Ich ist unrettbar.«[21] Es ist nur mehr ein »Empfindungskomplex«[22] mit verschwimmenden Rändern. Die Wirklichkeit ist, was das (so erweiterte) Ich wahrnimmt. Mit diesem ›psychophysischen Monismus‹[23] überspringt Mach ständig die Grenze zwischen Bewußtsein und Körper, Ich und Welt, Subjektivem und Objektivem. Auch so entsteht Allverwobenheit – die Welt als ein »Gewebe«,[24] »als *eine* zusammenhängende Masse von Empfindungen, nur im Ich stärker zusammenhängend«,[25] aber auch nur in seiner Wahrnehmung existierend. Auch hier ersetzt die Berufung auf die Naturwissenschaften den verlorenen metaphysischen Bezug durch einen allumfassenden Zusammenhang, der nun sogar ausschließlich im sinnlichen Erleben des Ganzen besteht mit seinem materiellgeistigen Janusgesicht. Das totgesagte Ich ersteht verwandelt wieder auf: als das allseitig allfühlende Individuum.

III. Lebensphilosophie

Auf den ersten Blick scheint es, als stünde die Lebensphilosophie in völligem Gegensatz zu den beiden pro-naturwissenschaftlichen Denkrichtungen. Doch zunächst einmal läßt sich sagen, daß die Lebensphilosophie, von Nietzsche eingeleitet, von so unterschiedlichen Theoretikern wie Wilhelm Dilthey (1833–1911) und Oswald Spengler (1880–1936) vertreten und von Ludwig Klages (1872–1956) zur äußersten Konsequenz geführt, mit ihnen den positivistisch-antimetaphysischen Ansatz teilt; auch hier geht man von den Sinneswahrnehmungen als dem Gegebenen aus. Der ›Impressionismus‹, den man gewöhnlich mit Ernst Mach verbindet, findet sich ausdrücklich auch bei Dilthey:

> Daher darf man das so vorhandene Erlebnis des Momentes in bezug auf die Landschaft nicht Bild nennen. Ich wähle den Ausdruck ›Impression‹. Im Grunde sind mir nur solche Impressionen gegeben. Kein von ihnen getrenntes Selbst und auch nicht etwas, von dem es Impression wäre. Dies Letztere konstruiere ich nur hinzu.[26]

Natürlich muß auch der seelische Aspekt des Bildes – diesen Begriff ziehen Klages und andere und auch Dilthey selbst an anderer Stelle trotz dieses Verdikts dem der Impression vor – gesehen werden. Hierin ist sich auch Klages durchaus einig mit monistischem Denken. Doch es ist eben das sinnenhafte Bild selbst, keine metaphysische Idee dahinter. Lebensphilosophie ist noch eindeutiger als der Monismus Lehre vom richtigen Sehen des Ausdrucks.

Man könnte einwenden, Haeckel und Bölsche stellten sich, indem sie die Naturwissenschaften feiern und popularisieren, in eindeutigen Gegensatz zur entschiedenen Rationalismuskritik der Lebensphilosophie. Gerade in solcher Kritik jedoch steht sie ihnen näher, als es auf den ersten Blick scheint. Was Theodor Lessing (1872–1933), der Jugendfreund von Klages, später als »Vergewaltigungswillen eines bemeisterungs-süchtigen Gehirns« bezeichnen wird,[27] das hat schon Fechner kritisiert: die Quantifizierung des Lebendigen. Doch nicht nur die eher naturphilosophisch orientierten Monisten kritisieren dieses Denken. Auch der Physiker Mach hat nur insoweit den Naturwissenschaftler gerechtfertigt, der »die Welt durch Abstraktionen zersägt«,[28] als eine solche analysierende Betrachtungsweise ergänzend neben den Blick aufs Ganze treten müsse. Außerdem wurden die praktischen Resultate gerade von Medizin und Psychologie keineswegs allgemein als überzeugend empfunden. Die »Unvollkommenheit, Unzuverlässigkeit und Ungewißheit der ganzen Heilkunst«[29] hatte den jungen Haeckel dazu gebracht, von der Medizin zur Zoologie zu wechseln.

Der Unterschied besteht darin, daß das, was der Monismus der Naturwissenschaft noch abzugewinnen suchte, was der Empiriokritizismus neben sie stellt, ihr hier entgegengestellt und im Begriff des ›Lebens‹ zusammengefaßt wird. Dieser Lebensbegriff hat die gleichen romantischen Wurzeln wie der Lebensbegriff im Monismus, wird aber nun zu einem Abstraktum verselbständigt, das freilich emotional um so nachdrücklicher besetzt wird. Was dort noch vereinbar schien, Ursache mit Ausdruck, Erklären mit erschauend-intuitivem Verstehen, steht hier unversöhnlich einander gegenüber. Wenn naturwissenschaftlich-analysierendes und ganzheitliches Denken bei Mach einander ergänzen, auch innerhalb der Naturwissenschaft, ist die Geisteswissenschaft für Dilthey im Grunde näher an der Wirklichkeit als die grundsätzlich andersartige Naturwissenschaft. Während sich Bölsche und seine Friedrichshagener Freunde eine Zeitlang für Fortschritt und Technik begeistern, gehört der naturwissenschaftliche Fortschritt für Dilthey zu den bedrückenden Entwicklungen seiner Zeit, wie sein Briefwechsel (1877–1897) mit Paul Yorck von Wartenburg (1835–1897) eindringlich zeigt; für Klages und Theodor Lessing nimmt er gar apokalyptische Dimensionen an.

Naturwissenschaftliches Bewußtsein, so argumentiert man hier, tritt seinen Objekten herrschenwollend und sondernd gegenüber und kann Lebendiges daher nur als Totes erfassen. Lebendiges, das ist zunächst einmal die konkrete Individualität, die sich stets verändert. Lebendiges erfaßt nicht, es erlebt, und im Erlebnis ist es immer ganz bei sich selbst, ist immer Selbsterlebnis und zugleich ganz aufgegangen in dem, was es erlebt. Dort herrscht nüchterne Distanz, hier intensive Unmittelbarkeit, dort kalte Gefühllosigkeit und Ewiggleiches, hier pulsierende Wärme und die Fülle des Verschiedenartigen, ständiges Zeugen und Vergehen. Letztlich gehört zum Erlebnis das Aufgehen in der Allverwobenheit. Daher sieht sich der Psychologe Richard Müller-Freienfels (1882–1949), der, wie üblich, Leben und Individualität ineins setzt, verblüfft vor der »merkwürdigen Antinomie«,[30] daß eben das die Individualität ausmacht, was über alles Individuelle und Begrenzte hinwegflutet.

Damit trifft man wieder auf eine Grenze. Außerhalb des Erlebnisses herrschen Entfremdung und Individuation: die Ratio des selbstherrlichen, wissenschaftlich analysierenden Subjekts läßt das Leben erstarren. Das Erlebnis hingegen hebt alle Unterschiede auf in einem Augenblick zeitloser Gegenwart, intensiver und unmittelbarer All-Einheit. Dort leidet man an zuviel Bewußtsein, hier ist es aufgelöst. Lebenssehnsucht ist daher immer auch Todessehnsucht, Sehnsucht nach Selbstauflösung. »Wäre es schmerzlich bis nahe der Selbstvernichtung, das Leben stark fühlen ist alles.«[31] Das Erlebnis ist auf dieser Grenze angesiedelt und hält für einen verschwindenden, aber zeitlosen Augenblick Leben und Tod, Bewußtsein und Bewußtlosigkeit, Ich und Welt im Gleichgewicht. Erlebnis ist Grenzerlebnis. Das paßt zum zeitgenössischen Jugendkult, zu jugendlich-literarischen Phantasien vom Abenteuer und vom intensiven Leben in der Renaissance.

Das selbstherrliche Subjekt beherrscht nicht zuletzt auch sich selbst, seinen Leib und seine Sinne. Im Erlebnis wird es von sich befreit. Wer leben will, muß die Grenze zu Rausch und Ekstase überschreiten, muß sich dem tödlichen und doch lebensspendenden Dionysischen hingeben. Tanz, so wie Isadora Duncan (1878–1927) und andere ihn vorführten, ist nicht nur irgendein Beispiel für körperlichen Ausdruck; als harmonische Gymnastik im fließenden, den Körper nur schwach verhüllenden Gewand, wird er zum Ausdruck ekstatischen Lebens. Das Erlebnis sorgt dafür, daß an die Stelle des abstrakten, als Bewußtsein definierten Ichs der Körper tritt mit seinen Sinnen und Bedürfnissen. »*Ich* sagst du und bist stolz auf dies Wort. Aber das Größere ist, woran du nicht glauben willst – dein Leib und seine große Vernunft: die sagt nicht Ich, aber tut Ich.«[32]

Klages und Spengler suchen die innere Zeit des Erlebnisaugenblicks als überpersönliche Wirklichkeit zu bestimmen, indem sie sie mit den zyklischen Bewegungen der Natur verbinden. Das Leben wird als selbständige Größe aufgefaßt und mit den zyklischen Bewegungen der Natur zusammengedacht; es vollzieht sich so wie der Wechsel von Tag und Nacht, der Wechsel der Jahreszeiten, die Häutungen und Mauserungen der Tiere.[33] Damit kehrt die Lebensphilosophie zum mythischen Denken zurück, welches das soziale Leben in Analogie zur Natur deutet. Mythisches Denken sieht Analogien zwischen den einzelnen Zyklen und ihren Teilen; sie bilden untereinander Ketten ewiger Dauer, die alle zu einem gemeinsamen Ursprung zurückführen. Die Zyklen enden, mythischem Denken gemäß, schließlich in einer Weltkatastrophe. Solche Analogien bilden den Bauplan von Spenglers berühmtem Werk *Der Untergang des Abendlandes* (1918–22). So trägt die Lebensphilosophie auf ihre Weise zur Renaissance des Mythos bei.

Hier ersteht das totgesagte herrschende Subjekt als bildungsbürgerlich deutendes wieder auf, nämlich in der Gestalt des Philosophen selbst, der zum Erzähler und Deuter des Mythos wird, also einer universellen, Natur und Gesellschaft umfassenden Weltdeutung. Er plant die Zukunft nicht wie der positivistische Sozialtechnologe, er erschaut sie aber als Interpret einer Religion, die tiefer ist und höher steht als wissenschaftliches Denken und die nach dem Verlust metaphysischer Sicherheit wieder Sinn geben kann, auch nach dem Verlust des Ersten Weltkriegs, wie die Wirkung von Spenglers Werk erweist. Doch schon vor dem Krieg ist mythisches Denken populär, vor allem in Münchner Künstlerkreisen [→ 417 f.].

IV. Einheit, Dualismus, Ambivalenz

Monismus und Lebensphilosophie sind vom gleichen Wunsch beseelt: eine quantifizierte, in starre Einheiten zerfallende Welt mit einer bewegten vertauschen zu können, in der alle Vereinzelung sich auflöst. Vom Dualismus dieser beiden Welten gehen beide aus, wie immer er auch jeweils beschrieben wird. Haeckel z. B. notiert sich folgendes Schema:

(Die dem Menschen erkennbare Natur.)

Weltäther (= ›Geist‹ = bewegl. o. active Substanz)	Weltmasse (= ›Körper‹ =träge o. passive Substanz)
Schwingungsvermögen	Beharrungsvermögen
Hauptfunctionen: Electricität, Magnetism, Licht, Wärme.	Schwere, Trägheit, chemische Wahlverwandtschaft.
Structur: dynamisch; continuirliche, elastische Substanz ⟨...⟩	atomistisch; discontinuirliche, unelastische Substanz
Theosophisch: ›Schaffender Gott‹ (stets in Bewegung) ›Wirken des allgemeinen Raumes‹.	›Geschaffene Welt‹ (geformt in Ruhe). ›Werke der Raumverdichtung‹.[34]

Haeckel greift auf die Äthertheorie zurück, um die Naturphänomene in Anlehnung an Friedrich Wilhelm Schellings (1775–1856) Unterscheidung zwischen natura naturans (›Schaffender Gott‹, Natur aus dem ›Geist‹ hergeleitet) und natura naturata (›Geschaffene Welt‹, Natur als analysierbares Objekt) ordnen zu können. Zugleich nähert er sich dem lebensphilosophischen Dualismus von Werden (›Bewegung‹) und Sein (›Ruhe‹), mit dem Klages die Welt einteilt. Allerdings bekommt der Geist bei Klages, da nicht mehr als seelische Innenseite der Natur verstanden, sondern als analysierendes Subjekt selbst, genau den entgegengesetzten Stellenwert:

ungegenständliches Werden (zeitl. Rhythmus des Lebens)	ungegenständliches Sein (begriffliche Abstraktion)
Bild	Ding
Anschauung und Erlebnis	Wahrnehmung und Bewußtsein
Seele und Pathik	Geist und Wille[35]

Während Haeckel die Gegensätze nur als zwei Seiten einer Medaille ansieht, stehen sie bei Klages als zwei feindliche Wirklichkeiten einander gegenüber.

Die Einheit, die man in beiden Fällen ersehnt, ist freilich auch bedrohlich. In der allgemeinen Auflösung stirbt das Ich schließlich ebenso, wie wenn es im Daseinskampf erliegt. Das Bild hierfür, das die Autoren der Epoche fasziniert, ist das Meer: die bewegte All-Einheit, in welcher der Einzelne lustvoll, aber doch endgültig untergeht. Wie man diesen bedrohlichen Aspekt im monistischen Lager abwehren kann, um nur den lustvollen gelten zu lassen, mag ein Zitat aus dem Nachlaß Karl Bleibtreus (1859–1928) verdeutlichen:

> Schaurige Vereinzelung, das heißt Leben. Nur die Natur, das Grenzenlose ist ⟨korrigiert: ›bleibt‹⟩ uns gemeinsam. Und nur sich verlieren, hinüberwallen in das unendliche Meer, sich betten in die allverschlingenden Wogen – nur dies, nur dies kühlt das Herz, durchrieselt, sänftigt die Brust, lullt ein wie ein Wiegenlied. Weltfrei in tiefster Fülle der Unendlichkeit, träume, träume – Träumen nur heißt wahrhaft Leben. Was ihr ›Wachen‹ nennt, ihr kleinen Kinder mit Scepter und Krone, mit Schwert und Kelle, mit Hammer und Säge – ach, das ist alles bleierner Schlaf, Seelentod und starres Nichts.[36]

Dem gesellschaftlichen Leben, das Individuation und Erstarrung bedeutet, steht auch hier das Leben in der Natur gegenüber, das Aufgehen im Ganzen. Das Bedrohende der Auflösung wird dadurch abgewendet, daß ihre Folge, die gänzliche Bewußtlosigkeit, als »bleierner Schlaf, Seelentod und starres Nichts« nun doch wieder dem gesellschaftlichen Leben zugesprochen wird, während die Auflösung beim Träumen haltmachen muß. Bölsche sucht durch einen idyllisierenden Stil alles Bedrohliche auszublenden, und auch Mach hebt das Anziehende der All-Auflösung hervor:

> Das Ich ist so wenig absolut beständig als der Körper. Was wir am Tode so sehr fürchten, die Vernichtung der Beständigkeit, das tritt im Leben schon im reichlichen Maße ein. Was uns das Wertvollste ist, bleibt in unzähligen Exemplaren erhalten, oder erhält sich bei hervorragender Besonderheit in der Regel von selbst. Im besten Menschen liegen aber individuelle Züge, um die er und andere nicht zu trauern brauchen. Ja zeitweilig kann der Tod, als Befreiung von der Individualität sogar ein angenehmer Gedanke sein.[37]

Klages vermeidet das Bedrohliche der Auflösung, indem er einmal seine Hauptenergie auf den Kampf gegen das wissenschaftlich analysierende Bewußtsein richtet, und indem er zum anderen das ekstatische Erleben der Einheit – »das allgegenwärtige Element eines tragenden und umspülenden Ozeans«[38] – einbindet in eine Art erneuerte Naturreligion.

Selbstbehauptung – aber Vereinzelung und Erstarrung; Allverwobenheit – aber Untergang und Auflösung: in diese Ambivalenzen verstrickt sich das Denken der Epoche bei dem Versuch, auf die Herausforderung naturwissenschaftlich analysierenden Denkens zu antworten. Es dürfte entscheidend zur Faszinationskraft Nietzsches [→ 192 ff.] beigetragen haben, daß er die Ambivalenzen nicht zu umgehen sucht, sondern sie beständig umkreist und gerade das Bedrohliche betont.

Das zeigt sich schon bei seiner Fassung des positivistisch-pragmatischen Ausgangspunktes. Nietzsche argumentiert etwa so: wir haben nicht Wirklichkeit an sich, sondern nur Sprache. Damit ist uns Wirklichkeit nur in uneigentlicher Weise gegeben, immer schon in Bild und Laut übersetzt. Wie diese Übersetzung funktioniert, können wir mit den Mitteln der Sprache nicht analysieren, denn dann müßten wir etwas davon wissen, wie die nichtübersetzte Wirklichkeit aussieht. Wir können lediglich sagen, daß die Sprache der Lebenserhaltung dient; mit ihr antwortet unsere Triebnatur auf die Lebensnot, indem sie uns ein Gefühl der Sicherheit verschafft. Doch wir verschließen die Augen vor diesem ihrem zweifelhaften Entstehungsprozeß und ihrer begrenzten praktischen Funktion und meinen, daß unsere Sprachkonvention auch eine zusammenhängende Wirklichkeit widerspiegelt.[39] Warum geben wir diesen Irrglauben nicht einfach auf? Wir können es nicht – und hier kommt die Ambivalenz ins Spiel – weil wir im Dienst unserer Instinkte, die ja zum Leben sagen, diesem eine abstrakte begriffliche Ordnung unterstellen müssen, die ihm für uns einen Sinn gibt. So leben wir in notwendiger Täuschung, insbesondere in Täuschung vor der sinnlosen Natur, der wir ausgeliefert sind:

> wehe der verhängnisvollen Neubegier, ⟨...⟩ die jetzt ahnte, daß auf dem Erbarmungslosen, dem Gierigen, dem Unersättlichen, dem Mörderischen der Mensch ruht, in der Gleichgültigkeit seines Nichtwissens, und gleichsam auf dem Rücken eines Tigers in Träumen hängend.[40]

In solch wahrhaft ambivalenter Lage müssen wir leben. Wir können es, wenn wir als Künstler die Balance halten zwischen dem Dionysischen und dem Apollinischen, jenen beiden Haltungen, die Nietzsche durch seine frühe Schrift, *Die Geburt der Tragödie aus dem Geiste der Musik* (1872) berühmt gemacht hat. Im Dionysischen wird das Schreckliche des Lebens bejaht, nämlich durch rauschhafte Selbstauflösung aus dem Bewußtsein heraus, daß auch der Tod in den permanenten Formenwandel des Lebens einbezogen ist. Im Apollinischen hingegen wird das Schreckliche verdeckt durch die Fassade festumrissener, individueller Schönheit, die sich dem harmonischem Maß fügt. Beides verbinden, heißt den Traum der Schönheit leben und doch von der Realität des Lebens durchdrungen sein. Die Balance läßt sich, wenn überhaupt, nur im experimentierend-aphoristischen Denken bewahren. Der in Aphorismen denkende Künstler-Philosoph bewegt sich zwischen Verzweiflung und Illusion. An die Stelle positivistischer Pragmatik tritt somit Philosophie des Künstlers. Es ist nichts anderes als eine Philosophie der Ambivalenz, des ständigen Umschlagens der Gegensätze.

Die Ambivalenz zwischen Apollinischem und Dionysischen setzt sich fort in der Ambivalenz des Geistes zwischen dem Willen zur Macht und dem zur Selbstzerstörung im Kampf ums Dasein. Das Ausphantasieren dieser Ambivalenz macht Nietzsches Entlarvungspsychologie aus; hier argumentiert er: Geist ist Triebnatur, die sich ihrer selbst bewußt wird – und damit ihrer Ohnmacht bewußt. Im selbstverständlichen Beherrschen der Außenwelt gebremst, wendet der Geist sich gegen sich selbst: kann er nicht das äußere Leben, so kann er doch sich selbst beherrschen, das heißt in sich selbst das Leben unterdrücken, aus dem er kommt. Er wendet sich gegen seinen ursprünglichen Egoismus, er stellt lebensfeindliche Ideale auf – und indem er sich so am Leben rächt, beweist er gerade in seiner Selbsterniedrigung noch seinen Machtwillen. In seiner Selbstzerfleischung wirkt nur der Neid, das religiös drapierte *Ressentiment* gegenüber dem Leben, das sich seinem Machtwillen entzieht:

Bei den Priestern wird eben *alles* gefährlicher, nicht nur Kurmittel und Heilkünste, sondern auch Hochmut, Rache, Scharfsinn, Ausschweifung, Liebe, Herrschsucht, Tugend, Krankheit – mit einiger Billigkeit ließe sich allerdings auch hinzufügen, daß erst auf dem Boden dieser *wesentlich gefährlichen* Daseinsform des Menschen, der priesterlichen, der Mensch überhaupt *ein interessantes* Tier geworden ist, daß erst hier die menschliche Seele in einem höheren Sinne Tiefe bekommen hat und *böse* geworden ist – und das sind ja die beiden Grundformen der bisherigen Überlegenheit des Menschen über sonstiges Getier![41]

Und wieder ist die Kunst jene Grenze, auf der Leben und Geist, Raubtier und Priester einander begegnen. Freilich nicht die Kunst der Dichter und Komponisten, schon gar nicht die des früher bewunderten Richard Wagner [→ 207 ff.], sondern eine herrische Haltung, die das Leben als Kunst behandelt. Nietzsche spricht von Raubtieren, wenn er die Staatenbildung als einen Akt der Macht beschreibt, im Gegensatz zur aufklärerischen Konstruktion der Staatengründung durch Vertrag:

Ich gebrauchte das Wort ›Staat‹: es versteht sich von selbst, wer damit gemeint ist – irgendein Rudel blonder Raubtiere, eine Eroberer- und Herren-Rasse, welche, kriegerisch organisiert und mit der Kraft, zu organisieren, unbedenklich ihre furchtbaren Tatzen auf eine der Zahl nach vielleicht ungeheuer überlegene, aber noch gestaltlose, noch schweifende Bevölkerung legt.[42]

Diese Herren sind individualitätslos, irgendein Rudel, aber auch Künstler:

Ihr Werk ist ein instinktives Formen-schaffen, Formen-aufdrücken, es sind die unfreiwilligsten, unbewußtesten Künstler, die es gibt – in Kürze steht etwas Neues da, wo sie erscheinen, ein Herrschafts-Gebilde, das *lebt*, in dem Teile und Funktionen abgegrenzt und bezüglich gemacht sind, in dem nichts überhaupt Platz findet, dem nicht erst ein ›Sinn‹ in Hinsicht auf das Ganze eingelegt ist.[43]

Sie wissen nichts von sich und nichts von der Schönheit. Anders diejenigen, in denen der gleiche Wille zur Selbsterhaltung nach innen schlägt:

Diese heimliche Selbst-Vergewaltigung, diese Künstler-Grausamkeit, diese Lust, sich selbst als einem schweren, widerstrebenden, leidenden Stoffe eine Form zu geben, einen Willen, eine Kritik, einen Widerspruch, eine Verachtung, ein Nein einzubrennen, diese unheimliche und entsetzlich-lustvolle Arbeit einer mit sich selbst willig-zwiespältigen Seele, welche sich leiden macht, aus Lust am Leiden-machen, dieses ganze *aktivische* ›schlechte Gewissen‹ hat zuletzt – man errät es schon – als der eigentliche Mutterschoß idealer und imaginativer Ereignisse auch eine Fülle von neuer befremdlicher Schönheit und Bejahung ans Licht gebracht und vielleicht überhaupt erst *die* Schönheit〈...〉 Was wäre denn ›schön‹, wenn nicht erst der Widerspruch sich selbst zum Bewußtsein gekommen wäre, wenn nicht erst das Häßliche zu sich selbst gesagt hätte: ›ich bin häßlich‹?[44]

Der Selbstverleugner ist der eigentliche Machtmensch, das machtvolle Raubtier ist nur unbewußter Teil der Natur; der Geist ist dort am meisten Natur, wo er sie bekämpft; das Schöne ist erst wirklich, wo das Häßliche ist. Das ist ein moralischer Skandal, den man in der Kunst zeigen und nur in der Schönheit aufheben kann. Darum gilt der mehrfach wiederholte Satz, »daß nur als ästhetisches Phänomen das Dasein der Welt *gerechtfertigt* ist.«[45]

Übersieht man diese Ambivalenz, dieses ästhetische Balancieren auf der Grenze, dann kann man auch Nietzsches Denken [→ 199 f.] als System aus starren Gegensätzen deuten, grundsätzlich nicht anders als dasjenige von Klages. Schematisch vereinfacht stellt es sich so dar:

Ewiges Werden	Abstraktes Sein
Raubtier und Übermensch	Herdentier und Sklave
Herrenmoral	Sklavenmoral
Kampf als Selbstzweck	Ruhe als Ziel
Wille zur Macht	Selbstverleugnung
Gesundheit	Dekadenz
Amor fati	Ressentiment
Instinkt	Geist

Diese vereinfachende Lesart bestimmte bis hin zum Nationalsozialismus das Nietzsche-Verständnis und seine Wirkung in der ersten Hälfte des 20. Jahrhunderts.

Dualismus und Ambivalenz, wie sie eben beschrieben wurden, sind eng mit dem Bild der Geschlechter [→ 243 f.] verknüpft. Das selbstherrliche, denkende Subjekt gilt als männlich, das Leben aus dem Gefühl als weiblich. Klages schrieb darüber sein spätes Hauptwerk *Der Geist als Widersacher der Seele* (1929–1932), Nietzsche sagt es in einem Satz: »Vita femina«.[46] Im Bereich philosophischer Reflexion artikuliert Nietzsche wiederum die Ambivalenz des Frauenbildes, welche die Dichtung der Epoche prägt, am deutlichsten. So etwa im *Zarathustra*. Im *Anderen Tanzlied* wagt Zarathustra den Tanz mit »dem Leben«.[47] In dessen nächtlichem Auge sieht er den Kahn, der ins Reich des Todes führt, aber sein Körper gehorcht dem geängstigten Bewußtsein nicht, die Klapper des Lebens rührt die Füße zum Tanz. Und dieser Tanz, wie ihn *Das andere Tanzlied* beschreibt, ist die Bewegung der Ambivalenz:

> Von dir weg sprang ich und von deinen Schlangen; da standst du schon, halbgewandt, das Auge voll Verlangen.
> Mit krummen Blicken – lehrst du mich krumme Bahnen; auf krummen Bahnen lernt mein Fuß – Tücken!
> Ich fürchte dich nahe, ich liebe dich ferne; deine Flucht lockt mich, dein Suchen stockt mich – ich leide, aber was litt ich um dich nicht gerne![48]

Das Leben, unschuldig kindlich und tödlich gefährlich, das sich in Medusa, Hexe und Schlange verwandelt, wird schließlich von Zarathustras bezwungen: er bändigt das Kindweib, das zugleich ›femme fatale‹ [→ 245 ff.] ist; der Wille zur Selbsterhaltung bändigt das Leben. Wenn Zarathustra das Leben verläßt, dann nur, um sich ihm für ewig zu verbinden. Das Ja zur dauernden Vergänglichkeit des Lebens ist höchste Lust:

> O wie sollte ich nicht nach der Ewigkeit brünstig sein und nach dem hochzeitlichen Ring der Ringe, – dem Ring der Wiederkunft?
> Nie noch fand ich das Weib, von dem ich Kinder mochte, es sei denn dieses Weib, das ich liebe: denn ich liebe dich, o Ewigkeit!
> *Denn ich liebe dich, o Ewigkeit!*[49]

Das Grenzerlebnis wird vermittelt von und in der Kunst: Zarathustra singt und tanzt. In der Kunst der Jahrhundertwende kommt das Ambivalente und Bedrohliche, das die Fassadengesellschaft des ausgehenden 19. Jahrhunderts verbirgt, immer deutlicher an die Oberfläche, neben dem Unbewußten des monistischen Denkens, der harmonischen seelische Innenseite des schön verwobenen Äußeren, das Unbewußte der Ambivalenzen und Triebe. So ist es zu verstehen, wenn Gustav Klimt (1862–1918) Wasserfrauen auf tiefenlose Bilder malt, sozusagen auf die Fassade selbst, damit gleichsam Hugo von Hofmannsthals Wort beherzigend: »Die Tiefe muß man verstecken. Wo? An der Oberfläche.«[50] Daß man des Schutzraums der Kunst bedarf, daß man nicht einfach teilnehmen kann am äußeren und äußerlichen Leben der anderen, wo Ratio und Vereinzelung herrschen, das deutet man als Lebensschwäche und Dekadenz der Spätgeborenen. Und es kann durchaus sein, daß man unter dieser Schwäche nicht nur leidet, sondern daß man auch darauf stolz ist.

Marianne Wünsch

Phantastik in der Literatur der frühen Moderne

I. Begriff und Verteilung der phantastischen Literatur

Als phantastisch seien im folgenden Texte (Erzähltexte, Dramen, Filme usw.) bezeichnet, für deren Struktur gilt:[1]

1. Der Text entwirft eine Welt, die grundsätzlich mit dem jeweiligen kulturellen Realitätsbegriff kompatibel ist; in dieser Welt treten aber Phänomene (Figuren, Ereignisse) auf, die mit diesem Realitätsbegriff nicht kompatibel sind, weil sie zumindest eine seiner – logischen, physikalischen, biologischen, theologischen usw. – Basisannahmen verletzen, die festlegen, was das jeweilige System für mögliche oder unmögliche Welten hält.

2. Diese als unmöglich geltenden Phänomene werden in der dargestellten Welt gleichwohl als real gesetzt, so daß ein Erklärungsbedarf entsteht. Der Text kann entweder eine Erklärung für das unerklärliche Phänomen anbieten oder eine solche verweigern. Wenn er eine Erklärung anbietet, so kann sie entweder konform zum kulturellen Wissen sein und das Unerklärliche z. B. durch Psychologisierung (etwa psychische Störungen des wahrnehmenden Subjektes) wieder aus der Welt tilgen; oder die Erklärung rekurriert auf kulturell nicht mehrheitsfähiges, abweichendes – z. B. okkultistisches – ›Wissen‹, womit die Behauptung der Realität des Unerklärlichen aufrechterhalten wird. Der Text kann schließlich sowohl ein rationalisierendes als auch ein okkultistisches Erklärungsangebot machen und dadurch den Realitätsstatus des Phänomens ambivalent halten.

Wo – systembedingt – in der vorangegangenen Literatur des Realismus Texte mit phantastischen Elementen nur extrem selten auftraten, wobei zugleich immer auch die Realitätskonzeption des Realismus zur Diskussion gestellt wurde (z. B. Theodor Storms *Ein Bekenntnis*), gehört phantastische Literatur konstitutiv zum Literatursystem der frühen Moderne im deutschen Sprachgebiet, wie übrigens auch im angloamerikanischen, wo auf die Romane Henry Rider Haggards (z. B. *She*) die Texte von Ambrose Bierce, Arthur Machen, Robert W. Chambers, Montague Rhodes James, Algernon Blackwood, William Hope Hodgson, Howard Phillips Lovecraft, Clarke Ashton Smith folgen. In Haggards Romanen finden sich im übrigen viele der literarischen und ideologischen Strukturen, die für die deutsche Phantastik, vor allem der zwanziger Jahre, charakteristisch sein werden: Gemeinsamkeiten, die sich wohl primär aus der Ähnlichkeit der strukturellen Ausgangsbedingungen beider Literaturen erklären lassen.

Im deutschen Sprachgebiet läuft die Produktion phantastischer Literatur zunächst zögernd an. 1890 erscheint ein phantastischer Roman Carl du Prels (1839–1899), in den neunziger Jahren phantastische Erzählungen Oskar Panizzas (1853–1921). Die Korrelation zwischen der neuen nicht-phantastischen Literatur und der neuen phantastischen Literatur wird sogar schon in der Phase des sogenannten Naturalismus deutlich: in Frank Wedekinds (1864–1918) *Frühlings Erwachen* (1891) tritt unerwarteterweise Phantastisches in der bekannten Schlußszene auf dem Friedhof auf; in Gerhart Hauptmanns (1862–1946) *Und Pippa tanzt* (1906) wird sogar in der syntagmatischen Folge des Textes vorgeführt, wie eine – hier ursprünglich naturalistische – Realität (= Akt I) in eine phantastische transformiert wird. Im ersten Jahrzehnt des 20. Jahrhunderts erscheinen dann allmählich gehäuft von Autoren wie Hanns Heinz Ewers (1871–1943), Gustav Meyrink (1868–1932), Karl Hans Strobl (1877–1946) Sammlungen phantastischer Erzählungen. Erst mit dem Ende des ersten Jahrzehnts aber setzt eine Serie bedeutender phantastischer Romane ein, die von Alfred Kubins (1877–1959) *Die andere Seite* (1909), Strobls *Eleagabal Kuperus* (1910), Max Halbes (1865–1944), des früheren Naturalisten, *Die Tat des Dietrich Stobäus* (1911), Ewers' *Alraune* (1911), schließlich dem herausragenden und modellbildenden Meisterwerk von Meyrink *Der Golem* (1915) ausgeht, in der Phase 1919–26 quantitativ wie qualitativ kulminiert und endlich in den dreißiger Jahren allmählich ausläuft.

Aus der experimentellen Frühphase der phantastischen Literatur geht ein epochenadäquates narratives Modell hervor, das sich –

nach verwandten Experimenten bei du Prel 1890, Strobl 1910, Halbe 1911 – in Meyrinks *Golem* konstituiert und das in der Folge ein zentrales Modell der phantastischen Romane ist. Die meisten Romane Meyrinks gehören ihm an, so *Das Grüne Gesicht* (1916), *Der weiße Dominikaner* (1921), *Der Engel vom westlichen Fenster* (1927). Aus der Zahl der Romane anderer Autoren, die nach diesem Modell funktionieren, seien hier nur einige Beispiele genannt: Werner Bergengruens (1892–1964) *Das Gesetz des Atum* (1923), Paul Bussons (1873–1924) *Die Wiedergeburt des Melchior Dronte* (1922) und *Die Feuerbutze* (1923), Paul Felners (Lebensdaten nicht ermittelt) *Der Schattenmensch* (1918), Willy Seidels (1887–1934) *Der Käfig* (1925), Hermann Wiedmers (1882–1952) *Die Verwandlungen des Walter von Tillo* (1930), schließlich die Serie der phantastischen Romane Franz Spundas (1889–1963), *Devachan* (1921), *Der gelbe und der weiße Papst* (1923), *Das ägyptische Totenbuch* (1924), *Baphomet* (1928). Dieses epochentypische und -dominante Erzählmodell – die Selbstfindungsgeschichte – machen sich freilich nicht alle bedeutenden Autoren der frühen Moderne zu eigen; es gilt z. B. nicht für Leo Perutz' (1882–1957) *Die dritte Kugel* (1915), *Der Marques de Bolibar* (1920), *Der Meister des Jüngsten Tages* (1923), *Sankt Petri-Schnee* (1934), *Der schwedische Reiter* (1936). Phantastische Strukturen werden jedenfalls dominant in Erzähltexten realisiert, punktuell auch im Drama, nicht zuletzt aber auch vor und in den zwanziger Jahren im Film: beispielsweise Stellan Ryes (1880–1914) *Der Student von Prag* (1913), Robert Wienes (1880–1938) *Das Cabinet des Doktor Caligari* (1919), Paul Wegeners (1874–1948) *Der Golem, wie er in die Welt kam* (1920), Friedrich Wilhelm Murnaus (1888–1931) *Nosferatu. Eine Symphonie des Grauens* (1922), Henrik Galeens (1881–1949) *Alraune* (1927) u. a.

II. Der wissenshistorische Kontext der Phantastik

Historisch wird Phantastik offenbar immer nur in Literatursystemen statistisch und strukturell relevant, wo sich im Denk- und Wissenssystem der Zeit – so um 1800 wie um 1900 – nicht-mehrheitsfähige okkultistische Diskurse herausgebildet haben. Solche Okkultismen indizieren zum einen ein Bedürfnis, verlorenen religiösen Glauben zu kompensieren, zum anderen eine Krisensituation des kulturellen Realitätsbegriffes. Eine solche Krise ist, was die frühe Moderne anlangt, unübersehbar: In Physik und Astronomie findet seit den 1890er Jahren ein radikaler Strukturwandel statt, der, in Relativitätstheorie und Quantenmechanik mündend, eine radikal neue Konzeption von (nicht mehr vorstellbarer) Realität hervorbringt; in den mehr oder minder wissenschaftlichen psychologischen Diskursen werden neue, dem Subjekt unbekannte und ihm selbst nicht bewußte Realitäten in ihm selbst postuliert [→ 162 f.]. Begleitet werden diese Wandlungsprozesse von vielfältigen – philosophischen, psychologischen, sozialwissenschaftlichen, historiographischen, geschichtsphilosophischen – Diskursen seit Friedrich Nietzsche [→ 192 ff.] über eine grundsätzliche Krise des Wert- und Normensystems, die man sich selbst attribuiert und gern anhand des provokanten Problemkomplexes Sexualität abhandelt. Diese Situation, in der tradierte Realitätskonzeptionen in Frage gestellt wurden, war nun Nährboden für zwei Klassen von Okkultismen.[2]

1. Das spiritistische Modell

Der Spiritismus, ein Phänomen amerikanischer Provenienz, dessen europäische Rezeption um die Jahrhundertmitte einsetzt (vgl. z. B. Justinus Kerners (1786–1862) *Die somnambülen Tische* (1859); Allan Kardecs (1803–1869) *Le Livre des Esprits* (1857), *Le Livre des Médiums* (1861)), literarisch zunächst folgenlos, erreicht seine Blütezeit nach 1900. Er postuliert, daß es über geeignete Medien die Möglichkeit der Kommunikation mit den Geistern Verstorbener gäbe, wozu in der Folge noch weitere Phänomene kommen: angebliche ›Apporte‹ von Gegenständen durch Geister, ›Levitationen‹, bei denen Gegenstände oder Personen entgegen der Schwerkraft im Raum schweben sollen, ›Materialisationen‹ von bislang angeblich im Raum nicht vorhandenen Objekten bzw. Geistern. Wie sehr dieser bisher marginale Nonsens sich dem Zentrum des kulturellen Denkens Ende des 19. Jahrhunderts angenähert hat, mag dadurch illustriert sein, daß z. B. der Physiker Friedrich Zöllner diese Theoreme unter Berufung auf eine – bis dahin nur als physikalische Theorie gegebene – ›vierte Dimension‹ vertritt und daß du Prels Band *Der Spiritismus* (1893) sogar in Reclams Universalbibliothek erscheint. In der Blütezeit der Zauberer und Entfesselungskünstler des Varietés beherrschen auch die Medien die erstaunlichsten Tricks der Hervorbringung des Übernatürlichen. Aber auch die noch so oft wiederholten Entlarvungen dieser Tricks (vgl. z. B. Max Dessoirs (1867–1947) *Vom Jenseits der Seele* (1917)) erschüttern die Glaubensgier und Glaubensgewißheit der Anhänger nicht: Der Mediziner Albert von Schrenck-Notzing (1862–1929) erfindet zur Immunisierung der Theorie des Spiritismus gar die Theorie der Pseudopodien, zusätzlicher immaterieller Gliedmaßen, die den Medien in Trance wüchsen, um trotz der vielfältigsten Betrügereien den Glauben aufrechtzuerhalten (*Materialisations-Phänomene* (1914), *Physikalische Phänomene des Mediumismus* (1920)). Zu den willigen Opfern solcher Inszenierungen gehört selbst Thomas Mann (*Okkulte Erlebnisse* (1923)), der ja auch in *Der Zauberberg* (1924) eine erfolgreiche spiritistische Totenbeschwörung vorführt.

In der Phantastik der frühen Moderne hat der Spiritismus nur in wenigen und nicht sehr bedeutenden Texten die Basis der phantastischen Strukturen abgegeben (du Prels *Das Kreuz am Ferner* (1890); Viktor von Blüthgens (1844–1920) *Geheimnisvolle Kräfte* (1907); Georg Korfs (Lebensdaten nicht ermittelt) *Die andere Seite der Welt* (1914); Bruno H. Bürgels (1875–1948) *Gespenster* (1922); Seidels *Alarm im Jenseits* (1927)); sonst fungiert der Spiritismus in der Phantastik allenfalls als Ausgangspunkt und Aufhänger für andersartige okkulte Phänomene (Strobls *Umsturz im Jenseits* (1920), Meyrinks *Der weiße Dominikaner*, Seidels *Der Käfig*), wie er auch wissenshistorisch eher eine Träger- und Ermöglichungsfunktion für den zweiten Typ okkultistischer Modelle hat. Die schönste Parodie auf den Spiritismus hat im übrigen nachträglich Alfred Döblin (1878–1957) mit *Reiseverkehr mit dem Jenseits* (1948) geschrieben.

2. *Das magisch-okkultistische Modell*

Während der Spiritismus zu einer stark vereinheitlichten und unter seinen Anhängern konsensfähigen Theorie tendiert, ist der – hier behelfsweise so benannte – ›magische Okkultismus‹ eher durch konkurrierende Theoriebildungen, wenn auch mit gewissen Invarianten, charakterisiert. Wiederum um die Jahrhundertmitte einsetzend (Eliphas Levis *Dogme et Rituel de la Haute Magie* (1859)), zunächst literarisch folgenlos, gehört in der frühen Moderne zu dem sicherlich einflußreichsten Werk das der Russin Helena Petrowna Blavatsky (*Isis Unveiled. A Master Key to the Mysteries of Ancient and Modern Science and Theology* (1875), *The Secrete Doctrine. The Synthesis of Science, Religion and Philosophy* (1888)) und das ihres Plagiators Rudolf Steiner (*Theosophie. Einführung in übersinnliche Welterkenntnis und Menschenbestimmung* (1904), *Aus der Akasha-Chronik* (1904/05), *Die Geheimwissenschaft im Umriß* (1910)), zu denen sich viele ihresgleichen gesellen. Wie der Spiritismus gibt sich auch der magische Okkultismus als ›Wissenschaft‹ aus: So wird man denn auch in den zwanziger Jahren die Relativitätstheorie oder die Psychoanalyse als ›Belege‹ der eigenen Theorie zu funktionalisieren suchen, wie umgekehrt der Freud-Schüler Carl Gustav Jung in den Okkultismus abdriften wird. Die Theorien des magischen Okkultismus geben sich den Anschein der Integration aller ›hermetischen Traditionen‹ der Antike wie der Renaissance, Europas wie vor allem auch Asiens; rezipiert, integriert, transformiert werden Alchemie, Kabbala, Dämonologien, Magie, Rosenkreuzer, Hinduismus, Buddhismus; der Spiritismus hingegen wird als unbedarftes Mißverständnis Nicht-Eingeweihter reinterpretiert. Sie postulieren die Existenz – grundsätzlich ›uralten‹ – Geheimwissens, das in elitären geheimbundartigen Zirkeln weniger ›Eingeweihter‹ von ›Meistern‹ an auserwählte Adepten weitergegeben worden sei und in ›esoterischen‹ Texten, mehr oder weniger stark verschleiert, tradiert wäre: Blavatsky etwa erfindet sich eine solche angeblich siebzigtausend Jahre alte tibetanisch-mongolische Quelle selbst. In langen Initiationsprozessen könne der Adept bei entsprechender Lebensführung ›übersinnliche‹ Erkenntnisfähigkeiten und ›magische‹ – d. h. Realität außerhalb der Naturgesetze transformierende – Kräfte erwerben: Fähigkeiten, die im Spiritismus allenfalls der jenseitigen Geisterwelt zugeschrieben werden, können in diesem Modell also schon im Diesseits erworben werden, und dem der Theorie nach passiven Medium wird der aktive Magier konfrontiert. Diese erstaunlichen Fähigkeiten werden als ein anthropologisches Potential des Menschen gesetzt, das nur in der normalen sozialen Realität nicht realisiert werde und dessen sich die nicht-elitären Subjekte nicht bewußt würden: es bedarf daher der ›Führer‹ und ›Meister‹ als katalysatorischer Größen. Bei Blavatsky und Steiner werden diese Theoreme zugleich noch in einer Art okkulter Evolutionstheorie, auf der Abfolge verschiedener Rassen von Menschen bzw. menschenähnlicher Wesenheiten basierend, integriert, die in aller Unbefangenheit den gesicherten Wissensstand des Darwinismus negiert.

III. Die Strukturen der phantastischen Literatur

1. Der literarische Umgang mit den okkulten Theorien: Mythenschöpfung und Zeichenhaftigkeit

Es sind nun also nur am Rande die Theoreme des Spiritismus, zentral hingegen die des magischen Okkultismus, aus denen sich die phantastische Literatur der frühen Moderne bei der Konstruktion ihrer Welten bedient. Selbst bei Autoren, die sich, wie Meyrink, durchaus selbst als Okkultisten verstanden haben, fällt ihr eklektischer Umgang mit den Materialien dieser Theoriebildungen auf. Bei der Konstruktion der Textwelten können Elemente aus den verschiedensten Theorien übernommen und auf verschiedenste Arten kombiniert werden – und nicht nur das: Die Texte sind zudem selbst mythenschaffend und erfinden sich über die verfügbaren Modelle hinaus weitere okkulte Wesenheiten, Phänomene, Theoreme, denen die übernommenen Elemente subordiniert und integriert werden. Aus heterogenen Materialien – teils aus verschiedenen Quellen übernommen, teils neu erfunden – schaffen die Texte eigene Mythologien, sei es, wie bei Meyrink, von Text zu Text neu, sei es, wie bei Spunda, mit der Tendenz einer den Einzeltext übergreifenden Kohärenz. Zwar gehen etwa in Spundas *Baphomet* Elemente aus einem angeblichen Glaubenssystem der Templer, in *Devachan* hingegen hinduistisch-buddhistische Elemente oder in *Das ägyptische Totenbuch* spekulative Interpretationen altägyptischer Theologie ein, aber die Texte abstrahieren zugleich auch von der individuellen Spezifität dieser ihrer Materialien übergeordnete, allen Spunda-Texten gemeinsame okkultistische Annahmen. Gerade für die hochwertigen Texte dieser Phantastik (etwa Kubins *Die andere Seite* oder Meyrinks *Der Golem*) gilt zudem, daß keine jener Mythologien, die sie als Erklärungsangebote für das okkulte Geschehen offerieren, jemals als ›vollständig‹ und ›konsistent‹ erscheint. Das quasi mythische Erklärungsangebot ist nicht nur eklektisch und fragmentarisch, sondern dieses Merkmal wird bewußt *funktionalisiert*. Das Erklärungsangebot postuliert die grundsätzliche Erklärbarkeit des phantastischen Geschehens, aber es löst dieses Postulat bewußt nicht ein. Indem die Erklärung unvollständig bleibt, wird ein unauflösbarer Rest von Geheimnis erhalten. Unvollständigkeit und Nicht-Konsistenz des Erklärungsangebotes zwingen den Protagonisten und mit ihm den Leser – Meyrink formuliert die Regel im *Golem*: »Sie müssen es *teilweise symbolisch auffassen*«[3] – dazu, die erklärenden Größen selbst, also die vom Text gesetzten mythischen Wesenheiten und Postulate wiederum nur als zeichenhaft für eine im Text nicht artikulierte transzendente ›Realität‹ hinter ihnen aufzufassen. Wenn dem aber so ist, kann tatsächlich jeder Text seine eigene mythische Welt entwerfen, ohne das Postulat einer einheitlichen okkulten Welt in Frage zu stellen: und damit kann der einzelne Text Literatur bleiben, ohne zum Anwendungsfall einer okkulten Theorie zu degenerieren; und indem die Textstruktur das verhindert, bleibt sie für den nicht-okkulten Leser lesbar, da die grundsätzliche bloße Zeichenhaftigkeit der Ebene des mythischen Erklärungsangebots dem Leser die Freiheit einer anderen Lesbarkeit ermöglicht. Insofern sind sie ähnlich etwa den Texten Franz Kafkas, die zwar keine phantastischen Welten entwerfen, wohl aber solche, die mit normaler Realitätserfahrung inkompatibel sind und die daher den Leser zu einer Lektüre als ›Modellen‹ für anderes zwingen.

2. Gesellschaft und Individuum

Mentalitätsgeschichtlich lebt die Phantastik der frühen Moderne zweifellos von der Erfahrung, daß die wahrnehmbare soziale Welt eine rationale oder zumindest rationalisierte Welt ist, in der es weder Freiräume für das Individuum, das in seinen sozialen Rollen und Funktionen aufgeht, noch auch die Möglichkeit des Unerwarteten und Unerwartbaren oder einen Raum des nicht schon durchschauten Geheimnisses gibt. Die soziale Realität wird als Deprivation des Subjektes erfahren: Freiraum und Geheimnis kann es nur jenseits ihrer geben, sei es im metaphysisch-okkulten Bereich, dessen Existenz die Phantastik postuliert, sei es in der Psyche des Subjektes selbst, mit der sich ein Großteil der Nicht-Phantastik der frühen Moderne, aber, auf andere Weise, auch die Phantastik befaßt. Der Eintritt des Okkulten in die Welt des Protagonisten ist immer zugleich mit dem Austritt aus der sozialen Realität äquivalent. In Kubins *Die andere Seite* findet dieser Austritt auch als räumlicher statt, insofern der Ich-Erzähler mit seiner Frau Europa verläßt; im Regelfall sind aber normale und abnorme Realität nicht räumlich getrennt. Das Individuum, dem okkulte Erfahrungen zuteil werden, hat in den Texten immer den Status eines elitären Subjektes: es ist imstande zu erfahren, was andere nicht zu erfahren vermögen. Dieser elitäre Status wird in den Texten nicht an die Zugehörigkeit zu einer bestimmten Schicht oder Rasse gebunden, wohl aber weitgehend an das Geschlecht; Frauen können okkulte Erfahrungen machen und katalysatorische Funktionen für die männlichen Protagonisten ausüben, zum aktiven Magier taugt aber nur der Mann. Nicht selten sind es Juden (Meyrinks *Der Golem* und *Das Grüne Gesicht*, Spundas *Devachan*) oder Asiaten bzw. Mongolen, insbesondere Tibetaner (Spundas *Der gelbe und der weiße Papst*, Kubins *Die andere Seite*), denen okkulte Qualitäten zugeschrieben werden, es können aber auch Schwarze (Meyrinks *Das Grüne Gesicht*, Spundas *Devachan*), Äthiopier (Spundas *Das ägyptische Totenbuch*) sein; ebenso kann es sich um Angehörige nicht gebildeter Schichten handeln (Meyrinks *Das Grüne Gesicht*, *Der weiße Dominikaner*). Figuren, die nicht gebildete Mitteleuropäer sind, werden allerdings nicht als Protagonisten gewählt. Die Subjekte mit okkulten Erfahrungen werden in Opposition zur normalen Gesellschaft gesetzt, wenngleich sie in dieser unauffällige Rollen erfüllen mögen. Normverstöße des Subjektes – selbst Schwerkriminalität (Lust- oder Raubmörder: *Der Golem*, *Das Grüne Gesicht*) – verhindern einen solchen Status des Elitären, Eingeweihten nicht. Das elitäre Subjekt darf kulturelle Normen verletzen oder in Frage stellen, das wiederum gilt nicht nur in der Phantastik der Zeit,[4] denn das tradierte Wert- und Normensystem wird generell als Hindernis für Selbstfindung thematisiert.

Die Opposition zwischen elitärem Individuum, das für sich Sonderrechte in Anspruch nimmt, und dem Rest der Gesellschaft, deren ›Normalität‹ nicht zufällig schon beim frühen Meyrink als bösartig parodiert wird, in *Des Deutschen Spießers Wunderhorn* (1913), manifestiert sich auffällig häufig in der Form, daß das einzelne Individuum sich einer ›Masse‹ gegenüber sieht, einer Menge entindividualisierter Subjekte, ausgebrochen aus allen Institutionen und Normierungen, bereit zu jeder normverletzenden und irrationalen Gewalttat (Meyrinks *Das Grüne Gesicht*, *Der weiße Dominikaner*, Spundas *Devachan*, Strobls *Eleagabal Kuperus*, Kubins *Die andere Seite*, Frank Thiess' (1890–1977) *Der Tod von Falern* (1921)). Die Rationalität der sozialen Ordnung wird also einerseits vom elitären Subjekt verworfen, das auf der Suche nach einer Welt jenseits ihrer ist, und sie erscheint andererseits als brüchig, insofern auch die nicht elitären Personen als solche gedacht werden, die jederzeit aus den Zwängen der Normen und Institutionen ausbrechen können. Die beim elitären Subjekt positive – weil höheren Werten dienende – Normverletzung vollzieht sich bei der angsterregenden Masse als Anarchie. Auffällig häufig und schon in der Vorkriegszeit einsetzend sind denn in diesen Texten auch die Katastrophenphantasien von der (Selbst-)Zerstörung eines Sozialsystems (Kubins *Die andere Seite*, Meyrinks *Das Grüne Gesicht*, *Walpur-*

gisnacht, Thiess' *Der Tod von Falern*), begleitet gern von Sexualorgien und ungehemmter Mordlust. Die Bedrohung durch das Amorph-Chaotische, die sogar die unbelebte Materie ergreifen kann (Kubins *Die andere Seite*), erscheint als Bedrohung beim Untergang einer negativ bewerteten Sozialordnung, deren offizielle und inoffizielle Werte, nicht zuletzt die materiellen, diese Texte verwerfen. Das Wertsystem der Texte ist weder kapitalistisch, noch kommunistisch, noch faschistisch. Es ist um immaterielle Werte zentriert.

Trotz ihrer Ablehnung der gegebenen Sozialordnung streben die Texte nach keiner revolutionären Veränderung: Es geht um das privilegierte Individuum, nicht um die Gesellschaft. Manche der Texte liefern auch einen ideologischen Überbau, indem sie sich etwa des Theorems der Reinkarnation bedienen und daraus die Selbstverschuldetheit des Zustands der Subjekte ableiten (Meyrinks *Das Grüne Gesicht*, Bussons *Die Wiedergeburt des Melchior Dronte*). Soweit die Texte übergeordnete gottähnliche, metaphysische Entitäten konstruieren, werden diese ›Götter‹ als ›jenseits von Gut und Böse‹ gedacht: Wesenheiten, vor denen sich die Opposition von Normeinhaltung und Normverletzung neutralisiert.[5] ›Gut‹ ist, was der Realisierung der elitären Werte dient: und dafür wird dem Individuum allein die Verantwortung angelastet, ohne daß es sich durch den Verweis auf eine negative Weltstruktur entlasten könnte.

3. *Die Krise des traditionellen Konzepts der Person*

Gegenüber der nicht-phantastischen Literatur des Zeitraums stellen die phantastischen Texte in gesteigerter Form zentrale Merkmale der Konzeption der Person in Frage, wie sie sich seit dem 18. Jahrhundert herausgebildet hat, insbesondere die Merkmale der Einheit, der Identität und der Individualität der Person. Die Gruppe von Phänomenen, um die es hier geht, besteht zumindest zum Teil auch aus solchen, die psychiatrischer Natur sind und in zeitgenössischen psychologisch-psychiatrischen Diskursen thematisiert werden, z. B. Schizophrenie und Paranoia, hier aber, sofern die Texte nicht eine psychologisierende Rationalisierung anbieten (so etwa

Kubins *Die andere Seite* oder Perutz' *Sankt Petri-Schnee*) nicht als pathologisches, sondern eher als ontologisches Problem erscheinen. Schon in den Texten, in denen das spiritistische Modell des Mediums eine Rolle spielt, steht das traditionelle Personkonzept in Frage: Im Medium wird die Person quasi neutralisiert und entindividualisiert, um zumindest befristet nur Sprachrohr anderer Entitäten zu sein. Person ist also somit nicht mehr selbstverständlich eine unauflösliche psychophysische Einheit: Teile der Person – hier ihre Psyche – können temporär außer Kraft gesetzt werden. In nicht-spiritistischen Texten kann dieser Fall bis zur Variante der Besitzergreifung gesteigert werden, bei der die Psyche einer fremden Identität die eigene verdrängt und die Herrschaft über den Körper übernimmt.[6] Was auf den ersten Blick strukturgleich mit der Besessenheit christlicher Dämonologien ist, hat in der frühmodernen Phantastik immer auch zugleich eine zeichenhafte Komponente eines psychischen und psychologischen Sachverhalts, insofern, in manchen Texten explizit, diesem Fremden von außen ein Fremdes im Inneren äquivalent ist und ›Besessenheit‹ somit auch den Fall abbilden kann, daß nicht-bewußte Anteile der Psyche das bewußte Ich überwältigen und somit scheinbar ein diskontinuierlicher Identitätswechsel stattfindet. Das bewußte Ich als Selbstdefinition der Person ist in diesen Texten aber nicht nur durch Identitätswechsel, sondern auch durch Spaltung innerhalb bzw. Verdoppelung der Person außerhalb ihrer bedroht: Psychologisches Äquivalent beider Erfahrungen wären etwa psychotische Phänomene, wie sie in der nicht-phantastischen Literatur thematisiert werden, nur daß aus der subjektiven Erfahrung des Psychotikers in der Phantastik objektive Realität wird.[7] So begegnet in Meyrinks *Golem* sowohl der Ich-Erzähler einem Doppelgänger seiner selbst, der zugleich der Protagonist seines Traums ist, als auch dieser sich selbst begegnet, wobei er sich mit diesem zweiten Ich zu vereinigen, d. h. sich dieses zu unterwerfen hat. Ähnliches gilt für den Protagonisten von Spundas *Baphomet*.

Aber auch in der Diachronie sind Autonomie, Identität, Individualität der Person gefährdet. Wo auf das Reinkarnationsmodell rekurriert wird, erfährt sich das Subjekt als Funktion eigener früherer Existenzen (Bussons *Melchior Dronte*, Wiedmers *Die Verwandlun-*

gen des Walter von Tillo). In anderen Fällen realisiert es Intentionen von Vorfahren oder lebt, was diesen nicht gelungen ist (Meyrinks *Der weiße Dominikaner*, *Der Engel vom westlichen Fenster*), wobei sich das Ich mit dem oder den Vorfahren vereinigt, wenngleich seine Bewußtseinsidentität erhalten bleibt.

Die Persongrenze zwischen innen und außen und die Identität der Person sind in allen aufgelisteten Fällen das gemeinsame Problem. Im Extremfall kann sogar thematisiert werden, daß alle vom Subjekt wahrgenommenen Entitäten, ob sie nun als Helfer oder Gegner erscheinen, nichts anderes sind als Projektionen von Teilen der Person nach außen, die ihre Macht einzig und allein aus der Psyche beziehen, die sie projiziert hat. In diesem Falle ist die metaphysische Welt, der das Subjekt begegnet, nichts anderes als ein Teil von ihm selbst, von ihm aber selbst nicht als solche erkannt; und das Ziel des okkulten Prozesses besteht dann eben darin, diese veräußerlichten psychischen Anteile in den bewußten Teil der Psyche zu reintegrieren und dadurch magisch Macht zu gewinnen. Diese Variante hat am deutlichsten und wiederholt Meyrink thematisiert. Nicht zufällig ist dieser Prozeß dem therapeutischen Prozeß der Psychoanalyse Sigmund Freuds [→ 492 ff.] homolog, bei der es ebenfalls gilt, scheinbar Personfremdes als Teil der Person zu integrieren: In Spundas *Baphomet* etwa wird deutlich, daß die okkulte Gottheit des Templerordens einfach eine Repräsentation triebhafter Sexualität ist, die es zu verinnerlichen und zu beherrschen gilt. Im Gegensatz zur angloamerikanischen Phantastik, Haggard ausgenommen, in der, gewissermaßen ›neurotisch‹, Sexualität immer nur verdrängt – symbolisch, etwa in den schleimigen Ungeheuern von James oder Lovecraft –, repräsentiert ist, reden die deutschen Texte direkt, wenn auch ambivalent, von Sexualobjekten und Sexualakten. Und im Gegensatz zur goethezeitlichen Phantastik, in der die für das Subjekt positive Lösung in der Vermeidung und Ausgrenzung des Phantastischen – und des von ihm repräsentierten Psychischen – besteht, liegt die positive Lösung der Phantastik der frühen Moderne darin, das Fremde und Okkulte als Psychisches und Subjekteigenes zu erkennen und sich seiner integrativ zu bemächtigen. Wie dort Autonomie des Subjektes nur durch Vermeidung des Phantastischen möglich wird, wird sie es hier nur durch dessen Integration:

Die Zielperson dieser Phantastik ist das megalomane Subjekt mit Omnipotenzphantasien – das genaue inverse Korrelat zur realen Erfahrung der auf die soziale Funktionalität reduzierten Person, in Opposition auch zum realitätsangepaßten und normalisierten Subjekt einer Psychoanalyse.

Diese Texte konstruieren also ein Subjekt, das in seiner Struktur und seinen Gefährdungen einerseits den aus den psychologischen und psychiatrischen Diskursen der Zeit bekannten Sachverhalten entspricht: aber sie tun dies zum Zwecke einer Entpsychologisierung, einer scheinbaren Irrelevantsetzung und Überwindung dieser Diskurse, was sie wiederum mit der nicht-phantastischen Literatur verbindet, am auffälligsten mit dem Drama des Expressionismus [→ 537ff.] und dessen scheinbarer Psychologieverweigerung, aber auch mit Texten, die scheinbar Psychologie [→ 494ff.] inszenieren (Arthur Schnitzler, Jakob Wassermann, Hermann Broch), aber ihr mehr oder weniger deutlich textintern quasi metaphysische Modelle überordnen.[8]

Mit dem Personkonzept der frühen Moderne ist die Phantastik dadurch verbunden, daß auch sie die Person als ein partiell nicht bewußtes und partiell nicht realisiertes,[19] im Phantastik-Falle freilich magisch-okkultes Potential auffaßt, das es bewußtzumachen und zu realisieren gilt. Beide Teilliteraturen teilen auch die Faszination vor und die Sehnsucht nach dem ›Fremden‹ und ›Geheimnisvollen‹, das die Rationalität der gegebenen Sozialordnung verweigert: nur daß es die nicht-phantastische Literatur innerhalb des kulturellen Realitätsbegriffes suchen muß, während es die phantastische Literatur außerhalb der sozialen Realität situieren kann, und das heißt zugleich, daß die nicht-phantastische Literatur es auf der Ebene des Erzählaktes – in der Sprache, durch die eine Geschichte erzählt wird – herstellen muß, weshalb denn diese Sprache folgerichtig im Extremfall zu quasi mystischer Dunkelheit tendiert (etwa bei Robert Musil, Wassermann, Broch), während die phantastische Literatur das ›Fremde‹ und das ›Geheimnis‹ direkt auf der Ebene der erzählten Geschichte selbst inszenieren kann. Was also der nicht-phantastischen Literatur, weil sie an einen Realitätsbegriff gebunden bleibt, nur auf der Redeebene in Form uneigentlicher Sprache möglich ist, kann die frühmoderne Phantastik direkt auf der Ebene eigentlicher Rede realisieren. Die phantastische Literatur ist in diesem Zeitraum insofern eine Art Spiegelbild der nicht-phantastischen Literatur: Sie ist ungefähr das, was herauskäme, wenn man die Implikationen der uneigentlichen Rede der nicht-phantastischen Literatur wörtlich nähme.

4. *›Selbstfindungsgeschichten‹: die Werte ›Leben‹ und ›Ich‹*

Nach vereinzelten Vorläufern hat die Phantastik der frühen Moderne seit Meyrinks *Golem* ihr epochentypisches Modell gefunden. Dem dominanten Erzählmodell der nicht-phantastischen Dramen und Erzähltexte, bei dem es um Gelingen oder Mißlingen von realen, psychischen Prozessen der Selbstverwirklichung und Selbstfindung und um die (Nicht-)Realisierung eines Wertes ›emphatisches Leben‹[10] geht, konfrontiert die phantastische Literatur, sofern sie analog zu dem Meyrinkschen Erzählmodell funktioniert, dieselbe Erzählstruktur, nur daß hier Selbstfindung/Selbstverwirklichung und ›Leben‹ okkult interpretiert werden, d. h. statt realer innerpsychischer Inhalte phantastisch-metaphysische erhalten. Die phantastische Selbstfindungsgeschichte läßt sich am Beispiel des *Golem* illustrieren: Ein männlicher Protagonist findet sich in einer Ausgangssituation sozialer Normalität. Durch eine Reihe katalysatorischer Ereignisse oder Personen wird er sich dessen bewußt, daß diese Situation in dem Sinne defizient ist, daß er wohl ein biologisches Leben, nicht aber ein emphatisches, intensives, erfülltes Leben führt und daß damit seine tatsächlich realisierte Existenz und Person das ihm mögliche Potential nicht ausschöpft. Im Falle des *Golem* wird diese Defizienz signifikanterweise zugleich auch als Produkt einer psychischen Störung interpretiert: In einer Situation des Leidensdrucks hat der Protagonist einen Teil seiner Psyche und seiner Vergangenheit verdrängt. Dieser erstarrten und eingeengten Existenz werden nun in diesem wie in anderen Texten desselben Typs durch katalysatorische Geschehnisse oder Personen existentielle Alternativen ermöglicht, die eine Behebung der Defizienz versprechen, im Falle des *Golem* etwa sowohl dadurch, daß sich ein okkulter Bereich ihm zu manifestieren beginnt, als auch dadurch, daß ihm erotische

Angebote offeriert werden. Der Protagonist begibt sich damit typischerweise auf einen ›Weg‹, der aber, wie sich am Textende zeigt, niemals der direkte ›Weg‹ zum ›Ziel‹ ist, das in der okkulten Selbstverwirklichung bestünde, sondern im besten Falle, wo der Held später das Ziel erreicht, ein temporärer ›Umweg‹ ist, im negativen Falle, wo der Held das Ziel verfehlt, hingegen einen definitiven ›Irrweg‹ darstellt, der in Selbstverlust mündet. Im positiven Falle erkennt der Held den Weg allmählich als Umweg, d. h. ihm wird analog zur Bildungsgeschichte der Goethezeit erst unterwegs das eigentliche Ziel bewußt. Auf diesem Weg begegnen ihm sowohl helfende als auch hindernde Katalysatoren, sowohl was den phantastischen als auch was den erotischen Bereich betrifft. Je nach Ideologie der Autoren kann das Ziel inhaltlich verschieden definiert sein: In Bussons *Melchior Dronte* geht es beispielsweise um den bewußten Übergang zur Reinkarnation im Tod, in Wiedmers *Tillo* um die Realisation sowohl des männlichen wie des weiblichen Potentials in der Person und damit um eine Art vollständiger Menschwerdung, in Meyrinks oder Spundas Romanen eher um die optimale Beherrschung magischer Macht des Subjekts schon im Diesseits, wobei das Subjekt im Extremfall dann, ohne das Jenseits zu verlassen, zugleich auch dem Diesseits angehören kann. Diese okkultistischen Varianten einer Realisation von ›Selbstverwirklichung‹ und ›emphatischem Leben‹ teilen mit den nicht-phantastischen Texten der Epoche, daß ein bislang nicht bewußtes Potential der Person, hier nur eben ein okkultes, bewußt in die Person zu integrieren und zu realisieren ist und daß emphatisches Leben im Regelfalle nur über emphatische Erotik [→ 271 f.] erworben werden kann. In beiden Teilliteraturen gilt dabei, wie wiederum der *Golem* illustrieren kann, daß die für den Weg oder Umweg relevanten Größen, auch temporäre erotische Partner, bei Erreichen des Zieles getilgt werden; so ist etwa niemals eine während des (Um-)Wegs relevante Frau auch die Zielfrau.[11] Dieses phantastische Erzählmodell funktioniert also wie die nicht-phantastischen Selbstfindungsgeschichten, mit dem Unterschied, daß während des Weges irreale phantastische Geschehnisse auftreten und daß der Zielzustand des Subjektes nicht mit dem kulturellen Realitätsbegriff kompatibel ist: Im Gelingensfalle ist eine Phantasie magischer Allmacht realisiert.

Was die frühmoderne Phantastik konstruiert, sind individualistische, zudem ideologisch nicht mehrheitsfähige Sinngebungsmodelle für die menschliche Existenz: Diese phantastische Literatur läuft nicht zufällig in dem Zeitraum allmählich aus, in dem in der kulturellen Diskussion kollektivistische Sinngebungsdiskurse dominant werden, deren einer, der faschistische, sich schließlich realitätsbeherrschend durchsetzt: Damit ist dann freilich auch das Ende der mehrheitsfähigen, zwar nicht phantastischen, aber ebenfalls individualistischen literarischen Sinngebungsmodelle erreicht, die nurmehr im Exil eine Randexistenz fristen.

John A. McCarthy

Die Nietzsche-Rezeption in der Literatur 1890–1918

Er hat zuerst unter den Menschen des 19. Jahrhunderts erkannt, dass eine neue Stunde geschlagen habe.
(Samuel Lublinski, Zehn Jahre nach Nietzsche, 1910)

In Nietzsche steht doch ziemlich alles.
(Brief Stefan Georges an Friedrich Gundolf am 11. 6. 1910)

In seiner *Bilanz der Moderne* (1904) bezeichnet Samuel Lublinski (1868–1910) das Jahr 1890 als ein »Schicksalsjahr«, Friedrich Nietzsche (1844–1900) als denjenigen Denker, der die verworrenen Tendenzen der Ära am besten erfaßt habe.[1] Lublinski meint schlicht, daß Nietzsche die Nabelschnur zerschnitten habe, »durch die die Moderne mit der älteren Romantik, aus der Richard Wagner (1813–1883) und Arthur Schopenhauer (1788–1860) schließlich herstammten, noch zusammenhing«.[2] Diese Auffassung zieht sich wie ein roter Faden durch die ersten Bücher über den Philosophen, alle um 1890 verfaßt, von Lou Andreas-Salomé [→ 252 ff.], Alois Riehl und Rudolf Steiner. Am früh entstandenen Nietzsche-Kult sollte das von der Mutter und der Schwester Elisabeth Förster-Nietzsche kurz nach 1890 gegründete Nietzsche-Archiv (zunächst in Naumburg, ab 1896 in Weimar) durch Steuerung der Institutionalisierung des Kults wesentlich beteiligt sein.[3]

Während man häufig vom Einfluß einer spätromantischen Welt (Pessimismus Schopenhauers, Musikästhetik Wagners [→ 207 ff.], Hölderlins Dichterauffassung) in der Nietzsche-Literatur lesen kann, sieht Lublinski Nietzsche als klassische Natur im Gegensatz zum romantischen Charakter des von Schopenhauer und Wagner mitgeprägten Kulturlebens im ausgehenden 19. Jahrhundert. Jene Welt wurde von Gedanken der Décadence [→ 219 ff.], des Rassenmystizismus und der germanischen Keuschheit getragen. Jene Mischform aus naturwissenschaftlicher Exaktheit und romantischer Mystik forderte Nietzsches Antipathie heraus und führte ihn dazu, das latent politische Konzept des »Willen zur Macht« zu betonen. »Damit«, meinte Lublinski, »wurde recht eigentlich die Politik in die Metaphysik und Biologie ausgestrahlt«.[4] Es ist ein Thema, dem sich vor allem Alfred Döblin (1878–1957) in seinem Essay *Zu Nietzsches Morallehre* (1903) zuwandte.

Seit der frühen Nietzsche-Rezeption Lublinskis ufert die Literatur zum Thema aus. Richard Frank Krummel benötigt fast 200 Seiten, um nur die deutsche Nietzsche-Rezeption der 1890er Jahre in seiner enzyklopädischen Kompilation zu dokumentieren. Die Belege der Nietzsche-Wirkung vor 1890, das heißt, bevor Nietzsche zur Pflichtlektüre der Intellektuellen um 1900 geworden ist, umfassen bereits 79 Seiten. Seit 1970 ist die anekdotenhafte sowie wissenschaftliche Literatur zum Thema der Nietzsche-Rezeption unüberschaubar geworden.[5]

Es kann sich hier nicht um eine eingehende Würdigung von Nietzsches Leistung und Bedeutung für die ereignisreichen Jahre 1890–1918 handeln, sondern nur um einige Fingerzeige. Erfreulicherweise liegen einige grundlegende Vorarbeiten vor, die durch Zusammenstellung literarischer Reaktionen aufschlußreiche Perspektiven bieten und sichtenden thematischen Akzentsetzungen den Weg ebenen.[6]

Vor mehr als vierzig Jahren hat der Nietzsche-Forscher Walter Kaufmann bemerkt, daß Nietzsche mit dem deutschen Kulturleben so fest verwachsen sei, daß eine einschlägige Studie über diese Beziehung in einer Kulturgeschichte Deutschlands enden würde, wenn auch von einer einzigen recht fruchtbaren Perspektive betrachtet.[7] Im folgenden wird nicht versucht, die vielfältigen Stränge seines gewaltigen Einflusses zu entwirren, sondern stillschweigend vorausgesetzt, daß eine klare Trennung zwischen Ästhetik und Politik, Politik und Moral, Individuum und Institution im Falle Nietzsches und seiner Nachwirkung nicht möglich ist, zumal das Leben für ihn Literatur, Literatur aber auch Leben war.[8]

Selbstverständlich fällt die Nietzsche-Rezeption unterschiedlich aus: von einigen Zeitgenossen und Nachfolgern wurde er rhapsodisch, von anderen ablehnend, oder auch fragmentarisch oder einseitig rezipiert. Festzuhalten ist allerdings, daß er sowohl von den

Liberalen als auch von den Konservativen als Stammvater gelobt und gar von den Faschisten wegen seiner (vermeintlichen) Auffassungen von Züchtung, Rasse, blonder Bestie, Übermenschen und Willen zur Macht in Anspruch genommen wurde. Leitideen seiner eigenen politischen Einstellung sind mit den oft zitierten Begriffen von »gutem Europäer« und »großer Politik« in eins zu setzen. Allerdings waren politische und soziale Probleme nie Gegenstand systematischer Überlegungen für Nietzsche. Dennoch hat er zu den brennenden Fragen der Zeit Stellung bezogen: die deutsche Frage, die sozialdemokratische Frage, die Frauenfrage, die Judenfrage.[9]

In der einen oder der anderen Form beeinflußte Nietzsche direkt und indirekt das politische und kulturelle Leben Deutschlands zwischen 1890 und 1918: anarchistisch, expressionistisch, feministisch, futuristisch, naturalistisch, faschistisch, religiös, sexualistisch, sozialistisch, völkisch und zionistisch.[10] Wenn ein Großteil dieser Wirkungsgeschichte auch auf idiosynkratischen Auslegungen, Mißdeutungen und gar Verfälschungen seiner Ansichten beruht, erweisen sich Themen und Begriffe wie der Wille zur Macht, der Vitalismus, die Umwertung aller Werte, die ewige Wiederkehr, der Immoralismus, der Perspektivismus, die Skepsis, der Übermensch, der Nihilismus, die Faszination mit der Oberfläche (Masken) und seine mitreißende Sprache als äußerst wirksam. Seine Rezeptionsgeschichte ist also Bestandteil eines breiten und vielfältigen Kontextes und läßt sich kaum auf einen gemeinsamen Nenner bringen.

Mit steigender Intensität hatte Nietzsche die meisten seiner Werke in den achziger Jahren veröffentlicht: sie reichen von *Der Wanderer und sein Schatten* (1880) über *Morgenröthe* (1881), *Die fröhliche Wissenschaft* (1882), *Also Sprach Zarathustra* (1883-85), *Jenseits von Gut und Böse* (1886), *Zur Genealogie der Moral* (1887) bis hin zur *Götzen-Dämmerung* (1889). In dieser Zeit sind ebenfalls sein biographisches *Ecce Homo* (postum 1908) und die mit dem Titel versehenen Aphorismen *Der Wille zur Macht* (in zwei Bänden postum 1901, 1906) entstanden. Hatte sich Nietzsche selbst in *Jenseits von Gut und Böse* (204) als »Dynamit« und schicksalshaft bezeichnet, so wirkten seine Werke dieser Jahre als schicksalsträchtiger Sprengstoff. Dies gilt besonders für den *Zarathustra*, den Richard Strauß vertont und 1897 uraufführte. Zwar hatte er in »Warum ich so gute Bücher schreibe« (*Ecce Homo*) für eine Trennung zwischen seiner Person und seinen Werken plädiert (»Das Eine bin ich, das Andre sind meine Schriften«), aber es strengte sich doch kaum einer an, Autor und Werk sauber auseinanderzuhalten.[11]

Geboren 1844 in Röcken (Sachsen), 1869 mit 25 Jahren ohne Promotion als Professor für klassische Philologie nach Basel berufen, seit 1889 geistig umnachtet, 1900 in Weimar als Kultfigur gestorben, war Nietzsche zeit seines Lebens ein unbequemer und unzeitgemäßer Mensch. Sein kritisch-schneidender Ton und seine funkelnde Gedankenfülle begannen sich auch in bekannten Frühwerken wie der *Geburt der Tragödie* (1872) (neben *Zarathustra* eines der meist rezipierten Werke der Zeit) abzuzeichnen. In dieser frühen Abhandlung verficht er drei Thesen: (I) der Ursprung der Tragödie sei in dionysischen sowie auch apollinischen Prinzipien zu suchen, (II) der Untergang der Tragödie sei durch die Sokratische Dialektik verursacht und (III) Schopenhauer und Wagner seien als die Erneuerer der tragischen Form zu betrachten. Allerdings achteten die Philologen wenig auf die philologische Integrität dieses Werkes und dessen Thesen, die Ulrich von Wilamowitz-Moellendorff selbst als »Zukunftsphilologie« analog zur »Zukunftsphilosophie« abtat, und die andere wohl als »Afterphilologie« herabsetzten.[12] Es folgten die *Unzeitgemäßen Betrachtungen* (1874–76), eine Reihe von vier Essays über *David Strauß, der Bekenner und der Schriftsteller*, *Von Nutzen und Nachteile der Historie für das Leben*, *Schopenhauer als Erzieher* und *Richard Wagner in Bayreuth*. Mit *Menschliches, allzu Menschliches* (1878/79) fand Nietzsche schließlich die offene literarische Form des Aphorismus, die mit seinen Intentionen und Erneuerungsbestrebungen am besten korrespondierten und in *Fröhliche Wissenschaft* und *Jenseits von Gut und Böse* am reifsten erscheint.

Über das Unzeitgemäße seiner Haltung gibt Nietzsche im Vorwort zum zweiten Stück der *Unzeitgemäßen Betrachtungen* Auskunft, wenn er konstatiert: »Unzeitgemäß ist auch diese Betrachtung, weil ich etwas, worauf die Zeit mit Recht stolz ist, ihre historische Bildung, hier einmal als Schaden, Gebreste und Mangel der Zeit zu verstehen versuche« (KSA 1: 246). Hatte er im ersten Stück von der

Deutschtümelei im Soge des preußischen Sieges über Frankreich 1871 und im Gegensatz zur öffentlichen Meinung die Ansicht vertreten, dieser große Sieg drohe sich in »eine völlige Niederlage zu verwandeln«, ja in die »Extirpation des deutschen Geistes zu Gunsten des deutschen Reiches« (KSA 1: 160 f.), so kritisiert er die Tendenz, »die grossen Massentriebe als das Wichtige und Hauptsächliche« in historischen Abläufen anzusehen, und die großen Persönlichkeiten »nur als den deutlichsten Ausdruck, gleichsam als die sichtbar werdenden Bläschen auf der Wasserfluth« zu betrachten (KSA 1: 320). Gegen diese herrschende Auslegung verficht er die katalysatorische Bedeutung des individuellen, gruppenspezifischen oder gar massenhaften Egoismus als »Hebel der geschichtlichen Bewegungen« zu allen Zeiten (KSA 1: 321).

Allerdings ist die Bezeichnung dieser Beobachtungen als »unzeitgemäß« nicht ganz zutreffend, denn seine kritische Auseinandersetzung mit der selbstgenügsamen Borniertheit des national gesinnten Bürgertums des ausgehenden 19. Jahrhunderts erwies sich doch als viel zeitgemäßer, als Nietzsche und seine Jünger es wahrhaben wollten.[13] Lublinski hat dies gezeigt, und die Textsammlung von Bruno Hillebrand liefert genug Indizien seiner Aktualität, seiner Verwurzelung in der geistigen Struktur seiner Epoche. In seiner Studie zur Bildungskritik hebt York-Gothart Mix die weittragende Wirkung Nietzsches auf die Literaten des ausgehenden 19. Jahrhunderts hervor.[14]

Als ein Virtuose der deutschen Sprache – »seit Luther das größte deutsche Sprachgenie« – und nicht allein durch seine provozierenden Ideen – hatte Nietzsche Schule gemacht.[15] In einer Zeit der Bildungsreformen (1892, 1900) wirkte er wie ein Katalysator, eine ganze Generationen von Literaten maßgeblich beeinflussend: Reinhard Johannes Sorge (1892–1916), Georg Heym (1887–1912), Gottfried Benn (1886–1956), Ernst Stadler (1883–1914), Stefan Zweig (1881–1942), Robert Musil (1880–1924), Carl Sternheim (1878–1942), Georg Kaiser (1878–1945), Alfred Döblin (1878–1957), Hermann Hesse (1877–1962), Rainer Maria Rilke (1875–1926) und Thomas Mann (1875–1955), Hugo von Hofmannsthal (1874–1929), Heinrich Mann (1871–1950), Stefan George (1868–1933), Frank Wedekind (1864–1918) und Arno Holz (1863–1929). Beispielsweise rezipiert Hofmannsthal den Philosophen bereits mit 16 Jahren (1891), Rilke mit 20 Jahren (1895), George mit 24 (1892), Richard Dehmel mit 27 (1890), Thomas Mann mit 20 (1895), Heinrich Mann mit 20 (1891), Musil mit 18 (1898).[16] Aber auch Zeichen einer noch früheren Rezeption – etwa im österreichischen Pernerstorfer Kreis (u. a. Gustav Mahler, Viktor Adler) – um 1875–1878 liegen vor.[17] 1888 hielt Georg Brandes (1842–1927) Vorlesungen über Nietzsches aristokratischen Radikalismus, allerdings in Kopenhagen, nicht in Deutschland.[18] So konnte Nietzsche in *Ecce Homo* (1888) schreiben, daß er in Wien, St. Petersburg, Stockholm, Kopenhagen, Paris und New York endeckt worden sei, nur nicht im eigenen Heimatland (KSA 6: 301).

Nietzsche faszinierte seine Leser durch seine Art, mit dem Hammer zu philosophieren (lange vor der Schrift *Götzen-Dämmerung*, aber dort eindrucksvoll formuliert) – oder wie sein Leipziger Lehrer Friedrich Ritschl seine Denkweise bezeichnete: »absurd spannend« (*Ecce Homo*, KSA 6: 301). Er stachelte sie mit Vorstellungen wie »Genie«, »Instinkt« und »Heros« an. Die Zweckfreiheit des Lebens proklamierend, verherrlichte er rauschhafte Steigerungsfähigkeit sowohl dionysischer als auch apollinischer Prägung. Sich selbst als soziale Außenseiter fühlend, begrüßten die jungen Literaten seine prophetische Hellsicht: daß ihre kulturellen Institutionen nichts mehr taugen (KSA 6: 140), daß der »Cultur-Staat« eine leere Idee sei, da Kultur und Staat im neuen Deutschland Antinomien seien (KSA 6: 106), daß ja der deutsche Geist im allgemeinen verkümmere und verflache (KSA 6: 105). »Unsre Cultur«, resümierte Nietzsche in *Götzen-Dämmerung*, »leidet an Nichts mehr, als an dem Überfluß anmaasslicher Eckensteher und Bruchstück-Humanitäten; unsre Universitäten sind, wider Willen, die eigentlichen Treibhäuser für diese Art Instinkt-Verkümmerung des Geistes.« (KSA 6: 105)

Gegen diese Verflachung des Geistes, der Moral und den platten Nationalismus gingen die Literaten zwischen 1890 und 1918 vor. Für sie war Nietzsche der militante Kulturkritiker (nach Thomas Mann: »Nietzsche militans«).[19] Sie nahmen seine Aufforderung ernst, durch die Pflege der Instinkte (KSA 6: 100–101) neues Sehen, Denken, Sprechen und Schreiben zu lernen und lehren (KSA 6:

108). Diesbezüglich dachten sie instinktiv an seine Herausforderung in der *Götzen-Dämmerung*, die (falschen) Götzen des Zeitalters zu beseitigen (KSA 6: 57). Nietzsche öffnete Auge und Ohr einer ganzen Generation für das Potential eines vollen Lebens. »Wer mit Nietzsche denkt«, resümiert Christian Morgenstern 1905, »›widerspricht‹ sich auch mit Nietzsche. Wer sich an seinen ›Widersprüchen‹ stößt, hat nie mit ihm gedacht (noch mehr: gefühlt) – ist nie mit ihm geflogen«.[20]

Selbstverständlich wurden Nietzsches Ikonoklasmus und scharfe Zunge nicht nur positiv aufgenommen. Typisch war die frühe Reaktion von Gottfried Keller (1819–1890), der den Egoismus des Philosophen als »Großmannsucht« auslegte. Keller warf ihm vor, im Grunde genommen nichts anderes als ein »Spekulierbursche« und ein »Erz- und Kardinalphilister« zu sein, der einen eigenen Persönlichkeitskult pflege.[21] 1902 bekennt Richard Dehmel (1863–1920), daß er bei abermaliger Lektüre »nur alte Gemeinplätze in neuen Übertreibungen, fast unwert eines so ungemein heftigen Kampfes« gefunden habe.[22] Die *Freie Bühne* [→ 121 f.], die im ersten Jahrgang 1890 eine Reihe von Publikationen über Nietzsche veröffentlichte, brachte auch einen Beitrag von Paul Ernst (1866–1933). Ihm schien Nietzsche »zum Modephilosophen prädestiniert« zu sein, wie sie an allen Straßenecken zu finden seien, denn es sei in seinem Denken keine Spur von einem System, sondern lauter »Eingabe⟨n⟩ aus Bedlam« wie schon bei dem von Nietzsche bewunderten Georg Christoph Lichtenberg (1742–1799).[23] In seinem Essay *Zum Verständnis Nietzsches* aus dem Jahre 1896 verweist Heinrich Mann abwägend darauf, daß Nietzsche »noch zu sehr Modephilosoph ⟨sei⟩, um ganz gerecht beurteilt und ohne Voreingenommenheit verstanden zu werden«.[24] Aber im allgemeinen herrschte das Bild Nietzsches als geistreicher Denker und prophetischer Seher.

Rezipiert wurde er im Zeitraum 1890–1918 außer von den Intellektuellen vor allem auch (wie Ernst im obengenannten Essay vermerkt) vom »Bürgertum der Decadence, das einem strengen, philosophischen Geist wenig geneigt« war (1: 65) sowie von anderen bürgerlichen Schichten, die ihn in die Salonkultur und in das Vereinsleben integrierte. Begrenzter war seine Rezeption unter den Aristokraten und den großbürgerlichen Schichten, die sich ihm gegenüber meist ablehnend verhielten; gelegentlich wurde er von einzelnen Gebildeten aus der deutschen Arbeiterklasse gelesen.[25] In der Hauptsache waren es progressive Dissidenten und Radikale, weit weniger Reaktionäre und Konservative. Erst nach dem Ersten Weltkrieg während der Weimarer Republik beanspruchten konservative Parteien Nietzsche ernsthaft als Advokaten ihrer Angelegenheiten, und dies geschah hauptsächlich durch radikal-revolutionäre Elemente.[26] Auch erst nach 1918 hat man sich detaillierter und »systematischer« mit Nietzsches Philosophie auseinandergesetzt. Daß Nietzsche vielmehr Ideen aufgegriffen habe, die bereits in der Luft lagen, als völlig neue Gedanken geschöpft habe, bestätigt die günstige Nietzsche-Rezeption durch die Naturalisten Heinrich (1855–1906) und Julius Hart (1859–1930), Hermann Conradi (1862–1890), Michael Georg Conrad (1846–1927), Holz und Otto Erich Hartleben (1864–1905).[27] In dieser Zeitphase steht primär Nietzsches Vitalismus, die Aufbruchsstimmung, der Züchtungsgedanke (im Anschluß an Darwins Abstammungs- und Selbsterhaltungslehre) und seine bezaubernde Sprachakribie im Zentrum, es ging also weniger um den Ideeninhalt als um die Aura seiner Gedankenwelt.[28]

Nietzsches Lehre von der Strenge, sein Grundbegriff des Willens zur Macht und seine Auslegung des Lebens als Fiktion paßten nicht zur schwermütigen Sensibilität und sanften Wahrnehmungsgebärde der Neuromantiker. Dennoch schätzte Hugo von Hofmannsthal besonders die Haltung des Schweigens (d. h. der Maske), den Begriff vom schaffenden Künstler und die Auffassung des Lebens als irrational, die aus seinen Entwurfsblättern zu *Der Tod des Tizian* (1891) und seinen Notizen zur *Genealogie der Moral* (1992 ff.), dem *Willen zur Macht* (1893) der *Geburt der Tragödie* und *Zarathustra* (1898) hervorgeht. Zwar hat sich Hofmannsthal nicht direkt zur Irrationalität des Lebens geäußert, doch kannte er das Gesamtwerk Nietzsches, hatte einige Bücher wiederholt gelesen und wollte gar 1891 *Jenseits von Gut und Böse* ins Französische übersetzen. Gerade Hofmannsthal hat sich vor der Jahrhundertwende wohl am kongenialsten und intensivsten mit Nietzsche auseinandergesetzt (vgl. die Gedichte *Lebenslied*, *Leben*).[29]

Ganz anders begegnet Stefan George [→ 231 ff.] dem Philosophen, ein Gestus, der sich spätestens ab dem *Siebenten Ring* (1907) abzuzeichnen beginnt. In diesen Gedichtzyklus nimmt er sein um 1900 entstandenes Gedicht *Nietzsche* auf. Auch die Prophetenrolle adaptiert George und wird zum Mittelpunkt eines ästhetisch-philosophischen Kults. Die George-Jünger begrüßten im Dichter und dessen gesteigerten Leben die ›Einlösung von Nietzsches Visionen‹. So erschien er den Freunden als adäquater Nachfolger des Philosophen, und der Nietzsche-Kult trug zur rapiden Entwicklung des George-Kults sicherlich bei. Doch heute scheint uns der Rückzug auf die Kunst als einseitige Auslegung von Nietzsches programmatischem Aufruf, die schöpferischen Kräfte im Menschen freizusetzen. Nietzsches ›Artisten-Evangelium‹, bereits in der *Geburt der Tragödie* hat wenig mit Georges Kunstauffassung [→ 358 ff.] zu tun. Wo George diktiert, wo er statisch-hieratisch denkt, geht Nietzsche offen und perspektivisch-dynamisch vor. Schon früh erkannte Nietzsche den subjektiven und relativistischen Charakter der Wahrnehmung im Gegensatz zum Positivismus seines Zeitalters, weshalb er das Verhalten zwischen Subjekt und Objekt und damit auch den Wahrnehmungsakt »ästhetisch« nannte.[30]

Die ganze Tragweite von Nietzsches Kunstlehre hat George nicht erkannt (dies taten erst Heinrich und Thomas Mann und Gottfried Benn nach 1918), sondern nur einzelne Aspekte übernommen und vergrößert – wie dies auch der »Vor-Expressionist« Frank Wedekind in seinen Dramen *Frühlingserwachen* (1891), *Erdgeist* (1895) und *Der Marquis von Keith* (1900) tat, allerdings mit mehr »Sinn und Instinkt für Alles«, mit mehr Verständnis für den Satz: »wir selbst sind eine Art Chaos«.[31] Der Schicksalsgedanke, so zentral als Mitbestimmungsfaktor für Nietzsche bei dem, »wie man wird, was man ist«, fehlt im Sinne Nietzsches bei George. Zwischen Werden und Sein hat ja Nietzsche nicht unterschieden.[32] Dies führte bei Nietzsche zur Selbstironisierung der Dichter- und Verkünderrolle, da ihm alles Auslegung, alles Lüge war (vgl. sein Gedicht *Nur Narr! Nur Dichter!* aus den *Dionysos-Dithyramben*).

Klarer kann der Gegensatz zu Georges Selbstverherrlichung im *Stern des Bundes* (1914) nicht sein. Dennoch trug das so wahrgenommene Nietzsche-Bild zum George-Mythos wesentlich bei.

George betont in seiner Nietzsche-Auslegung die Heimatlosigkeit des modernen Menschen, d. h. das Fehlen einer mystischen Einheit. Hier liegt die problematische Seite von Georges Auseinandersetzung mit dem Philosophen. Für Nietzsche bedeutete der Verlust einer überspannenden Einheit in mythenloser Zeit das Zurückgewiesensein des Menschen auf sich selbst, es bedeutete die völlige Verwurzelung im Diesseits. Jede Steigerung des Lebensgefühls mußte weiter in die Breite und Tiefe des Lebens führen, nicht daraus bzw. hinaus (wie im *Teppich des Lebens*, 1900). George sah das Problem nicht erkenntnistheoretisch oder geschichtsphilosophisch wie Nietzsche und meinte, er könne es individualpoetisch lösen.[33] Zarathustras Ruf »werde, wer du bist!« (IV, 1) hat George so aufgefaßt, daß er anderen Menschen die Selbstwerdung verweigerte, um sich selbst zu profilieren Zarathustra (Nietzsche) wollte jedoch keine Jünger.

Die Forschung hat vor allem eine deutliche Parallelität zwischen Nietzsche und George bezüglich der Sprachgestaltung und -erneuerung festgestellt.[34] Aber ansonsten ist Georges Nietzsche-Rezeption reduktionistisch. George faszinierte mehr Nietzsches Persönlichkeit als seine Philosophie, so daß er letztlich wenig Sinn für das Offene bei Nietzsche – auch auf der Sprachebene – zeigt. »Offen heißt«, so konstatiert Hillebrand, »existentiell aufgerissen, sich preisgebend – geschlossen: abgedichtet, sich distanzierend, preziös bis prätentiös« und zitiert Georges *Algabal* (1892) als Beispiel für den Unterschied.[35]

Auch Rilke [→ 363 ff.] hat sich nachweislich mit Nietzsche am Ende des 19. Jahrhunderts beschäftigt, auch wenn dessen Einfluß erst in den *Duineser Elegien* (1923) und in den *Sonetten an Orpheus* (1923) spürbar wird.[36] Die Berührungspunkte sind in erster Linie die Bejahung des Lebens, die Steigerung der Erkenntnismöglichkeiten, das Naturbild und die Umwertung aller Werte unter dem Vorzeichen des Vitalismus. 1900 notiert Rilke nach der Lektüre der Schrift *Die Geburt der Tragödie*: »Das Dionysische Leben ist ein unbegrenztes In-Allem-Leben, zu dem der Alltag sich wie eine lächerliche kleine Verkleidung verhält«.[37] Damit bezieht er sich auf Nietzsches Gedankenwelt. Aber, wie gesagt, die Affinität zu Nietzsches Ideeengebäude wird hauptsächlich nach 1918 deutlich erkennbar, vor allem in den *Aufzeichnungen des Malte Laurids Brigge* (1910).

Verglichen mit der späteren Nietzsche-Rezeption fällt die Einwirkung auf Hofmannsthal [→ 360 ff.], George und Rilke – oder gar auf die Einzelgänger Wedekind vor 1900 und Franz Kafka [→ 478 ff.] nach 1900 – eher bescheiden aus. Die Neuromantiker und Impressionisten (Arthur Schnitzler) fühlen sich vor allem von dem großen Stilisten, Künstler und Artisten Nietzsche angezogen. Heinrich und Thomas Mann, Hermann Hesse, Robert Musil und Gottfried Benn haben sich sowohl in kritisch sichtenden Essays als auch in ihrer literarischen Produktion intensiv mit Nietzsche befaßt. Zu nennen sind auch Alfred Döblin, Stefan Zweig, Rudolf Pannwitz und Carl Sternheim neben einer ganzen Reihe von expressionistischen Dichtern.[38] Mit zunehmender zeitlicher Distanz konnte die ältere Generation auch die nötige innere Distanz gewinnen, um die wahre Tragweite von Nietzsches Lebensphilosophie [→ 163 ff.] gerecht zu beurteilen. In diesem Sinn schrieb Thomas Manns 1909: »Wir um 70 Geborenen stehen Nietzsche zu nahe, wir nehmen zu unmittelbar an seiner Tragödie, seinem persönlichem Schicksal teil«, und er ergänzte, daß die zu diesem Zeitpunkt Zwanzigjährigen es leichter hätten, eine »gereinigte Nachwirkung« zu entwickeln.[39] Daß er selbst zu denjenigen gehören werde, die sich systematischer mit Nietzsche auseinandersetzten, konnte er damals wohl nicht ahnen. In seinen späteren Romanen *Zauberberg* (1924) und *Dr. Faustus* (1947) sowie auch in seinen *Betrachtungen eines Unpolitischen* (1918) und dem Essay *Nietzsches Philosophie im Lichte unserer Erfahrung* (1947) hat er sich mit Nietzsche besonders intensiv, auch kritisch distanziert beschäftigt. Im Roman *Buddenbrooks* (1901), den Novellen *Tonio Kröger* (1903) und *Der Tod in Venedig* (1913) wirkt Nietzsches Einfluß eher unterschwellig. Wie Thomas Mann hat sich auch Gottfried Benn in seiner Dichtung und Essayistik sein Leben lang Nietzsche zugewandt. Da aber seine Auseinandersetzung mit dem Philosophen erst in die Zeit nach 1930 fiel, sei hier nur auf seinen Essay *Nietzsche – nach fünfzig Jahren* (1950) verwiesen, in dem Benn bestätigt, daß Nietzsche das ›Erdbeben‹ der Epoche gewesen sei.[40]

Stellvertretend für die sich scheidenden Wege in der Nietzsche-Rezeption nach 1900 – zum einen in die Bahn der Banalisierung, zum anderen in die Tiefe der komplexen Gedankenwelt – steht Musils Tagebucheintragung aus dem Jahre 1899:

Man nennt ihn unphilosophisch. Seine Werke lesen sich wie geistreiche Spielereien. Mir kommt er vor wie jemand, der hundert neue Möglichkeiten erschlossen hat und keine ausgeführt. Daher lieben ihn die Leute, denen neue Möglichkeiten Bedürfnis sind, und nennen ihn jene unphilosophisch, die das mathematisch berechnete Resultat nicht missen können. 〈...〉 Nietzsche ist wie ein Park, der Benutzung des Publikums übergeben – aber es geht niemand hinein![41]

Nach 1900 geht man nicht mehr mit George in »den totgesagten Park«, sondern bewandert verweilend und schlendernd die Wege und Stege Nietzsches umgewerteter Ideenlandschaften.

Die Jubelschreie der Expressionisten um diese Zeit basieren ganz wesentlich auf Zarathustras Ruf nach einem neuen Menschen (»der Übermensch *sei* der Sinn der Erde!« KSA 4: 14). Stellvertretend vermerkte der neunzehnjährige Georg Heym 1906 in seinem Tagebuch:

Seine Lehre ist groß. Was man dagegen sagen mag, sie gibt unserm Leben einen neuen Sinn, daß wir Pfeile der Sehnsucht seien nach dem Übermenschen, daß wir alles Große und Erhabene in uns nach unsern besten Kräften ausgestalten und so Sprossen werden auf der Leiter zum Übermenschen. 〈...〉 Ferner und ferner sehen lernen, sich wegwenden vom Augenblick und dem Übermenschen zu leben, lehrt uns Zarathustra.[42]

Aber sie berücksichtigten nicht den wichtigen Zusatz vom Menschen als »Übergang« und »Untergang«: »der Mensch ist ein Seil. 〈...〉 Ein gefährliches Hinüber, ein gefährliches Auf-dem-Wege, ein gefährliches Zurückblicken, ein gefährliches Schaudern und Stehenbleiben« (KSA 4: 16–17). Letzteres hat auf Kafka wohl am stärksten eingewirkt, wenn er den Einfluß Nietzsches auch nicht explizit benennt. Dennoch ist er latent in den Erzählungen *Das Urteil* (1913), *Der Landarzt* (1916), *Die Brücke* (1916), *Die Verwandlung* (1919) und *In der Strafkolonie* (1919) spürbar.[43] Wo das offene unsichere Suchen bei Nietzsche steht, legen die Expressionisten den Akzent auf instruktive Abgrenzung und humane Erneuerung, wie einst von Ferdinand Lassalle, Wilhelm Liebknecht und Clara Zetkin in sozialistischen Kreisen gepredigt.[44] Allerdings spielte Richard Wagner dabei die bedeutendere Rolle, da er den schönen und starken Menschen zum Ziel der Geschichte erklärt hatte, der ja nicht mit dem Übermenschen gleichzusetzen ist.[45]

1907 hatte Johannes Schlaf die zwei großen Leitsterne Nietzsches hervorgehoben: denjenigen des »Europäers« und denjenigen des Übermenschen.[46] Erst die Brüder Mann erkennen und betonen, daß Nietzsches Moralkritik (enthalten in den beiden Leitsternen) selbst eine höchste ethische Forderung ist. In seiner Romantrilogie *Die Göttinnen* (1903) verherrlicht Heinrich Mann spontan das Rauschgefühl und die Affinität des Künstlers zum Eros. Während Heinrich Mann sich intuitiv und aufgeschlossen für den ästhetischen Genuß (vgl. *Professor Unrat*, 1905; *Der Untertan*, 1918) zeigt, verhält sich Thomas Mann formaler und nachdenklicher. In den *Betrachtungen eines Unpolitischen* (1918) resümierte Thomas Mann die ersten dreißig Jahre der Nietzsche-Rezeption lapidar:

> ⟨Die Autoren des *Fin-de-siècle*⟩ nahmen Nietzsche beim Wort, nahmen ihn wörtlich. Nicht er war es, was sie geschaut und erlebt hatten, sondern das Wunschbild seiner Selbstverneinung, und mechanisch kultivierten sie dieses. Sie glaubten ihm einfältig den Namen des ›Immoralisten‹, den er sich beilegte; sie sahen nicht, daß dieser Abkömmling protestantischer Geistlicher der reizbarste Moralist, der je lebte, ein Moralbesessener, der Bruder Pascals gewesen war. ⟨...⟩ Und wozu sein Philosophieren sie denn also begeisterte, das waren recht nüchterne Schönheits-Festivitäten, Romane voll aphrodisischer Pennälerphantasie, Kataloge des Lasters, in denen keine Nummer vergessen war.[47]

Die spätere eindimensionelle Ausbeutung von Nietzsches Gedankenwelt durch die Nationalsozialisten[48] ist so krass, daß sich Heinrich Mann 1939 gezwungen fühlt, Nietzsche gegen seine Usurpation durch die Nazis in Schutz zu nehmen. Vor allem aber betonen beide Brüder die Ergründung einer neuen Ethik als den Kern seiner Umwertungsphilosophie.[49] Heinrich und Thomas Mann neigen dazu, das »soziale Moment«, das zur Vervollkommnung der Menschen beiträgt (Heinrich), sowie auch die erzieherische Funktion der Kunst (Thomas) zu rühmen. Damit distanzieren sie sich von dem Ästhetizismus der Neuromantiker, bleiben jedoch in dieser Hinsicht zumindest verwandt mit dem Wirkungsanspruch der Expressionisten.

Am philosophisch präzisesten befaßt sich Alfred Döblin mit Nietzsches neuer Ethik in zwei Aufsätzen *Der Wille zur Macht als*

Erkenntnis bei Friedrich Nietzsche (1902) und *Zu Nietzsches Morallehre* (1903).[50] Es sind erkenntnistheoretische und psychologische Betrachtungen, in denen der junge Döblin Nietzsches geistiger Herkunft in der naturwissenschaftlichen Genealogie seines Zeitalters nachgeht. Er nennt ihn »den Philosophen des Entwicklungsbegriffs«, obwohl Nietzsche den Gedanken nicht mit systematischer Bewußtheit durchführt. Den Kern der berühmten ›Umwertung aller Werte‹ sieht Döblin in der biologischen Basis seiner wissenschaftlichen Morallehre, die er ernster verfolgt als irgendeiner vor ihm. Stärke und Schwäche werden also biologisch verstanden und erweisen sich somit als relative Werte. Stark heißt einem einheitlichen System untergeordnet sein, während schwach dem Mangel an Unterordnung unter den fremdartigen Einzelwillen gleichkomme, das heißt, es führt zum »dekadenten Mischmaschmenschen« Nietzsches (Döblin). Demzufolge verkörpere der Übermensch die biologische Überlegenheit durch erhöhte Lebensintensität oder gesteigerte Differenzierung.

Was aus der vorhergehenden Skizze klar wird, ist, daß Nietzsche »die große Antithese seiner Zeit« war, wie ihn Christian Morgenstern (1871–1914) 1907 apostrophiert, die eine Vielfalt von Reaktionen, positiv wie negativ ausgelöst hat. Diese Auseinandersetzung wurde – abgesehen von der trivialisierenden Popularität Nietzsches *Also sprach Zarathustra* unter den Soldaten an der Front[51] – nach 1918 noch intensiver und mit klarerem Blick für das Eigentlichste seiner Philosophie betrieben. Hier denke man an die Romane *Der Zauberberg* (1924), *Der Steppenwolf* (1927), *Der Mann ohne Eigenschaften* (1930), deren Entstehung z. T. in den hier besprochenen Zeitraum fällt, und in denen Thomas Mann, Hesse und Musil aus dem Erbe Nietzsches schöpfen. Dieser Strang der Nietzsche-Rezeption hielt bis in die zweite Hälfte des 20. Jahrhunderts an.

Was Nietzsche einst von Sokrates behauptete, könnte man auf ihn selbst anwenden: Sokrates habe »eine neue Art Agon« entdeckt, er habe »eine Variante in den Ringkampf zwischen jungen Männern und Jünglingen« gebracht (*Götzen-Dämmerung*, 6: 71). Dasselbe kann man nun von Nietzsche selbst behaupten, dessen Nachwirkung eine geistige Revolution entfachte. Nach der Niederlage des ersten Weltkrieges und inmitten der politisierten Atmosphäre der Weimarer Republik versuchte Hesse diese Revolution mit seiner Stellungnahme *Zarathustras Rückkehr. Ein Wort an die deutsche Jugend* (1919) wieder auszulösen.[52] Dennoch stimmt das Gesamturteil Thomas Manns, der 1918 an Ernst Bertram schrieb: »Hält man den ›Nietzsche‹ mit ⟨Friedrich⟩ Gundolfs ›Goethe‹ zusammen, so kann man nicht umhin zu denken, auf welcher Stufe hoher Kultur, Institution und Geistigkeit unsere Literarhistorie doch angekommen ist.«[53]

Dieter Borchmeyer

Richard Wagner und die Literatur der frühen Moderne

Die Literatur der frühen Moderne wäre ohne die Wirkung Richard Wagners schwerlich das, was sie ist. Sein Werk hat wie das Œuvre keines deutschen Schriftstellers in der europäischen Literatur – vor allem der französischen, gefolgt von der englischen – seine nachhaltigen Spuren hinterlassen – ja: »Wagner has had a greater influence than any other single artist on the culture of our age« (Bryan Magee).[1] Eine Zusammenstellung der Namen von Autoren, deren Werk von Wagner tiefgreifend geprägt ist, ergäbe ein repräsentatives Panorama der europäischen Literatur von 1850 bis 1930. »It was he more than any other artist who was able to fructify and enrich imaginative writing: it may safely be claimed that without Wagner the literature of at least a century would be immeasurably impoverished, as regards topics as well as structures« (Raymond Furness).[2] In der Kulturgeschichte gibt es jedenfalls keinen Komponisten mit vergleichbarer außermusikalischer, insbesondere literarischer Wirkung.

Die Metropole dieser Wirkung ist Paris, die »Hauptstadt des 19. Jahrhunderts« (Walter Benjamin)[3] gewesen. Die Bewegung des literarischen ›Wagnérisme‹, die sich in der 1884 von Edouard Dujardin gegründeten *Revue Wagnérienne* ihr Organ schaffen wird, beginnt mit Charles Baudelaire und setzt sich über Stéphane Mallarmé und Paul Verlaine, Philippe Auguste Villiers de l'Isle-Adam und Émile Zola zu Maurice Barrès, Romain Rolland, Paul Claudel, Marcel Proust und schließlich Georges Duhamel fort. Die meisten bedeutenden französischen Schriftsteller der frühen Moderne – das hat zumal die monumentale Monographie von Kurt Jäckel (1931/32) demonstriert – sind von Wagner nachhaltig inspiriert worden. In der englischen (zumal der irischen) Literatur erstreckt sich der Wagner-Einfluß von William Morris und Algernon Charles Swinburne über George Moore, Oscar Wilde, George Bernard Shaw, William Butler Yeats und Aubrey Beardsley bis zu James Joyce, Virginia Woolf und David Herbert Lawrence. In der italienischen Literatur reichen die Wirkungen Wagners von Arrigo Boito bis Gabriele d'Annunzio, jener mit Wagner als Übersetzer und Propagator seiner Werke noch persönlich verbunden, dieser als sein Prophet in der nächsten Dichtergeneration. Vor allem die poetischen Richtungen des Symbolismus, dessen Poetik einer Musikalisierung und Entgegenständlichung der Dichtung auf das Musikdrama rekurrierte, und der Décadence [→ 219 ff.], die zumal durch seinen Erotizismus und Sensibilismus stimuliert wurde – Erwin Koppen hat seiner Sichtung der europäischen Literatur des Fin de siècle bezeichnenderweise den Titel *Dekadenter Wagnerismus* (1973) gegeben –, doch auch die Repräsentanten der naturalistischen Bewegung (von Zola bis Gerhart Hauptmann) sind es, die sich auf Wagner berufen.

Was Wagner der Moderne vermittelt hat, ist eine neue Erfahrung des Mythos – nicht mehr als ›Mythologie‹ mit den antiquarisch-didaktischen Implikationen dieses Begriffs, sondern als Erklärungsmodell der Wirklichkeit, als »das verdichtete Bild der Erscheinungen« (*Oper und Drama*, 1850/51). Wagners Wiederentdeckung, Neubestimmung und poetisch-musikalische Vergegenwärtigung des Mythos wirkt, vor allem vermittelt durch Friedrich Nietzsches [→ 192 ff.] Erstlingsschrift *Die Geburt der Tragödie aus dem Geiste der Musik*, (1871) in das Zentralnervensystem der Moderne, wie in der deutschen Literatur der Jahrhundertwende und über sie hinaus vor allem das mythosbestimmte Romanwerk von Thomas Mann und die dramatische Dichtung von Hugo von Hofmannsthal dokumentieren, der als Librettist, mit der Ästhetik der ›mythologischen Oper‹ in seinem Dialogessay über *Die ägyptische Helena* (1928) und in seiner Allianz mit Richard Strauss, dem bedeutendsten musikalischen Wagner-Nachfahren, am unmittelbarsten an das mythische Musikdrama Wagners – trotz mancher Kritik – formal und thematisch anknüpft.[4]

Der Wagnerismus ist in erster Linie ein Phänomen der englischen und romanischen Literatur um die Jahrhundertwende. Zwar gehen auch in der deutschen Literatur Werke mit Wagner-Themen in die Hunderte, doch spielt sich »diese Wagner-Rezeption zu einem großen Teil auf den untersten Rängen der Literatur ab«.[5] Die wenigen Beispiele eines literarischen Wagnerismus auf höchstem Niveau finden sich im deutschen Sprachraum vor allem bei denjenigen Autoren, die sich an der französischen und überhaupt an der Literatur der Romania orientieren – wie Nietzsche, Thomas Mann oder Hofmannsthal [→ 360 ff.].

Wirkte Wagner in der deutschen Literatur also mehr in die Breite, so in Frankreich und England durchaus in die Höhe. Seine einzigartige literarische Resonanz hat folgende Ursachen: er war in Personalunion Komponist und Textdichter, der das Libretto, der Ursprungsidee der Oper in der Florentiner Camerata gemäß, wieder über seine rein funktionale Rolle erhob, ohne ihm freilich, wie er wiederholt betont hat, eine von der Musik ablösbare, absolute poetische Bedeutung verleihen zu wollen.[6] Gleichwohl wurden seine Musikdramen wie seinerzeit die Libretti von Philippe Quinault (1635–1688) oder Pietro Metastasio (1698–1782) vor allem außerhalb Deutschlands als ›Literatur‹ rezipiert. André Gide behauptet gar, daß Stéphane Mallarmé und der Symbolistenkreis, deren »Gott« Wagner gewesen sei, »sogar noch in der Musik die Literatur suchten«.[7]

Durch ihre Stoffe und die Art ihrer Bearbeitung – zumal durch die Verbindung von Mythos und Legende mit einer hochmodernen *Nervenkunst* und Psychologie sowie die Leitmotivstruktur – trafen Wagners Musikdramen den ästhetischen Nerv der Jahrhundertwende. Die Polarität und Spiegelbildlichkeit von Erotik und Religiosität (*Tannhäuser* und *Parsifal*), die Nobilitierung des Inzests (*Die Walküre*) und die Apotheose der freien Liebe, welche die Tafeln der Konvention zerbricht, die Identität von Eros und Thanatos (*Tristan und Isolde*), der Fluch des Goldes, das Bild einer vom Fetisch des abstrakten Besitzes besessenen Gesellschaft (*Der Ring des Nibelungen*), Sippendämmerung und Verfall einer Welt (*Götterdämmerung*) – das sind die Themen, welche die Autoren der frühen Moderne, ob in Frankreich, England, Italien, Spanien oder Deutschland fasziniert haben. *Tannhäuser*, *Tristan* und *Ring*-Tetralogie stehen dabei im Vordergrund der Rezeption.

Es sind die nervöse, von den Wagner-Gegnern als Verfall und »Entartung« (Max Nordau)[8] qualifizierte ›Orchestrierung‹ jener

Themen, die Übersensibilität der neuen poetisch-musikalischen Sprache Wagners und seines nach einem Wort von Alfred Einstein in hundert Zungen redenden symphonischen Orchesters[9] – die zum stofflichen Germanismus, zur heroischen Fassade und vielfach (auch musikalisch) monumentalen Attitüde seiner Dramen in antagonistischer Spannung stehen –, welche der Stimmung der Jahrhundertwende entsprechen.

Paradigmatisch steht für diese Epochenstimmung – über die Zeit des Fin de siècle hinaus – das Werk Thomas Manns, das sich von Anfang bis Ende in den Spuren Wagners bewegt, auch wenn die direkten Bezüge auf seine Musikdramen, die das Frühwerk so stark prägen, in den Romanen und Erzählungen der zweiten Lebenshälfte durch ein (um so dichteres) Netz mittelbarer Allusionen ersetzt werden, gipfelnd im Hauptwerk der Josephsromane (*Joseph und seine Brüder*, 1933–43), die in genauer Analogie zum *Ring des Nibelungen* als Tetralogie konzipiert sind. Die auffallendsten Bezüge seien in der Reihenfolge der oben angeführten Wagner-Themen, unbekümmert um die Chronologie der Werke Thomas Manns, die von der Konstanz der Wagnermotivik überlagert wird, stichwortartig angedeutet. Polarität von Erotik und Religiosität: *Der Erwählte* (1951) – Inzest: *Wälsungenblut* (1905), *Joseph in Ägypten* (1936) und *Der Erwählte* – Anarchische Wirkung des Eros: *Der kleine Herr Friedemann* (1897), *Der Tod in Venedig* (1912) und *Joseph in Ägypten* – Todeserotik: *Buddenbrooks* (1901), *Tristan* (1903) und *Der Tod in Venedig* – Sippenverfall: *Buddenbrooks*.

Thomas Manns Wagner-Rezeption ist unablösbar von Nietzsches Wagner-Kritik. Zu deren Grundthesen gehört die Zugehörigkeit Wagners zu den ›französischen Spätromantikern‹ mit ihrer Vorliebe für erotische Sensationen und psychische Grenzsituationen sowie die Ästhetik des Erhabenen – einschließlich ihrer ›Konversion‹: in der Jugend Empörer, im Alter vor dem Kreuz in die Kniee sinkend. Nietzsche hat überdies bereits, noch bevor er erfuhr, daß Wagner und Baudelaire in Verbindung gestanden haben, den letzteren »eine Art Richard Wagner ohne Musik« genannt (so in einer Notiz von April–Juni 1885).[10] Nietzsche ist der erste gewesen, der Wagner der *Décadence* [→ 220 f.] zugerechnet hat, welches pejorative Etikett von Baudelaire und Théophile Gautier zur Ehrenbezeichnng einer sensibilistischen Kunst umgewertet worden ist. Die Literatur der Décadence hat die Faszination des sinkenden Lebens entdeckt: die Zauber der Welt im Licht des ›soleil agonisant‹, der sterbenden Sonne (Baudelaire), Krankheit und Tod, biologischen Niedergang bei gegenläufiger Spiritualisierung, die Welt des Artifiziellen, die mondänen Reize der Großstadt und einer gegenbürgerlichen Erotik, welche deren biologische Funktion negiert.[11]

All das verbindet Nietzsche zufolge Wagner mit der Pariser Kunstszene. »Als *Artist* hat man keine Heimat in Europa außer in Paris«, schreibt er noch 1888 in *Ecce homo* (»Warum ich so klug bin«, Abschnitt 5); »die délicatesse in allen fünf Kunstsinnen, die Wagners Kunst voraussetzt, die Finger für nuances, die psychologische Morbidität findet sich nur in Paris.«[12] Im Aphorismus 256 aus *Jenseits von Gut und Böse* (1886) hat Nietzsche die Verwandtschaft Wagners mit der ›französischen Spätromantik‹ umfassend zu würdigen versucht. Dort heißt es:

Mögen die deutschen Freunde Richard Wagners darüber mit sich zu Rate gehn, ob es in der Wagnerischen Kunst etwas schlechthin Deutsches gibt, oder ob es nicht gerade deren Auszeichnung ist, aus *überdeutschen* Quellen und Antrieben zu kommen: wobei nicht unterschätzt werden mag, wie zur Ausbildung seines Typus gerade Paris unentbehrlich war, nach dem ihn 〈...〉 die Tiefe seiner Instinkte verlangen hieß, und wie die ganze Art seines Auftretens, seines Selbst-Apostolats erst angesichts des französischen Sozialisten-Vorbilds sich vollenden konnte.

Bei aller kritischen Bewertung dieser Verwandtschaft ist sie doch für Nietzsche ein großes Hoffnungszeichen – für die Überwindung der Krankheit des 19. Jahrhunderts: des »Nationalitäts-Wahnsinns«.[13] Diese Perspektive, welche die Kunst Wagners über alle nationalistische (Selbst-)Vereinnahmung und jeglichen Provinzialismus (Bayreuther Kreis) vor den umfassenden Horizont einer metanationalen Kultur stellt, ist die zukunftsträchtigste Idee Nietzsches im Rahmen seiner kritischen Auseinandersetzung mit Wagner in den Jahren nach 1883.

Nicht nur die thematische Seite des Wagnerschen Musikdramas übte eminente Wirkung auf die Literatur der frühen Moderne aus, sondern auch seine formale Struktur, die Musikalisierung der Poesie und Poetisierung der Musik. Als sein eigener Textdichter verlieh Wagner auch seiner Musik eine Semantik, welche sie als Poesie lesbar machte: vor allem durch das in seiner *Ring*-Tetralogie entwickelte mnemonische System der seit Hans von Wolzogen so genannten Leitmotive, welche das dramatische Geschehen und seine Personen zu einem vieldeutigen ideell-symbolischen Beziehungskomplex vernetzt. Wagner habe dergestalt »das Sprachvermögen der Musik ins Unermeßliche vermehrt«, schreibt Nietzsche in *Der Fall Wagner* (1888).[14] Die motivische Vernetzung der Personen und Handlungen sei, so hat Thomas Mann in seinen Wagner-Essays behauptet, »im Innersten episch«: das Leitmotiv »ist homerischen Ursprungs« (*Versuch über das Theater*, 1908);[15] und er demonstriert, wie sehr das Motivsystem Wagners Kunst mit dem Roman des 19. Jahrhunderts, mit Zola und Leo Tolstoi, verbindet. Auch Theodor Fontane, in dessen Werk sich trotz seiner Fremdheit dem (widerwillig bewunderten) Phänomen Wagner gegenüber bedeutende Spuren seines dramatischen Kosmos finden,[16] hätte Thomas Mann erwähnen können, bezieht jener doch das Leitmotiv – »le grand mot du grand Richard«, wie es in einem Gespräch seines Romans *Quitt* heißt[17] – wiederholt auf seine eigenen Romane und bildet es seit *L'Adultera* (1880) als erzählerisches Strukturelement aus. Es ist kein Zufall, daß einige der epochemachenden Romanciers des 20. Jahrhunderts – Thomas Mann, Proust, Joyce oder Woolf (die sich wie Thomas Mann auch essayistisch mit Wagner auseinandergesetzt hat) – die Leitmotivik dezidiert zum Bestandteil ihrer Erzähltechnik gemacht haben. Am entschiedensten hat Thomas Mann sie in seiner Erzählprosa adaptiert. Hatte er in *Buddenbrooks* das Leitmotiv, seiner *Einführung in den Zauberberg* (1939) zufolge, noch in einem »bloß naturalistisch-charakterisierenden« und »sozusagen mechanischen« Sinne verwendet, d. h. als (nicht selten komisches) Etikett von Personen und Situationen, so wird es seit dem *Tod in Venedig* wirklich zum »symbolisch-anspielenden Formelwort«, das im Wagnerschen Sinne die individuell begrenzten Situationen und Erscheinungen in ein hochartifizielles Assoziationsgewebe: einen »musikalisch-ideellen Beziehungskomplex«[18] einbettet.

Das Leitmotiv wird für Thomas Mann zugleich zum wichtigsten Instrument der mythischen Grundierung des Erzählens seit dem *Tod in Venedig* und dem *Zauberberg* (1924) – gipfelnd in den Josephsromanen. Wagner hat in Theorie und Praxis seines Musikdramas den Mythos als dessen genuinen Stoff qualifiziert. Thomas Mann leugnet diese Affinität des Mythos zur dramatischen Form, betont im Gegenteil dessen narratives Gepräge. Auch die Struktur der Wagnerschen *Ring*-Tetralogie – deren große Erzählungen und die Rolle des ›allwissenden‹ Orchesters beweisen es Thomas Mann – sei eigentlich narrativ, nicht zuletzt aufgrund des ›im Innersten epischen‹ Leitmotivs. Durch seine variierte Wiederholung werden alle Situationen auf archetypische Ereignismuster zurückgeführt und so in einen zyklischen Zusammenhang: aus der geschichtlich-linearen in die Zeitform des Mythos übersetzt.[19] Das aber ist die Grundtendenz auch des Mannschen Erzählens spätestens seit den Josephsromanen. Hier vollzieht er nach seinen eigenen Worten den Schritt vom »Bürgerlich-Individuellen zum Mythisch-Typischen«, um jene »Brunnentiefe der Zeiten« auszuloten, »wo der Mythus zu Hause ist und die Urnormen, Urformen des Lebens gründet« (*Freud und die Zukunft*, 1936).[20] Der Abstieg in die Brunnentiefe der Zeiten bedeutet aber, daß die Zeit als Sukzession in der Simultaneität archetypisierter Situationen aufgehoben wird. Die lineare Ereigniszeit traditionellen Erzählens wird durchbrochen von einem für die Moderne typischen Simultanismus. Für ihn steht die Leitmotivtechnik des mythischen Musikdramas Pate.

Über die Integration von Dichtung und Musik hinaus gilt Wagner den Repräsentanten der frühen Moderne durch seine theoretischen Schriften (*Die Kunst und die Revolution*, 1849; *Das Kunstwerk der Zukunft*, 1849; *Oper und Drama*, 1850/51), in denen er eine Wiederherstellung des »ursprünglichen Vereins« der »drei reinmenschlichen Kunstarten«: der in der antiken ›musiké‹ integrierten »Tanzkunst, Tonkunst und Dichtkunst« forderte (*Das Kunstwerk der Zukunft*), als Repräsentant einer synästhetischen Kunst, in der »les parfums, les couleurs et les sons se répondent« (Baudelaire, *Correspondances*, in: *Les fleurs du mal*) und jenes »Hangs zum Gesamtkunstwerk« (Harald Szeemann),[21] das eine der Signaturen der modernen Kunst bildet. Wagners Opposition gegen das ›Literaturdrama‹ als defiziente, auf Schriftlichkeit reduzierte, von seiner sinnlichen Präsentation ablösbare Form und die Erhebung des Theaters zur Universalkunst, welche sich durch die Integration akustischer und optischer Elemente an den ›sinnlichen Organismus‹ des Menschen richtet (*Oper und Drama*) und so Schriftlichkeit in Leibhaftigkeit zurückverwandelt, machte Wagner – Thomas Mann hat das in seinem *Versuch über das Theater* (1908) begründet – zu einem Wegbereiter der Theaterreformbewegung der Jahrhundertwende von Mallarmé (*Richard Wagner: Rêverie d'un poète français*, 1885) über Adolphe Appia (*Die Musik und die Inszenierung*, 1889) bis zu Wsewolod E. Meyerhold (*Zur Inszenierung von Tristan und Isolde am Majinsker Theater*, 30. Oktober 1909).

Aufgrund des eminenten Anteils der Theorie an seinem Werk wurde Wagner für die französischen Autoren nach der Mitte des neunzehnten Jahrhunderts – dezidiert ist das schon in Baudelaires Essay *Richard Wagner et Tannhäuser à Paris* (1861) ausgesprochen – zum Inbegriff der für die Moderne paradigmatischen Einheit von Kunst und Kritik, die sich in seiner, wenn auch bald zerbrochenen, Allianz mit Nietzsche (in den Jahren 1869–1876) manifestierte. Daß Wagner 1849 politisch aktiv war und die Revolution in seinen Reformschriften während des Züricher Exils (1849–58) auch zum ästhetischen Modell erhebt, wird als charakteristisch für seine antitraditionalistische Kunsthaltung angesehen.

Wagner ist mit positiver wie negativer Wertung für die Zeitgenossen und für eine Generation der Nachgeborenen der Revolutionär, der die verbürgten Gesetze der Musik und der Oper, in der synthetischen sprachlichen Archaik seiner dramatischen Dichtungen aber auch die Gesetze der Dichtkunst außer Kraft setzt, die Schranken ›zünftig‹-handwerklicher Beschränkung auf ein bestimmtes künstlerisches Metier einreißt und nicht nur die Grenzen der – für das dezentralisierte deutsche Kulturleben spezifischen – regionalen Wirksamkeit überschreitet, sondern durch seine europäische Ausstrahlung in entscheidenden Schaffensphasen den nationalen Künstlertypus überhaupt transzendiert. Überdies durchbricht sein skandalumwittertes Leben, das ihn quer durch Deutschland und Europa führt, seine Affäre und Ehe mit Cosima von Bülow, der Tochter Franz Liszts und der Gräfin d'Agoult, die ihn zum Mitglied einer europäischen Künstlerfamilie aristokratisch-bohemienhafter Prägung macht, sowie seine Freundschaft mit dem von der Aura des Wahnsinns umgebenen bayerischen König Ludwig II. – dem von den Ästheten Europas als »le seul Roi de ce siècle« (Verlaine, *À Louis II de Bavière*, 1886) verklärten Phantasten auf dem Herrscherthron – den Erwartungshorizont deutschen Künstlertums. Wagners Tod in Venedig schließlich – von d'Annunzio in seinem Roman *Il fuoco* (1900) morbid-prunkvoll nachinszeniert, in Maurice Barrès' *La Mort de Venise* (1902) beziehungsreich reflektiert, von Thomas Mann zehn Jahre später in *Der Tod in Venedig* mit einer Fülle von Allusionen auf Kunst und Leben Wagners in eine fingierte Schriftstellervita hinübergespiegelt[22] und in Franz Werfels *Verdi. Roman der Oper* (1924), der auch ein Roman über Wagner ist, zum Durchbruchserlebnis seines großen italienischen Antipoden stilisiert[23] – bildet einen der Mythen des Fin de siècle, in dem Wagner zur europäischen Symbolfigur der Décadence, ihrer Todeserotik – in Venedig hatte er 1858 den zweiten Akt des nacht- und todessüchtigen *Tristan* vollendet – und des ästhetizistischen Zaubers des Verfalls wird.

Daß Wagner selber die Provinz – Bayreuth – zur Kultstätte seines ›Kunstwerks der Zukunft‹ gemacht und sich eine deutsche Ideologie mit chauvinistischen und antisemitischen Zügen zurechtgelegt hat, ja schon in seinem äußeren Erscheinungsbild (mit dem Samtbarett als ›Statussymbol‹) in die Rolle des deutschen ›Meisters‹ geschlüpft ist, wurde ebenso wie seine Alterschristlichkeit im *Parsifal* (1882) von Nietzsche im Hinblick auf seine urbanistisch-europäische Wirkung als histrionische Larve, als Ritual einer Selbstverleugnung kosmopolitischer, den ›Umsturz der Werte‹ vorbereitender Modernität dekuvriert. In der deutsch-nationalen Maske suchte Wagner die bedrohlichen Elemente der – seiner eigenen – Modernität auf das Judentum abzuwälzen, in der Rolle des Bannerträgers eines utopischen Christentums den letzten Wert-Halt inmitten einer auf den Nihilismus zusteuernden Moderne zu finden. Doch in genauer Witterung des histrionischen Charakters dieser Haltungen rechneten ihn weder die Repräsentanten des nationalistischen Deutschtums noch des Christentums noch selbst des Antisemitismus seiner Zeit zu einem der ihren. Erst ein halbes Jahrhundert später konnte der inzwischen reaktionär vereinnahmte Wagner zur Kultfigur nationalsozialistischer Ideologie werden. Die Kluft zwischen dem ›Wagnerianismus‹ eines Thomas Mann und eines Adolf Hitler demonstriert paradigmatisch die radikal auseinanderstrebenden Tendenzen der Wagner-Rezeption zwischen Moderne und Reaktion.

In der Kulturszene nach der Mitte des 19. Jahrhunderts war Wagner aufgrund seiner Verletzung der ästhetischen Rollenerwartungen ein permanentes Skandalon, das zur Aggression provozierte, wie sie sich in einer beispiellosen, in diesem Ausmaß einem Künstler noch nie zuteil gewordenen Flut von Karikaturen,[24] Polemiken, Satiren und Parodien ausdrückte. Die spezifische Anfälligkeit des Wagnerschen Musikdramas für die Parodie – sie ist der komische Schatten, der den literarischen Wagnerismus von seinen Anfängen an begleitet und ihn nie verläßt – hängt mit der latenten Komik zusammen, die in dem Widerspruch zwischen der Naivität des mythischen Stoffs und seiner modern-sentimentalischen Aufbereitung liegt. Das Nebeneinander von naiver Drastik und Sensibilität, roher Physis und zarter Psyche in Wagners Musikdramen hat von Johann Nestroys *Tannhäuser*- und *Lohengrin*-Parodien (1857/59) über Paul Pniowers *Der Ring der nie gelungen* (1876) und Fritz Mauthners »Bühnen-Weh-Festspiel« *Der unbewußte Ahasverus oder Das Ding an sich als Wille und Vorstellung* (1878) bis zu Friedrich Huchs »grotesken Komödien« *Tristan und Isolde – Lohengrin – Der fliegende Holländer* (1911)[25] immer wieder zu satirischer ›Übersetzung‹ des heroischen Sagenstoffs ins Zeitgenössisch-Bürgerliche gereizt, teils in polemisch-kritischer, teils (wie in Wagners eigenem selbstparodistischem Umgang mit seinen Werken in Gesprächen umd Briefen) in affirmativ-spielerischer Absicht. ›Wagnern ins Reale, ins Moderne – seien wir noch grausamer! ins Bürgerliche‹ zu übersetzen, wie es Nietzsche im *Fall Wagner* mit polemischer Tendenz unternimmt, reizt deshalb, weil dieses ›Moderne‹ der wahre Gehalt des musikdramatisch präsentierten Mythos ist: »Würden Sie es glauben, daß die Wagnerschen Heroinen samt und sonders, sobald man nur den heroischen Balg abgestreift hat, zum Verwechseln Madame Bovary ähnlich sehn!«[26] Selbst Shaws Faszination durch den *Ring* verkleidet sich in seinem Essay *The perfect Wagne-*

rite (1898), der Wagners Tetralogie als Bild der kapitalistischen Gesellschaft dechiffriert, ins Gewand der Parodie – deren Züge auch Thomas Manns Wagner-Novellen *Tristan* und *Wälsungenblut* tragen, indem sie die Konstellationen des jeweiligen Musikdramas in ein modernes Milieu projizieren. Hier dient die Parodie mehr der ironischen Darstellung einer Gesellschaftsschicht, die sich in Wagners mythisch-musikalischem Kosmos spiegelt, als der Kritik dieses Kosmos, obwohl die ironische Brechung in dessen erzählerischer Widerspiegelung auch auf ihn selber zurückwirkt.

Obwohl die Auseinandersetzung mit Wagner auch außerhalb Deutschlands von heftigem Pro und Contra geprägt war, hatte sie doch aufgrund der größeren Distanz zum ›Menschlich-Allzumenschlichen‹ seiner Persönlichkeit weniger aggressive Züge – und deshalb vor allem in der französischen und englischen Literatur bedeutendere literarische Folgen als in Deutschland. Die in der Anti-Wagner-Polemik innerhalb und außerhalb Deutschlands am meisten auftauchende Formel für Wagners grenzüberschreitendes und vermeintlich deprofessionalisiertes Künstlertum ist diejenige des ›Dilettantismus‹. In dem 1876 erschienenen *Wörterbuch der Unhöflichkeit* von Wilhelm Tappert, in dem das Spottvokabular der Wagner-Gegner lexikalisch aufgelistet wird, ist das Stichwort *Dilettant* das längste nach *Zukunftsmusik*. Bereits Nietzsche hat dem Begriff des Dilettantismus jedoch eine ambivalente Wertung zuteil werden lassen. In seiner ersten Würdigung Wagners (noch vor der persönlichen Bekanntschaft mit ihm): in seinem Brief an Erwin Rohde vom 8. Oktober 1868 beruft er sich auf den Philologen und Mozart-Forscher Otto Jahn, der »Wagner für den Repräsentanten eines modernen, alle Kunstinteressen in sich aufsaugenden und verdauenden Dilettantismus hält«. Nietzsche wertet diese pejorative Formel jedoch sofort um, indem er hinzufügt,

> wie bedeutend jede einzelne Kunstanlage in diesem Menschen ⟨Wagner⟩ ist, welche unverwüstliche Energie hier mit vielseitigen künstlerischen Talenten gepaart ist: während die ›Bildung‹, je bunter und umfassender sie zu sein pflegt, gewöhnlich mit mattem Blicke, schwachen Beinen und entnervten Lenden auftritt.[27]

Es ist also ein Dilettantismus der höchsten Potenz gegenüber einem ›lendenlahmen‹ Bildungsphilistertum. »Ihn schränkte keine erb- und familienhafte Kunstübung ein«, schreibt Nietzsche noch in Übereinstimmung mit Wagner in den *Unzeitgemäßen Betrachtungen* (*Richard Wagner in Bayreuth*, 1876); »die Malerei, die Dichtkunst, die Schauspielerei, die Musik kamen ihm so nahe als die gelehrtenhafte Erziehung und Zukunft; wer oberflächlich hinblickte, mochte meinen, er sei zum Dilettantisieren geboren.« Und dann folgt die Formel von der »gefährlichen Lust an geistigem Anschmecken«,[28] die einen Grundgedanken der für Nietzsches Spätwerk so wichtigen *Essais de psychologie contemporaine* des französischen Décadence-Diagnostikers Paul Bourget aus den Jahren 1883–85 antizipiert. Bourget wird dieses ›anschmeckende‹, anempfindende Fluktuieren zwischen heterogenen Existenz- und Geistesformen zum Angelpunkt eines neuen Begriffs von ›dilettantisme‹ machen. In seiner Rede *Leiden und Größe Richard Wagners* (1933) hat Thomas Mann die zitierte Passage aus Nietzsches vierter *Unzeitgemäßer Betrachtung* kommentiert:

> Tatsächlich und nicht nur oberflächlich, sondern mit Leidenschaft und Bewunderung hingeblickt, kann man sagen, auf die Gefahr hin, mißverstanden zu werden, daß Wagners Kunst ein mit höchster Willenskraft und Intelligenz monumentalisierter und ins Geniehafte getriebener Dilettantismus ist. Die Vereinigungsidee der Künste selbst hat etwas Dilettantisches und wäre ohne die mit höchster Kraft vollzogene Unterwerfung ihrer aller unter sein ungeheures Ausdrucksgenie im Dilettantischen steckengeblieben.[29]

Dieser Dilettantismus – der sich allein durch Genialität aufhebt – ist der Preis eines modernen Künstlertums, das inmitten der in ausdifferenzierte Sonderbereiche zerfallenen Kultur noch deren Ganzheit sucht. Das Ideal dieser Ganzheit mit beispielloser Energie verfolgt zu haben, ist das Faszinosum des ›Falles Wagner‹ in der frühen Moderne gewesen.

Monika Fick

Literatur der Dekadenz in Deutschland

»Dekadenz« bezeichnet eine in ganz Europa verbreitete literarische Strömung im Ausgang des 19. Jahrhunderts, in der menschliches Leben vornehmlich unter dem Aspekt des Verfalls und Niedergangs betrachtet wird. Ursprünglich bezog sich der Begriff auf den Untergang des römischen Reiches. In Frankreich wurde er ab der Mitte des 19. Jahrhunderts zunehmend auf die Gegenwart übertragen, wo vor allem die Gegner des bonapartistischen Regimes vergleichbare Tendenzen der Auflösung, des raffinierten Luxus und der sittlichen Verderbnis feststellen zu müssen glaubten. Das entscheidende Gepräge erhält der Terminus durch die Umwertung Charles Baudelaires: »décadence« und ihre Erscheinungsformen werden von ihm mit positiven Vorzeichen versehen – Verfall tritt vor Augen als das Substrat der geschichtlichen Entwicklung, über das hinaus es nichts mehr gibt. Damit ist zugleich die Verlagerung der Thematik von der geschichtsphilosophischen Analyse zur Deutung der conditio humana in einer entgötterten Welt impliziert. Von Baudelaire ausgehend, wird der Begriff mehr und mehr mit der zeitgenössischen Literatur in Verbindung gebracht.[1]

Es gehört zur communis opinio der Forschung, daß »Dekadenz« nur als ein Geflecht ineinandergreifender Motive beschrieben werden kann. Welche Autoren dabei als Vertreter der Dekadenz gelten, hängt davon ab, wie die Interpreten die Prioritäten innerhalb des Motivgeflechts setzen – und umgekehrt. Für den deutschen Sprachraum gilt, daß die Rezeption der (vor allem französischen) Dekadenzliteratur durch Friedrich Nietzsches [→ 192 ff.] ambivalente Haltung geprägt wurde. Literarische Dekadenz in Deutschland ist auch Auseinandersetzung mit der Dekadenz. Es gibt keinen Gruppenzusammenhang, kein Programm. Häufig geht es um die Integration dekadenter Motive in einen Gesamtentwurf, der über sie hinausweist.

Drei Möglichkeiten wurden von der Forschung herausgearbeitet, die dekadenten Motive um einen Leitgedanken zu organisieren. Für

Erwin Koppen[2] bildet die Matrix der Ableitungen die Frontstellung gegen die bürgerliche Gesellschaft und ihre Werte. Ein durch die Evolutionstheorie weltanschaulich gestützter Fortschrittsoptimismus, Nützlichkeitsdenken, Erfolgsstreben und Absicherung im Wohlstand, praktischer Materialismus bei gleichzeitiger Konventionalität sittlicher Normen: dies sind die Züge des mit der Industrialisierung erstarkenden Bürgertums, zu dem nach Koppen die Dekadenzliteratur die Kehrseite bildet. So entsteht das Bild der kompletten Kontrafaktur. Als wichtigste Elemente beschreibt Koppen die Darstellung von Untergang und Verfall; die Umkehrung der Wertschätzung von ›gesund‹ und ›krank‹; ein Schwelgen im Abnormalen und Kranken, wozu auch die übersteigerte Reizempfänglichkeit und Verfeinerung der Empfindung gehören; Naturfeindlichkeit, die im Preis sexueller Perversionen gipfelt; die Schöpfung ›künstlicher Paradiese‹ als Flucht vor der Lebenswirklichkeit.

Koppens Befund wird durch das Selbstverständnis der Autoren zunächst bestätigt. Als Modellbeispiel dient ihm Joris Karl Huysmans (1848–1907) Roman *A Rebours* (1884), der auch im deutschen Sprachraum als »Bibel der Dekadenz« rezipiert wurde.[3] Programmatischen Charakter trägt bereits der Titel: *Gegen den Strich* – gezeigt wird die vollständige Negation bürgerlichen Normalverhaltens. Haß auf das Alltägliche ist für Hermann Bahr ein wesentliches Kriterium der Dekadenz.[4] Edmund Veraine, die Hauptfigur in Gerhard Ouckama Knoops (1861–1913) Roman *Die Dekadenten* (1898), ist außerstande, sich der bürgerlichen Gesellschaft mit ihren Regulatoren: Geld und Ehre anzupassen. In Kurt Martens (1870–1945) *Roman aus der Décadence* (1898) wird die Leere des gesellschaftlichen Lebens für den Protagonisten zum Anstoß der Sinnsuche. Für den frühen Thomas Mann (1875–1955) ist der Kunst der Unbürgerliche schlechthin.[5] Und auch in der Novelle *Haltlos* (verfaßt 1889), in der Heinrich Mann (1871–1950) sich am schärfsten mit der psychischen Verfaßtheit eines ›Dekadenten‹ auseinandersetzt, ist es das Ungenügen an den Alltagsverhältnissen und Berufsaussichten, das den Helden dem Pessimismus und der Weltverachtung zutreibt.

Während Koppen das »dekadente Syndrom« als spiegelverkehrtes Gegenbild zur bürgerlichen Welt begreift, sieht Wolfdietrich Rasch[6] in der Darstellung des Verfalls den orientierenden Bezugspunkt dekadenter Motive. ›Verfall‹ wird im Kontext der zeitgenössischen, von Arthur Schopenhauer und Friedrich Nietzsche inspirierten lebensphilosophischen Strömungen als Verlust an Vitalität gedeutet. Die genannten Motive erscheinen nun als Symptome einer Schwächung der Lebenskraft. Im Hang zur Gewalt und Grausamkeit, zur sexuellen Perversion, in der Lust am Grauen, etwa in Alfred Kubins (1877–1959) Roman *Die andere Seite* (1909), erkennt er Kompensationsformen, die den Mangel an Leben ersetzen sollen; literarische Gestaltung der Dekadenz zeigt sich somit als kritische Diagnose, als psychologische Analyse – vor allem in den Renaissance-Novellen und der Trilogie *Die Göttinnen* (1902) von Heinrich Mann. Ästhetizismus (Hofmannsthal [→ 360 ff.], George [→ 231 ff.]) wird ebenfalls als Ausdruck eines herabgeminderten Lebenswillens verstanden; Rasch zieht als Erklärungsmodell Schopenhauers Ästhetik mit der Lehre von der reinen Kontemplation heran. Neben Autoren wie Heinrich und Thomas Mann, George, Kubin, Keyserling gerät bei Rasch vor allem die ›Wiener Moderne‹ ins Blickfeld. Unterschiedliche psychische Krisenphänomene werden der Dekadenz zugerechnet: das Entgleiten der Gegenwart bei Arthur Schnitzler (1862–1931), das Entgleiten des Lebens infolge einer unüberwindlichen Willensschwäche bei Hugo von Hofmannsthal (1874–1929).

Im letzten Teil seines Werks faltet Koppen eine Fülle von Material aus, das den Zusammenhang von ›Dekadenz‹ und ›Degeneration‹ belegt; das Thema »Krankheit und Dekadenz« erhält hier präzisere Konturen.[7] Koppen zeigt, wie sich parallel zur Diskussion um den kulturellen Verfall medizinische Theorien über die Gesetzmäßigkeiten des physiologischen Niedergangs von Familien verbreiteten. Die Pointe lag dabei in der ursächlichen Verbindung von biologischer Abweichung und geistiger Verfeinerung. Koppens Belege machen vielfach deutlich, daß die Vertreter der literarischen Dekadenz diese Sichtweise auf sich applizierten. Fast immer wird Dekadenz mit kranken Nerven, Überreiztheit, Neurasthenie in Verbindung gebracht, die eine verfeinerte Empfindungsweise ermöglichen (Bahr, Hofmannsthals literaturkritische Essays, Kubin, Ouckama-Knoop).[8] Zu popularwissenschaftlichen Klassikern der medizinischen Auslegung avancieren die Werke von Cesare Lombroso (1836–1909) und

Max Nordau (1849–1923). Lombroso formuliert die Affinitäten zwischen Genie, Wahnsinn und Verbrechen neu, indem er, auf der Höhe der Zeit, die aktuellen Fallstudien der medizinischen Psychiatrie integriert [→ 492 ff.]. In seinem kolossalen Buch *Entartung* (1892/93), in dem er von konservativen Normen und Stilkriterien her mit der Moderne abrechnet, entwirft Nordau gleichwohl ein umfassendes Panorama dekadenter Bestrebungen, indem Kritiker und Kritisierte den gleichen Gegenstand zum Thema haben (psychiatrische Phänomene, die Auflösung eingeschliffener Wahrnehmungsweisen und Verhaltensnormen) und sie auch teilweise die gleichen Erklärungsmuster benutzen: Wilhelm Wundts Assoziationspsychologie, Theorien über das Unbewußte im Organischen, Notwendigkeit der Neu-Anpassung angesichts der technisch-industriellen Revolution mit resultierender Reizüberflutung. Allerdings greift Koppens Analyse zu kurz, wenn er die dekadente Auf- und Umwertung der Degenereszens (›Entartung‹) wiederum auf den Faktor der Antibürgerlichkeit reduziert. Dadurch wird die Möglichkeit eingeschränkt, im literarischen Entwurf eine Antwort auf psychiatrische Modelle und Befunde zu entdecken, die in sich einen Erkenntnisgewinn enthält.

Weiter kommt Dieter Kafitz,[9] der den Degenereszenz-Gedanken, den Gedanken der psychophysischen Entartung, zum Hauptmotiv der Dekadenz erhebt. Er rückt ihn vor den Hintergrund der Evolutionstheorie und weist nach, wie für viele Autoren Dekadenz das entscheidende Stadium, die Krise der Höherentwicklung bedeutet. Allerdings geht auch er der Frage, wie das Wissen um die Seele in der Dekadenzliteratur erweitert wurde, nicht weiter nach. So ordnet er die drei für ihn wesentlichen Momente dem Evolutionskonzept unter, ohne deren inhaltliches Potential im einzelnen auszuschöpfen: die gesteigerte Reizempfänglichkeit und Verfeinerung der Nerven, den Umschlag in Mystizismus und Okkultismus, die Sucht nach dem Neuen und Provozierenden. Insbesondere für den Mystizismus, der bereits von den Zeitgenossen vielfach als Begleiterscheinung der Dekadenz genannt wird (Paul Bourget,[10] Bahr, Nordau, Ouckama, Martens), versagt die Erklärung, wenn Kafitz ihn als eine Form der Sensationslust interpretiert.[11]

Wenn Rasch die Ebene des Kreatürlichen herausstellt und Kafitz auf ein biologistisches Gedankenmodell verweist, tragen sie einer Ambivalenz Rechnung, die der dekadenten Ablehnung des Bürgertums eigen ist. Denn der Kritik und Provokation liegt keine Gesellschaftstheorie zugrunde, sondern eine am Begriff des Lebens orientierte Betrachtungsweise – Kafitz spricht von radikaler Zivilisationsfeindschaft. Man kann dies durch den Verlust religiöser und metaphysischer Orientierungen erklären, wodurch auf eine neue Weise das ›Leben‹ in seiner psychophysischen Bedingtheit als Quelle aller Sinnstiftungen wichtig wird. Ein Blick auf die *Buddenbrooks* (1901) [→ 318 f.] vermag das Changieren zwischen Gesellschafts- und Lebensanalyse zu erläutern.

Der zunehmenden seelischen Sensibilisierung der Protagonisten korrespondiert die zunehmende Brutalisierung der Geschäftswelt.[12] Thomas Buddenbrook kann sich nur deshalb einfügen, weil er in seiner beruflichen und politischen Tätigkeit ein »Gleichnis« sieht.[13] Doch Gleichnis wofür? Das Ungenügen und die Sehnsucht nach einem Mehrwert tragen insofern den Stempel der Ausweglosigkeit, als es weder für Thomas noch für Hanno eine Möglichkeit der Alternative gibt. Die religiösen Sinnangebote tragen nicht mehr. Ebensowenig die philosophischen: Es gibt keinen Bereich des Geistes bzw. der Idee, von dem her Ziele für die Wirklichkeitsgestaltung sich entwickeln ließen. In seinem Schopenhauer-Essay[14] bringt Thomas Mann die Verdüsterung auf den Begriff: Mit Schopenhauer habe sich das »Jenseits« in die Sphäre des Unbewußten, des Triebhaften, des blinden vernunftwidrigen »Willens« verwandelt. Am wenigsten gibt es eine gesellschaftliche Theorie, die Perspektiven auf eine Veränderung eröffnete. Es gibt eben nur das ›Leben‹ in seiner Selbstgenügsamkeit und physischen Nacktheit. Die Motive und Handlungsweisen, durch die die Hagenströms emporkommen, werden mit den Triebkräften des Lebens identifiziert: mit unreflektiertem Selbsterhaltungswillen und Expansionstrieb: so in Thomas Buddenbrooks All-Einheitsvision[15] oder auch in den Bildern aus der Sphäre vitalen Lebens, die den Hagenströms zugeordnet sind.[16] Wer diese Gesellschaft in Frage stellt, stellt wie Hanno immer auch Antriebe des Lebens selbst in Frage.

Wie nun ist das Transparentmachen bürgerlicher Realität auf Konstellationen des ›Lebens‹ hin zu werten? Droht hier die Gefahr des Irrationalismus (Kafitz) oder liegt in der dekadenten Konfrontation von Krankheit und Gesundheit ein kritischer Beitrag?

Eine Verschiebung der Perspektive bedeutet der Ansatz von Horst Thomé [→ 15 ff.], die psychologisch und psychopathologisch orientierte Literatur um 1900 weniger unter gesellschafts- als unter wissenschaftskritischem Aspekt zu lesen.[17] Indem er die Verzahnungen zwischen der literarischen Modellierung von psychischen Abläufen und den Interpretationen der zeitgenössischen Psychiatrie verfolgt, zeigt er auf, wie die Rede von der in der Literatur geleisteten Zergliederung der Seele präzisiert werden kann. Wissenschaftskritik impliziert den Angriff auf eine materialistische Wirklichkeitsauffassung, in der ›Bewußtsein‹ das Resultat organischer Anpassung ist, psychische Krankheiten nur als Funktionen physischer Anomalien auftreten und ihre psychische Genese irrelevant ist. Den Bankrott der Naturwissenschaften, was die Befriedigung seelischer Bedürfnisse anbelangt, führen viele Autoren als Motiv der Dekadenzliteratur an; Nordau greift den Vorwurf voll Hohn auf.[18] Wie eng Wissenschafts- und Gesellschaftskritik zusammenhängen, vermag die Symbiose zu zeigen, die bei Nordau das naturwissenschaftliche Weltbild, das Festhalten an einer konventionellen Moralvorstellung und der Glaube an das Recht des Gesunden eingehen.

Im Anschluß an Thomés Forschungen soll hier das pathologische Moment als konstitutives Kriterium der Dekadenzliteratur herausgearbeitet werden: Dekadenz als Degeneration, als literarischer Gegenentwurf gegen eine medizinische Theorie der Entartung, in welchem gleichwohl das medizinische (psychiatrische) Phänomen erkennbar ist. Die Frage nach dem neuen Wissen um die Seele rückt in den Vordergrund. In den Hintergrund treten die geschichtsphilosophischen Implikationen des Dekadenzbegriffs. Dem entsprechen die Einschätzung der Autoren und der Textbefund. Erfahrung und Erforschung der Krankheit ist das fruchtbare und sozusagen erregende Moment, von dem ausgehend der Blick auf die Bedingungen der Kultur gerichtet wird.

Dekadenz-Literatur stellt das Pathologische dar und durchdringt mit ihren Mitteln, macht die ›Seele‹ im Pathologischen zugänglich. Zunächst ist den Berührungspunkten zwischen literarischer Dekadenz und Psychiatrie nachzugehen; es wird zu zeigen sein, in welchem Umfang sich für die dekadenten Motive tatsächlich konkrete Krankheitsbilder nachweisen lassen.

Nietzsches Strategien der Psychologisierung [→ 507 f.] spielen für die Vertreter der Dekadenzliteratur eine wichtige Rolle. Dabei lenkt Thomé das Augenmerk auf das Ausmaß, in dem Nietzsche in seine Konzeption vom »aufsteigenden« und »niedergehenden Leben« psychiatrisches Material integriert.[19] In seinen Dekadenz-Analysen spricht Nietzsche wiederholt vom »Physiologischen«, in dem Aufstieg und Niedergang sich kristallisierten; neben dem Ausdruck »décadence« verwendet er den Terminus »Degenereszenz«, auch »physiologische Degenereszenz«. Sokrates[20] wird als krank diagnostiziert: Triebanarchie (»Wüstheit und Anarchie in den Instinkten«[21]), Zwangsherrschaft des Unbewußten, Halluzinationen sind die Symptome. Vollends in den Wagner-Schriften ortet er das Phänomen *Wagner* mit Hilfe eines psychiatrischen Vokabulars: »Ärzte und Physiologen haben in Wagner ihren interessantesten Fall« – »Wagner est une névrose«, seine Figuren seien, als »physiologische Typen« betrachtet, eine »Kranken-Galerie«: »Hysteriker-Probleme« habe Wagner auf die Bühne gebracht.[22] Nietzsche ruft das Hysteriker-Syndrom komplett auf: Konvulsionen, Hypnotismus, überreizte Sensibilität, Instabilität, Schauspielertum und schließlich Ausdruck unterdrückter Sexualität.[23]

Vor allem Heinrich und Thomas Mann haben Nietzsches Psychologie der Entlarvung adaptiert, wo es um die literarische Analyse von Macht (Renaissance-Novellen) und Ohnmacht (Heinrich Manns Künstler-Novellen) geht. Doch läßt sich von einer Thematisierung der Dekadenz nur da sprechen, wo die psychophysische Diagnose ›Krankheit‹ gestellt ist. Vielleicht in keiner anderen Figur der Jahrhundertwende wird der Weg der Lebensverneinung so kompromißlos verfolgt wie in der Figur des Johann Buddenbrook, der nicht, wie sein Vater Thomas, die Auflösung im ›Gesamt‹ des Lebens ersehnt, sondern tatsächlich das Nichts will. Doch nicht wegen dieses ›Nein‹ wird Hanno zu einem Prototyp der Dekadenz. Dekadent wird Hanno aufgrund der psychologischen Optik, mittels derer seine Haltung interpretiert wird, so daß die Verneinung des Willens zum Leben nicht allein als ein Akt der Erkenntnis,[24] sondern zugleich als Ausdruck einer physiologisch geschwächten Konstitution erscheint. In manchen Momenten trägt Hanno hysterische Züge, so etwa sein hemmungsloses Lachen.[25] In die Schilderung seines Musik-Erlebens sind alle Momente von Nietzsches Studie über Wagner eingebaut: Desintegration des Ganzen zugunsten der Teile, d. h. Desintegration der organisierenden Kraft, Mischung aus Brutalität und Stumpfsinn. Vor allem fehlen die Symptome des Hysterismus nicht: Berechnung auf Wirkung und sexuelle Konnotationen der ›Erlösung‹.[26]

Ähnlich wird das Motiv der Gewalt und Sucht nach dem ›starken Leben‹ erst da als ein Dekadenz-Motiv greifbar, wo sich Zusammenhänge mit einem Krankheitsbild ergeben. Daß der Psychologie der Grausamkeit tatsächlich eine Pathologie der Grausamkeit zugrunde liegt, wies Helga Winter für Heinrich Mann, insbesondere für die *Göttinnen*-Trilogie, in der das Motiv der späten Abstammung anklingt,[27] nach. Sie deckte zahlreiche Verbindungslinien zu Fallbeschreibungen aus Richard von Krafft-Ebings *Pychopathia sexualis* (1886) auf; erneut spielen Deutungen des Hysterismus eine wichtige Rolle.[28]

Die Wechselbeziehungen zwischen literarischer Dekadenz und zeitgenössischer Psychiatrie sind kaum erforscht. Stanislaw Przybyszewskis (1868–1927) frühes Werk gilt als Standardbeispiel für die dekadente Motivik aus dem Bereich sexueller Perversionen und für den Satanismus.[29] Im Vorwort zur *Totenmesse* (1893) schreibt er: »Grade in den Neurosen und Psychosen liegen die Samenkeime eines neuen, bis jetzt noch nicht classificirten Empfindens«.[30] Es bleibt zu untersuchen, welche Anstöße er der Hysterieforschung und ihren Modellen verdankt. Lombroso zieht Analogien zwischen der genialen Inspiration und den Konvulsionen des Epileptikers, »psychisches Aequivalent« für den körperlichen Anfall ist ihm das »geniale Schaffen«.[31] Er zitiert Fjodor Dostojewski, dem die Interpretation des Gefühls, »mit der ganzen Natur Eins zu sein«, als der Vorstufe eines epileptischen Anfalls geläufig war.[32] Oskar Panizza (1853–1921) nimmt den Gedanken der »geistigen Epilepsie«[33] auf, weiteren literarischen Spuren, insbesondere was eine etwaige pathologische Begründung der Visionen vom Verlöschen in der All-Natur betrifft, wäre nachzugehen. Als wichtig könnten sich die

Theorien des Unbewußten erweisen, die vor Sigmund Freud entwickelt wurden. Das Krankheitsbild von Thomas, der Hauptfigur in Friedrich Huchs (1873–1913) Roman *Mao* (1907), in dem der Verfall eines Hauses mit dem Untergang des letzten Erben verknüpft wird, wurde in einer neuen Interpretation als Schizophrenie beschrieben.[34] Für ein historisches Verfahren bietet es sich an, zeitgenössische wissenschaftliche Analysen von Bewußtseinsspaltung und dem Hervortreten des ›Unbewußten‹ heranzuziehen. Das Verhalten von Thomas weist Parallelen auf: Das Auslöschen des Ich-Gefühls, das Gefühl der Verschmelzung mit der Umgebung, die völlig veränderte Wirklichkeitswahrnehmung im unbewußten Zustand der Halluzination, das Gefühl der Ich-Verdoppelung und die Unvereinbarkeit der zwei Persönlichkeiten. Während aber in der Fachliteratur die psychische Ausnahmeerscheinung als Atavismus gilt, dessen Äußerung angesichts des Gesunden und Normalen buchstäblich zu verschwinden hat, gewinnt in Huchs Erzählung eine zweite psychische Wirklichkeit durch literarische Mittel (Motivverknüpfung, Symbolisierung etc.) einen eigenen Zusammenhang; in ihr reagiert die Seele nicht mechanisch auf äußere Reize, sondern ist ein schöpferisches Prinzip; die Welt des Protagonisten ist der gesunden Normalität gegenüber nicht nur defizitär, sondern weist auch über sie hinaus. In der Veranschaulichung der Eigengesetzlichkeit und Eigenart des ›Inneren‹ liegt das wissenschaftskritische Potential der literarischen Krankengeschichten. Ganz deutlich tritt diese kritische Stoßrichtung in Hermann Hesses (1877–1962) Roman *Unterm Rad* (1906), ebenfalls einer Schülergeschichte [→ 318 f.], hervor. Zu Beginn wird die Diagnose Hans Giebenraths gestellt. Für Mediziner, so heißt es, sei seine Krankheit ein Beispiel von »Hypertrophie des Intellekts« in Folge von »Degeneration«.[35] In der Erzählung wird die Innenansicht entwickelt. Der biologische Fatalismus wird aufgehoben und das Verschulden der Erziehungsinstanzen gezeigt. Hans Giebenraths krampfartige Anfälle werden von visionären Zuständen begleitet.[36] In der nervlichen Zerrüttung offenbart sich die verletzte ›Seele‹ in ihrer Eigentätigkeit.

Während für die Psychiatrie das Ziel der Bewußtseinstätigkeit die Anpassungsleistung und somit die Einfügung in die Gesellschaft ist (Nordau), ist für die Autoren der Dekadenz die ›Seele‹ nurmehr im unangepaßten Verhalten greifbar. Hierin unterscheidet sich die dekadente Auslegung der Krankheit auch wesentlich von Freuds Theoriebildung, für den ebenfalls die psychische ›Gesundheit‹ die Norm bleibt und der den kranken Zustand nur insofern rehabilitiert, als in ihm die Triebfedern der Psyche sich besonders deutlich zeigen. In der literarischen Gestaltung der »Degenereszenz« jedoch gewinnt die Welt der Kranken einen Eigenwert, sie gibt Einblicke frei, die nicht auf das ›normal‹ funktionierende Bewußtsein übertragen werden können. Damit steht eine Revolutionierung der Wahrnehmungsweise auf dem Spiel, die in der Dekadenzliteratur ihren Ausgang nimmt. Denn wenn den Psychosen und Neurosen, den Visionen und Halluzinationen, den hysterischen Ekstasen und Rauschzuständen über ihren Ausdruckscharakter hinaus ein ›wahrer‹ Inhalt, eine Erkenntnis zugestanden wird, dann müssen diese Zustände auf etwas verweisen, das über das betroffene Individuum hinausgeht. Dies nun ist der Punkt, an dem viele Autoren aus den Motiven der Dekadenz deren Überwindung entwickeln. Überwindung meint dabei die Erprobung einer Wahrnehmung, in der die Grenzen zwischen Körper und Seele, zwischen Innenwelt und Außenwelt fallen. Da eine solche Entgrenzung eine Aussage über das Wesen der Wirklichkeit einfordert (als das Unbewußte, die Seele das Leben, das sich geheimnisvoll in dem kranken Zustand enthüllt, jedenfalls als das ›Andere‹ zum rational Zugänglichen), fließen hier die unterschiedlichsten zeitgenössischen Strömungen zusammen. In Ouckama-Knoops Roman führt der Weg aus der Dekadenz in den Spiritismus: Der Nervenmensch der Zukunft steht im Innern des universellen Bewußtseins. Bei Johannes Schlaf (1862–1941) führen schizophrene Erlebnisweisen zu einer neuen Erfahrung der All-Einheit, hinter der biologistische Deutungsmuster im Sinne einer Evolution stehen.[37] Öfter spielen lebensphilosophisch konnotierte Einheitsvisionen eine Rolle (Heinrich Mann). Allerdings bleibt die neue Wahrnehmung in den meisten dieser Texte Programm, wird nicht literarische Gestalt. Schlaf fällt sogar in eine krude Identifizierung von Gesundheit und physischer Kraft zurück. Es ist eine offene Frage, ob dies Verharren in der Außenperspektive an der mangelnden literarischen oder an der mangelnden gedanklichen Qualität liegt. Denn jeder Entwurf, in dem die Einheit von Körper und Seele propagiert wird, ist der Gefahr ausgesetzt, daß die seelische Differenz zum Körperlichen verloren geht – man könnte hier von einer Dialektik der Dekadenz-Literatur sprechen. Einzig in Rainer Maria Rilkes (1875–1926) Roman *Die Aufzeichnungen des Malte Laurids Brigge* (1910), der viele Dekadenz-Motive aufweist, scheint es gelungen, aus der Perspektive der Krankheit die ›andere‹ Wirklichkeit mit ihren offenen Grenzen darzustellen, das neue Sehen mithin zu realisieren.[38]

›Literarische Dekadenz‹ kann kaum eindeutig eingegrenzt werden. Die hier vorgeschlagene wörtliche Fassung des Dekadenz-Begriffs ist gegen die bei Rasch zu beobachtende Tendenz gerichtet, unter »Dekadenzliteratur« geradezu die gesamte frühe Moderne zusammenzufassen. Die von Koppen erkannten Elemente des dekadenten Syndroms sind präzise als Krankheitssymptome zu beschreiben. Ästhetizismus ohne Bezug zu einem Krankheitsmoment scheidet unter dieser Perspektive aus dem Ensemble dekadenter Motive aus.[39] Symbolistische Darstellungsverfahren gehören insoweit in den Umkreis der Dekadenzliteratur, als sie Techniken sind, die dekadente, von kranken Nerven diktierte Wahrnehmung der Wirklichkeit zu gestalten.[40] Neu zur Diskussion steht die Zuordnung der Autoren der ›Wiener Moderne‹. Hofmannsthal interpretiert in *Ad me ipsum* (1931) den Zustand der Lebensferne, den Rasch dem dekadenten Syndrom zurechnet, als Zustand der »Praeexistenz«, fügt ihn also in ein völlig anderes Deutungsraster ein. Doch bereits vom jungen Hofmannsthal werden Lebensferne und Willensschwäche nicht eigentlich unter einer dekadenten Optik verhandelt. Weil Claudios Dasein im *Der Tor und der Tod* (1894) an einer nur metaphysisch zu fassenden Lebensganzheit und -fülle (Funktion des Todes) gemessen wird, erscheint es als Schattenexistenz. Hofmannsthal scheint Resultate der Dekadenz-Literatur da zu reflektieren, wo der Schritt ins ›Leben‹ erprobt wird. So nimmt Lord Chandos (*Der Brief des Lord Chandos*, 1902) in seiner Sprachnot hysterische Züge an; die Körpersprache der Hysterie wird zitiert, um das bewußtseinssprengende Potential der zu gewinnenden Erfahrung von Ganzheit anzudeuten.[41] Schnitzlers Figuren haben eine problematische psychische Struktur; die Frage ist, ob diese Struktur durch die Bezeichnung ›dekadent‹ nicht eher verdeckt als erschlossen wird. Das gleiche gilt für Eduard von Keyserlings (1855–1918) Erzählungen und Romane. Zwar wird in *Beate und Mareile* (1903) die geläufige Vorstellung von der erblich bedingten Schwächung und Belastung der alten Familien zitiert.[42] Typische Figuren der Dekadenz wie die *femme fatale* (Mareile) und die *femme fragile* (Beate) tauchen ebenfalls auf. Aber diese Motive werden thematisch nicht entfaltet; nicht aus ihnen wird der psychische Konflikt entwickelt. Denn der konstitutive Zusammenhang von Degeneration und Aneignung von seelischem Wissen fehlt. Nicht um die Kontrastierung und Konfrontation des ›kranken‹, außergewöhnlichen Individuums mit der Normalität geht es, sondern umgekehrt um das Aufdecken pathogener Strukturen in der ›normalen‹ Kulturation.[43] Bestimmt man es als das Charakteristische des dekadenten Syndroms, daß Gegenwelten der Psyche entworfen werden, die zugleich pathologisch konditioniert erscheinen, so beleuchtet der Begriff eine der vielfältigen Konzeptionen, die in der Moderne entwickelt werden, um die Auflösung der traditionellen Auffassungen vom Ich, vom Bewußtsein, von der Wirklichkeit und von den Bedingungen der Kultur und Gesellschaft mit ästhetischen Mitteln darzustellen.

Michael Winkler

Der George-Kreis

Seine öffentliche Erscheinung hat Stefan George (1868–1933) mit Disziplin und mit unnachgiebiger Entschiedenheit zur mythischen Gestalt des Dichters geformt. Ob er sich dabei von Anfang an bewußt war, wohin ihn sein Weg führen werde, ist zu bezweifeln. Denn der Wille, sein Lebensprinzip als die konsequente Entfaltung des ihm ureigenen Genius auszugeben, läßt die Absicht retrospektiver Harmonisierung erkennen. Deren Ziel war es, ein Leben zu grandioser Einheitlichkeit zu stilisieren, das weitaus stärker von tiefen Krisen und Enttäuschungen geprägt war als von der Sicherheit produktiver Erfüllung. Keine Unklarheit kann jedoch darüber bestehen, daß George dieses Bild vom Dichter eigenmächtig entworfen hat. Das war ihm ein zentrales Anliegen, wenn nicht die wichtigste Aufgabe seiner Kunst. Und der »Kreis« gehörte von Anfang an zum unabdingbaren Bestandteil dieser Dichterexistenz, ja wurde zu ihrem eigentlichen Ziel.

Diese Gemeinschaft sollten vor allem lyrische Dichter bilden, doch kamen später auch dichtende Gelehrte hinzu und sogar akademisch gebildete Beamte, die im Anspruch hoher Kunst ihren authentischen Lebenssinn sahen. Ihnen wurde die Rolle zugesprochen, durch ihre Leistung im Dienst Georges, aber mehr noch durch das Vorbild ihrer Erscheinung als Persönlichkeiten für George zu zeugen. Sie sollten den Beweis verkörpern für die wirkende Gestaltungskraft seiner poetischen Vision. Die zum »Kreis« Erwählten nahmen freiwillig ein Gebot als Ausdruck »wahren Lebens« an, das aus dem Willen zur Kunst hervorgegangen war. Auch als real existierende Bestätigung für die schöpferische Macht des pädagogischen Eros, formbares Leben nach dem Gesetz des Dichters umzubilden, ist der »Kreis« (ob als »Ring«, »Bund« oder »neues Reich«) daher eine dichterische Fiktion. Er repräsentiert primär als Kunstfigur eine ideell vorgestellte Lebensform, ohne diese in soziale Wirklichkeit umsetzen zu können. Auch als »öffentliche« Gemeinschaft unterlag der Kreis Georges als sein Werk und wie sein Werk den Prinzipien mythisierender Selbstdarstellung [→ 141]. Deren Grundsätze wurden mit Sorgfalt und Strenge eingehalten. Sie erstreckten sich bis in Einzelheiten, z. B. bei der Vorbereitung von Publikationen, selbst wo es sich ›nur‹ um Broschüren oder Buchverzeichnisse handelte. Besonders bei Kontakten zu Personen, die (noch) außerhalb des Kreises standen, sollte nichts dem Zufall oder fremder Initiative überlassen bleiben; und im ohnehin nie rein privaten Umgang mit dem Initiator dieser Kontrollstrategien, mit dem Meister, bald schon in Briefen Gundolfs bloß als D. M. bezeichnet, herrschte der gleiche Habitus ritualisierter Distanzierungen vor.

Dazu gehört, daß George für weltanschauliche Diskussionen nur Spott übrig hatte und Gespräche oder Aussprachen, in denen es um die Klärung persönlicher Probleme gehen könnte, als indiskret und würdelos von sich wies. Es gibt daher von ihm außer sehr intensiven Bekenntnissen im frühen Briefwechsel mit Hugo von Hofmannsthal nur wenige Schriftstücke, die über sachliche Mitteilungen und Anordnungen in praktischen Dingen hinausgingen. Und dann sind es fast durchweg Bekundungen des Lobes oder Schelten und Verweise, die kaum einen Widerspruch dulden und somit auch nicht zu einer Korrespondenz führen können. Was bei Dichtern wie Rainer Maria Rilke und Hofmannsthal zum Entstehungsprozeß und damit zum Bestand ihres Werkes gehört, nämlich der briefliche Gedanken- und Erfahrungsaustausch als das Erproben von Einfällen und Überlegungen, als Rollenspiel und Selbstdarstellung oder als Anreiz zu sprachlichen Entwürfen, die experimentell vorläufig und doch nicht unverbindlich bleiben, die persönliche und zugleich kunstvolle Mitteilungen enthalten – all das ist für George undenkbar. Daher wirken beispielsweise die Widmungsgedichte in seinem am wenigsten hermetischen und daher populärsten Band *Das Jahr der Seele* (1897), in denen sich »Erinnerungen an einige Abende innerer Geselligkeit« ausdrücken, nicht wie Zwiegespräche, sondern monologisch bestimmend. Das verleiht ihnen auch als einem »Spiel« mit »flüchtig geschnittenen Schatten zum Schmuck für meiner Andenken Saal« nicht die Intimität eines lyrischen Fotoalbums, wohl aber etwas statisch Fixiertes oder gar Museales, als würde hier die Ahnenreihe künftiger Kreisgenerationen vorgestellt.

Und dabei ergibt sich der Eindruck, daß alles Private im Spruch gebannt werden müsse.

Wohl auch um die fehlende und die durch Sprachmagie exorzierte Vertraulichkeit zu ersetzen, haben sich eine überraschend große Zahl von Mitgliedern des Kreises ihre eigenen Aufzeichnungen von Gesprächen und Begegnungen mit George gemacht. Solche Notizen mögen dem Zweck gedient haben, Standpunkte und Ansichten festzuhalten, die im dichterischen Werk keinen Platz hatten. Daß sie besonders in den Jahren nach dem Zweiten Weltkrieg nahezu vollständig veröffentlicht wurden, verrät neben dem Drang zum Bekenntnis auch die apologetische Absicht, das im Dritten Reich lädierte Bild von George zu rehabilitieren. Es galt, den Schleier vor dem Geheimnisvollen zu heben, um wenigstens solchen Mißverständnissen zu widersprechen, die sich aus der Anwendung der Kunstreligion Georges auf die politische Sphäre ergeben hatten. Die spezifische ästhetische Kultur seines Kreises wurde damit zum ersten Mal aus interner Perspektive historisiert, also aus der autobiographischen Erinnerung von berufenen Zeugen in den kulturgeschichtlichen Kontext ihrer Zeit zurückverwiesen. Daß dies gelegentlich eine ansonsten verpönte Redseligkeit mit sich brachte, war dabei in Kauf zu nehmen.

Auffallend häufig ist schon zu Lebzeiten Georges – und gerade für das wichtigste Jahrzehnt vor Kriegsausbruch 1914 – die Rede von »Mißverständnissen«, die, wie Friedrich Gundolf (1880–1931) es nannte, »Georges besondere Sende« der »Vollendung des Gesamtmenschentums« verleumden. So klagt er am Schluß des Einleitungskapitels »Zeitalter und Aufgabe« seines Buches *George* (1920), wenngleich nur in einer Anmerkung, der »Kreis« werde »wie jedes Fremdartige heut schon viel mißbraucht von Gaunern und Gecken.« Demgegenüber stellt er fest, es handle sich um

> eine kleine Anzahl Einzelner mit bestimmter Haltung und Gesinnung, vereint durch die unwillkürliche Verehrung eines großen Menschen, und bestrebt der Idee die er ihnen verkörpert (nicht diktiert) schlicht, sachlich und ernsthaft durch ihr Alltagsleben oder durch ihre öffentliche Leistung zu dienen. Alles was darüber draußen gemunkelt wird ist Klatsch von Dummköpfen, Witzbolden, Schwindlern oder Verleumdern.[1]

Und George selbst hielt es für nötig, der Neuauflage[2] von *Der Stern des Bundes* (1914) eine »Vorrede« beizufügen, in der er sagt:

> Um dies werk witterte ein missverständnis je erklärlicher desto unrichtiger: der dichter habe statt der entrückenden ferne sich auf das vordergründige geschehen eingelassen ja ein brevier fast volksgültiger art schaffen wollen 〈...〉 besonders für die jugend auf den Kampffeldern.

Doch hätten

> die sofort nach erscheinen sich überstürzenden weltereignisse die gemüter auch der weiteren schichten empfänglich gemacht für ein buch das noch jahrelang ein geheimbuch hätte bleiben können.

Bei all dem handelt es sich keineswegs um kleinliche Reizbarkeit und pikierte Rechthaberei. Dergleichen hätte sich leicht so abreagieren können, wie dies z. B. ein Verzeichnis der Veröffentlichungen des *Blätter*-Verlags tut, das Ende 1903 für eine Buchausstellung gedruckt wurde. Dort erhält der »schrifttumsbeflissene« und der »sammler« neben Preisangaben (»wertbezeichnungen«) als »handhabe gegenüber den willkürlichen« Forderungen der Antiquare, auch die Versicherung:

> Die Gesellschaft der Blätter für die Kunst in der man fälschlich einen geheimen bund erblickte ist nur ein loser zusammenhang künstlerischer und ästhetischer menschen. Sie wurde gebildet von anhängern der dem naturalismus entgegengesezten auf eine tiefere geistigkeit gerichteten neuen bewegung die sich in der dichtung an die namen Stefan George und Hugo von Hofmannsthal knüpft 〈...〉 mit litteratentum hat sie nicht das geringste zu thun sie besizt keine statuten und gesetze und ihr anwachsen geschah nicht durch verbreitungsmittel sondern durch berufung und durch natürliche angliederung im laufe der jahre.[3]

Das stimmt zwar und hat in seiner vagen Großzügigkeit auch seinen speziellen Zweck erfüllt. Verbindlicheres zu erwarten wäre wohl unnötig gewesen, wo es primär um Fragen der Lyrik ging und solange die Mitglieder des *Blätter*-Kreises zwar Georges Kunstprinzipien befürworteten, darüber hinaus sich aber nicht von ihm abhängig fühlten. Was es etwa an Programmpunkten festzulegen galt, formulierten die »Merksprüche« in den Heften der *Blätter für die Kunst* [→ 122ff.] in apodiktischer Kürze. Ansonsten war es George viel zu wenig um theoretische Auseinandersetzung zu tun, als daß er sich um intellektuelle Analysen bemüht oder Manifeste ausgearbeitet hätte. Auch war er sich dessen bewußt, daß er mit den symbolistischen Versen im *Jahr der Seele* und seit 1899 mit den öffentlichen Ausgaben seiner Bücher im Verlag Georg Bondi zum hohen Niveau der zeitgenössischen Dichtung gerechnet wurde. Ihm war bewußt, daß er als Lyriker mehr war als ein markanter Außenseiter unter anderen interessanten Randerscheinungen des kulturellen Lebens.

Daher war es auch gar nicht so wichtig, daß der ihn umgebende Kreis von Dichtern überwiegend aus Anfängern bestand, die die Grenzen ihres Talents bald erreicht hatten, und daß dieser Kreis als ein esoterisches Grüppchen galt, als das schwache Echo von Georges eigener Stimme. Denn er hatte seine Funktion im Gesamtplan des Dichters zu der Zeit erfüllt, als sich zeigen ließ, daß die deutsche Lyrik den Anschluß an den Stil der europäischen Moderne gefunden hatte. Seither ging es um weitaus Größeres. Es ging darum »zu zeigen dass in zeiten eines kräftigen gesamtlebens die Dichtung keine gelegenheitsmache und spielerei sondern innerste seele des volkes ist.«[4] Das ist fast schon rückblickende Selbstbestimmung. Sie sollte und konnte vom politischen Kontext der ersten Kriegsmonate her, aber auch in den Konflikten der Republik, als überpolitisches Bekenntnis zu einer ideellen Gesamtheit des Volkes gelesen werden. Zugleich schien es, als habe George seine bisher maßlose Verachtung der »masse« und ihres Lebens zurückgenommen und sich in den Dienst eines gemeinsamen Werkes gestellt. Er sei also zum völkischen Propheten geworden, zum Verkünder einer nationalen Wiedergeburt, die aus Selbstgericht und heroischer Tat erwachsen werde. In diesem Sinn hat George schon vor dem Krieg und nach 1918 von sich reden und schreiben lassen, ohne die in diesem Bild vom Dichter angelegten Widersprüche und Aporien öffentlich auszutragen. Wo es kreisintern darüber zu Auseinandersetzungen kam, wurde kein mit Kompromissen verbundener Ausgleich gesucht. Vielmehr drohte dem verantwortlichen ›Renegaten‹ der Ausschluß und die lebenslange Ächtung. Der Öffentlichkeit gegenüber wurden die für die neue Rolle des Dichters und seines

Kreises charakteristischen Antinomien als »Mißverständnisse« abgetan.

Diese neue Mission war die Verkündung einer säkularen Erlösungsästhetik, d. h. einer messianischen Kunstreligion und der ihrem Absolutheitspathos entsprechenden Lebenspraxis. Für George und die Seinen war damit der Kampf gegen die bürgerliche Welt in ein neues Stadium der Intensität eingetreten. Weiterhin galt, daß vor allem das positivistische Wissenschaftsdenken mit seinem einseitigen Spezialistentum und seiner klassifikatorischen Begriffsbildung, daß die zu Relativismus und Indifferenz führenden Emanzipations- und Demokratisierungstendenzen, daß die Kontinuitätsbrüche, ja die Wurzellosigkeit des großstädtischen Lebens als Folge der rapiden Industrialisierung, daß eine protestantische Liberalisierung der Bindungen an religiöse und staatliche Gemeinschaft abzulehnen seien. Alles, was zur Logik einer bürokratisch verwalteten und utilitaristisch funktionalen Modernisierung gehörte, galt als widernatürlich und verletzte das Schönheitsgefühl des hohen Lebens.

Doch mit dieser ›ästhetischen Opposition‹ gegen die modernen Rationalisierungsprozesse, also mit seiner Zivilisationskritik, stand George nicht allein, nicht einmal mit der ihm eigenen Kompromißlosigkeit. Es gab Bünde, Gruppen, Schulen und Bewegungen, in denen besonders die akademische Jugend Anschluß fand, um ihr Unbehagen am zeitgenössischen Leben zu artikulieren. Und eine sorgenvolle Feinfühligkeit gegenüber dem, was als die Kosten des Fortschritts schon jetzt abzutragen war, ließ sich vor allem in Kreisen des humanistisch erzogenen (d. h. in Deutschland: des über den Klassizismus ästhetisch gebildeten) Bürgertums allenthalben antreffen. Solche Sensibilität blieb nicht auf Konservative beschränkt; im Gegenteil, sie galt als progressiv und gehörte typischerweise zur kulturpsychologischen Signatur der Epoche. Praktisch drückte sie sich in vielseitigen Bestrebungen aus, einzelne Lebensabschnitte zu reformieren bzw. das Ganze von Grund auf neu zu gestalten. Die Georgianer mußten es sich daher gefallen lassen, daß eigene Positionen in übergreifende Strukturen der Sozialkritik absorbiert wurden, dort ihre fixierte Identität verloren und in allgemeinen Orientierungsmustern der weltanschaulichen Auseinandersetzung aufgingen.

Doch George konnte sich damit zufrieden geben, in einer von unzähligen Gegensätzen, wie ihm schien, verflachten und zerrissenen Welt seinen speziellen Beitrag zur Bewältigung oder zur Bewußtmachung von Krisen beizutragen. Zugleich wußte er, daß es in einer auf die Autonomie partikularer Interessen gegründeten Welt nicht möglich war, die sozialen und kulturellen Differenzen zu versöhnen. Auch eine Dichtungskonzeption, die sich aus elitärer Subjektivität eine eigene Welt (»seltne reiche«) schuf, konnte nur in der Hermetik enden und mußte damit an der materiellen Wirklichkeit scheitern. Unmöglich war es auch, einen mit der rationalen Entzauberung des Daseins verlorenen kosmischen Urgrund, ein Unbedingtes hinter den zerfallenden Werten des mechanisierten Geistes erfahrbar zu machen. Was George bei aller Faszination durch die »lezten klüfte«[5] und durch die Abgründe des Extremen von den Münchner Kosmikern, von Ludwig Klages (1872–1956) und Alfred Schuler (1865–1923) trennte, war seine Skepsis gegenüber visionärer Ekstase und dem zur Dämonie verklärten Irrationalen. Die »Lebensgluten« und die »Blutleuchte« und, mehr noch, das Göttliche, Heilige, das Geheimnisvolle waren zwar erlebbar epiphanisch und als Erschütterung. Aber sie ließen sich weder direkt an andere weitergeben oder auf sie übertragen, noch in revolutionär wirkende Handlungen oder in einen als öffentliches Ärgernis inszenierten Aufruhr umsetzen. Für ihn war eine neue Lebensform nur über die Vermittlung der göttlichen Macht Dichtung und durch die Ausstrahlung seines ihr verpflichteten Willens möglich. Diese Überzeugung bewog ihn dazu, die Kunstgestalten des Schöpferischen im eigenen Werk, also die metaphorischen Selbstdarstellungen bis zum »Vorspiel« des *Teppich des Lebens* (1900), in einer neuen Identität aufzuheben.

Mit dieser Identität schuf er sich seinen Gott, dem er den allumfassenden Namen Maximin gab; und mit dieser Apotheose beabsichtigte er mehr als die Huldigung an einen frühverstorbenen Freund.[6] Denn George feierte die Gestalt Maximin, den »sohn aus sternenzeugung«,[7] zugleich als kosmisches Ereignis und als Erfüllung seines dichterischen Traums. Verbürgte ihm doch die »plötzliche ankunft«[8] dieses »einzigen menschen in der allgemeinen zerrüttung« die Präsenz des Heiligen, das die Sehnsucht des Dichters wieder in die Welt gebracht hatte. Der verleiblichte Gott war ihm »darsteller ⟨d.h. wohl ›vorbildhafte Verkörperung‹⟩ einer allmächtigen jugend wie wir sie erträumt hatten.« Er entsprang – sozusagen wie Athene dem Haupt von Zeus – sowohl einem Glauben, in dem Wirklichkeit und Vision zur Einheit verschmolzen, als auch einem Willen, dem die magische Macht des Wortes zur Tat wird. George wollte diesen Zauber »einer jugend die unser erbe nehmen und neue reiche erobern könnte«, und deshalb hat diese Jugend für ihn bestanden.

Zunächst freilich nur in kleinstem Kreise als das »geheime Deutschland« und seine »geistige Bewegung«. Anfänglich waren deren Triebkräfte ungefähr gleichaltrige dichtende Gelehrte, die Wege der Erkenntnis und Wirkungsmöglichkeiten über ihre akademische Lehrtätigkeiten hinaus suchten und denen George zum charismatischen Vorbild geworden war. Allen voran ist der in Berlin lebende Historiker Friedrich Wolters (1876–1930) zu nennen, auf dessen Initiative hin – natürlich nur im Einverständnis mit George – der Kreis sich als »staat« zu politisieren begann. Es war polemische Ideenpolitik, die jetzt betrieben wurde, beispielsweise in den drei Bänden des von Gundolf und Wolters herausgegebenen *Jahrbuchs für die geistige Bewegung* (1910–12).[9] Diese Sammlungen von programmatischen Aufsätzen wollten, dem Vorwort des ersten Bandes zufolge, »nicht die fülle des interessanten, reizvollen, aufregenden vermehren, sondern in der jugend das gefühl für die gefährdeten grundkräfte wachrufen: für ernst, würde und ehrfurcht.« Damit wurde eine Haltung propagiert, die eher einem gesetzten Alter in etablierten Verhältnissen entspricht, als daß sie einer verunsicherten Studentenschaft gemäß wäre. Doch war mit diesem Anspruch ja keineswegs eine biologisch oder entwicklungspsychologisch bestimmbare Altersgruppe gemeint. Vielmehr galten ›Jugend‹ und ›Bewegung‹ als zeitenthobene Einstellungen, in denen sich kreative Energie und revolutionäres Ethos mit strengem Formsinn verbinden. Den Zeitgenossen blieb freilich nicht verborgen, daß die Attacke der Georgianer mit ihrer Absage an freisinnig tolerantere Bildungs- und Sozialisationsprogramme auch direkt gegen den Freundeskreis um Hofmannsthal und gegen deren Jahrbuch *Eranos* (1909) gerichtet war.

Als Programm entsprachen die Ziele des George-Kreises den Grundsätzen, die Wolters in seiner Schrift *Herrschaft und Dienst* (1909)[10] entworfen hatte: das Geistige Reich entstehe aus der geistigen Tat des Herrschers, die sich mit dem Willen weniger zu Opfer und Dienst vereint.

Für sich genommen, gibt eine ›Frohe Botschaft‹ dieser Art ein ausgeprägtes Hörigkeits- und Schutzbedürfnis zu erkennen, das sich nur im Ausnahmezustand des Erhabenen geborgen fühlt. Ihre überspannte Rhetorik ließe sich leicht als persönliche Hyperbolik abtun, hätte sie nicht, auch in verschiedenen Abwandlungen, überall dort Gehör gefunden, wo nicht die politische Situation des Kaiserreichs als potentielle Katastrophe, sondern wo Deutschland als metaphysischer Ort gesehen wurde. Mit Einschränkungen, die vom Thema bedingt sind, ließe sich Ähnliches auch von dem zweiten »Hauptpronunziam⟨i⟩ento theoretischer ›Reichsnatur‹«,[11] von Gundolfs Buch *Shakespeare und der deutsche Geist* (1911) sagen.[12] Es handelt von einer literatur- und kulturhistorisch bedeutsamen Wirkungstradition, nämlich vom Einfluß des neben Dante anderen großen Dichters vor Goethe auf die Genese der deutschen Klassik und Romantik als der für die Herausbildung eines nationalen Kulturbewußtseins mustergültigen Epoche. Diese Zusammenhänge stellt Gundolf zum ersten Mal nach den Prinzipien der geistesgeschichtlichen Betrachtungsweise dar. Im Mittelpunkt ihrer aus Lebensphilosophie und der Diltheyschen Hermeneutik übernommenen Deutungsprämissen stehen der Begriff »Erlebnis« und die Idee der unmittelbaren Anschauung. Das entsprach, wie schon Gundolfs Selbstcharakteristik andeutet, einem revolutionären Coup d'état im Bereich der Wissenschaft. Denn diese Sicht brach radikal mit einer philologischen Archivierungstradition, die die Verfahrensweise empirischer Detailuntersuchungen und die deduktive Begriffslogik der Naturwissenschaften auch auf die Fragestellungen der Sozial- und Kulturwissenschaften übertragen hatte. Bei aller Akribie im Umgang mit den eruierbaren Fakten ging es nicht mehr um die möglichst vollständige Aufarbeitung von Materialien, auch nicht mehr um einzelne Kulturwerte, sondern um innere Einheit, um die visionär-intuitive Einsicht in die Wechselwirkung schöpferischer Energien und um universalistische Menschheitswerte. Die

Werke dieser *scienza nuova* waren allein solchen Erscheinungen der Geschichte und der Kultur gewidmet, an denen sich zeigen ließ, wie überragende Einzelpersönlichkeiten als Führer ihre Zeit nach ihrem Bild formten. Das machte die Kreis-Bücher der »Schau« und »Deutung« ihrerseits zwar nicht zu Dichtung, wohl aber zu Darstellungen, deren hoher Ton sie als Kunstwerke erscheinen ließ. Damit war ein »Grundproblem des George-Kreises«, nämlich »der Konflikt zwischen dem Dichter und dem Gelehrten«, so gut wie möglich gelöst und die drohende Veralltäglichung und damit der Legitimationsverlust des dichterischen Charismas abgewendet.[13]

Die überragenden Werke dieser Art, die in den folgenden zwanzig Jahren aus dem Kreis hervorgingen, sind nicht zahlreich. Sie machten aber Schule und fanden auch bei kulturpolitisch engagierten Dichtern und Schriftstellern sowohl der älteren wie der nachexpressionistischen Generation beifällige Aufnahme. Mit seiner Betonung elementarer Lebenskräfte und seiner Gleichgültigkeit gegenüber Prozessen der Sozialisation, die sich an pragmatisch-funktionalen Institutionen und Verantwortungen orientieren, entwarf dieses Schrifttum einen essentialistischen Kulturbegriff, dessen zentrale Komponenten sich definitorischer Eindeutigkeit widersetzen und daher auch von ideologisch gegensätzlichen Ansprüchen übernommen werden können.

Dabei handelt es sich um Prozesse der gedanklichen und mehr noch der sprachlichen Assimilation, innerhalb derer singuläre Prioritäts- und Besitzansprüche hinfällig werden. Zwar sucht Gundolf, »die Ebene des ewigen Menschen« und »seinen archimedischen Punkt außerhalb des Zeitalters«[14] immer noch allein für George geltend zu machen, doch der Hunger nach dem Absoluten und ultimative Wertpositionen waren ebenso zeittypische Verhaltensweisen wie die Sehnsucht nach der Aufhebung innerweltlicher Gegensätze in einer Lebenstotalität. Sie waren Reaktionen auf einen Sinnverlust, der schon vor der Jahrhundertwende zur sozialpsychologischen Struktur vor allem der traditionellen künstlerisch-bürgerlichen Bildungseliten gehörte. Neu war also weniger die Prävalenz dieser Problematik unter der akademischen Jugend als vielmehr deren Radikalisierung und die Tatsache, daß diese Fragen nicht mehr nur von autodidaktisch improvisierenden Dilettanten dargestellt wurden, sondern daß die ›Mythologien‹ einiger ›junger‹ Professoren eine Lösung zeigten. Gundolfs monumentale Biographie *Goethe* (1916) und Ernst Bertrams (1884–1957) *Nietzsche* (1918) sind deren markanteste Beispiele.

Gegen diese Ästhetisierung von Geschichte und Gesellschaft und ihrer heroischen Individuen setzte Max Weber (1864–1920) beispielhaft in seiner Abhandlung *Wissenschaft als Beruf* (1919)[15] die Grundsätze der empirischen Objektivität und der Wertungsfreiheit [→ 20 f.]. Damit war die Aufgabe verbunden, die Folgen intellektualistischer Entmythisierung bewußt auszuhalten als wissenschaftliches Bekenntnis zur abstrakten Organisation der Moderne. Dem hielt die Geisteswissenschaft nicht nur eine Trennung von Forschungsmethodik und Darstellungsstil entgegen, sondern befürwortete auch die dem Kunstwerk entlehnte Sinnlichkeit einer Bildersprache, die assoziativem Erfahren und Denken entspringt. Solche Überlegungen propagierte die Schrift *Der Beruf der Wissenschaft* (1920) von Erich von Kahler (1885–1970), der zwar nicht *pro domo*, aber doch von der Peripherie des Heidelberger Kreises her sprach.

Diese Bezeichnung deutet an, daß der Kreis um George sich seit mindestens einem Jahrzehnt in mehrere Einzelgruppierungen aufgeteilt hatte, die mit einander locker in Verbindung standen und recht unterschiedliche Ziele verfolgten. Ihre Zentren blieben zunächst Wolters mit seinem Freundes- und Schülerkreis in Berlin und später Marburg und, bis zu seiner Verwerfung im März 1920, Gundolf in Heidelberg. Es waren zwischen zwanzig und vierzig, innerhalb von vier Jahrzehnten nicht mehr als 85 Kreisangehörige, welche die vier oder fünf engeren Verbindungen bildeten, aus denen sich der »Staat« Georges[16] zusammensetzte. Eine Homogenität war durch die kulturwissenschaftlichen Interessen seiner »Mitglieder« gewährleistet, doch erwies sich die verlangte Absage an ideologische Allianzen, bei einigen auch an unliebsame persönliche Verhältnisse als noch stärkeres Integrationsmittel. Über allen Spannungen, Konflikten und Krisen wachte George als ein Alleinherrscher, der jeder Faktion besondere Aufgaben zuteilte, der ihren Zuwachs kontrollierte und besonders darauf achtete, daß der »Kreis« nicht in den Verruf der Veraltung geriet. Zugleich repräsentierte George, obwohl seit Kriegsende auch aus gesundheitlichen Gründen zurückgezogen lebend und dichterisch erst wieder 1928 mit der Nachlaßsammlung *Das neue Reich* hervortretend, als Mittelpunkt einer in mehreren Kreisen sich erweiternden Bewegung die prinzipielle Einheitlichkeit seiner Gefolgschaft. Seine Hingabe an dieses Ziel, dem er sich mit asketischer Ausschließlichkeit widmete, machte den Kreis zu einer signifikanten Erscheinung im kulturellen Leben zwischen 1910 und 1930.

Seine Relevanz ist wohl vor allem darin zu sehen, daß er dazu beigetragen hat, einer irrationalistischen Gesinnungsästhetik zu kultur- und sozialpolitischem Ansehen verholfen zu haben. Das war als Propagierung eines durch dichterischen Willen geformten neuen Menschen nicht in der Selbstbegrenzung auf das Poetische zu erreichen und blieb deswegen mit einer gefährlichen Überheblichkeit der Zeit, der Gesellschaft und der Politik gegenüber verbunden. Dem entsprach letztlich auch die Notwendigkeit zur Usurpation von Geschichte, um sie eigenen Zielen dienstbar zu machen. Damit befand sich der George-Kreis, wenngleich mit seinem Anspruch auf elitäre Distanz zumeist nicht absichtlich, in zahlreicher, aber nicht bester Gesellschaft. Einem vergleichbaren Ehrgeiz, nämlich dem Willen zur autoritären Organisation politischer Macht, wie ihn etwa der *Tat*-Kreis rechtfertigte und wie ihm Hitler zur Verwirklichung seiner Reichsidee folgte, war das ästhetische Bildungsideal des George-Kreises nicht gewachsen.

Gisela Brinker-Gabler

Weiblichkeit und Moderne

I. Das Geschlecht der Moderne

Die Diagnose der Feminisierung der Kunst und Literatur [→ 53 ff.] gehört um die Jahrhunderwende zum Repertoire der Kulturkritik.[1] Mit Blick auf den französischen Ästhetizismus erklärt 1891 Rudolf Lothar als Merkmal des ausgehenden Säkulums eine nervöse Empfindsamkeit in der Literatur, die er »Feminismus« nennt. Ebenfalls auf den Begriff »Feminismus« bringt 1907 Richard Hamann Ethik und Formen des Impressionismus. Gemeint ist: Mangel an Selbständigkeit und Verantwortungungsgefühl, ein Vorwalten u. a. von Impulsivität, Erotismus und Nervosität. Hans Landsberg bezeichnet in seinem Beitrag über *Die moderne Literatur* Naturalismus und Impressionismus als »durchaus weiblich«, weil beide nur das Wirkliche erfassen, ohne »der Welt den Stempel des Ich aufzudrücken«.

Mit der Feminisierung der unterschiedlichen literarischen Richtungen [→ 56 ff.] werden nicht nur Schreibweisen charakterisiert, sondern es wird auch Weiblichkeit (bzw. Männlichkeit [→ 90 f.]) neu verhandelt und zwar hier mit Blick auf eine andere Schrift, deren Dezentrierung und Heterogenität den Bruch mit einer gewissen Rationalität zeigt. Die neuen Zuschreibungen und Definitionen des Weiblichen [→ 70] sind aufs engste mit einer neuen Epistomologie des Subjekts und Geschlechterdifferenz verknüpft.

II. Moderne Theorien des Weiblichen: Nietzsche, Weininger, Freud

In seinem Versuch, philosophische Wahrheit vermittels des philosophischen Diskurses selbst, und das heißt gerade auch seines eigenen Diskurses, zu unterminieren, mobilisiert Friedrich Nietzsche (1844–1900) das mann-weibliche Gegensatzsystem [→ 172 f.]. Er spielt mit der ›Wahrheit‹, indem er mit der Wahrheit seines eigenen Textes spielt. Die ›Wahrheit‹ aber erscheint als Frau (traditionell Bild der Verstellung), und damit wird der spielerische Umgang mit dem Text selbst eine weibliche Operation.[2] Als eine Feminisierung der Schrift wurde dies schon von Nietzsches Zeitgenossen notiert. Eduard von Hartmann beschreibt Nietzsches epochemachenden Stil als Ausdruck einer (ver)weiblich(t)en Psyche: Subjektivität, gepaart mit Mangel an Systematik, Logizität und Sachlichkeit.[3]

Gegen die Infragestellung von Rationalität und bewußtseinsphilosophischem Subjektkonzept entwirft Otto Weininger (1880–1903) seine Verteidigungsschrift *Geschlecht und Charakter*.[4] Das Männliche wird zum Prinzip des Geistigen überhaupt, das Weibliche wird vom Geist und damit von der Menschwerdung ausgeschlossen und mit Triebnatur identifiziert. Weiningers Untersuchung erweckt zunächst den Eindruck, daß seine biologisch-psychologische Betrachtungsweise der Bisexualitiät des Menschen den Dualismus der Geschlechterdefinition überschreitet. Seine Ausgangsthese ist, daß die Typen W (Weib), gleich Triebnatur, und M (Mann), gleich Geist, und damit die ihnen zugeschriebenen Charakteristika in den Menschen selbst nie getrennt, sondern immer vermischt auftreten. W (Weib) wird zwar als Konstrukt verstanden, aber immer in negativer Weise, etwas, das transzendiert werden kann und transzendiert werden muß. Während Weininger anfangs W, Konstrukt Weib, und empirische Frau unterscheidet, wird diese Trennung in seinem Text nicht streng durchgehalten. Was zunächst als Charakteristikum von W erscheint, wird zum Wesen der Frauen (und – wie der Jude Weininger schreibt – auch der Juden): »Die Frauen haben keine Existenz und keine Essenz, sie sind nicht, sie sind nichts.«[5] So bedeutsam Weiningers radikale Einsicht in die Subjektlosigkeit der Frau ist, dieser Status bleibt nicht als ein historischer erkennbar, sondern er wird zur »ewigen Wahrheit«.

Interessante Überschneidungen und Abweichungen zeigen sich in den Schriften der sich entwickelnden Psychoanlayse. So stellt Sigmund Freud (1856–1939) in seinen Arbeiten häufig gängige Vorstellungen über Männlichkeit und Weiblichkeit in Frage, zum Beispiel bezüglich Aktivität und Passivität. Anderseits wird das Weibliche erneut als das Andere des Männlichen festgeschrieben.

Die Entwicklung der frühkindlichen Sexualität ist mit Rücksicht auf den männlichen Körper und das männliche Geschlecht beschrieben.[6] Damit erscheint der weibliche Körper defizitär, ohne aktiven, unabhängigen Trieb. Freuds Arbeiten gewinnen Einfluß erst nach der Jahrhundertwende. Es sind aber seine frühen Studien zur Hysterie um 1900, die ihm den Zugang zum Unbewußten und der infantilen Sexualität in der Bildung einer ›Identität‹ eröffnen. Die Hysterie erscheint ihm als eine vornehmlich weibliche Neurose, in der phallische und ödipale Phantasien dominieren, worin sich nach Freud die Verleugnung des eigenen Geschlechts ausdrückt. Dieses Verständnis von Hysterie, das Freud später revidiert, macht deutlich, wie um die Jahrhundertwende die Verweigerung des sogenannten ›Weiblichen‹ allein im Rahmen des männlichen Paradigma [→ 59 ff.] erklärt wird, ohne das ein spezifisch ›weiblich Anderes‹ möglich scheint.

III. Arbeit an der ›Grenze Frau‹

Die zentrale Rolle, die die Geschlechterdifferenz im Projekt der Moderne spielt, verdeutlicht die explodierende Bilderproduktion des Weiblichen [→ 128] um die Jahrhundertwende. In vielfältigen Konfigurationen bemerkenswerter und beängstigender Frauenfiguren entfalten Autoren um die Jahrhundertwende in Annäherung und Abgrenzung, Distanz und Ambivalenz das moderne Selbst- und Weltverständnis. Weniger Aufmerksamkeit als diese Bilderflut des Weiblichen in Werken männlicher Autoren und Künstler haben die mit ihnen konkurrierenden Entwürfe weiblicher Autorinnen gefunden.[7] Einer der Gründe dafür mag darin liegen, daß von den Entwürfen der Autorinnen eine ganz andere Bedrohung ausging. Wenn zwar in der zeitgenössischen Literatur zum Beispiel die Prostituierte als ›wahres Weib‹ erscheint, so war es doch etwas anderes, wenn in von Frauen geschriebenen Texten [→ 60 ff., 81, 97, 119, 312, 318] Frauen, die sonst in den Werken von Männern nur als Zeichen erschienen, wenn in diesen Texten also Frauen ohne Trauschein lieben, Ehemänner verlassen oder sogar einen Mann erschießen. Ein weiterer gewichtiger Grund für die geringe Aufmerksamkeit ist darin zu sehen, daß die Werke der weiblichen Autorinnen sich in der Regel nicht eindeutig literarischen Richtungen und Schulen und damit bestehenden kritischen und interpretativen Paradigmen zuordnen lassen. Tatsächlich erscheinen sie häufig als Mischungen, manchmal sogar ganz widersprüchlicher Stiltendenzen wie Naturalismus und Ästhetizismus. Verantwortlich ist dafür, daß in diesen Werken eine Arbeit an der empirischen, historischen und symbolischen ›Grenze Frau‹ erfolgt, eine theoretische und praktische Verschiebung, Verwischung oder Neuformulierung der Grenze(n) oder Differenz(en) zwischen den asymmetrischen und asychronischen Geschlechterpositionen. Eine solche ›Grenzarbeit‹ verlangte, die Gegenwart, d.h. ›Theorie und Praxis‹ der Moderne aus geschlechtsspezifischer Perspektive in Augenschein zu nehmen [→ 57ff.] und Positionen für Frauen zu entwerfen, d.h. über ›männliche‹ und ›weibliche‹ Moderne hinaus Handlungs- und Begehrensstrukturen von Frauen zu entfalten bzw. zu artikulieren. Ein solches Projekt der komplexen ›Grenzarbeit‹ und Grenzüberschreitung in unterschiedliche Richtungen war schwerlich ohne Brüche und künstliche Verrenkungen zu verwirklichen. Im folgenden werde ich ausgehend von einem Roman Gabriele Reuters vier Autorinnen behandeln, und darüberhinaus richtet sich meine Aufmerksamkeit auch auf die Frage nach *Geschlecht* und literarischer Produktion, der komplexen und wechselnden Beziehung zwischen *Geschlecht* und Ästhetik der Moderne.

1895 erschien Gabriele Reuters (1859–1941) Roman *Aus guter Familie. Leidensgeschichte eines Mädchens*. Er hatte auf Anhieb großen Erfolg und erreichte bis 1908 vierzehn Auflagen. Wie der Titel des Romans ankündigt, handelt es sich nicht um einen Lebenslauf in aufsteigender Linie bis hin zur erfüllten, reifen *Weiblichkeit*, sondern an einem individuellen Fall wird das Schicksal der unverheiratet bleibenden Frauen dargestellt. Der Roman zeichnet den Lebensweg einer bürgerlichen Tochter, und zwar vom Tag ihrer Konfirmation (dem Tag, der sie heiratsfähig machte), über zwei Jahrzehnte ihrer Entwicklung, vom jungen zum ›alten Mädchen‹, bis diese Frau den Verstand verliert. Die Provokation des Romans lag nicht im Sujet, dem Problem der unverheiratet bleibenden Frau, sondern in der Darstellung der ungeschönten Realität eines Frauenlebens und dem Verzicht auf eine abdämpfende versöhnliche Lösung.

Der Roman gibt aber nicht nur eine sozialkritische Oberflächenbeschreibung. Besondere Aufmerksamkeit verdient die für die Weiterentwicklung des Naturalismus charakteristische Mischung von objektiver und subjektiver Erzählweise (durch Übergang in erlebte Rede), ergänzt durch deutende Einschübe der Erzählerin. Vermittels der Ineinanderschiebung von Außen- und Innensicht vergegenwärtigt der Roman sowohl gesellschaftliche Einschränkungen der Selbstentfaltung der Frau als auch ihre Selbstentfremdung durch die Normen und Phrasen, die sich in ihr aufgebaut haben, fremde Gedanken und künstliche Stimmungen, in denen sie schwelgt. Die ihre Identität formenden Normen und Phrasen vergegenwärtigen die Determiniertheit der weiblichen Figur, die auch selbst gewonnene Einsichten, die thematisierten Widersprüche, die eingeschobenen, zum Teil ironischen Kommentare nicht brechen können.

1. *Helene Böhlau: Mächtige Seelen*

Nach erfolgreichen, im traditionellen Erzählstil gehaltenen Geschichten aus dem Goetheschen Weimar wandte sich die Schriftstellerin Helene Böhlau (1859–1940) der aktuellen Frauenthematik zu. Auch ihre beiden Romane *Der Rangierbahnhof* (1895) und *Halbtier!* (1899) sind in der Darstellungsweise vom Naturalismus beeinflußt, etwa durch die Aufnahme des Gegensatzes Großstadt – Natur wie ausgedehnte Milieuschilderungen und damit verbundener Sprachsphären.[8] Als bestimmend für den Handlungsaufbau erweist sich wie bei Gabriele Reuter die Konfrontation weiblicher und männlicher Lebenswelt mit dem Unterschied, daß in Helene Böhlaus Romanen die jeweils weiblichen Hauptfiguren zu Verkörperungen ›weiblicher Größe‹ werden.

Der Roman *Halbtier!* ist der provozierendste Frauenroman der Jahrhundertwende mit seiner schon im Titel wie auch später im Text radikal formulierten Anklage der Minderwertigkeitsposition des ›zweiten Geschlechts‹. Die Eindeutigkeit der Aussage ist zweifellos um den Preis der Einseitigkeit gewonnen, vor allem der eindimensionalen Charakterisierung der meisten Figuren. Ausgehend von der Unterdrückung und Subjektlosigkeit der Frau zeichnet Böhlau den Weg der Befreiung als eine *Gleich*werdung mit dem Mann, und zwar nicht *gleich* als Mann aber gleich dem Mann als Subjekt mit historischer Erfahrung und Innerlichkeit und schließlich in der Größe der Selbstüberwindung. Diese *Gleich*werdung vollzieht sich in Böhlaus Roman in solitärer, asketischer Lebenspraxis der Protagonistin. *Gleich*werdung und Liebe erscheint für die Frau als unmöglich lösbares Dilemma.

Die Hauptfigur des Romans *Halbtier!* ist die kunstbegeisterte Isolde Frey, Tochter eines Schriftstellers, nach dessen Auffassung die Frau nichts als ›Weib‹, und ›Halbtier‹ zu sein hat. Nach drastischen, naturalistischen Familienszenen wechselt der Roman über in ländliche Geselligkeit, einem Treffen von ›Geistesmenschen‹, zu dem Isolde und ihre Schwester Marie ihren Vater begleiten dürfen. Auch hier wird weibliche Natur als *geist*-los degradiert und ein Spektrum misogyner Anspielungen und Zitate entfaltet, das auf die zeitgenössische Weiblichkeitsdebatte zurückweist. Isolde entwickelt eine schwärmerische Liebe für den Maler Megersen und steht im nackt Modell. Er, ein zynischer Frauenverächter, der in der Frau nur das Tier zu sehen vermag, konfrontiert sie kurz darauf mit einer brutalen Zurückweisung: er hält um die Hand der unkomplizierten Marie an. In Isolde Frey erwächst aus dieser Kränkung der Wunsch, »den Begriff Weib in sich selbst umwerten, umgestalten« zu wollen.[9] Dank einer Erbschaft ist es ihr möglich, sich als Bildhauerin ausbilden zu lassen.

Der zweite Teil des Romans, der von der anfänglichen Polyperspektive zur Perspektive Isoldes wechselt, zeichnet ihre Entwicklung als eine philosophische Entfaltung, und zwar orientiert an Nietzsche und vor allem Arthur Schopenhauers Lehre von der Welt als Wille und Vorstellung. Dies ermöglicht ihr, in vielfältiger Weise über die Situation der Frau in der Gesellschaft und Kultur zu reflektieren. Auf ihrem Weg zur ›Verneinung des Willens‹ überschreitet Isolde die der sozio-symbolischen Ordnung zugrundeliegende Trennung der Frauen und erfährt die bedrückende Realität der Wiederholung des Gleichen. Ihre Schwester Marie wiederholt in der Ehe mit Megersen als mißachtete Gebärmaschine das Schicksal der Mutter. Für ein junges verzweifeltes Mädchen, vom Bruder geschwängert und allein gelassen, kommt jede Hilfe zu spät. Isolde findet sie, neben ihr das tote Kind, in der Anatomie. Als Tochter erkennt sie die einzigartige Größe der Leidensfähigkeit der Mutter.

Auf der Suche nach Leidensüberwindung wendet sich Isolde gesellschaftlichen Lösungsmöglichkeiten zu, sie trifft auf die »wunderlichste Sklavenbewegung«, die Frauenbewegung. Beim Besuch einer Frauenversammlung erscheint ihr aber das dortige Vorgehen in Nichtigkeiten und Details befangen; sie stellt dem entgegen ihre ›königliche‹ Vision einer Befreiung der Frau: »Macht etwas Ganzes aus ihr!« Und das heißt: Gebt ihr ein Kind und Arbeit.[10]

So bedeutsam im Roman die Darstellung unerträglicher Gegenwart und die Gestaltung der Mitleidsphilosophie ist, so fragwürdig ist die der leidenden Schwäche gegenübergestellte Stärke. Isolde wird zur Geste der Macht verführt, zur Distanzierung von den ›matten Halbtierseelen‹ und erkauft ihren Weg zur Höhe durch den Verlust der eigenen Perspektive und Sprache. Die *weibliche* Markierung zeigt sich in der Entfaltung des Weges, der Entwicklung eines mitleidenden Wissens, das sich spezifisch auf weibliches Leiden und Geschichtslosigkeit konzentriert. Aber dieses Wissen bleibt am Ende befangen in Vorstellungen der Autorität des singulären (historisch männlichen) Subjekts, das in hierarchischer Weise gedacht und erfahren wird und keine anderen, unterschiedlichen Subjektivitäten erlaubt, sondern diese immer nur an der einen idealen Subjektivität mißt. Und genau in dieser Wiederholung liegt das Problematische dieser *weiblichen* Aneignung der Philosophie Schopenhauers und Nietzsches.

2. *Franziska Gräfin zu Reventlow: Suche nach dem Ich-Anderen*

Franziska von Reventlows (1871–1918) Roman *Ellen Olestjerne* (1903), eine verschlüsselte Selbstbiographie [→ 266 ff.], erscheint auf den ersten Blick als der Tradition des Bildungsromans und dem Genre des Künstlerromans verpflichtet.[11] Ebenso läßt er sich dem zeitgenössischem Bohemeroman zuordnen, etwa dem ›aszendierenden Typus‹, mit den drei charakteristischen Entwicklungsstufen:

Voraussetzungen, Bohemeleben und schließlich Entwicklung einer neuen Existenzform auf einer höheren Stufe der Boheme-Existenz.[12] Gegenüber Struktur und Entwicklungsziel beider Genres formuliert Revenlow allerdings eine eigenwillige Abweichung. Bei ihr entwickelt sich der Bildungs- und Bohemeroman analog dem grammatischen Subjekt eines Satzes, das als erstes Element einer syntagmatischen Linie funktioniert, so ist in Reventlows Roman die Einheit des erzählten Subjekt durch ein oszillierendes Selbstverhältnis in Frage gestellt. Es gelingt aber nicht der Lebensentwurf eines zentrierten Ich. Reifung und Erfüllung vollziehen sich schließlich in der Mutterwerdung, die als Rückkehr und Heimkunft zum undifferenzierten Einssein der Mutter-Kind-Dyade zu lesen ist.

Ellen Olestjerne: Das ist zunächst die Geschichte einer bitter unglücklichen Kindheit und Jugend. Ellen, ein leidenschaftliches, phantasiebegabtes Mädchen, fühlt sich von den Eltern unverstanden. Fremd bleibt ihr der Vater, obwohl es Gemeinsamkeiten zwischen beiden gibt. Ungeliebt fühlt sie sich von der Mutter, einer pragmatischen, sich ganz in Haus- und Familienarbeit aufreibenden Frau. Ellen verweigert sich im Gegensatz zu Reuters Agathe der ›Domestizierung‹. Sie entwickelt ein Außenseiterinnenbewußtsein. Zu einer entscheidenden Erfahrung wird für sie die gemeinsame Lektüre mit dem Bruder Detlev von Nietzsches *Zarathustra*. In Nietzsches [→ 192 ff.] emphatischer Lebensbejahung findet Ellen Olestjerne die Sprache für das Unaufgeschlossene ihres Verlangens; sie gewinnt eine Perspektive, die es ihr ermöglicht, sich aus traditionellen Lebensformen zu befreien. Sie verläßt das Elternhaus, zieht zum Bruder nach Berlin. Dort lernt sie ihren späteren Verlobten Reinhard kennen, der ihr ein Malstudium in München finanziert. In München findet sie Zugang zur Boheme. Es gelingt ihr aber nicht, zu einer kontinuierlichen Arbeitsweise zu finden. Sie schwankt zwischen exzessiver Arbeitswut und Konzentrationsschwäche. Sie projiziert ihren Wunsch nach Selbsterfahrung und ihre Entgrenzungswünsche auf die Kunst. Sie fühlt eine innere Leere, einen »toten Punkt«. Mit der Liebe geht es ihr ebenso. Es fehlt ein zur Balance notwendiges Ich-Ideal, Folge eines Mangels an positiven weiblichen Gegenentwürfen und möglicherweise Konsequenz einer frühen traumatischen Erfahrung.

Die Lösung, die Ellen Olestjerne schließlich findet, fällt ihr sprichwörtlich in den Schoß. »Jetzt kommt es mir vor, als ob mit dem großen Rätsel, das sich in meinem Körper vollendet, auch all die andern Rätsel sich lösten.«[13] Ihr großes Vorbild kommt hier zu Wort. Also sprach Zarathustra: »Alles am Weibe ist ein Räthsel, und Alles am Weibe hat Eine Lösung: sie heißt Schwangerschaft.«[14] Reventlows neue Möglichkeit liegt allerdings in der Ablösung der Mutterschaft aus der gesellschaftlichen Machtausübung über die Frau, durch einen unbedingten mütterlichen Besitzanspruch (»Mein Kind hat keinen Vater, es soll nur mein sein.«[15]) und den Entwurf eines unabhängigen weiblichen Lebensmodells, das der Doppelstruktur ihres Begehrens entspricht: Die Liebe zum Kind, das sowohl ein Teil von ihr als ein Anderes ist, führt zurück zur Undifferenziertheit der Mutter-Kind-Dyade und gewährt ihr zugleich, in der Hingabe der Liebe ein Bewußtsein ihrer selbst zu gewinnen.

Die Darstellung der Entgrenzungssehnsucht in *Ellen Olestjerne*, die Erfahrung des All-Einheitsgefühls in Liebeserfüllung und schließlich Mutterschaft, die zur lyrischen Auflösung des Romanendes führt, verweisen auf die literarische Umsetzung der Lebensphilosophie um die Jahrhundertwende. Allerdings wird das Ausdrucksrepertoire häufig unvermittelt übernommen, ohne daß die ihm zugrunde liegende traditionelle Geschlechterpolarität kritisch in den Blick käme. In gleicher Weise vermischen sich transgredierender Entwurf und normative Weiblichkeitsvorstellung in Reventlows 1899 veröffentlichtem Aufsatz *Viragines oder Hetären*. Reventlow übt darin scharfe Kritik an der zeitgenössischen Frauenbewegung, die Geschlechtsunterschiede verwische, indem sie die geistige und berufliche Gleichberechtigung favorisiere, damit die Frauen mit den Männern erfolgreich konkurrieren könnten. Dagegen plädiert sie unter Berufung auf die freien Hetären des Altertums für weibliche Eigenständigkeit auf der Grundlage geschlechtlicher Freiheit: Verfügung über den eigenen Körper ohne Bindung an den einzelnen Mann. Das ideal gezeichnete Gegenbild der Hetären, wie es die Münchner Kosmiker entwarfen, mag im besonderen die Aristokratin Reventlow angesprochen haben. Während *Ellen Olestjerne* und der Aufsatz *Viragines und Hetären* noch eine ungebrochene Orientierung an der Lebensphilosophie und Bohemewelt zeigen, ohne die spezifisch weiblichen Komplikationen der sexuellen Revolution zu adressieren, gelingt Reventlow in dem Roman *Herrn Dames Aufzeichnungen oder Begebenheiten aus einem merkwürdigen Stadtteil* (1913) durch eine ironisierende Erzählweise und eine performierende Darstellung weiblicher Rollen eine kritischere, wenn auch grundsätzlich bejahende Darstellung der Boheme und weiblicher Lebensmöglichkeiten in ihr.

3. Lou Andreas-Salomé: Das weibliche Subjekt

Im gleichen Jahr wie *Viragines und Hetären* erscheint in der *Neuen Rundschau* [→ 121 f.] ein Essay mit dem Titel *Der Mensch als Weib.*[16] Lou Andreas-Salomé (1861–1937) unternimmt darin den Versuch, durch eine radikal formulierte, nicht hierarchische Dualität von Männlichem und Weiblichem dem männlichen Subjekt ein weibliches an die Seite zu stellen.[17] Ausgangspunkt ist die biologisch-psychologische Konzeptualisierung des Männlichen und Weiblichen als ›Differenziertheit und Undifferenziertheit‹, deren traditionelle Hierarchisierung Andreas-Salomé in Gleichwertigkeit umwertet. Andreas-Salomés Beitrag erscheint auf den ersten Blick nicht frei von zeittypischen Klischees und Bildern. Tatsächlich entwickelt sie aber eine Strategie der ›Umbenennung‹ patriarchalischer Begriffe.[18] Das *Weibliche* ist nicht nur Metapher für den Bruch mit einer bestimmten Rationalität und Individualität sondern wird zur Vorstellung eines anderen Subjekts verdichtet. Damit es zu einer wirklichen Begegnung der Geschlechter kommt, ist es nach Andreas-Salomé notwendig, daß jedes Geschlecht danach strebt, sein eigenes Schicksal zu verwirklichen.

Andreas-Salomé entwickelt ihr Projekt der Umbenennung zunächst, wie auch Weininger und Freud, ausgehend von sozio-biologischen Denkansätzen. Tatsächlich verhält es sich aber so, daß sie in der Konzeptualisierung des Weiblichen als Undifferenziertheit eine frühe eigene, religiös zu nennende Erfahrung unter Einfluß von Spinoza bestätigt fand, die sich u. a. in den achtziger Jahren durch die Begegnung mit Nietzsche vertiefte. Religion vollzieht sich als eine Lebensgestaltung, die nicht die Fixierung auf ein der Wahl unterliegendes Eindeutiges (z. B. der Wahrheit) sucht, sondern die Unmittelbarkeit einer Existenz, in der alle Gegensätze enthalten sind, in der alle Bewußtseinsebenen – die geistige, sinnliche und spirituelle – gelebt werden können.[19] Später, nach ihrer »Schule bei Freud«[20], war es Andreas-Salomé möglich, diese Erfahrung innerhalb der Psychoanlayse zu formulieren. In ihrem Beitrag *Narzißmus als Doppelrichtung* (1921) legt sie, Freud korrigierend, dar, daß ein Verständnis des Narzißmus als bloße Selbstliebe seine doppelte Richtung übersieht, und zwar die Verbindung der libidinösen Triebe, die sich auf das eigene Ich richten, mit einer fortdauernden Identifikation mit dem Ganzen, einer Totalität, die auf den ursprüngliche Einheitserfahrung zurückweist.[21]

Andreas-Salomés erzählerisches Werk, das immer autobiographisch und fiktional zugleich ist, zeigt überwiegend eine Distanz und Verhüllung ermöglichende beobachtende Erzählposition. Charakteristisch ist eine Konzentration auf bedeutsame Lebensabschnitte, Übergänge und Grenzsituationen und eine Repräsentation von Frauen als für den Mann fremde Figuren. Die Erzählung *Fenitschka* (1898) zum Beispiel schildert die Begegnung der gleichnamigen Frau mit einem jungen Mann, Max Werner, zunächst in Paris und später in Rußland.[22] Aus seiner Perspektive als Außenschau wird erzählt, und über sie erfolgt die Auseinandersetzung mit bestehenden Vorstellungen von Weiblichkeit, mit den Zuschreibungen und Projektionen auf die Frau, denen sich die weibliche Figur immer wieder entzieht. Robert Musil (1880–1942) hat 1924 eine Erzählung veröffentlicht, in der, ähnlich wie in Andreas-Salomés Geschichte, es dem Protagonisten im Verlauf der Geschichte nicht gelingt, hinter das Geheimnis Tonkas, nach der die Erzählung benannt ist, zu kommen.[23] In beiden Fällen geht es um eine Nicht-Adäquatheit männlichen Verstehens, das aber, bezogen auf die Frau, unterschiedlich begründet wird.

Andreas-Salomés Entwurf eines ›weiblichen‹ Subjekts schließt die Konsequenz ein, für sich gesellschaftliche Normen und Konventionen außer Kraft zu setzen. Diese Position ist anarchistisch, wie ihr Vergleich des ›Weibes‹ mit »irgendeiner organisierten Diebesbande« zeigt, die ein außergesetzliches Leben führt,[24] mithin für sich die Gesetze außer Kraft setzt, ohne auf direktem Weg Veränderungen anzustreben. Aus einer an der politischen Realität orientierten Position, wie die der zeitgenössischen Schriftstellerin Hedwig Dohm (1833–1919), ergab sich eine andere Perspektive. In ihrem Buch *Die Antifeministen* (1902) hat sie sich auch kritisch mit Andreas-Salomé auseinandergesetzt.[25] Andreas-Salomés Versuch, ein weibliches Subjekt zu entwerfen, ist für Dohm nur als neue alte Form von Weiblichkeitsideologie zu lesen, da sie selbst in der Transzendierung der Geschlechterdifferenz die menschliche Zukunft der Frau sah. In ihrem literarischen Werk hat sich Dohm mit weiblicher Marginalität und Nicht-Identität auseinandergesetzt und zwar in einer Weise, die deutlich macht, wie ernst sie Nietzsches Diktum genommen hat, daß es *die Frau* per se nicht gibt, daß es sie nur als historische Konstruktion gibt. So wichtig ihr Nietzsche war, so wenig blind war sie aber gegenüber seiner Schwäche, eben doch ›einige Wahrheiten‹ über die Frau zu verkünden und die ihn als Frauenverächter entlarven, wie sie bedauernd in dem Nietzsche gewidmeten Beitrag in ihrem Buch *Die Antifeministen* feststellt.[26]

4. *Hedwig Dohm: Kritische Relationalität*

Der Roman *Christa Ruland* (1902) ist der letzte Band einer Trilogie, in der Hedwig Dohm das Leben dreier Frauengenerationen der bürgerlichen Schicht vom neunzehnten Jahrhundert bis zur Generation der Jahrhunderwende gestaltet.[27] In einer Selbstanzeige des Romans schreibt Dohm:

> Das Innenleben einer reich veranlagten Frauennatur in seiner Entwicklung aus den Zeitströmungen heraus wollte ich in *Christa Ruland* darstellen, einer Frau, die sich auseinanderlebt, statt sich auszuleben, die sich komentenhaft zersplittert, weil sie inmitten einer Zeit steht, die für die Frau eine Weltwende bedeutet, weil sie ein Übergangsgeschöpf ist.[28]

Angesichts der zentralen Thematik der Fragmentierung läßt sich die Geschichte dieser Generation nicht als einsinnige Erzählung mit einem Entwicklungsziel berichten. Kennzeichnend für den Roman sind formale und stilistische Heterogenität. Es wechseln Beschreibungen, Dialoge, Reflexionen, Essayistisches, Briefe, Tagebuchaufzeichnungen und Lesefrüchte. Die Sprache ist rational und impressionistisch, ironisch, emphatisch und emotional. Zwar bleibt eine erzählerische Rahmenstruktur gewahrt – es gibt eine Erzählerinstanz, die erläuternd-kommentierend oder spielerisch-ironisch eingreift –, aber es zeigt sich auch als signifikantes modernes Verfahren eine flexible Erzählgestaltung durch den Wechsel zu erlebter Rede und innerem Monolog.

Kennzeichnend für die Protagonistin als Übergangsgeschöpf ist »Zwiespältigkeit«,[29] Schizophrenie, bedingt durch psychische Verhaftung im Alten und intellektueller Orientierung am Neuen. Das bewirkt in ihrem Fall Skepsis und Distanz und läßt sie zur Verkörperung von Negation und Passivität werden. Mit dieser typisierenden Gestaltungsweise steht Dohms Roman sowohl in der Tradition des romantischen wie auch Dekadenz-Romans [→ 219 f.]. Die Signatur des literarischen Kommunikationsraums der Dekadenz zeigt sich in *Christa Ruland* im Wollen und Nichtvollbringenkönnen, der Lust an schweifender Intellektualität, Skepsis gegenüber dem dynamischen Leistungsprinzip der modernen Gesellschaft, minutiöser Selbsterforschung, Ichzerfaserung und Sehnsucht nach dem Mystischen.[30] Erlebt der häufig feminisierte männliche Protagonist im Dekadenzroman angesichts gesellschaftlicher Krisensituation aus seinem historischen Bewußtsein heraus eine Dezentrierung des souveränen, cartesischen Ich, so hat aber für die Protagonistin in Dohms Roman die Krisensituation ihren Ausgangspunkt in der historischen Nichtexistenz des weiblichen Subjekt, die aber zur gleichen Zeit oder im Gegenteil, die Möglichkeit auf ein Neues, ein anderes Subjekt vielleicht, eröffnet. Das Projekt, das Dohms Roman entfaltet, ist die kontinuierliche Neuerfindung eines Selbst in der doppelten Bewegung von Konzentration und Entgrenzung.

Hedwig Dohm stellt in ihrem Roman die Situation der Frau als Leben ›auf der Grenze‹ dar, durch Zwiespalt charakterisiert, der im Verlauf des Romans eine Umwertung zur Doppelstruktur des Selbst erfährt. Ihre Protagonistin ist weder weibliches Opfer noch eine außergewöhnliche, von anderen Frauen getrennte große Einzige. Die Unbestimmtheit der weiblichen Figur wird als Defizit gesehen, sie ist aber auch ein kreativer Raum, in dem unausschöpfbare Möglichkeiten darauf warten, erschlossen zu werden. Im Unterschied zu Andreas-Salomés Autopoiesis, in dem das Ganze mehr als die Summe der Teile ist, ist in Dohms Projekt der kritischen Relationalität die Summe der Teile größer als das Ganze, bzw. die Summe der Teile kann kein Ganzes mehr finden. Der experimentierenden Existenzweise von Aneignung und Widerspruch entspricht die experimentelle Form des Romans. Dohm kann die Erfahrung *Frau* nicht in eine präsentable Form bringen, sie zum ästhetisch befriedigenden Produkt formen. Ihr Roman ist ein durch Brüche und Dezentrierung gekennzeichnetes erzählerisches Experiment. Konstitutiv für den Roman ist die Ironie. Wirklichkeit wird nicht von einem sicheren Ort, einer untrüglichen Gewißheit in Frage gestellt. Christa Ruland sucht diese Position, hat sie nur als Wegrichtung. Die Gegenwart des ›Übergangs‹ ist eine Zeit der ›Performances‹, mit denen sich die weibliche Figur immer wieder neu erfindet, neu differenziert. Performative (gender) Identität ist hier aber nicht das Produkt freier Entscheidung, sondern ist an die geschlechtsspezifische Positionalität der Asymmetrie und Asynchronie der Frau in der Moderne gebunden.

Hiltrud Gnüg

Erotische Rebellion, Bohememythos und die Literatur des Fin de siècle

»Boheme« erinnert weniger an Böhmen, einen konkreten geographischen Ort, als an das Pariser Quartier Latin, dem idealischen Ort der Künstler-Boheme, man assoziiert Giaccomo Puccinis (1896) und Ruggiero Leoncavallos (1897) Opern, die sich auf das Buch der Bücher zur Boheme beziehen: Henry Murgers (1822–1861) *Scènes de la Vie de Bohème*, das den größten Einfluß auf das Vorverständnis von Boheme ausgeübt hat. So hat z. B. Otto Julius Bierbaum (1865–1910) in seinem Künstler- und Entwicklungs-Roman *Stilpe* (1897) einen Protagonisten entworfen, der nach einigen bewegten Schuletappen – vom Vaterlandsschwärmer zum Revolutionär – schließlich mit Freunden Murgers Bohème-Modell nachzuleben sucht. Doch im Gegensatz zu Murgers Cénacle scheitert Stilpes Konzept, er selbst inszeniert seinen Selbstmord auf dem Theater. Eine Absage an Murgers heiteres Bohème-Konzept?

Das Fremdwort für antibürgerliches Künstlertum setzt sich allmählich seit der zweiten Hälfte des 19. Jahrhunderts durch. Aufschlußreich ist, daß Murgers Buchtitel im Erscheinungsjahr 1851 noch als *Pariser Zigeunerleben* übersetzt wurde, die Übersetzung von 1864/65 übernahm jedoch schon den Begriff Boheme. Und er setzte sich auch für nicht französische Künstlergruppen mit antibürgerlichem Selbstverständnis durch. In England führte William Makepeace Thackeray 1848 schon den Begriff »bohemians« ein. Und noch Aki Kaurismäkis Film *Das Leben der Bohème* (1992) zeigt, daß der Begriff auch heute noch nichts von seiner Aussagekraft verloren hat.

Gegenwärtig unterscheidet man orthographisch im Französischen sowohl zwischen dem »bohémien« (dem Zigeuner) und dem »bohème«, als auch zwischen der »Bohême« (Böhmen) und der »Bohème« als einer besonderen Lebensweise, die sich gegen eine bürgerliche utilitaristisch geprägte Gesellschaft richtet. Doch auch wenn die Sprache hier säuberlich trennt, ist die Etymologie, die die

Bohème den Zigeunern zuordnet, aufschlußreich. Bohémiens (oder bohèmes, bohêmes), wie die Zigeuner seit ihrem ersten Auftreten im 15. Jahrhundert in Frankreich genannt werden, galten vielen als der Inbegriff des fahrenden Volkes.[1] Bald aber schon verlor das Wort seine ethnische Fixierung, und »Zigeuner« bezog sich nun allgemein auf nicht seßhafte Menschen, Vagabunden, Schelme. Der Begriff konnte stark negativ besetzt und diskriminierend sein und einen Menschen von liederlichen Sitten, Betrügereien meinen, doch er barg auch ein auratisches Moment, evozierte die romantische Vorstellung von einem ungebundenen, freien Leben, voller Überraschungen, Abwechslungen, Abenteuern. Gegen die Monotonie eines bürgerlichen Arbeitsalltags im Zeittakt der Uhr wurde »das Zigeunerleben« selbst im Volkslied als »lustig« gefeiert. Es wurde mit schäumender Lebenslust, erlebnisreichen Reisen, Freiheit assoziiert. Die Legende erzählt von den Zigeunern, deren Vorvätern die Wanderschaft als Buße auferlegt wurde, da sie sich geweigert hatten, die Heilige Familie auf deren Flucht in Ägypten bei sich aufzunehmen. Dadurch erhält ihre Lebensweise, die die seßhaften Bürger oft befremdet, eine religiöse Legitimation, jedoch in Form einer Buße.

Achim von Arnim (1781–1831) hat diesen Stoff in seiner wundersamen Erzählung *Isabella von Ägypten* gestaltet, die Charles Baudelaires (1821–1867) höchstes Lob erhielt und die auch Heinrich Heine (1797–1856) als die »kostbarste« seiner Novellen bezeichnet:

> Hier sehen wir das wanderschaftliche Treiben der Zigeuner, die man hier in Frankreich Bohémiens, auch Egyptiens nennt. Hier lebt und webt das seltsame Märchenvolk mit seinen braunen Gesichtern, freundlichen Wahrsageraugen, und seinem wehmütigem Geheimnis. Die bunte gaukelnde Heiterkeit verhüllt einen großen mystischen Schmerz.[2]

Soll der Begriff »Boheme« mehr als nur eine Sammelvokabel für alle möglichen Künstler verschiedenster Epochen sein, die sich durch ihr Selbstverständnis und ihre Lebensweise von dem ›Durchschnittsmenschen‹ unterscheiden, so ist er historisch einzugrenzen, sozial- und kulturgeschichtlich zu bestimmen.

Mögen auch verschiedentlich Catull, François Villon, William Shakespeare etc. zur Boheme gezählt worden sein, später die Beatniks, Hippies, Provos oder Beatles, die Boheme ist vor allem im 19. Jahrhundert anzusiedeln, in der postnapoleonischen Ära eines Louis Philippe und seiner Nachfolger, die als Inbegriff bourgeoiser Gesellschaftsform den Widerspruch der Intellektuellen, der Künstler, der kritischen Zeitgenossen herausforderte. Der Bohémien begreift sich als Gegner, Kritiker der bestehenden Verhältnisse, der waltenden Ordnung; Entfremdung zur Gesellschaft kennzeichnet sein Bewußtsein. Er versteht sich anders als die Allgemeinheit, betont sein Anderssein gegenüber der Norm, dennoch ist er – anders als der Dandy, kein ›solitaire‹, denn anders als dieser sucht er die Gruppe, den Cénacle, will man dem literarischen Modell der Bohème folgen.

Der Bohémien (Zigeuner) gehört in die Reihe der Schelme, Vagabunden, Gaukler, und die wiederum stehen auch für den Künstler, der in seiner ästhetischen Verpflichtung der Kunst gegenüber sich den ethischen Normen der Gesellschaft entzieht. Die Vorstellung eines »Inconnu«, eines Ungewissen, eines imaginären ›ganz anderen‹ zur gewöhnlichen Welt, wie es das lyrische Ich in Charles Baudelaires Gedicht *Le Voyage à l'Inconnu* entwirft, verbindet sich mit dem Bild des Zigeuners. Man denke an Baudelaires Prosagedicht *Le Vieux Saltimbanque* aus *Le Spleen de Paris* (1861), das einen gebrechlichen alten Gaukler evoziert, der mitten in einem brodelnden Volksfest stumm und unbeweglich dasitzt und einsam, wie von weit her das Treiben der Menge betrachtet. Ein Bild der Misere und anrührenden Würde. Dem flanierenden Ich, dem Dichter erscheint der »vieux saltimbanque« als Bild des ›Homme de lettres‹, des einsamen Dichters, den die Öffentlichkeit, die er einst mit seiner Kunst erfreute, vergessen hat. In dem Gedicht *Bohémiens en Voyage* aus den *Fleurs du Mal* (1851) entwirft Baudelaire das Bild des reisenden Zigeunerstamms, die Frauen mit dem Kind auf dem Rücken oder an der Brust auf den Wagen, die Männer schreiten zu Fuß daneben, den Blick dem Himmel zugewandt. Ihr Weg ist von Wundern umsäumt, denn Kybele liebt und beschenkt sie:

Fait couler le rocher et fleurir le désert
Devant ces voyageurs, pour lesquels est ouvert
L'empire familier des ténèbres futures.[3]

Die überraschende Volte der Schlußverse, die den wundersamen Segnungen der Natur das vertraute Reich der künftigen Schatten entgegenstellen, deutet an, daß diese Reisenden, die einen Blick in die Zukunft werfen können, um den dunklen Grund der menschlichen Existenz wissen. Im Bohemien wie im Gaukler erblickt Baudelaire Bilder des verkannten Künstlers, der am Rande der Gesellschaft lebt; doch ihnen eignet auch eine Freiheit, um die er sie beneidet.

Arthur Rimbauds (1854–1891) Gedicht *Ma Bohème* von 1870 entwirft ein Selbstportrait des jungen Genies, eines Flaneurs in zerrissener Kleidung, der, ein »Träumer-Däumling« unter freiem Himmel, seine Verse streut, seine Herberge beim großen Bären findet. Hier die vier Strophen des Sonetts, das hohen und niederen Stil bewußt kontrastiert:

Je m'en allais, les poings dans mes poches crevées;
Mon paletot aussi devenait idéal;
J'allais sous le ciel, Muse! et j'étais ton féal;
Oh! là! là! que d'amours splendides j'ai rêvées!

Mon unique culotte avait un large trou.
– Petit-Poucet rêveur, j'égrenais dans ma course
Des rimes. Mon auberge était à la Grande-Ourse.
– Mes étoiles au ciel avaient un doux frou-frou

Et je les écoutais, assis au bord des routes,
Ces bons soirs de septembre où je sentais des gouttes
De rosée à mon front, comme un vin de vigueur;

Où, rimant au milieu des ombres fantastiques,
Comme des lyres, je tirais les élastiques
De mes souliers blessés, un pied près de mon cœur![4]

Der Mantel als Ideal, d. h. ein Stoffgespinst, das seine Materialität verliert und zum filigranen Ideengeflecht wird. Kein Naturidyll, keine reale Landschaft werden hier entworfen. Das Genie zieht aus allem Inspiration, seine Sterne rauschen sanft, »un doux frou-frou«, das erinnert an Tüll, Tanz, Erotik. Synästhesien, Stilmischungen. Himmel und zerlöcherte Hose, Lyra und die Schnürsenkel der wundscheuernden Schuhe: »Ma Bohème«! Der Künstler als Außenseiter, der sich der geordneten Enge bürgerlicher Normalität entzieht. Rimbauds *Ma Bohème* erinnert anders als Baudelaires Verse nicht mehr unmittelbar an die Welt der Zigeuner, doch es verweist auf Wanderschaft, Heimatlosigkeit oder auf einen Sinn, der das Ferne, Weite sucht.

Bei Thomas Mann (1875–1955) findet sich immer wieder der Gegensatz von Bürger und Künstler [→ 317 f.], und die Künstler, mögen sie sich auch wie Aschenbach einem rigiden Ordnungsprinzip unterwerfen, tragen in sich etwas Problematisches, ein Wissen und Wollen, das sie der bürgerlichen Lebenswelt entfremdet. Tonio Kröger reflektiert – mit dem schmerzenden Bewußtsein eigener Erfahrung – diesen Riß zwischen der Künstlerexistenz und den »Blonden und Blauäugigen«, die den gesellschaftlichen Erwartungen entsprechen. Die Figur des Bajazzo, der in gewisser Hinsicht eine Art Boheme-Leben führt, künstlerische Interessen pflegt, sich den Nützlichkeitserwartungen der Gesellschaft widersetzt, seine Zeit frei gestaltet, leidet unter seiner Isolation, und er erwägt einen Augenblick, ob er sich den Boheme-Kreisen anschließen sollte, doch er lehnt das ab:

> Mir fehlte jede Verbindung mit der guten Gesellschaft und den ersten und zweiten Kreisen der Stadt; um mich bei der goldenen Jugend als fêtard einzuführen, gebrach es mir bei Gott an Mitteln, – und andererseits die Bohème? Aber ich bin ein Mensch von Erziehung, ich trage saubere Wäsche und einen heilen Anzug, und ich finde schlechterdings keine Lust darin, mit ungepflegten jungen Leuten an absinthklebrigen Tischen anarchistische Gespräche zu führen.[5]

Das heißt, der Bajazzo sieht die Boheme als Alternative zur ›guten Gesellschaft‹ mit ihrer Nützlichkeitsmoral, doch er lehnt sie für sich selbst als anarchisch, unordentlich, ungepflegt ab. Auch ein

Rimbaud bzw. das lyrische Ich aus dem Gedicht *Ma Bohème* hätte nicht sein Gefallen gefunden. Der Bajazzo flieht die Anforderungen der Gesellschaft, jedoch auch die Mühen ernsthaften Künstlertums, dennoch bleibt er ihrer Werteskala verhaftet. Insofern bietet er schließlich nur das jämmerliche Bild eines Versagers.

Schon bei den Romantikern, die sich gegen die geordnete Welt der Philister mit ihrer Magenphilosophie wandten, gegen einen platten kunstfeindlichen Rationalismus, verkörpern die Zigeuner das Bild einer schönen Naturseele, geheimnisumwoben, mit tragischer Geschichte. Die Idealisierung des ›edlen Wilden‹ im 18. Jahrhundert, des Zigeuner-»Märchenvolks mit ⟨...⟩ seinem wehmütigem Geheimnis«[6] seit Beginn des 19. Jahrhunderts, hängt mit dem Lebenskonzept der Boheme zusammen. Baudelaires dunkel grundiertes Konzept des Bohémien knüpft hier an, unterscheidet sich nun erheblich von der humoresken Spielart à la Murger, die das Boheme-Leben mehr als jugendbewegte Phase innerhalb der Künstlerexistenz begreift.

Henry Murgers Erfolgsbuch beginnt bezeichnenderweise mit dem Kapitel »Comment fut institué le Cénacle de la Bohème«, das auf humorvolle Weise die ›schicksalhafte‹ Begegnung der künftigen vier Freunde schildert: zwischen dem Musiker Schaunard, der sein Appartement wegen dreimonatigen Mietrückstands räumen mußte, und dem Maler Marcel, der statt gediegenen Mobiliars nur mit einem gemalten Palast-Interieur aufwarten kann. Der obdachlos gewordene Schaunard auf der Suche nach Geld und einer warmen Mahlzeit, trifft in einem billigen Bistro den Philosophen Colline, man teilt sich eine Gibelotte, redet, trinkt, wechselt das Lokal, trinkt, trifft Rodolphe, den Dichter, der Tabak anzubieten hat, redet und trinkt nun zu dritt und schließlich geht man selbdritt zu Schaunards Appartement, da es das nächste ist und Schaunard seinen Rausschmiß vergessen hat, und trifft in der Wohnung auf Marcel, den neuen Bewohner.

Das komische Imbroglio endet damit, daß alle vier müde und trunken Bruderschaft schließen, ihren Rausch ausschlafen und morgens in fremder Umgebung mit Fremden aufwachen. Doch das ändert sich schnell, beim Frühstück schon beschließen sie zusammenzubleiben. Und diese Eingangsszene ist charakteristisch für das

Leben der Boheme: Es sind junge Leute mit künstlerischen, geistigen Ambitionen, die von der Hand in den Mund leben und – wenn ihnen Fortuna in Form eines Geldsegens gewogen – kleinere und größere Geldsummen aufs Schnellste zu vernichten wissen. Die Freunde leben gegenwartsbezogen, sind unfähig jeder ökonomischen Planung, auf sympathische Art leichtsinnig großzügig, es sind keineswegs geizig kalkulierende Klein- oder Großbürger. In ihren Wohnungen treffen sich – wie später auch in der Berliner oder Schwabinger Boheme [→ 417 f.] – immer wieder Überraschungsgäste, sie sind von ihrem Talent überzeugt, doch sie stellen ihre Kunst durchaus hinsichtlich lukullischer, amouröser, kurz anderer lebenswichtiger Interessen in den Dienst der Bietenden. Eros, die Liebe, spielt zwar eine große Rolle, doch die amour passion erscheint in leichtem Pastell, und Schmerz über die Trennung von Louise, Mimi oder Musette führt nicht zu einer Existenzkrise. Die Freunde widmen sich zwar unterschiedlichen Künsten bzw. der Philosophie, führen auf je verschiedene Weise ihr amouröses Leben, gemeinsam ist ihnen aber die Vermeidung der Ehe. Auch wenn ihnen ein Hang zur Libertinage nicht abzusprechen ist, von erotischer Rebellion kann man nicht sprechen. Sie genießen unbekümmert, was das Leben so bietet, finden schließlich in ihrem jeweiligen Metier auch den finanziellen Erfolg und wenden sich von ihrer Boheme-Existenz ab. Es fehlt ihrer Bourgeoiskritik die Radikalität, sie lassen sich von den Geschehnissen treiben. Marcels Schlußwort auf Rodolphes provokativen Vorschlag, ihr altes billiges Stammlokal aufzusuchen:

> Ma foi, non, répliqua Marcel, je veux bien consentir à regarder le passé, mais ce sera au travers d'une bouteille de vrai vin, et assis dans un bon fauteuil. Qu'est-ce que tu veux? Je suis un corrompu. Je n'aime plus que ce qui est bon![7]

Anders als bei Jules Vallès (1832–1885) Roman *Les Réfractaires* (1865), die politisches Engagement und Boheme miteinander verbinden, und Léon Bloys (1846–1917) sozialkritischem Werk *Le Désespéré* (1886) stellt die Boheme hier nur ein vorübergehendes Stadium dar, eine jugendliche Phase, nicht eine grundsätzliche Geisteshaltung des Künstlers wie bei Bloy und Vallès, die zwar mit kritischem Blick die Boheme betrachten, dennoch der unangepaßten Boheme gegenüber der wohlgeordneten bürgerlichen Existenz den Vorzug geben.

Die Frauen spielen zwar für die Bohémiens des 19. Jahrhundets eine wichtige Rolle, doch sie bleiben weitgehend Rollen unter männlicher Regie. Das ändert sich spätestens seit der Jahrhundertwende. Nathalie Barney, Liane de Pougy, Colette, Franziska zu Reventlow oder Else Lasker-Schüler und viele andere wären zu nennen, die selbst den Mittelpunkt einer Bohemeszene bilden.

Franziska zu Reventlow (1871–1918), abhold allem politischen Engagement, eine Libertine, die der politischen Bühne fernbleibt und lieber die erotischen Schauplätze erkundet, gilt als Prototyp einer Bohemienne und als Symbolfigur erotischer Rebellion. Die lebenshungrige, sinnlich-erotische Gräfin, die eine strenge Erziehung erlitten hat, nur heimlich die modernen Autoren wie Ferdinand Lassalle, August Bebel, Henrik Ibsen, Emile Zola etc. lesen konnte, mußte sich zäh ihre Freiheit erkämpfen. Ihr Wunsch, unter fachlicher Anleitung gründliche Malereistudien zu betreiben, stieß auf den erbitterten Widerstand der Eltern, und nur um der Enge des Elternhauses zu entkommen und finanziell unabhängig zu werden, setzte sie es durch, ein Lehrerinnenseminar zu besuchen. Lehrerin, Gouvernante, Pflegerin – so sah im allgemeinen das Spektrum der beruflichen Möglichkeiten für eine Frau aus der ›gebildeten Schicht‹ aus. Was ihre Figur Ellen Olestjerne aus dem gleichnamigen autobiographischen Roman (1903) [→ 249 ff.] äußert, als sie auf viele Bälle geschickt wird, um vielleicht »doch mal jemand zum Heiraten zu finden«, entspricht ihrem eigenen Verhalten:

> Momentan ist hier das ganze Haus voll von Offizieren zur Jagd. Ich halte ihnen Reden über Ibsen und moderne Ideen ⟨...⟩ Die werden sich schwer hüten, mich zu heiraten. Überhaupt macht es mir furchtbaren Spaß, die Leute vor den Kopf zu stoßen, besonders diese aristokratische Bande.[8]

Am Tag ihrer Mündigkeit flieht die Reventlow nach Hamburg-Wandsbeck zu einer befreundeten Familie des *Ibsen-Clubs*, eines intellektuellen Zirkels, der u. a. auch Ideen weiblicher Emanzipation [→ 68 ff.] diskutiert. Ihre Familie wird ihr diesen Schritt nie verzeihen, versagt ihr auch in der Not jede Hilfe, verweigert sogar den Abschied vom sterbenden Vater. An der psychischen und ökonomischen Strafe läßt sich das Ausmaß der Provokation ablesen, die der Ausbruch aus dem Paradigma weiblicher Lebensgestaltung – im Sinne des Patriarchats – bedeutet. Im *Ibsen-Club* lernt sie den Assessor Walter Lübke kennen, der sich ihren künstlerischen Ambitionen aufgeschlossen zeigt, sie verlobt sich mit ihm, ohne daß sie konkreter an eine Ehe mit ihren Implikationen dächte. In München – Lübke finanziert den einjährigen Aufenthalt – nutzt die Reventlow nicht nur ihre Chance, unter fachlicher Anleitung intensiv ihre Kunststudien zu betreiben, sie genießt in vollen Zügen die neue Freiheit, ist hingerissen von dem unkonventionellen Leben der Künstlerboheme – Diskussionen bis zum frühen Morgen, improvisierte Imbisse, turbulente Maskenbälle, ungeplante nächtliche Eskapaden etc. und dann wieder das aufreibende Mühen, in der Kunst weiterzukommen. Die Gräfin, deren Lebensweise sowohl den Verhaltensnormen der eigenen aristokratischen Kaste als auch den Erwartungen der ›guten Gesellschaft‹ widerspricht, vergoldet in ihren autobiographischen Schriften und Romanen keineswegs ihre Erfahrungen: dem Rausche der Feste, der augenblickserfüllten Impromptus, folgt die nervenaufzehrende Suche nach ein bißchen Geld für eine Mahlzeit, die rückständige Miete, Malutensilien. Freiheit ist ihre Devise, und das bedeutet für sie, der Spontaneität ihrer Einfälle und Wünsche – ohne Rücksicht auf gesellschaftliche Normen, Vernunftgründe, moralische Vorstellungen – zu folgen, ihre Sinnlichkeit auszuleben, ihren Leidenschaften sich hinzugeben – auch auf Kosten der Gesundheit, des guten Rufes, friedlicher Geborgenheit. Als Neunzehnjährige schreibt sie an ihren Freund:

> Von jungen Mädchen findet man es ja allerdings ensetzlich, wenn sie das sein wollen; sie dürfen überhaupt nichts sein, im besten Falle eine Wohnstubendekoration oder ein brauchbares Haustier, von tausend lächerlichen Vorurteilen eingeengt, die geistige Ausbildung wird vollständig vernachlässigt, möglichst gehemmt. Zuletzt werden sie dann an einen netten Mann verheiratet und versumpfen vollständig in Haushalt und dergleichen.[9]

Trotz ihrer offenkundig geringen Wertschätzung der Ehe heiratet sie dennoch 1894 Lübke, bleibt ein Jahr lang bei ihm in Hamburg, geht dann wieder nach München, um die Malereistudien weiterzuführen und genießt aufs Neue das turbulente Leben der Künstler-Boheme.

Ihre Protagonistin Ellen Olestjerne erfährt die Liebe als eine »blinde, wütende Sturmflut, die alle Dämme niederbrach, und da gab es kein Fragen mehr, kein Überlegen, was mit fortgerissen und was gerettet werden konnte«.[10] Auch Reventlow fragt nicht nach den Konsequenzen, wenn sie sich der »Sturmflut« ihrer erotischen Begierden überläßt, sie wägt nicht das Für und Wider ab, teilt ihre Gunst nicht nach sicheren Zukunftsperspektiven aus, sondern sie empfindet den Eros als Selbstzweck, der Mann und Frau das lustvolle Gefühl der Körperlichkeit beschert. Darin liegt das emanzipatorische Moment ihrer libertinen Lebenskonzeption: Sie bejaht die Sexualität der Frau, sie fordert gegenüber einer repressiven Gesellschaft, die die Frau einerseits zum niedrigen Lustobjekt degradiert, sie andererseits aber zur hehren Gattin und Mutter stilisiert, die rein ist von der Verderbnis sexueller Wollust, das Recht auf ein undiskriminiertes Sexualleben der Frau. Das Œuvre ihres literarischen Zeitgenossen Arthur Schnitzler (1862–1931), das immer wieder kritisch die männliche Doppelmoral ausstellt, die das ›gefallene Mädchen‹, die Frau mit sexueller ›Vergangenheit‹ diffamiert, gleichzeitig die zahlreichen sexuellen Erfahrungen des Mannes als ›fesch‹, weltmännisch-souverän taxiert, demonstriert die Brisanz dieses Postulats. Die Gräfin liebt die flüchtigen Amouren ebenso wie die grande Passion, sie kennt kein Nacheinander, empfindet mehrere Lieben auf einmal, und nimmt en passant noch erotische Aventüren mit. In ihrem Tagebuch notiert sie: »Fühle mich ganz als ich selbst, wenn alles durcheinandergeht, Wehmut, Sehnsucht, tiefe Liebe und frivole Oberflächlichkeiten.«[11]

In ihrem erotischen Briefroman *Von Paul zu Pedro – Amouresken* (1912), in dem sie eine Galerie verschiedener Liebhabertypen ironisch witzig portraitiert, schöpft sie aus ihrem eigenen reichen Erfahrungsschatz. Stärker als in ihrem Erstling *Ellen Olestjerne* entfaltet sie hier ihr Talent zur Satire und distanzierter Beobachtungsgabe.

Ihr Schlüsselroman *Herrn Dames Aufzeichnungen oder Begebenheiten aus einem merkwürdigen Stadtteil* (1913) schildert aus der Sicht eines um Verständnis bemühten Neuankömmlings – eben des Herrn Dame – Szenen der Münchner Boheme. Er spielt zu Beginn des Zerwürfnisses um den Mysterienforscher Alfred Schuler und die Schriftsteller Ludwig Klages, Karl Wolfskehl und Stefan George [→ 231 ff.]. Der Schauplatz: Schwabing, dem sie den schillernden Namen Wahnmoching gibt. Deutlich äußert sich in der Sicht der Susanna ihre eigene amüsierte Skepsis gegenüber den diversen edelauratisch präsentierten Theoremen:

> Hier wurde leidenschaftlich über Kunst und Welt diskutiert. Hier wurde gelebt und geliebt, hier feierte man bacchantische Feste, hier traf man neben unbekannten Genies Männer, deren Namen in der geistigen Welt Rang und Bedeutung hatten. Man gebärdete sich genial, verachtete alles Verstandesmäßige als spießbürgerlich und pries den kosmischen Rausch als Krone des Lebens und als Quell wahrer Kunst.[12]

Susanna, die u. a. den wißbegierigen naiven Neuankömmling Dame in die komplizierte Welt von Wahnmoching einweiht, schätzt offensichtlich die rauschenden Feste mehr als die subtilen philosophischen Differenzen der Schwabinger Boheme [→ 417 ff.] mit ihrem Elitebewußtsein.

So erfrischend ihr Freimut ist, ihre sexuellen Abenteuer nicht mit der Aura hehrer Empfindung moralisch zu polieren, so problematisch bleibt doch der Versuch Reventlows, das schrankenlose Ausleben der Sexualität schon als geglückte weibliche Emanzipation darzustellen. Obwohl ihr von Finanznöten bestimmtes Leben das aristokratische Privileg luxuriösen Müßiggangs keineswegs kennt, sie die eigene Klasse als »Aristokratenbande« verachtet, entwickelt sie doch recht aristokratische Vorstellungen einer erstrebenswerten weiblichen Existenzform. In ihrem programmatischen Aufsatz *Viragines oder Hetären* (1899), der sich polemisch gegen die Ziele der damaligen Feministinnen (Viragines) richtet, definiert sie die Frau als »Luxusobjekt in des Wortes schönster Bedeutung, das Schutz, Pflege und günstige Lebensbedingungen braucht«,[13] für den Kampf ums Dasein nicht geschaffen ist und das seine Zeit damit ausfüllen soll, »Männer zu lieben, Kinder zu bauen und an allen erfreulichen Dingen der Welt teilzunehmen«.[14] Und folgerichtig fordert sie eine Frauenbewegung, die die Frau »als Geschlechtswesen befreit«, die »uns das Hetärentum wiederbringt«.[15] Das Postulat freier Liebe teilt sie mit Ida Hofmann-Oedenkoven, die zu den Monte-Verità-Bewohnern [→ 417 f.] gehört, einer Gruppe, die eine alternative Lebenskultur proklamiert, eine gesunde, mehr vegetarische Ernährung, körperfreundliche Kleidung bzw. nacktes Sonnenbaden, Freiluftarbeit, Freilufttanz etc., kurz ein Leben im Einklang mit der inneren und äußeren Natur, das eine nicht institutionalisierte Sexualpraxis einschließt. Während Hofmann in ihren Schriften *Monte Verità. Wahrheit ohne Dichtung* (1906) außer der freien Liebe jedoch auch Chancengleichheit der Bildung, Berufstätigkeit der Frau fordert – ein politisches Konzept sozialen Zusammenlebens entwickelt, bleibt Reventlows Emanzipationsentwurf in mancher Hinsicht traditionellen Denkmustern verhaftet. Sie fordert zwar für jeden die »freie Verfügung über seinen Körper«.[16] freie Sexualität, teilt aber letztlich der Frau eine Drohnenexistenz zu, die diese weiterhin vom politischen und öffentlichen Leben, von Selbstbestimmung, im umfassenden Sinne von Eigenverantwortung, freier Berufswahl, ökonomischer Unabhängigkeit ausschließt. Im Grunde reproduziert sie die Denkmuster über eine Geschlechterpolarität, die dem Mann Aktivität, Aggressivität, Genialität, der Frau dagegen Passivität, Hingabefähigkeit, einen künstlerischen Sinn, der nur im »Sichhineinleben, Nachempfinden« besteht,[17] zuschreiben. Obwohl sie selbst für sich und ihren Sohn, dessen Vater sie nur die Erzeugerrolle zuweist, mühsam durch Übersetzungen den Lebensunterhalt verdient und als Schriftstellerin die künstlerische Produktivität der Frau beweist, feiert sie das fragile Luxusgeschöpf mit erotischer Begabung als Frauenideal. Das entspricht der Rolle, die Murgers Bohemiens ihren Musette-Lieben zuordneten. Dennoch, ein ungeheurer Freiheitsdrang und eine außergewöhnliche Lust an erotischer Erfahrungsfülle lassen Reventlows Biographie als ein wichtiges Beispiel erotischer Rebellion erscheinen.

Was Reventlow für die Münchner, bedeutet Else Lasker-Schüler (1869–1945) für die Berliner Boheme: Sie ist mit den unterschiedlichsten Künstlerpersönlichkeiten wie Peter Hille, Oskar Kokoschka, Karl Kraus, Tilla Durieux, Emmy Destinn, Adolf Loos, Max Oppenheimer, Karl Schmidt-Rottluff, Gottfried Benn u. a. befreundet, und sie selbst verkörpert eine Schlüsselfigur der Berliner Szene. In diversen Essays stellte sie die literarischen Portraits ihrer Freunde vor, keine Paß-Photos, sondern kühn imaginierte Entwürfe. Anders als Reventlow erlebte sie ihre Kindheit und Jugend in einem gut- bis großbürgerlichen Elternhaus als eine glückliche Zeit. Die Familie Schüler gehörte zu jenen assimilierten bürgerlichen Juden Deutschlands, die liberal, selbst an Kunst, Theater, Literatur interessiert, ihren Kindern die beste Ausbildung zukommen ließen. Else, die jüngste Tochter von sechs Kindern, erfuhr schon im Kreis der Familie selbst vielfältige Anregungen. Dennoch bedeutete wohl nach dem Tod ihrer Mutter die Ehe mit dem Arzt Berthold Lasker – nach Ansicht von Sigrid Bauschinger[18] – auch eine Art Befreiung vom Elternhaus mit den Brüdern und dem eher provinziellen Elberfeld. Schon bald zog das Paar nach Berlin. Sie stürzte sich in das kulturelle Leben, nahm Mal- und Zeichenunterricht bei Simon Goldberg, begann zu schreiben und hatte schließlich erste Erfolge als Schriftstellerin. Ihr künstlerischer Selbstfindungsprozeß entfremdete sie ihrer Ehe. Schließlich entscheidet sie sich, von Peter Hille (1854–1904), dem Dichterfreund bestärkt, für die Existenzform einer freien Künstlerin. Sie tauscht – wie Reventlow – eine sichere bürgerliche Existenz gegen das wechselvolle Künstlerleben ohne soliden Finanzhintergrund ein. Wie diese hat auch sie den Erzeuger ihres Sohnes Paul, dem sie jedoch wohl bewußt diese Rolle zugedacht hatte, nie benannt.

Ihr erotisches Selbsverständnis unterscheidet sich von dem der Gräfin, ist idealischer, wunderbar phantasmagorisch. Sie erfindet sich Namen, schreibt als Prinzessin Tino von Bagdad, bald als Jossuf, imaginiert sich als Prinzen, Knaben, wählt immer wieder die Maske, den Namen eines arabischen Prinzen einer exotischen Traum-/Gegenwelt.

In *Mein Herz. Ein Liebesroman mit Bildern und wirklich lebenden Menschen* (1912) entwirft sie einen impressionistischen Bilderreigen vom Leben und Treiben der Berliner Künstler-Boheme. Ähnlich dem Tagebuch der Reventlow hält sie ihre Erlebnisse, Eindrücke, Assoziationen in spontan formulierten Briefen an ihren zweiten Mann Herwarth Walden (1878–1941), dem Herausgeber der expressionistischen Zeitschrift *Der Sturm* [→ 441 f.] fest, sie wirft sie aufs Papier, überläßt sich – scheinbar ungefiltert durch Selbstkontrolle oder Selbstzensur ihren Einfällen und Phantasien. Walden und seinem Freund »Kurtchen«, die sich auf einer längeren Skandinavienreise befinden, diesen »lieben Eiskühlern«, »Renntieren«, »sehr edlen Gesandten« malt sie höchst phantasievoll pittoresk ihre immer neuen, sich überlagernden Lieben aus: Da heißt es im ersten Brief an die »Lieben Jungens«:

Ich tanzte mit *Minn*, dem Sohn des Sultans von Marokko. Wir tanzten, tanzten wie zwei Tanzschlangen, oben auf der Islambühne, wir krochen ganz aus uns heraus, nach den Locktönen der Bambusflöte des Bändigers, nach der Trommel, pharaonenalt, mit den ewigen Schellen. Und Gertrude tanzte auch, aber wie eine Muse, nicht muselhaft wie wir, sie tanzte mit graziösen, schalkhaften Arme die Craquette, ihre Finger wehten wie Fransen. Aber er und ich verirrten uns nach Tanger, stießen kriegerische Schreie aus, bis mich sein Mund küßte so sanft, so inbrünstig, und ich hätte mich geniert, mich zu sträuben. Seitdem liebe ich alle Menschen, die eine Nuance seiner Hautfarbe an sich tragen. an sein Goldbrokat erinnern. Ich liebe den Slawen, weil er ähnlich braune Haare hat wie Minn; ich liebe den Bischof, weil der Blutstein in seiner Krawatte von der Röte des Farbstoffs ist, mit der sich mein königlicher Muselmann die Nägel färbt. Ich kann gar nicht ohne zu brennen an seine Augen denken, schmale lässige Flüsse, schimmernde Iris, die sich in den Nil betten. Was soll ich anfangen?[19]

Ein Augenmensch ist sie, ganz Ästhet, wortverliebt, wortverspielt, immer neuen Reizen hingegeben, immer neuen erotischen Räuschen sich überlassend, dennoch, bei aller erotischen Faszination ist immer der Trieb dar, ihr Empfinden, ihre Sicht, ihre Vision erotischen Erlebens in eigenwillig originäre Worte zu transponieren. In ihrem Hang, all ihren Geliebten märchenhafte Namen zu geben, spiegelt sich ihre Lust an schöner Maskerade. Karl Kraus (1874–1936) erklärt sie in einem Brief:

Jedenfalls liebe ich nach meiner Sehnsucht die Leute alle zu kleiden, damit ein Spiel zustande kommt 〈...〉 Spielen ist alles.[20]

Anders als Reventlow, die erotische Aventüren locker distanziert beschreibt, bedarf Lasker-Schüler immer eines malerisch exotischen Ambiente, einer Mischung von Tausendundeinernacht und Berliner Café.

Die Cafés [→ 287 ff.], sie scheinen der ideelle Ort der Boheme zu sein, Heimstatt, Fluchtort: »Ich bin nun zwei Abende nicht im Café gewesen, ich fühle mich etwas unwohl am Herzen.«[21] Ein wahrlich vieldeutiger Ausspruch! Lasker-Schüler ist vor allem als große Lyrikerin in die Literaturgeschichte eingegangen, diese poetische Begabung zeigte sich auch in ihren epistolarischen Impromptus – doch das Innovative, Eigenwillige, Neue ihres Schreibens, die sinnlich suggestive Art überraschender Bildsprache, das entspricht einer Dichterpersönlichkeit, die auch für sich in der eigenen Lebenswirklichkeit Tabus, Normen ignoriert, außer Kraft setzt.

Das 19. Jahrhundert hat in seinem Verlauf eine immer rigidere Sexualmoral für die Frau, eine Doppelmoral für den Mann entwickelt. Und so überrascht es nicht, daß vor allem die Frauen zum Ende des Jahrhunderts hin ihre Emanzipation mit dem Postulat sexueller Befreiung verbinden. Die erotische Rebellion zu Ende des 19. Jahrhunderts ist wesentlich eine von Frauen bestimmte. Unterdrückt in ihrer Sexualität waren zwar auch die Männer, vor allem die Homosexuellen (und hier die Männer in stärkerem Maße als die lesbischen Frauen), doch eine erotische Rebellion im Sinne einer offenen Provokation der Gesellschaft fand in den männlichen homosexuellen Kreisen nicht statt. Oscar Wilde (1854–1900) bekannte sich nicht zu seiner Homosexualität, Marcel Proust (1871–1922) stellt sie dar, redet jedoch von ihr als einem »vice« (Laster), Thomas Mann läßt sie nicht zu. Die Reihe ließe sich fortsetzen. Die Frauen um die Jahrhundertwende dagegen sind rebellisch, sowohl die Lesbierinnen (die ihre Liebe weit freier und selbstverständlicher leben als die homosexuellen Männer), als auch die heterosexuell veranlagten Frauen, die gegen ihre sexuelle Unterdrückung und Ausbeutung rebellieren. Sie opponieren gegen die patriarchalische Ordnung [→ 243 ff.], und sie wollen eine andere Gesellschaft, in der sich freier, lustvoller leben läßt. Boheme und erotische Rebellion gehen vornehmlich bei den künstlerisch engagierten Frauen ein Bündnis ein.

Gertrud Maria Rösch

Satirische Publizistik, Cabaret und Ueberbrettl zur Zeit der Jahrhundertwende

I. Satirische Publizistik um die Jahrhundertwende im Überblick: »ohne Prüderie, flott, frisch und originell, aber den Anstand nicht verletzen«

Blickt man auf alle Publikumszeitschriften, war die Medienlandschaft nahezu unüberschaubar vielfältig. München und Berlin galten als die Zentren der illustrierten satirischen Publizistik, die zu den künstlerisch-literarischen Medien gehört; dort erschienen Periodika, die um 1900 ihren Namen und ihr Renommee schon etabliert hatten.[1]

Zu ihnen gehörten allen voran in Berlin der *Kladderadatsch* und in München *Die Fliegenden Blätter*. Unter den parteipolitisch festgelegten Blättern waren *Der Süddeutsche Postillon* und *Der Wahre Jakob* längere Zeit erfolgreich. *Der Wahre Jakob* war 1879 in Hamburg von Johann Heinrich Wilhelm Dietz (1843–1922) als Monatsblatt gegründet worden. Unter dem Sozialistengesetz [→ 394 f.] konnte er 1881 verboten werden, aber Dietz gab ihn dann am 1. Januar 1884 in Stuttgart wieder heraus. Für 1912 ist eine Auflage von 380 500 Exemplaren überliefert, 1933 hörte er auf zu erscheinen.[2] *Der Süddeutsche Postillon* erschien von 1882 bis 1910 als Beilage der *Süddeutschen Post* und erreichte in den neunziger Jahren eine Auflage von 40 000 Exemplaren. Sein Redakteur war ab 1892 Eduard Fuchs (1870–1914), der sich ab 1901 der Kulturgeschichte der Karikatur zuwandte.[3] Die Zeitschrift markierte ihren Standpunkt mit den regelmäßigen Festnummern zum 1. Mai und Gedenknummern, so zu Ferdinand Lassalles 30. Todestag 1894, aber auch die politikfernen Witze um den flotten Ehemann und den ewigen Gegensatz zwischen bayerischem und preußischem Naturell gehörten zum Bestand jedes Jahrgangs.[4]

In München erschienen seit 1892 auch die *Meggendorfer Blätter*, herausgegeben von Lothar Meggendorfer (1847–1925). Zu den beliebtesten Mitarbeitern gehörte Oscar Bluhm (1867–1912) mit seinen Szenen aus dem Großbürgertum, in denen er Frauen in freizügigen Toiletten und erotisch verlockenden Situationen zeichnete, wie dies auch Ferdinand von Reznicek im *Simplicissimus* tat. Josef Mukarovsky (1851–1921) bot Szenen aus dem bäuerlichen Leben, wie auch Fritz Reiss (1857–1916), der häufig Mundartgedichte illustrierte und deren harmonisierendes Bild graphisch fortschrieb. Zwei der wenigen Frauen, die sich überhaupt als Zeichnerinnen einen Namen machen konnten, da Frauen weder Akademie noch Universität offenstanden, waren Mila von Luttich (geb. 1872, Todesjahr nicht ermittelbar), deren Illustrationen sich stark dem dekorativen Wiener Secessionsstil näherten, und Mathilde Ade (1877–1954) mit Bildern, in denen der japanische Holzschnitt als Vorbild erkennbar ist. Die *Meggendorfer*, die eine Auflage bis zu 55 000 Exemplaren erreichten, wurden am 1. Januar 1929 mit den *Fliegenden Blättern* vereinigt.

1. *Zeitungslandschaft Berlin*: Kladderadatsch – Ulk – Lustige Blätter

Ein Monument seiner selbst war in Berlin um 1900 schon der *Kladderadatsch*. Die Generation, die das Blatt 1848 gegründet hatte, war bis in die neunziger Jahren abgelöst worden: David Kalisch starb 1872, Ernst Dohm 1883, Rudolf Löwenstein 1891 und Wilhelm Scholz 1893.[5] Ihnen folgten Wilhelm Polstorff (1843–1906) und Johannes Trojan (1837–1915), deren Verehrung Bismarcks sich in Anthologien, Karikaturen und Anekdoten äußerte.[6] In dieser nationalen Orientierung wie in seinem Bestreben, die »Vornehmen und Gebildeten« als Leser zu gewinnen,[7] traf sich der äußerlich so verschiedene *Kladderadatsch*, dessen Auflage vor dem Ersten Weltkrieg bei 38 000 lag, durchaus mit dem *Simplicissimus*. Markantes Merkmal der Zeitschrift war die Titelseite, die einen rundgesichtigen Spötter zeigte; bei den Texten überwogen die kleinformatigen Wortbeiträge, Witze und Glossen.[8] Erst 1912 bot die Zeitschrift eine ganzseitige Karikatur auf der Titelseite, so daß die traditionsreiche Spötterfigur auf die zweite Seite geschoben wurde, und näherte sich, dank der Zeichnungen von Gustav Brandt (1861–1919) und des gelegentlich mitarbeitenden Hermann Schlittgen (1859–1930), dem festen Strich und den starken Farbflächen des *Simplicissimus* an.

Zu den markanten Erscheinungen in Berlin gehörte auch *Ulk. Illustriertes Wochenblatt für Humor und Satire*, der von 1872 bis 1933 als Gratisbeilage des *Berliner Tageblatts* bei Rudolf Mosse (1843–1920) erschien und von Fritz Engel (1867–1935) bzw. Sigmar Mehring (1856–1915) redigiert wurde. Durch die Anbindung an die Tageszeitung erreichte er im Jahr 1911/12 eine Auflage von 286 000 Exemplaren. In der Hauptsache erschienen Gedichte und kürzere Prosastücke, die aus der Perspektive einer Typen-Figur gesprochen wurden. Das »Redaktionstelephon« brachte Stilblüten und kuriose Meldungen aus den Zeitungen; die Herkunft der Informationen ließ an das spätere Verfahren Karl Kraus' in der *Fackel* denken oder an den *Kleinen Briefkasten* in Franz Pfemferts *Aktion* [→ 441 f.], aber im *Ulk* fehlte die entlarvende und kritische Absicht in der Zusammenstellung der Zitate. Zu den Hauptzeichnern gehörte schon um 1900 Lyonel Feininger (1871–1957), der sowohl Blätter zu allgemein gesellschaftlichen Erscheinungen lieferte[9] wie auch politische Karikaturen.

Die *Lustigen Blätter* bestanden seit 1887 in Berlin. Die Auflage betrug 1912 etwa 65 000 Exemplare, Extra-Nummern wurden sogar in 100 000 Exemplaren gedruckt.[10] Redigiert wurden sie um die Jahrhundertwende von Alexander Moszkowski (1851–1934), Gustav Hochstetter (1873–1944) und Max Brinkmann. Hauptzeichner waren Ernst Stern (1876–1954) und Franz Jüttner (1865–1926) mit mehrfarbigen, aktuellen Titelblättern, dann Walter Caspari (1869–1913), der die kleinformatigen romantischen Sujets pflegte. Zwischen 1895 und 1908 zeichnete Lyonel Feininger neben dem *Ulk* auch für die *Lustigen Blätter*; seine in der Farbgebung verfremdeten Bilder erschienen häufig auf der letzten Seite.[11] Ein längerer erzählender Beitrag fand sich fast in jeder Nummer, meist eine Skizze oder ein Dialog. Zu den Autoren des Blattes gehörten Roda Roda (1872–1945) und der Kritiker Oskar Blumenthal (1852–1917), Rudolf Presber (1868–1935) und die Redakteure Alexander

Moszkowski und Gustav Hochstetter, ebenso Richard Dehmel (1863–1920) und Peter Altenberg (1859–1919). Insgesamt blieb aber ein Berliner Tenor erhalten, vor allem durch die Zeichnungen Heinrich Zilles (1858–1929) aus dem Unterschichts-»Miljöh«.

Der *Ulk* und die *Lustigen Blätter* legten auf die Feststellung Wert, daß sie in den »besten Familienkreisen« abonniert würden,[12] eine Ambition, die auch der *Simplicissimus* und die *Jugend* [→ 127f.] pflegten, auch wenn diese Journale zunächst unter dem Zeichen des Affronts auftraten.

2. *Zeitungslandschaft München*: Die Fliegenden Blätter – Jugend – Simplicissimus

Unter den Münchner satirischen Zeitschriften waren es die *Fliegenden Blätter* und der *Süddeutsche Postillon* sowie die *Meggendorfer Blätter*, die alle schon vor 1890 einen Stamm von Mitarbeitern und ein Repertoire von Themen boten, aus dem die beiden späteren Blätter schöpfen konnten. Die längste Tradition hatten die sogenannten *Fliegenden*, die am 7. November 1844 gegründet worden waren und von Wilhelm Busch (1832–1908; bei den *Fliegenden* von 1858 bis 1870) und Adolf Oberländer (1845–1923) als den Hauptzeichnern getragen wurden.[13] Oberländer wie auch Edmund Harburger (1846–1906) lagen die Münchner Typen wie die Dreiviertelprivatiers und Hausknechte, während Max Flashar (1855–1915) und Paul René Reinicke (1860–1926) Szenen aus der eleganten Welt pflegten. Ferdinand von Reznicek (1868–1909), der beim *Simplicissimus* bevorzugt die frivolen Szenen lieferte, zeichnete zuvor für die *Fliegenden*, wie auch Thomas Theodor Heine, der zunächst Tierbilder beisteuerte, weil seine Schlaglichter auf die dunkle Seite bürgerlichen und kleinbürgerlichen Lebens sich in das als Familienblatt geltende Medium nicht einfügten. Die Auflage von 81000 für 1889 läßt auf die anhaltende Akzeptanz der *Fliegenden Blätter* schließen, die alles pointiert Aktuelle und Verletzende vermieden.

»Programmatische Programmlosigkeit«[14] wollte der Herausgeber der *Jugend*, Georg Hirth (1841–1916), in seinem Blatt gewahrt wissen. Der Anspruch des Neuen verwirklichte sich fast ausschließlich in den Graphiken, denn sie zeigten immer wieder junge Mädchen, entweder in bauschigen Kleidern oder als hermaphroditisch schlanke, nackte Körper.[15] Die Mehrzahl dieser Darstellungen stammte von Hugo Höppener (1868–1948), der unter dem Künstlernamen Fidus zeichnete, oder von Josef Rudolf Witzel (1867–1925), der in seiner stark ornamentalen, fließenden und an Aubrey Beardsley erinnernden Linie zahlreiche Titelblätter des ersten Jahrgangs gestaltete. Als Allegorie oder als Somnambule, als Nymphe oder Nixe in den Elementen aufgehend wird die nackte Frau gezeigt und durch sie das bacchantische, rauschhafte Lebensgefühl beschworen, das in der Phantasie, nicht aber in der von der »kompakten Majorität« bestimmten Realität möglich war. Diese Gegenwelt, in der Imagination und Realität, Ich und Welt ineinander fließen, auch in der Sprache zu evozieren, gelang Dehmel in seinen Gedichten, aber auch Jakob Wassermann (1873–1934) in einer Erzählung wie *Finsterniss* (1896). Es ist das nächtliche Bekenntnis eines Mannes, der das Dunkel eines Waldes, nach dem ekstatischen Farbenspiel des Sonnenuntergangs, als Bedrohung wie durch ein wildes Tier erfährt, dadurch wahnsinnig wird und nun seine irren Vorstellungen darüber, daß die Erdoberfläche eine gläserne Schale sei, mitteilt.[16] Wassermann gestaltete den Wahnsinn, ohne dem Milieu viel Beachtung zu schenken, während er sich in seinen Erzählungen im *Simplicissimus*, dessen Redakteur er war, öfter den krassen gesellschaftlichen Ungerechtigkeiten zuwandte. Ein Gegengewicht zu der latenten Erotik zahlreicher Aktstudien, etwa von Franz von Stuck (1863–1928) und Lovis Corinth (1858–1925) wie in der Nummer vom 16. Mai 1896, lag in der Tendenz zum naturalistischen Erzählen, wie es Clara Viebig (1860–1925), Peter Rosegger (1843–1918), Johannes Schlaf (1862–1941) oder auch Anton von Perfall (1851–1924) in der Zeitschrift pflegten. Vorbild und Anstoß für die *Jugend* waren ausländische Zeitschriften; die Mitwirkung französischer Zeichner wurde stets hervorgehoben. Unter ihnen sind Georges Jeanniot (1848–?) Théophile Steinlen (1859–1923), Albert Guillaume (1873–?) und Felix Vallotton (1865–1925). Prägend für den literarischen Teil waren Realisten wie Anatole France (1844–1924) und Anton Čechov (1860–1904), aber auch Symbolisten wie Paul Verlaine (1844–1896). Für ein Preisausschreiben wurden am 29. Februar 1896 auch »kurze Prosabeiträge ⟨...⟩ nicht über 300 Druckzeilen lang« eingefordert, »Novelletten, Märchen, Plaudereien über allgemein interessante Themen, Satiren und Aehnliches. Die Arbeiten sollen ohne Prüderie, flott, frisch und originell geschrieben sein, aber den Anstand nicht verletzen, sich in ihrer Tendenz in dem durch die bisher erschienenen Nummern der ›Jugend‹ festgesetzten Rahmen halten ⟨...⟩.«[17] Diese Vielfalt zeigt sich in jeder Nummer: Witze auf Serenissimus, Aphorismen von Hirth oder Modeglossen mit Zeichnungen von Maximilien René Radiguet (1816–1899) wechselten sich hier ab. Unter den Gastautoren waren Maxim Gorki (1868–1936), Stefan Zweig (1881–1942), Helene Stöcker (1869–1943), Christian Morgenstern (1871–1914) mit Horaz-Übersetzungen und Roda Roda, aber das Gros der Texte lieferten die Redakteure Franz Langheinrich und A. Matthäi.

Schon vor dem Ersten Weltkrieg war die *Jugend* kunstpolitisch konservativ geworden; die meisten Stammzeichner waren auch Mitglieder der *Scholle* (Reinhold Max Eichler, Fritz Erler, Max Feldbauer, Walther Georgi, Adolf Münzer, Walther Püttner, Leo Putz und Angelo Jank) und beteiligten sich an der Protestbroschüre *Im Kampf um die Kunst*, mit der Carl Vinnen aus Worpswede 1911 den Erfolg der französischen Impressionisten als künstlerisch haltlose Geschäftstaktik zu entlarven gedachte.[18] Als dauerhaftes Verdienst bleibt die Tendenz zum Gesamtkunstwerk und das Engagement für alle Bereiche der Kunst, deren Propagierung sie mit der politischen Satire und der Karikatur zu verbinden suchte.

Der *Simplicissimus* hingegen pflegte ausschließlich die Satire, wiewohl sich zunächst Ähnlichkeiten mit der *Jugend* zeigten. Das Titelblatt der ersten Nummer, die Erzählung *Die Fürstin Russalka* von Frank Wedekind (1864–1918) illustrierend, stammte von Angelo Jank (1868–1940), einem Zeichner der *Jugend*, ebenso arbeiteten Bruno Paul (1874–1966), Josef Benedikt Engl (1867–1907) und Rudolf Wilke (1873–1908) anfangs bei beiden Blättern. Im Zentrum stand ein längerer Erzähltext; prominent vertreten waren hier Wassermann, Heinrich Mann (1871–1950), Wedekind, Thomas Mann (1875–1955) neben Knut Hamsun (1859–1952), Čechov und Guy de Maupassant (1850–1893). Diese bestimmten, wie auch die programmatischen Gedichte von Wedekind in den ersten Nummern, die Linie der Zeitschrift, die als Offenheit für alle literarischen Richtungen und Formen und als kontrollierte Provokation in den Themen zu beschreiben wäre.[19] In der biographisch und editorisch gut dokumentierten Geschichte im ersten Jahrzehnt[20] zeigt sich ein Abrücken von der Typenkarikatur und dem Gesellschaftshumor, der dank des Mitbegründers und Zeichners Thomas Theodor Heine (1867–1948) häufig auch ins »dunkle Deutschland« führte, zugunsten einer politisch hochaktuellen Persönlichkeitskarikatur. Hatte die Zeitschrift am Anfang auch die floral-ornamentalen Seiten sowie stimmungsvolle Randleisten und Vignetten von Heine und Marcus Behmer (1879–1958) sowie Blätter französischer Künstler (Theophile Steinlen, Jules Chéret) gebracht, so bestimmten doch ab dem dritten und vierten Jahrgang die Zeichner Bruno Paul, Eduard Thöny (1866–1950), Eduard von Reznicek (1868–1909), Wilke, Wilhelm Schulz (1865–1952) und Heine den Gesamteindruck jeder Nummer; nach der Jahrhundertwende kamen Karl Arnold (1883–1953) und Olaf Gulbransson (1873–1958) hinzu. Mehr oder minder häufig waren auch Blätter von Max Slevogt (1868–1932), Käthe Kollwitz (1867–1945) oder Alfred Kubin (1877–1959), die frei mitarbeiteten, zu finden. Im *Simplicissimus* wurde die ausschließliche Verpflichtung auf die Satire gewissermaßen ein Filter, der über die Gegenstände, die Perspektive ihrer Darstellung und die Textsorten entschied. Bevorzugt konnten sich Genres durchsetzen, die für politische Inhalte offen waren (wie Aphorismus, Glosse, Kommentar), deren alltagspragmatischer Ursprung ironisch verfremdet werden konnte (wie in Brief, Tagebuch, Biographie, Interview, Chronik, Predigt oder Rede), in denen sich Bild und Text verbanden oder die einen besonders hohen Anteil an Realismus in der Milieu- und Personenschilderung und damit die Decouvrierung gesellschaftlicher Mißstände erlaubten.[21]

Der Ruf des Blattes als extrem kritisch und liberal verdankte sich einer wachen Zensur [→ 394ff.], die mehrfach spektakuläre Prozesse herbeiführte (zu Haftstrafen kam es nur in zwei Fällen: im Zusammenhang mit Wilhelms Palästina-Reise 1898 gegen Heine und Wedekind und 1906 gegen Ludwig Thoma wegen seines Gedichts über die Sittlichkeitsvereine), die vom *Simplicissimus* publizistisch geschickt genutzt wurden.[22] Die von Heine entworfene Bulldogge erweckte den Eindruck kompromißlosen Angriffs, wie ihn die Redaktion gar nicht führen konnte.[23] Vielmehr hatte die Satire präzise Vorlieben und Grenzen: die Verehrung Bismarcks war (wie in den *Lustigen Blättern* und der *Jugend* auch) offensichtlich, sie motivierte die Kritik am Klerikalismus, damit die Fronten des Kulturkampfs in die Gegenwart verlängernd, und am Regime Wilhelms II., der durch seine diplomatischen Fehlgriffe genügend Anlaß gab. Die Gesellschaftskritik folgte den Anliegen der Sozialdemokratie, wenngleich die Zeitschrift bewußt jede Identifizierung mit dieser Partei vermied und stattdessen an das Mitleid mit den Armen und die Antipathie gegen ostentativen Reichtum appellierte. Die Botschaft der Karikaturen kollidierte mit den an Zahl zunehmenden Werbeseiten in jedem Heft, die aber, wie der Briefwechsel zwischen Thoma und Langen belegt, als Einnahmen zunehmend wichtiger wurden, so daß die Rücksicht auf die Inserenten und Käufer den Kurs der Redaktion mitbestimmte.[24] Die Ambivalenzen der Zeitschrift, ihre Zugeständnisse an den einmal gewählten Erfolgskurs, sahen unter den Zeitgenossen vor 1914 nur wenige wie etwa Josef Ruederer, der 1906 in einem Brief über »jenes Saublatt, das unter dem Titel ›Simplicissimus‹ nächstens offiziöses Regierungsorgan werden wird« schimpfte.[25] Viel öfter wurde die Kritik des Blattes als »zersetzend« empfunden, wie dies schlaglichtartig die heftigen Anfeindungen zeigten, die Langen von Rudolf Borchardt und Maximilian Harden gewärtigen mußte, als er eine singulär bleibende deutsch-französische Sondernummer *Friede mit Frankreich* herausbrachte. Die erbarmungslosen Bilder, die die Zeitschrift von Deutschland entwarf, wurden zwar im Innern akzeptiert, sollten aber nicht nach außen, schon gar nicht gegenüber dem Erbfeind Frankreich, popularisiert werden, so der Tenor der Angriffe.[26]

Im vergleichenden Überblick zeigt sich, daß die zwei heute so exzeptionell wirkenden Blätter *Jugend* und *Simplicissimus* von der langen Tradition illustrierter Satire in Deutschland zehrten und in ein Umfeld ähnlich ausgerichteter, auflagenstarker Medien eingebettet waren. Einzelne sehr erfolgreiche Genres, wie sie dann etwa Thoma im *Simplicissimus* weiterführte, waren schon vorhanden: die Entlarvung durch die begrenzte Perspektive einer Figur diente

Thoma in den »Lausbubengeschichten« als satirische Strategie, jedoch vorgebildet fand er sie in den Quartanerbriefen des *Kladderadatsch*, wo auch schon Serienfiguren auftraten, die dem Ökonom Filser vergleichbar sind.

II. Cabaret und Ueberbrettl um die Jahrhundertwende: »von Männern und Frauen der besten Gesellschaft bis auf den letzten Platz besetzt«

1. *Berliner Cabarets:* Buntes Theater (Ueberbrettl) – Schall und Rauch

Vorbild war das Pariser *Chat noir*, das Rodolphe Salis 1881 gegründet hatte. Er hatte es »cabaret artistique« genannt, um die Verbindung von Gaststätte und Kleinkunst hervorzuheben. In diese Welt tauchte Wedekind ein, während er in Paris lebte, und verbrachte mit dem Schauspieler und Variété-Künstler Willy Morgenstern »einige glückliche Abende zusammen, meistens in Circusgesellschaft, unter Baleteusen ⟨sic⟩, Kunstreitern, Schlangenmenschen, Katzenbändigern, Athleten, dummen Augusten und anderem Gelichter«.[27] Diese alle Sinne ansprechende Vielfalt aus Pantomime, Akrobatik, Wortkunst und Musik wollte Ernst von Wolzogen (1855–1934), der, unterstützt von Otto Julius Bierbaum (1865–1910), künstlerischer Direktor des Unternehmens war, aufnehmen und mit dem dichterischen Wort verbinden. Das Gründungsdatum des *Bunten Theaters* am 18. Januar 1901 bezog sich auf ungewöhnliche Anlässe: die Proklamation Wilhelms I. zum Deutschen Kaiser hatte am 18. Januar 1871 stattgefunden, und 200 Jahre vorher hatte sich Friedrich I. selbst zum preußischen König gekrönt. Gespielt wurde mit großem Erfolg in den Räumen der *Secessionsbühne* nahe dem Alexanderplatz, ehe Wolzogen sich in der Köpenicker Straße ein eigenes Theater bauen ließ.[28] *Ueberbrettl* war ein programmatischer Neologismus, der sich an Nietzsches »Übermenschen« anlehnte und rasch zweifache Bedeutung gewann: zum einen als Name für eine Form der Kleinkunst, die sich über das Variété qualitativ zu erheben trachtete, und zum anderen als Genrebegriff für Texte überwiegend parodierenden Charakters.

Das Ende für Wolzogens Unternehmen kam unter dem Druck der Konkurrenzgründungen: Im Laufe des Sommers 1901 entstanden in Berlin über vierzig weitere Cabarets.[29] Wolzogen erklärte in seinen Erinnerungen, er habe sich mit dem Neubau eines eigenen Theaters überschuldet, sei gezwungen gewesen, im Programm Kompromisse einzugehen, die seinen Ruf schädigten, und Tourneen anzunehmen, um die Schulden zu tilgen.[30] 1902 legte er die Leitung des *Bunten Theaters* nieder.

Eine Konkurrenzgründung zu Wolzogens Cabaret war *Schall und Rauch*, zunächst gedacht als Ort für Improvisationen, mit denen Max Reinhardt, damals Schauspieler bei Otto Brahm am Deutschen Theater, seinen Freund Christian Morgenstern unterstützen wollte.[31] Zum ersten Mal trat das Ensemble 1901 im Kleinen Theater unter den Linden auf. Die Stücke bezogen sich parodierend auf die Bühnenproduktion der großen Theater, so die *Diarrhoesteia des Persiflegeles*, eine Persiflage der *Orestie*, in deren Titel der theatralische »Durchfall« und das antike Stück amalgamiert waren, oder die Diebskomödie *Karle*, die auf Hauptmanns Stücke *Michael Kramer* und *Biberpelz* zielte. Mit der Parodie *Carleas und Elisande* von »Ysidore Mysterlinck« war dagegen wiederum das Theater des Symbolismus mit seinem Hauptvertreter Maurice Maeterlinck gemeint. Einen wesentlichen Schritt hin zum politischen Cabaret tat Reinhardt mit seiner Parodie auf Hauptmanns *Die Weber*, die von zwei Zuschauern, Serenissimus und seinem Hofmarschall Kindermann, von der Loge kommentiert wurde. Ein derartige Aufführungssituation, die einen engen Rapport zwischen der Bühne und den Zuschauern voraussetzte, beruhte auf einem intimen Spielraum. Dieser verschwand mit dem Umbau des Theaters durch den Architekten Peter Behrens; der neue Saal faßte 400 Personen, es war anonymes Publikum, bei dem die Wirkung der bisher erfolgreich gespielten Parodien zu versagen drohte. So war es durchaus folgerichtig, daß sich Reinhardt vom Cabaret abwandte und ab 1902 eine intime Kunstbühne führte, das *Kleine Theater*, das er mit Thomas Lustspiel *Die Lokalbahn* eröffnete.[32]

2. *Münchner Cabarets:* Die Elf Scharfrichter

In München warben 1901 rund zehn Vaudevilles um Publikum, ehe *Die Elf Scharfrichter* auftraten. Die für die Boheme typische Spontaneität, die Einfachheit und Volksnähe[33] bestimmten mindestens das Selbstbild der *Scharfrichter*, wenn sie von ihrem Cabaret behaupteten: »die Zuhörer sitzen gemüthlich bei ihrem Glase Bier.«[34] Gegen das Zerrbild der bürgerlichen Solidität richteten sich sowohl die Erotik, die vielfach die Darbietungen prägte, wie auch die Formen der Polemik und der Parodie, die das Cabaret besonders pflegte. Provokation war das Signum des Unternehmens, das zum Überleben der verspotteten Bürger bedurfte; sie hatten durch ihre Einlagen das Gründungskapital bereitgestellt und waren das umworbene Publikum.[35] Auch war die hohe »Garderobegebühr« von 2.99 Mark (ein Tagesmenü im Restaurant wurde etwa um die Hälfte dieser Summe angeboten) ein Faktor, der den Kreis der Besucher enger zog.

Das Ziel war theatralische Unterhaltung auf hohem Niveau in bewußter Anlehnung an die Pariser Cabarets, ein Gesamtkunstwerk, das offen war für alle Darbietungsformen.[36] Von der Entstehungsgeschichte her ist das Cabaret sowohl dem Drama wie auch der Publizistik zuzuordnen, denn es teilt mit dem einen Bereich die Dramaturgie, mit dem anderen den ständigen Bezug auf die Tagesaktualität. Im Gegensatz zum Drama lebt das Cabaret von der für die satirische Publizistik zentralen Aktualität und Halbfiktionalität, die einen Wissenszusammenhang beim Publikum voraussetzt und diesen durch Anspielungen provoziert. In dieser »permanenten Fiktionsdurchbrechung« durch die Conference, die einzelne Nummern verbindet, verwirklicht das Cabaret ein Element des epischen Theaters.[37] Indem das Cabaret die für das naturalistische Illusionstheater wichtige vierte Wand beseitigte, den Kontakt mit dem Publikum suchte und sich neuen Formen – etwa Einakter, Pantomime und Schattenspiel – zuwandte, arbeitete es auch der Bühnenreform und der theatralischen Avantgarde vor.[38] Im Programm unterschieden sich die *Elf Scharfrichter* wenig vom *Ueberbrettl*. Auch wenn Wolzogen für sein Unternehmen eine Tendenz zur Volkserziehung beanspruchte[39] und die Zeitgenossen dem Münchner Cabaret stets mehr Biß zugestanden,[40] so ergibt ein Vergleich der Programme, daß sie Nummern voneinander übernahmen (etwa den Einakter *Der Nachbar* (1901) von Hanns von Gumppenberg (1866–1928)) und daß die gleichen Autoren an beiden Cabarets mitarbeiteten, so Bierbaum und Thoma. Fast alle Mitwirkenden hatten auch ein finanzielles Interesse, um sich ein regelmäßiges Einkommen und die Möglichkeit künstlerischer Fortentwicklung zu sichern. Als einziger von ihnen reflektiert Wedekind in seinen Dramen *Der Kammersänger* (1899) und *Der Marquis von Keith* (1901) diese Konstellation, daß eine Kunstform dem ständigen wirtschaftlichen Erfolg unterworfen wird. Ähnlich wie Detlev von Liliencron (1844–1909) profitierte er davon, indem er durch seine Cabaret-Auftritte populär wurde, litt aber auch unter der ständigen, angespannten Textproduktion.[41]

Von den Darbietungen der *Elf Scharfrichter* existiert ein unmittelbar danach entstandener Bericht des anwesenden Polizeifunktionärs (Ludwig Simerl mit Namen), der einen lebhaften Eindruck von der Atmosphäre und dem Verlauf des Abends zu geben vermag, umso wertvoller heute, weil er im Auftrag seiner Behörde die Begleitumstände skrupulös vermerkte.[42] Die Beobachtung durch die Polizei richtete sich von Anfang an auf den Status als geschlossene Vorstellung und auf die Nicht-Öffentlichkeit der Aufführungen.[43] Am 11. Mai 1901 fand Simerl das etwa hundert Personen fassende Lokal »von Männern und Frauen der besten Gesellschaft bis auf den letzten Platz besetzt«. Nach dem Eröffnungslied folgten der Einakter *Der Veterinärarzt*[44] und Lieder zeitgenössischer Komponisten (*Im Schlosse Mirabel,*[45] *Die Dirne*[46]) oder aus *Des Knaben Wunderhorn*, ehe die Szene *Die feine Familie* gespielt wurde, eine »satirische Geißelung der Vorkommnisse in Südafrika und China«.[47] Für die nächsten drei Nummern – *Die 7 Rappen*, *Galathea*, *Franziskas Abendlied*[48] – vermerkte Simerl: »Sänger unbekannt. Text im Programm nicht enthalten«. Der »unbekannte Sänger« war Frank Wedekind, für den zu dieser Zeit die Cabaret-Auftritte die reichste Einkommensquelle bildeten.[49] Nach Wedekinds Nummern war die Star-Interpretin Marya Delvard (1875–1965, mit bürgerlichem Namen Marie Biller) mit den Liedern *Die Judentochter*, *Ilse* und *Spinnerlied* aufgetreten; bis auf *Ilse* von Wedekind waren dies Gedichte aus *Des Knaben Wunderhorn.*[50] Wohlwollend faßte Simerl zusammen: »Die einzelnen Texte entbehren ja wohl in den meisten Fällen nicht eines sinnlichen Hintergrundes, doch glaube ich kaum, daß hierin – und zwar auch nicht von Nörglern – thatsächlich eine auffällige Verletzung der guten Sitten und des Anstandes erblickt werden kann.«

Das Spiel mit der Zensur wurde ein weiterer Kitzel der *Scharfrichter*-Aufführungen; mit dem Verbot von Gorkis Einakter *Nachtasyl* 1903 erlebte es einen Höhepunkt. Um das Verbot zu umgehen, wurde eine Ehrenexekution angesetzt, die ausschließlich geladenen Gästen zugänglich sein sollte; darunter waren Literaten und Zeichner, der Historiker Richard Graf de Moulin-Eckart und der Mathematiker und königliche Professor Alfred Pringsheim, Juristen wie Max Bernstein oder Wilhelm Rosenthal, Verleger und Geschäftsleute wie die Besitzer der Brauereien Spaten und Pschorr.[51] Geladen wurden auch zwei Frauen, aber es fehlten die Hofgesellschaft und der Adel sowie das Militär. Die Namen geben einen repräsentativen Schnitt durch das Münchner Patriziat, innerhalb dessen die Brauer wiederholt als Mäzene für das Theater einsprangen,[52] ferner durch die Gruppe der Münchner Künstler sowie der interessierten Akademiker, die, wie Bernstein und Rosenthal, auch in Gremien wie dem Zensurbeirat und dem *Akademisch-dramatischen Verein* mitwirkten. Diese Liste der Förderer und Ehrengäste läßt aber auch fragen, wie ernst die *Elf Scharfrichter* ihre Identität in Aggression und Gegenbürgerlichkeit suchten oder ob sich nicht vielmehr Boheme und Bourgeoisie die Aufgabe des Provozierens und Provoziert-Werdens zum gegenseitigen Vergnügen und Vorteil geteilt hatten.

Ein Blick auf die Texte der Chansons scheint diesen Schluß nahezulegen. Viele Texte waren in der Sammlung *Deutsche Chansons (Brettl-Lieder)* abgedruckt, die Bierbaum schon 1900 herausgebracht hatte. Die Aufführungsbedingungen verlangten gut sangbare Texte, eingängige Reime, auch Refrains und lautmalende Elemente, die ihrerseits den Text der Musik annäherten. Rollengedichte, zumal wenn sie Dialoge oder wörtliche Reden enthielten, ließen sich besonders wirkungsvoll rezitieren und paßten daher in die halbdramatischen Vorführungen der Cabarets.

In den Liedern dominierte der faszinierte, voyeuristische Blick auf die Frauenfiguren der Dekadenz: die Dirne, die Hexe, die Kindfrau [→ 243 ff., 230], wie sie auch in der *Jugend* häufig erschienen. Was bei Bierbaum in seinem *Mädchenlied* (»Auf einem jungen Rosenblatt/Mein Liebster mir geblasen hat/Wohl eine Melodei«) noch in Metaphern formuliert ist, die seit Goethes *Heidenröslein* von jedem Zuhörer zu durchschauen waren, das war in Wedekinds *Ilse* eine verstohlen angedeutete Deflorationsphantasie, deren Details der Phantasie der Zuhörenden überantwortet blieben.[53]

Neben den erotischen Liedern gab es eine weitere Gruppe von Texten, die eher auf die provozierende Deformation der Sprache setzten. Hier überwog kein bestimmtes Thema, sondern sie zogen Reiz aus der Lautmalerei und Parodie, wie Christian Morgenstern, oder aus dem unterkühlt-sarkastischen Ton wie Joachim Ringelnatz (1883–1934) und Erich Mühsam (1878–1934) [→ 417 ff.]. Zu dieser Richtung gehörte auch ein Lied wie Gumppenbergs *Sommermädchenküssetauschelächelbeichte (In der geschwollenen neuen Wortkoppelweis')* oder Gustav Falkes (1853–1916) *Aus allen Zweigen (Allen sangesfrohen Goldschnittlyrikern gewidmet)*, das als eine Selbstparodie gelten muß, wenn man an Falkes eigene Gedichte vor 1900 denkt.[54] Wenn Kritik an der Gesellschaft laut wurde, dann blieb sie zahm wie in Dehmels *Der Arbeitsmann*.[55] Nicht Armut als solche wurde thematisiert, sondern die unbekümmerte Geste, mit der, wie in Falkes Lied *Wir zwei*, die bürgerliche Solidität abgetan wird.[56]

Kam das Ende der Ueberbrettlbewegung durch die Zensur? Verlor sich das Publikum, weil es seine Erwartungen an das Pikant-Skandalöse nicht mehr erfüllt sah? Wurde der Druck auf die Mitwirkenden, stets ein aktuelles und abwechslungsreiches Programm zu bieten, zu mächtig?[57] Wie die Lebenswelt der Boheme, als deren repräsentativer Ausdruck das Cabaret sich verstand, war es von Anfang an Widersprüchen ausgesetzt. Zu schwierig wurde der Spagat zwischen den Erwartungen des Publikums, das auch die Drohungen der Polizeizensur genießerisch mitverfolgte, und dem eigenem Wunsch, hindernde Eingriffe durch die Zensur zu vermeiden und den Erfolg des Unternehmens nicht zu schmälern; die entgegenkommenden Briefe von Heinrich Lautensack und Blei können dafür als Indiz dienen. Letztlich scheint es aber auch, als habe das *Ueberbrettl* seinen Zweck erfüllt, die Darbietungen in den Variétés soweit zu heben und zu verfeinern, daß sie plötzlich eine ernstzunehmende Konkurrenz der intimen Cabarets wurden.

III. Ausblick: Revuen, Variétés, Neopathetisches Cabaret

Kleinere Cabarets bestanden nach dem Ende des *Ueberbrettls* wie der *Elf Scharfrichter* in beiden Städten weiter.[58] Das Cabaret wurde beerbt vom Variété und den großen Revue-Theatern, die keine Erscheinung nur der zwanziger Jahre sind; dort fanden die an den Cabarets mitwirkenden Künstler wieder Engagements. Keine Rede war nach 1903 mehr von Volksaufklärung, Kulturkritik durch Kunst oder Hebung der Unterhaltungsbühne. In Berlin war es vor allem das Metropoltheater, das durch Revuen wie *Ein tolles Jahr*[59] und *Die Herren von Maxim*, eine »Ausstattungsposse« von Julius Freund zu der Musik von Victor Hollaender, bekannt wurde.[60] Sowohl Cabaret wie Variété mußten die Zensur passieren, aber wo das Cabaret durch seine Themen provozierte und Verbote riskierte, setzten die Revuen auf das entblößte Bein, auf das kesse Knie, das offenbar niemand beanstandete.

Einen Versuch, an die Tradition der Jahrhundertwende anzuknüpfen, stellte das *Neopathetische Cabaret* [→ 441 f.] dar; dies signalisierte schon der Name. In verschiedenen Lokalen traf sich, angeregt von Kurt Hiller, ein Literaturzirkel um Jacob van Hoddis, Ernst Blass, Alfred Lichtenstein, Heinrich Eduard Jacob, Rudolf Kurtz, Ferdinand Hardekopf und Georg Heym. Signatur war die Verbindung des Zerebralem mit dem Ulk, die Durchsetzung einer neuen Avantgarde, die sich zur gleichen Zeit um die Zeitschriften *Der Sturm* oder *Die Aktion* [→ 442 f.] sammelte. Diese Renaissance des literarischen Cabarets beendete 1912 der Tod von Georg Heym [→ 319 f.].

Wolfgang Bunzel

Kaffeehaus und Literatur im Wien der Jahrhundertwende

I. Das Kaffeehaus als sozialer Ort

Kaffeehäuser gibt es in Europa seit der Mitte des 17. Jahrhunderts. Bereits zu dieser Zeit fungierten sie als »Kommunikationszentren« und »Nachrichtenbörsen«.[1] Das Auslegen von Zeitungen, aber auch von Flugschriften, Erlassen etc. trug erheblich dazu bei, daß Literatur und Journalismus in den Cafés ihren festen Platz fanden. Diese Allianz zeigt sich erstmals im England des frühen 18. Jahrhunderts: So gab der Herausgeber der Wochenschrift *The Tatler* (1709/10), Richard Steele, nicht nur ein Café als Redaktionsadresse an, sondern schnitt auch Form und Inhalt seiner Zeitschrift auf das Kaffeehauspublikum zu.[2] In Deutschland freilich wurden die Kaffeehäuser erst im 18. Jahrhundert soziale Begegnungsstätten für das aufstrebende Bürgertum. Viele Cafés richteten eigene Leseräume ein und schufen so unter den Bedingungen der Pressezensur einen sozialen Freiraum, der einer Ersatzöffentlichkeit gleichkam. Das prominenteste Beispiel ist die Konditorei Stehely[3] in Berlin, die in den dreißiger und vierziger Jahren des 19. Jahrhunderts als Treffpunkt vieler Literaten und Oppositioneller fungierte.[4] Mit der Einschränkung der Zensur nach der Revolution 1848 und dem daraus resultierenden lebhaften Aufschwung des Zeitungswesens waren dann die Voraussetzungen dafür geschaffen, daß sich Kaffeehäuser zu einem bevorzugten »literarischen Verkehrscentrum«[5] entwickelten. Obschon es gegen Ende des 19. Jahrhunderts fast in jeder größeren Stadt Literaten- und Künstlercafés gab, konnte sich eine eigentliche Kaffeehauskultur im Grunde nur in Wien etablieren. Verantwortlich dafür waren vor allem die Rahmenbedingungen der österreichischen Presse: Da Zeitungsabonnements kostspielig waren, der Verkauf von Zeitungen bis zum Jahr 1903 an eine auf wenige Kioske beschränkte Lizenz gebunden und deren Vertrieb durch Kolporteure bis 1922 untersagt blieb,[6] war das Kaffeehaus eine der wenigen Gelegenheiten für eine wohlfeile, nur an den Konsum eines Getränks gebundene Zeitungslektüre. 1873 schreibt Ferdinand Kürnberger: »Jedes Kaffeehaus ist eine Leihbibliothek, fast jeder größere Cafetier gibt zwei- bis dreitausend Gulden für seine Zeitungen aus. Welcher Fürst gibt das für seine Bücher aus?«[7] Tatsächlich hielten die renommierten Cafés alle wichtigen Zeitungen, oftmals auch literarische Zeitschriften und Kunstblätter. Stefan Zweig erinnert sich:

> In einem besseren Wiener Kaffeehaus lagen alle Wiener Zeitungen auf und nicht nur die Wiener, sondern die des ganzen Deutschen Reiches und die französischen und englischen und italienischen und amerikanischen, dazu sämtliche wichtigen literarischen und künstlerischen Revuen der Welt, der Mercure de France nicht minder als die Neue Rundschau, der Studio und das Burlington Magazine.[8]

Umgekehrt ließ die rapide Ausbreitung der periodischen Presse [→ 137 ff.] einen gesteigerten Bedarf nach geeigneten Texten entstehen, so daß sehr viel mehr Autoren als früher für Zeitungen schrieben – sei es als feste Korrespondenten, sei es als freie Mitarbeiter. Der durch die Konkurrenz unter den Blättern verschärfte Novitätsdruck trug ebenfalls dazu bei, daß sich die Textproduktion für die Zeitung einerseits aus dem Bereich des Privaten, zum anderen aber auch aus den Redaktionsräumen hinaus in den öffentlichen Raum verlagerte.[9] Das Kaffeehaus wurde »Arbeitsplatz, Büro, Agentur«: »Dort schrieb man, korrigierte, empfing oder beantwortete Post, dort telephonierte man, traf Kollegen, Zeitungsleute, Verleger, die man sprechen mußte, las oder diskutierte«.[10]

In mancher Hinsicht trat das Literatencafé das Erbe des Salons an.[11] Beiden gemeinsam ist die eigentümliche Verschränkung von Privatheit und Öffentlichkeit. Während sich der Salon durch die Schaffung einer Sphäre privater Öffentlichkeit auszeichnet,[12] generiert das Kaffeehaus eher einen Raum öffentlicher Privatheit. Für den regelmäßigen Kaffeehausbesucher spielen sich große Teile seines privaten Lebens im halböffentlichen Raum ab, der allerdings durch örtliche Markierung (Stammtischbildung) und soziale Ritualisierung intimisiert wird. So weist das typische Wiener Café sowohl Züge des bürgerlich-privaten Wohnzimmers als auch solche des Hotels auf. Anders aber als im Salon, wo man sich nur zu einem vorbestimmten regelmäßigen Termin, dem jour fixe, trifft, überführt das Kaffeehaus die Atmosphäre der Geselligkeit gleichsam in einen Dauerzustand, der nur durch die Schließungszeiten der Lokalität unterbrochen wird. Unterschiede zeigen sich auch in der personellen Zusammensetzung: Im Gegensatz zum Salon, wo nur vom Gastgeber eingeladene Teilnehmer verkehren, ist der Besucherkreis des Kaffeehauses amorph. Eine Ausnahme bilden lediglich die Stammgäste, die – als fester Kern der Geselligkeit – den Charakter des jeweiligen Cafés prägen. Die dadurch entstehende Gruppenbildung vermag sich im Extremfall sogar so auszuwirken, daß der strukturell offene Raum des Kaffeehauses gegenüber dem vordefinierten Rahmen des Salons restriktiver erscheint.[13] Kennzeichnend für die Atmosphäre im Kaffeehaus ist gleichwohl »die Inkonstanz seiner Besucher, die heterogene Zusammensetzung der Künstler- und Intellektuellengruppen, die sich an bestimmten Tischen zusammenfinden, die Unregelmäßgkeit ihres Zusammentreffens (die aber feste Verabredungen keineswegs ausschließt) und nicht zuletzt der Verzicht auf formale Festlegungen, wie Vereinssatzungen, etc.«, was in der Summe »ein Ambiente des Zufälligen und Unvorhergesehenen«[14] erzeugt. Dabei darf nicht übersehen werden, daß der Salon ausschließlich dem Zweck der Geselligkeit dient, während das Kaffeehaus auch von einem Einzelnen besucht werden kann. Dementsprechend definiert sich der Salon eindeutig durch die mündliche Kommunikation seiner Teilnehmer, im Kaffeehaus dagegen steht das Element der Schriftlichkeit – in Form von Zeitungslektüre,[15] Empfang und Erledigung von Korrespondenz sowie gelegentlicher literarischer Produktion – mindestens gleichrangig neben dem Gespräch. Da im Kaffeehaus keine Lesungen, Rezitationen oder Aufführungen stattfanden, ist Literatur dort ausschließlich in gedruckter Form präsent.[16] Die Kaffeehäuser sind Orte der Literaturrezeption; demgegenüber tritt der Aspekt der Literaturproduktion stark zurück. Daneben fungieren sie als Ort des Gesprächs über das Rezipierte, als Umschlagplatz für Neuigkeiten aller Art und damit als gesellige Begegnungsstätte.[17]

Die Schriftsteller, die das Kaffeehaus besuchen, unterteilen sich in Gelegenheitsbesucher und Dauergäste, wobei erstere wiederum in zwei Kategorien differenziert werden können: Literaten, die das Kaffeehaus als Leseraum und Treffpunkt nutzen, und Journalisten, die zuweilen im Kaffeehaus arbeiten. Während diese beiden Typen das Kaffeehaus »nur kurzfristig, mit bestimmter Absicht und zu praktischen Zwecken«[18] aufsuchen, wird es für den Dauergast zum Lebensinhalt. Es fungiert – im Kontrast zur auf Lebenserhaltung und Erwerb fixierten Arbeitswelt – als eine Sphäre des Müßiggangs und eignet sich daher in besonderem Maß für die Selbstdarstellung eines spezifischen Typus des Intellektuellen unter den Bedingungen der Moderne: des Bohemiens [→ 257]. Begünstigt durch die großen Schaufensterscheiben, die einerseits Einblicke in das Innere, andererseits aber auch Ausblicke auf die urbane Umgebung gestatten, wird das Kaffeehaus zum Ort der Inszenierung: »Das Café gibt eine Bühne ab für Rollen, die man teils vor seinesgleichen spielt, teils vor ›Bürgern‹.«[19] Da die großen Kaffeehäuser vom Schau- und Reklamewert bohemehafter Existenzen profitierten, behandelten sie diese meist sehr zuvorkommend und räumten ihnen nicht selten sogar Privilegien ein. Die Verbindung von Kaffeehaus und Boheme ging schließlich so weit, daß beide regelrecht miteinander identifiziert wurden,[20] was einesteils zu Polemiken gegen den sozialen Ort Kaffeehaus führte, andernteils die Legendenbildung um diesen beförderte.[21] Bei aller Durchmischung des Publikums dominierten jedoch durchweg bürgerliche Kreise die großen Cafés. Auch die Autoren der Jahrhundertwende bevorzugten gerade nicht jene Lokale, in denen Künstler bzw. Literaten unter sich blieben, sondern die renommierten Kaffeehäuser in zentraler Lage und mit repräsentativer Ausstattung.[22] Selbst ein Bohemien wie Peter Altenberg (1859–1919) entschied sich für das Café Central als bevorzugten Aufenthaltsort; erst in zweiter Linie frequentierte er Nachtlokale und Etablissements der Halbwelt. Offenbar wußte er genau, daß nur sein Auftreten im Ambiente des bürgerlichen Kaffeehauses jene Wirkung erzeugte, die der Ausbildung und Verbreitung eines bestimmten Mythos dienlich war. Das Ansehen, das die Cafés in der Öffentlichkeit genossen, war lange Zeit gering. Weitverbreitet war die Meinung, das unruhige Ambiente des Kaffeehauses beeinträchtige die Konzentration und führe zur Zerstreutheit der Besucher. Seine wohl reinste Ausprägung fand dieses kulturkritische Deutungsmuster in Edmund Wengrafs (1880–1947) Aufsatz *Kaffeehaus und Literatur*, der 1891 in der *Wiener Literatur-Zeitung* erschien:

> Ernst und Gründlichkeit gedeihen nicht in der Atmosphäre des Kaffeehauses. Diese rauchgeschwängerte, durch Gasflammen verdorbene, durch das Beisammensein vieler Menschen verpestete Luft, dieses Durcheinanderschwirren von Kommenden und Gehenden, ⟨...⟩ dieses Gewirr schattenhafter Erscheinungen und unbestimmbarer Geräusche macht jedes ruhige Nachdenken, jede gesammelte Betrachtung unmöglich. Die Nerven werden überreizt, Gedächtnißkraft, Aufmerksamkeit und Fassungsvermögen werden geschwächt.[23]

Die Zerrüttung des Nervenkostüms habe schließlich direkte Auswirkungen auf das Rezeptionsverhalten: »Der Kaffeehausleser gelangt dahin, jeden Artikel, jedes Feuilleton, alles, was mehr als hundert Zeilen lang ist, ungenießbar zu finden. Er hört überhaupt auf zu lesen, er ›blättert‹ nur mehr.« Da das Kaffeehaus der Vereinzelung des modernen Menschen Vorschub leiste, führe es zu Oberflächlichkeit und »Blasirtheit«[24] und sei daher als sozial schädlich einzustufen. Wengrafs Fazit lautet: »Das Kaffeehaus bedeutet den geistigen Ruin der Wiener Gesellschaft.«[25]

II. Kaffeehauszirkel im Wien der Jahrhundertwende

Trotz dieses Verdikts blieb das Kaffeehaus ein wichtiger Treffpunkt für die Literaten der österreichischen Hauptstadt. Besonders die jungen Autoren, die Anfang der neunziger Jahre auf den Markt drängten, nutzten das Café als Begegnungsstätte, um mit Kollegen, Journalisten oder Verlegern in Kontakt zu treten. Zur Kennzeichnung des schriftstellerischen Nachwuchses kamen bald Begriffe wie ›Jung Wien‹ oder ›Jung Österreich‹ in Umlauf. Diese Etiketten bezogen sich zunächst nicht auf eine festumrissene Gruppe von Personen. Während anfangs Journalisten wie Eduard Michael Kafka und Julius Kulka bzw. Autoren wie Felix Dörmann und Richard Specht gemeint waren,[26] verband man Mitte der neunziger Jahre jene Personen damit, die als die herausragenden Vertreter der Wiener Moderne gelten: Hermann Bahr (1863–1934), Richard Beer-Hofmann (1866–1945), Hugo von Hofmannsthal (1874–1929), Felix Salten (1869–1945) und Arthur Schnitzler (1862–1931).[27] Zu Schnitzler, der schon in den achtziger Jahren im Café Central »viele Stunden mit Zeitungslektüre, Billard, Domino, seltener mit Schachspiel«[28] verbracht hatte, gesellte sich im Herbst 1890 Beer-Hofmann, es folgten Hofmannsthal und Salten, im April 1891 schließlich noch Bahr. Dieser locker verbundene Kreis, zu dessen Umfeld noch eine ganze Reihe weiterer Schriftsteller und Journalisten gerechnet werden muß,[29] traf sich fortan häufig in wechselnden Kaffeehäusern, bevorzugt aber im Café Griensteidl. Die jungwiener Autoren, mit Ausnahme von Salten »akademisch gebildete Intellektuelle mit gesicherter Existenz«, die »aus großbürgerlichen, im gesellschaftlichen Leben angesehenen Familien« stammten und auf »Broterwerb durch Literatur«[30] nicht angewiesen waren, zogen schon bald das Interesse der Öffentlichkeit auf sich. Das durch Bahr vermittelte Begeisterung für die neuesten Entwicklungen vor allem der französischen Literatur, ließ den Kreis – und mit ihm das Café Griensteidl[31] – zu einem Inbegriff der von den Symbolisten beeinflußten Gegenströmungen zum Naturalismus werden.[32] Das dandyhafte Auftreten der Jungwiener trug dem Treffpunkt der Gruppe rasch den Name ›Café Größenwahn‹ ein, was die latente Selbstüberschätzung der Besucher charakterisieren sollte.[33]

Die bohemehafte Attitüde ihrer Mitglieder wie auch die gruppeneigene Tendenz zum literarischen Ästhetizismus wurde schließlich zur Zielscheibe des Pamphlets *Die demolirte Litteratur* (1896/97) von Karl Kraus (1874–1936). Als 1896 bekannt wurde, daß im Zuge der Neugestaltung des Michaelerplatzes der Abriß des Palais Herberstein – und mit ihm des Café Griensteidl[34] – bevorstehe, nahm Kraus dies zum Anlaß, um Erscheinungsweisen und Ziele der Gruppe um Bahr in einer Artikelfolge für die *Wiener Rundschau* zu karikieren. Er kritisiert darin eine Literatur, »die geradezu in der Abkehr von den geistigen Kämpfen der Zeit ihr Heil sucht«,[35] und wertet die daraus resultierende Haltung eines lebensabgewandten Ästhetizismus als Flucht in die »Unnatürlichkeit«.[36] Indem er den Griensteidl-Autoren »Manierirtheit«, »Decadence«,[37] »Nervenschwäche«, »Blasirtheit«,[38] »Prätention«,[39] »Affectation«[40] und Begeisterung »an der dekorativen Ausgestaltung«[41] vorwirft, appliziert Kraus Wengrafs allgemein gehaltene Diagnose des Kulturverfalls auf die Autorengruppe ›Jung Wien‹ und richtet seine Polemik auch auf ihre soziale Begegnungsstätte. Schon in seiner Besprechung von Schnitzlers *Anatol* (1893) hatte Kraus – selber ein Cafébesucher – abfällig von den »Kaffeehausdekadenzmodernen«[42] gesprochen. Wenn er seinen Schriftstellerkollegen vorwirft, daß deren Literatur »nicht Ausdruck einer Künstler-Identität ist, sondern letztere nur simuliert, indem sie den stimmungshaften Schein zum Erlebnis umfälscht«,[43] dann zielt dies zum einen auf ein ästhetizistisches Kunstprogramm, zum anderen aber auch auf die Nutzung des sozialen Orts Kaffeehaus als Bühne für die eigene »Inscenirung«.[44] Das Kaffeehaus wird so zum Inbegriff von literarischer »Unfruchtbarkeit«, aus der eine »dekadente« Lebenshaltung resultiere. Karl Kraus war mit dem Griensteidl-Kreis schon im Herbst 1891 in Berührung gekommen. Während er zu Salten eine Zeitlang ein freundschaftliches Verhältnis pflegte, brachte er Bahr von Anfang an Ablehnung entgegen. Diese Antipathie entlud sich erstmals 1893 in der Satire *Zur Überwindung des Hermann Bahr*.[45] Nach diesem Angriff lockerten sich die Beziehungen zu den jungwiener Autoren merklich. Weitere, meist negative Besprechungen von Texten der Griensteidl-Gruppe führten 1895 schließlich zum endgültigen Bruch. Kraus war zu dieser Zeit schon ins benachbarte Café Central abgewandert und begann dort einen eigenen Zirkel aufzubauen. So entstand eine Rivalität zwischen beiden Cafés, die von Besuchern und Beobachtern nicht selten zu einer literarischen Richtungsentscheidung stilisiert worden ist: Im Café Central die Anhänger des Naturalismus, im Griensteidl die Exponenten von Ästhetizismus und Symbolismus.[46]

Nach der Schließung des Café Griensteidl löste sich der Kreis der jungwiener Schriftsteller zwar nicht auf, die Mitglieder verzichteten aber auf ein festes Stammcafé[47] – eine Entwicklung, die offensichtlich mit der zunehmenden Etablierung im Literaturbetrieb zusammenhängt. Während für die noch weitgehend unbekannten Autoren der leicht skandalträchtige Nimbus des Kaffeehauses sich als förderlich erwies, wurde die Gleichsetzung von Kaffeehaus mit bohemehaftem Lebensstil und unproduktiver Dekadenz für einen Schriftsteller, der einen dauerhaften Platz im literarischen Leben seiner Zeit finden wollte, bald zum Stigma. Daß spätestens nach der Jahrhundertwende die meisten der arrivierten Autoren nicht mehr mit dem Kaffeehaus in Zusammenhang gebracht werden wollten, verdeutlicht ein 1903 im *Neuen Wiener Journal* erschienener Artikel über Hermann Bahr. Als dieser, befragt nach seinen Beziehungen zum Jungen Wien nur ausweichend antwortet, hakt der Reporter nach:

> Und das Café Griensteidl? Die legendarische Kaffeehausliteratur? Bahr lächelt und Schnitzler greift in die Debatte ein. Der Eine erklärt, in seinem Leben nur zweimal mit Schnitzler und Hofmannsthal zusammen in dem genannten Café gewesen zu sein, der zweite ist geärgert darüber, daß man noch immer in ›trefflich‹ informirten Zeitschriften von ihm als Kaffeehausdichter spricht.[48]

Der eigentliche Prototyp des Kaffeehausliteraten war indes Richard Engländer alias Peter Altenberg. Der Sohn einer wohlhabenden jüdischen Kaufmannsfamilie wurde 1882 wegen Überempfindlichkeit des Nervensystems für dauerhaft arbeitsunfähig erklärt, begann einen unsteten Lebenswandel und vagabundierte als zigarettenverkaufender Bohemien durch die Wiener Cafés und Wirtshäuser. Anfang der neunziger Jahre legte er seinen bürgerlichen Namen ab und nannte sich Peter Altenberg. Durch sein eigenwilliges Äußeres – nietzscheähnlicher Schnauzbart, Reformkleidung, Holzsandalen –, aber auch durch seine rhetorischen Fähigkeiten war er bald vielen Kaffeehaus- und Nachtlokalbesuchern bekannt. Auf diese Weise kam er 1894 mit dem Kreis der jungwiener Autoren in Berührung, die ihn, als sich herausstellte, daß er selber gelegentlich schrieb, an sich zu binden versuchten. Salten berichtet:

> In dem Nachtkaffeehaus, das wir oft besuchten, ⟨...⟩ saß regelmäßig ein noch junger Mann, nachlässig gekleidet, mit hängendem dichten Schnurrbart, dessen Gesellschaft außerordentlich amüsant war. Er hieß Richard Engländer und beschäftigte sich mit dem Verkauf importierter ägyptischer Zigaretten.

Richard Beer-Hofmann lud uns nun eines Tages zu sich ⟨...⟩.
Dann las er uns ›Seeufer‹ vor.
Als er den hellen Jubel sah und hörte, mit dem wir diese zarte Dichtung empfingen, las er noch eine ganze Anzahl anderer kleiner Prosastücke ⟨...⟩.
Wie groß war unser Erstaunen, als uns nun Beer-Hofmann voll Freude mitteilte, der Schöpfer dieser Gedichte in Prosa sei Richard Engländer, der Zigarettenagent aus dem Nachtcafé. ⟨...⟩
Wir hatten einen Dichter entdeckt: Peter Altenberg.[49]

Tatsächlich wurde Altenberg, »der schreibende Bohémien, der sein Leben zum Kunstwerk stilisiert«, von den jungwiener Schriftstellern zur »positiven Projektionsfigur« erhoben und als »exemplarisches Künstler-Idol«[50] verehrt. Der Kontakt zu ihm verstärkte das bohemehafte Erscheinungsbild der Gruppe. Immerhin führte Altenbergs Bekanntschaft mit den Autoren des ›Jungen Wien‹ zur Publikation einiger seiner Texte in der kurzlebigen Zeitschrift *Liebelei.* Die Anhänglichkeit an die Gruppe war allerdings nur von kurzer Dauer. Schon 1896 notiert Schnitzler in seinem Tagebuch: »Im K⟨af⟩f⟨ee⟩h⟨aus⟩. Altenberg und seine Gemeinde von der wir, besonders ich ⟨...⟩ unsäglich gehasst werden.«[51] Altenberg hatte sich bereits seit geraumer Zeit an Karl Kraus angeschlossen[52] und daneben damit begonnen, einen eigenen Zirkel aufzubauen, zu dem u.a. Alfred Polgar (1873–1955) und Stefan Großmann (1875–1935), später auch Egon Friedell (1878–1938) gehörten. Er war seit den frühen neunziger Jahren Stammgast im Café Central, verkehrte daneben aber auch im Griensteidl sowie in anderen Kaffeehäusern und Nachtlokalen. Die Verbundenheit mit seinem Stammcafé ging so weit, daß er als seine private Adresse, etwa für *Kürschners Literaturkalender*, – Polgar folgte ihm darin – »Wien I, Herrengasse, Cafe Central«[53] angab (seine eigentliche Unterkunft hatte er im Hotel, wo er tagsüber schlief).[54] Programmatisch ein öffentliches Leben führend, initiierte und verstärkte Altenberg die Anekdotenbildung um seine Person und wurde so »der offiziell anerkannte Bohemien der Wiener Bürger und Kokotten«,[55] der bald so bekannt war, daß er zum Vorzeigeobjekt für Touristen avancierte.[56]

Während Altenberg, Friedell und Polgar dem Café Central treu blieben, verlegte Karl Kraus ab etwa 1900 seinen Stammplatz ins

Café Imperial. Auch für andere Literaten war das Central nicht mehr unangefochtener Mittelpunkt der Wiener Kulturszene:

> Schon ab 1900 ist somit in Wien eine Dezentralisierung der Literaturkaffeehäuser zu beobachten, die einst geschlossene Opposition gegen das Bürgertum, zerfallen in einander befehdende Kleingruppen, war in der urbanen Welt der Ringstraßencafés aufgegangen.[57]

Dennoch konnte das Café Central seinen legendären Ruf bis zum Ende des Ersten Weltkriegs behaupten – wohl nicht zuletzt wegen seiner Stammgäste. In den Kriegsjahren wurde es eine Art Auffangbecken für junge Intellektuelle. Milena Jesenská (1896–1944) erinnert sich:

> In den letzten Jahren, als es nichts zu essen gab, wo zu Hause nicht geheizt werden konnte und man nichts zum Anziehen hatte, verwandelte sich dieses Kaffeehaus in das gemeinsame Zuhause der Bohême, der es verdammt schlecht in der Zeit des Krieges ging. Im Kaffeehaus spielen sich alle Familienszenen ab, im Kaffeehaus weint man und schimpft über das Leben und auf das Leben.[58]

Nach Kriegsende jedoch, mit dem Tod Altenbergs 1919 und dem damit einhergehenden Rückzug Friedells verlor das Central als Literatencafé an Bedeutung. Mit dem politischen Umsturz 1918 avancierte das unweit gelegene Café Herrenhof zum neuen Mittelpunkt der intellektuellen Szene und »wurde das wichtigste 〈...〉 Literatencafé der Ersten Republik«.[59] Anton Kuh, »vielleicht der letzte ›Kaffeehaus-Literat‹«,[60] etablierte sich dort mit seinem Kreis, ebenso der aus Prag gekommene Ernst Polak (1886–1947). »Hier fanden sich fast täglich Franz Werfel 〈...〉, Hermann Broch, 〈...〉 Friedrich Torberg 〈...〉 und ein- bis zweimal in der Woche Robert Musil, Alexander Lernet-Holenia 〈...〉 ein.«[61] So ereignete sich in den zwanziger Jahren im Café Herrenhof eine Art Nachblüte der Kaffeehausgeselligkeit. Lokal und Besucher zehrten jedoch unverkennbar vom Ruf der legendären Cafés der Jahrhundertwende. Schon 1916 spricht Kuh davon, daß das Literatencafé nurmehr ein »Klischee im Setzkasten der Witzblätter«[62] sei: »das Literatur-Café ist einfach ein Bürger-Café geworden«.[63] Zudem wandelte sich der Charakter des Kaffeehauses selbst. Das traditionelle Kaffeehaus näherte sich in den zwanziger Jahren immer mehr dem Typus des Restaurants an, was »die eigentliche, radikale Erschütterung der klassischen Kaffeehaussphäre mit sich brachte«.[64] Auch setzte eine Welle der Dezentralisierung ein; in deren Gefolge »entdeckten dann Literaten wie Heimito von Doderer und Elias Canetti den ⟨...⟩ Reiz der Vorstadtcafés«.[65] Die im Zuge veränderter Geschlechterrollen [→ 243 ff.] zunehmend selbstverständlich gewordene Teilnahme von Frauen an allen Formen öffentlicher Geselligkeit trug ein übriges dazu bei, daß sich die klassische Männerdomäne Kaffeehaus merklich veränderte. Einen letzten kurzen Aufschwung erlebten die Wiener Literaturcafés 1933. Als Reaktion auf die Machtergreifung der Nationalsozialisten flohen viele Literaten aus Deutschland nach Österreich, so daß die Kaffeehäuser zu Sammelplätzen deutscher Emigranten wurden.[66] Die 1938 erfolgte »Arisierung« zahlreicher Cafés setzte schließlich der kulturellen Institution Kaffeehaus ein unwiderrufliches Ende.

III. Kaffeehausliteratur?

Vermutlich regte die Gewohnheit mancher Zeitungsschreiber, ihre Artikel während des Konsums eines Getränks zu verfassen, auch den einen oder anderen Schriftsteller dazu an, im Kaffeehaus zur Feder zu greifen. So weiß man etwa von Altenberg, Polgar und Kraus, daß sie Texte im Kaffeehaus verfaßt haben. Auch ist belegt, daß Schnitzler seine Novelle *Sterben* (1894) im Kaffeehaus beendet hat.[67] Es kann allerdings keine Rede davon sein, daß »viele der ›Jung Wiener‹ Autoren ⟨...⟩ wenigstens einen Teil ihres literarischen Arbeitsprozesses ins Kaffeehaus verlegt«[68] hätten. Geschrieben wurden dort meist journalistische Auftragsarbeiten, die unter Termindruck abgeliefert werden mußten,[69] sowie Briefe oder kurze Mitteilungen.[70] Für die Produktion umfangreicher Texte war der Rahmen eines Kaffeehauses kaum geeignet, da dort nur mit der Hand geschrieben und auch nicht diktiert werden konnte. So sind wohl nur ein kleiner Teil der als Kaffeehausliteratur titulierten Texte tatsächlich im Café entstanden. Freilich gibt es durchaus Autoren – wenn auch sehr wenige –, die offenkundig regelmäßig im Kaffeehaus geschrieben haben.[71] Der prominenteste unter ihnen ist zweifellos Altenberg. Doch gerade in seinem Fall sind Wahrheit und Mythos kaum voneinander zu trennen. Wenn Polgar über Altenberg kolportiert: »Er hatte keinen Schreibtisch, und kein Schreibtisch hatte ihn«,[72] dann darf diese Aussage nicht als Sachinformation mißverstanden werden. Vielmehr geht es Polgar darum, Altenberg zum nomadenhaften Gegentypus des bürgerlichen Schriftstellers zu stilisieren. Tatsächlich schrieb Altenberg »meist im Bett«.[73] Es zeigt sich also, daß die Mythenbildung um die literarisch-soziale Institution Kaffeehaus die Fakten überformt und nicht selten in ihr Gegenteil verkehrt hat.[74] Dies betrifft auch zahlreiche Aussagen über Schreibsituation und Gattungspräferenz. So sind vielfach Altenbergs Prosaskizzen als formale Reflexe ihres – vermeintlichen – Entstehungsorts Kaffeehaus gedeutet worden:

> Die Frage nach einem Zusammenhang zwischen der unruhigen Atmosphäre dort und den entstehenden ›skizzierenden‹ Texttypen ist zweifellos zu bejahen: Die Institution des Kaffeehauses nimmt mit ihren speziellen Kommunikationsmechanismen Einfluß auf Formenwahl und Technik der verschiedenen literarischen Kleinformen; diese entsprechen den im Kaffeehaus empfangenen, flüchtigen Eindrücken und Beobachtungen, sie bilden die pointierten Mitteilungen des Kaffeehausgesprächs adäquat ab.[75]

Sicher begünstigten die Schreibbedingungen im Kaffeehaus die Entstehung kleiner Formen, dennoch wird man sich davor hüten müssen, bestimmte Texte vorschnell als Kaffeehausliteratur zu klassifizieren. Auch entsprechen sich, wie das Beispiel Schnitzlers zeigt, Texttypus und Entstehungsort keineswegs notwendig. Der Zusammenhang von Kaffeehaus und Literatur ist offenbar allgemeiner und unspezifischer. »Die wichtigste unmittelbare Wirkung, die das Kaffeehaus auf die Literatur ausgeübt hat, ist wahrscheinlich die Gesprächskultur, die in ihm entstand und die in die geschriebene Literatur hinüberwanderte.«[76] Für den Aufschwung der kleinen Form dagegen sind vor allem die Ausbreitung des Feuilletons und der Umstand verantwortlich, »daß gerade in Österreich jungen Autoren nur beschränkte Publikationsmöglichkeiten zur Verfügung standen«; dies führte dazu, daß sich die literarische »Produktion ⟨...⟩ den Erfordernissen der Zeitungen und Zeitschriften«[77] [→ 116 ff., 437 ff.] anpaßte. Ebensowenig wie den eigentlichen Kaffeehausliteraten gibt es einen klar umreißbaren Texttypus, den man als Kaffeehausliteratur bezeichnen könnte. Vielmehr existieren zahlreiche Formen und Genres, die unter dem Einfluß des medialen Kontextes Zeitung entstanden sind. Da gerade das Medium Zeitung jedoch unter ständigem Novitätsdruck steht, bildeten sich differenzierte literarische Gattungsstrukturen im allgemeinen nicht oder nur ansatzweise heraus. Läßt die kulturgeschichtliche Bedeutung des Kaffeehauses für die Literatur der Zeit sich also recht präzise bestimmen, so erweist sich demgegenüber der Begriff Kaffeehausliteratur als unscharf. Zu verstehen ist er daher lediglich als Metapher für spezifische Entstehungsbedingungen von Literatur im kulturellen Rahmen der Großstadt und unter dem bestimmenden Einfluß des Journalismus. Als Beschreibungsterminus taugt er nicht.

Karlheinz Rossbacher

Heimatkunst der frühen Moderne

I. Die Heimatkunstbewegung um 1900

›Heimatkunst‹ in einer Literaturgeschichte, also ›Heimatliteratur‹: Das ist nicht Literatur über Heimat in einem allgemeinen Sinne, mit Beheimatung als einem tiefliegenden Bedürfnis des Menschen, mit Heimat als Summe der »menschlichen Beziehungen, die an einen Ort geknüpft sind«,[1] als zugleich Sozio- und Psychotop, das wir »mit bleibendem Affekt besetzen können«.[2] Bezeichnete man Literatur, die solches thematisiert, als Heimatliteratur, dann wären beträchtliche Teile der Literatur darunter zu fassen, und man müßte auf eine Trennschärfe des Begriffs wohl verzichten. Hingegen läßt sich Heimatliteratur als Literatur der sogenannten Heimatkunst, genauer: der Heimatkunstbewegung, historisch bestimmen, und in ihrer bevorzugten Gattung, dem Roman, auch poetologisch.

Die Heimatkunstbewegung [→ 132 ff.] war eine gegenmoderne, völkisch-nationalistische, z. T. antiklerikale Kulturströmung, die in Literaten ihre profilierten Sprecher und in der Literatur – stärker als etwa in der Architektur – ihre größte Verbreitung fand. Sie trat reaktiv auf, das heißt, sie antwortete auf die politischen, sozialen und geistigen Entwicklungen, die die Lebenswelten veränderten. Die Heimatkunstbewegung ist per Opposition an die Technisierung, Industrialisierung und an das ab der Mitte des 19. Jahrhunderts massive Wachstum der Städte gebunden, das das Verhältnis zwischen Land und Stadt verschob. In Teilen des deutschen Sprachgebietes wurden, auch kulturhegemoniell, die Provinzen zur Umgebung von Metropolen. Ähnliche kulturelle Strömungen gab es auch in anderen Ländern, etwa in Frankreich, allerdings mit längerem, weniger vehementem Verlauf: So wurde Frédéric Mistral, der Hauptsprecher der provenzalisch-regionalistischen Kulturbewegung, schon 1830 geboren. Daß die Heimatkunst in Deutschland – die zeitverzögerte Variante im österreichischen Teil der Doppelmonarchie nannte sich »Provinzkunst«[3] – geballter und spektakulärer auftrat als in anderen Ländern, läßt sich mit der zunächst verzögerten, dann jedoch ruckartiger verlaufenden Industrialisierung und Modernisierung in Verbindung bringen. Auf die »Entzauberung der Welt« (Max Weber) reagiert die Heimatkunst, wie zu zeigen sein wird, mit einer Mischung von Zeitklage und Aggressivität und entwirft ein »bewußtes Gegenprogramm 〈...〉 gegen alle Modernität der Literatur und Kunst«.[4]

Schon zur Jahrhundertwende wurde die Heimatkunst als eine Bewegung bezeichnet (einen Kulturverband oder eine literarische Schule bildete sie nie), und auch dem literatur- und kulturgeschichtlichen Blick von heute stellt es sich so dar. Sie hatte Vordenker wie Paul de Lagarde (1827–1891) und Julius Langbehn (1851–1907), Wortführer, Programmatiker und Propagatoren wie Friedrich Lienhard (1865–1929), Heinrich Sohnrey (1859–1948), Adolf Bartels (1862–1945), Ernst Wachler (1871–1945), Carl Muth (1867–1944) u. a. m. Sie hatte eine Programmzeitschrift (*Die Heimat*, 1900–1904, danach *Deutsche Heimat*, beide im Heimatverlag Georg Heinrich Meyer in Berlin; in diesem Verlag auch die *Flugschriften der Heimat*), und sie hatte unterstützende Periodika auf ihrer Seite (*Der Kunstwart* [→ 132 f.], *Der Türmer*; in Österreich *Der Scherer*, *Der Kyffhäuser*, *Neue Bahnen*).[5] Es gab sympathisierende politische Verbände (so der ›Bund der Landwirte‹) und sympathisierende künstlerische bzw. kunstpädagogische Vereine (etwa der ›Dürerbund‹). Vor allem zählten viele Autoren und eine Anzahl von Autorinnen zur Heimatkunst.[6] Autoren mit überregionaler Verbreitung und beträchtlichen Auflagenzahlen waren Gustav Frenssen (1863–1945) mit dem Roman *Jörn Uhl* (1901), der 1903 eine Auflage von 150 000 erreichte, und Hermann Löns (1866–1914) mit dem Roman *Der Wehrwolf* (1910) – dieser ›Totschlagbuch‹ genannte Roman brachte dem Autor hundert Verlagsangebote ein.[7] Mit der Erwähnung anderer Autoren und Werke, die allesamt zwischen 1890 und 1914 erschienen, die mit ihren Auflagenzahlen für ein Massenpublikum sorgten, kann man auch eine literarische Geographie oder eine Bewegungsrichtung in der Verbreitung andeuten: vom norddeutschen und vom südwestlichen Rand aus in fast alle Landschaften des Sprachgebiets.[8] Schleswig-Holstein ist vertreten durch Langbehn, Timm Kröger (1844–1918), Bartels, Frenssen, Helene Voigt-Diederichs (1875–1961), die erste Frau des Verlegers Eugen Diederichs, der übrige Norden und Nordwesten durch Löns, Karl Söhle (1861–1947), Sohnrey und Lulu von Strauß und Torney (1873–1956), der zweiten Frau von Diederichs. Die Eifel kam in einer der Schaffensperioden Clara Viebigs (1860–1952) in die Heimatliteratur (*Das Weiberdorf*, *Das Kreuz im Venn*), das Elsaß durch Lienhard (*Wasgaufahrten*). Schweizer Romanautoren fehlen nicht: Jakob Christoph Heer (1859–1925, *An heiligen Wassern*), Ernst Zahn (1867–1952, *Lukas Hochstraßers Haus*). Schlesien ist durch Wilhelm von Polenz (1861–1903, *Der Büttnerbauer*) und Paul Keller (1873–1932) vertreten, Ostpreußen durch Fritz und Richard Skowronnek (1858–1939 bzw. 1862–1932). Die österreichische »Provinzkunst« hat in Peter Rosegger (1843–1918) einen älteren Verwandten, der um 1900 im Sinne der Heimatkunst schrieb (*Erdsegen*).[9] Hermann Bahr (1864–1934, als Förderer, weniger als Autor – *Die Entdeckung der Provinz*[10]), Rudolf Greinz (1866–1942), Karl Schönherr (1867–1943), Franz Kranewitter (1860–1983), Hugo Greinz (1873–1946), Ottokar Stauf von der March (d. i. Fritz Chalupka, 1868–1941) luden zum Teil Literatur der ländlichen Szene ideologisch auf, was ihr in den dreißiger Jahren die Förderung durch die offiziöse Literaturpolitik des österreichischen katholischen Ständestaates sicherte. Die Werke von Karl Heinrich Waggerl (1897–1973), Richard Billinger (1890–1965), Paula Grogger (1892–1984), Guido Zernatto (1903–1943) könnte man, mit einem gewissen Risiko der Vereinfachung, so charakterisieren: »Provinzkunstprogramm der Jahrhundertwende minus Antiklerikalismus plus katholischer Akzent, bei schwebender Gewichtung des volkstümlichen bis völkischen Elements mit oder gegenüber dem christlichen.«[11]

II. Eine Programmatik der Antimoderne

Die Literatur der Heimatkunst wies mit Szenerie und literarischem Personal zurück auf ältere Gattungen (etwa die Dorfgeschichte). Einzelne ihrer Vertreter beriefen sich auf bestimmte Autoren vor ihnen, doch ist gegenüber solchen rückwärtsgewandten Umarmungen Skepsis und Differenzierung angebracht. Karl Immermann, Adalbert Stifter, Otto Ludwig, Marie von Ebner-Eschenbach und der kritische Realismus der ländlichen Szene bei Ludwig Anzengruber lassen sich nicht so leicht mit dem ideologisch eingefärbten Programm der Heimatkunst in Verbindung bringen. Die zahlreichen Manifest- und Programmschriften[12] der Heimatkunst waren weit entschlossener auf umgestaltende Beeinflussung der zeitgenössischen Gesellschaft gerichtet als die literaturprogrammatischen Schriften des Bürgerlichen Realismus. Andererseits reicht für eine Beschreibung der Heimatkunstprosa das Genre-, Formen- und Stilrepertoire der Epoche des Realismus aus.

Man kann die Manifest- und Programmschriften analysieren und sich dann, aspektgeleitet, den erzählliterarischen Entsprechungen zuwenden.[13] Man kann aber auch, was hier geschehen soll, wichtige Aspekte der Moderne skizzieren und sie dann mit den antimodernen Schlagworten und Inhalten der Heimatkunst konfrontieren. Für diesen Weg bietet sich der neben Max Weber (1864–1920) wichtigste Soziologe der Jahrhundertwende und Beschreiber der Moderne an, dessen Hauptwerke genau zur Zeit der Heimatkunstbewegung erschienen sind – Georg Simmel (1858–1918). Einige der von ihm erfaßten Aspekte des Modernisierungsschubs vor der Jahrhundertwende trifft man, ins Vereinfachte und Negative gewendet, bei den Heimatkünstlern wieder.

Simmels Beitrag zu den Gesellschaftstheorien der Periode bestand aus seiner Differenzierungstheorie und seiner Geldtheorie.[14] Er hatte der Industrialisierung, dem daraus entstandenen Markt, der Vermehrung der Geldmenge und Steigerung ihres Umlaufs, dem damit verbundenen Wachstum der Städte, der gesellschaftlichen Differenzierung durch Arbeitsteilung und dem daraus entstehenden Komplexitätszuwachs der Kultur, sowie der Wirkung all dieser Faktoren auf den psychischen Habitus der Individuen Rechnung getragen. Allein daß die Städte die Sitze der höchsten wirtschaftlichen Arbeitsteilung geworden waren,[15] konnte sie im Sinne der Heimatliteratur, die Regionen, Dörfer, ja Einzelhöfe wunschbildhaft als autark gestaltet hat, niemals zu guten Orten machen. Aber es ging bei Simmel nicht nur um ökonomische und berufliche Ausdifferenzierung, sondern auch um besondere Aspekte des Phänomens Geld: »Es sucht sich mit allen möglichen Werten und ihren Besitzern zusammenzubringen«, und umgekehrt erzeugt der »Konflux vieler Menschen ⟨...⟩ ein besonders starkes Bedürfnis nach Geld«.[16] Reflexionen über diesen Dynamismus bildeten die Grundlage für Simmels Analyse. Der »Konflux vieler Menschen« – das war zu allererst die Sphäre der Großstadt [→ 424], aber die Wirkungen daraus strahlten auch auf ländliche Kleinregion und Dorf ab. Zum Wesen des Geldes gehörte seine Zirkulation; »sobald es ruht, ist es nicht mehr Geld seinem spezifischen Wert ⟨...⟩ nach«.[17] Als zirkulierendes wird Geld zur »reinsten Verwirklichung des Lebensprinzips«.[18] Es löste statische und ständische Verhältnisse auf, es steigerte das Tempo des Lebens, es macht zuerst alle menschlichen Tauschverhältnisse, dann auch ihre sonstigen Beziehungen abstrakt. Im Essay *Die Großstädte und das Geistesleben*[19] ist Simmel den Auswirkungen der Arbeitsteilung, der gesellschaftlichen Differenzierung und des erhöhten Lebenstempos auf die Lebensumstände nachgegangen. Die Großstädte boten für ihn persönliche Freiheit in einem Maße, zu dem es in anderen Verhältnissen keine Analogie gebe,[20] denn die arbeitsteilige Differenzierung der Gesellschaft enthob von jenen Bindungen an Familie, Verwandtschaftsverband, Dorfgemeinschaft, die in der Heimatliteratur positiv wertbesetzt waren. Alexander Mitscherlich hat Simmels Gedanken für die Zeit nach 1945, dabei das Wort von der Stadtluft, die frei macht, aufschlüsselnd, noch eindringlicher gefaßt:[21] Die Großstadt befreie von Intoleranz, kollektivem Zwang, scheinheiliger Beobachtung, verborgener Tyrannei und den Konformitätszwängen des Dorfes.

»Die psychologische Grundlage, auf der der Typus großstädtischer Individualitäten sich erhebt, ist die *Steigerung des Nervenlebens*, die aus dem raschen und ununterbrochenen Wechsel äußerer und innerer Eindrücke hervorgeht.«[22] Es sei, so Simmel, in der Großstadt unmöglich, auf jede Berührung mit Menschen mit inneren, d. h. Gemütsregungen, zu antworten. Wollte man das tun, »so würde man sich innerlich völlig atomisieren« und erschöpfen.[23] Das erforderte nicht weniger als die »Ausbildung des Intellekts als Reizschutz und Distanzorgan«.[24] Das wiederum führte zu »Blasiertheit« als der Nivellierung aller Regungen auf dasselbe Niveau mit Hilfe des Verstandes. In der Blasiertheit tue der Mensch so, als könne nichts ihn wirklich berühren. Und dadurch erscheine die Blasiertheit als eine Analogie zur Wirkung des Geldes, das Unterschiede in der Qualität der Dinge zu einem Unterschied der Quantität mache. Es schien als einleuchtend, daß bei Simmel Freisetzung aus sozialen Bindungen und Nivellierung nach dem Modell des Geldverkehrs die Großstädte zu Orten des »Kosmopolitismus« machte,[25] zu »Schmelztiegeln der Zeit«.[26] Dies gehörte zu jenen Erscheinungen, gegen die die Heimatkunst ankämpfte, weil sie sich die Entwicklung des einzelnen zu einem Verhältnis mit seinem Volk nur als Verwurzelung in einen Heimatboden bzw. in einen deutschen Stamm als Einbettungsmatrix vorstellen konnte.

Um den anti-städtischen Affekt der Heimatkunst-Programmatiker mit seinen weitreichenden Implikationen besser verstehen zu können, ist ein Blick auf Herkunft und Lebensgang nützlich. Langbehn wurde in Nordschleswig als Sohn eines Schuldirektors geboren. Studien führten ihn nach Kiel und München, ein Stipendium nach Rom, Wanderjahre nach Hamburg, Frankfurt am Main und Dresden. Aufenthalten in Wien und Hamburg folgte München, mit kürzeren Aufenthalten in Berlin und Rom. Gestorben ist er in Rosenheim. Bartels wurde in Dithmarschen als Sohn eines Schlossers geboren. Nach Jahren in Hamburg und Berlin wurde er in Weimar seßhaft. Lienhard, der Sohn eines Lehrers, stammte aus Rothbach im Elsaß. Nach Studien in Straßburg führte er ein kärgliches Leben in Berlin, mit Mißerfolgen als Schriftsteller, bevor er Herausgeber der *Heimat* wurde. In der Folge ließ er sich, wie Bartels, in Weimar nieder. Frenssen stammte aus Barlt, Dithmarschen, war also ein Landsmann von Bartels. Nach Studien in Tübingen, Berlin und Kiel und einigen Jahren in Blankenese bei Hamburg kehrte er nach Barlt zurück. Diesem Muster topographischer Mobilität läßt sich eine beträchtliche Anzahl anderer Autoren zuordnen. Die Großstadtaufenthalte erlebten sie als Zeit der Entfremdung, die Abneigung, ja

Haß hinterließ. Lienhard verfaßte Schriften voll von trotzigen Ressentiments und Gefühlen des Isoliertseins als Hauslehrer und Literat in Berlin. Bartels hatte kein Abitur, haßte die Stätten urbaner Bildung, besonders die akademische Literaturgeschichtsschreibung, wurde nichtsdestoweniger der Verfasser einer populären Literaturgeschichte auf radikal antisemitischer Grundlage, die ihm später Ehrungen durch die Nationalsozialisten einbrachte. Bei Langbehn – und das ist beim Stammvater aller Forderungen nach einer deutschen Kunst und Literatur auf der Grundlage von Boden, Stamm und Landschaft, denen sein Hauptwerk *Rembrandt als Erzieher* (1890) galt, doch überraschend – , trat zum Mobilitätsmuster noch ein sonderling- und bohemienhaftes Moment hinzu. Ihn, den Bartels einen Propheten nannte, konnte man sich als Figur jener Sphäre von Münchner Exzentrikern um 1900 vorstellen, die Thomas Mann im Eröffnungssatz der Erzählung *Beim Propheten* (1904) berührte: »Seltsame Orte gibt es, seltsame Gehirne, seltsame Regionen des Geistes.«

Der Großstadt, an deren Beispiel Simmel die Transformation der Gesellschaft hin zur Moderne beschrieb, ordneten die Heimatkünstler ein ganzes Ensemble von Negativa zu, die sie in den Ruf ›Los von Berlin!‹ verdichteten. Die Vermehrung der Geldmenge nahmen sie als Kapitalkonzentration wahr, die Beteiligung jüdischer Bankhäuser mit Verbindungen in andere Länder an diesem Vorgang als ›goldene Internationale‹. Die Arbeiterbewegung als Bewegung der geschmähten ›vaterlandslosen Gesellen‹ erschien ihnen als ›rote Internationale‹. In beiden Aspekten trat der dezidiert nationale Standpunkt der Heimatkunst deutlich hervor. Den Industriekapitalismus, der die Elendsviertel hervorbrachte, machten sie für die ihnen verhaßte Strömung des Naturalismus verantwortlich, ungeachtet der Tatsache, daß die Heimatkunst mit diesem Objekt ihrer Aggression viel gemeinsam hatte, so etwa die Überzeugung von der Determiniertheit des Menschen durch das Milieu – im einen Fall die schmutzige Enge der Industriezonen, im anderen die Kräfte von Landschaft und Volkstum. Die Steigerung, die das Tempo des Lebens durch die Geldzirkulation erfuhr, verurteilten sie als Hektik und setzten dagegen einen gemächlichen Zeitfluß in der ländlichen Kleinstadt.[27] Die Börse, Symbol des schnellen Geldumlaufs, erschien ihnen als Ort seelenloser ›Jobber‹ und des Einbruchs des Amerikanismus, der jenen ökonomischen Wandel beschleunigte, vor dem die am breitesten vertretene Herkunftsschicht der Heimatautoren, das wirtschaftende Kleinbürgertum der Provinzen,[28] sich zu fürchten Anlaß hatte. Was bei Simmel (und dann bei Mitscherlich) als Möglichkeit der Freiheit erschien, gegen die das Dorf- und Kleinstadtleben beengend wirkte – die Entbindung aus Lebenszwängen in überkommenen Sozialformen –, sahen sie als Verlust von Geborgenheit an. Der Gegensatz von Gemeinschaft (positiv) und Gesellschaft (negativ) war der Sache nach schon durch Wilhelm Heinrich Riehl (1823–1897) und sodann der Begriffsprägung nach durch Ferdinand Tönnies (1855–1936) in den öffentlichen Diskurs gelangt.[29] Dem war allerdings ein Befund aus der Literatur entgegenzuhalten. Schon vor der Heimatkunst – und ihr wegen seines kritischen Realismus der ländlichen Szene keineswegs einfach zuzurechnen – hatte Anzengruber in seinem Roman *Der Sternsteinhof* (1883/85) gezeigt, daß Gemeinschaft und dörfliche Lebensform keineswegs identisch sind.

Wenn bei Simmel die »Steigerung des Nervenlebens« ein Ergebnis der städtischen Lebenform ist, gegen dessen schnell abfolgende und simultane Reize die Menschen den Verstand als Schutz des Gemütes einsetzen und sie so abprallen lassen (›Blasiertheit‹), so ist natürlich hinzuzufügen, daß die Literatur großstädtischer Provenienz solcher ›Blasiertheit‹ entgegenstand. Richard Dehmel (1863–1920) und Hugo von Hofmannsthal (1874–1929) in der Lyrik, Arthur Schnitzler (1862–1931) und Hofmannsthal im Drama, Peter Altenberg (1859–1919) in der Prosa brachen ›Blasiertheit‹ auf: durch Nuancierung [→ 229f., 493ff.] psychophysischer Empfindsamkeit (›Nervenkunst‹), durch Ausfaltung impressionistischer Empfänglichkeit, durch psychologische Differenzierung bzw. Erforschung seelischer Tiefendimensionen. Die Großstadt lieferte der Heimatkunst eine doppelte Angriffsfläche, und in diesem kulturellen Nullsummenspiel konnte sie nicht gewinnen: Das reale Leben dort sei, hieß es, hektisch, oberflächlich und ohne Gemütstiefe. Die Literatur wiederum, die unter solche Oberfläche blicken und neue Erfahrungsräume und Empfindungsqualitäten zu beschreiben versuchte, verfiel ebenfalls harschen Urteilen: Schnitzler sei bloß der talentierteste unter den (an Psychologie interessierten) »Ganglien-Korybanten«,[30] und Lienhard vermittelte folgendes Bild von der Moderne:

> Tüfteliger als die erotische Lyrik etwa Dehmels ⟨...⟩, nervenzarter als das Horchen und Hauchen seltsamer Maeterlinckscher Wandbilder, ⟨...⟩ verwickelter als die Orchestration eines Richard Strauss, farbentoller als gewisse Nervenphantastiker der Sezession, liebe Zeitgenossen, können wir einfach nicht werden. Gleich dahinter beginnt das Land des Irrsinns.[31]

Es wundert nicht, daß der Heimatkunst ein anderes Menschenbild vor Augen stand. Rosegger [→ 432 f.], um 1900 im Fahrwasser der Provinzkunst als ihrer österreichischen Schwester, stellte den nervenbewußten Großstadtautoren die Provinzkünstler als die wahren Vertreter des Volkes entgegen, nannte sie »eckige markige Kerle«[32] in der Erwartung, daß sie ebensolche literarische Gestalten schaffen werden. So ist für ein differenziertes Menschenbild qua Psychologisierung wenig Platz. Das hatte Folgen. Zum einen benötigte eine Darstellung eines solchen Menschenbildes keine besondere Reflexion auf formale Innovation oder gar experimentelle Erzählweisen, zum anderen konnte die Heimatkunst damit über jeden Zweifel an einem im philosophischen Sinne substantiellen, souveränen und handlungsstarken Ich, der die andere Literatur des Fin de siècle doch stark bestimmt hat, hinwegschreiben.[33] Und schließlich ist zu erwähnen, daß ein solches Menschenbild schon zur Jahrhundertwende zum Platzhalter für ein späteres, kruderes geworden ist.

In diesem Vorgang der Abgrenzung von großstädtischer Literatur spielte der Verlag Eugen Diederichs [→ 147], einer der bedeutendsten unter den Verlagen, die sich den Markt der Heimatkunst teilten, eine bedeutende Rolle. Zu ihnen gehörten, das sei hier eingefügt, noch Friedrich Fontane (später Fleischel) der Polenz (*Der Büttnerbauer*) und Viebig verlegte (*Das Weiberdorf*, *Das Kreuz im Venn*), Warneck (Sohnrey), die Grotesche Verlagsbuchhandlung (Frenssen) und der Heimatverlag Meyer, alle in Berlin, womit ausgerechnet die verhaßte Metropole zum Zentrum der Distribution wurde. Diederichs arbeitete mit seinem 1896 gegründeten Verlag zunächst in Leipzig (wo der ebenfalls für die Heimat- und Provinzkunst wichtige Verlag Ludwig Staackmann ansässig war: Rosegger, Söhle, Rudolf Hans Bartsch (1873–1952), Greinz, Schönherr u. a. – Karl Kraus nannte sie die ›Staackmänner‹). Im Jahre 1904 übersiedelte Diederichs nach Jena und verstand dies, im Einklang mit der Heimatkunst, als Großstadtflucht. In den Folgejahren wurde er zum führenden Verleger konservativ-nationaler bis völkischer Literatur, Sachbücher eingeschlossen. »Wir Germanen wollen den Helden, den Qualitätsmenschen als letztes Ziel unserer Entwicklung«, formulierte er im Verlagsprogramm auf das Jahr 1912.[34] Mit der Veröffentlichung von Löns' *Der Wehrwolf* hatte er zuvor schon einen Schritt gesetzt, der der Forderung nach Darstellung des »Vollmenschen der Rasse und der Nation«, die Bartels in seinen Aufsätzen zur Heimatkunst immer wieder erhoben hatte, nachkam. Waren zuvor empfindsamere Gestalten, auch Außenseiter und Dorforiginale, als Protagonisten einbezogen (Kröger, *Der Schulmeister von Handewitt*; Wilhelm Holzamer (1870–1907), *Der arme Lukas*; teils auch *Jörn Uhl* von Frenssen), so antizipieren die ›Wehrwolf‹-Bauern die kruden Menschenbilder der Blut-und-Boden-Literatur. Im Weltkrieg sah Diederichs übrigens seine Aufgabe darin, buchhändlerische Verbindungen zwischen Front und Heimat herzustellen und zu diesem Zweck »ernsthafte Kost in die Schützengräben zu liefern«.[35]

III. Der Heimatroman: Motivische und formale Aspekte

Die Literaten der Heimatkunst reklamierten ihre Werke für den normalen Literaturbetrieb: Leinenband, Verlag, Werbung, Rezensionen, Aufnahme in Literaturgeschichten. Das Genre des Heftchen-Heimatromans hätten sie abgelehnt. Frenssen, mit *Jörn Uhl* der erste ihrer Erfolgsautoren, rechnete 1913 mit dem Literatur-Nobelpreis und meinte dann, romanisch-jüdischer Einfluß habe dies verhindert.[36]

Im Heimatroman wird man kaum den Niederschlag von Reflexionen finden, die man von Autoren der Moderne kennt: Ob Leben, Personenkonstellationen und Schicksale überhaupt noch entlang eines Fadens von Und-dann-und-dann-Stationen erzählt werden konnten (Robert Musil), ob der Gestus der Mimesis bzw. der Widerspiegelung von etwas nicht durch Konstruktion eines Etwas ersetzt werden sollte (Hermann Broch), ob komplexer gewordene Menschenbilder (nach Sigmund Freud [→ 492ff.]) und Gesellschaftsbilder (wie Weber und Simmel sie soziologisch analysiert haben) aus der Position eines (und nur eines) Erzählers, der eine bestimmte (und nur diese) Erzählposition einnahm, noch erfaßt werden konnten, darüber machten sich die Heimatromanciers keine Gedanken. Sie scheuten sich nicht, Lebensstrecken in einem einzigen Satz zu referieren, etwas, das im modernen Roman sehr selten war.[37] Das additive Fortschreiten über lange Zeitspannen war im Erzählverlauf die Regel – manchmal sogar mit der Verankerung des Romanbeginns in einem Ur-Anfang der Landschaft (Löns, *Der Wehrwolf*; Kröger, *Der Schulmeister von Handewitt*), aber auch mit Schlußperspektiven, die die Dauer von Landschaft analogisieren, einmal sogar die Dauer eines bäuerlichen Anwesens mit der Ewigkeit Gottes (Josef Georg Oberkofler (1889–1962), *Der Bannwald*, 1939). Der lineare Faden im Erzählverlauf, dem Musil die »unendlich verwobene Fläche« als Erzählgegenstand und Erzählmethode gegenübergestellt hat,[38] schloß allerdings Rückblenden nicht aus, denn Rückblenden problematisierten nicht das Und-dann-und-dann-Muster. Vielmehr ermöglichten Rückblenden parteinehmende Rückwenden zum Alten, gingen in vielen Fällen hinter die Gründerzeit zurück, die die für das wirtschaftende Kleinbürgertum, die dominante Herkunftsschicht der Autoren, so bedenklichen gesellschaftlichen Entwicklungen forcierte (Holzamer, *Vor Jahr und Tag*).

Dem kaum problematisierten Vertrauen in die Fähigkeiten seiner Erzähler, lange Zeitspannen zu überschauen, entsprach die Tendenz, ländlicher Kleinräumigkeit einen geschlossenen, gleichsam gesellschafts-autarken Status zu verleihen. Zeitliche Übersicht korrespondierte mit souveräner Draufsicht: auf Dörfer (Holzamer, *Der arme Lukas*; Polenz, *Der Büttnerbauer*; Grogger, *Das Grimmingtor*, 1926; Waggerl, *Das Jahr des Herrn*, 1933) oder, in stärkerer Verengung, auf Höfe (Frenssen, *Jörn Uhl*; Rosegger, *Erdsegen*; Zahn, *Lukas Hochstraßers Haus*). Die dem Programm der Heimatkunst entsprechende Antipathie-Verteilung auf alles Städtische, zumal Großstädtische, mußte keineswegs durch explizite Schilderung der Großstadt einbezogen sein, fehlte sogar oft (und war im historischen Heimatroman gar nicht möglich – als Beispiel: Lulu von Strauß und Torney, *Der Hof am Brink*, 1906). Doch war die Stadt als Gegen-Ort mindestens implizit präsent: als Ort der Herrschaft des abstrakten Geldwesens der Hypotheken, Aktien und Wertpapiere, von wo aus Agenten und Finanzmakler nach Grund und Boden griffen (Sam Harrassowitz in Polenz' *Büttnerbauer*, im jüdischen Stereotyp beschrieben); als Ort, dem die an der von Simmel analysierten »Steigerung des Nervenlebens« Übersättigten, Zivilisationskranken entflohen und auf dem Lande Gesundung fanden (Viebig, *Das Kreuz im Venn*, 1908) oder gar Suchtentwöhnung suchten (Josef Friedrich Perkonig (1890–1959), *Bergsegen*, 1928); als Ort, der junge Frauen korrumpierte und sich so als Moloch erwies (die Tochter des Büttnerbauern bei Polenz, die Mutter Davids in Waggerls *Das Jahr des Herrn*). Was sein Personal betraf, tendierte der Heimatroman dazu, Ingroup-Outgroup-Konstellationen zum Stereotyp zu vereindeutigen: hier Bodenbesitzend-Ansässige, dort Schweifend-Städtische, an deren Stelle auch Exotisch-Fahrende bzw. Fremdrassige treten konnten. In Zahns *Lukas Hochstraßers Haus* waren es antipathiebesetzte Südländisch-Welsche.

Der weitgehende Verzicht auf psychologische Analyse, die der propagierten Ganzheit und Stärke von Menschen, die fest auf der Grundlage von Landschaft und Stamm stehen, entgegenkam, verband sich mit weitgehender Vermeidung von vermittelnden Erzähler-Räsonnements. In einer Besprechung von Groggers Roman *Das Grimmingtor* schrieb Musil, sich ironisch auf die Romangestalten beziehend: »Was der Vollmensch tut, ist gut. Intellekt ist Mangel an Natur«.[39] War an den Figuren selbst einmal Reflexion festzumachen, dann war es häufig Grübeln über Urtatsachen des Lebens wie Schicksal und Tod (Frenssens *Jörn Uhl*), mit der Tendenz, leidverursachende soziale Prozesse einem unergründlich waltenden Schicksal zuzurechnen. Eine Ausnahme war Polenz, der im *Büttnerbauern* die Bauernmisere beinahe ökonomietheoretisch kommentierte.

Auffallend ist, daß die Programmatiker in ihren Zeitklagen und Invektiven gegen die städtische Sphäre auf die Frauenbewegung

[→ 243 ff.] kaum explizit reagieren, sondern nur innerhalb eines zeitgeläufigen Stark-schwach-Diskurses zu verbleiben braucht, ihn allerdings zuspitzten: Als Langbehn, nach Rembrandt, auch Albrecht Dürer als ›Erzieher‹ und Wegweiser aus den Wirrnissen der Moderne beschwor, sprach er vertraute Konnotationen aus: Dürer führe weg von »kränklicher Verweichlichung und Verweiblichung« hin zu »gesunder Männlichkeit der Kunst«.[40] Im Roman *Der Hof am Brink* von Lulu von Strauß und Torney unterschieden sich die Personenbilder nicht von denen männlicher Autoren. Viebigs Roman *Das Weiberdorf* (1900) weckte mit dem Titel bzw. als Roman einer Verfasserin Neugier. Das Thema – ein Dorf in der Eifel wird nur von Frauen bewohnt, da die Männer in einem entfernten Industriegebiet arbeiten und nur zweimal im Jahr nach Hause kommen – bot die Möglichkeit, verschiedene Frauenbilder vorzuführen, doch waren es letztlich nur zwei: die Frau als Naturwesen mit sexueller Energie und, herausgehoben, eine junge Mutter. An ihr wurde – im Unterschied zu einem aus der Eifel gebürtigen Fabrikanten, der mit sentimentalen Heimatgefühlen heimgekehrt ist – die wahre Heimatliebe gezeigt: Sie lebt und arbeitet hier, liebt die Scholle, ist ihr Gewächs – ein Naturwesen auch sie.

Ein letztes hier zu nennendes strukturelles Merkmal des Heimatromans hat handlungsführende Aufgaben und ist noch in der Heftchen-Heimatliteratur nach 1945 – und auch im Heimatfilm der fünfziger und sechziger Jahre – vorzufinden: die Addition und Kumulation von Schicksal. Der Heimatroman ist eine Gattung, die jenen Schichten, denen der von den Städten ausgehende Prozeß der Moderne mit Destabilisierung droht, Imaginationen von Dauer und Statik anbietet: im Anschmiegen seiner Gestalten an Landschaft und Volkstum, als dessen verläßlichste Verkörperung der Bauer erscheint; in der Darstellung einer Unveränderlichkeit der menschlichen Dinge, in der gerade noch der Kreislauf der Natur sich geltend machen soll. Andererseits jedoch passiert im Heimatroman sehr viel. Sein Handlungsreichtum wird begünstigt durch die in der Regel langen Zeitspannen, die er umfaßt. Dadurch, daß er in seiner Zeitgestaltung ereignislose Abläufe raffen und die Geschehnisse aneinanderrücken kann, ergibt sich Handlungsreichtum, wenn auch nicht immer Handlungsvielfalt. Dinge, die einfach passieren müssen (Generationswechsel, Geburt, Hochzeit, Tod) addieren sich mit Dingen, die passieren können und auch gehäuft passieren: Schicksalsschläge wie z. B. Brände (Hermann Sudermann, *Frau Sorge*, 1887), Dürre (Viebig, *Das Kreuz im Venn*), Erdrutsche (Ganghofer, *Der laufende Berg*, 1897) sind Impulsgeber für Geschehnisse, die wieder Anlaß für Handlungen der Menschen sind und sie als stark und kampffähig, oder eben als schwach und hinnehmend, vorführen. Handlungsreichtum solcher Art ist der Ausdruck dafür, daß auch in als statisch ersehnten und entworfenen Verhältnissen der Dynamik des Lebens Rechnung getragen werden muß. Aber es mag akzeptabler, vielleicht auch tröstlicher gewesen zu sein, beim Schreiben und Lesen der Dynamik der Modernisierungsschübe nicht direkt, sondern als Transposition in das Natur-Notwendige zu begegnen.

York-Gothart Mix

Generations- und Schulkonflikte in der Literatur des Fin de siècle und des Expressionismus

Im Gegensatz zum satirischen Gesellschaftsbild seines Bruders Heinrich (1871–1950) skizzierte Thomas Mann (1875–1955) in den *Betrachtungen eines Unpolitischen* (1918) ein Modell des wilhelminischen Machtsstaates, das von Selbstironie geprägt war:

Als Knabe personifizierte ich mir den Staat gern in meiner Einbildung, stellte ihn mir als eine strenge, hölzerne Frackfigur mit schwarzem Vollbart vor, einen Stern auf der Brust und ausgestattet mit einem militärisch-akademischen Titelgemisch, das seine Macht und Regelmäßigkeit auszudrücken geeignet war: als General Dr. von Staat.[1]

Mit ihrer militärisch-akademischen Würde repräsentierte diese Phantasiegestalt die »Macht« und drohte der jungen Generation »mit Maßregelung und strenger Einordnung«.[2]

Ähnliche Züge wies auch das Bild auf, das Stefan Zweig (1881–1942) in seinen Erinnerungen *Die Welt von gestern* (1942) von der österreichischen Monarchie und ihrem Regenten Franz Joseph I. entwarf. Rückblickend charakterisierte er im Kapitel *Die Schule im vorigen Jahrhundert* das Habsburgerreich als einen »alten Staat«, der von einem »greisen Kaiser« und »alten Ministern« beherrscht wurde, in dem man die Jugend als ein »bedenkliches Element« ansah, »das möglichst lange ausgeschaltet oder niedergehalten werden mußte«.[3] »So geschah das heute fast Unbegreifliche«, bemerkte Zweig zum Thema Generationskonflikt und k. k. Monarchie,

daß Jugend zur Hemmung in jeder Karriere wurde und nur Alter zum Vorzug. Während heute in unserer vollkommen veränderten Zeit Vierzigjährige alles tun, um wie Dreißigjährige auszusehen und Sechzigjährige wie Vierzigjährige, während heute Jugendlichkeit, Energie, Tatkraft und Selbstvertrauen fördert und empfiehlt, mußte in jenem Zeitalter der Sicherheit jeder, der vorwärts wollte, alle denkbare Maskierung versuchen, um älter zu erscheinen. Die Zeitungen empfahlen Mittel, um den Bartwuchs zu beschleunigen, vierundzwanzig- oder fünfundzwanzigjährige junge Ärzte, die eben das medizinische Examen absolviert hatten, trugen mächtige Bärte und setzten sich, auch wenn es ihre Augen gar nicht nötig hatten, goldene Brillen auf, nur damit sie bei ihren ersten Patienten den Eindruck der ›Erfahrenheit‹ erwecken könnten. Man legte sich lange schwarze Gehröcke zu und einen gemächlichen Gang und wenn möglich ein leichtes Embonpoint, um diese erstrebenswerte Gesetztheit zu verkörpern, und wer ehrgeizig war, mühte sich, dem der Unsolidität verdächtigen Zeitalter der Jugend wenigstens äußerlich Absage zu leisten.[4]

Ungeachtet ihrer ironischen Distanz ließen die Typisierungsversuche von Stefan Zweig und Thomas Mann einen emotional bestimmten Unmut erkennen, der weniger gegen eine spezifische Staatsvorstellung als gegen das normative Leitbild des »patriarchalen Patrimonialismus«[5] in der zeitgenössischen österreichischen und deutschen Gesellschaft gerichtet war. Anders als Theodor Storm, der in seiner 1878 veröffentlichten Novelle *Carsten Curator* die Abfolge von »Geschlechtern«[6] als einen von individueller Vererbung und persönlichem Schicksal determinierten Prozeß dargestellt hatte, sahen sie die Beziehungen zwischen den Generationen von der Bevormundung durch patrimoniale Gewalten bestimmt. Ihr Bild vom Obrigkeitsstaat war von einer Allgegenwärtigkeit von Vaterfiguren [→ 83 ff.] geprägt, die in der Rolle von Familienvätern, patriarchalischen Lehrern, patrimonialen Unternehmern, Doktorvätern, fürstlichen Landesvätern und in der Person des Vaters aller »Väter«,[7] des Kaisers, über alle Stationen des Lebensweges zu wachen und dem Heranwachsenden einzuschärfen schienen, stets »das Bestehende als das Vollkommene zu respektieren«.[8] Da die literarischen Vatergestalten, »vornehmlich Lehrer«, »Richter« und andere Staatsbeamte, in der Regel zu exemplarischen »Repräsentationsfiguren der alten Generation«[9] stilisiert wurden, ließen ihre Handlungsmotivationen und Charaktere allerdings allzu oft individuelle Konturen vermissen.

Ein ähnliches Sozialmodell sowie die von den Expressionisten verbreitete Vorstellung von der Korrelation zwischen staatlicher »Organisationspyramide« und »Vater-Sohnverhältnis«[10] legten auch

Johannes R. Becher (1891–1958) und Hans Fallada (1893–1947) in ihren autobiographisch-retrospektiv angelegten Romanen *Abschied* (1940) und *Der junge Goedeschal* (1920) zugrunde. Hier wurde die Figur des Vaters als »Teil des Staats«,[11] als »Staatsvater«[12] oder zumindest als »Staatsrat«[13] apostrophiert. Unter anderen Vorzeichen spielte der anhand solcher Kunstgriffe zum Ausdruck kommende Glaube an eine Unvereinbarkeit von obrigkeitsstaatlichen Normen und individueller Freiheit, von patriarchalischer Erziehung und selbstbestimmten Lebensentwürfen bereits im Roman *Freund Hein* (1902) von Emil Strauß (1866–1960) eine Rolle. In dieser »Lebensgeschichte«[14] setzt der Vater des Protagonisten Heinrich Lindner zunächst alles daran, dem Sohn die Idee auszutreiben, Musiker zu werden. Heinrich Lindners Vater macht nie einen Hehl daraus, »daß er aus seinem Sohn gern einen Staatsanwalt gemacht hätte«.[15]

Auch der von Thomas Mann als »moderner Bourgeois«[16] charakterisierte Thomas Buddenbrook zeigt sich nach Kräften bemüht, seinen Sohn Hanno gemäß der Familientradition zu einem »starken und praktisch gesinnten Mann«[17] zu erziehen. Doch der Wunsch, sein Lebenswerk durch die Arbeit des Sohnes fortgeführt zu wissen, erweist sich von Anfang an als trügerisch, da dessen Leidenschaft zur Musik sich wie eine »feindselige Macht« zwischen ihn und das Kind stellt.[18] Angesichts der ausgeprägten musikalischen Neigungen seiner Frau und seines Sohnes fühlt sich dieser »Erfolgsmensch«[19] schließlich als Fremder »in seinem eigenen Hause«.[20] In einem inneren Monolog, der die Erkenntnisse eines Prozesses steter Desillusionierungen resümiert, vollzieht der von Thomas Mann zum Typus des »neuen Bürgers« und wilhelminischen »Leistungsethikers«[21] stilisierte Thomas Buddenbrook den innerlichen Bruch mit seinem eigenen, androgyn wirkenden Sohn, der sich weigert, die Rolle eines »echten Buddenbrook«[22] anzunehmen:

> Was soll mir ein Sohn? Ich brauche keinen Sohn! ⟨...⟩ Irgendwo in der Welt wächst ein Knabe auf, gut ausgerüstet und wohlgelungen, begabt, seine Fähigkeiten zu entwickeln, gerade gewachsen und ungetrübt, rein, grausam und munter, einer von diesen Menschen, deren Anblick das Glück der Glücklichen erhöht und die Unglücklichen zur Verzweiflung treibt: – Das ist mein Sohn.[23]

Die »Zielfigur des Buches«,[24] Hanno Buddenbrook, steht hier indes nicht nur für das »Problem der Überfeinerung und Enttüchtigung«[25] oder dem »Prozeß der Entbürgerlichung«[26] [→ 223 f.], sondern auch für einen generationsspezifischen Umgang mit der Musik, der sich in der »Differenz zwischen Teilhabe und Unzugänglichkeit«[27] manifestiert. Anhand der Figur des Vaters, Thomas Buddenbrook, der im Gegensatz zu seiner Gattin und seinem Sohn Hanno nicht begreifen will, warum das Gemüt rührende Melodien nichtig, verworren anmutende Kompositionen dagegen bedeutsam sein sollen, wird ein ästhetischer »Disput über das Schöne, seine Erfahrung und Beurteilung«[28] exemplifiziert, der für die frühe Moderne charakteristisch ist. Seinen vom Leistungsethos bestimmten Lebensmaximen folgend, setzt sich Thomas Buddenbrook verbittert »über seinen Sohn und einzigen Erben«[29] hinweg und verfügt testamentarisch die Liquidierung des Handelshauses. Thomas Manns unverhohlene Sympathie für die Kreativität eines eigensinnigen Außenseiters und die Sensibilität des an den Zwängen der wilhelminischen Gesellschaft leidenden Kindes läßt den Einfluß von »Nietzsches Künstlerpsychologie« [→ 194 f.] erkennen und beruht in wesentlichen Aussagen auf der »Willensmetaphysik«[30] Arthur Schopenhauers. Bereits in seinem 1819 erschienenem Hauptwerk *Die Welt als Wille und Vorstellung* hatte sich Schopenhauer über die »Aehnlichkeit des Kindesalters mit dem Genie«[31] geäußert und eine grundsätzliche Unvereinbarkeit von bürgerlichem Nützlichkeitsdenken [→ 337 f.], genialer Phantasie und Kreativität betont. In den Ergänzungen zum dritten Buch heißt es unter der Überschrift *Vom Genie*: »Wer nicht zeitlebens gewissermaßen ein großes Kind bleibt, sondern ein ernsthafter, nüchterner, durchweg gesetzter und vernünftiger Mann wird, kann ein sehr nützlicher und tüchtiger Bürger dieser Welt seyn; nur nimmermehr ein Genie«.[32]

Das von den meisten erziehungs- und bildungskritischen Erzähltexten vorgeführte Muster, die Kritik am strengen Regiment des Vaters mit der Opposition gegen die Leitbilder schulischer Sozialisation zu verknüpfen, sollte nicht allein die Korrelationen zwischen den vom Elternhaus und von der Lehranstalt propagierten Normen vor Augen führen, sondern auch demonstrieren, daß die schulische und elterliche Autorität ihre traditionelle »Selbstverständlichkeit«[33]

verloren hatte. Die Zerstörung der so häufig beschriebenen und beschworenen Kindheitsidylle, in der die Protagonisten »halbe und ganze Tage«[34] in der Natur verbrachten und keinen Zwängen unterworfen waren, setzte in dem Moment ein, in dem das Elternhaus sich die »Forderungen der Lehrer zu eigen«[35] machte. Der auffallend häufig im personalen Erzählstil vorgebrachte, Unmittelbarkeit suggerierende Protest gegen die Allianz von Lehranstalt und Familie richtete sich vor allem gegen die »väterliche Autorität«[36], da diese besonders hartnäckig die Normen einer als feindlich begriffenen Erwachsenenwelt zu repräsentieren schien.

Mütter wurden hingegen, wie in Friedrich Huchs (1873–1913) Pubertätsgeschichte *Mao* (1907), als ausgleichende oder aber, wie im Schulroman *Freund Hein*, als untergeordnete Gestalten beschrieben. In Hermann Hesses (1877–1962) Erzählung *Unterm Rad* (1904/06) fehlt die Mutter völlig. Selten opponieren Mütter, wie Gerda Buddenbrook in Thomas Manns Familienroman, oder schließen gar, wie Agnes Pfanner in Marie von Ebner-Eschenbachs (1830–1916) *Der Vorzugsschüler* (1901), »ein Schutz- und Trutzbündnis«[37] mit ihrem Kind gegen die Erfolgsbesessenheit des Familienoberhaupts. Ungeachtet des von vielen Schriftstellerkollegen interessiert zur Kenntnis genommenen frauenrechtlerischen Engagements [→ 243 f.] von Ellen Key oder Lily Braun streiten die meisten bildungskritischen Erzähltexte zwar für die Selbstbestimmung des Kindes, nicht aber für die Selbstbestimmung der Frau. Die Aufgabe der Mutter blieb es, affektive »Kompensation gegenüber der Welt des Lebenskampfes«[38] zu leisten und im Sinne »akzeptierter Leit- und Rollenbilder«[39] für ein harmonisches Familienleben zu sorgen. Selbst die, wie es im *Vorzugsschüler* heißt, vom blinden Ehrgeiz ihres Mannes »zu einer dienenden Maschine« herabgewürdigte Mutter des Musterknaben Georg Pfanner übt sich, nach der Flucht ihres Sohnes in den Selbstmord, als moralisch »Größere und Stärkere«[40] in stiller Demut. Das auf jeden »Vorwurf«[41] verzichtende, versöhnliche Urteil der als »zermalmt und zertreten«[42] charakterisierten Frau, der pflichtbesessene Vater habe nur das Beste für das »mit weit aufgerissenen, verglasten Augen«[43] in den Tod entwichene Kind gewollt, schwächt die emanzipatorischen Tendenzen der Erzählung deutlich ab.

Das einseitige Eintreten für die »Hoheit des Kindes«[44] und seine Bedürfnisse sowie der so oft sichtbar werdende autobiographische Hintergrund lassen erkennen, daß es in vielen Texten, die das Verhältnis der Generationen umkreisen, nicht allein um das »Unglück der Kindheit«[45], sondern auch um die Identität des zwischen den Gefühlen der »Machtlosigkeit«[46] und der »Überlegenheit«[47] schwankenden Schriftstellers ging. In der parteilichen, meist durch einen personalen Erzählstil gekennzeichneten Darstellung des unverstandenen, einsamen Kindes oder Jugendlichen fokussierte sich nicht selten das »Selbstverständnis des isolierten, kulturreformerisch engagierten«[48] Literaten. Der im Wandel der Bildungs- und Erziehungsideale sichtbar werdende »Geltungsverfall ästhetisch vermittelter Weltbilder«[49] zog eine Legitimationskrise des sich in ohnmächtigem Protest oder ästhetizistischer »Evasion«[50] übenden Schriftstellers nach sich, die schließlich von der expressionistischen Autorengeneration[51] als besonders virulent empfunden wurde. Von einem auf den Obrigkeitsstaat eingeschworenen, »neudeutschen«[52] Schulwesen dazu erzogen, »noch mehr Untertan als ihre Väter«[53] zu sein, und mit einer literarischen Öffentlichkeit konfrontiert, in der die Dichotomie zwischen Avantgardekultur und Massenliteratur dominierend war, reklamierten die sich als Exponenten *einer* Generation verstehenden jüngeren Literaten die Rolle des »antiästhetischen Provokateurs« und »kulturellen Revolteurs«[54] für sich, der gegen das von der »Welt der Väter« und »Vorgesetzten«[55] propagierte Leitbild einer »*asketischen* Idee der Berufspflicht«[56] zu Felde zog.

Während in Thomas Manns Roman *Buddenbrooks* die Opposition gegen die traditionsorientierten Erziehungsnormen noch mit einer überlegenen Ironie zur Sprache gebracht wird, die nicht auf gesellschaftliche Melioration zielte, äußerte sich die Autoritätskritik der expressionistischen Generation in pathetischen Gesten, die zwischen Resignation und revolutionären Posen oszillierten. Georg Heym (1887–1912) beispielsweise, der die rigide Erziehung im Geist des wilhelminischen Machtstaates als »Verderb jeden Genies«[57] apostrophierte und sich angesichts einer mit »unerbittlicher«[58] Härte vollzogenen Gymnasialerziehung mit »Selbstmordgedanken vertraut«[59] machte, hinterließ in seinem Tagebuch für spätere »Litteraturhistoriker« die Notiz, er wäre »einer der größten Dichter geworden«, »wenn er nicht einen solchen schweinernen Vater gehabt hätte«.[60] Ganz im Tenor der zeitgenössischen Erziehungskritik stellte auch er eine enge Verbindung zwischen der Figur des Vaters und des Lehrers her:

> Was das für eine Qual ist unter einem solchen hölzernen Kerl von Pauker zu arbeiten. Steif wie ein Ladestock. ⟨...⟩ Dieser Herr ist so ganz nach dem Sinne meines Vaters, der ja auch nur aus Haut und Knochen besteht: Poesie, Kunst u.s.w. sind unpraktisch und überflüssiger Luxus. Wenn ich konsequent wäre, müßte ich mir eigentlich unter diesen Verhältnissen das Leben nehmen.[61]

Zum Ärger der Eltern, die nach dem Tod ihres Sohnes die Veröffentlichung seiner Werke verhindern wollten,[62] zeigte sich Heym nie bereit, im Stil von »Immanuel Jeibel, poeta«[63] für die biederen Familienzeitschriften *Daheim* und *Die Gartenlaube*[64] zu reimen, sondern erklärte renitent, er werde nach der Schulzeit mit seinen Dichtungen die »Mörder« seiner »Jugend«[65] dekuvrieren. Anders als Becher, Walter Hasenclever (1837–1889), Arnolt Bronnen (1895–1959) oder auch Fallada verbalisierte Heym seine Empörung über das autoritäre Elternhaus[66] und das perhorreszierte »Zwangssystem der Schule«[67] aber vor allem in seinem Tagebuch und in einem vorformulierten, an das Provinzialschulkollegium in Berlin gerichteten Protest- und Abschiedsbrief, in dem der Platz für das Datum seines Todes »durch eigene Hand«[68] freigelassen war.

Hasenclever und Bronnen, der später mit den Nationalsozialisten sympathisierte, brachten ihr radikales, von Gustav Wyneken (1875–1964) beeinflußtes Engagement für die »Autonomie der Jugend«[69] hingegen in ihren Schauspielen *Der Sohn* (1914), *Das Recht auf Jugend* und *Vatermord* (1912, 1920) zum Ausdruck. Im Gestus heroisierender Selbststilisierung berichtete Bronnen rückblickend über die Entstehung seines Schauspiels *Das Recht auf Jugend*:

> Im Frühjahr 1913 überfiel es mich. Das war meine Aufgabe: das Recht auf Jugend zu erkämpfen – für mich, für meine Mitschüler, für die Jugend der ganzen Welt. Es war ein sehr kaltes Frühjahr, es lag noch am 21. April Schnee auf dem Kahlenberg. Aber es riß mich aus dem Bett, ich schrieb im

eisigen Zimmer, halb im Dunkel und mit angehaltenem Atem ein wildes, ungeformtes Ding, ein siebenaktiges Drama: *Das Recht auf Jugend*. Es war noch Vatermord und Geburt der Jugend in einem. Es war Traum, Wunsch-Traum, Angst-Traum, Ziel-Traum, geformt aus einer Süchtigkeit, die mich nie verließ: eines Tages die große, hinreißende Rede an die ganze Welt zu halten.[70]

Ähnlich wie Hasenclevers Verkündigungsstück *Der Sohn* sollte Bronnens Drama als sozialpolitisch motivierte Rebellion gegen die paralysierende Übermacht historisch und gesellschaftlich legitimierter Autorität und als befreiende Affektentäußerung begriffen werden. Mit der oratorischen Gebärde einer von Radikalität getragenen Rhetorik beschwor Bronnen in expressionistischen Wortkonvulsionen sein Publikum. Monologische Passagen und abrupte Wechsel der Assoziationsebenen standen für einen als revolutionär empfundenen Bühnenstil [→ 537 ff.], der auch charakteristisch für Hasenclevers Schauspiel ist. Bei Bronnen heißt es:

›Mitschüler!
Ich verurteile!
Anzuklagen brauchen wir nicht. Wir selbst sind die Anklage. Wir sind eine furchtbare Anklage gegen die Unterdrücker der Jugend.
Wir haben lange genug angeklagt.
Jetzt ist es Zeit, zu verurteilen.
Wir müssen eine große Abrechnung halten.
An den Kragen müssen wir ihnen.
Wir müssen das Alter aus der Jugend hinauswerfen!
Es muß nun angefangen werden.
Kein Mittel darf uns zu schlecht sein.
Mit Wut sollen wir kämpfen, grausam, unerbittlich. Alles niederreißen – niederhauen – morden und brennen – diese Hunde ans Kreuz schlagen – sie martern – steinigen – alle ohne Gnade – wie die Hunnen über sie herfallen – in blutgierigen Massen – mit fletschenden Zähnen – mit Krallen und Fäusten – in Haß – in wildem – un – er – meßlichem Haß – ans Kreuz mit ihnen – ans Kreuz – ‹.[71]

Der dramatische Höhepunkt der von Hasenclever und Bronnen prononciert in Szene gesetzten Attacken »gegen alle Autorität«[72] ist die bühnenwirksame Idee des Vatermords, die als Anbeginn einer neuen Zeit ohne die alltägliche »Gewalt am wehrlosen Kinde«[73]

verstanden wurde. Becher, der das 1916 in Prag uraufgeführte Drama Hasenclevers in seinem im selben Jahr erschienenen Gedicht *Der Sohn*[74] begeistert feierte, griff die als Aufbruch und »Abrechnung«[75] verstandene Vorstellung des Vatermords in seinem Jahrzehnte später im Exil entstandenen Roman *Abschied* noch einmal auf.[76] Der einstige Exponent der expressionistischen Bewegung nahm damit erneut Bezug auf ein Thema, dem bereits Mitte der zwanziger Jahre, nach dem Weltkrieg und einer sozialen »Revolution«,[77] kaum noch Aktualität zuzukommen schien[78]. Nachdem das »strenge Prinzip«, das Feindbild des patriarchalen Patrimonialismus und die zu »bekämpfende, halsstarrige Macht«,[79] politisch abgedankt hatte, erklärte Klaus Mann in seinem 1926 publizierten Essay *Die neuen Eltern*, daß das »Lärmen gegen das Alte«[80] fast jegliche Bedeutung verloren habe. Ähnlich äußerte sich auch Thomas Mann, der in einem Gespräch, das unter dem Titel *Die neuen Kinder* zusammen mit dem Aufsatz seines Sohnes erschien, die ältere Generation für revolutioniert[81] erklärte. Die sarkastische Randbemerkung Klaus Manns, viele Väter und Söhne hätten nun einen Nenner gefunden, der »antisemitisch«[82] sei, rief allerdings auf beunruhigende Weise in Erinnerung, daß die Jugendbewegung auch Ideologeme beförderte, die alles andere als freiheitlich waren.[83]

Helmut Koopmann

Gesellschafts- und Familienromane der frühen Moderne

I.

Familienromane hat es bereits in der Zeit der Empfindsamkeit gegeben, einige Erziehungsromane der Aufklärung und zahlreiche Briefromane des Sturm und Drang sind Familienromane. Gesellschaftsromane sind nicht weniger alt. Sie begegnen im Barock (bei Philipp von Zesen), in der Klassik als sozialutopischer Roman, in der Romantik als umfängliche Gesellschaftsnovelle, und nichts deutet zunächst darauf hin, daß die Gesellschafts- und Familienromane der frühen Moderne sich strukturell und thematisch von denen des späten 18. oder des frühen 19. Jahrhunderts unterscheiden.

Der Roman hat vor allem in der nachklassischen Ära Sonderformen und Untergattungen entwickelt. Der Gesellschafts- und Familienroman ist eine Romanform unter Dutzenden, er ist weder neu noch sonderlich modern, hat keine große Geschichte und berühmten Ahnen, und vor allem: seine Grenzen sind unscharf, da er zuweilen gleichzeitig das eine und das andere ist und darüber hinaus noch Komponenten für viele andere Romantypen liefert. Gesellschafts- und Familienromane können Zeitromane sein, sie können sich dem sozialen Roman annähern oder auch dem historischen Roman, sie begegnen in der Trivialliteratur ebenso wie im Bereich des anspruchsvollen psychologischen Romans. Es gibt kaum einen Romantyp, der nicht auch Gesellschafts- und Familienroman sein könnte, ausgenommen allenfalls der reine Künstlerroman – obwohl in diesen die Gesellschaft indirekt hineinzuspielen pflegt. Von der Publikationsform her gesehen gab es auch keine Eingrenzungen – Familien- und Gesellschaftsromane erschienen in Journalen und Monatsschriften [→ 116 ff.], als Fortsetzungsromane und separat, sie waren in Leihbibliotheken ebenso zu finden wie in der Buchproduktion prominenter Romanautoren.

Dieser Befund macht trennscharfe Eingrenzungen also gar nicht möglich. Der Gesellschafts- und Familienroman als prävalente literarische Erzählform des späten 19. Jahrhunderts läßt aber gewisse literarische Rückschlüsse zu: der Individualroman, jahrzehntelang Muster und Ideal dichterischen Schreibens, ist an ein Ende gekommen. Anders gesagt: das massive Aufkommen von Gesellschafts- und Familienromanen im 19. Jahrhundert ist ein Indiz dafür, daß der bedeutsamste deutsche Beitrag zum Roman im 19. Jahrhundert, der Bildungs- und Entwicklungsroman, seinen Abschluß erreicht hat. Die großen Romane waren bis über die Mitte des 19. Jahrhunderts hinaus Geschichten von einzelnen, für die ihre Ausnahmerolle konstitutiv war, was aber nicht so zu verstehen ist, daß diese Romane von völlig Andersartigen handelten. Ihre Ausnahmerolle war in manchem ein idealisiertes Wunschbild der Gesellschaft, in dem sich konzentriert das traf, was dieser Gesellschaft als ideales Dasein vorschwebte – aber das ließ zugleich die außerordentliche Differenz zwischen Ideal und Wirklichkeit erkennen. Johann Wolfgang Goethes *Wilhelm Meisters Lehrjahre*, Adalbert Stifters *Nachsommer*, Gottfried Kellers *Der grüne Heinrich* waren Spitzenleistungen dieser Romankunst, und zugleich waren die Helden dieser Romane ausgestattet mit menschlichen Vorzügen, die sie über den Durchschnitt erhoben. Nicht immer, aber sehr häufig zeigte sich die Begünstigung der Helden nicht nur in ihrer Perfektibilität, sondern auch in Voraussetzungen wirtschaftlicher Art, also, jedenfalls bei Goethe, in einem materiell geschützten Leben. Bezeichnend für diese Ausnahmestellung der Figuren ist nicht weniger, daß sie sich im Laufe ihres Lebens in unterschiedliche Daseinsbereiche eingliedern und diese, bereichert und verfeinert, wieder verlassen. Das *Conversations-Lexicon* aus dem Brockhausschen Verlag, das erstmals 1817 erschien und jahrzehntelang im wesentlichen unverändert blieb, hat den Roman und Literatur als »Charakterzeichnung der Menschheit« bestimmt und den Roman so definiert:

Individuelle Bildungsgeschichte derselben, Leben und Schicksal eines *Einzelnen* von seiner Geburt bis zu seiner vollendeten Bildung, an und mit welchem aber der ganze Baum der Menschheit nach seinen mannichfaltigen

Verzweigungen in der schönen Stillstandszeit seiner Reife und Vollendung deducirt wird, Lehrjahre des Jüngers, bis er zum Meister erhoben ist, das ist der Roman.[1]

Was die Einzigartigkeit dieser deutschen Romantradition im 19. Jahrhundert ausmachte, war zugleich etwas, das sie ausscheren ließ aus dem europäischen Romankontext; der deutsche Bildungs-, Entwicklungs- und Künstlerroman war ein Sonderweg. Der deutsche Roman schwenkte erst wieder gegen Ende des 19. Jahrhunderts ein in das Fahrwasser des europäischen Romans.

II.

Opposition kam zwar schon im frühen 19. Jahrhundert auf: der frühromantische Roman enthielt einen Frontalangriff auf die klassische Romankonzeption von *Wilhelm Meisters Lehrjahre*. Er konnte sich allerdings weder von seiner Philosophie her noch von der neuen Form, die auf eine Integration aller möglichen anderen Formen und damit auf eine neue Totalität hinauslief, durchsetzen. Aber der Gesellschaftsroman selbst wurde in Deutschland nicht geschrieben. 1825 stellte Ludwig Börne fest:

> Wir haben keine Geschichte, kein Klima, keine Volksgeselligkeit, keinen Markt des Lebens, keinen Herd des Vaterlandes, keinen Großhandel, keine Seefahrt, und wir haben – keine Freiheit zu sagen, was wir noch mehr nicht haben. Woher Romane? Uns Kleinen begegnet nichts Großes, und was den Großen begegnet, und sei es noch so klein, bringen wir in die Weltgeschichte.[2]

Daraus sprach Ungenügen an der Form und am Inhalt des Goetheschen Romans und seiner Nachfolger, aber auch Kritik am mangelnden Sozialbezug der deutschen Literatur. Börne bemerkte sarkastisch: »woher Romane? *Eine Million für einen Roman*! 〈...〉 die Engländer *schreiben* Romane, und wir *lesen* sie.«[3]

Etwa zehn Jahre später jedoch waren die neuen Romane auf dem Markt. Die ersten Vorläufer des Gesellschaftsromans sind Zeitromane, und sie wurden geschrieben, als die Zeitdarstellung zum poetischen Programm wurde: im Kontext liberaler Literaturströmungen, insbesondere von Autoren, die dem Jungen Deutschland zugehörten oder ihm nahestanden. In dem Augenblick, in dem die Wirklichkeitsdarstellung (statt der Darstellung poetischer Ideale) zum Programm der Literatur wurde, wurde die Daguerreotypie darstellerisches Vorbild; die Romane entwickelten sich zu Wirklichkeitsaufnahmen in Großformat, da vor allem der Roman das Leben in seiner Vielfalt und Heterogenität zeigen konnte. »Kein Abschnitt des Lebens mehr, der ganze runde, volle Kreis liegt vor uns«, stellte Karl Gutzkow fest, und er selbst ist einer der Vertreter des neuen Wirklichkeitsromans, vor allem mit seinem Roman *Die Ritter vom Geiste* (1850/51). In *Vom deutschen Parnaß* hat Gutzkow auch seine Theorie vom »Roman des Nebeneinander« formuliert; er charakterisierte diesen als einen Versuch,

> den Einblick zu gewähren in hundert sich kaum sichtlich berührende und doch von einem einzigen großen Pulsschlag des Lebens ergriffene Existenzen. 〈...〉 Dem socialen Roman ist das Leben ein Concert, wo der Autor alle Instrumente und Stimmungen zu gleicher Zeit in- und nebeneinander hört.[4]

Zu diesen Wirklichkeitspanoramen gehörten von Theodor Mundt *Moderne Lebenswirren. Briefe und Zeitabenteuer eines Salzschreibers* (1834), von Heinrich Laube *Das junge Europa* (1833–37), von Karl Immermann *Die Epigonen* (1836), wobei nicht unwichtig ist, daß die Autoren größtenteils modernes Großstadtleben kannten. Aber: diese Romane waren noch keine Gesellschaftsromane, und ein einheitliches Profil ließen sie auch nicht erkennen. Dennoch gehören sie indirekt zu den Wegbereitern.

Zur Vorgeschichte des Gesellschafts- und Familienromans gehört ein zweiter Romantyp: der soziale Roman, der sich seit den vierziger Jahren des 19. Jahrhunderts herausbildete. Der soziale Roman wollte soziale Mißstände aufzeigen, und seine Protagonisten sind Lohnarbeiter, proletarisierte Kleinbürger oder auch der klassenlose Paria der Industriewelt. Der soziale Roman [→ 104ff.] hatte Untergruppen: Handwerkerromane, Weberromane, Industrieromane, Proletarierromane – was sie unterschied, waren die Schichten der

Gesellschaft, was sie verband, war die Besserungstendenz und die zumeist stumme soziale Anklage. Es ist eine Frage der Terminologie, ob man diese Romane auch Gesellschaftsromane nennen will. Sie konnten es freilich nicht im vollen Umfange sein, als sie nur die niedrigsten sozialen Schichten darstellten, nicht die Gesellschaft als ganze. Man wird nicht behaupten wollen, daß diese Romane vordergründig gewesen seien – aber sie kamen vielfach über die Dokumentation nicht hinaus und protokollierten eine Gesellschaft, ohne zur Analyse der gesellschaftlichen Mißstände vorzustoßen. Die Zeit dieser sozialen Romane war etwa um 1860 auch vorbei, als Verschönerungstendenzen, als maßvolles Idealisieren, Überhöhen, Verklären sich im Bereich des poetischen Realismus breitmachten; eine verklärte Wirklichkeit vertrug sich nicht mit den sozialen Mißständen, die der soziale Roman aufzeigen wollte, und die bloße Schilderung der gesellschaftlichen Mißstände reichte nicht aus, um ihnen Strukturen und literarisches Eigengewicht zu verleihen. Die sozialen Romane haben, direkt und auch untergründig, zwar die dramatische Literatur des Naturalismus stark beeinflußt, aber nicht den Gesellschafts- und Familienroman gegen Ende der Jahrhundertwende. Der verdankt sein Aufkommen weniger dem Programm des poetischen Realismus als vielmehr einem veränderten Gesellschaftsbewußtsein, das sich von den poetischen Idealen des gelassenen Episierens ebenso verabschiedet hatte wie von der Vorstellung, daß die bürgerliche Gesellschaft eine intakte Form menschlichen Zusammenlebens sei. Kurzum: der Gesellschaftsroman kam erst in dem Augenblick auf, als die Gesellschaft sich selbst immer problematischer geworden war, und analog dazu war auch der Familienroman ein Familienuntergangsroman. Wie immer in derartigen Umbruchszeiten entwickelte sich zugleich ein gegenteiliges Phänomen: selbst in einer untergehenden Gesellschaft wurden Bilder einer heilen Gegenwelt gemalt, und in den Jahrzehnten, in denen die Familie als Ordnungsmacht fragwürdig geworden war, wurden auch Familienromane geschrieben, die altbürgerliche Ideale literarisch umsetzten: ein Doppelbild, das den Gesellschafts- und Familienroman gegen Ausgang des 19. Jahrhunderts prägte.

Man deutete den Gesellschafts- und Familienroman der Jahrhundertwende allerdings aus einer einseitigen Blickrichtung, sähe man in ihm nur das Gesellschaftsporträt einer Zeit. Vom Zeitroman der Jungdeutschen wie auch vom sozialen Roman der Jahre zwischen 1840 und 1860 führen zwar keine direkten Verbindungen zum Gesellschaftsroman vor 1900. Um so mehr wirken sich dort Literaturkonzeptionen des sogenannten poetischen Realismus aus: sie bestimmen den Phänotyp des Gesellschaftsroman in der Zeit der frühen Moderne. Für ihn ist charakteristisch, daß er von der Gesellschaft handelt, indem er einzelne beschreibt. Friedrich Spielhagen (1829–1911) notierte 1898 in einem Aufsatz zu einem eigenen Roman (*Wie ich zu dem Helden von ›Sturmflut‹ kam*) über seinen Helden: »Er ist das Centrum, welchem innerhalb der Peripherie alles zustrebt; er ist auch der Radius, welcher den Umfang der Peripherie bestimmt. Wer und was nicht mit dem Helden in irgend einem Zusammenhange steht, gehört nicht in den Roman, und dieser Zusammenhang darf nicht zu entfernt sein, oder der Roman verliert mit dem Maße der Entfernung an Übersichtlichkeit und mit der Übersichtlichkeit an Schönheit.«[5] Das ist ohne Zweifel noch der spätreichende Einfluß des Bildungs-, Künstler- und Entwicklungsroman. Aber für den Roman ist nun charakteristisch, daß der Held mehr ist als ein in vielfacher Hinsicht ausgezeichnetes Individuum. Durch ihn und die Handlung hindurch müsse Allgemeines sichtbar werden, fordert Spielhagen:

> Wenn wir es überhaupt als die Aufgabe des Romandichters bezeichnen können, das Leben so zu schildern, daß es uns als ein Kosmos erscheint, der nach gewissen großen ewigen Gesetzen in sich und auf sich selbst ruht und sich selbst verbürgt, so muß er, mit einer unwiderstehlich logischen und ästhetischen Notwendigkeit, aus diesen vielen Menschen einen aussondern, der gleichsam als der Repräsentant der ganzen Menschheit dasteht, und mit dessen Leben und Schicksalen er das Leben und die Schicksale anderer Menschen in eine Verbindung bringt, die in ihrer Innigkeit und Unabweisbarkeit ein Abbild und Typus der Solidarität der Menschengeschicke im großen und ganzen ist.[6]

Das klingt fast wie eine Wiederaufnahme von Vorstellungen des 18. Jahrhunderts, die dahin zielten, daß das einzelne auch das Ganze zu repräsentieren habe, auch wenn Spielhagen einschränkend feststellt, daß ein einzelnes Menschenleben, noch so folgerichtig mit dem Lauf der Welt in Verbindung gesetzt, mit den Geschicken der Nebenmenschen kombiniert, doch immer nur ein Einzelnes bleibt, an welchem immer nur ein aliquoter Teil des allgemeinen Menschenloses illustriert werden kann.[7]

Was hier unauffällig formuliert ist, zielt auf anderes ab, nämlich darauf, daß sich im Helden mehr abbildet als sein eigenes persönliches Leben; daß durch ihn ein Weltbezug hergestellt wird und sich in ihm seine innere Welt mit der Wirklichkeit außen verbindet. Es geht um die Repräsentativität des einzelnen und seiner Erfahrungen, also um die Frage, wie sich das Individuum zum Allgemeinen verhalte, zum Leben, zu überpersönlichen Mächten. Der Roman muß durch das Schicksal eines einzelnen das Bild der Zeit transparent machen. Das ist eine Formel, die auch den Typus des Gesellschafts- und Familienromans der frühen Moderne bestimmte. Überlegungen, die zum Verständnis des Gesellschaftsromans um 1900 unbedingt notwendig sind, finden sich auch im Drama – und angesichts der Hochschätzung des Dramas, seiner Superioritätsstellung dem Roman gegenüber und seiner geradezu gesetzgeberischen Vorbildhaftigkeit ist nicht ohne Wirkung auf die Romanvorstellungen gewesen, was zum Drama in der Zeit des Realismus formuliert worden ist.

III.

Für den Gesellschaftsroman um 1890 gilt das alles mehr oder weniger uneingeschränkt ebenfalls. Der wichtigste Vertreter des Gesellschafts- und Familienromans, der eine strenge Trennung zwischen diesen scheinbar unterschiedlichen Gattungen gar nicht kennt, ist Theodor Fontane (1819–1898); seine späten Romane sind prototypische Zeugnisse des Gesellschafts- und Familienromans, zumal bei ihm die Gesellschaft nicht in ihrer verpflichtenden Normalität, sondern in ihrer Unglaubwürdigkeit und beginnenden Auflösung dargestellt wird.

Für den Gesellschaftsroman Fontanescher Provenienz spielen die

Faktoren, die das Bild der Gesellschaft im ausgehenden 19. Jahrhundert wesentlich mitbestimmt haben, also die wirtschaftlichen Verhältnisse, eine untergeordnete Rolle. Das äußert sich darin, daß der dritte und der vierte Stand allenfalls Hintergrundkulissen abgeben, gelegentlich tauchen sie sogar nur als Randerscheinungen eines patriarchalischen Gesellschaftssystems auf. Das steht im Gegensatz zu den Themenbereichen des sozialen Romans, aber es zeigt, wie weit der Gesellschaftsroman vom sozialen Roman entfernt ist. Fontane beschreibt anderes: vor allem die psychischen Verhältnisse einer Gesellschaft, die als nicht mehr intakte Gesellschaft betrachtet wird. Fontane hat diese Gesellschaft, die er schildern wollte, nicht als breites Panorama dargestellt, sondern ausschnitthaft, also am Beispiel und Schicksal einiger weniger einzelner, und an ihnen wird demonstriert, welche Krankheiten die Gesellschaft erfaßt haben, nicht, wie sie zu heilen sind. Noch wenige Jahrzehnte zuvor, etwa in Wilhelm Raabes *Der Hungerpastor* (1863/64), trat das individuelle Schicksal auffällig hinter das Standesschicksal zurück; das Gesetz von der Allmacht der Gesellschaft wurde zwar auch am Einzelfall demonstriert, aber dieser Einzelfall war genotypisch und stand für Standeserfahrungen, die hier im Exemplum dargestellt wurden. Das sieht bei Fontane anders aus; bei ihm erscheint der Einzelfall zwar auch vor dem Hintergrund der in dieser Zeit möglichen Erfahrungen, aber der Konnex zwischen Einzelerlebnis und Zeitgeschichte ist insofern ein anderer als bei Raabe, als das Schicksal des oder der einzelnen, das hier beschrieben wird, in seinen psychischen Konsequenzen dargestellt wird. Zwar ist jeder psychologisch interessante Fall zugleich ein Gesellschaftsfall, aber die Gesellschaft wird gleichsam durch die seelischen Erfahrungen und Verformungen von Individuen beleuchtet. So sind seine Gesellschaftsromane erzählte Sozialpsychologie: was immer die Gesellschaft bestimmt, wird als verinnerlichte Erfahrung beschrieben.

Die Einzelfälle aber – und darin zeigt sich das indirekt Zeitdiagnostische und Gesellschaftsanalytische der Romane Fontanes – sind so gut wie immer Leidensgeschichten, und es ist nicht zufällig, daß vor allem Frauen die Leidtragenden einer Gesellschaftsordnung sind, die nahezu ausschließlich maskulin bestimmt war. Besonders am Schicksal der Frauen kritisiert Fontane Erfolg und Erfolgsethik der

Bourgeoisie, kritisiert die kleinbürgerliche Aufstiegsmentalität, die insofern ins Leere stößt, als Fontane über den anspruchsvollen, aber im Grunde genommen nichts mehr leistenden Adel außerordentlich scharfe Urteile gefällt hat. Auf der anderen Seite fehlt radikale Sozialkritik; Fontane hat die ihn umgebende Welt zwar nicht respektiert, aber er hat auch nicht versucht, sie umzustürzen. Doch nirgendwo sind die Widersprüche der Zeit, ist der desolate Status der bürgerlichen Welt deutlicher sichtbar als in Fontanes Romanen, und seine Kunst geht dahin, diese Widersprüche nicht nur aufzuzeigen, sondern an Zufälligkeiten und Alltäglichkeiten einer Existenz zu demonstrieren, daß die Gesellschaft erkrankt ist. Schlimmer noch ist, daß diejenigen, die an dieser Krankheit leiden, dieses Leiden für Schicksal halten. In *Effi Briest* (1894/95) heißt es einmal: »Alles ist Schicksal. Es hat so sein sollen«. Daraus spricht kein Fatalismus, auch nicht eine Anerkennung des Gegebenen, sondern das Mißvergnügen des Autors über eine derartige Interpretation der ›Verhältnisse‹, die dem Schicksal zuschiebt, was in Wirklichkeit Resultat gesellschaftlicher Zwänge ist. Fontane beschreibt Vorgänge in den besseren Ständen, prangert nicht soziale Umstände, stellt nicht das Los von Fabrikarbeitern, das Schicksal von Proletariern dar; doch er bleibt nicht beim Statuieren des Gegebenen, da er hinter den Einzelerscheinungen nichts Geringeres sichtbar macht als die allgemeine Unordnung und Dissoziation einer Gesellschaft, die sich nur noch in ihrer Widersprüchlichkeit begreifen kann. Daß Fontanes Standpunkt dabei nur indirekt sichtbar wird, hat ihm den Ruf eines objektiven Erzählers eingetragen; aber objektiv ist sein Erzählen nur insofern, als er aus dem Einzelfall heraus exemplarische Verhältnisse aufzeigt. Und da der Einzelfall immer überzeugender ist als die Gesamtanalyse, wird die gründlich versteckte Immoralität der Gesellschaft dort sichtbar, wo der einzelne sein Leben nicht mehr meistern kann oder auch insofern ihr Opfer wird, als er ihren Ansprüchen nicht mehr zu genügen vermag. Diese Ansprüche sind so gut wie nie bloß äußerlicher Natur, sondern sind Seelenforderungen, soziale Verhaltensnormen, internalisierte Rechtschaffenheitsappelle, die aber in Fontanes Romanen nicht mehr in ihrer selbstverständlichen Bedeutung, sondern in ihrer Fragwürdigkeit und Hinfälligkeit dargestellt werden. Fontane hat 1884 einmal in einem Brief geschrieben: »Meine ganze Produktion ist Psychographie und Kritik, Dunkelschöpfung im Lichte zurechtgerückt«.[8] ›Psychographie‹ ist hier die seelische Durchleuchtung der Opfer, ein ›heiteres Darüberstehen‹ gab es bei ihm nicht. In welchem Ausmaß Opfer verlangt und auch dargeboten wurden, zeigt sein bedeutendster Gesellschaftsroman *Effi Briest*.

Der Roman war der einzige große literarische Erfolg seines Lebens, und es ist auch das Buch geblieben, das ihn bekannt gemacht hat. Es beschreibt die Anfänge, die Durchschnittlichkeit, die Langeweile und schließlich die Hölle einer Musterehe, und es ist gar nicht einmal die große Gesellschaft Berlins, sondern die auf dem Lande, die die Schwächen, Unwahrhaftigkeiten und Unzulänglichkeiten der Gesellschaft überhaupt zu erkennen gibt. Am Ende die Katastrophe, die entdeckten Liebesbriefe, das stillschweigend geforderte Duell, Trennung und Auflösung der Familie, früher Tod der Titelheldin, späte Beförderung ihres hintergangenen Mannes, doch ein offenes Ende, was die Bewertung der Geschichte angeht. Der Roman entstand zwischen 1889 und 1894 – und er ist wie kaum ein anderes Werk ein Spiegelbild dieser Zeit oder will es doch jedenfalls sein.

Die Beziehung des Einzelfalls zum Allgemeinen ist hier im Sinne des Literaturprogramms des ›Realismus‹ durchaus gewahrt: bei Fontane wird die Liebesgeschichte der Titelheldin zu einer Geschichte über die Merkwürdigkeiten der Eheverhältnisse und der Moral jener Zeit. Zugunsten eines Ehrenkodex wird ein Menschenopfer gebracht – was ihn reize, so hat Fontane 1894 gesagt, seien nicht »Liebesgeschichten, in ihrer schauderösen Ähnlichkeit, ⟨...⟩ aber der Gesellschaftszustand, das Sittenbildliche, das versteckt und gefährlich Politische, das diese Dinge haben«.[9] Fontane hat allerdings nicht als Sittenrichter der von ihm dargestellten Gesellschaft gegenüber auftreten wollen, sondern hat die Gesellschaft und ihre Ansprüche durchaus verteidigt. Es heißt im 27. Kapitel des Romans: »Man ist nicht bloß ein einzelner Mensch, man gehört einem Ganzen an, und auf das Ganze haben wir beständig Rücksicht zu nehmen, wir sind durchaus abhängig von ihm.« Daraus spricht nicht Prinzipienpedanterie, auch nicht eine Anerkennung des bloßen Scheins. Und ferner:

im Zusammenleben mit den Menschen hat sich ein Etwas ausgebildet, das nun mal da ist und nach dessen Paragraphen wir uns gewöhnt haben, alles zu beurteilen, die andern und uns selbst. Und dagegen zu verstoßen geht nicht; die Gesellschaft verachtet uns, und zuletzt tun wir es selbst und können es nicht aushalten und jagen uns die Kugel durch den Kopf.[10]

Es handelt sich hier nicht um einen äußerlich hochgehaltenen Gesellschaftsanspruch, dem nichts mehr entspricht, auch nicht um das Bestehen auf einer hohl gewordenen Moral, sondern darum, daß die Bedingungen der Sozialität und die einer menschlichen Gemeinsamkeit überhaupt respektiert werden. Das Zusammenleben der Menschen ist der Rechtsgrund, auf dem moralische Gesetze errichtet werden; Fontane kann dieses Etwas, das sich im Zusammenleben der Menschen ausgebildet hat, nicht näher bezeichnen, aber er stellt es dar als eine Gesetzlichkeit, die als inneres Ethos vorhanden ist; ein Verstoß dagegen kann nicht einfach hingenommen oder auch nur vergessen werden. Fontane erkennt die Moralgesetze also durchaus an. An dieser Gesetzlichkeit ist entscheidend, daß sie nicht von außen kommt, also von Religion oder Staat dem Individuum aufoktroyiert ist; die Sozialethik ist eine aus der Gesellschaft selbst herauswachsende Ethik, und darum ist sie um so verpflichtender. Allerdings: wo im Namen der Gesellschaft die ungeschriebenen Gesetze der Menschlichkeit verletzt werden, wird diese Gesellschaftsethik hinfällig und führt sich selbst ad absurdum.

Der Roman demonstriert, daß im gegebenen Fall ein Verstoß gegen die Normen der Gesellschaft unvermeidlich war; der Ehebruch der Effi Briest ist vorgezeichnet, so gut von Innstetten wie auch von Crampas; sie trifft die geringste Schuld. Auf der anderen Seite erlaubt die Gesellschaft es nicht, diesen Verstoß gegen ihre Regeln zu verzeihen; täte sie es, dann würde sie sich selbst aufgeben. Der Roman lebt aus diesem Widerspruch, der nicht aufzulösen war. So sehr freilich die Gesellschaft in ihrem Ungenügen beschrieben wird, so sehr hält Fontane auf der anderen Seite an der immanenten Gesetzlichkeit der Gesellschaft fest. Fontane ist also ein Verteidiger der Normen, kein Rebell gegen sie. Sie wird freilich in dem Augenblick inhuman, wenn das Befolgen ihrer Gesetze zur Unmenschlichkeit wird. Das ist hier der Fall. So verbindet sich die Anklage gegen eine

Gesellschaft, die gegen die Menschlichkeit verstößt, mit der Verteidigung gesellschaftlicher Forderungen, die Fontane nicht nur in diesem Roman als lebensunabdingbar erkannt zu haben glaubte. In der Konsequenz, mit der er an Normen festhielt, zeigt sich jedoch, daß gegen Ende des Jahrhunderts die Spannung zwischen dem Recht des einzelnen und den Forderungen der Allgemeinheit nicht aufgehoben war. Es wäre denkbar, daß Fontane im Roman den einzelnen über alles gestellt und die Gesellschaft damit völlig verurteilt hätte. Eben das geschieht nicht – auch das Individuum, das durch die Schuld anderer selbst schuldig wird, hat sich letztlich zu fügen, sofern es in der Gesellschaft überleben will. Da sich das aber als unmöglich erweist, da die Spannung zwischen dem einzelnen und dem Ganzen hier nur in ihren tödlichen Folgen erscheinen konnte, zerstört sich die Gesellschaft letztlich selbst. Eben das beschreibt der Roman. Im Naturalismus wird sich das ändern: die Anklage geht dort immer gegen die Gesellschaft und spricht immer das Individuum frei, weil im Individuum allein die Menschlichkeit noch anwesend ist.

Es entspricht dem Verständnis der Frühmoderne, daß die Gesellschaftsromane immer auch Familienromane sind – die Gesellschaft war familiär durchstrukturiert, hier kulminierten die Probleme der Gesellschaft. Anders gesagt: durch die Darstellung der Familie hindurch wurde auch die Gesellschaft dargestellt – und desillusioniert. Dieses geschieht nicht, wie im sozialen Roman, direkt, sondern auf einer tieferen Bedeutungsebene, wie das für die anspruchsvolleren Gesellschaftsromane der frühen Moderne charakteristisch ist. Es ist die Ebene eines christlichen Selbstverständnisses, das sich im Gebrauch christlicher Bilder verdeutlicht.

Die gesellschaftliche Orientierung im Preußen jener Jahre nach christlichen Vor- und Leitbildern ist zahlreich belegt. Die wilhelminische Welt und Gesellschaft hat einen christlichen Wertekosmos, auf den auch Fontane immer wieder anspielt: etwa dort, wo der Mann in der Rolle Gottes gezeigt wird, die Frau als züchtige Maria, die dann, wenn sie von dieser Rollenvorstellung abweicht, zur sündigen Eva wird; der Schluß des Romans gleicht einem göttlichen Strafgericht, das über die Familie hereinbricht. Zu diesem Stratum innerhalb des Gesellschaftsromans Fontanes gehört, daß die eingangs beschriebene Welt einem *hortus conclusus* gleicht, einem Sinnbild für die Jungfräulichkeit Mariens. Zum Bild des hortus conclusus paßt es, daß Effi und ihre Mutter sich zu Beginn des Romans im Garten mit der Herstellung eines Altarteppiches beschäftigen, so wie auch die Blumenwelt des Gartens, der wilde Wein etwa, auf die Passion Christi bezogen ist und die Gartenszene Bezug nimmt auf die Verkündigung, mit einer vorweggenommenen Anspielung auf die Passion. Fontane zitiert die religiöse Bildwelt immer wieder an – ob es die Tauben auf dem Markusplatz sind oder die Vorstellungen von Paradies und Unschuld, die sich mit der Kindheit Effis verbinden. Auffällig ist auch, daß die Geschichte von der Heirat eines älteren Mannes mit einer jungen Frau nach dem Muster der christlichen Religionsstiftung beschrieben wird. Im weiteren ist ebenfalls von christlichen Leitbildern die Rede, von der heiligen Familie, von christlichen Ehevorstellungen, die sich in Porträts der heiligen Familie visualisieren, auch davon, daß die Frau zur Madonna umgeformt wurde. Im Roman finden sich andere christliche Klischees, die Fontane bewußt eingesetzt hat; so erscheint Effi Briest als Eva *und* Maria, nach der Vorstellung von den beiden Seiten im Wesen der Frau, und so, wie große Kapitel aus der christlichen Marienlegende sich im Roman finden (Heimsuchung, Geburt, Taufe, der Tod Mariens), so stehen sich in der Beziehung der drei Protagonisten Effi Briest, Innstetten und Crampas weniger unterschiedliche Charaktere einer Liebesgeschichte gegenüber als vielmehr Repräsentanten verschiedener Rollen, die, der christlichen Ikonographie nach, mit Eva, Gott und Teufel zu benennen sind. Innstetten verspricht Effi, als er nach Berlin berufen wird, ein besseres Leben und denkt an einen christlichen Haushalt mit hohen, bunten Glasfenstern, »Kaiser Wilhelm mit Zepter und Krone oder auch was Kirchliches, heilige Elisabeth oder Jungfrau Maria«. Hinweise auf das Opferlamm Effi verbinden sich mit dem geplanten Besuch der Passionsspiele in Oberammergau, und wenn die Briefe entdeckt werden, vollzieht sich die Heimsuchung; als Effi, aus der Gesellschaft verstoßen, eine kleine Berliner Wohnung bezieht, kann sie von der aus die Christus-Kirche und auch den Matthei-Kirchhof sehen. Erst der Tod erlöst sie – sie stirbt am 15. August, am Tag von Mariae Tod und Himmelfahrt. Ihr Leben erscheint als Folge von

Sündenfall, Passion und Erlösung. Das alles entspricht der Familienideologie des 19. Jahrhunderts – die sakralisierte Ehe ist oberstes gesellschaftliches Leitbild. Es handelt sich dabei nicht nur um familiäre Aspekte, sondern auch um gesellschaftliche Bindungen – Religion und Staat unterstützten sich wechselseitig.

Mit dem Gesellschafts- und Familienroman scheinen diese Hinweise wenig zu tun zu haben. Aber sie sind von Fontane bewußt eingesetzt worden, um zu zeigen, daß die vorgeblich christlichen Ordnungsstrukturen des wilhelminischen Preußens der Gründerzeitjahre unglaubwürdig, daß die christlichen Sinnbilder sinnlos geworden sind, und damit wird auch das Fundament dieser Gesellschaft als fragwürdig entlarvt. Der desillusionierende Anspruch des Gesellschaftsromans ist nicht so sehr dort zu finden, wo die Gesellschaft tatsächlich beschrieben wird als vielmehr dort, wo sie in ihrer religiösen Orientierung oder vielmehr: Desorientierung dargestellt ist. Wie scharf Fontanes Kritik an den traditionellen Frauenbildern ist, zeigt sich daran, daß er dort, wo in Effi das Doppelwesen der Frau als Eva und Maria gezeigt ist, die negativ belastete Figur der Eva zur liebenswürdigen Erscheinung erklärt und damit auch gesellschaftlich aufwertet. Die Bigotterie der Berliner Gesellschaft, ihre leeres Ritual gewordene Christlichkeit und damit die Fragwürdigkeit rissig gewordener Moralfundamente könnte schärfer kaum analysiert worden sein als in Fontanes *Effi Briest*.

Freilich tauchen selbst in Fontanes Familienromanen hinter der Schilderung zerstörter Sozialverhältnisse noch Ahnungen von einer menschlicheren Welt auf, die, auch wenn sie nicht im Roman verwirklicht werden, als Möglichkeit andeutungsweise wenigstens bleiben. Deutlichere Leitbilder finden sich vor allem in der romanhaften Unterhaltungsliteratur jener Jahrzehnte; also in der *Gartenlaube*, aber nicht weniger in Zeitschriften [→ 116 ff.] wie *Daheim*, *Über Land und Meer*, *Am häuslichen Herd*. Die Trennung zwischen Hochliteratur und einfacher Unterhaltungsliteratur entspricht nicht der literarischen Wirklichkeit von damals; immerhin veröffentlichten auch Raabe, Storm und Fontane in der *Gartenlaube*. Doch es gab in dieser Zeitschrift nicht nur die idealisierte Familie. Gerade in der *Gartenlaube* war die Unterhaltungsliteratur außerordentlich stark zeit- und gesellschaftsbezogen, und das durchaus nicht nur im affirmativen Sinne. Die Frauenromane sind oft Sitten- oder Charakterbilder, und bei Fontane wird der Frauenroman zum Gesellschaftsroman – nicht um die Gesellschaft zu verherrlichen, sondern um über Frauen die schärfste Anklagen gegen sie zu erheben. Dazu gehört vor allem *Frau Jenny Treibel* (1892).

An sich neigt der Gesellschaftsroman dazu, ein Breitwandpanorama zu entwerfen, also auf den raschen Fortgang der Handlung zu verzichten. Aber um 1900 beschränkt sich der Gesellschaftsroman so gut wie nie auf ein Tableau – in der Regel wird am Schicksal einer Familie, eines Helden oder einer Heldin die Gesellschaft gezeigt, zumeist in ihrer Fragwürdigkeit. So werden Lebensläufe oder Teile daraus die Vehikel, die den Roman vorantreiben. Wo es an zeitlichen Dimensionen mangelt, treten nicht nur in *Effi Briest* religiös oder mythologisch-märchenhaft konnotierte Deutungsschichten hinzu, die die Krankheiten der Gesellschaft sichtbar machen. Der Gesellschafts- und Familienroman kennt aber um 1900 auch eine andere Variante der Entlarvung: den Generationsroman.

Das klassische Beispiel ist Thomas Manns (1875–1955) Roman *Buddenbrooks* (1901). Der Gesellschaftsroman wird zum Roman der Geschichte einer Gesellschaft, die aus wenigen führenden Familien besteht – der Rest ist nicht beschreibenswert oder taucht allenfalls am Rande auf. Eigentlich ist der Roman als Familienroman durch vier Generationen hindurch konzipiert – aber die Familie ist mit der Gesellschaft so gut wie identisch, und das zeigt sich dort, wo in der Entwicklung einer Familie prototypisch die Entwicklung der gesellschaftlichen Moral nachgezeichnet wird. Dabei geht es nie um das Gesellschaftsgemälde an sich, sondern darum, die wachsende Distanz der Familie (und damit der Gesellschaft) zu den bürgerlichen Urmaximen des Zusammenlebens zu demonstrieren. Auch hier spielt die Veräußerlichung des religiösen Fundaments eine ebenso große Rolle wie das Überbordwerfen einer bürgerlichen Kaufmannsethik [→ 316 f.], die den Familien das Überleben sichern sollte und gleichzeitig die Verhältnisse innerhalb der Gesellschaft zu regeln hatte. Die Gesellschaft als ganze scheint unterminiert, je weiter der Erzähler die Generationsfolge hinabsteigt; der Untergang der alten Gesellschaft, erst in den Randzonen dieser Gesellschaft angedeutet, wird von Generation zu Generation unvermeidlicher, ohne daß eine Vision dem gegensteuern könnte. Auch dieser Familienroman endet mit Tod und Untergang, aus dem auch nicht die Kunst als Fluchtmöglichkeit befreien kann. Thomas Mann mag nicht unbedingt eine Analyse der Gesellschaftskrankheiten um 1900 gelungen sein – die Entwicklungsgeschichte von einer noch intakten bürgerlichen Gesellschaft zu den Verfalls- und Endformen dieser bürgerlichen Gesellschaft ist ihm um so besser gelungen.

Nach der frühen Moderne werden Familienromane kaum noch geschrieben – weil die Familie als wichtigste Lebenszelle einer Gesellschaft an Bedeutung so rapide verloren hat. Auch intakte Familienwelten haben keine Bedeutung mehr, weil sie als Ideal nicht mehr akzeptiert werden. Daß es sich bei den Generationsromanen nicht um ein deutsches Phänomen handelt, zeigen europäischen Parallelen: Emile Zolas (1840–1902) *Rougon-Macquart* (1871–1893), John Galsworthys (1867–1933) *Forsyte Saga* (1906–1921). Der Gesellschaftsroman aber wandelte sich immer mehr zum Zeitroman – so in Robert Musils (1880–1942) *Der Mann ohne Eigenschaften* (1930–1952), so in Thomas Manns *Der Zauberberg* (1924). Dort, wo der Gesellschaftsroman bürgerlicher Familienroman war, endet er mit dem Ende dieser Institution als einer entscheidenden Komponente der Gesellschaft.

Simone Winko

Novellistik und Kurzprosa des Fin de siècle

I. Gattungen und Erscheinungsformen

Betrachtet man die kurzen Prosatexte, die um 1900 publiziert werden, so fällt als erstes die Vielfalt der Erscheinungsformen und zugleich der Gattungsbenennungen auf:[1] Die Texte werden als ›Novellen‹, ›Erzählungen‹, ›Geschichten‹, ›Skizzen‹, ›Prosagedichte‹ oder gar mit neuen Genrenamen wie »telepathisches Capriccio« oder »Rosette« (Paul Scheerbart, 1863–1915) bezeichnet. Unter jeder dieser Bezeichnungen können nun formal konventionelle wie auch experimentelle Texte stehen, was sich am Beispiel der »Novelle« zeigen läßt – ein Begriff, der im Titel zahlreicher Sammelbände auftaucht. Einerseits werden um 1900 Novellen verfaßt, die als besonders formvollendet gelten, gattungsgeschichtlich gesehen aber eher dem 19. Jahrhundert zugerechnet werden. In Abgrenzung gegen formale Auflösungstendenzen schreiben ihre Verfasser bewußt in traditionellen Gattungsmustern weiter. Novellen dieses Typs finden sich besonders häufig unter den vielgelesenen dieser Zeit, so z. B. bei Rudolf G. Binding (1867–1938),[2] Isolde Kurz (1853–1944), Emil Strauß (1866–1960), Jakob Wassermann (1873–1934). Andererseits werden in zunehmendem Maße kurze Erzähltexte ›Novelle‹ genannt, die die Gattungskonventionen außer acht lassen, und solche, die sie variieren: Zum einen verzichten ihre Verfasser auf novellentypische Merkmale wie Rahmen, Realitäts- und Authentizitätsfiktion oder die ›Einzigartigkeit‹ der dargestellten Begebenheit.[3] Zum anderen überschreiten sie die Grenzen zwischen ›den drei großen Gattungen‹, indem sie narrative Texte dramatisieren oder lyrische Elemente in Prosarede einbeziehen – besonders deutlich in der Kurzprosa Hugo von Hofmannsthals (1874–1929); und auch die Grenzen zum Essay werden fließend, wie etwa Novellen Thomas Manns (1875–1955) und Robert Musils (1880–1942) zeigen.

Darüber hinaus sind jedoch auch Texte, die abweichend bezeichnet werden, aufgrund struktureller und inhaltlicher Merkmale gattungsgeschichtlich zur Novellentradition hinzuzurechnen, paradigmatisch Hofmannsthals *Reitergeschichte* (1899). Mit der Bezeichnung ›Geschichte‹ wählt Hofmannsthal – ebenso wie z. B. Rainer Maria Rilke (1875–1926) und andere – einen erzähltechnisch nicht klar konturierten Terminus, der kaum mehr aussagt, als daß wir es mit einem narrativen Text zu tun haben, und der hierin vergleichbar ist mit dem Begriff ›Erzählung‹, der einen Text ebenfalls formal weitgehend unspezifiziert läßt. Die Wahl solcher Bezeichnungen deutet auf Probleme der Autoren mit strengeren Gattungsvorgaben hin und auf ihre Suche nach neuen Ausdrucksformen.

Zur Formen- und Bezeichnungsvielfalt der Kurzprosa des Fin de siècle gehören auch die bereits genannten ›Skizzen‹ und die ›Prosagedichte‹, die seit der Romantik das Gattungsspektrum in Deutschland erweitern und um 1900 von zahlreichen Autoren als adäquate Form (wieder)entdeckt werden.[4] Bei beiden handelt es sich um meist sehr kurze Prosatexte ohne feste Strukturvorgaben, die Szenen oder sinnliche Wahrnehmungen eines Erzählers wiedergeben und deren narrative Passagen oft gegenüber den deskriptiven reduziert sind, wobei die Prosagedichte sich einer nicht-gebundenen, aber stark rhythmisierten Sprache bedienen. Kennzeichnend für diese Texte ist auch eine Vermischung typischer Elemente dramatischer bzw. lyrischer Texte mit denen von Prosatexten.

Fragt man nach einer Erklärung für die auffällige Ausdifferenzierung der Gattungen um 1900, so stößt man auf parallele Phänomene in anderen Bereichen des kulturellen und sozialen Lebens der Zeit. Eine vergleichbare Vielfalt kennzeichnet z. B. das Gebiet der ›Weltanschauungen‹, der diversen Theorien und Modelle mit Religionscharakter, die um die Jahrhundertwende vertreten werden, oder auch den Bereich der Politik mit seinem bis dahin so nicht gekannten Parteienspektrum.[5] Den gemeinsamen Hintergrund dieser Phänomene dürfte eine weitverbreitete Kontingenzerfahrung des Fin de siècle bilden: Mit dem Fortschreiten gesellschaftlicher Differenzierung geht eine zunehmende Auflösung gemeinsamer Werte einher und damit ein Verlust an Orientierungen und Welterklärungsmodellen [→ 18 ff.], die für größere Gruppen Verbindlichkeit beanspruchen könnten. Setzen diese Modernisierungsprozesse auch bereits im 18. Jahrhundert ein, so erreichen sie doch um 1890 eine neue Qualität: Ein beschleunigter sozialer Wandel, verbunden mit der Hoffnung auf (wie auch immer bestimmten) Fortschritt und mit den Kosten eines raschen Traditions- und Sicherheitsverlusts, kennzeichnet die Situation um 1900.

Die Kontingenzerfahrung betrifft nicht nur die Wahrnehmung und Deutung der Umwelt, sondern bezieht auch die Selbstwahrnehmung mit ein. Die vielzitierte ›Krise des Subjekts‹, die zugleich eine Wahrnehmungs- und Erkenntniskrise [→ 155 ff.] ist, manifestiert sich in zahlreichen Prosatexten des Fin de siècle, und zwar entweder als Versuch, das Subjekt wieder zu stabilisieren, oder als Bejahung der Ich-Dissoziation.

Im Bereich literarischer Formen entspricht dieser Kontingenz der Verlust fragloser Geltung tradierter Muster; der einzelne Autor sieht sich nicht mehr ›automatisch‹ in eine Traditionskontinuität gestellt, sondern hat die Wahl zwischen immer mehr Alternativen. Die Verfasser kurzer Prosatexte um 1900 reagieren unterschiedlich auf diese Situation: Einige bejahen und nutzen die neu gewonnenen Variationsmöglichkeiten – aus dieser Haltung resultieren die experimentellen Texte, die Formvariationen (etwa Hermann Bahr (1863–1934), Arthur Schnitzler (1862–1931)) bis hin zur formalen Unkonturiertheit (z. B. Peter Altenberg (1859–1919)); andere lehnen sie als neue Beliebigkeit, der es entgegen zu steuern gilt, ab – dem entsprechen die Forderungen nach einer Besinnung auf Formtraditionen (etwa Paul Ernst (1866–1933)) ebenso wie die nach neuer Formstrenge (z. B. Stefan George (1868–1933)). Die positive Haltung gegenüber der Kontingenzerfahrung verbindet sich mit einem emphatischen Ausdrucksmodell von Literatur: Die Erfahrungen modernen Lebens werden als nicht mehr vereinbar mit traditionellen Ausdrucksweisen aufgefaßt, die Autoren suchen neue Formen für neue Erfahrungen. Daß auch dieses Bestreben nach Neuem eher zur Modifikation von Vorhandenem als zur totalen Erneuerung von Gattungen und literarischen Mustern führt, ist allerdings nicht zu übersehen.

Mit diesen Ausführungen ist keine eindimensionale Erklärung der Formenvielfalt beabsichtigt; ebenso zu berücksichtigen sind

Faktoren wie die Expansion der Massenmedien und der sogenannten Trivialliteratur, die weitgehend in realistischen Erzähltraditionen verbleibt und gegen die viele Autoren sich absetzen, sowie generell die Profilierungszwänge eines anwachsenden Literaturmarktes. Dazu gehört auch die Tatsache, daß zahlreiche junge Autoren und Autorinnen zuerst mit Kurzprosa in die Öffentlichkeit treten, weil die Wahrscheinlichkeit größer ist, diese Texte schneller publizieren zu können als literarische Großprojekte, und zwar meist in literarischen Zeitschriften oder Verlagsanthologien. Zudem kann in kleinen Formen leichter experimentiert werden als in Romanen, was ihre inhaltliche und formale Vielfalt mit bedingt.

II. Autoren und Texte

Angesichts der Breite des Spektrums kurzer Prosa des Fin de siècle kann hier nur ein kleiner Ausschnitt selbst der charakteristischen Texte und Autoren behandelt werden. Festzuhalten ist, daß alle formal-stilistischen und thematischen ›Tendenzen‹[6] der Jahrhundertwendeliteratur auch die Kurzprosa bestimmen, wenn auch mit gattungsspezifischen Gewichtungen.

1. *Skizzen und Prosagedichte*

Autoren, die in erster Linie Lyriker waren (wie George und Rilke), haben um 1900 ebenso Skizzen und Prosagedichte veröffentlicht wie Autoren, die als Verfasser von Prosa bekannt geworden sind (wie Thomas Mann und Paul Scheerbart). Die Beliebtheit dieser Genres dürfte unterschiedliche Gründe haben: (1) Variabilität: Da strenge Gattungsvorgaben fehlen, bieten sie beiden oben bezeichneten Reaktionen auf Kontingenz eine Umsetzungsmöglichkeit. In ihrem Rahmen lassen sich impressionistisch anmutende Texte von formaler Beliebigkeit (z. B. Altenbergs Szenen aus dem Wiener Alltag) ebenso wie formal durchkonstruierte, in symbolistischer Tradition stehende Texte (etwa die wenigen Prosatexte Georges) realisieren. (2) Kürze und Pointiertheit, die einer impressionistischen Haltung entgegenkommen: Es werden keine umfassenden Zusammenhänge dargestellt, sondern schlaglichtartige, subjektive Einblicke in die gewählten, ihrerseits begrenzten Gegenstände gegeben.[7] Dies belegen die synästhetischen Natureindrücke in Max Dauthendeys (1867–1918) Sammlung *Ultra Violett* (1893) ebenso wie die Prosagedichte Hofmannsthals und Rilkes, die zum narrativen bzw. subjektiv-reflexiven Typus dieses Genres gehören. (3) Konzentration: Für die Vertreter einer substantialistischen Lyrikauffassung gilt das Prosagedicht als ›reine Lyrik‹, die ohne Zuhilfenahme des formalen Ornaments gebundener Rede ›das Wesentliche‹ eines Gegenstandes erfassen könne. Einen nicht unwesentlichen Einfluß auf die Verbreitung des Prosagedichts hatten darüber hinaus Friedrich Nietzsches (1844–1900) Prosagedichte in *Also sprach Zarathustra* (1887), und in vielen Skizzen spiegelt sich der journalistische Stil der zeitgenössischen Feuilletons wider und wird ›literaturfähig‹.

2. *Novellen und Erzählungen*

2.1 *Gattungsreflexion*

Entgegengesetzte Positionen in der Novellendiskussion um 1900 nehmen zwei Autoren ein, die hier als Gattungstheoretiker von Bedeutung sind: Paul Ernst und Robert Musil.

Analog zu seiner Kritik am naturalistischen und am neuromantischen Drama lehnt Ernst auch den ›modernen‹ Formverfall der Gattung Novelle ab und fordert pointiert eine Erneuerung des Formbewußtseins, wobei er sich an der italienischen Novellen-Tradition in der Nachfolge Giovanni Boccaccios orientiert. Ernst sieht das »Wesentliche« einer Novelle in ihrem »Aufbau« und in ihrer abstrahierend-konzentrierten Gestaltung;[8] die erzähltechnischen Vorgaben, die sich aus diesen Bestimmungen ergeben, hat Ernst beispielsweise in *Die Prinzessin des Ostens und andere Novellen* (1903) umgesetzt: Anstatt der in vielen Novellen dominierenden psychologisierenden Erzählweise und der detaillierten Darlegung von Gefühlsregungen setzt Ernst einen handlungsbetonten Erzählverlauf und

Dialoge ein, so daß meist nur indirekt auf psychische Faktoren geschlossen werden kann.

Musil dagegen zählt zu den Verfechtern einer formal ›lockeren‹ Gattungspoetologie: Für ihn stellt der »Zwang, in beschränktem Raum das Nötige unterzubringen«,[9] das alleinige Formprinzip der Gattung dar, während andere Merkmale fakultativ und nur dem »Wesentliche⟨n⟩« eines Textes verpflichtet sind. In seiner Charakterisierung des seltenen Idealfalls einer Novelle tritt jedoch noch ein produktionsbezogenes Merkmal hinzu: Voraussetzung ist ein nicht erzwingbares ›Erkenntnis-Erlebnis‹ eines Autors, in dem er anhand eines besonderen Beispiels plötzlich zu sehen glaubt, »wie alles in Wahrheit sei«.[10] Damit macht Musil nicht die Fiktion einer ›unerhörten Begebenheit‹, sondern die autobiographische Authentizität eines entsprechenden Erlebnisses zum Kriterium einer ›idealen‹ Novelle. Gründet diese Auffassung auch in Musils spezifischem Dichtungsverständnis, so ist sie doch zugleich von einem zeittypischen Problem geprägt: von der Suche nach einer Vermittlung zwischem dem Bereich des Rationalen, für den das naturwissenschaftliche Denken paradigmatisch steht, und dem des Irrationalen, des ›mystischen‹ Erlebens.

2.2 Formen: Erzähltechnische und sprachliche Momente

Innovativ in dem Sinne, daß sie aufgenommen, weiterentwickelt und von nun an zum Repertoire der Gattung gezählt werden, wirken vor allem *erzähltechnische* Neuerungen.

Hermann Bahr formuliert 1890 die Notwendigkeit für Dichter, zeitgemäße Ausdrucksformen zu finden. Sie müssen sich nach den Methoden der »neuen Psychologie« [→ 492 ff.] richten und die psychischen und emotionalen Bedingungen eines Menschen *vor* ihrer Verarbeitung und Verfälschung durch das Bewußtsein zu erfassen suchen. Das angemessene erzähltechnische Mittel kann demnach nicht die an ein verarbeitendes Bewußtsein gebundene Ich-Perspektive sein; vielmehr ist es die konsequent personale Erzählsituation, die als spezifisch modern gilt, da sie Eindrücke und Wahrnehmungen registrieren kann, als hätte der Erzähler permanent »neben seinem Gehirn einen aufmerksamen *esprit fureteur* zum Protokollführer«.[11]

Daß in den Erzählungen und Novellen um 1900 ein durchgängig auktorialer Erzähler zur Ausnahme gehört und statt dessen die variable personale Erzählsituation zu der am häufigsten eingesetzten Erzähltechnik wird, läßt sich mit dieser Art ›modernen Schreibens‹ erklären. Für verschiedene Abstufungen solchen Erzählens stehen, mit zunehmender Tendenz zur Subjektivierung, drei Autoren, die als jeweils repräsentativ für bestimmte Positionen der Prosa des Fin de siècle angesehen werden können. Als typisch für Eduard von Keyserling (1855–1918) gelten seine *Schloßgeschichten*, in denen die Sicherheit und Kultur, Stillstand und Ruhe gleichermaßen verbürgende Konventionalität einer (modellhaft eingesetzten) Adelsgesellschaft und deren Brüchigkeit thematisiert werden (z. B. *Beate und Mareille* (1903)). Der ›impressionistische Erzählmodus‹ Keyserlings manifestiert sich in den Landschaftsbeschreibungen sowie im Fehlen eines kommentierenden, Zusammenhänge stiftenden Erzählers; die Ereignisse werden überwiegend aus den Perspektiven unterschiedlicher Figuren geschildert, ohne sich zu einem geschlossenen Gesamtbild zu objektivieren. Bleiben dadurch die Motivationen und inneren Vorgänge einiger, auch wichtiger Figuren im dunkeln, so ist es in Hofmannsthals Novellen der Realitätsstatus bestimmter Handlungselemente selbst, über den Unklarheit herrscht. In der *Reitergeschichte* z. B. läßt sich die Frage, ob einzelne Ereignisse als ›wirklich‹ oder als allein von der Wahrnehmung des Protagonisten abhängig einzustufen sind, nicht eindeutig beantworten; vielmehr hängen die Antworten von der ebenfalls nicht klar entscheidbaren Frage ab, ob die entsprechenden Passagen aus der Sicht des Protagonisten oder einer distanzierten Instanz erzählt werden. Dieses Verfahren wird um 1900, im Kontext der Erkenntnis- und Sprachkrise, zu einem Charakteristikum zahlreicher Prosatexte. Potenziert wird es in Texten wie Richard Beer-Hofmanns (1866–1945) Erzählung *Der Tod Georgs* (1900). Hier ist es schon schwierig, überhaupt den ›plot‹ zu erkennen, der von den Reflexionen des Protagonisten, von ausführlichen Empfindungs- und langen, bilderreichen Traumsequenzen überlagert wird. Eben diese Präsentationsform war ausschlaggebend für den ›Kult-Status‹ dieses Textes.

Eine radikalere erzähltechnische Variante dieser Entwicklung, der ›innere Monolog‹, wird als durchgängiges Stilmittel eines ganzen Textes nur selten eingesetzt. Schnitzler hat ihn in seiner Novelle *Leutnant Gustl* (1900) zum erstenmal vorherrschend angewendet und in *Fräulein Else* (1924) perfektioniert. In *Leutnant Gustl* werden die Wahrnehmungen und Kommentare des Ich-Erzählers im Moment ihrer Entstehung dokumentiert, so daß die Leser einen Einblick in das emotionale und kognitive Innenleben eines ›typischen‹ k. u. k.-Offiziers in einer Konfliktsituation erhalten; Kritik an Standesdünkel und überkommenen Konventionen wird allein über die Handlungsführung und die schematischen Reaktionen des Protagonisten greifbar.

Als charakteristisches erzähltechnisches Mittel ist darüber hinaus die experimentelle Mischung auktorialer und personaler Perspektiven anzuführen, für die exemplarisch die frühen Novellen Musils stehen. Durch das schon in der Erzählung *Das verzauberte Haus* (1908) auffällige Fehlen eines »perspektivischen Zentralpunkts«,[12] von dem aus kontinuierlich erzählt wird, und die daraus beim Lesen sich einstellenden Irritationen, entsteht ein Spiel mit dem Erzählen selbst, eine Praxis, die sich auch in den Prosatexten Robert Walsers (1878–1956) und Hermann Brochs (1886–1951) findet.

Zu den sprachlichen Neuerungen in der Kurzprosa um 1900 zählt zum einen die Tendenz zur expressiven Wort- und Bildwahl bei recht verschiedenen Autoren, etwa bei Scheerbart, Karl Schönherr (1867–1943) oder Strauß. Hier werden bereits expressionistische Ausdrucksformen [→ 522 ff.] vorweggenommen, auch wenn die Fundierungen solches Schreibens zeitgenössisch sind und z. B. in vitalistischen Orientierungen liegen. Zum anderen sind sprachliche Phänomene anzuführen, die mit der bereits angesprochenen Grenzüberschreitung zwischen den Gattungen zusammenhängen: Lyrische, dramatische und essayistisch-reflexive Merkmale haben vor 1900 nicht in gleichem Ausmaß die Sprache in Novellen und Erzählungen bestimmt; exemplarisch für diese drei Varianten stehen Texte Hugo von Hofmannsthals, Frank Wedekinds (1864–1918) und Thomas Manns.

2.3 *Themen*

Die Themen der Erzählungen und Novellen des Fin de siècle sind keine prinzipiell neuen, werden aber oft unter neuen Perspektiven behandelt. Eine der häufigsten ist die der Problematisierung des Subjekts, als einzelnes oder in seiner Beziehung zu einer Gruppe bzw. der Gesellschaft.

So zählt das Problem der Identitätsfindung zu den zentralen Themen der Zeit. Protagonisten auf der Suche nach ihrem Ich, die einer undurchschaubaren oder gar feindlichen Welt gegenüberstehen und in der Regel an ihr scheitern, sind charakteristisch für Erzählungen Hofmannsthals, Franz Kafkas (1883–1924), Max Brods (1884–1968) und anderer. Auffällig viele Prosatexte der Zeit reagieren in ihrer Darstellung dieses Problems auf Veränderungen gesellschaftlicher Strukturen und der gesellschaftlichen Semantik. Dies zeigen Texte, die auf gewandelte Ehrbegriffe hinweisen, indem sie beispielsweise die Institution des Duells in Frage stellen (etwa bei Schnitzler oder Keyserling); und ebenso Texte, die herkömmliche Moralbegriffe zur Disposition stellen (z. B. bei Wedekind) oder sich gesellschafts- bzw. kulturkritisch mit der Macht der Gruppe gegenüber dem einzelnen auseinandersetzen. Das Verhältnis von Individuum und Gesellschaft wird oft als Kampf gegen eine anonyme Macht, z. B. ›die Großstadt‹, oder gegen Repräsentanten sozialer Institutionen dargestellt, nicht selten – Nietzsches Kritik [→ 192 ff.] aufnehmend – der Bildungsinstitutionen. In vitalistischer Prägung kann es dabei um den starken einzelnen gehen und der Kampf in den Schlüsselbegriffen ›Natur versus Kultur‹ formuliert werden (bei Strauß, Brod u. a.); in einer ästhetizistischen Variante kann es aber auch der schwächliche und/oder jugendliche Protagonist sein, der sich letztlich als lebensuntüchtig erweist, dessen Scheitern jedoch nicht ihm, sondern seiner Umwelt zur Last gelegt wird (bei Rilke, Hermann Hesse (1877–1962) u. a.). Als Gegenbild gegen eine als kontingent erfahrene moderne Kultur wird das ›natürliche Leben‹ ebenso propagiert wie die ›starke‹ Kultur der Renaissance (so in Kurz' *Florentiner Novellen* (1890), bei Ricarda Huch (1864–1947), Heinrich Mann u. a.).

Einen Spezialfall in der Behandlung dieses Themenkomplexes

stellen die zahlreichen Künstlernovellen dar, in denen die Vereinbarkeit von Kunst und Leben, verbunden mit der Frage nach Selbstverständnis und Aufgabe des Künstlers, problematistiert wird. Paradigmatische Décadence-Künstler [→ 219 ff.] hat Heinrich Mann (1871–1950) in seinen frühen Novellen gestaltet, die im Zeichen seiner Rezeption Nietzsches und des französischen Ästhetizismus stehen. Der moderne Künstler ist der ›Dilettant‹, ein auf sich selbst zentrierter, seine Empfindungen minutiös analysierender, neurasthenischer Typus, der am Leben primär aus der Beobachterperspektive teilnimmt und ihm mit moralischer Indifferenz gegenübersteht. Sein vitales Pendant ist der dem Dasein zugewandte, skrupellos-amoralische Täter, versinnbildlicht im unerreichbaren Renaissance-Menschen, z. B. in *Pippo Spano* (1904). Thomas Manns Künstlernovellen dagegen wurden schon von den Zeitgenossen als Versuch rezipiert, den obligatorischen Konflikt zwischen Kunst und Leben, zwischen Künstler und Bürger auf sozial anschlußfähige Weise zu lösen. Die erfolgreichsten dieser frühen Novellen – *Tristan*, *Tonio Kröger* (beide 1903) und *Der Tod in Venedig* (1912) – thematisieren das Leiden des Künstlers an der für notwendig erachteten gesellschaftlichen Außenseiterposition. Die Koppelung von Künstlertum und Homosexualität im *Tod in Venedig* verweist auf zwei weitere wichtige Themenbereiche, die in der Kurzprosa des Fin de siècle variiert werden: Sexualität und Geschlechterdifferenz [→ 243 ff.].

Die Behandlung von Sexualität ist sowohl im Kontext der Freud-Rezeption als auch im Zusammenhang einer gesellschaftlich fundierten Kritik an der Sexualmoral des 19. Jahrhunderts zu sehen. Auch hier sind Spielarten des Kontingenzphänomens faßbar: Durch den Geltungsverlust traditioneller Normen und die Rückführbarkeit von Handlungen auf verborgene sexuelle Motivationen vervielfältigen sich die Optionen wie auch die Deutungsperspektiven für das Handeln von Personen oder Figuren. Wiederum finden sich extreme literarische Reaktionen auf diese Lage: Wird von konservativen Autoren der Werte- und Sittenverfall kritisiert, indem z. B. ein Verhalten gemäß herkömmlicher Sexualmoral positiv sanktioniert wird, so schildern Autoren wie Schnitzler, Stefan Zweig (1881–1942) oder Lou Andreas-Salomé (1861–1937) das Scheitern einer

Orientierung an eben diesen Normen, indem sie die Gefahren vorführen, die die Unterdrückung der Sexualität für den einzelnen mit sich bringt. Diese Position kann bis zum Plädoyer für eine freie, harmonische Sinnenliebe gehen, so in Wedekinds Erzählungsband *Feuerwerk* (1905), in dem das Thema ›Liebe‹ aus der Sicht gesellschaftlicher Außenseiter variiert wird.

Ebenso wie die Sexualität werden die tradierten Geschlechterrollen problematisch. Autorinnen wie Autoren experimentieren mit typisierten Rollenzuweisungen: ohne sie letztlich in Frage zu stellen z. B. Hofmannsthal in *Lucidor* (1910), wo es der Protagonistin nur in ihrer Verkleidung als Mann gelingt, den aktiven Part in einer Liebesbeziehung zu übernehmen; deutlicher Andreas-Salomé in ihren Erzählungen (so in *Fenitschka* (1898)); und noch radikaler Autorinnen im Kontext der zeitgenössischen Emanzipationsbewegung, die allerdings eher dem Naturalismus nahestehen, etwa Maria Janitschek (1860–1927). Zwar finden sich in der Kurzprosa um 1900 weiterhin die bekannten stereotypen Frauen- und Männerbilder, es werden aber darüber hinaus neue Bilder entworfen, die ihrerseits zu Stereotypen werden: Das Spektrum der Frauenfiguren reicht vom amoralischen Naturwesen über das lebensuntüchtige Kulturgeschöpf (z. B. bei Wedekind, Keyserling) bis zur beruflich erfolgreichen Emanzipierten, das der Männerfiguren vom vitalen Naturburschen bis zum nervösen Dekadent [→ 219 ff.] (z. B. bei Strauß, Schnitzler, Heinrich Mann).

Obwohl die Autoren der Kurzprosa des Fin de siècle in Traditionen des 19. Jahrhunderts weiterschreiben, entwickeln sie doch wichtige erzähltechnische und sprachliche Neuerungen sowie thematische Perspektiven, die im folgenden die Grundlage modernen Schreibens bilden.

Elke Austermühl

Lyrik der Jahrhundertwende

Das Phänomen der Stilvielfalt, das die gesamte künstlerische Produktion der Jahrhundertwende charakterisiert, ist auch in der Lyrik dieser Epoche, in vielen Fällen sogar im Werk einzelner Autoren[1] nachzuweisen. Gleichwohl läßt sich über die Identifikation und Klassifikation von gattungsübergreifenden Stilrichtungen oder über die Würdigung einzelner Autoren nur unzureichend den Entwicklungen auf die Spur kommen, durch die sich diese Gattung im fraglichen Zeitraum auszeichnet. Fruchtbarer erscheint vielmehr zu prüfen, ob und inwiefern sich die Lyrik dieser Zeit von traditionellen lyrischen Rede- und Gestaltungsweisen [→ 56 ff.] unterscheidet. Dabei wird vorausgesetzt, daß der historische Standard ›hoher‹ lyrischer Kunstproduktion bis gegen Ende des 19. Jahrhunderts noch weitgehend von Gestaltungsnormen bestimmt war, die das klassisch-romantische Erlebnis- und Bekenntnisgedicht idealtypisch repräsentiert. Diese Norm äußert sich in unmittelbarer, subjektbezogener Rede in gebundener Sprache, deren Gegenstand ein transzendent bedeutsames Erlebnis oder eine erhabene Stimmung ist.

I. Traditionelle Lyrik naturalistischer Autoren

»Daß wir Kuriosen der ›Modernen Dichter-Charaktere‹ damals die Lyrik ›revolutioniert‹ zu haben glaubten, war ein Irrthum. ⟨...⟩ Die Verse ⟨...⟩ unterscheiden sich in ihrer Struktur in nichts von den Versen, wie sie vor hundert Jahren schon Goethe gekonnt«[2] hat. Tatsächlich ist das ästhetische Verdikt, das Arno Holz (1863–1929) hier über die 1885 von Wilhelm Arent (*1864, verschollen) herausgegebene Anthologie spricht, auf das Gros der naturalistischen Lyrik übertragbar.[3] In ihren Einleitungen hatten Hermann Conradi (1862–1890) und Karl Henckell (1864–1929) eine »neue Lyrik«[4]

angekündigt, die »direkt in die Entwickelung der modernen deutschen Lyrik einzugreifen«[5] beanspruchte und mit den »alten, überlieferten Motiven« und den »abgenutzten Schablonen«[6] brechen wollte. Gleichwohl sind die hier publizierten Gedichte weitgehend traditionellen Vorbildern verpflichtet. Beibehalten werden nicht nur konventionelle Formstrukturen auf den Ebenen von Metrum, Reim und Strophe, sondern auch überkommene Motive und Themen. Bei einem nicht geringen Teil handelt es sich um Natur- und Liebesgedichte, die ihre Motive aus dem Repertoire der romantischen Stimmungslyrik beziehen. Daneben finden sich Gedichte, die – z. T. in durchaus patriotisch-nationalistischem Tenor – eine neue, bessere, freiere Zukunft beschwören; ihr Pathos beziehen sie aus der Adaption von Gestaltungstraditionen, die in der Lyrik des Sturm und Drang und des Jungen Deutschland ihre typische Ausprägung gefunden haben.[7] Bemerkenswert ist, daß entsprechende Texte auf gesellschaftliche Wirklichkeit zumeist nur mittelbar Bezug nehmen: in Form pathetischer Klagen über eine Wirklichkeit, die freiheitlich-humanistischen Idealen nicht entspricht. Ein Sujetwechsel, wie er für das naturalistische Drama konstatiert worden ist, läßt sich nur punktuell identifizieren: zum einen in der Thematisierung sexueller Nöte, die u. a. mit Heinrich Harts (1855–1906) *Fluch diesem Leibe*[8] auch in die *Modernen Dichter-Charaktere* Eingang findet und z. B. für Conradis *Lieder eines Sünders* (1887) zentral wird; und zum anderen in der Behandlung der ›sozialen Frage‹, die für Produktionen Maurice Reinhold von Sterns (1860–1938) wie *Proletarier-Lieder* (1885) und *Stimmen im Sturm* (1888), John Henry Mackays (1864–1933) *Sturm* (1888), Bruno Willes (1860–1928) *Einsiedler und Genosse* (1894) sowie Henckells[9] bestimmend geworden ist. Jedoch auch die ›soziale Lyrik‹ bezieht die von ihr reklamierte ›Modernität‹ nicht aus einer Modernisierung traditioneller lyrischer Formen, sondern aus ihrem Bekenntnis zu einer modernen Weltanschauung, ihrem Eintreten für sozialen Fortschritt. Daß sie sich dazu einer Sprache bedient, die etwa auch die Lyrik Georg Herweghs und Ferdinand Freiligraths dominiert, ist freilich nicht nur hinsichtlich der sich darin äußernden formalen Traditionsverbundenheit bemerkenswert. Ihm entspricht auch das zugrundeliegende idealistische Kunst- und genialische Selbstverständnis der ›modernen‹ Lyrikautoren. Sie verstehen sich als »Rebellen und Neuerer«,[10] die unter Berufung auf das »wahrhaft Große, Schöne und Gute«[11] den »faustischen Drang« des »allsehenden und allmächtigen Künstlers«[12] wiederbeleben wollen.

Dieses Credo entspringt der Einsicht, daß die Kunst – mit dem Beginn ihrer massenhaften Vermarktung seit der Gründerzeit – die ihr traditionellerweise zugeschriebene ideale Funktion eingebüßt hat. Die Lyrik der ›Jüngstdeutschen‹ läßt sich insofern zwar als Protest gegen einen sozialgeschichtlichen Prozeß verstehen, in dem Kunst zur massenhaft hergestellten, ›geistlosen‹ Ware zu degenerieren droht; eine Revolution der lyrischen Gattung ist ihnen durch die Reaktivierung klassisch-idealistischer Kunstideale freilich nicht gelungen.

II. Überwindung des traditionellen Kunstbegriffs

1. *Annäherungen an die Prosa bei Liliencron und Holz*

Auf der Grundlage eines radikal veränderten, anti-idealistischen Kunstbegriffs vollzieht sich in den 90er Jahren eine graduelle Transformation traditioneller lyrischer Gestaltungsstandards, die in einem Teil der Lyrik Detlev von Liliencrons (1844–1909) (*Adjutantenritte*, 1883; *Gedichte*, 1889; *Neue Gedichte*, 1893) und im *Urphantasus* (1898/99) von Holz ihren Niederschlag gefunden hat. Typisch für diese neue Richtung, die sich auch in einigen Gedichten Richard Dehmels (1863–1920) und Otto Julius Bierbaums (1859–1928) dokumentiert,[13] ist der Nexus von veränderter Motivwahl, verändertem Aussagemodus und verändertem Sprachgebrauch, der idealtypisch z. B. in Liliencrons *Betrunken*[14] realisiert ist. Charakteristisch ist zum einen der Rekurs auf Motive aus der unmittelbaren Umgebung des prosaischen Alltagslebens, zum anderen aber auch die neuartige sprachliche Gestaltung dieser Motive: An die Stelle des traditionellen lyrischen Aussagegegenstandes – eines transzendent bedeutsamen Erlebnisses oder idealistisch motivierten Bekenntnisses – tritt die höhepunkts- und ereignislose sowie distanziert-nüchterne Aufzeichnung konkreter Einzelbeobachtungen. Mit der rigorosen Eliminierung ideeller und metaphysischer Inhaltlichkeit korrespondiert schließlich der Verzicht auf ›künstlich‹ überhöhte Formung des protokollierten Wirklichkeitsausschnitts. Die scheinbar absichts- und reflexionslose Detailbeobachtung erfolgt in einer Sprache, die nicht mehr durch Reim und Metrum oder Strophengliederung gebunden ist, sondern sich nur noch durch den Zeilenumbruch von der ›natürlichen‹ Alltagssprache bzw. vom ›Sekundenstil‹ naturalistischer Prosa unterscheidet.

Bezeichnenderweise hat Holz in Liliencrons *Betrunken* diejenigen Gestaltungsprinzipien realisiert gefunden, die für sein eigenes lyrisches Hauptwerk prägend waren und die er parallel zum Erscheinen des ersten Heftes *Phantasus*[15] – auch theoretisch fixierte.[16] Unter der Voraussetzung, daß eine Revolution der Kunst nur über die Revolution ihrer Mittel möglich sei,[17] sind in diesem Zyklus Reim, Strophe und Metrum als ›künstliche‹ Formprinzipien eliminiert. Struktur- und sinnbildende Funktion kommt hier der Einzelzeile bzw. einer rhythmisch oder semantisch einheitlich organisierten Zeilengruppe zu, die frei rhythmisch bzw. ›natürlich‹ komponiert ist und insofern »nur noch durch das lebt, was durch ihn zum Ausdruck ringt«.[18] Die im Druck mittelachsenzentriert angeordnete Zeilenkomposition besteht aus einer Fülle von heterogenen Einzeltexten, die ihre Motive aus der alltäglichen Lebenswirklichkeit des modernen Berliner Großstadtlebens, aus einfachen dörflich-ländlichen Kulissen und aus der imaginären Sphäre subjektiver Phantasie-, Traum- und Erinnerungswelten beziehen. Gemeinsam ist diesen Texten einerseits ein zur Prosa und Alltagssprache tendierender, vorwiegend an der reinen Deskription interessierter Sprachgebrauch, der auf Metaphern und Vergleiche systematisch verzichtet; implizites Bindeglied der motivisch disparaten Einzeltexte ist andererseits die sprachliche Fixierung jeweils konkreter und detaillierter Momentaufnahmen bzw. die scheinbar willkürliche Aneinanderreihung von punktuellen Einzelbeobachtungen. Die Darstellung zielt nicht auf die ›objektive‹ Nachbildung anschaulicher Wirklichkeit oder zusammenhängender Erlebnisse, sondern auf die möglichst unmittelbar wirksame sprachliche Simulation von durchaus subjektiven Wirklichkeitserfahrungen bzw. -eindrücken. Für die Summe der Einzeltexte ist schließlich charakteristisch, daß die von Holz simulierte »Vorstellungstotalität«[19] zwar das Ergebnis einer radikalen subjektiven Perspektivierung darstellt, daß sie sich aber nicht zurückbeziehen läßt auf die Perspektive eines personal, temporal und lokal einheitlich verankerten lyrischen Ichs. Diese Auflösung der einheitlichen Zentralperspektive zugunsten pluraler deiktischer Bezugsfelder führt dazu, daß das Ich »veräußerlicht, desintegriert, seines Wesenskerns beraubt«[20] zu sein scheint. Holz selbst hat betont, das »letzte ›Geheimnis‹« des *Phantasus* bestehe »im wesentlichen darin, daß ich mich unaufhörlich in die heterogensten Dinge und Gestalten zerlege«.[21] Gleichwohl ist das Phänomen der Ich-Multiplizierung hier nicht Ausdruck modernen Identitätsverlusts, sondern es resultiert aus einem biogenetisch motivierten Gestaltungsanspruch, der durch die Theorien Ernst Haeckels [→ 159 f.] inspiriert ist: Holz will mit Hilfe der realisierten Ich-Metamorphosen zeigen, wie »ich vor meiner Geburt die ganze physische Entwicklung meiner Spezies durchgemacht habe, wenigstens in ihren Hauptstadien, so seit meiner Geburt ihre psychische. Ich war ›alles‹, und die Relikte davon liegen ebenso zahlreich wie kunterbunt in mir aufgespeichert«.[22] Die im *Phantasus* zusammengestellten Wahrnehmungs- und Erinnerungspartikel dokumentieren also nicht punktuelle Versuche sprachlich vollzogener Selbst- und Weltvergewisserung, sondern die Illustration eines »Kunstideals«, »das allen Zeiten als das Größte gegolten, 〈...〉 die Gestaltung und Formung eines Weltbildes«.[23]

2. *Opposition gegen die ›hohe‹ Kunst in der ›Angewandten Lyrik‹*

Unter dem Stichwort »Angewandte Lyrik« erläuterte Otto Julius Bierbaum das Programm einer neuen Kunstrichtung, die sich 1900 in einer eigenen Anthologie vorstellte. Ihr Hauptanliegen sahen die Autoren der Sammlung *Deutsche Chansons* (Brettl-Lieder) [→ 272 ff.] – darunter Bierbaum, Dehmel, Gustav Falke (1853–1916), Alfred Walter Heymel (1878–1914), Holz, Liliencron, Rudolf Alexander Schröder (1878–1962), Frank Wedekind (1864–1918) und Ernst von Wolzogen (1855–1934) – in der anspruchsvollen Unterhaltung des modernen Großstadtmenschen. Geleitet von der »fixe⟨n⟩ Idee, es müßte jetzt das ganze Leben mit Kunst durchsetzt werden«, wollen sie ihre »Kunst in den Dienst des Tingeltangels stellen«,[24] um dort, »wo bisher fast ausschließlich rohe Unkunst herrschte«, »verbessernd auch auf den Geschmack der größeren Menge«[25] einzuwirken. Sie wenden sich an ein Publikum, das nicht »darauf aus ist, ›Große Kunst‹ kritisch zu genießen«, sondern »ganz einfach unterhalten sein will«.[26]

Die sich hiermit offiziell etablierende Kabarettlyrik, die in den Folgejahren u. a. durch die *Galgenlieder* (1905) Christian Morgensterns (1871–1914) bereichert wird, vereinigt eine Vielzahl lyrischer Genres, die nicht nur zur traditionellen Erlebnislyrik in schärfstem Kontrast stehen, sondern generell den idealen Anspruch der sog. ›hohen‹ Kunst ironisch negieren. Die Gedichte dokumentieren, daß ihren Autoren die Ideale der ›klassischen‹ Dichtung, aber auch das Pathos, mit dem sie diese verkündete, obsolet geworden sind und daß in ihren Augen die gemütvolle Kundgabe des erhaben gestimmten Subjekts zur hohlen Gebärde resp. zur ästhetischen Leerformel degradiert ist. Wirkungsästhetisch werden Pathos und gemütvolle Erhebung durch geistreich-unterhaltsamen Humor, durch Ironie und Groteske ersetzt. Für das Kabarett und in seinem Umkreis entstehen heitere, bewußt zum verspielten Nonsens tendierende Ulklieder im Stil der »Kling-Klang-, Dideldum-, Tsching-Tsching- und Laridah-Lyrik«[27] wie z. B. Bierbaums *Der lustige Ehemann*,[28] aber auch vitalistisch inspirierte Tanzlieder, wie sie etwa Bierbaum im *Irrgarten der Liebe* (1901), Heymel in seinem *Komm! sei mein Tanzgenoß!* (1899)[29] und Wedekind u. a. mit *Grand Ecart*[30] vorgelegt haben. Von besonderer Bedeutung sind daneben spöttisch-despektierliche und erotisch anzügliche Lieder im Stil des französischen Chansons wie Wedekinds *Ilse*, das bei den Münchner Elf Scharfrichtern Triumphe feierte, sowie schließlich parodistische Adaptionen der volkstümlichen Ballade, des Volkslieds und Bänkelsangs und anderer Trivialgenres;[31] entsprechende Texte haben in Arno Holz' *Die Blechschmiede* (1902) Eingang gefunden, spielen aber v. a. im lyrischen Werk Morgensterns und Wedekinds eine große Rolle. Daß sich insbesondere die Texte dieser Autoren nicht nur aus purer Provokationslust speisen, sondern dem Bewußtsein einer veränderten Gesellschaft entspringen, dokumentiert u. a. Wedekinds

Schriftstellerhymne, die zur Melodie ›O du schöner Lorbeerkranz‹ zu singen ist. Im Porträt des modernen Literaten, der »mit ausgefransten Hosen« einem »Broterwerb«[32] [→ 141 ff.] nachgeht, um nicht zu verrecken, skizziert der Text einen ironischen Gegenentwurf zum klassischen Bild des autonomen, genialischen Künstlersubjekts.

III. Überwindung traditioneller Gestaltungsverfahren

1. ›*Synästhetische Stimmungskunst*‹ *bei Dauthendey*

Unter dem Titel *Neue Ideale*[33] (1893) skizzierte Maximilian Dauthendey (1867–1918) parallel zu seinen 1893 erschienenen Posien *Ultra Violett* die theoretischen Leitsätze der dort realisierten Ästhetik. Die antinaturalistische Programmschrift plädiert für eine »Kunst des Intimen«, die auf der »Ausnützung aller Sinne: der Töne – Farben – des Geruches – der Empfindung u. des Geschmackes«[34] basiere und nur die »Eindrücke von Außen und der damit verbundenen Associationen in einem einzelnen Ich«[35] wiedergebe. Initiiert ist dieser Gestaltungswille durch die Malerei Edvard Munchs und durch einen neuen, ›wissenschaftlich‹ bzw. positivistisch begründeten Subjektbegriff, der entscheidend von den empiriokritizistischen Theorien Ernst Machs [→ 162 f.] geprägt wurde.[36] Ziel seiner »Kunst des Intimen« ist die Gestaltung intensiver Stimmungszustände, indem sie die »Reize aller Wahrnehmung auf eine jeweilige Grundstimmung«[37] sprachlich wirkungsvoll simuliert. Dazu bedient sie sich eines Verfahrens, das nicht auf die bloße »Abschrift der Natur«[38] abzielt, sondern durch die »Combination von Naturformen«[39] zur Suggestion von befremdenden Assoziationen[40] gelangt. Wie Holz lehnt Dauthendey »Styl u. Reim der früheren Poesie«, daneben aber auch die konventionelle Syntax ab: »Um die Stimmung intim wiederzugeben, muß sich der Styl ⟨...⟩ der fliehenden Erregung anpassen«[41] und müssen die intimen Sensationen »in jähen knappen Sätzen gefaßt sein«.[42] Die Umsetzung dieses Verfahrens hat Dauthendey in *Ultra Violett* vorgelegt. Es handelt sich um

Gedichte, die generell auf Reim, Metrum und traditionelle Strophenformen sowie vielfach sogar auf eine geschlossene Satzbildung zugunsten attributiv aufgeladener Substantivreihungen verzichten.[43] Sie bestehen aus synästhetisch hergestellten Einzelbildern, die eine phantastisch-visionäre und in sich zusammenhanglose Welt der Töne, Gerüche und Farben erzeugen, in der die ›Logik‹ außersprachlicher Wirklichkeitszusammenhänge aufgehoben ist. Die unwirklichen, v. a. auf Farbkompositionen beruhenden Bildwelten zeichnen sich dadurch aus, daß sie zwar aus natürlichem, organischem Material hergestellt sind, also Elemente der Pflanzen- und Tierwelt verarbeiten, daß aber menschliche Gestalten, menschliche Empfindungen und mehrheitlich sogar ein lyrisches Ich aus ihnen getilgt sind. Charakteristisch für diese entmenschlichten Räume ist schließlich, daß sie ihre Suggestivkraft lediglich aus der Folge effektvoller Stimmungsbilder beziehen, die in den seltensten Fällen auch hierarchisch miteinander vernetzt sind. Die »Einsamen Poesien« beschränken sich stattdessen auf die sprachliche Simulation von Reiz- bzw. Stimmungszuständen, streben also weder auf der Ebene des Einzelgedichts noch auf Zyklusebene die Komposition strukturell organisierter Sprachwelten an. In seiner Abhandlung über »Die neue Form des Erhabenen« gibt Dauthendey indirekt Auskunft über die Gründe für diesen weitgehenden Kompositionsverzicht: Seine lyrischen Impressionen wollen als Ausdruck einer pantheistisch begründeten Natur- und »Weltallliebe«[44] verstanden sein. Vorausgesetzt wird, daß ihnen bereits per se »Erhabenheit« zukomme, weil sich in ihnen »dieselbe urewige Masse, der wir seit und in Urewigkeit angehören«,[45] manifestiere.

Dauthendeys und Holz' Affinität zum Monismus kann als typische Zeiterscheinung der Jahrhundertwende gelten,[46] die sich gestalterisch z. B. auch in Julius Harts (1859–1930) *Triumph des Lebens* (1898) und Willes *Offenbarungen eines Wacholderbaums* (1901) niederschlug.[47] Seine Anziehungskraft ist u. a. darauf zurückzuführen, daß er zur »Auffüllung des weltanschauliche⟨n⟩ Vakuums«[48] dienlich war, das die modernen Naturwissenschaften erzeugt hatten. Die monistische »Wiederverzauberung der Welt« bildete nicht nur einen ideellen Gegenpol gegen den »›Kältestrom‹ des naturwissenschaftlichen Rationalismus«;[49] sie erlaubte es auch, von einer radikalen Anwendung naturwissenschaflicher Erkenntnisse auf das Subjekt, wie es etwa Ernst Machs These von der Unrettbarkeit des Ichs[50] nahelegt, abzusehen. Im Gegensatz zu Holz oder Dauthendey haben Hofmannsthal und Rilke nicht versucht, die intellektuelle Bedeutung dieser Erkenntnisse durch die Integration in ein ganzheitliches Weltbild zu entschärfen. Ihre künstlerische Bedeutung ist wohl gerade darauf zurückzuführen, daß sie sich über die entstandene Leere nicht mit einer neuen, weltverstellenden Metaphysik hinwegtäuschten, sondern sie künstlerisch zu bewältigen versuchten. Mit Einschränkungen und bis zu einem gewissen Zeitpunkt gilt dies auch für Stefan George.

2. *›Formdiktat‹ bei George*

Während sich mit Blick auf Dauthendeys *Ultra Violett* von der Subordination des Lyrikers unter die Reizwirkungen der ›ewigen Masse‹ und der ›ewigen Kraft‹ sprechen läßt, gilt für Stefan Georges (1868–1933) lyrisches Werk das Gegenteil: Es ist geprägt von der Dominanz eines Künstlersubjekts, das sein Selbstverständnis wieder aus dem klassischen Geniegedanken bezieht und Prophet, Lehrer und schließlich auch Führer sein will [→ 231 ff.]. George fordert Werke, die »unser wollen behellen«, die sich aber nicht mit »weltverbesserungen und allbeglückungsträumen«[51] beschäftigen und nicht »als stütze einer meinung: eine weltanschauung«[52] fungieren. Denn über den »wert der dichtung entscheidet nicht der sinn 〈...〉 sondern die form d. h. 〈...〉 jenes tief erregende in maas und klang, wodurch die ursprünglichen meister sich von den 〈...〉 künstlern zweiter ordnung unterschieden haben«.[53] Ziel dieser Dichtung, für die das »stoffliche bedeutungslos« sein solle, sei »nicht wiedergabe eines gedankens sondern einer stimmung«.[54] Zu diesem Zweck schaffe sie Sinnbilder, in denen sich – ähnlich wie im Traum – eine »künstlerische umformung des lebens«[55] vollzöge und in denen »Ich und Du. Hier und Dort. Einst und Jezt nebeneinander bestehen und eines und dasselbe werden«.[56]

Dem elitären und wirklichkeitsabwehrenden Tenor dieser Programmatik zum Trotz sind die Gedichte Georges mit den Stichworten Neoklassizisismus, Eskapismus und Ästhetizismus nur unzureichend charakterisiert. Dies gilt insbesondere für die in den 90er Jahren publizierten Dichtungen, deren Kompositionsprinzipien sich exemplarisch an *Algabal* (1892) aufzeigen lassen:[57] Der Zyklus vereinigt Texte, die sich zwar traditioneller Reim- und Strophenstrukturen bedienen; doch sowohl das lyrische Subjekt als auch dessen Äußerungen stellen artifizielle Konstrukte dar. Die Gedichtaussagen dienen nicht der Gestaltung eines Erlebnisses, sondern der Schöpfung imaginärer Kunstwelten, deren Gestaltung nicht mehr an der Logik anschaulicher Wirklichkeitszusammenhänge orientiert ist. Ihre Beschaffenheit verdanken sie nur noch dem poetischen Akt, der visionäre Bilder zu einer rein sprachlich erzeugten Einheit zusammenbindet. Darin besteht ihre Nähe zu den phantastisch-visionären Schöpfungen der französischen Symbolisten und zu den suggestiv wirksamen Stimmungsbildern Dauthendeys. Gleichwohl unterscheiden sich die Bildwelten Georges von den strukturell kaum organisierten Sprachimpressionen Dauthendeys durch ihre strenge Form. Sie sind das Ergebnis eines konsequenten, auf Stilisierung gerichteten Kompositionswillens, der Adorno zu der Feststellung veranlaßte, Georges Lyrik sei von »Gewaltakten der Sprache«[58] gezeichnet. Dieser Kompositionswille zielt auf die rigorose Unterwerfung des Einzelgedichtes unter die Logik eines klaren Formgesetzes, das als dominantes äußeres Sinnbild für Ordnung und Einheit auch den Einzeltexten des *Algabal* Bedeutung aufzwingt: Die Form des Zyklus ist keine offene, suchende, sie erwächst nicht den Gedichten selbst, sondern diese dienen umgekehrt zur Realisierung eines ihnen vor- und übergeordneten formalen Äußeren. Darin und insbesondere in ihrem Anspruch auf Ganzheit dokumentiert sich denn auch die Differenz zwischen der Lyrik Georges und derjenigen der französischen Symbolisten. Im Gegensatz zu ihnen »ist für George nicht der Gestus der Preisgabe als vielmehr der Verwahrung charakteristisch, weshalb er auch das ›Widrige‹ ausgrenzt und die Entsakralisierung des Poeten und der überlieferten Topoi nicht mit- oder nachvollzieht. 〈...〉 Der Dichter ›erlebt‹ nicht und macht daraufhin Gedichte, sondern er sieht und erfährt im Hinblick auf sein dichterisches Verfahren.«[59] Daß dies nicht nur für die *Algabal*-Komposition gilt, belegt u. a. das berühmte Gedicht

Im Park, mit dem George den Zyklus *Das Jahr der Seele* (1897) einleitet: Die durchaus anschaulichen und zunächst keineswegs konstruiert wirkenden Bilder transportieren weder eine Landschaftsschilderung noch die Empfindungen, die diese Landschaft in einem Ich auslöst. Sie transportieren die Befehle eines Ichs, das nur noch als abstrakte imperativische Instanz in Erscheinung tritt und so die Bildabfolge bestimmt. Die Aufforderungen »schau«, »nimm das tiefe gelb«, »Erlese küsse sie und flicht den kranz«[60] etc. demonstrieren: Nicht die herbstliche Parklandschaft selbst steuert das Mitgeteilte, sondern es unterliegt dem Diktat eines Sprechers, der die Natur in einen kunstvollen Herbstkranz windet. Ein derartiger »Imperativ der Form«[61] ist für den gesamten Zyklus *Das Jahr der Seele* charakteristisch.

3. ›Bewegte Formen‹ bei Hofmannsthal

Georges Lyrik kennzeichnet die Tendenz, die moderne Wirklichkeit dem ästhetischen Diktat eines ganzheitlich-statischen Formwillens zu unterwerfen; ihr Ausgangspunkt und Ziel ist die Kunst. Die Gedichte Hugo von Hofmannsthals (1874–1929) sind dagegen von der Absicht geprägt, in einer zunehmend als disparat empfundenen Wirklichkeit Spuren ganzheitlicher Fügung künstlerisch zu orten; ihr Ausgangspunkt ist das Leben, ihr Ziel, ›hinter‹ die Wirklichkeit zu kommen und ihr Geheimnis in sprachliche Äquivalente zu fassen. Im Gegensatz zu Georges Formbegriff ist derjenige Hofmannsthals nicht geistig-statischer, sondern intuitiv-dynamischer Natur. Ihm gilt das Gedicht als ein »gewichtloses Gewebe aus Worten 〈...〉, die durch ihre Anordnung, ihren Klang und ihren Inhalt, indem sie die Erinnerung an Sichtbares und die Erinnerung an Hörbares mit dem Element der Bewegung verbinden, einen genau umschriebenen, traumhaft deutlichen, flüchtigen Seelenzustand hervorrufen, den wir Stimmung nennen.«[62]

Der Eindruck, Hofmannsthal plädiere hiermit für eine Renaissance der traditionellen Erlebnislyrik, scheint durch das relativ schmale lyrische Œuvre, das im wesentlichen zwischen 1890 und 1899 entstand, zumindest bei äußerer Betrachtung bestätigt zu werden. Tatsächlich läßt sich hier ein weitgehendes Festhalten an klassischen und romantischen Formtraditionen – v. a. hinsichtlich der Wahl von Reim, Metrum und Strophenbau, z. T. aber auch hinsichtlich der Motivwahl – beobachten. Gleichwohl dient ihm der Rekurs auf traditionelle Formen nicht zur Bestätigung, sondern zur graduellen Transformation der historischen Vorbilder. Im Gegensatz zu ihnen gestalten die Gedichte Hofmannsthals nicht mehr das unmittelbare Erlebnis oder Bekenntnis eines stabilen, sich mit der Welt auch sich seiner selbst vergewissernden Ichs. Die Ich-Aussage bezeugt nicht mehr die Einheitlichkeit von Ich und Welt, sondern – wie etwa in *Über Vergänglichkeit*[63] – das abrupte Umschlagen von unmittelbarer Kundgabe in distanzierte, befremdende Reflexion oder – wie das Gedicht *Wolken*[64] und das bekannte *Vorfrühling*[65] – das sich schrittweise Verlieren des Ichs in einer kontur- und substanzlosen Wirklichkeit, in der es selbst nur noch als subjektloses Sensorium visueller Reize greifbar und Wirklichkeit nur noch flüchtig, unzusammenhängend erfahrbar ist.

Die »Tendenz zur Eliminierung des Ichs«[66] sowie zur »Entsubjektivierung«[67] und Entgrenzung der lyrischen Aussage, die für das Gesamtwerk Hofmannsthals prägend geworden ist, ist Ausdruck von Krisenerfahrungen. In ihnen spiegelt sich ein Bewußtsein, das die durch Ökonomie und Naturwissenschaft veränderte Gesellschaft in mehrfacher Hinsicht als verunsichernd erfährt, dem die eigene Identität, die Wirklichkeit, schließlich auch die Sprache als adäquates Erkenntnismedium fragwürdig geworden sind.[68] Dies äußert sich seit 1895/96 in Gedichten, die sich von der Aussagestruktur des klassich-romantischen Erlebnisgedichts abwenden. Dominant werden nun Gestaltungsverfahren, die originär dem dramatischen und epischen Bereich zugehörig sind und die es erlauben, das lyrische Ich an eine fingierte Rolle, Maske bzw. ›persona‹ zurückzubinden oder aber auf seine Einführung überhaupt zu verzichten. Dies geschieht einerseits durch den Rekurs auf den Typus des Rollen- und Dialoggedichts, durch das etwa *Der Jüngling und die Spinne*, *Der Kaiser von China spricht* oder *Großmutter und Enkel* formal geprägt sind; und andererseits durch die Realisierung von »Gestaltengedichten«[69] wie *Die Töchter der Gärtnerin* und *Die Beiden* oder *Der Jüngling in der Landschaft*.[70] Diese Texte nehmen formal den Charakter dramatischer Monologe oder Dialoge oder aber episodenhafter Skizzen an. Inhaltlich zielen sie auf die Gestaltung von Begegnungen und Beziehungen bzw. von mimisch und gestisch sich äußernden Konstellationen, die sich »als geraffte Vergegenwärtigung einer Atmosphäre und eines Kolorits«[71] bezeichnen lassen. Hofmannsthal selbst beschreibt dies 1901 so: »Ich glaube: mich reizt vag eine gewisse Vorstellung, Vorstellungsgruppe, vorgestellte Atmosphäre«, die »ganz einheitlich von einem bestimmten Duft durchsetzt, von einem bestimmten Lebensrhythmus beherrscht« sei; »sie ist eine Möglichkeit ganz bestimmter Gestaltungen, die miteinander ganz bestimmte Rhythmen bilden können und keine andern ⟨...⟩: dieses Einzelne ist dann eine Gestalt mit bestimmter Gebärde, ein Ton (Ton eines Monologs, Ton einer Unterredung, einer Massenszene) oder eine ganz kleine Anekdote, mit deutlich scharfgesehenen Details.«[72]

Der Hinweis auf die Bedeutung von Konstellation, von Mimik, Gestus, Rhythmus und sprachloser Bewegung erklärt nicht nur die Affinität zu den skizzierten dramatischen und fiktionalen Verfahren. Er erklärt auch, warum Hofmannsthal um 1900 seine lyrische Produktion praktisch einstellt und sich verstärkt dem Drama und der Prosa zuwendet, denn dieser Rückzug von der Lyrik erfolgt unter der Prämisse: Alle guten Gedichte drücken einen »Zustand des Gemütes aus. Das ist die Berechtigung ihrer Existenz. Alles andere müssen sie anderen Formen überlassen: dem Drama, der Erzählung. Nur diese können Situationen schaffen. Nur diese können das Spiel der Gefühle zeigen«.[73] Aus dieser Prämisse wird schließlich auch erklärlich, warum gerade die vielzitierte ›Chandos-Krise‹ – das Mißtrauen vor den »abstrakten Worten« und die Einsicht in die potentiell erkenntnisverstellende Funktion der Sprache – den Autor eben nicht zur Rückkehr zu derjenigen Gattung veranlaßt hat, die ihm die Möglichkeit geboten hätte, die Worte »aus ihren festen, falschen Verbindungen zu reißen«.[74] Daß er »Jenes ungeheure Gebälk und Bretterwerk der Begriffe« nicht radikal »zerschlägt, durcheinanderwirft, ironisch wieder zusammensetzt, das Fremdeste paarend und das Nächste trennend«,[75] wie es dann die expressionistische Lyrik und ansatzweise auch Rilke in seinem *Stundenbuch* tut, dokumentiert nicht, daß Hofmannsthal »jene Nothbehelfe der

Bedürftigkeit«[76] braucht; es belegt nur, daß er epische, dramatische und schließlich auch musikalische Darstellungsformen für geeigneter hielt, die bewegte Vielfalt moderner Wirklichkeit künstlerisch zur Anschauung zu bringen.

4. *›Poetische Findungsakte‹ bei Rilke*

Rainer Maria Rilkes (1875–1926) frühe Sammlungen *Larenopfer* (1895) und *Traumgekrönt* (1896) sind noch weitgehend traditionellen Gestaltungsformen verpflichtet. Einen deutlichen Bruch markiert der Zyklus *Das Stundenbuch, enthaltend die drei Bücher: Vom mönchischen Leben / Von der Pilgerschaft / Von der Armut und vom Tode* (1905). Ebensowenig wie die Architektur des Zyklus dem strengen Plan des mittelalterlichen Gebetbuchs entspricht, ebensowenig handelt es sich bei den Einzelgedichten um Gebete. In ihnen realisiert sich vielmehr in einer Fülle von »dahinflutend in sich reihenden, überstürzenden Bildern und Assoziationen«[77] die scheinbar grenzenlose Variation ihres zentralen Themas, das im zweiten Gedicht des Zyklus eingeführt wird:

> Ich kreise um Gott, um den uralten Turm,
> und ich kreise jahrtausendelang;
> und ich weiß noch nicht: bin ich ein Falke, ein Sturm
> oder ein großer Gesang.[78]

Die Einzelgedichte stellen also Versuche dar, sich dem sprachlich anzunähern, was hinter den Begriffen ›Gott‹ und ›Ich‹ verborgen ist. Dabei deutet das Bild des Umkreisens an, daß diese Bestimmungsversuche niemals zum Zentrum des Gesuchten vorstoßen. Das Gesuchte realisiert sich in einer »chaotisch anmutenden Fülle«[79] von bildhaften Entwürfen, die ihrerseits den Charakter von metaphorischen Sprachexperimenten annehmen: Die Fokussierung des ›Ich-bin‹ und ›Du-bist‹ erfolgt mit Hilfe von Metaphern, in denen die konventionelle semantische Markierung des Einzelworts außer Kraft gesetzt und ihr Sinn vom befremdlichen sprachlichen Kontext, in dem sie stehen, neu akzentuiert wird. Die Ausführung der Bestimmungsversuche rekurriert sprachlich also nicht mehr auf die anschauliche Gegenständlichkeit realer Wirklichkeitszusammenhänge, sondern ist das Ergebnis poetischer, resp. schöpferischer Sprachverwendung, die die potentiell erkenntniserschließende Funktion der Sprache über die Dynamisierung erstarrter Wort-Bedeutungen neu belebt. Bezeichnenderweise herrscht diese Form des Sprachgebrauchs v. a. in den beiden ersten Büchern vor, während die Gedichte des dritten Teils zu größerer Anschaulichkeit tendieren. Dort schlägt auch der Aussagemodus um: Die Form des ›Ich bin‹ verschwindet, und die Form des ›Du bist‹ wird allmählich durch Wendungen wie »Und sieh« oder »Mach, daß«[80] ersetzt. Die Einzelgedichte dienen nicht mehr in erster Linie der Gestaltung von Ich- und Gott-Entwürfen, sondern zur Formulierung von Bitten. Anlaß, Gott direkt anzurufen, ist neben dem Todesbewußtsein u. a. die moderne Wirklichkeit, deren Verfassung nun in konkreten Ansichten und klaren Urteilen dargestellt ist. In diesen Schilderungen moderner Wirklichkeit und modernen Menschseins, die sich in die Anrufungen Gottes schieben, manifestieren sich einerseits Ursache und Anlaß der vorangehenden Ich- und Gott-Suche. Der tendenziell veränderte Sprachgebrauch belegt andererseits auch, daß die sprachliche Gestaltung der Ich- und Gott-Entwürfe nicht als bloße Formattitüde gewertet werden kann. In der Zertrümmerung anschaulicher Wirklichkeit und konventionellen Sprachgebrauchs dokumentiert sich also keineswegs der Ausschluß von Wirklichkeit im Sinne des l'art-pour-l'art. Es äußert sich vielmehr die Überzeugung, daß »Dichtung Ausdruck reiner Erkenntnis und der poetische Findungsakt dem philosophischen Erkenntnisvorgang ebenbürtig sei«.[81]

Daß Rilke auch andere als das skizzierte Verfahren in diesem ›Findungsakt‹ für leistungsfähig hielt, belegen seine *Ding-Gedichte* im Zyklus *Neue Gedichte* (1907). Wie in einem Teil der Lyrik Hofmannsthals ist das lyrische Ich hier weitgehend eliminiert. Der Subjektpol der Aussagen tritt wie dort hinter ihren Objektpol zurück, so daß die Aussagen den Charakter einer sprecherunabhängigen Schilderung oder Beschreibung annehmen und insofern nicht mehr in erster Linie Kundgabefunktion, sondern tendenziell epische Funktion übernehmen. Gegenstand des Zyklus ist jetzt nicht mehr ein kosmologisch ausgreifendes und ontologisch motiviertes Zentralthema wie im *Stundenbuch*, sondern die jeweils isolierte Betrachtung konkreter und in sich sehr verschiedener Einzeldinge. Gleichwohl realisiert sich auch in den *Neuen Gedichten* der Anspruch auf poetische Welterfassung. In der thematisch und formal unstrukturierten Zusammenstellung von heterogenen gegenständlichen Details[82] kommt eine Wirklichkeit zur Anschauung, die »unaufhaltsam in weniger und weniger Sichtbares hinzustürzen scheint«.[83] Insofern ist es für Rilke

> eine eigene berechtigte Aufgabe 〈...〉, die Weite, / Vielfältigkeit / ja Vollzähligkeit der Welt / in reinen Beweisen vorzuführen« und »alle Erscheinung, / nicht nur das Gefühlsmäßige allein, / lyrisch zu begreifen –: / Das Tier, / die Pflanze, / jeden Vorgang; – / ein Ding / in seinem eigentümlichen Gefühlsraum darzustellen.[84]

Die Einzelgedichte des Zyklus belegen, daß diese in formaler Hinsicht ›objektivierte‹ und vom Sprecher weitgehend abgelöste Darstellung der Dinge allerdings nicht mimetisch motiviert ist. Ziel ist nicht Beschreibung, sondern ist die Erkenntnis der Dinge im poetischen Akt: ihre Bewältigung oder »Verwandlung«[85] im Prozeß ihrer vielfältigen sprachlichen Durchdringung. Diese Durchdringung erfolgt mit Hilfe ästhetischer Verfahren, die – wie etwa Vergleich und Metapher[86] – durch die Fokussierung fremdartiger Ansichten Wahrnehmungsweisen des Gegenstandes eröffnen. Besondere Bedeutung kommt dabei dem für die moderne Prosa typischen Verfahren des Perspektivenwechsels[87] zu, der u. a. für das berühmte Gedicht *Das Karussell*[88] strukturbildend ist. Er sorgt dafür, daß die anfängliche Sicht aus der Totale, die noch dem Gesamten, dem »Dach« und dem »Bestand von bunten Pferden« gilt, sich allmählich verengt, um dann den Blick in verstärkter Naheinstellung von Detail zu Detail zu lenken. Dabei geht nicht nur die Sicht auf das Gesamte, das sich nur noch im gelegentlichen Vorbeifahren des weißen Elefanten andeutet, ›verloren‹; auch der Fluchtpunkt der Beobachtung verlagert sich: verläßt die stabile Außensicht, wird teilweise in den Karrusselltieren und -kindern selbst verankert, um schließlich, erneut aus der Totale, die Dinge nur noch als vorbeisausende Farb- und Formkonturen wahrzunehmen, als »atemloses blindes Spiel«.

Wie ein Teil der Lyrik Hofmannsthals stellen auch Rilkes *Neue Gedichte* den Versuch dar, die lyrische Gestaltungstradition durch den Rekurs auf epische Verfahren zu transformieren. Dieser Versuch leitete bei Hofmannsthal das Ende seiner lyrischen Produktion ein. In der Dichtung Rilkes markiert er eine Zwischenstation, nach der er sich wieder stärker denjenigen Verfahren zuwandte, die für das *Stundenbuch* charakteristisch sind und die dann für die expressionistische Lyrik [→ 454 ff.] zentral werden.

Hartmut Vinçon

Einakter und kleine Dramen

Für die Geschichte des Einakters und anderer dramatischer Kurzformen ist bezeichnend, daß an ihr sich eine »enge Verzahnung der Nationalliteraturen«[1] beobachten läßt, ohne daß die Tradierung dieser Gattungsform innerhalb nationaler Literatur- und Theatersysteme kontinuierlich erfolgt wäre. Die Wiederentdeckung des Einakters als einer Kunstform im letzten Drittel des 19. Jahrhunderts ist dabei ohne den Begriff der ›Moderne‹, wie ihn die Avantgarde jener Zeit für sich und ihre Werke reklamierte, nicht zu denken. Bedeutsam ist, daß ›modern‹ zu einem futurisch akzentuierten *ästhetischen* Begriff umdefiniert und daß mit ihm vor allem gegen etablierte literarische Institutionen und deren epigonale Aneignung literarischer und theatraler Traditionen opponiert wurde. Programmatisch wurde unter ›modern‹ Unterschiedliches verstanden: eine realistische wie auch eine symbolistische, eine illusionistische wie auch eine antiillusionistische Kunst, eine Kunst detaillierter Darstellung äußerer wie innerer Wirklichkeiten, eine analytische wie auch eine synthetische Kunst, eine experimentelle und eine Kunst einer Übergangszeit. Im *Magazin für Litteratur* wurde 1895 unter dem Titel *Die Modernen?* ein Pamphlet August Strindbergs (1849–1912) veröffentlicht, in dem mit der »Etikette ›modern‹«[2] abgerechnet wird, ohne den Begriff aufzugeben. Strindberg evoziert emphatisch das Zeitalter des Dampfes, der Elektrizität, der Schnellzüge, des Telephons und des Telegraphen, mediale Techniken [→ 422 ff.] zur Überwindung von Raum und Zeit, um dann, aufnehmend, was er in *Vom modernen Drama und Theater* (1889) ausführlich behandelt hatte, auf die Form des Dramas zu sprechen zu kommen:

> Uns genügt e i n Akt – d e r Akt – von einer Viertelstunde, oder von einer ganzen Stunde für die mit widerstandsfähigeren Nerven. Und weg mit allen Nebenpersonen: den Vertrauten, den Raissoneurs, den sympathischen Gegenspielern!

Warum ist man über den Erfolg der einaktigen Opern von Mascagni und Leoncavallo so erstaunt? ⟨...⟩ Kurz und gut, ist die Devise der Moderne.[3]

Strindberg spricht 1889 von der Krise des traditionellen Dramas [→ 68ff.] und des traditionsorientierten Theaters. In radikaler Opposition dazu sieht er das ›Théâtre libre‹ André Antoines (1858–1943) stehen, das sich vom Gesellschafts- zum Künstlertheater entwickelt habe.[4] Propagiert wird: Das klassizistisch geordnete Literatur- und Theatersystem soll durch ›Freie Bühnen‹ als Gegengründungen zum Hof- und Nationaltheater und zum kommerziellen Theaterbetrieb durchbrochen und die klassizistische Tradition der Tragödie bzw. deren dominante Dramaturgie überwunden werden. Attraktiv, daß den Spezialitäten-Theatern der Boulevards ein massenhaftes Publikum zuströmte und deren unterhaltsame, wenn auch trivialisierte Genres ästhetisch neu besetzbar erschienen. Dazu Strindberg: »Die Spezialitäten-Theater, die das wirkliche Theater verdrängen, sind ein Symptom der Epoche. Die ›Nummer‹ herrscht auf der Bühne, wie die Anekdote oder die Skizze im Journal.«[5] Ein Bruch mit dramaturgischen Konventionen konnte, gleichsam am schwächsten Glied normativer dramatischer Tradition ansetzend, am ehesten über Formen der Komödie, vom einaktigen Vaudeville bis zum mehraktigen Konversationsstück vollzogen werden. In einer Rezension über tragische Einakter Paul Heyses (1830–1914) wird noch traditionell die Dramaturgie der Tragödie gegenüber der des Lustspiels in Schutz genommen. Letzterer seien Zugeständnisse an »epischen Momenten« erlaubt, wie man auch »der heiteren Gattung, die sich stets loser geben und freier ausbreiten darf, die Darstellung kleiner Konflikte zumal des modernen Lebens in ›Einaktern‹ und ›Blüetten‹« gestatte.[6] Neben dem Vaudeville, dessen »Transformationsfähigkeit« evident ist,[7] wird in Strindbergs Abhandlung u. a. auf die ›proverbes dramatiques‹ verwiesen, in deren »Kunstart« alle »Entdeckungen der modernen Psychologie« [→ 492ff.], der »Kampf der Seelen«, ausgedrückt werden könnten.[8] Zeichnet sich die Dramaturgie des Proverbe schon bei Alfred de Musset (1810–1857) u. a. durch eine »lockere Aneinanderreihung einzelner Szenen«[9] aus, so bildet für Strindberg das Proverbe einen möglichen »Übergang zum ausgeführten Einakter«.[10]

Neben dem »Kampf der Seelen« favorisiert Strindberg aber auch, auf das naturalistische Drama weisend, das Aufsuchen eines »bedeutungsvollen Motivs«, um die »neue Weltanschauung vom Leben als Kampf« anschaulich zu machen. Autoren wie Guiche und Henri Lavedan »lassen den Schmerz sich ausrasen in einem Akt, bisweilen in einer einzigen Scene«, »in fünfzehn Minuten«, so daß »das Genre sofort den Namen ›Quart d'heure‹ bekam«.[11] War der Einakter eine hauptsächlich im Bereich der Komödie berücksichtigte Dramenform gewesen, so legen Strindbergs Äußerungen nahe, daß der Einakter für die Dramaturgie der Tragödie an Bedeutung gewinnt. Dies scheint durch Georg Witkowski (1863–1939) bestätigt zu werden, der 1902 eine »Hochflut von kleinen Tragödien und ernsten Schauspielen« konstatiert,[12] um hinzuzufügen, »so lange vom Drama eine geschlossene Handlung gefordert wurde, war für ihn ⟨den Einakter⟩ kein Heil zu erwarten.«[13] Nach Witkowski begannen »Einakter naturalistischer Färbung« zu Anfang der neunziger Jahre »in beträchtlicher Zahl« aufzutauchen.[14] Von einer üppigen Einakterliteratur, wobei freilich das komische Genre dominant blieb, spricht noch 1906 Karl Wollf (1876–1952),[15] und es sei betont, daß die zeitgenössische Kritik dazu beitrug, daß dem Einakter hohe literarische Aufmerksamkeit geschenkt wurde. Die zeitgenössischen theoretischen Äußerungen versuchen, den Einakter als »Konzentrierung des tragischen Verlaufs auf einen Vorgang«, als »Erfassung des Lebens in eng umrissenen Bildern«,[16] als einen »Wirklichkeitsausschnitt im kleinen Format«[17] zu beschreiben. Unterschieden wird zwischen ›Handlungseinakter‹ und ›Stimmungseinakter‹, in welchem »das Milieu der Handlung so wichtig geworden wie die Handlung selbst«,[18] oder zwischen ›Konversationseinakter‹ und ›Katastropheneinakter‹, wobei dieser gegenwärtig wieder vorherrsche.[19] Daß solche Kategorienbildungen den fragwürdigen Begriff des »modernen Situationseinakters« prägten, ist ebenso festzuhalten wie, daß die zeitgenössische Kritik die Reduktion der Handlung überwiegend als das dramaturgisch Innovative dieser Dramenform ansah. Zum Träger der Figuren wird, wie allgemein beobachtet, die »Situationsstimmung«[20] oder ein »Stimmungskomplex«.[21] Dieser kann sowohl Ansichten des Bewußten als auch des Unterbewußten, einen

Gedankenblitz oder die Beleuchtung eines Satzes von verschiedenen Seiten[22] umfassen. Das Momentane, auch unter dem mit Lebenspathos ausgestatteten Begriff des »Augenblicks«[23] erfaßt, und die »stoffliche Pointe«: die psychologische, die soziale, die moralische und die satirische[24] werden als »episches Moment«, das »mehr als die Handlung« bedeute,[25] oder als Moment, das zum Absturz der Handlung führe, begriffen. Wie das epische erfährt auch das lyrische Moment im handlungsarmen Einakter eine Aufwertung gegenüber der dramatischen Szene, und wo intime lyrische Eindrücke zugelassen sind, wird auch der Wert des Monologs für diese dramatische Form nicht bestritten.[26] Hartnäckig erhält sich jedoch in der zeitgenössischen Kritik der Topos, der Einakter sei nichts anderes als »ein letzter Akt«,[27] dicht vor der Katastrophe beginnend. Diese Auffassung, in die Kriterien des klassizistischen Dramas übertragen sind, teilt auch Strindberg, sofern er diese Dramenform als konzentriertes Derivat noch aus der Form des Mehrakters zu begreifen sucht.[28] Wenn es aber richtig ist, daß die Form des Einakters nicht aus einer Aktdramaturgie abgeleitet werden kann,[29] dann scheint die andere Behauptung Strindbergs aufschlußreich zu sein, der Griff zu dieser Dramenform sei auch darin begründet, daß die Aufmerksamkeit ganz der »Szene« gelte.[30] Damit wird auf einen weiteren möglichen Aspekt verwiesen, warum für eine antiklassizistische Dramaturgie der Einakter so attraktiv werden konnte. Mit dem Medium der Szene wurde jenseits traditioneller Aktdramaturgie ein Konstruktivismus erreicht, der nicht nur für den Einakter, sondern für das Drama insgesamt folgenreich war: Neben die dramatische trat gleichberechtigt die epische und die lyrische Szene. Nur mit Rücksicht auf diesen ästhetischen Plural wäre die Formel, Modell des Einakters sei die Szene,[31] erfüllt. Läßt sich historisch die strukturale Gestalt der Szene, wenn auch nicht ausschließlich, auf jene Attributierungen beziehen, so kann mit ›Szene‹ nicht nur eine ›Bauform‹ des Dramas gemeint sein. Fragwürdig bleiben alle definitorischen Anstrengungen, die auf eine Typologie des Einakters abzielen und aus ihr Kriterien zur historischen Differenzierung seiner Form zu gewinnen suchen. Sicher ist es nicht falsch, darauf hinzuweisen, daß Kürze, Konzentration, Reduktion, Geschlossenheit, Unmittelbarkeit, Einheit von Ort, Zeit und Handlung bzw. von Spielzeit und gespielter Zeit u. a. den Einakter auszeichnen.[32] Um den Kontext gekürzt, in den Form und Funktion der Einakterdramaturgie historisch eingebettet sind, bleiben solche Begriffe jedoch leer.

Für die Theorie und Theaterpraxis des Naturalismus [→ 64 ff.] ist es kennzeichnend, daß an der Vorstellung der Theaterillusion festgehalten wird. Das Postulat der Wirklichkeitsillusion jedoch wird radikalisiert. Arno Holz (1863–1923) definiert es in einem Satz: »Durch eine Szene von fünf Minuten ist es ⟨...⟩ technisch möglich, mehr unmittelbar wirkende Menschendarstellung zu geben als selbst dem genialsten Romancier in einem ganzen Kapitel.«[33] »Einfache Theatercharaktere« werden als »logisches Machwerk« aufgefaßt.[34] Menschen dagegen sind, so Strindberg, »Konglomerate vergangener und gegenwärtiger Kulturstufen, sie sind Stücke aus Büchern und Zeitungen, Teile von Menschen, Fetzen von Festtagskleidern, die zu Lumpen wurden, ganz wie die Seele zusammengeflickt ist.«[35] Nicht primär die Handlung, sondern das Milieu ist für die »möglichst intensive Wiedergabe des Menschen«[36] entscheidend. Sowohl das »bewußte« als auch das »unbewußte«, das äußere wie das verinnerlichte Milieu sind, wie Conrad Alberti (1862–1918) hervorhebt,[37] »Determinanten«. Vom Milieu aus werden die Figuren und ihre Motive erfaßt, »beschrieben«. Zumindest müssen, wie relativiert wird, »von den zahlreichen Einzelheiten des Gesamtbildes« die »wichtigsten« ausgeführt sein.[38] Und wenn minutiös ein Lebensausschnitt dargestellt werden soll, dann bietet sich dafür die Form des Einakters als ›drame miniature‹ an. Die *objektive* Darstellung des Milieus verlangt nicht nach einer Identifikation des Zuschauers mit einer der Figuren, vielmehr bleibt ausdrücklich ihm die kritische Beurteilung des Vorgangs vorbehalten.

Für die großen anspruchsvollen bürgerlichen Theater war und blieb der Einakter in puncto seiner Repertoirefähigkeit problematisch, auch wenn man – wie es etwa selbstverständlich für das Vaudeville- oder das Vereinstheater war – Einakterabende einplante. Dies nicht zuletzt, um der Repertoirenot abzuhelfen, da die Produktionsdecke dank zahlloser Bühnenneugründungen immer knapper wurde. Zwar empfahl sich der Einakterzyklus für einen in sich geschlossenen Theaterabend, aber die Erfahrungen, die große Bühnen damit machten, waren nicht ermutigend. Einen wirklich großen Aufführungserfolg – eine Ausnahme – erzielte Hermann Sudermanns (1857–1928) Zyklus *Morituri* (1896), der bei den Bühnenschaffenden geradezu eine Morituri-Krankheit auslöste. Waren Sudermanns drei Einakter unter einem Kennwort zusammengefaßt, dem für alle drei Stücke eine inhaltlich gemeinsame Situationsgebundenheit entsprach, so waren andere Einakterabende oft recht künstlich zusammengestellt. Sammeltitel wurden willkürlich gewählt, so daß sich für die Praxis empfahl, statt erzwungener Kombinationen, in denen nur ein Autor zu Wort kam, Einakter verschiedener Dramatiker wie z. B. Oscar Wildes (1854–1900) *Salome* (1893) und Frank Wedekinds (1864–1918) *Kammersänger* (1899) an einem Abend zu präsentieren.

Wie fragwürdig die aus der Person heraus entworfene Ich-Konstitution der Figuren geworden ist, wird im naturalistischen Einakter *nur* von außen erfaßt. Handlung und Figurenzeichnung sind daher reduziert. Arthur Schnitzler (1862–1931) und Rainer Maria Rilke (1875–1927) z. B., die durchaus als naturalistische Bühnenschriftsteller beginnen, schlagen, das Problem außengeleiteter Ich-Konstituierung aufgreifend, verschiedene Wege ein. Schnitzler, ein Einakterschreiber par excellence, radikalisiert das Problem der Figurengestaltung: das souveräne Ich ist unrettbar. Rilke beginnt, dem entfremdeten Ich [→ 162 f.] eine Stimme leihend, sich am lyrischen Drama zu orientieren, bevor er seine Bühnenschriftstellerei einstellt. Hermann Bahr (1863–1934) spricht vom »inneren Naturalismus«,[39] durch den das Ich freilich nicht gerettet, sondern erst recht verloren zu sein scheint. Die Darlegung der Menschen aus dem Milieu wie aus dem »tiefsten, unerforschtesten Innern«[40] wird gleichzeitig Programm.

»Dramatische Plaudereien« nannte Samuel Fischer, einen Verlagsvertrag ablehnend, Schnitzlers ersten Einakterzyklus *Anatol* (1893).[41] Aber der Schein trügt, daß es sich hier um bloßen Konversationston handelt. Vielmehr tendiert der Dialog zum Monolog. Die logische Gesprächsführung wird oft unter- und abgebrochen und die geschlossene Satzkonstruktion zugunsten der Reihung offener Wortgruppen aufgelöst, ohne daß damit aber die Sentenz, das Aperçu oder der Aphorismus preisgegeben wären. So ließe sich einerseits von der Parodierung des Stils der Konversationskomödie sprechen, andererseits wird jedoch eine »Entfesselung von Ideenassoziationen«[42] angestrebt, um auszudrücken, daß und wie die »Seele« des Menschen aus »flottierenden Elementen«[43] besteht. So unmittelbar der Zyklus anhebt, so präsentisch die Akt-Serie angelegt ist, so wenig erfahren wir etwas über ein äußeres Milieu, dem Anatol zuzuordnen wäre. Seine Figur ist vielmehr dank des szenischen Perspektivismus aus Ich-Ausschnitten zusammengesetzt, die zeigen, daß ein einheitliches Ichideal eine große Illusion ist.

Ist die Zyklusstruktur von *Anatol*, was die Reihenfolge der einzelnen Akte betrifft, relativ beliebig, so ist der Zyklus *Reigen* (1903) dagegen streng komponiert. Keiner der einzelnen Akte ließe sich herausbrechen, und dennoch weist der Zyklus keine konsekutive Reihung und keinen finalen Schluß, sondern Zirkelstruktur auf. Der dramatische Bau aller zehn Szenen ist identisch. Alle Figuren sind durch ein und dieselbe Handlung, den Geschlechtsakt, miteinander verknüpft. Sie sind dadurch kollektiviert, obwohl sie in ihrem Status innerhalb sozialer Hierarchien sich erheblich voneinander unterscheiden. Letzteres deutlich zu machen, ist Funktion des Dialogs. Sowohl durch die Handlung als auch durch die verbalen Rechtfertigungen des Begehrens, die, sofern mit den Mitteln der Sprache nicht durchsetzbar, durch gestische Ersatzhandlungen kompensiert werden, wirken die Figuren entpersönlicht; sie sind Träger sozialtypischer Verhaltensmuster. Damit steht aber nicht nur die Gleichförmigkeit der Handlung zur Debatte, sondern auch die Gleichförmigkeit eines Geschlechterverhältnisses. Dessen kontinuierlicher Gewaltcharakter ist – krasser als in *Anatol* – durch den stets dominanten iterativen Handlungsmechanismus erinnert.

Mit dem Einakterzyklus *Marionetten* (1906) radikalisiert Schnitzler die Form- und Inhaltsproblematik von Zyklus und Einakter. Trug der dritte Einakter ursprünglich den Titel *Marionetten*, der schließlich zum Obertitel für *Der Puppenspieler.* »Studie in einem Aufzug«, *Der tapfere Cassian.* »Puppenspiel in einem Akt« und *Zum großen Wurstel.* »Burleske« wurde, so zeigen schon die Einzeltitel eine Verschiebung der Konstellation im Einakterzyklus an. Was sie zusammenhält, ist ein variierter Grundgedanke, und ein Einakter tangiert den andern stets nur unter einem Aspekt: Menschen, auch Dichter, maßen sich an, mit anderen wie mit Marionetten zu spielen (*Der Puppenspieler*). Die Dramaturgie des traditionellen Illusionstheaters, die sich in der pièce bien faite veräußerlichte,[44] ist nicht wiederholbar; dessen dreistufige Handlung bzw. dessen Personal werden als bloßer Kausalmechanismus bzw. als Puppen dekonstruiert (*Der tapfere Cassian*). Zwischen Spiel und Wirklichkeit kann nicht mehr unterschieden werden, wenn zwischen theatraler und sozialer Rolle kaum mehr eine Differenz auszumachen ist. Im *Zum großen Wurstel* führt dies bis zur Schwelle dramatischer Selbstparodie. Aufgekündigt ist damit zwar noch nicht dem Illusionstheater, wohl aber sind kanonisierte Gattungsgrenzen preisgegeben, eine dramatische Handlung in ihrem bloßen Mechanismus bzw. als Bluff denunziert, der Dialog hauptsächlich auf Witz, Pointe, Wortspiel, Phrase und hohle Deklamation reduziert und die Desillusionierung der Figuren als klassischer Bühnencharaktere ohne Wirklichkeitshintergrund vollzogen. Dies geschieht um den Preis, daß der Gegenwartsbezug, an dem noch im ersten Einakter des Zyklus festgehalten ist, in der Publikumssatire zwar durchschlägt, der zeitliche Akzent des letzten Stückes jedoch ins Zeitlose verschoben ist. Mit der Parodierung traditioneller Dramaturgie, die Schnitzler sonst, sie umformend und umfunktionierend, zu nutzen sucht, stößt er bis zu einer Grenze vor, durch die auch seine neue Dramaturgie, aus der alten schöpfend, bestimmt ist. Jenseits dieser Grenze ist ein Theater zu denken, das mit jeder Art konventioneller Dramaturgie gebrochen hat.

Zu Schnitzlers *Anatol* schrieb Hugo von Hofmannsthal (1874–1929) einen Prolog in Versen, in dem mit dem Stichwort »Komödie der Seele« der an das Publikum herangetragene kritische Impuls aufgenommen ist. Bezeichnenderweise aber wird im Prolog das Wiener Ambiente der Gegenwart in die Vergangenheit, ins Rokoko versetzt. Mit gewisser Berechtigung ließe sich behaupten, dieser Prolog könnte auch Hofmannsthals *Gestern* vorangehen, zumal die beiden Abenteurer, Andrea bzw. Anatol, durchaus ähnlich entworfen sind, sofern sie jeweils als Einzelfigur im Zentrum einer Szene stehen, in der sie als Träger von Stimmungen und Reflexionen fungieren.[45] Aufschlußreich ist, daß Hofmannsthal z. B. die drei lyrischen Kurzdramen *Gestern* (1891), *Der Tor und der Tod* (1894) und *Das kleine Welttheater oder die Glücklichen* (1903) in eine ›Vorzeit‹

verlegt hat, wobei für die Wahl einer historischen Einkleidung von *Gestern* durchaus auch der durch Jacob Burckhardt, Walter Pater u. a. ausgelöste Renaissancismus mit ausschlaggebend war. So lassen sich Hofmannsthals Einakter einerseits als Entwürfe auf der Folie des Historismus erkennen, andererseits aber auch als Konzepte einer Abwehr, aus denen Milieus der Gegenwart ferngehalten sind, um den in den Einaktern ausgetragenen Lebensdispositionen eine grundsätzliche, wenn nicht überzeitliche Bedeutung einzuräumen. Hofmannsthal greift hier auf eine Dramenform, das ›proverbe dramatique‹ der Gesellschaftskomödie, zurück, die auch von naturalistischen Autoren genutzt wurde. Im Untertitel nennt sich Hofmannsthals Einakter eine »Dramatische Studie«, ein bereits durch den Naturalismus festgeschriebener Begriff. Genau besehen, handelt es sich um eine zeitpsychologische Studie.[46]

Gleichfalls Proverbcharakter in dem Sinn, daß am Anfang eine These aufgestellt wird, die schließlich notwendigerweise umgekehrt wird, sowie den Charakter einer zeitpsychologischen Studie weist z. B. auch Max Dauthendeys (1867–1918) Einakter *Glück* (1895) auf, nur ist dessen Vorgang in die Gegenwart gelegt. Verschiedene Interieurs bilden hier das Milieu, aus denen Fenster Ausblicke auf Natur- oder Stadtlandschaft bieten. Die sonst den Einakter üblicherweise auszeichnende Einheit von Ort, Zeit und Handlung ist in den vier Szenen dieses Stückes nicht eingehalten, möglich gemacht dadurch, daß pro Szene wechselnde Stimmungen Träger der durch sie auf ein Minimum reduzierten Handlung sind und die Couleurs der Innenräume mit jenen korrespondieren. Übergeordnet der Stimmung ist das an die Zeit gebundene Leitthema des Liebesglücks, dem der Dialog ganz unterstellt ist, der in metaphorisch hoch aufgeladene deskriptive und wiedererinnernde Betrachtungen zerfällt. Als Träger der Leitthematik und der ihr zugeordneten Stimmungen fungiert ein lyrisches Sprechen, das sich zur sprachlichen Dekoration der Stimmungen der Interieurs und deren Gegenstände ebenso wie der von außen einfallenden Natur und ihrer farbigen Lichtreflexe bedient. Natur und Milieu werden sprachlich vor allem durch identische adjektivische Attributierung miteinander verschmolzen, semantisch gegensätzliche Prädikate durch die Konjunktion ›und‹ oder durch parataktisch geordnete Sätze miteinander verknüpft: sagen und schweigen, gehen und bleiben, träumen und wachen usf. Das Nebeneinanderhersprechen wie auch die häufigen Wort- und Satzwiederholungen der Dialogpartner lassen erkennen, daß sie als Medien von Stimmungen abstrakt konstruiert sind. Natur, Interieur, Dialog, dramatis personae figurieren als Ornamente eines literarischen Jugendstils, Szene für Szene zu lyrischen Bildern zusammengefügt. Auftraggeber für die ästhetische Stimmungsinszenierung ist ein ›anonymes‹ episches und lyrisches Ich. »Das intime Drama legt die Weh- und Wohlerregungen blos, die im Lautlosen leben und in unhörbaren Akkorden zwischen den Menschen vibrieren.«[47]

Dieser Ästhetizismus in Kunst und Leben steht dagegen in Hofmannsthals *Gestern* zur Debatte. Wollte man Zeit und Ort dieses Einakters in die Gegenwart versetzen, dann figurierte das Ambiente als das halb aristokratische, das halb bürgerliche Wien um die Jahrhundertwende, erfahren als bloße ästhetische Kulisse, die Renaissancegruppe als ein Zirkel von Künstlern und Kunstfreunden. Rückblickend notierte sich Hofmannsthal, *Gestern* sei Voraussetzung von *Der Tor und der Tod* gewesen.[48] Auch dieser Einakter stellt sich in die Tradition des Proverbe; Hofmannsthal bezeichnete es ausdrücklich als »tragédie-proverbe«.[49] Mit der für den Einakter oft gewählten exponierten Situation ›Vor dem Tode‹ und dem ›Memento mori‹-Motiv greift Hofmannsthal aber auch auf die Tradition des ›Totentanzes‹ zurück; die erste Skizze trug diesen Titel. Auch hier geht es um eine Aufhebung von Antinomien des Lebens: Sprechen – Tun, Erkennen – Leben, nur daß – im Vergleich zu *Gestern* – die existentielle Thematik radikalisiert ist. In den »Stimmungen der Übergänge«[50] von wirklicher zu ästhetischer Existenz und vice versa sollen diese Gegensätze miteinander versöhnt sein. Mit *Der Tor und der Tod* wird aber nicht nur eine thematische Radikalisierung angestrengt, sondern auch eine stärkere Monologisierung der Szene erreicht.

Hofmannsthals Reihe der kleinen lyrischen Dramen kommt mit dem *Kleinen Welttheater* insofern formal zu einem Abschluß, als hier nun das Werk, wie er selbst anmerkte, »nicht den Schatten einer Handlung«[51] besitzt. Jede der hier auftretenden Gestalten ist durch sich selbst, durch ihre Monologe, charakterisiert, und das

Prinzip der Figurenreihung ist streng eingehalten. Während noch eine ideelle, antinomische Strukturierung z. B. *Gestern* und *Der Tor und der Tod* auszeichnet und daher auch der festgehaltene Dialog sich begründet, wird hier eine Pluralität von Lebenshaltungen versammelt. Jede der Figuren steht für eine Disposition zum Leben ein. Das Ensemble lyrischer Ichs wird durch ein Doppeltes zusammengehalten: durch das über die lyrischen Einzelstimmen hinausragende, allgemeine Mittlerfunktion einnehmende, erinnernde und mahnende lyrische Ich, und durch einen emphatischen transzendentalen Lebensbegriff über allen Lebensantinomien. Damit ist im *Kleinen Welttheater* auch jede *ideelle* dramatische Entwicklung stillgestellt. Jede Figur gilt in zweifachem Sinn, wie es der Hofmannsthalsche Neologismus »Ein-Wesen« unterstreicht, als eine in sich geschlossene Gestalt, und dadurch und dennoch ist es getragen, getrieben, beseelt von einem ihm anverwandelten, aber ihm nicht eigenen Anderen. Hofmannsthals Lebensidee bildet den metaphysischen Fixpunkt, an dem diese Figuren, diese Schatten, an Platons Höhlengleichnis erinnernd, aufgehängt sind. So sind im *Kleinen Welttheater* die Figuren Ideenträger. Im Untertitel des Werkes nennt sie Hofmannsthal »Die Glücklichen«, damit ist einmal auf den inneren Zusammenhang der Figuren verwiesen,[52] zum andern auf die ihnen übergeordnete Idee. Die Figuren, »jede einsam«[53] als monologisches Ich, sind in einen historisch zeitlosen Raum entrückt. Diese Form gestischen, bedeutenden Spiels, aufgehoben in einer monolithischen Ichstruktur ohne Widerpart, bedeutet auch ein Ende einer in diese Richtung vollzogenen dramaturgischen Entwicklung.

Auch einen *Totentanz. Drei Szenen* (1905), so hieß ursprünglich *Tod und Teufel*, und ebenfalls drei Szenen in einem Akt, den *Kammersänger* (1899), verfaßte Wedekind, über den Hofmannsthal urteilte, er helfe ihm, als Dramatiker den rechten Ton zu finden.[54] *Der Kammersänger*, ohne tatsächlich formal in drei Szenen unterteilt zu sein, gliedert sich, nur über die Figur des Kammersängers und über die Einheit von Ort und Zeit miteinander verbunden, in drei Dialoge. Darauf reduziert und konzentriert, ist mit ihm die Form des Konversationsstücks, was Wedekind ausdrücklich unterstrich,[55] überwunden. Die drei Szenen in einem Akt machen beispielhaft deutlich, daß der Einakter aus der Szene entwickelt ist. Die erste läßt sich als ›komische‹, die zweite als ›tragikomische‹ und die dritte als ›tragische‹ definieren.

Ist der Ort der Handlung im *Kammersänger* als ein reales Milieu noch vorstellbar, so kann er in *Tod und Teufel* kaum mehr als ein wahrscheinlicher wahrgenommen werden. Spieler und Gegenspielerin, der Marquis Casti Piani und Elfriede von Malchus, liefern sich ein Rededuell, an dessen Ende die Figuren einen Positionswechsel vorgenommen haben. Schlüsselfunktion für den Positionswechsel der beiden Hauptfiguren besitzt das Sprachspiel im Spiel, der versifizierte Dialog. Wedekind radikalisiert seine Gesellschaftskritik. Das Drama wird zum Lehrstück, jedoch zu einem Lehrstück ohne Lehre, denn jeglicher metaphysischer Horizont ist aus ihm herausgebrochen. Die Figuren befinden sich in einem Gefangenendilemma. Ob die Welt außerhalb des Bordells, das so symbolische Bedeutung zugeschrieben erhält, eine andere ist, ist für sie nicht erkennbar. Die Schwierigkeiten, die das Stück der Rezeption bereitete, liegen darin verborgen, daß der Dramentext an keiner Stelle wörtlich genommen werden darf. Sein ständiger Verweisungsgestus sowie die Effekte der Verfremdung in der Mischung von Konversationston mit lyrischem und pathetischem Stil laden den Text grotesk auf. So reicht dieses Stück bis an die Schwelle der Dramaturgie absurden Theaters heran.

Das sich aufspaltende und auflösende Ich, die in Reihen, Reigen und Kreisen geordneten Figurenkonstellationen, die von Milieus, Ideen und Ideologien bestimmte Figurengestaltung stellen ein Netzwerk dar, dem zu entkommen aussichtslos scheint. Kein Weg führt aus diesen Interieurs, aus diesen Arrangements, aus ihren Gehäusen, Türen und Gärten letztlich nach außen. Wenn die dramatische Form des Einakters eine mögliche Antwort auf eine durch einen epigonalen Klassizismus und durch die Unterhaltungsangebote kommerzieller Theater bedingte Krise des Dramas darstellt, läßt sich diese nur in Zusammenhang mit den gesellschaftlichen Widersprüchen denken, von denen die Epoche des Wilhelminismus geprägt war. Die autoritäre Regulierung gesellschaftlichen Lebens, die politische Ohnmacht liberalen Bürgertums, die staatliche Unterdrückung sozialer Bewegungen ließen das gesellschaftliche Leben selbst als ein in sich geschlossenes System erscheinen, dessen Zwängen, wie es schien, kaum zu entrinnen war. Im experimentellen Aufbegehren gegen die kanonisierte Dramaturgie eines klassizistischen Theaters, wofür sich die Geschichte des Einakters der Jahrhundertwende paradigmatisch heranziehen läßt, wird also ein Doppeltes sichtbar: Im Affront gegenüber einer traditionellen Dramaturgie wird eine neue entwickelt, die das Ende der Vorherrschaft des Illusionstheaters einläutet, ohne mit ihm völlig zu brechen. Zugleich wird implizit möglich, in Reaktion auf die konventionelle Dramaturgie und durch Umfunktionierung ihrer dramaturgischen Mittel das ›juste milieu‹, den gesellschaftlichen Kontext, auf den jene sich affirmativ bezog, und dessen Antagonismen zur Sprache zu bringen. Insofern ist auch der dramatischen Form des Einakters die der Parodie inhärent, als die neue Dramaturgie sich ausdrücklich in ästhetischer Opposition zum klassischen Drama entwickelt. Neben dem intimen Theater wird daher für deutsche Verhältnisse nach 1900 die experimentelle Kabarettbühne [→ 272 ff.] für die Aufführung von Einaktern und insbesondere von Dramenparodien in Form von Einaktern besonders wichtig.[56] Zum Selbstverständnis der Initiatoren von Brettlbühnen gehörte, »Variété und ernste Kunst, diese beiden scheinbar äußersten Extreme unseres kulturellen Lebens zu vereinigen«.[57]

Die mit der Form des Einakters verknüpften parodistischen Verfahrensweisen verraten, in welchem Maß die Grenzen der neuen Dramaturgie dadurch bestimmt waren, daß diese sich als Antithese zum klassischen Theater verstand. Diese Grenzen zu überwinden, setzte sich Paul Scheerbart (1863(1915) mit seinen »Übergangsstücken«[58] zum Ziel, die ihre Herkunft aus den dramatischen Formen des Puppenspiels, des Schwanks, der Zauberposse und der Farce nicht verleugnen und mit denen er sich vom illusionistischen Theater zu verabschieden suchte. Seine Programmschrift *Ästhetik der Phantastik* (1894) plädiert für eine vom Mimesisbegriff des Naturalismus und des Symbolismus abgelöste Wirklichkeitsvorstellung, für eine totale ästhetische Gegenrealität, auf welche die Kriterien eines aristotelischen Theaters nicht mehr anwendbar sind. Die Bühne soll zu einem Spielplatz werden, der weder Raum für eine psychologische Figurengestaltung noch für die Darstellung von Milieus bietet. »Vereinfachung der Szene« heißt für Scheerbart nicht nur, »alles Kulissenartige zurückzudrängen«, sondern auch, »den Darstellenden mehr Raum auf der Bühne zu schaffen.«[59] So wenig wie die Figuren oder die Handlung durch ideelle Zielsetzungen gesteuert werden, es existieren keine ›Auftraggeber‹, so wenig ist auch der Dialog sinnstiftend. Figur, Handlung, Dialog und Requisiten werden vielmehr gleichrangig behandelt. In den beiden Einaktern *Regierungswechsel.* »Ein politisches Drama« (1897) und *Die Puppe und die Dauerwurst.* »Ein soziales Drama« (1897) z. B. ist eine »Weiße Bühne« vorgeschrieben. Was die Untertitel anzeigen, entpuppt sich als Camouflage. Es handelt sich um Satiren auf das ›politische‹ bzw. das ›soziale Drama‹ [→ 70 ff.], dessen stoffliche und dramaturgische Schematismen ad absurdum geführt werden. Eine ›sinnentleerte‹ Bühne stellt die Voraussetzung dazu dar, das Theater in eine Projektionsbühne der Phantasie und damit in eine reine Spielfläche verwandeln zu können.

Rolf Kieser

Autobiographik und schriftstellerische Identität

Die Wirklichkeit ist das verkümmerte Mögliche.
(Thomas Mann, Lotte in Weimar)

I. Theorieansätze

Dem Forscher, der sich deutscher Autobiographik zwischen 1890 und 1918 zuwendet, fällt zunächst die Absenz einschlägiger Sekundärliteratur auf. Die autobiographischen Landschaften vom Goethezeitalter bis Fontane oder – von der Gattung her – von Jean-Jacques Rousseaus *Confessions* bis zu den vielen Varianten des ›journal intime‹ im späteren 19. Jahrhundert sind gründlich untersucht worden, ebenso Tagebücher, Ich-Zeugnisse und Autobiographien der Jetztzeit. »In der deutschen Literatur,« so Wolfgang Paulsen, »bildet einen ... Höhepunkt fraglos – und das auch, wenn man will, schließlich auf verhängnisvolle Weise – Goethes ›Dichtung und Wahrheit‹.«[1]

Ein Schweigen herrscht, wenn es um autobiographische Zeugnisse der frühen Moderne geht. Die Gründe dafür sind nur zu vermuten. Zum einen gab es viele gegenmoderne Strömungen, und die Postmoderne ist die bisher letzte von ihnen.[2] Auch hat die Tendenz, die literarische Moderne in die eigene Nationalliteratur einzugliedern und damit ihre charakteristische Multikulturalität zu ignorieren, zu ›tunnel vision‹ geführt. Volker Hoffmann, der die Autobiographik im Zeitraum von 1900 bis 1920 untersucht, kommt zu dem Schluß, daß »die neueren Untersuchungen zur Autobiographie den Zeitraum von 1900 bis 1920 ausklammern«[3] und tut es selber auch, als er zunächst die Erscheinungsdaten von autobiographischen Schriften zum Auswahlkriterium macht und nicht etwa die künstlerische Orientierung von deren Autoren. So kommt es denn, daß sich bei ihm zunächst Theodor Fontane (1894), Friedrich Nietzsche (1908), Max Dauthendey (1912), Karl Spitteler (1914),

Theodor Däubler (1915), Egon Erwin Kisch (1920), Arthur Schnitzler (1920) und Richard Voß (1920) in krauser Gemeinschaft beisammen finden und daß später die Kategorie »intime Konfessionen als Folge der Strindbergrezeption« zu einer weiteren wunderlichen Gruppierung führt: Robert Hamerling (1889), Peter Rosegger (1898), Leopold von Sacher-Masoch (1906), Kurt Martens (1921) und Emil Szittya (1923).

Hoffmann erläutert die Unsicherheit der Einordnung und Bewertung der Autobiographie in der Poetik der Zeit[4] und fährt fort:

> Die Vermutung bestätigt sich, wenn man mit der textinternen Gattungskritik die textinterne Problematisierung der Gattung vergleicht, die innerhalb der Autobiographien in Form von Metatexten also, die normalerweise an privilegierter Stelle des Texts (Anfang, Schluß, markante Zäsur) stehen, vorgenommen wird. Der nahezu regelmäßige Zwang zu solchen Metatexten in unserem Zeitraum ist nicht nur von der Notwendigkeit zu erklären, daß der autobiographische Text mit dem Leser meist explizit einen ›autobiographischen Pakt‹ schließt, der seine referentiellen Intentionen im Gegensatz zu einem fiktiven Text offenlegt, sondern von dem Umstand, daß die Autobiographie kein fragloser Wert im literarischen System der Zeit ist. Sie muß sich ihre Position gegenüber älteren Gattungsmodellen und gegenüber den Ansprüchen der lyrischen, romanesken, biographischen, historiographischen und wissenschaftlichen Diskurse argumentativ erschreiben.[5]

In diesem Zusammenhang weist Hoffmann auf Friedrich Spielhagen, Wilhelm Dilthey, Georg Misch, Walter Mahrholz, Theodor Klaiber, Max Westphal und Friedrich von Wieser hin, die, je nach eigenem Selbstverständnis in ihrer Epoche, die Autobiographie poetisch mit dem Ich-Roman kontrastierten oder als Evidenz der historischen Vernunft betrachteten. Hoffmann erkennt die Beliebtheit der Autobiographie beim damaligen Publikum und erwähnt die populäre Memoiren-Bibliothek des Stuttgarter Lutz-Verlages, in der zwischen 1899 und 1938 100 Bände erschienen. Er selber aber umgeht die autobiographischen Zeugnisse der bedeutenden Autoren der Jahrhundertwende und wendet sich, wie andere Theoretiker der Autobiographie, fast ausschließlich den Selbstzeugnissen von Schriftstellern zu, die erst nach dem Ersten Weltkrieg ihren literarischen Durchbruch erlebten. Hoffmann unterscheidet bei den von ihm untersuchten Autobiographien »die Wiederbelebung der authentisch-dokumentarischen Autobiographie« von der »Bekenntnisautobiographie im Sinne der intimen Konfession«.[6] Ausgangspunkt und Maßstab ist auch bei ihm Goethes *Dichtung und Wahrheit.*

Im Gegensatz zu Hoffmann versucht Peter Stadler die autobiographischen Zeugnisse jener Epoche im kulturhistorischen Kontext zu sehen und verlangt eine deutliche Trennung der Gattungen Memoiren und Autobiographie. Memoiren, so Stadler, sind im Blick auf den Leser geschrieben und werben um seine Gunst. Bei einer Autobiographie sei davon auszugehen, daß der Werdegang der eigenen Person im Vordergrund stehe, während in den Memoiren die politisch-geschichtlichen Erinnerungen und Erfahrungen dominierten.[7] Es scheint, daß dieser schlichte historische Ansatz, auf die Dichtung übertragen, als Einstieg zum Verständnis der autobiographischen Schriften und für die schriftstellerische Identität der Autoren der frühen Moderne taugt, denn gerade die Tendenz zur Ausweitung der Autobiographie zu epochalen Memoiren scheint ein Charakteristikum der Gattung zwischen 1890 und 1918 zu sein. Rudolf Vierhaus sieht die Rekonstruktion alltäglicher »Lebenswelt« und damit das Einzugsgebiet autobiographischer Erfahrungen als eines der Hauptprobleme moderner Kulturgeschichtsschreibung.[8] Diese Lebenswelt beinhalte neben den literarisch gestalteten Lebenszeugnissen wie Autobiographie und Memoiren auch Korrespondenzen, Tage- und Notizbücher. Literarisch gesehen heißt das, daß »auch rhetorische Evidenz, die sich im strengen Sinne und in jedem Detail nicht verifizieren läßt, ⟨...⟩ der Wirklichkeit entsprechen ⟨kann⟩, unter Umständen mehr als eine solche, die strikt quellengebunden bleibt. Ist doch jede Rekonstruktion historischer Wirklichkeit eine Annäherung, deren Ziel ›nur‹ Plausibilität und Evidenz ist.«[9]

Die Frage der schriftstellerischen Identität ist in diesem Fall schwieriger zu beantworten. Noch Misch nennt autobiographische Schriften schlicht »Zeugnisse des Persönlichkeitsbewußtseins der abendländischen Menschheit.«[10] Mit der Ausweitung des eurozentrischen zum globalen Kulturbewußtsein, das mit den Anfängen der Moderne einsetzte, dürfte *diese* Definition überholt gewesen sein. Bernd Neumann sieht in der Autobiographie »nach Brief und

Tagebuch die direkteste Umsetzung des Lebens in Literatur«,[11] Peter Sloterdijk eine »besondere herausragende Form der ›Organisation‹ von lebensgeschichtlicher Erfahrung«[12] und Jürgen Lehman billigt ihr gar eine Schlüsselrolle in der Kulturgeschichte zu, da Autobiographie »nicht nur schriftliche Fixierung von Erfahrungen, sondern im hohen Maße auch ein Dokument sprachlichen Handelns ist, das zeigt, wie ein Autor mit diesen Erfahrungen kommunizierend umgeht und auf welche Weise er sich durch ihre sprachliche Präsentation in ein Verhältnis zu einem literarischen oder sozialen Umfeld setzt.«[13]

Uneinigkeit im Hinblick auf die Gattungsfrage scheinen nach wie vor zu bestehen, wie Helmut Winter darlegt, der seine Thesen zur Selbstbiographie in vier Abschnitten (»Autobiographie und Identität«; »Autobiographie und Wahrheit«; »Autobiographie und moralisches Urteil«; »Autobiographie und freies Handeln«) gewissermaßen annagelt.[14] Jacques Derrida, der sich mit dem Ärgernis der Inhalte bei der Autobiographie auseinanderzusetzen hat, argumentiert, »that 〈...〉 autobiography is not so much a general condition of thought as a general condition of writing 〈...〉 – ›the autobiography of the writing‹ – which mocks any self-centered finitude of living and dying.«[15]

II. Leitbilder

Der Generation deutscher Schriftsteller, die sich gegen 1900 dem Höhepunkt ihrer Laufbahn näherte, ist eine künstlerisch-existentielle Problematik gemeinsam: die Spannung zwischen den Verpflichtungen einer Tradition und der Notwendigkeit, absolut modern zu sein. Wir sehen eine verunsicherte Übergangsgeneration, die belastet ist durch das Wissen, im europäischen Kulturraum zu den Nachzüglern zu gehören und die diesen Einbruch der kulturellen Selbstwertung mitten im triumphalen Zeitgeist der Bismarck-Epoche kompensiert mit schrillen Tönen und übertriebenen Imponiergesten: eine Generation zwischen Melancholie und Überheblichkeit.

Es entsteht eine Kultur der Adoleszenz, wie John Neubauer sie benannt hat,[16] ›Jugend‹ wird zu einem kulturellen Leitbild der Epoche, das ›Junge Deutschland‹ der Großväter wird zum ›Jüngsten Deutschland‹ gesteigert. Die Erfindung der Jugend als kulturelles Leitmotiv geht einher mit der Ahnung des Niedergangs. So wird denn oft die Jugend nicht als die sieghafte nächste Generation dargestellt, sondern in ihrer Gefährdung, ihrem Scheitern an den ungelösten gesellschaftlichen Problemen – vor allem im Bereich der tabuisierten Sexualität und der jugendfeindlichen Schule [→ 318 ff.].

Schon Ernst Alker hat darauf hingewiesen, daß der Sprachgebrauch für das in den achtziger und neunziger Jahren beginnende Schrifttum als ›Moderne Literatur‹ ungenau ist.[17] In jener Epoche beginnt die Ablösung von den Wertsystemen der Goethezeit, mit der sich die Generation der Jahrhundertwende ideell und personell zu identifizieren geneigt fand und von der sie sich unter dem Einfluß der Lehren Schopenhauers und Nietzsches [→ 192 ff.] zu entfernen begann. »Unter der Selbstdefinition durch Negation in den autobiographischen Metatexten dürfte die Distanzierung von dem Gattungsmodell ›Dichtung und Wahrheit‹ am häufigsten sein«, so Hoffmann.[18]

Was im Rückblick als ›Moderne‹ in der deutschen Literatur gilt, war in Wirklichkeit ein Konglomerat individueller Bewußtseins-Kristallisierungen, die erstmals kurz vor dem Ersten Weltkrieg im Expressionismus eine neue allgemein verbindliche Ausdrucksform fand. Was vorher geschah, waren individuelle Anstrengungen, die der Selbstprofilierung, der Form, der Macht und dem Markt galten und die sich im Werk der einzelnen Autoren oft mit Elementen der eigenen Biographie einließen. Nun galt die radikale Ich-Erfahrung im Vakuum jenseits moralischer Grundbegriffe als Geburtsakt einer neuen Weltordnung.

Im Rückblick wirken die wenigen Jahre des Naturalismus in der deutschen Literatur als Stein des Anstoßes, mit dem sich alle Werdenden auseinandersetzen mußten. Emile Zolas (1840–1902) Formel vom Kunstwerk als »un coin de la nature vu à travers un tempérament« wurde für einige seiner Jünger zu einem Blick in den Spiegel, zu einem Rezept narzißtischer Ich-Befangenheit, wie sie sich etwa in der berühmten von Hermann Conradi (1862–1890) und Karl Henckell (1864–1929) herausgegebenen Anthologie *Mo-*

derne Dichtercharaktere von 1885 manifestierte, die unter dem Banner des Naturalismus [→ 350 ff.] vorgab, die Poesie der Zukunft zu vertreten und in Wirklichkeit die schwärmerisch-trotzigen und meist sehr autobiographisch-privaten Lyrik-Ergüsse von recht mittelmäßigen Amateurpoeten darstellte.[19]

III. Autobiographie und Epochenerfahrung

Es fällt auf, daß die wichtigsten persönlichen Zeugnisse der deutschen Dichtergeneration um 1900 – Autobiographisches, Tagebücher, Korrespondenz, Notizhefte – zu einem geringen Teil in der Epoche selber veröffentlicht worden sind (Michael Georg Conrad, 1902; Franziska zu Reventlow, 1903; Julius Bab, 1904; Max Dauthendey, 1913; Felix Salten, 1913). Viele Autoren wagten sich mit ihrer Lebensbeschreibung erst nach dem Ende der wilhelminischen Zensur an die Öffentlichkeit (Peter Altenberg, 1918/19; Kurt Martens, 1921; Paul Ernst, 1922; Hermann Bahr, 1923; Arthur Holitscher, 1924; Arno Holz, 1924; Ernst von Gumppenberg, 1929; Franz Blei, 1929). Andere publizierten ihre Erinnerungen während des Dritten Reichs entweder anpasserisch – Gerhart Hauptmann, Max Halbe, Wilhelm von Scholz – oder in geheimer oder offener Opposition zum neuen Ordnungssystem (Harry Graf Kessler, Stefan Zweig). Die autobiographisch/diaristischen Lebenszeugnisse Franz Kafkas,[20] Schnitzlers, Lou Andreas-Salomés und Heinrich Manns erschienen erst nach dem Krieg, diejenigen Thomas Manns und Frank Wedekinds erst in unseren Tagen.

Es ist nicht zu übersehen, daß die verspätete Nachlieferung der autobiographisch-historischen Dimension in der Forschung zu Akzentverschiebungen, Fehldeutungen, und Mißverständnissen geführt hat. Hinzuzufügen wäre, daß einzelne Schriftsteller selber zur Irreführung beitrugen, indem sie ihre Memoiren und autobiographischen Äußerungen vom Hochsitz ihres späteren Ruhmes konstruierten und damit der Legendenbildung Vorschub leisteten. Beispiele dafür sind etwa Gerhart Hauptmann (1862–1946), der die Saga seiner Jugend, seines Liebeslebens[21] und seines – auch äußerlich – dem alten Goethe nachempfundenen Bildes in der Epoche aufarbeitete: »Hatte doch der famose Gervinus gesagt, das Kapitel der Poesie in Deutschland sei durch Goethe ganz und gar abgeschlossen. Diesen Irrwahn, der meinen Weg wie eine Mauer versperren wollte, hinwegzuräumen, mühte mein Geist sich Tag und Nacht.«[22] Ähnlich steht es mit der autobiographischen Ich-Erfahrung des anderen deutschen Nobelpreisträgers und ›Goethe-Nachfolgers‹ unter den Schriftstellern des Fin de siècle: Thomas Mann (1875–1955).

Der Anlaß zu Dramen, Gedichten und Erzählungen mit autobiographisch getönten Inhalten findet sich bei der ersten Generation der Modernen häufig in ›Auswanderergesprächen‹, die – oft im temporären Schweizer Exil[23] – unter den durch die Sozialistengesetze Bismarcks Vertriebenen, einem bunten Haufen von Bürgersöhnen und -töchtern stattfanden. Private Unterhaltungen und Erfahrungen, Tagebücher und Korrespondenzen fanden ihren Weg in die ersten Manifestationen des literarischen Naturalismus und schlugen sich bei einem Gegner wie Wedekind in Tagebuchschilderungen nieder, die viel später, oft erst lange nach dem Tod des Verfassers, einem breiten Leserpublikum zugänglich wurden. Was untergegangen ist oder aber mit der Bekanntwerdung solcher frühen Quellen erst in unseren Tagen wieder aufgearbeitet werden kann, ist der aktuelle Diskurs der literarischen Moderne, von der durch die Gunst oder Ungunst der Zeitläufe zwar die literarischen Werke übrig geblieben sind, viel seltener aber das, was Hauptmann »die großen Beichten« nannte.

Die persönliche und literarische Fehde zwischen Frank Wedekind (1864–1918) und Hauptmann ist das berühmteste Beispiel für die fließenden Linien zwischen Biographie und Literatur, wie sie bei den Dichter der frühen Moderne unter dem Einfluß des Naturalismus häufig festzustellen sind. Die Begegnung der beiden Autoren in Zürich und in Erkner schlägt sich nicht nur in Wedekinds Tagebüchern und in den erst 1937 veröffentlichten Erinnerungen Hauptmanns nieder, sondern auch in zwei Dramen, Hauptmanns *Das Friedensfest. Eine Familienkatastrophe*, 1890 uraufgeführt und Wedekinds *Kinder und Narren*, das 1890 begonnen, erstmals 1891 im Druck erschienen unter dem auf Hauptmann gezielten

Motto: »Der Realismus ist eine pedantische Gouvernante. Der Realismus hat Dich den Menschen vergessen lassen. Kehr zur Natur zurück!«(4. Aufzug, 7. Auftritt.) Andere Beispiele für diese »Optimierung der Autobiographie, indem man sie zu einem Teil des dichterischen Werks macht«[24] finden sich unter den Modernen auch bei Hermann Hesse (1877–1962) *Unterm Rad* (1906), Max Dauthendey (1867–1918) *Gedankengut* (1912/13) und Else Lasker-Schüler (1869–1945) *Mein Herz. Ein Liebesroman mit Bildern und wirklich lebenden Menschen* (1912). Auch in Rainer Maria Rilkes (1875–1926) *Malte Laurids Brigge* (1910) ist nach Paulsen »das autobiographische Moment fiktional verschüttet«.[25]

Der interne Kulturkampf der Moderne zeigte sich außerdem in der Rivalität der drei Metropolen – Wien, Berlin und München – und in den damit verbundenen Gruppenbildungen, Sezessionen und Fehden unter den Künstlern. Das Dabeisein am richtigen Ort und zur rechten Zeit war ein wesentlicher Teil des Selbstwertgefühls der Modernen, wie man in zahlreichen Autobiographien (z. B. Hauptmann, Andreas-Salomé, Blei, Halbe, Kessler, Bahr) nachlesen kann. Den Zeitgeist als erste erkannt zu haben, prägt das Selbstverständnis dieser Gruppe. Der ergiebigste Chronist unter den erwähnten ist Franz Blei (1871–1942), der es zustande brachte, an den Schauplätzen Wien, Zürich, Genf, München, Berlin und Paris immer im rechten Moment dabeizusein. Bei Hauptmann, der nach Bismarck-Art von der Wahrnehmung beherrscht war, daß er, ganz gleich wie der Tisch gestaltet sei, immer oben sitze, findet sich in der nachträglichen Stilisierung seiner Memoiren die Überzeugung, mit der Uraufführung seines ersten Dramas habe eine neue Epoche der Kulturgeschichte begonnen:

> Dem Geschick sei Dank, daß meine Arbeit auch durch die am 8. Juli 1889 erfolgte Geburt meines dritten Sohnes nicht gestört wurde. Es wurden gemeinsam Sommernächte durchwacht, es wurde gelebt, geliebt und getrunken. Pläne wurden geschmiedet und diskutiert, und eines Tages konnte ich am Waldrand dieser gleichstrebenden Jugend mein Drama vorlesen, durch Arno Holz Vor Sonnenaufgang genannt, Es wurde damit eine eigenartige kräftige deutsche Literaturepoche eingeleitet.[26]

Thomas Manns Wahn, das deutsche Schrifttum schlechthin zu repräsentieren, fällt in eine spätere Epoche. Doch sind Spuren seines übersteigerten Selbstbewußtseins schon in den Anfängen sichtbar und werden auch von seinem Bruder Heinrich Mann (1871–1950) in dessen Memoirenwerk *Ein Zeitalter wird besichtigt* (1947) bestätigt.

ich-kleingeschrieben betitelt ausgerechnet Korfitz Holm (1872–1942), der Verleger und Albert Langens Stellvertreter, seine 1932 erschienenen Memoiren, in denen der als Dichter gescheiterte Geschäftsmann einen Strom von Dichter-Anekdoten als »heitere Erlebnisse eines Verlegers« – so der Untertitel seiner Memoiren – der Nachwelt anbietet. Die Kleinschreibung des Titels täuscht nicht darüber hinweg, daß Holm seine Eitelkeit, alle diejenigen, die es später als Dichter zu Rang und Namen brachten, in ihren ersten Anfängen gekannt und in ihrer Anlage erkannt zu haben – in seinem Fall ist es die Eitelkeit des Vermittlers [→ 152 ff.] – ebenso zu Markte trägt, wie viele seiner Zeitgenossen. Das hemmungslose Ich-Sagen wird zum eigentlichen Markenzeichen der Epoche. Es schlägt sich beispielsweise in den autobiographischen Gedankensplittern Peter Altenbergs (1859–1919) nieder. Sie erschienen 1918 unter dem Titel *Vita ipsa* und äußerten sich unter anderem in einem mit *Ich* überschriebenen Prosatext und in einem *Ich-Gedicht*.[27] Dort heißt es:

> Ich bin P.A.
> Ich kann mich nicht verändern.
> Ich kann nur ›abfärben‹ auf
> Andere, die meine Farbe gern annehmen.
> Auch das kann selbstverständlich
> sich verwaschen, sich verwischen, im Laufe der Begebenheiten.
> Kein Schade
> um jene Dinge der Seele und des Geistes,
> die nicht, wenn auch im Unscheinbarsten dieses Daseins,
> die ›Patina‹ der Unvergänglichkeit mitbekommen haben!
> ⟨...⟩

Altenberg ist ein Beispiel für das Phänomen, das sich um die Jahrhundertwende zu verdichten beginnt: Epochenerlebnis und autobiographische Selbsterfahrung fallen zusammen. Das wird besonders deutlich in Max Halbes (1865–1944) *Jahrhundertwende, Geschichte meines Lebens 1893-1914*, wo die eigenen Erfolge und die Epoche eins werden: »Geheimnisvoller Vorgang des dichterischen Geborenwerdens, der dichterischen Fleischwerdung!«[28] Halbes Erinnerungen setzen ein mit dem ersten Bühnenerfolg seines heute fast vergessenen Stücks *Jugend* im Jahre 1893:

> Jetzt stand ich als Träger eines ›unbestrittenen‹ Sieges im Licht der breitesten Öffentlichkeit. War es nicht im Grunde ein ganz normaler Weg, den ich zurückgelegt hatte? ⟨...⟩ Hatte ich nicht seit je den unverbrüchlichsten Glauben daran in mir getragen? War ich nicht mit einer nachtwandlerisch zu nennenden Sicherheit eben diesen steilen und steinigen Pfad gegangen, von dem ich es mir nie anders gedacht hatte, als daß er – und nur er – mich zum Ziel führen müsse? Worüber wunderten sich die Leute eigentlich?[29]

Der Umstand, daß der Gärungsprozeß der Moderne zu Gruppenbildung an verschiedenen Schauplätzen führte, ermöglichte, daß sich die einzelnen Dichter unter neuen Voraussetzungen wieder begegneten und diese Begegnungen in mehr oder weniger gelungenen Konterfeis festhielten. Den größten räumlichen, zeitlichen und auch personellen Bogen schlägt zweifellos Lou Andreas-Salomé, die noch von einer Begegnung mit Richard Wagner auf Wahnfried berichten kann:

> Da, wo der Mittelpunkt sich befand, Richard Wagner – infolge seines kleinen, ständig überragten Wuchses immer nur für Augenblicke sichtbar, wie ein aufschnellender Springbrunnen – erscholl immer die hellste Heiterkeit; wogegen Cosimas Erscheinung sie durch ihre Größe über alle Umstehenden hinauserhob, an denen ihre endlos lange Schleppe vorbeiglitt – zugleich sie förmlich einkreisend und ihr Distanz schaffend.[30]

Dann wird Paris erlebt, und mit dieser Stadt verbindet sich für die Autorin das Erlebnis Wedekind: »Fast am meisten bin ich in Paris mit Frank Wedekind zusammen gewesen«.[31] Hierauf wird *Das Erlebnis Rußland* geschildert und das *Freundeserleben* mit Paul Rée und Friedrich Nietzsche. 1899 fährt sie mit Rilke und ihrem Mann zu Tolstoi, der Rilke (so steht es in dessen Erinnerungen) »kalt und höflich« fragt: »Womit befassen Sie sich?«[32] und auf die Antwort: »mit Lyrik« über Gedichte zu schimpfen beginnt.[33]

Bleis Reisefreudigkeit verdanken wir Portraits von Bakunin [→ 410 f.] und Lenin, die er innerhalb der gleichen Woche in Genf kennenlernt.[34] Den »Genossen Uljanow« trifft er 1901 wieder in München, wo er »immer als Meier angesprochen, unter welchem Namen er in Schwabing lebt und in der Druckerei der Post ein russisches Blatt Iskra drucken läßt 〈...〉 Er hat inzwischen alle Haare verloren.«[35]

Neben den gedanklichen Leitbildern, die die Epoche der frühen Moderne prägten, finden sich auch die personellen. Das Bedürfnis nach Größe – auch ein Erbteil der Goethe-Tradition – wird verbunden mit dem Rimbaudschen Drang, um jeden Preis ›modern‹ zu sein. Im Ausblick nach dem ›homo novus‹ verfolgten die Dichter der Epoche auch die Passion des Exzentrikers Oscar Wilde, dessen Sturz als verwöhnter Dandy in die Tiefen des Zuchthauses für die kontinentalen Zeitgenossen zu britisch-spleenig erschien, als daß sie sich zu einer verbindlichen gesamteuropäischen ›vita poetae‹ geeignet hätte. Für das ersehnte Leitbild eines radikal ›modernen‹, das heißt, allen Konventionen des Literatur- und Kunstbetriebs konträren Lebensstils gab es allerdings ein bemerkenswertes Beispiel, das in der Epoche bewundert, geschmäht und durch den durch mannigfaltige Umstände erzwungenen Boykott seiner kritischen Erfassung siebzig Jahre lang im kollektiven Bewußtsein der Nachgeborenen nur noch als Legende überlebte.

Mit der Rolle Wedekinds als Orientierungsfigur der frühen Moderne sollen diese Betrachtungen abgeschlossen werden. Die scheinbare Ruhelosigkeit der frühen Moderne geschah in einem Wartesaal, wie etwa Heinrich Mann festhielt:

> Das Furchtbarste, das Absterben der Intellektualität, ist schon geschehen, bevor das Leben selbst niedrig wird und sich schließlich ausdrückt in der Trefflichkeit, mit der man es vernichtet 〈...〉 Die andere Vorkriegserscheinung ist das Warten. Wir mußten es. Wir konnten es. Frank Wedekind sagte mir, daß er auf den großen Erfolg seiner Stücke fünfzehn Jahre gewartet habe. Genau die Zeit war auch mir verordnet.[36]

Dem Kollegen war nach langen Jahren des Wartens eben der Durchbruch gelungen:

Wedekind, um sieben Jahre älter als ich, hat die erste Generation seiner Leser schlechthin berauscht ... Der Wedekind, der noch nicht oft im Rampenlicht stand, war eine Legende. Über keinen anderen derselben Epoche liefen so viele Anekdoten um, damals unverbürgt, heute vergessen.[37]

Wedekind ist der Name der in den Erinnerungen am häufigsten auftaucht und dessen Erscheinung von fast allen Zeitgenossen mit einer Mischung von Befremden und Bewunderung geschildert wird. Die vielen Zeugnisse über das Phänomen Wedekind, so muß man im Hinblick auf die Autobiographik festhalten, sagen ebensoviel über den Betrachter wie über den Träger des berühmten Namens aus. Wie konträr die zeitgenössischen Anschauungen über Wedekind waren, sollen ein paar Beispiele belegen.

Wilhelm von Scholz (1874–1969) meint: »Mir war eine solche Erscheinung wie dieser im Grunde wurzellose Halbamerikaner, der gescheit, gänzlich illusionslos, witzig, mit einem Schuß Philisterum in sich (aus dem er den verachteten Spießer überzeugend schuf) ⟨...⟩ zunächst nicht recht begreiflich.«[38] Halbe streicht »die geradezu penetrante äußere Eleganz des Fremdlings« heraus, »denn er trug zur gelbkarierten Pepitahose einen grauen Gehrock mit einem glänzenden Zylinder und hatte die Hände in gelben Glacéhandschuhen stecken«:[39] Er hatte den ersten kontinentaleuropäischen Dandy seiner Epoche erblickt.

Auch Halbe war sich des legendären Rufs Wedekinds bewußt, und er säumte nicht, seinen eigenen Ruhm mit demjenigen des Kollegen zu verbinden: »Wedekind und ich befinden uns, wie man sieht, auf dem besten Wege zur Legende, zum Mythos, die ja bekanntlich erst die wahre Unsterblichkeit verleihen sollen.«[40]

Blei berichtet 1929 von seiner ersten Begegnung mit dem helvetisierten Kollegen in Zürich: »Daß er zürichdeutsch und mit dem Volk sprechen konnte, das machte mir damals die befremdende Dämonie Franks viel sympathischer.« Auch vom »schüchternen Wedekind« ist die Rede: »Es ist wohl nicht zuviel gesagt, wenn man behauptet, daß dieser viel Verkannte schon vor dem Ende des 19. Jhdts. die Kräfte des Heutigen so sehr gespürt hat, daß er erst heute wahrhaft aktuell wirkt«.[41]

Aus der Distanz von fast fünfzig Jahren kommt Hauptmann auf den Rivalen zu sprechen und attestiert ihm großzügig:

> Zwar ich schrieb an einem Roman, in dem ich wahrhaftig und bekenntnishaft, ähnlich wie Rousseau, auftreten wollte, auch auf sexuellem Gebiet. Die Krisen der Pubertät und der Jugend in diesem Betracht wollten mich gleichsam zum Ankläger, wenn nicht zum Retter aufrufen. Wir diskutierten zuweilen darüber. Ein Niederschlag jener Zeit und jenes Bereiches ist ›Frühlings Erwachen‹ von Wedekind. Er übertrifft mich an rücksichtsloser Wahrhaftigkeit.[42]

Als Hauptmann diese Worte schrieb, war der Konkurrenzkampf schon längst entschieden – zu seinen Gunsten. Doch dabei sollte es nicht bleiben, denn die Wertskalen der Literaturkritik sind mannigfaltigen Gesetzen unterworfen und erfahren im Verlauf der Geschichte ebenso viele drastische Veränderungen wie der Publikumsgeschmack. Die wunderlichen Späterscheinungen im Bereich der Autobiographik und die ständigen Veränderungen der literarischen Wertung und ihrer Theorien und Methoden tragen dazu bei, daß der Sozialgeschichte der deutschen Literatur in einer noch wenig erforschten Gegend, wie es die frühe deutsche Moderne ist, noch viele Aufgaben harren.

Uwe Schneider

Literarische Zensur und Öffentlichkeit im Wilhelminischen Kaiserreich

»⟨...⟩ und ist alles Gespräch über
die Zensur nichts als Akademie.«[1]

Theodor Fontane (1819–1898), der in seinen letzten Lebensjahren nicht ohne Sympathie den beginnenden Siegeszug naturalistischer Dichtung beobachtete, reflektiert 1889 anläßlich der geschlossenen Berliner Erstaufführung von Henrik Ibsens (1828–1906) Familiendrama *Gespenster* (1881) durch die Freie Bühne[2] über den Sinn von Aufführungsverboten für »Kunst und Leben«. In einem Drama die »Staatsgefährlichkeit auch nur mittelbar nachzuweisen«, so meint er, »dürfte schwer halten«. Zudem seien die beanstandeten religiösen, sexuellen und sozialpathologischen Normenverstöße doch stets relativ und zeitgebunden: »Im übrigen, was gibt nicht alles Anstoß? Mitunter die scheinbar harmlosesten Dinge.« Fontane empfiehlt daher, »solche Dinge laufen ⟨zu⟩ lassen, auch wenn sie anfechtbar sind.«[3] Fontanes Fingerzeig auf die durch wandelbare Normen zwangsläufige Willkür von Zensurmaßnahmen ergibt sich aus den nach 1848 geführten Diskussionen um idealistische und realistische Kunstauffassung. Die Einsicht in den gesellschaftlichen und sozialen Ursprung politischer Prozesse[4] führt im Kaiserreich, vor allem im staatlich-gesellschaftlichen Bereich, zur Fokussierung sittlich-moralischer Fragen. Die wilhelminische Literaturdebatte wird vor dem Hintergrund von wissenschafts- und sozial-realistischen Programmen immer auch auf einer politischen Ebene ausgetragen. Die erste Welle von Repressionen gegen oppositionelle Literatur im Zuge des 1878 erlassenen ›Gesetzes gegen die gemeingefährlichen Bestrebungen der Sozialdemokratie‹ führt zur Flucht der als Sozialisten gebrandmarkten modernen Autoren in die Schweiz, wo sich in Zürich eine Gruppierung von in die Opposition gedrängten Literaten zusammenfindet. Ein Großteil des Personals des späteren, sich bezeichnenderweise zur Zeit der Abschaffung des

Gesetzes konstituierenden, Naturalismus [→ 30 f.] wird bereits hier in eine konformistische Abwehrhaltung gedrängt.[5]

Aus der Wiedereinführung[6] der nach 1848 durch eine Kabinettsorder abgeschafften Zensur wird ersichtlich, daß den Kategorien sittlichen und moralischen Verhaltens nunmehr eine politisch prägende Rolle zugestanden wird. Der Staat, der es als seine Aufgabe ansieht, die moralisch-sittlichen Normen des ›öffentlichen Lebens‹ zu stützen, reinstitionalisiert einen Zensurapparat, der sich als maßgebliche Instanz der Öffentlichkeit versteht. Die Zensur ist damit Repräsentant der Normen und Grenzen des politisch Erlaubten. Zensur muß folglich als Kommunikationskontrolle, die »jeweiligen Zensurpaktiken als eine intentionell adäquate Reaktion auf Literatur als gesellschaftliche Praxis« beschrieben werden.[7] Da die Zensur ein Instrument des Staates (und der Kirche) ist, kann sie sich nur gegen Akte richten, die in der Öffentlichkeit stattfinden.[8] Für eine 1907 publizierte juristische Studie gilt noch, daß eine genaue Definition dessen, was Zensur sei, von jeher »durch eine allgemeine Phrasierung«[9] umgangen wurde. Retrospektiv läßt sich jedoch festhalten, daß das Selbstverständnis der wilhelminischen Zensur darauf angelegt war, ein monarchisches System und die von ihm vertretenen politischen, sittlichen, moralischen und religiösen Normen zu wahren[10] und einem »nach Öffentlichkeit strebendem Schrifttum einer sich selbständig verstehenden Gesellschaft« bewußt entgegenzuwirken.[11] Die Zensur bezwecke »den Schutz des Publikums gegen eine Verletzung seiner ethischen Gefühle« sowie die »Aufrechterhaltung der öffentlichen Ordnung und Sicherheit«.[12] Eine Analyse im kulturliberalen *Kunstwart* [→ 132 ff.] hingegen gelangte bereits zu Beginn der wilhelminischen Ära zu der Feststellung: »Das Verhältnis von Kunst und Staat, Theater und Zensur zu einander ist ein Machtverhältnis.«[13]

Die rechtlichen Grundlagen wilhelminischer Zensur waren nur ungenau im Strafgesetzbuch und der Gewerbeordnung für das Deutsche Reich, einer 1851 erlassenen Berliner Polizeiverordnung, dem Reichspreßgesetz vom 7. Mai 1874 und dem Polizeistrafgesetzbuch für das Königreich Bayern vom 26. Dezember 1871 definiert.[14] Zwar gilt für das gesamte Deutsche Reich eine einheitliche Gesetzesanwendung, die Zensur unterliegt jedoch den lokalen Polizeidirektionen und ist so regionalen Zielvorstellungen unterworfen – uneinheitliches Vorgehen ist die Folge.[15] Genehmigungspflichtig sind generell alle öffentlichen Veranstaltungen; über deren Öffentlichkeitsstatus entscheidet die zuständige Polizeibehörde [→ 283f.]. Die angewandte und in ihrer Rechtlichkeit umstrittene Zensur[16] ist eine Präventivzensur für das Theater und eine Nachzensur bei Publikationen; diese bleibt bis 1918 gültig, wird aber de facto 1914 von einer militärischen Zensur abgelöst. Strategien, diese Sanktionen zu umgehen, sind die Organisation von ›geschlossenen‹ Veranstaltungen für einen geladenen Personenkreis oder Vereinsmitglieder, in geringem Maße auch Privatdrucke (z. B. Arthur Schnitzlers (1862–1931) *Reigen*)[17] und im privaten Bereich kursierende Manuskripte und private Lesungen (z. B. Frank Wedekinds (1864–1918) *Frühlings Erwachen*[18] und sein unveröffentlichtes Drama *Das Sonnenspectrum*)[19].

In der Reihung von Einzelfällen und anekdotischen Begebenheiten[20] dokumentiert sich bei der Erforschung und Problematisierung der Zensur im Kaiserreich zwar ein transepochales Kulturphänomen – ein systematischer Zugriff, der zu einer Phänomenologie der literarischen Zensur führen könnte, wird jedoch verweigert. Statt dessen etablierte sich, das Kampfvokabular der Protagonisten aufgreifend, ein von antagonistischen Streitbegriffen dominiertes Handlungsfeld von Dualismen.[21] Die erforderliche systematische Sichtung der vorliegenden Dokumente (Akten der Polizeidirektionen; die bis 1918 vom Berliner Polizeipräsidium erstellten und verschickten Listen verbotener Titel; Gerichtsakten; gutachterliche Stellungnahmen; Eingaben; Presseechos etc.) vor dem Hintergrund einer Kommunikationsgeschichte der ›Moderne um 1900‹ muß hingegen als Desiderat gelten. Die Bewertung und Eliminierung von Literatur unter dem Vorsatz, ihre möglichen pragmatischen Applikationen und deren öffentliche Wirkung zu unterbinden[22], erzwingt nicht nur eine adäquate literarische und gesellschaftliche Opposition, sondern zugleich kommunikative Mechanismen diese zu verwirklichen und – mitunter selbstreflexiv – umzusetzten. Der situative Verlauf der literarischen Zensur im Wilhelminischen Kaiserreich wäre demzufolge nur in lokalhistorischen Einzeluntersuchungen zu klären. Angesichts der »allein für die Zeit ab 1889 an die 10 000 verbotenen Titel«[23] erscheint es bislang unmöglich, einen im gesamten Reichsgebiet vereinheitlichten Frontenverlauf zwischen Autor und Zensurorgan deskriptiv zu bestimmen.

Überblickt man die Stationen der Zensur im Kaiserreich im historischen Aufriß,[24] so stellt sie sich als ein empfindlich reagierendes kommunikatives Wechselverhältnis zwischen den betroffenen Autoren und der Zensur als staatlichem Exekutivorgan dar. Diese Situation hat ihren Ursprung in Ereignissen um das Jahr 1890, die zu einer öffentlichen Diskussion und damit einer Sensibilisierung der Öffentlichkeit führen;[25] in Schlaglichtern sei dieser Verlauf zur Thesenfindung skizziert.

Die Gründung der Berliner Freien Bühne 1889,[26] als Mitgliedsverein nach dem Vorbild des Pariser Théâtre Libre, ist eine Reaktion gegen die staatliche Bevormundung der Kunst. Der Vereinsstatus sicherte den Charakter der Nichtöffentlichkeit und damit die Umgehung des Zensors. Das programmatische Spektrum des Repertoires orientiert sich an der neueren sozialkritischen Dramatik des In- und Auslandes. Die zweite Premiere der *Freien Bühne*, der Sensationserfolg von Gerhart Hauptmanns (1862–1946) Familiendrama *Vor Sonnenaufgang* (1889) [→ 70 f.], war ein bewußt herbeigeführter Theaterskandal. Die Aufführung »werde einen schweren Stand haben«, schreibt Fontane wenige Tage vor der Uraufführung an Paul Schlenther (1854–1916), »denn unter der Hand wird verbreitet, ›so etwas Tolles sei noch nie dagewesen‹«.[27] Der kalkulierte Effekt des Theaterskandals verhilft nicht nur Hauptmann zum Durchbruch als Dramatiker, sondern wirkt schulebildend.[28]

In Nachfolgegründungen, wie dem Akademisch-Dramatischen Verein in München,[29] wird das Modell reichsweit kopiert. Die Indienstnahme des »Theaters als Institution bürgerlicher Öffentlichkeit«[30] für die Avantgarde wird so zum maßgeblichen Forum der Präsentation von verbotener Literatur.

»Ein literarischer Proceß, welcher in weiten Kreisen Interesse erregt hat«,[31] wie die Presse berichtet, der sogenannte ›Leipziger Realistenprozeß‹, kann als Urszenerie für das kommunikative Wechselverhältnis von wilhelminischer Zensur und Autoren miteinander gelten. Der im Juni 1890 gegen Conrad Albertis (1862–1918) ›sozialen Roman‹ *Die Alten und die Jungen* (1889), Hermann

Conradis (1862–1890) ›psychologischen Roman‹ *Adam Mensch* (1889) und Wilhelm von Walloths (1856–1932) ›Künstlerroman‹ *Der Dämon des Neides* (1889) sowie deren Verleger Wilhelm Friedrich (1851–1925) wegen Unsittlichkeit und im Falle von Conradis Buch zusätzlich wegen Gotteslästerung geführte Prozeß ist als der »erste Prozeß gegen ein Erzeugnis der damals jüngstdeutschen Literatur«[32] in die Literaturgeschichtsschreibung eingegangen. Offensichtlich glaubte man, die von der jungen Generation getragene Kritik an der wilhelminischen Kultur in einem Schauprozeß aburteilen zu können. Conradis Broschüre *Wilhelm II. und die junge Generation* (1889) und Albertis Schrift *Was erwartet die deutsche Kunst von Kaiser Wilhelm II.?* (1888) hatten – nicht ohne Echo[33] – polemisch zu einer Liberalisierung und Emanzipation des kaiserlichen Kunstverständnisses aufgerufen, Alberti zudem »in Broschüren und Zeitungsartikeln den heftigsten Kampf gegen die Institution der Theaterzensur« geführt.[34] Exemplarisch werden im Prozeßverlauf von Autorenseite Möglichkeiten einer Öffentlichkeitssensibilisierung für die Interessen der Kunst entwickelt und umgesetzt. Das Rollenverhalten der Angeklagten – Alberti als Verteidiger seiner Kunst, Walloth als psychisch angegriffener Autor, Friedrich als Nichtwissender – zeigt drei mögliche Verteidigungstaktiken und deren unterschiedliche Erfolgschancen. Verschiedene Parameter fördern die Breitenwirkung: die fast ein Jahr dauernde Voruntersuchung, die verschiedenen Wohnorte der Angeklagten, der Tod Hermann Conradis noch vor Prozeßbeginn und die überregionale Berichterstattung.[35] Die literarische Moderne nutzt diese Konstellation, um den Leipziger Zensurstreit als Modell für zukünftige Zensurverfahren zu dokumentieren. Die nach Prozeßende kommentarlos in Michael Georg Conrads (1846–1927) *Gesellschaft* [→ 118 ff.], und als selbständige Broschüre unter dem Signaltitel *Der Realismus vor Gericht* publizierten Protokolle der Verhandlung[36] machen das während der Anklage erprobte Argumentationsspektrum publik und verbreiten das Repertoire rhetorischer und ideologischer Vorgehensweisen einer Rede gegen die Zensur.[37] Präsentiert werden dadurch nicht nur die von der Zensur formulierten kategorialen Verstöße, sondern auch die stets wiederkehrenden Rechtfertigungstopoi, wie die Berufung auf die ›Klassiker‹, die man wegen unsittlicher Stellen konsequenterweise ebenfalls verbieten müßte,[38] der Hinweis auf eine Relativierung von beanstandeten Stellen durch den jeweiligen Kontext, die Berufung auf ein elitäres, gebildetes Zielpublikum, die Behauptung, Aufgabe der Kunst sei eine verstehende Durchdringung der Realität, der Hinweis auf den persönlichen Charakter der Beurteilung durch den Staatsanwalt etc. Der Prozeß, so belegen die Protokolle, zeigte eine »überraschende Nichtvertrautheit des Gerichtshofes mit den alltäglichsten Geschäftsgewohnheiten des schriftstellerischen und verlegerischen Verkehrs« und demonstrierte die »Literaturfremdheit eines landläufigen Gerichtskollegiums«.[39] Die Inkriminierung von Textpassagen ist lediglich die Reaktion auf Reizworte politischer und religiöser Provenienz.

Die Rezeptionssteuerung des ›Realistenprozesses‹ durch die literarische Moderne versucht zu belegen, was frühzeitig lanciert, von der Tagespresse noch während der Verhandlung konstatiert, und vom Staatsanwalt als »absurd« bestritten wurde: der gesamte Prozeß soll beispielhaft »ein Angriff gegen den Realismus« sein.[40] Im Prozeßverlauf sind die Leitworte von der »Tendenz«[41] und der »Richtung, die sich die realistisch-naturalistische nennt«[42], die auffälligsten Bezugnahmen gegen eine vermeintlich sozialdemokratisch unterwanderte Opposition. Gleichzeitig mit der Aufhebung des Sozialistengesetzes wird durch die Zensur eine neue Vorgehenstaktik erprobt, die durch die staatliche Etikettierung einer ›modernen‹, als ›realistisch‹ apostrophierten, eigenständigen Bewegung, die intellektuelle Opposition erneut einzuschränken sucht. Den Angeklagten gelingt es jedoch, die politisch-ideologische Argumentation der Anklägerseite in eine poetologische Grundsatzdiskussion umzuleiten. Tatsächlich erwuchs die literarische Opposition ja aus einer Ablehnung gründerzeitlicher Kunstideale. Inhaltlich entwickelt sich im Prozeß folglich eine Auseinandersetzung um klassizistische und idealistische Kunstauffassungen einerseits, versus realistische und naturalistische auf der anderen Seite.[43] Die Befürchtung der Klägerseite, daß »wunde Punkte des sozialen Lebens«[44] aufgedeckt werden könnten und die von der Regierung propagierten idealistischen Werte – »das Edle, Reine, Schöne, Erhebende, Erquickende, Gemütvolle, Liebliche, Veredelnde und wie die Stichworte weiter lauten«,[45] – in Frage gestellt werden, um durch jene »sozialen Forderungen«,[46] von denen Alberti spricht, zur Opposition zu führen, dominiert die Anklage. Anstelle der Aburteilung einer Richtung[47] werden die Angeklagten jedoch »als Märtyrer der dichterischen Freiheit auf ein Piedestal« gestellt.[48] Die Rezeptionssteuerung durch die ›literarische Moderne‹ versäumt nicht den allgemeingültigen Status der strafgesetzlichen Verfolgung literarischer Werke als »Märtyrerthum«[49] für den Autor und die moderne Literatur zu vereinnahmen.

Noch 1892 polemisiert Karl Bleibtreu (1859–1928), aktuelles Geschehen und den Leipziger Prozeß verbindend, in der *Gesellschaft*:

> Es wird deshalb mit verschiedenem Maß gemessen, weil ein solches Urteil lediglich dem eigenen ästhetischen Maßstab der verschiedenen Gerichte und damit dem subjektiven Geschmack überlassen bleibt und keinerlei feste Norm dafür besteht. Man folgere daraus als Schlußmoral, daß die Jurisprudenz sich überhaupt nicht in litterarische Dinge zu mengen hat.[50]

Forciert wird eine andauernde Diskussion und Berichterstattung über Zensurverfahren in der Tagespresse und den Kulturzeitschriften: die verbotenen Titel werden in der Regel im *Deutschen Reichsanzeiger* veröffentlicht, das *Litterarische Echo* berichtet regelmäßig über Zensurverfahren, im *Kunstwart*, der *Gesellschaft*, der *Freien Bühne* [→ 121 f.] und anderswo finden sich Studien, Umfragen und Kommentare zur Zensur.

Nach dem Publikationsmuster des Realistenprozesses dokumentiert Oskar Blumenthal (1852–1917) den Zensurstreit um Hermann Sudermanns (1857–1928) Drama *Sodoms Ende* (1891).[51] Die Gegenüberstellung widersprüchlicher Verlautbarungen soll den unhaltbaren Versuch der »ästhetischen Erziehung des Volkes« durch den Staat belegen.[52] Blumenthal überliefert darin die zum geflügelten Wort gewordene Äußerung des Berliner Polizeipräsidenten von Richthofen: »Die janze Richtung paßt uns nicht!«, die durch die dialektgefärbte Wiedergabe die Sprache des literarischen Naturalismus andeutet und damit bereits eine abfällige Ironisierung des Verdikts durch den Überbringer markiert. Die staatliche Etikettierung der modernen Literatur als ›Richtung‹, die im Leipziger Realistenprozeß noch unausgesprochen blieb, wird hier offiziell formuliert. Die Einschränkung »dichterischer Redefreiheit« ist die Reaktion staatlicher Gewalt auf die Welle von Darstellungen sozialer Mißstände auf der Bühne. »Zwischen Autor und die Oeffentlichkeit schiebt sich ein Sicherheitskordon von Polizeiassessoren« beobachtet Blumenthal und versteht seine Öffentlichmachung der Vorgänge ironisch als »Beitrag zur polizeilichen Aesthetik«. »Jeder wird zugeben, daß eine Fortdauer solcher Zustände mit den Freiheitsbegriffen des neunzehnten Jahrhunderts nicht vereinigt werden kann«, resümiert er weiter. Maximilian Harden (1861–1927) übernahm es nach bereits erprobtem Muster, das Zensurverbot gegen Sudermann als »eine ausgemachte Sache«, die »den Naturalismus ausrotten« wolle, zu verurteilen.[53]

Alberti schreibt, Blumenthals Bemühungen zustimmend, nach dem Verbot für die öffentliche Aufführung von *Sodoms Ende* an Sudermann: »Wir Alle, welcher literarischen Richtung wir auch immer angehören, müssen zusammenhalten, sowie es sich um eine Beeinträchtigung der Interessen der Kunst durch die Macht der Bureaukratie handelt.«[54] Diese Parole klagt das »Recht auf öffentliches Gehör«[55] ein und belegt die gewachsene Phalanx der verfolgten Autoren, die, so verschiedene Poetikauffassungen sie auch vertraten, nicht nur existentiell, sondern auch in den Augen einer literarisch interessierten Öffentlichkeit, von der Reichszensur erneut in eine gemeinsame, jedoch keinesfalls politisch motivierte Opposition gedrängt werden.[56]

Die Folgen solcher, wie der hier vorgestellten prominenten »Zensurdramen«[57] führen zu einer Steigerung des Reklameeffektes. Hatten die Protagonisten der Avantgarde bislang pointiert auf Effekte hin geschrieben, so wird nun der bewußte Skandal *und* dessen mediale Vermarktung selbst zum Medium der Öffentlichkeitsbildung, wobei selbst die Reaktionen der Zensurbehörden mit einkalkuliert sind. Walloth hält in seinen Erinnerungen fest, daß Skandale die beste Werbung seien; heutzutage könnten Autoren den literarischen Markt nur durchdringen, wenn sie in politische oder sexuelle Affären verstrickt werden.[58] Die Zensur und die Reklame eines Zensurskandals müssen zu den genuinen Produktionsbedingungen literarischen Schaffens im Kaiserreich gezählt werden. Die ›Dramatisierung der Öffentlichkeit‹ wird zum dramaturgischen Prinzip bei der Durchsetzung eines Autors.

Das Scheitern der Neueinführung von Ausnahmegesetzen nach der Aufhebung des Sozialistengesetzes – ›Anarchistengesetz‹ (1893/94), ›Umsturzvorlage‹ (1894), ›Zuchthausvorlage‹ (1899) und ›Lex Heinze‹ (1892–1900) –, entwickelt eine eigene Dynamik der Stärkung der Opposition. Die Befürchtung der Regierung, daß die »moderne realistische Kunstrichtung der sozialistischen Arbeiterbewegung entspreche, insofern sie von einem sozialkritischen Hauche erfüllt sei«, wie Bruno Wille (1860–1928) dies 1892 ausspricht,[59] ist durch ein Urteil aus der Anfangsphase der Durchsetzung naturalistischer Literatur dokumentiert:

> In weit höherem Grade, als theoretische, sachlich nüchterne Erörterungen der schwebenden Fragen über die politische und soziale Stellung des vierten Standes dies jemals vermöchten, müssen unzweifelhaft die Verlesung, Besprechung oder gar die theatralische Aufführung von Dichterwerken, welche die ungerechte Behandlung, Ausbeutung oder Unterdrückung der Arbeiter seitens der Angehörigen des Bürger- oder Beamten-Standes poetisch schildern und welche somit unmittelbarer Phantasie und Leidenschaften erregen, als dazu geeignet erscheinen, um die sozialdemokratischen Anschauungen in den Kreisen der Arbeiterbevölkerung zu verbreiten und befestigen 〈...〉.[60]

Eine Gleichsetzung von Sozialdemokratie und literarischem Naturalismus oder gar ›literarischer Moderne‹ wäre jedoch verfehlt. Auch wenn die Freie Volksbühne Bruno Willes als Agitationsherd der Sozialdemokratie angesehen werden muß,[61], so belegt der an der »sozialkonservativen Grundeinstellung« Conrads gescheiterte Versuch der Modellübernahme um die Münchner *Gesellschaft für modernes Leben* den Zwang zur Differenzierung des Phänomens.[62]

Das von Wille konstatierte Hereinbrechen »der politischen Reaktion 〈...〉 in das Gebiet der Kunst«[63] wird besonders transparent an den Vorgängen um die Durchsetzung von Hauptmanns Schauspiel *Die Weber* (1892), als Folge des in der ›öffentlichen Meinung‹, vor allem durch Publikationen erzeugten moralischen Drucks.[64] Unter der idealistischen Prämisse, Theater sei eine ›moralische Anstalt‹

mit bildungsideologischem Anspruch, konnte die Dramatisierung des schlesischen Weberaufstandes vom Zensor nicht als naturalistische Studie, sondern mußte als sozialkritische Hetze gedeutet werden. Die Angst vor der Identifikation des Publikums mit den dramatis personae konnte unter den befürchteten »Möglichkeiten kontextualer und situationeller Bedeutungs- und Funktionszuweisungen«[65] nur in einer gezielten Aktion gegen die Sozialdemokratie münden. »Es steht zu befürchten«, so Berlins Polizeipräsident von Richthofen, daß die Aufführung und die zu erwartende enthusiastische Kritik »einen Anziehungspunkt für den zu Demonstrationen geneigten sozialdemokratischen Theil der Bevölkerung Berlins bieten würden.«[66] Erst die öffentliche Darbietung und Diskussion, so belegt die Einschätzung des Polizeipräsidenten, birgt ein staatsgefährdendes Potential; übersehen wird dabei allerdings, daß auch der Zensurakt zur Meinungsbildung führt. »Heute ist der Staat weniger darauf bedacht, die Bühnenkunst zu schützen, als vielmehr sich gegen die Bühnenkunst zu schützen«, wird Eugen Wolff 1902 feststellen.[67]

Der eigentliche Erfolg der literarischen Moderne steht ganz im Zeichen der Zensur. Das politische »Rührmichnichtan«,[68] von dem Otto Brahm (1856–1912) 1890 spricht, wird von den ›Modernen‹ aufgegriffen und thematisiert; das Sprechen über Zensur fordert zur Meinungsbildung in der Öffentlichkeit heraus.

Daß die Meinungen über »das Censurwesen trotz seiner Unsicherheit und Unzulänglichkeit«[69] das gesamte politisch-weltanschauliche Spektrum der Kulturschaffenden spiegeln, zeigt eine 1892 von der *Deutschen Revue* durchgeführte Umfrage: von der national-konservativen Befürwortung der Theaterzensur bis hin zur sozialdemokratischen Position ihrer Ablehnung – sie erblickt in der Zensur eine politische Kampfmaßnahme – reichen die Extreme.[70] Und auch 1900 kommt eine Rundfrage der Zeitschrift *Bühne und Welt* über den Sinn der Theaterzensur zu vergleichbaren Ergebnissen. Ernst Wiechert (1887–1950) spricht in seiner Antwort aus, was politisch offenkundig geworden ist: »Sich heute von einem objektiven Standpunkt aus über die Theater-Zensur zu äußern, hat große Schwierigkeiten. Es ist Parteisache geworden«.[71]

Die lokale Rechtssprechung der Zensur unterscheidet sich vor allem in den beiden literarischen Zentren des Kaiserreichs. Während es in Berlin angesichts der erstarkenden Sozialdemokratie an erster Stelle soziale Themen sind, die das Einschreiten des Zensors hervorrufen, so steht in München die Auseinandersetzung mit Kirche, Religion und Sexualität im Vordergrund. Prominentestes Beispiel klerikaler Provokation ist dort der Zensurstreit um Oskar Panizzas (1853–1921) Drama *Das Liebeskonzil* (1894);[72] selbst das Kabarett der Elf Scharfrichter [→ 282 ff.] hatte vor allem Beanstandungen wegen sittlicher Normverletzungen zu erdulden.[73] Die vergleichsweise strengeren Münchner Zensurentscheidungen – in Berlin kam es gelegentlich zur Aufhebung der Entscheidungen des Polizeipräsidiums durch das Oberverwaltungsgericht[74] – sind auf die konfessionspolitischen Spannungen zwischen der in liberaler Tradition stehenden Regierung und der Opposition des konservativ-katholischen Zentrums mit seiner Landtagsmehrheit zurückzuführen. »Die Münchner Moderne«, so die Schlußfolgerung, »deutet während der neunziger Jahre ihren Kampf gegen die Zensur als Modell für den Sieg des liberalen Kulturstaates.«[75]

Ein seit Anfang der 1890er Jahre betriebener Versuch, eine einheitlichen Grundlage für Zensurmaßnahmen zu schaffen, wendet sich vor allem gegen die erotische Befreiung [→ 257 ff.], weniger gegen sozialpolitische Agitationen.[76] Auf Erlaß Wilhelms II. war nach dem Prozeß gegen den Zuhälter Heinze im Jahre 1891 ein Novellenentwurf zum Strafgesetzbuch entstanden, der zur Änderung der §§ 180–184 (Kuppelei, Prostitution, Pornographie) führen sollte. Die Vorlage sah im § 184a auch eine Bestrafung der Darstellung des Nackten vor. Moralische Kriterien wurden damit über ästhetische gestellt; sinngemäß sollte die Vorlage auch auf belletristisches und wissenschaftliches Schriftgut ausgedehnt werden und stieß damit auf Widerstand. Erst nach einer geschickten Obstruktionstaktik der parlamentarischen Gesetzesgegner beschließt der Seniorenkonvent des Reichstages schließlich am 22. Mai 1900, die Lex Heinze aufzugeben und einen neuen Gesetzesentwurf, der auf eine Jugendschutzbestimmung reduziert bleiben wird, vorzulegen.[77]

Die Kampagne gegen die Lex Heinze[78] findet ihren Höhepunkt, als im Jahr 1900 Protestkundgebungen mit mehreren tausend Teilnehmern gegen die Gesetzesnovellierung stattfinden. In München hatte ein Plakat an »die Pflicht all derer« appelliert, »die sich zur Wahrung unserer großen Kulturaufgaben berufen fühlen«. »Die Lex Heinze«, so konnte man lesen, »bedroht das gesamte deutsche Geistesleben und vor allem die Kunstpflege mit der empfindlichsten Schädigung.«[79] In der Münchner Protestversammlung wird folgende Resolution einstimmig verabschiedet:

> Die lex Heinze ist verwerflich: weil sie die Kunst und das Schriftthum mit Faustschlägen und Fußangeln bedroht, indem sie die dem künstlerischen Schaffen unerläßlichen Voraussetzungen – Freiheit und Freudigkeit nimmt, weil sie geeignet ist, das auf seine Mündigkeit stolze deutsche Volk vor sich selbst und vor dem Auslande, wo derartige Attentate auf die geistige Freiheit unbekannt sind, in der empfindlichsten Weise zu demüthigen, weil durch mehrere Bestimmungen des Gesetzesentwurfes die geheime Unsittlichkeit gefördert und die Rechtspflege zum Büttel einer reaktionären, lichtscheuen, heimtückschen Parteipolitik herabgewürdigt wird 〈...〉.[80]

Die Kunstideologie wird gegen den ›Kunstparagraphen‹ ausgespielt. Zentrales Anliegen ist es »die sittlich freie, unabhängige Persönlichkeit im Künstler und Dichter« zu wahren.[81] Auf Anregung Max Halbes (1865–1944) entsteht aus der Münchner Kampagne heraus der sogenannte ›Goethebund‹,[82] der als kulturpolitisches Agitationsinstrument der Liberalen eine Gegenöffentlichkeit organisiert und eine parteiübergreifende Opposition schafft. Die Statuten des Goethebundes sehen vor, »die Freiheit der Kunst und Wissenschaft im Deutschen Reich gegen Angriffe jeder Art zu schützen.«[83] Sie halten weiter fest:

> § 2: Die Erreichung des Vereinszweckes soll durch alle gesetzlich zulässigen Mittel angestrebt werden, insbesondere durch öffentliche Bekämpfung der vorkommenden Angriffe auf die Freiheit der Kunst und Wissenschaft (in Volksversammlungen u. s. w.), durch Publikationen, durch Organisation von Rechtsschutz, durch Petitionen, durch Maßnahmen gegen gesetzgeberische, richterliche oder verwaltungsrechtliche Angriffe auf die Freiheit der Kunst und Wissenschaft, durch Anregung zur Gründung ähnlicher Vereine in anderen Städten u. s. w.

Bei der Namenswahl beruft sich der Bund auf den jungen Goethe und unterstreicht so seine kämpferische Haltung.[84] Zeitgleich organisiert in Berlin Hermann Sudermann eine entsprechende Versammlung;[85] bis Juni 1900 hatten sich in elf deutschen Städten *Goethebünde* organisiert.

Beachtenswert ist die Parallele zwischen Wissenschaft und Kunst, die in die Konstituierung eines oppositionellen Kunstbegriffes miteinbezogen wird. Ferdinand Avenarius (1856–1923) hatte bereits 1897 im *Kunstwart* gefordert: »Wie wir eine Freiheit der Forschung im Vertrauen auf die Selbstkorrekturen der Wissenschaft staatlich anerkannt haben, so brauchen wir eine klare Anerkennung der Freiheit der Kunst.«[86] Die Fixierung auf den Begriff der ›Freiheit‹, der steter Angelpunkt in den Argumentationsmustern der ›Modernen‹ ist, verweist auf den idealistischen Begriff einer Souveränität der Künste, wie ihn das 19. Jahrhundert kennt. Die ›Moderne um 1900‹ muß in diesem Sinne als Inszenierung einer Avantgardekultur erscheinen, deren ästhetisch-ideologische Programmatik den Rollenmodellen der Romantik verpflichtet ist.

Die Voraussetzungen eines öffentlichen Problembewußtseins ermöglichen es den Autoren, die Zensur als poetologische Kategorie zu verwenden. Es kultiviert sich das an den Erfahrungen des Jungen Deutschland orientierte Schreibprogramm einer Wirkungsstrategie von auf die Zensur hin kalkulierten Effekten. Gleichzeitig findet eine Literarisierung des Themas Zensur statt. Thomas Manns (1875–1955) Erzählung *Gladius Dei* etwa problematisiert 1902 die gängigen Versatzstücke der zeitgenössischen Münchner Zensurdiskussion und wird, mit der Schilderung der sinnenfeindlichen Verfolgung von Kunst in der historisch genauen Konstellation der ›Kunststadt München‹ zur Parabel auf die kulturpolitischen Zustände.[87] Noch Lion Feuchtwangers (1884–1958) Münchenroman *Erfolg* (1930) gibt sich als ›Zensurroman‹. Die kunstfeindliche Mentalität derer, die den gesellschaftlichen Bereich beherrschen, ist hier zum zitierbaren Mythos geworden und kann dramaturgisch verwertet werden.

Seit Beginn der 1880er Jahre war die Frage nach einer qualifizierten Kontrollinstanz diskutiert worden. »Künstlerische, nicht polizeiliche Zensur!«, war dabei die Forderung.[88] Doch lediglich in München kommt es 1908 zur Gründung eines ständigen Zensurbeirats bei der Polizeidirektion, die damit auf die anhaltende Kritik über Zensurentscheidungen reagiert. Ein Sachverständigenrat, dessen Mitglieder verschiedenen gesellschaftlichen Bereichen angehören, soll durch gutachterliche Stellungnahmen die Legitimität der Zensur untermauern.[89] Auch wenn die bis 1918 bestehende Einrichtung nur eine beratende Funktion ausübt, sind nun Schriftsteller (u. a Conrad, Halbe, Thomas Mann, Josef Ruederer (1861–1915)) in den Zensurprozess eingebunden; diese wiederum erhoffen sich Einflußmöglichkeiten auf die Zensur. Das angestrebte Modell einer transparenteren Öffentlichkeitsspiegelung im Kommunikationsprozeß zwischen Zensurbehörde und Gutachtern des öffentlichen Lebens, vor allem durch die Berichterstattung der Tagespresse vermittelt, erwies sich unter dieser Prämisse jedoch als nicht funktionsfähig; der Beirat blieb umstritten.[90] Vielmehr offerierte es den von Verboten betroffenen Autoren die Möglichkeit zu persönlichen Angriffen gegen die Repräsentanten der Öffentlichkeit.

Besonders das Verhältnis Wedekinds zur Zensur ist immer wieder Vorlage für exemplarische Darstellungen der Zensur gewesen. Doch die literaturgeschichtliche Nacherzählung von *Simplicissimus*-Affäre [→ 278 f.] und den Prozessen um die einzelnen Dramen Wedekinds[91] kann den Erkenntnishorizont um ein kommunikatives Wechselverhältnis zwischen Autor und Zensur kaum erhellen. Wedekinds Œuvre ist seit dem Urerlebnis der Nicht-Publizierbarkeit seiner *Büchse der Pandora* in der Urfassung (1894)[92] durch ein perverses Verhältnis zur Zensur bestimmt. Die Reflexion darüber gehört zu den konstitutiven Produktionsbedingungen seines Werkes, die bis zur facettenreichen Mythisierung der eigenen Person als ›Märtyrer‹, als ›Bürgerschreck‹, als ›Erotomane‹, als ›Einzelgänger‹ etc. führt.[93] Die Annahme und konsequente Weiterführung dieser Rollenbilder des Normen- und Sittenverstoßes mit der bewußten Anreicherung vermeintlich autobiographischer Reminiszenzen ist nichts anderes als eine individuelle Ausdifferenzierung des Reklameprinzips. Wedekind, der als »der am stärksten von der Zensur verfolgte Dramatiker« des Kaiserreichs zu gelten hat,[94] erhebt damit seine individuelle Normabweichung zum poetologischen Prinzip. Die Ausdifferenzierung eines Poetikkonzeptes in der Werklinie Wedekinds manifestiert sich in einem breiten Spektrum von fünf Grundtypen eines kommunikativen Wechselverhältnisses zwischen

Zensuraufsicht und künstlerischer Indiviualität. Zunächst wäre ein (1) kommentierendes Verfahren der Erklärung und Rechtfertigung einzelner inkriminierter Texte in Vorworten, Prologen, Selbstdeutungen und persönlichen Äußerungen anzuführen. Bekannt geworden ist das umfangreiche Vorwort zur vierten Auflage der *Büchse der Pandora* von 1906, welches das Modell der Wiedergabe von Urteilssprüchen aufgreift und diese textbezogen auslegt. Damit in direktem Zusammenhang steht der zweite Typ, die (2) kulturgeschichtliche Relativierung zentraler Begriffe des Normenverstoßes aus den Bereichen der Sexualität, der Scham, der Moral, der Religion und der Sittlichkeit. Die auf dem Vortragstext *Aufklärungen* basierende Einleitung zu Wedekinds Erzählband *Feuerwerk* (1906) etwa bedient sich dieses Verfahrens.[95] Wedekind spitzt die Ungenauigkeit der Begriffe gerne bis zu paradoxen Sachverhalten zu; zur Verteidigung seiner Dramen äußert er sich 1912:

> Als Grund des Verbotes wird dem ahnungslosen Publikum Gefährdung der Sittlichkeit vorgespiegelt und aufgebunden. Wären die Stücke in Wirklichkeit unsittlich, behandelten sie ihre Stoffe leichtfertig, spielerisch, mit dem einzigen Zweck, billige Witze daraus zu gewinnen, dann würden sie mit derselben Bereitwilligkeit freigegeben, wie zahlreiche Operetten und französische Schwänke. Der wirkliche Grund des Verbotes ist in allen Fällen immer der künstlerische und sittliche Ernst, mit dem der Verfasser sein Problem ausarbeitet.[96]

Die solcherart immer wieder behauptete Normenkonvergenz seines Schaffens mit den gesellschaftlichen Vorgaben provoziert zur Stellungnahme der Gegenseite. Damit wäre ein Beispiel für den dritten Typ des Dialoges mit dem Zensurapparat gegeben: die (3) Wortmeldungen in öffentlichen Foren, Publizität durch Berichterstattung, Interviews und Kritik. Wedekind gilt in der Kritik von Anbeginn als umstrittener Autor, bereits das frühe Eintreten für sein Werk durch Freunde wie Panizza, Richard Dehmel (1863–1920) und Karl Henckell (1864–1929)[97] findet Gegenpositionen auch im Kreis der ›Modernen‹.[98] Viertens ist die (4) direkte Ansprache der zensierenden Instanz zu nennen. Gerade die Schaffung des Münchener Zensurbeirates begünstigt dies. *Die Sieben Fragen an den Münchener Zensurbeirat*,[99] die Wedekind 1911 öffentlich stellt, fassen die zentralen Agressionspunkte zusammen: die Frage nach der Verbindlichkeit der Normkategorien, die Diskriminierung eines »Kollegen oder gar Konkurrenten«, die Zensur als »Inquisitionsprinzip«, die Frage nach dem Grund der Absenz Wedekinds im Zensurbeirat, die Einseitigkeit des »Verhältnisses vom Gutachter zum Begutachter« und die Aufforderung, öffentlich die Verantwortung für gefällte Urteile zu übernehmen. Dieses Argumentationsspektrum findet auch bei Wedekind seine Zusammenführung in der (5) Literarisierung der Zensurthematik. In den Nachlaßnotizen Wedekinds wird diese bewußte Rezeptionsstrategie bestätigt: »Es ist kein Zufall sondern eher ein Zeichen der zeitgenössischen Literatur, daß sich der Dramatiker veranlaßt sieht, seinem Werk einen Vermittlungs- oder Vertheidigungs-Einakter hinzuzufügen.«[100]

Wedekinds Metadrama *Die Zensur. Theodizze in einem Akt* (1908), als ›Vermittlungs-Einakter‹ zur *Büchse der Pandora* konzipiert, beschreibt Zensur als gesellschaftliche Sicherung fester Normen und betreibt die Demontage des etablierten Kunstbegriffs.[101] Resultat ist eine Verrückung der Verantwortung einer regulativen Zensurgewalt von der Staatsmacht auf das Publikum. Diesem jedoch, so demonstriert Wedekind, wird unter staatlicher Regie lediglich die Rolle einer manipulierten Öffentlichkeit zugewiesen. Was die Kulturpolitik des Wilhelminischen Kaiserreichs letzlich betreibe, so vermerkt Wedekind in seinem Notizbuch 1909, sei die »Fälschung und Vergiftung der Öffentlichen Meinung.«[102] Dies ist eine Stoßrichtung, an der die sich als Schüler und Nachfolger Wedekinds verstehende Generation der Expressionisten, aber auch Autoren des Wedekindkreises – wie Erich Mühsam (1878–1934), der öffentliche Versammlungen zur Diskussion der Zensurfrage organisiert, Heinrich Lautensack, (1881–1919), der beständig einen »Weg zur Ueberwindung des Zensors«[103] sucht, Carl Sternheim (1878–1942) oder Herbert Eulenberg (1876–1949) – orientieren.[104]

Das Nachwirken der wilhelminischen Zensur freilich ist bis heute in einer von sittlich-moralischen Normen beeinflußten »Zensurphilologie«[105] bemerkbar.

Walter Fähnders

Anarchismus und Literatur

I. Literatur und anarchistische Bewegung

In Deutschland spielte der Anarchismus nie eine größere Rolle – anders als in romanischen Ländern wie Frankreich, Spanien oder Italien, aber auch in Rußland, wo anarchistische und syndikalistische Strömungen die Arbeiterbewegung nachhaltig beeinflußten und wo militante Anarchisten im ausgehenden 19. Jahrhundert durch Attentats-Serien gegen die gekrönten Häupter von sich reden machten. Die deutsche Arbeiterbewegung vor dem 1. Weltkrieg war zunächst lassalleanisch, dann (ihrem Anspruch nach) marxistisch geprägt. Sie ließ in Theorie und Praxis wenig Raum für ein antistaatliches Denken, das den Anarchismus von Anbeginn an konstituierte und von dem aus sich seine antiautoritären, föderalistischen, organisationskritischen, in jeder Hinsicht ›libertären‹ Auffassungen bestimmen. Obwohl Anarchismus und Kommunismus in der Utopie einer Gesellschaft ›ohne Herrschaft‹ übereinstimmten, wie die Auseinandersetzungen zwischen Karl Marx und Michail Bakunin in der 1. Internationale trotz gravierender Differenzen gezeigt hatten, bedeutete deren Ende 1872 das definitive Schisma zwischen Marxismus und Anarchismus. Die 1889 gegründete 2. Internationale stand im Zeichen eines marxistisch geprägten Sozialismus, der anarchistische Positionen auschloß.

Aufgrund seiner marginalen politischen Rolle in der Wilhelminischen Ära hat sich auch im kulturellen Bereich der Anarchismus nur wenig entwickelt, zieht man den Vergleich zu den einschlägigen literarischen Bestrebungen der Sozialdemokratie mit ihren parteieigenen Verlagen, ihrer Presse und den eigenständigen Kulturinstitutionen (z.B. im Theaterbereich die *Freie Volksbühne*), die den organisatorischen Rahmen für eine reicher entfaltete Arbeiterliteratur und -kultur abgaben und Foren für die einschlägigen Theoriedebatten über ›Kunst und Proletariat‹, das ›bürgerliche Erbe‹ und anderes mehr boten.

Angesichts dieser Schwäche war der Anarchismus auf die agitatorische und propagandistische Wirkung seiner Publikationen, der Presse zumal, angewiesen, der auch aufgrund des programmatisch geringen Organisationsgrades eine zentrale Rolle zukam: als »Zeitungsparteien«[1] bildeten die Periodika Kernzellen anarchistischer Organisationen. Soweit sie sich mit Literatur und Kunst befaßten, gestatten die anarchistischen Organe Rückschlüsse auf das, was man mit Literatur im Sinn hatte. Wenn es dubios ist, angesichts der sporadischen Marxschen Äußerungen zu Kunst und Literatur von einer ›marxistischen Ästhetik‹ zu sprechen, so gilt dies erst recht für ein Konstrukt ›anarchistische Ästhetik‹.[2] Sie kann es per se nicht geben, weil es dem anarchistischen Anspruch zuwiderlaufen würde, ein geschlossenes System der Kunst zu entwerfen – was nicht heißt, daß sich in der politisch-ideologisch heterogenen anarchistischen Bewegung nicht markante Trends festmachen ließen. Das gilt für die (in der Forschung noch längst nicht ausgewertete) anarchistische Presse,[3] aber auch für einschlägige Einzelpublikationen von Gustav Landauer, John Henry Mackay und Erich Mühsam – den bedeutendsten literarischen Köpfen des deutschen Vorkriegs-Anarchismus.

1. *Gustav Landauer und* Der Sozialist

In dem Schriftsteller, Journalisten, Übersetzer, Editor, Vortragsredner und Volksbeauftragten der Münchner Räterepublik Gustav Landauer (1870–1919) besaß der Anarchismus einen seiner originellsten Vertreter. Landauer, einer jüdischen Kaufmannsfamilie entstammend, hatte nach dem Abbruch seines Studiums maßgeblichen Anteil an der Profilierung der anarchistischen Bewegung. Nach dem Fall des Sozialistengesetzes 1890 [→ 394 f.] gehörte er zur ›linken‹ Opposition der ›Jungen‹ oder ›Unabhängigen‹, jener »Literaten- und Studenten-Revolte« (Friedrich Engels), die sich u. a. aus Schriftstellern des Naturalismus (darunter führend Paul Ernst und Bruno Wille) rekrutierte und die sich gegen reformerisch-zentralistische, etatistische Orientierungen der Sozialdemokratie wandte. Nach dem Ausschluß der ›Unabhängigen‹ aus der SPD übernahm Landauer 1893 deren Organ, den *Sozialist*, den er binnen kurzem, nun mit dem programmatischen Untertitel »Organ aller Revolutionäre«, zur ersten in Deutschland verlegten anarchistischen Zeitschrift umwandelte. Bis zum Ende der Zeitschrift 1899 ihr Redakteur, suchte Landauer den Kreis um den immer wieder verbotenen *Sozialist* für seine aktivistischen, strikt anti-marxistischen, jedem Geschichtsdeterminismus abholden Positionen eines Austrittes aus Staat und Kapitalismus zu gewinnen. Dem sollten u. a. genossenschaftliche und autonome Zusammenschlüsse dienen, eine wirtschaftliche Selbsthilfe, zu der Landauer, auf unmittelbares *Beginnen* (wie ein 1919 von Martin Buber (1878–1965) edierter postumer Schriftenband hieß) pochend, aufrief. Seine sichtlich voluntaristischen Prämissen formulierte er dann 1911 in einer seiner Hauptschriften, dem *Aufruf zum Sozialismus*, in dem er seinen (als »Sozialismus« bezeichneten) Anarchismus definierte als »ein Bestreben, mit Hilfe eines Ideals eine neue Wirklichkeit zu schaffen«. Ein derartiger »Sozialismus«, so Landauers Grundthese, sei »zu allen Zeiten und bei jeder Technik möglich«, und er »*kann* kommen und *soll* kommen – wenn wir ihn wollen«.[4]

Dieser messianische Geistes-Sozialismus oder Anarchismus des Geistes setzte auch auf Kunst und Künstler. Zeit seines Lebens wurde Landauer, der neben Pjotr Alexejewitsch Kropotkin und Pierre Joseph Proudhon u. a. Octave Mirbeau, Walt Whitman, Oscar Wilde (diesen gemeinsam mit seiner zweiten Frau, der Lyrikerin und Übersetzerin Hedwig Lachmann (1865–1918)) und die mystischen Schriften von Meister Eckart übersetzt hat, nicht müde, im Dichter und Künstler den Garanten eines unzerstörbaren ›Geistes‹ zu sehen. Das galt zunächst im politisch offensiven Sinne eines Emile Zola, dessen Rolle in der Dreyfus-Affäre für Landauer Vorbildcharakter gewann und sein aktivistisches Dichterbild bestätigte. Landauer sah im Dichter den Vorreiter und Seher der zu befreienden Menschheit, dessen Mission manches vom Sendungsbewußtsein expressionistischer Künstler aufweist, auch wenn er zur ›historischen Avantgarde‹ von Futurismus [→ 470 ff.] oder Dadaismus keinerlei Zugang hatte. »Der Dichter«, schrieb er, ist der Führer im Chor, er ist aber auch – wie der Solotenor, der in der Neunten ⟨sc. Symphonie von Beethoven⟩ über die einheitlich rufenden Chormassen hinweg unerbittlichen Schwunges seine eigene Weise singt – der herrlich Isolierte, der sich gegen die Menge behauptet. Er ist der ewige Empörer. In der Revolutionszeit kann er der Vorderste sein, so sehr der Vorderste, daß er der erste ist, der wieder auf die Erhaltung, des neu Errungenen wie des ewig Bleibenden drängt.[5]

Darüber hinaus waren es Sprachkrise und -skepsis des Fin de siècle, besonders die Sprachkritik seines Mentors, Freundes und Briefpartners Fritz Mauthner (1849–1923),[6] die seine dem Idealismus verpflichtete Kunstauffassung mit bestimmten und ihm, so in *Skepsis und Mystik* (1903), den Blick für das dichterische Wort mit seinen sprachmagischen Möglichkeiten jenseits von Begrifflichkeit und Rationalismus öffneten. Landauers – nicht regressiv zu verstehendes – Interesse an vorindustriellen Gesellschafts- und Gemeinschaftsstrukturen (Mystik, Reformation) kam dem entgegen.

Sein Literaturprogramm suchte er in Rezensionen, durch seine Mitwirkung an der (1892 von der sozialdemokratischen *Freien Volksbühne* sezessionierten) *Neuen Freien Volksbühne*, durch Vorträge, durch Einzelstudien, zu Friedrich Hölderlin, Leo Tolstoj, August Strindberg, Hugo von Hofmannsthal, Georg Kaiser u. a., zu verwirklichen. Die Differenz zur sozialistischen Literaturpolitik liegt auf der Hand: Landauer folgte keinem geschichtsphilosophischen Konzept wie der bedeutendste marxistische Kritiker seiner Zeit, Franz Mehring (1846–1919) [→ 44 ff.], der den aufsteigenden Klassen – im 18. Jahrhundert das ›fortschrittliche‹ Bürgertum – eine ›fortschrittliche‹ Literatur zuordnete, die es durch die Arbeiterbewegung zu beerben galt, und der vice versa in der Bourgeoisie nur mehr Niedergang und ›Décadence‹ zu erkennen vermochte. Für Landauer gewann Literatur – große Literatur, nicht die ›Tendenzliteratur‹ der sozialen Bewegung – kraft ihres Kunstcharakters eine soziale Funktion für die anarchistischen Ziele. »Die Konsequenz der Dichtung ist Revolution, die Revolution, die Aufbau und Regeneration ist.«[7]

Bereits den *Sozialist* leitete Landauer während der neunziger Jahre in diesem Sinne; er richtete 1895 eine *Litterarische Beilage* ein, die beitragen sollte, das Dunkel zu erhellen, dem Freien und Schönen zum Sieg zu verhelfen, das Häßliche und Gemeine zu vernichten und die Anmaßung der Dummheit und Unterdrückungssucht zu stürzen!

Landauer druckte Texte der bürgerlichen Hochliteratur, u. a. Heinrich von Kleist, Wilhelm Heinse, Teile aus den *Nachtwachen* von Bonaventura, um die »Geistes- und Seelenverfassung der Massen« zu heben: »wir brauchen nicht bloß eine bessere Gesellschaftsordnung – wir brauchen auch bessere Menschen«.[8] Zwar druckte der *Sozialist* auch zeitgenössische sozialrevolutionäre Autoren wie Wille und Mackay und politische Gedichte; eine Literatur mit agitatorischer Absicht, die militante Anarchisten ebenso wie die sozialistischen Verfechter einer ›Tendenzkunst‹ favorisierten, lag ihm aber fern.

Demgegenüber stand seine literarische Produktion zurück; sein (neben der Erzählungssammlung *Macht und Mächte*, 1903) einziger Roman, *Der Todesprediger* (1893), dessen Titel auf Friedrich Nietzsches *Zarathustra* verweist, stammte aus der Übergangsphase zum Anarchismus. Der ohne größere Resonanz gebliebene Roman streift die Anarchismus-Thematik durch den Abdruck der Verteidigungsrede des Attentäters François-Claudius Ravachol. Im Zentrum steht ein dem Naturalismus geläufiges Sujet: der Ausstieg eines ›Übergangsmenschen‹ aus der Gesellschaft. Landauer läßt seinen Protagonisten von Nihilismus und drohendem Suizid schließlich Abstand nehmen durch eine erfüllte Liebesbeziehung.

Landauers intellektueller Anarchismus stieß im proletarischen Leserkreis des *Sozialist* und der sich gegen Ende des Jahrhunderts abflachenden revolutionären Bewegung auf Kritik. Der von Arbeitern getragene deutsche Anarchismus formierte sich neu um die Wochenschrift *Neues Leben* (1897–1903) und dem später daraus hervorgegangenen *Freien Arbeiter* (1904–1932). Landauer löste seine Bindungen zum Arbeiteranarchismus – zugleich eine Lebenszäsur – und projektierte Zellenbildungen jenseits des organisierten Anarchismus. So engagierte er sich in der ›Neuen Gemeinschaft‹ Heinrich und Julius Harts (1855–1906 bzw. 1859–1930), jener 1900 gegründeten Künstlerkommune, der er die Bekanntschaft mit Buber und Mühsam verdankte und der er ein anarchistisches Profil zu verleihen suchte. In einer Programmrede resümierte er seine politischen Erfahrungen:

> Ungeheuerlich und fast unaussprechbar groß ist der Abstand geworden, der uns, die wir uns selbst als die Vorhut fühlen, von der übrigen Menschheit trennt. ⟨...⟩ Nun sind wir, die ins Volk gegangen waren, von unserer Wanderung zurückgekehrt. Einige sind uns unterwegs verloren gegangen, bei einer Partei oder bei der Verzweiflung.

Hier prägte Landauer die Parole:

> Durch Absonderung zur Gemeinschaft – das will sagen: Setzen wir unser Ganzes ein, um als Ganze zu leben. Fort von der Oberfläche der autoritären Gemeinheitsgesellschaft ⟨sic⟩; aus der Tiefe der Weltgemeinschaft heraus, die wir selber sind, wollen wir die Menschengemeinschaft schaffen, die wir uns selbst und aller Welt schuldig sind. Dieser Zuruf ergeht an alle, die ihn verstehen.[9]

Mit der Einrichtung eines *Sozialistischen Bundes* 1908 und der Neugründung des *Sozialist* (1909–1915) ging Landauer in die anarchistische Offensive. Sein Anhang rekrutierte sich nun vorrangig aus der antiwilhelminischen Intelligenz und der Boheme [→ 257 ff.], die, wie in Berlin und München (wo Oskar Maria Graf, Franz Jung und Mühsam zur Ortsgruppe des *Bundes* gehörten), im Banne des Expressionismus stand. Seiner Isolation während des Weltkrieges, in die ihn sein strikt pazifistischer Kurs geführt hatte, suchte er durch Vortragsreihen über Literatur, auf deren bildende Kraft er nach wie vor setzte, zu durchbrechen, so durch einen *Shakespeare-Zyklus* (erschienen postum 1920). Im Gefolge der Novemberrevolution rief ihn Kurt Eisner 1918 als Volksbeauftragten für Kultur nach München; bei der Niederschlagung der Räterepublik wurde Landauer gefangen genommen und im Gefängnis Stadelheim ermordet.

2. *John Henry Mackay und der ›Individualanarchismus‹*

Den in Schottland geborenen, in Deutschland aufgewachsenen John Henry Mackay (1864–1933) bezeichneten die Zeitgenossen als »ersten Sänger der Anarchie«. In der Tat fand Mackay nach naturalistischen Anfängen mit seinen frühen sozialrevolutionären Gedichten (*Sturm*, 1888) erstaunliche Resonanz. Seine oft pathetische Gedankenlyrik, die ihre Bilder und Metaphern aus der Vormärzlyrik bezog, suchte grundsätzliche Einsichten über Staat, Freiheit, Atheismus, Kosmopolitismus, Freie Liebe, Anarchie und über Max Stirner und dessen Lehre zu vermitteln. Dabei waren es allgemeinrevolutionäre Themen und Botschaften, die Mackay bei sozialistischen wie anarchistischen Lesern Anerkennung finden ließen – so das einprägsame »Ihr könnt das Wort verbieten –/Ihr tötet nicht den Geist« oder die gern zitierte Anarchismus-Bestimmung »ich will/Nicht herrschen, aber auch beherrscht nicht werden« aus dem Gedicht Anarchie.[10] Mit seiner Wende zu Max Stirner beschränkte sich Mackays politische Lyrik auf die feierliche Verkündung von dessen Lehre.

Stirner und sein dem Linkshegelianismus verpflichtetes Hauptwerk *Der Einzige und sein Eigentum* (1844) entdeckte Mackay 1888/89, und ihn propagierte er bis zu seinem Lebensende unermüdlich als authentischen Vertreter jenes ›Individualanarchismus‹, dessen extreme Subjektivität und dessen programmatischer Egoismus ein durch nichts eingeschränktes Leben jenseits intersubjektiver Bindungen oder kollektiver Übereinkünfte zu garantieren schien. Sich selbst stilisierte der zurückgezogen lebende, von Arno Holz (1863–1929) in seiner Komödie *Socialaristokraten* (1896) in der Figur des Bellermann karikierte Mackay zum ›Einzigen‹, zum legitimen Stirner-Jünger.

Allerdings hatte Mackay mit dem Pochen auf eine individualistische Variante des Anarchismus (gegen den kollektivistisch-kommunistischen, an Bakunin bzw. Kropotkin orientierten Anarchismus) den Nerv vieler oppositioneller Intellektueller seiner Zeit, der ›Friedrichshagener‹ zumal, getroffen. Tatsächlich gingen mit Stirner (über den Landauer 1892 Vorträge im Kreise der ›Unabhängigen‹ hielt) und mit Nietzsche [→ 192 ff.] zu Beginn der neunziger Jahre den Intellektuellen neue Fixsterne auf, die nach den kollektiven Orientierungen an der sozialistischen Bewegung und vielen hieraus resultierenden Enttäuschungen nun neue Identitäten verhießen.

Mackays erfolgreicher Roman *Die Anarchisten.* »Kulturgemälde aus dem Ende des XIX. Jahrhunderts« (1891) [(1H,VI] bietet ein Panorama politischer Programmatik und bezeugt seine Nähe zum Naturalismus [→ 109 ff.], dem er auch in seiner übrigen Prosa verpflichtet blieb. Diese hat keine dezidiert politische Thematik, ebensowenig wie das Gros seiner (u. a. von Richard Strauß und Arnold Schönberg vertonten) Gedichte – an der traditionellen Trennung zwischen Literatur und Politik, zwischen politischer und ›eigentlicher‹ Dichtung hält Mackay, wie andere Anarchisten auch, fest. So erweist er sich, der 1911 eine achtbändige Ausgabe seiner *Gesammelten Werke* veranstaltete, durch seine anarchistische Lyrik, seinen Roman (dem er 1920, ohne Resonanz, eine Fortsetzung, *Der Freiheitssucher*, folgen ließ), schließlich durch seine biographischen und editorischen Bemühungen um Max Stirner (Biographie 1898, Ausgaben 1898 und 1911) als Vertreter eines Individual- und Intellektuellenanarchismus, der während der neunziger Jahre Konjunktur hatte, vom Gros der anarchistischen Bewegung aber isoliert blieb und nach der Jahrhundertwende kaum mehr auf Resonanz stieß. Festzuhalten bleibt, daß Mackay mit *Der Schwimmer* (1901) einen der ersten deutschen Sportromane geschrieben hat. Wie andere Anarchisten beteiligte er sich mit seinen unter dem Pseudonym Sagitta publizierten Schriften am publizistischen und literarischen Kampf gegen die Unterdrückung der Homosexuellen im Kaiserreich und in der Weimarer Republik.[11]

3. *Erich Mühsam und die Boheme*

Die ›Neue Gemeinschaft‹, die Kommune auf dem Monte Verità bei Ascona, die Bohemezirkel in München [→ 285 f.] und Berlin bildeten vor dem Weltkrieg markante Aussteiger- und Gegengesellschaften en miniature, die von Künstlern, Literaten und Intellektuellen getragen wurden und an denen Anarchisten einen nicht geringen Anteil nahmen. Zwischen Boheme und Anarchismus bestehen sichtlich Affinitäten, die Julius Bab (1880–1955) in seiner Analyse der Berliner Boheme 1904 zu der Bemerkung veranlaßte, »daß die Boheme mit dem beginnenden Einfluß der anarchistischen Lehre in das Stadium der Selbsterkenntnis getreten« sei und daß die »Gesinnung« des Bohemien »wohl das negative Element des Anarchismus (den Protest gegen den ›Staat‹)« enthalte, aber: »als die Quintessenz eines Individualismus erstrebt sie nicht nur die Lockerung des staatlichen, sondern jedes sozialen Bandes.«[12] Diese bohemische ›Asozialität‹ berührte sich mit dem anarchistischen Interesse an Randgruppen, jenem ›Lumpenproletariat‹, dem Bakunin, in scharfer Abgrenzung zur marxistischen Bestimmung des Proletariats als Subjekt der Geschichte, das Attribut »Blume des Proletariats« zuerkannte. Mühsam suchte gar diesen ›Fünften Stand‹ für Landauers ›Sozialistischen Bund‹ zu agitieren. »Verbrecher, Landstreicher, Huren und Künstler – das ist die Boheme, die einer neuen Kultur die Wege weist«[13], dekretierte er 1906 in der *Fackel* von Karl Kraus [→ 292 ff.], um die sozial Deklassierten einschließlich der Künstler zu einer Art Internationale der Anarcho-Boheme zusammenzuschweißen.

Erich Mühsam (1878–1934) war der vielseitigste unter den anarchistischen Literaten. Ab 1901 freier Schriftsteller in Berlin, suchte er eine lebenspraktische Antizipation des Anarchismus, mit dessen politischen Zielen er sich rasch vertraut machte, in der künstlerisch-politischen Praxis einer vagantenhaften Existenz, die ihn vor dem Weltkrieg durch Europa führte. Seine Virtuosität zumal im lyrischen Bereich stellte er in den Dienst des Anarchismus, indem er mit seinen tagespolitisch inspirierten, z. T. unter dem Pseudonym ›Nolo‹ (»Ich will nicht«) in der anarchistischen und sozialistischen Presse publizierten Gedichten Mißstände angriff, Autoritäten aufs Korn nahm und revolutionäre Konsequenzen anbot. Seine satirischen Angriffe galten nicht zuletzt der reformistischen Sozialdemokratie, der er 1907 das bis in die Weimarer Republik populäre *Revoluzzer*-Lied widmete. Gleichzeitig entstanden in der Nachfolge von Vormärz und Naturalismus ernste, getragene, in ihrer Machart konventionelle Exempel revolutionärer Gedankenlyrik, die anarchistische Ziele verkündeten, oft aber den Rahmen spezifisch anarchistischer Botschaften sprengten. In ihren Aufrufen, ihrer Sozialkritik, ihren Belehrungen verhießen sie Ziele der Revolution und der Freiheit – so das lehrhafte Langgedicht *Kain*, mit dem Mühsam programmatisch seine gleichnamige Zeitschrift (1911–14 und 1918/19) eröffnete und in dem er die Kain-Figur umwertete (es endet: »Gebt mir Freiheit und Land! – Und als Bruder für immer/kehrt euch Kain zurück, der Menschheit zum Heil.«). Schließlich widmete sich Mühsam, der ein Meister des Kabaretts war und souverän Knittelverse zu improvisieren wußte, den lyrischen Traditionen des geselligen Trinkliedes, erprobte melancholische Sehnsuchts- und Weltschmerzlieder (»Ich bin ein Pilger, der sein Ziel nicht kennt«) und spöttisch-verspielte Gedichte provokanter Antibürgerlichkeit wie im *Lumpenlied* (»Kein Schlips am Hals, kein Geld im Sack./Wir sind ein schäbiges Lumpenpack«). Während des Weltkrieges stand die Antikriegs-Thematik im Vordergrund (*Soldatenlied*, 1916).

Bei aller Virtuosität und Vielfalt seiner Sujets blieb Mühsam in seiner Literatur idealistischen Auffassungen verpflichtet, bei denen eine spezifisch anarchistische Pointe nicht auszumachen ist. Für ihn rangierte trotz seines Interesses an der Tendenzkunst die überzeitlich verstandene, auf das Erleben gegründete autonome Lyrik vor der politischen Dichtung. Die Trennung von Kunst und Politik durchzog die gesamten ästhetischen Bemühungen von Mackay, Mühsam und auch Landauer. Das gilt auch für den Arbeiteranarchismus. Dieser nahm allerdings entschiedener die operativen Möglichkeiten von politischen Sujets, von Kampfdichtung wahr, so bei der aggressiven *Explosionslyrik* des schweizerischen Buchdruckers Conrad Fröhlich oder in dem originellen *Internationalen Rebellen-Liederbuch* (1906) der anarchistischen Generalstreik-Propagandisten Max und Siegfried Nacht.[14] Von einer authentischen Ästhetik des Anarchismus ist aber auch hier nicht zu sprechen, wohl aber von seiner Offenheit in künstlerischen Dingen. Das zeigen beispielhaft die Aktivitäten von Johannes Holzmann (Senna Hoy), der in seiner Zeitschrift *Kampf* (1904/05) postnaturalistische und Boheme-Autoren, Literatur von Frauen sowie solche Autoren versammelte, die sich ein Jahrfünft später im Expressionismus zu Wort meldeten.[15] Berührungen zwischen Anarchismus und ›historischer Avantgarde‹, so sporadisch sie überhaupt sind, finden sich erst im Kontext der Novemberrevolution.

II. Anarchismus und Décadence

Jenseits der sozialrevolutionären Bewegung begegnet ›Anarchismus‹ in der Literatur des Fin de siècle und der Décadence als Sujet, als ein Element der Destruktion bürgerlicher Welten – sporadisch nur, aber auffällig genug, um Bezüge zwischen den abgrundtief getrennten Welten des Anarchismus und der Décadence erkennbar zu machen. So läßt Kurt Martens (1870–1945) in seinem *Roman aus der Décadence* (1896), einem eher kläglichen Gegenstück zu Joris-Karl Huysmans (1848–1907) *Gegen den Strich* (1884), seinen von der bürgerlichen Welt angewiderten Protagonisten eine anarchistische Lebensphase durchlaufen, in der die Zerstörung bürgerlicher Kultur, hier eines Konzerthauses, geplant war. ›Anarchismus‹ im Verständnis der Décadence wurde, von jeder Utopie losgelöst, auf Zerstörung reduziert. Der Haß auf die eigene Herkunftsklasse mochte zwar nicht bis zur anarchistischen ›action directe‹ reichen, sondern nur zur Schaffung von Kunstwelten (wobei die Berührungen des französischen Symbolismus mit dem Anarchismus direkter waren); das Herbeizitieren des Anarchismus erschien aber als willkommenes Juwel im Destruktionsarsenal der Décadence.

Das zeigt deutlich das Œuvre des gegen Ende des Jahrhunderts in der Boheme Furore machenden polnischen Schriftstellers Stanislaw Przybyszewski (1868–1927), in dem Positionen einer dekadenten Asozialität auf extravagante Weise ausgeführt werden. In seiner Romantrilogie *Homo sapiens* (1895/96), deutlicher noch aber im Roman *Satans Kinder* (1897) verarbeitete Przybyszewski das Anarchismus-Sujet. In *Satans Kinder* (der Spuren von Dostojewskijs *Dämonen* trägt) geht es um ein umfassendes Zerstörungsprojekt, das der dekadente Protagonist mit einigen Gehilfen ins Werk zu setzen sucht. Dem wird eine konstruktive Destruktionen gegenüberstellt, die der anarchistische Gegenspieler propagiert: Zerstörung als Basis für den Neubeginn. Zur Potenzierung seines ›schwarzen‹ Vernichtungspotentials der Antibürgerlichkeit schneidet Przybyszewski dabei das Anarchismus-Sujet mit dem des Satanismus zusammen, mit dem er sich, wie andere Décadents auch, gründlich befaßt hat. Satan, Luzifer kann er nicht nur »aristokratische Seelenschönheit« bescheinigen – »er ist schön mit der Schönheit der verbrecherischen Kühnheit und Selbstlosigkeit großer Verbrecher«; aufgrund des »Geistes der Revolte und des Mißtrauens, der Neugierde und der schrankenlosen Anarchie« ist für Przybyszewski »Satan 〈...〉 der erste Anarchist«.[16]

Von anarchistischer Seite, die sich für die Literatur der Décadence wenig interessiert hat, ist gerade Przybyszewski, eine Ausnahmefigur der Literatur der Jahrhundertwende, aufmerksam wahrgenommen worden. Der Schweizer Arzt und Anarchist Fritz Brupbacher (1874–1944) macht ihn zum wichtigen Gewährsmann seiner *Psychologie des Dekadenten* (1904), in der Anarchismus und Décadence zusammengedacht werden: der Décadent sei, so Brupbacher, in seiner Seele

> herrschaftslos, ohne Zielidee 〈...〉 seine Freiheitslust und sein mangelndes Zieldenken, mangelndes Abwägenkönnen, machen ihn anarchisch, revolutionär gegen jede Idee von Subordination 〈...〉. Und so wirkt er taktikstörend, antiautoritär, antiarchisch.

Allerdings schränkt Brupbacher, der sein Leben lang in der anarchistischen Bewegung aktiv war, ein, daß diese Autoren

> nicht zu der Gattung der Terroristen gehören, sondern zu dem, was man heute Edelanarchisten nennt, wie sich denn auch die Mehrzahl der Modernen ›Litteraten der Dekadenz‹ selbst heißen.[17]

Insofern bleibt trotz partieller Affinität die Kluft zwischen der sozialrevolutionären Bewegung des Anarchismus und der ästhetizistischen Haltung dekadenter Bourgeoisie-Kritik evident.

Die Bedeutung der Bezüge zwischen Anarchismus und Literatur ist aber nicht zu unterschätzen. In der Décadence [→ 219 ff.] willkommenes Destruktionselement, grundiert der Anarchismus – praktisch als sozialrevolutionäre Bewegung, theoretisch als radikale Weise libertären Denkens – die naturalistischen und postnaturalistischen, die intellektuellen wie die proletarischen Literaturströmungen des Wilhelminismus, ohne allerdings in ästhetischer Theorie und literarischer Praxis als eigenständige Formation in Erscheinung zu treten.

Harro Segeberg

Technische Konkurrenzen
Film und Tele-Medien im Blick der Literatur

I. Der Film

1. Welcher »Film« entsteht um 1900 ?

Es spricht vieles dafür, einer Konvention der Filmgeschichte zu folgen und die Geschichte des *Kino*-Films im Jahre 1895 mit den ersten öffentlichen Projektionen dessen zu eröffnen, was die Zeitgenossen ›lebende Photographien‹ nannten und der beweglichen Projektionskunst einer seit dem 17. Jahrhundert – auch in der Literatur – lange bekannten, im 19. Jahrhundert jedoch durchgreifend mechanisierten ›Laterna magica‹ zuschrieben.[1] Gemeint sind mit diesem Datum die erste erfolgreiche Vorführung bewegter Photographien, mit deren automatisierter Schnell-Projektion die Brüder Auguste und Louis Lumière im März 1895 in Lyon im Rahmen eines Photographenkongresses ihre Kollegen überraschten und am 28. Dezember desselben Jahres im *Indischen Salon* des *Grand Café* in Paris ein zahlendes Laien-Publikum verblüfften.[2]

Es macht die Paradoxie der Erfolgsgeschichte filmischer Illusionseffekte aus, daß die Brüder Lumière mit schwarz-weißen Einminuten-Filmen beginnen mußten, die noch ohne eigene Tonspur aufgezeichnet wurden und insofern – wie eine zeitgenössische Stimme notierte – »die Bewegung, ⟨...⟩ das Leben selbst« nur um den Preis nachbilden konnten, daß »das Geräusch und die Stimme ⟨fehlten⟩«,[3] weshalb von Anfang an Kino-Erklärer und Kino-Musiker die Präsentation der für sich genommen stummen und insofern eigentlich nur begrenzt ›lebenden Photographien‹ zu begleiten hatten. Die Legende, daß die ersten Filmzuschauer bei der Projektion des Einminuten-Films *Arrivée d'un train à La Ciotat* (1896/97) aus Angst vor einer anscheinend von der Leinwand in den Kinosaal hereinstürzenden Lokomotive den Vorführraum fluchtartig verlassen hätten, verwechselt daher recht eindrucksvoll heutige ›naturalistische‹ Kino-Vorstellungen mit den Anfängen eines Illusions-Kinos, das – so Maxim Gorki (1868–1936) in einer der ersten literarischen Filmkritiken überhaupt – nicht das »Leben, nur seinen Schatten«, nicht die »Bewegung, nur deren lautloses Gespenst« auf die Leinwand projizierte.[4] Es ist aber gerade diese von heute aus gesehen eher antiquierte Technik, die die spezifische Modernität der ersten Kinematographen und damit deren Herausforderung an die bereits etablierten Künste insgesamt ausmachte.

Während Gorki nämlich die Schatten-Bilder des Films als eine »groteske Schöpfung« im Namen einer traditional eigenschöpferischen Kunstauffassung ablehnte, meinten andere, eine Verwandlung der Wirklichkeit in visuelle Zeichen zu beobachten, in der die Genauigkeit des Gestischen und Mimischen den Zuschauer »die Personen leben, gehen, sich bewegen, plaudern 〈...〉 *sehen*« mache.[5] Oder anders: in der den Kinematographen auszeichnenden Separierung und Isolierung des Visuellen sieht ein solcher Beobachter überhaupt keine Einschränkung seiner Wahrnehmung, sondern genießt im Gegenteil einen Illusionseffekt, der gerade aufgrund der Privilegierung des Visuellen derart intensiv und konzentriert ausfällt, daß auf diese Weise die – mit Hilfe von Musik und eingesprochener Sprache zusätzlich gestützte – Illusion weiterer Sinneswahrnehmungen hervorgerufen werden konnte. Insofern verfolgt der Film der Jahrhundertwende, anders als das akustische Gesamtkunstwerk Richard Wagners (1813–1883), nicht eine »Depotenzierung des Gesichts« zugunsten einer Potenzierung des Gehörs,[6] sondern läßt im Gegenteil aus der programmatischen Potenzierung des Visuellen eine technisch induzierte synästhetische Illusionswirkung entstehen.

Daraus läßt sich ein erstes Zwischenresümee ziehen: wiewohl der Kinematograph der Jahre um 1900 für sich genommen keineswegs eine revolutionäre Spitzentechnologie verkörperte, sondern die Akkumulation, Perfektionierung und Kombination bereits bekannter Bild- und Projektionstechniken darstellte, so verwies er schon in den Varieté-, Jahrmarkt- oder Wanderkinos der Jahre bis etwa 1905/06 ganz entschieden voraus auf die dynamisierten, fragmentarisierten, entdinglichten und selbstreflexiven Wahrnehmungsästhetiken des 20. Jahrhunderts. Denn die von Albert Einstein (1879–1955) in seiner *Allgemeinen* und *Speziellen Relativitätstheorie* (1906/15) dem Jahrhundert aufgegebene Relationalität menschlicher Erkenntnis, die von Ernst Mach (1838–1916) in seiner *Analyse der Empfindungen* (1885) entfaltete Auflösung vermeintlich konsistenter Ding-Welten in denk-ökonomisch angeordnete Sinnesdaten oder die in Georg Simmels [→ 304 f.] (1858–1918) *Die Großstadt und das Geistesleben* (1903) der Moderne zugeschriebene Zersetzung ganzheitlicher Wahrnehmungsbilder – dies alles findet nicht nur in der Avantgardekunst eines Ästhetizismus oder Futurismus [→ 470 ff.] seine Entsprechung; vielmehr sind auch in der Popularkunst des Kinematographen mit seinen untereinander äußerst verschiedenartigen, sehr kurzen, an immer neuen Orten spielenden und in sehr unterschiedlichen Kameraperspektiven wie Einstellungsgrößen aufgezeichneten Kürzestfilmen kongeniale Tendenzen wirksam.[7] Der seine Aufmerksamkeit sehr schnell für extrem kurze Zeitspannen in immer neue Blickrichtungen auf die Oberflächenreize einer primär visuell aufgezeichneten Wirklichkeit einstellende Zuschauer konnte exakt darin – wie sogar der Kino-Skeptiker Henri Bergson (1859–1941) notierte – den einer dynamisierten Moderne einzig angemessenen »Kunstgriff des Kinematographen« entdecken.[8] Ja, darin schien sich ein »kinematographisches Wesen« (Bergson) der Moderne selber zu entschlüsseln.

2. *Der Film in der literarischen Kino-Ästhetik*

Blickt man, solchen Vorgaben folgend, in das Diskussionsspektrum der mit der Expansion ortsfester Kinos recht sprunghaft einsetzenden ›Kino-Debatte‹ um 1910, so ist es vielleicht doch etwas weniger verwunderlich, wie zügig es den in erster Linie technisch und ökonomisch denkenden Pionieren des Kinos gelang, Kamera-, Schnitt- und Montagefolgen zu entwickeln, aus denen eine spezifische Zuständigkeit der bald auch kolorierten und viragierten Kinematographen-Filme für Geschwindigkeits- und Modernitätserfahrungen entstehen konnte.[9] Maßgeblich hierfür sollten werden der Übergang vom Kürzestfilm der Anfangsjahre zum bis zu fünfzehn

Minuten langen Kurzfilm, seine Erweiterung zum einstündigen Spielfilm nach 1910 und schließlich die für die kulturelle Gleichwertigkeit zum Theater wichtige Phase des mehrstündigen Monumental- und Großfilms am Ende des Ersten Weltkriegs.[10] Und dabei ist besonders auffällig, wie intensiv bereits die lange in Vergessenheit geratenen Kurzfilme ihr bis in den Langfilm hineinwirkendes Reihungsprinzip mehr oder weniger ›hart‹ aneinandergefügter Episoden perfektionierten und damit die Autonomie filmischer Zeichen in einer Art und Weise forcierten, die in den bisher etablierten Künsten gerade aufgrund der damit erzielten antitraditionalen Effekte für Aufsehen sorgte.

So rühmt etwa der Lyriker, Prosaautor und Übersetzer Ferdinand Hardekopf (1876–1954), ein Mitarbeiter der sonst eher sehr filmkritischen expressionistischen Zeitschrift *Die Aktion* [→ 440 f.], in einem Beitrag *Der Kinematograph* »die Rapidität und die Konzentration« der von abrupten Schnittfolgen vorangetriebenen Filmhandlung als geeignetes Darstellungsmittel für ein Publikum, das sich nicht mehr zum in sich versunkenen »Auditorium« des traditionellen Theaters versammle, sondern sich in einer Art von zerstreuter Aufmerksamkeit zum »nervösen Visorium« einer an schnelle Reizwechsel gewöhnten Großstadtmenge zusammenfinde.[11] Denn: »die *cinéma*-Menschen ⟨von heute⟩ sind entweder nur verliebt oder nur trunksüchtig oder nur edelmütig« und dies alles, in einer »Zusammendrängung ⟨auf⟩ äußerst prompte Wirkungen«, nacheinander in nur wenigen Minuten; »die ›Totalität‹ ihres Wesens, wie Goethe gesagt hätte, sich entfalten zu sehn, dazu hat ⟨das⟩ Publikum keine Zeit.« Oder anders und damit auf Thesen Bertolt Brechts (1898–1956) zum anti-psychologischen »filmischen« Theater vorausgreifend: »Die Personen, die vor der Linse des Aufnahmeapparates agieren, dürfen« – so Hardekopf – »gemeinhin nur eine Eigenschaft haben«, diese aber müsse sich, »befreit von allen Nebensächlichkeiten«, in jeder neuen Einstellung ebenso konzentriert wie ausschließlich darstellen.

Während daher die eher rückwärtsgewandten Kritiker in der Ausschaltung einer auf psychische Motivierungen bedachten Wortsprache »einen Grund ⟨dafür sahen⟩, warum das Triviale, das Plumpe und Groteske, das Sentimentale und das Schauerliche das

›Drama‹ des Kinematographen beherrschen«, so denken die Vertreter der literarischen Avantgarde eher daran, daß gerade dadurch eine – nach Hardekopf – »optische Manier der Erzählung« erreicht werde, in der – wie der spätere Kulturhistoriker Egon Friedell (1878–1938) notiert – »der menschliche Blick, die menschliche Gebärde, die ganze Körperhaltung 〈...〉 mehr zu sagen 〈vermag〉« als die – so der Epiker Alfred Döblin (1878–1957) – »psychologische Manier« einer mit »höchst outrierten« Wendungen prunkenden traditionellen Gefühlssprache.[12] Im Interesse einer solchen Konzentration auf das Visuelle konnten sich filmbegeisterte Literaten weder mit Gesangs- und Sprecheinlagen zufriedengeben noch gar mit den rein filmtechnisch gesehen bahnbrechenden Unternehmungen des Filmpioniers Oskar Messter (1866–1943), der Filmprojektor und Grammophon mit Hilfe eines sogenannten »Biophons« zum »Tonbild« synchronisierte, irgendwie anfreunden; dem Film als dem »Zauberreich des Auges, des Visuellen, der Visionen« seien vielmehr einzig die das Gesehene unterstützende »Klavierbegleitung« einer separaten Kinomusik sowie die Begleitkunst der Zwischentitel angemessen.[13]

Daraus läßt sich ein weiteres Zwischenresümee ziehen: in der anti-psychologischen Außenschau der Film-Kamera, die ihre Personen nicht von innen, sondern von außen, das heißt von ihrer Mimik und Gestik her charakterisiert, sowie in der schnellen Montage in sich konzentrierter gestischer Einstellungen, in der – so der Romancier und Kafka-Freund Max Brod (1884–1968) – dadurch möglichen dynamischen »Aufstachelung und Erhitzung der Bilder«,[14] bringt der Kinematograph der zehner Jahre nach Meinung vieler literarisch ambitionierter Kinobesucher zu Recht nicht die in langatmigen Entwicklungsromanen entfalteten, fein ziselierten Charaktere einer längst überlebten bürgerlichen Illusionskunst zur Sprache; vielmehr gehe es darum, gerade das »marionettenhaft Erstarrte« (Brod) moderner Menschen-Typen und ihre – nach den Worten des Theaterkritikers und Essayisten Alfred Polgar (1875–1955) – von äußeren Reizen immer neu aufgestachelte »Gefühlsmechanik« zu betonen.[15] Denn »ein typischer Zug der kinematographischen Darbietungen, *das rapid schnelle Abrollen der Handlung*, entspricht« – so Emilie Altenloh (1888–1985) in *Zur Soziologie des*

Kinos (1914) – »ganz dem Bedürfnis ⟨eines⟩ Großstädters«,[16] der (wie wir mit dem bereits zitierten Friedell ergänzen können) einfach daran gewohnt sei, »im Blitzzug ⟨...⟩ hastige Schnellbilder der Landschaft ⟨zu⟩ empfangen«, und die Welt ganz generell überhaupt nur noch im »Extrakt« einander jagender Momentaufnahmen und sprachlich verknappter Augenblicksmitteilungen wahrnehme. Wo – wie Friedell notiert – »die Eisenbahn, der Fernsprecher, der Autobus, das Grammophon, die Untergrundbahn« das Leben bestimmen, wird »ein tüchtiger Mensch« im Film »genau jenes Medium ⟨sehen⟩, dem er mit seinen sämtlichen ⟨technischen⟩ Organen angepaßt ist, und in dem er zu wirken und zu leben hat.«[17]

3. Strategien der Literatur im Kino-Zeitalter

Die Folgerungen, die man aus solchen Einsichten zog, konnten nicht anders als sehr unterschiedlich ausfallen, sie lassen sich aber trotz aller Differenzen im einzelnen (1) Bewegungen der Literatur in den Film hinein und (2) Bewegungen der Literatur mit dem Film zuordnen; daraus kann (3) schließlich das Konzept einer medienästhetisch separierten Literatur entstehen. Für alle drei Entwicklungslinien kann der folgende kursorische Überblick nur einige wenige Stichworte auflisten.

Beginnen wir in diesem Sinne mit der ersten Entwicklungslinie, so konnte der literarische Autor im Zuge des von der Filmindustrie angeregten ›Autorenfilms‹ am Projekt einer Anlehnung des neuen Mediums an eher traditionelle Erzähl- und Theaterkonventionen des alten Mediums mitwirken[18] und auf diese Weise in dem nach kultureller Akzeptanz suchenden Film dessen Werbewirkung als ›Verfilmung‹ eines literarischen Originalwerks mit bedenken.[19] Oder man konnte sehr euphorisch und eher literatur-revolutionär in den Schrei *Hätte ich das Kino* – so der Titel einer Schrift von Carlo Mierendorff (1897–1943) von 1920[20] – ausbrechen und am Projekt eines neuen »Kinostücks« mitarbeiten, das schon in seiner Selbstbezeichnung als »Kinostück« den Unterschied zum theatralisch-traditionalen »Kinodrama« akzentuieren sollte; dabei kam allerdings in dem vom expressionistischen Anthologisten Kurt Pinthus (1886–1975) im Jahr 1913 veranstalteten *Kinobuch* doch eher eine Art von Buch-Kino zustande, in dem – von Ausnahmen abgesehen[21] – die Trick-Phantasien des frühen Films bis über die Grenzen des damals filmtechnisch Möglichen hinaus forciert wurden.[22]

Dies leitet über zur zweiten Möglichkeit, in der Auseinandersetzung mit dem neuen Medium die Fähigkeiten des alten Mediums bis hin zur Trennung der beiden Medien weiterzuentwickeln. Dann konnte man, wie der Herausgeber der Zeitschrift *Die Aktion* Franz Pfemfert (1879–1954), im Kino den »Unterhalter der breiten Volksschichten« sehen, den Kinematographen selber aber als eine »Paarung von Genialität und Trivialität« brandmarken; als solche verkörpere sie die »Unkultur« eines technisch-industriellen Zeitalters, auf keinen Fall jedoch einen irgendwie gearteteten »Kunstwert«.[23] Oder aber es ließ sich – so die im Gefolge des Kinobuchs entstehende Lyrikanthologie *Der Selige Kintopp* (1913/14)[24] – ganz anders der Versuch wagen, das Schreiben selber auf die Wahrnehmungs- und Darstellungsformen des Kinematographen einzustellen, um dann – wie der radikale Expressionist Jakob van Hoddis (1887–1942) im Gedichtzyklus *Varieté* (1911) – im kinematographisch konstruierten lyrischen Subjekt ein kongeniales Wahrnehmungstraining zu entwickeln.[25] Oder man konnte – so der eifrige Kinogänger Franz Kafka (1883–1924)[26] [→ 478 ff.] – gerade im rauschhaften Genuß immer neuer Bildwelten die das Auge neu normierenden Standards eines zunehmend seriell arbeitenden, weil kulturindustriell geprägten Kintops herausstellen, der – nach Kafka – mit seinen rapide beschleunigten Bewegungs-Bildern »dem Angeschauten die Unruhe seiner Bewegung« mitteile, dafür aber auch jedwede »Ruhe des Blickes« ausschalte.[27]

Vor diesem Hintergrund ist es unübersehbar, daß gerade inmitten der bisher skizzierten Entwicklungslinien der Integration und Aneignung – drittens – mit allem Nachdruck auch Erfahrungen der Differenz, ja Trennung ins Spiel kommen, und maßgebend hierfür sind Überlegungen, wie sie etwa der Ernst Mach-Experte und Prosa-Autor Robert Musil (1880–1942) in seiner Erzählung über die *Verwirrungen des Zöglings Törleß* (1906) mitteilt; sein Titelheld kommt sich nämlich bei seinem Wunsch, sich einen seiner schlimmsten Widersacher »in körperlicher Plastik und Lebendigkeit« vorzustellen, »wie 〈...〉 vor einem Kinematographen« vor, woraus eine ständig wirksame »Unruhe in ihm« entsteht, »daß hinter dem Bilde, das man empfängt, hunderte von – für sich betrachtet ganz anderen – Bildern vorbeihuschen« könnten.[28] Das Kino als Medium einer Welt- und Menschenerfahrung, in der, so Heinrich Mann (1871–1950) in seinem Roman *Professor Unrat* (1905), Individuen »mit einem kleinen Ruck« »ganz unvorbereitet« aus einer »wohlaufgelegten dienstfertigen Miene 〈...〉 in eine bittere und böse 〈hinübergleiten〉« konnten, eröffnet insofern inmitten aller Mobilisierung der Bilder das Gefühl eines Verschwindens von Bildern. Wichtig aber ist, daß solche Betrachter daraus nicht die Folgerung ziehen, hinter das Kino zurückzugehen, sondern, so der später hier weiterdenkende Walter Benjamin (1892–1940), nach der Möglichkeit eines in den tatsächlich gesehenen Bildern verborgenen »Optisch-Unbewußten«[29] fragen und damit über das Kino hinauszielen.

Einer solchen Suche hat der bereits erwähnte Kinogänger und Psychiater Döblin [→ 494 ff.] das an die »Romanautoren und Kritiker« seiner Zeit gerichtete *Berliner Programm* (1913) eines mit der »Produktivkraft« des »Worts« operierenden literarischen »Kinostils«[30] gewidmet, und der radikale Expressionist und Avantgarde-Autor Carl Einstein (1885–1940) wird daraus in seinem ins Milieu des Zirkus, der Varietés und der großstädtischen Kintops verlagerten Roman *Bebuquin* (1907/10) die Strategie einer experimentellen Prosa entwickeln, die – so Einstein – die ursprünglich ins Grenzenlose zielende Entwicklung des anarchischen Kurzfilm-Kinos inmitten der abendfüllenden Melodramen, Ausstattungsfilme und Detektiv-»Typen des (Lang-)Films«[31] mit Hilfe einer Inthronisation der Worte-»Willkür« neu vorantreibt. Nur so werde es möglich, mit Hilfe neu »verzückter Augen« »so genau 〈zu〉 sehen, daß darin alles Wissen steckt«,[32] und das Mittel dazu ist die Inszenierung einer mit allerknappsten Andeutungen und skizzenhaften Diskussionssplittern arbeitenden artistischen Simultan-»Imagination«, die (wie die frühen Kurz-Filme) »konzentrierte Resultate« nebeneinanderstellt und »keine Wege« entfaltet.[33]

Mit einem abschließenden Wort gesprochen: Bereits die Kino-Debatte der Jahre nach 1910 kann zeigen, wie nachhaltig die Literatur vom genuin medien-technischen Modernitätsanspruch des Films berührt wird, deshalb aber keineswegs im Film verschwindet, sondern neben den Optionen der Integration und Angleichung an den Film die Option einer Entfernung vom Film bis hin zu einer medienästhetisch separierten Wort-Literatur ausarbeitet. Als (Drehbuch-)Literatur im Film, als Literatur neben und zum Film sowie als medienkritische Radikalliteratur jenseits des Films sind alle drei Optionen bis heute ziemlich lebhaft wirksam.

II. Tele-Medien

1. Tele-Techniken um 1900

Es mag nach dem bisher Ausgeführten auf den ersten Blick paradox erscheinen, aber man würde die medientechnische Umbruchsituation der Jahrhundertwende einigermaßen verkürzt einschätzen, wenn man nicht beachten wollte, daß das ›kinematographische Projekt‹, ungeachtet seiner ebenso extensiven wie intensiven Diskussion um 1900, ursprünglich als Teilbereich eines viel umfassender angelegten Gesamtprojekts zur ›tele-technischen‹ Aufzeichnung, Speicherung, Übermittlung und Projektion von Bildern, Tönen und Schrift gedacht war. In diesem Sinne hat ein Mitpionier der Filmgeschichte, der Amerikaner Thomas A. Edison (1847–1931), im Jahre 1891 zum Projekt seines (Heim- und Fernseh-)»Kinetoskops« notiert: »Wenn ich mit dieser Erfindung fertig bin, 〈...〉 kann ein Zuschauer bei sich zu Hause in seiner Bibliothek, die elektrisch mit einem Theater verbunden ist, die Schauspieler auf einer Bildwand sehen und jedes gesprochene Wort verstehen.«[34] Und auch die ersten Betrachter der Lumière-Filme waren davon überzeugt, daß »die Übereinstimmung von Cinématographe, Phonograph, Kathodenstrahlen, Kinetoscope, Teleskop, Telegraph und all den Graphen, die noch kommen werden«, nur eine Frage der Zeit sei; dann aber werden »wir sprechen und uns dabei von Paris bis zum Mond sehen.«[35] Wir wissen heute, daß die Arbeit an der Erfüllung dieser Utopie noch fast ein ganzes weiteres Jahrhundert in Anspruch nehmen sollte.

Das lag daran, daß die bis auf die Jahrhundertwende von 1800 zurückgehenden Projekte einer Raum und Zeit überwindenden ›Tele‹-Technik sich in der zweiten Hälfte des 19. Jahrhunderts auf die in technischer Hinsicht entwicklungsfähigeren Strategien zur ›Tele-Technisierung‹ von Akustik und Schrift konzentrierten, wodurch die Television der Bilder aus der vordersten Front der Tele-Technisierungsschübe vorerst zurücktrat.[36] Wichtiger wurden hier die experimentelle Erkundung elektromagnetischer Wellen durch Physiker wie James Maxwell (1831–1879) und Heinrich Hertz (1857–1894), die daraus abgeleitete Entwicklung einer drahtlos arbeitenden Telegraphie durch Guglielmo Marconi (1874–1937), die Erprobung von Auto-Phon- und Tele-Phon-Prototypen durch Erfinder wie Johann Philipp Reis (1834–1874) oder Alexander Graham Bell (1847–1922) sowie die Entwicklung eines eigenen Telegraphen-Codes durch Samuel Morse (1791–1872).

Daher kann es nicht überraschen, daß auch die erfolgreichen Experimente zur maschinellen Speicherung und Reproduktion von Tönen und Sprechstimmen sich im Rahmen von tele-technischen Arbeiten zur Verbesserung von Empfangsgeräten der elektrischen Telegraphie und Telephonie entwickeln sollten, weshalb der – in den Labors des bereits genannten Edison – im Jahre 1877 entwickelte erste Prototyp eines mit Zinnblattwalzen arbeitenden Phonographen sowie die seit dem Jahre 1888 expandierende Tontechnik des Grammophons für die Zeitgenossen ganz selbstverständlich in diesen Zusammenhang einer tele-technischen Kommunikationsrevolution gehörten. So meinte etwa Edison, der ja nicht nur den Phonographen erfand, sondern auch Bells entweder als Sende- oder als Empfangsgeräte genutzte Einweg-Telephone weiterentwickelte, »Fernsprechteilnehmer« sollten seinen »Phonographen auf ihrem Apparat anbringen, damit er dem Amt bei jedem Anruf mitteilt, daß sie ausgegangen sind und wann sie zurückkommen. Ebenso könnten Fernsprechteilnehmer, wenn sie ihre Gesprächsteilnehmer nicht zu Hause antreffen, dennoch sagen, was sie zu sagen haben und es vom Phonographen des Abwesenden aufzeichnen lassen.«[37]

2. *Literarische und technische Akustik*

Bedenkt man diese Zusammenhänge, so kann es nicht wundernehmen, wie intensiv nach dem Vorlauf eines die »Sprache des Lebens« (Arno Holz) möglichst genau reproduzierenden naturalistischen »Photo-Phonogrammstils«[38] herausragende Literaten der Jahrhundertwende, ungeachtet ihrer Aufmerksamkeit für den Film, in der Technisierung von Akustik und Schrift die Grundzüge einer teletechnischen Medienrevolution beobachteten – sie sollte ein auf eine ganz neue Art revolutionäres Antlitz der Technik enthüllen. In diesem Sinne schreibt Franz Kafka (1883–1924), ein Experte für Fragen der neuen Mediennetze, im Jahre 1922: bei teletechnischen Medienrevolutionen könne man nicht länger davon sprechen, daß sie wie die Eisenbahn den Raum vernichten und die Zeit verkürzen, weil sie durch die Zusammenführung der bis dahin getrennten Subjekte den – so Kafka – »natürlichen Verkehr, den Frieden der Seelen« unter den Menschen fördern wollen. Vielmehr habe man »den Telegraphen ⟨...⟩, das Telephon, die Funkentelegraphie« einzig dazu erfunden, um der durch »die Eisenbahn, das Auto, den Aeroplan« über weite Räume ermöglichten Realkommunikation auf der »Gegenseite« den Austausch von telephonisch übermittelten »Geister«-Stimmen sowie die Versendung telegraphisch verschlüsselter »Geister«-Schriften entgegenzustellen.[39]

Wenn es daher jetzt auch noch gelänge, das Diktiergerät eines »Parlographen«, das Speichergerät eines Grammophon sowie beider Fernübermittlung über das Telephonzusammenzuschließen, so müßten sich Liebespaare nicht länger persönlich treffen, sondern könnten – so der Prager Autor Kafka vor dem Ersten Weltkrieg an die Berliner Verlobte Felice Bauer (22./23. Januar 1913)[40] – stets neue Schrift- oder Tonbotschaften herstellen, austauschen und speichern und sich dadurch immer anders mit der Stimme eines auf »1000 Platten« aufgezeichneten »Schattens« unterhalten, »den man aber nicht ans Licht ziehen kann« (27. November 1912; 5./6. Januar 1913). Und auch der österreichische Volksaufklärer und Popularautor Peter Rosegger (1843–1918) [→ 308 f.] sah in den durch Telegraph, Telephon und Phonograph geförderten Techniken der Telekommunikation »eine Offenbarung, gekommen aus unbekannter Geisterwelt«, die es erlaube, »das Wort mit all seinem Geiste, wie ein lebendiger Mund« zu speichern und zu übermitteln. Diese Übermittlung, zu der – nach Rosegger[41] – »der Phonograph mit dem Telephon und Grammophon sich verbindet«, habe etwas »Packendes« und »fast Gespensterhaftes« zugleich an sich. Angesichts einer Verkehrs- und Kommunikationsutopie, in der man ungeachtet des Ausbaus des Flugwesens zur »Reisekutsche des zwanzigsten Jahrhunderts »im einundzwanzigsten Jahrhundert« gar nicht mehr selber reisen müsse, sondern »sich drahtlos telegraphieren«, »sich persönlich in alle Weiten telegraphieren« werde, erscheint es einigermaßen plausibel, daß Rosegger sich darüber wundert, daß alle Welt »ans Kino ⟨denkt⟩«.[42]

Es blieb mit Kafka dem vielleicht abgründigsten Medienbeobachter der Jahrhundertwende vorbehalten, in seinem Amerika-Roman *Der Verschollene* (1913) die soziale Kehrseite solcher technologischen Tele-Revolutionen kenntlich zu machen. Denn während der sonst so amerikakritische Arthur Holitscher (1869–1941) in seinem Reisebericht *Amerika. Heute und morgen* (1912) anläßlich einer Betrachtung über die drahtlose Marconi-Telegraphie die Utopie einer »Festland und Wasser, Erdball und Stern, Sonne und Äther« umspannenden und auf diese Weise »Mensch und Mensch« zusammenführenden teletechnischen Kommunikation entfaltet,[43] läßt Kafka den Roman-Helden Karl Roßmann mit Hilfe seines Onkels und »Staatsrats Edward Jakob« in dessen »Kommissions- und Speditionsgeschäft« überwechseln. Hier wird nach dem »Saal der Telegraphen« im »Saal der Telephone« in einer der dort aufgestellten »Telephonzellen ⟨…⟩ im sprühenden elektrischen Licht ein Angestellter ⟨gezeigt⟩, gleichgültig gegen jedes Geräusch der Tür den Kopf eingespannt in ein Stahlband, das ihm die Hörmuscheln an die Ohren drückte. Der rechte Arm lag auf einem Tischchen, als wäre er besonders schwer und nur die Finger, welche den Bleistift hielten, zuckten unmenschlich gleichmäßig und rasch«.[44] In solchen Sälen erhalten die von den Datenströmen ihrer Telephone, Telegraphen und Parlographen hin und her gehetzten Individuen ihre (wie man mit dem Titel einer weiteren Kakfa-Erzählung) sagen könnte, zeitgemäße maschinen- und medientechnische *Verwandlung*.

3. Literarische Telegrammstile

Vergleichbar ambivalente Entwicklungen finden dort statt, wo mit Peter Altenberg (1859–1919) einer der exzentrischsten Vertreter der Wiener Moderne sein Schreiben – dem Modell der von Hermann Bahr (1863–1934) geforderten »Nervenkunst« entsprechend – als Registratur von Nervenerregungen begreifen wollte, in denen sich für ihn die »zur Betätigung unsers Lebens« unverzichtbaren »Lebensenergien« immer neu aufladen können.[45] Denn die sich daraus entwickelnde Form kleiner und allerkleinster Prosa-Skizzen sollen zwar keineswegs »Dichtungen« im klassischen Stil darstellen, gerade dadurch aber »Extrakte! Extrakte des Lebens« bieten, in denen sich – so der Autor selber – ein das Psychogramm der Epoche markierender *»Telegramm-Stil der Seele«* ausspreche.[46] Nur er könne in wenigen Sätzen die »Lebensenergien« einer im eigenen »Nervensystem« stets zu speichernden Lebens-»Kraft« erregen, sammeln und stärken, die dann »wie Weltelektrizitäten ⟨ausströmen⟩« und »höchste Energien, Spannkraft, Bewegung, Elastizität, Lebendigkeiten« in die dadurch wie eine »wiederhergerichtete Maschine« neu konstruierten Menschen zurücklenken.[47] Noch entschiedener als in Theodor Fontanes (1819–1898) zeitgleich erschienenem Roman *Der Stechlin* (1898) ist der Telegramm-Stil bei Altenberg so gesehen kein Anlaß zur Verlustbilanz, sondern gilt als der einzig angemessene Ausdruck einer Epoche, in der – so ein von Sigmund Freud (1856–1939) zustimmend zitierter Kulturkritiker der Zeit – die menschliche Kommunikation unwiderruflich in »die weltumspannenden Drahtnetze des Telegraphen und Telephons« eingespannt sei.[48]

Es ist diese Faszination eines literarischen Telegrammstils, der in den literarischen Telegraphie-Adaptionen einer futuristisch inspirierten, expressionistischen »Wort an sich«-Lyrik im Umkreis der von Herwarth Walden (1878–1941) herausgegebenen Zeitschrift *Der Sturm* [→ 441 f.] deutlich macht, daß der poetische Telegramm-Stil keineswegs »eine direkte Funktion der verfügbaren ⟨medien-technischen⟩ Kanalkapazitäten« darstellt,[49] sondern seinerseits medientechnische Kapazitäten äußerst dynamisch, weil literarisch umschmilzt. So verherrlicht etwa der Lyriker Richard

Meyer (1882–1956) nach dem Vorbild Guillaume Apollinaires (1880–1918) in der Gestalt eines »drahtlose Depeschen« empfangenden und versendenden Eiffel-Turms die Figur eines die ganze Welt mit seinen lyrischen Energien durchströmenden Dichter-Ichs: »Ich glühe tief und weiß/ *ich bin der Eiffelturm!*«[50] Oder Ivan Goll (1891–1950), auch er ein Fürsprecher telegraphischer Kürze,[51] veröffentlicht noch 1924 eine Sammlung seiner Gedichte in einem Band, den er *Der Eiffelturm* nannte. Denn: »Drahtlos vom Eiffelturm« versendet hier das lyrische Ich wie ein – so das Gedicht *Paris brennt* – unter »Hochspannung« stehender »Nervenakkumulator« ›Lyrische Dichtungen‹, die ihre »Signale« als »Radiogramme« aussenden.[52]

Es ist die damit geforderte Verbindung von telegraphischer Kürze und expressiver Ur-Sprache, die vor allem im lyrischen Werk des Karrierepostbeamten, Telegraphenfachmanns, Reservehauptmanns und Hauptautors des *Sturm* August Stramm (1874–1915) in der produktiv-kritischen Auseinandersetzung mit der Telegramm-Dichtung von Filippo Tommaso Marinetti (1876–1944) [→ 470 ff.] die Strategie einer Wortkunst entwickelt, die das Prinzip telegraphischer Sprachverknappung einerseits dezidiert aufgreift und anderseits poetisch transformiert und zuspitzt. Daher gibt es in Stramms Telegramm-Gedichten – wie in Real-Telegrammen – kaum noch Personalpronomina, finite Verben oder Adjektive und Adverben, sondern es dominieren – im Gedicht *Tanz* (1914) – Substantive und Verben in infiniter oder substantivischer Funktion, die in Wortreihen wie »Taumeln, Kitzel,/ Bäumen, saugen« oder »Saugen, züngeln/ Schürfen/ Blut« nicht Bewegungsabläufe bebildern, sondern die Dynamik einer rauschhaft entgrenzten Tanzbewegung aus der Fügung des Wortmaterials selber herauspressen wollen.[53] Oder Stramm erzielt solche Wirkungen dadurch, daß er eigene Wortballungen erfindet, die – so etwa im Gedicht *Untreu* (1914) – in der Fügung »Laubwelk« (anstelle von »welkendem Laub«) den »Begriff des Duftes« versinnlichen sollen.[54]

Aus solcher Sprachpraxis heraus entsteht im April 1914 das (erst posthum von Walden veröffentlichte) Prosaexperiment *Der Letzte*, in dem Interpreten noch heute einen geradezu singulären Vorausgriff auf die ›stream of consciousness‹-Prosa eines James Joyces sehen.[55] Und in der Tat, Stramm beschreibt hier in einer Mischung aus militärischen Kommandos, zerhackten Bewußtseinsfetzen und aggressiven Lustschreien den Gedankenstrom eines Offiziers, rekonstruiert dabei aber keineswegs allein die aggressive Brutalität einer Menschen in Kampfmaschinen verwandelnden militärischen Befehlssprache, sondern artikuliert zugleich, lange vor der retrospektiv deutenden Kriegsdiaristik eines Ernst Jünger (1895–1998), das sexuell konnotierte Lustpotential eines sich selber in den eigenen Untergang hineinpeitschenden soldatischen Charakters: »Schießen! knallen! seht! sie kommen aus dem Wald. raus aus dem Lauf! die Backe gesetzt! brav! brav! Schnellfeuer! Blaue Bohnen! Bohnen! Blaue Augen! mein Schatz hat blaue Augen. haha! drauf! sie laufen. Korn nehmen. Zielscheiben. laufen. Mädchenbeine. ich beiße. beiße. verflucht. Küsse scharfe. drauf gehalten!«[56]

In solchen Kontexten entstehen weiter Gedichte, die – so das Gedicht *Urtod* – Worte wie exakt kalkulierte Explosivstoffe aneinanderreihen oder – so das Gedicht *Sturmangriff*[57] – den Leser in den längst von Maschinen dirigierten »Mechanismus« (Brief vom 14. Februar 1915) eines ebenso massenhaft wie unausweichlich inszenierten »Mußmordes« (Brief vom 6. Oktober 1914) hineinreißen.

Wilhelm Haefs

Zentren und Zeitschriften des Expressionismus

I. Expressionismus als Medienbewegung

Der Expressionismus als Gruppen- und Kulturbewegung zeichnet sich durch spezifische Medialisierungsstrategien aus. Junge Autoren, Künstler und Galeristen bilden Gruppen und Zirkel, gründen Zeitschriften und bauen, wenn finanzielle Mittel und organisatorische Möglichkeiten vorhanden sind, Medienverbünde auf. Die Zeitschriften bilden dabei den Kern der Avantgardekultur; in ihnen spiegelt sich der literarisch-künstlerische Aufbruch, zugleich wirkten sie als Katalysator innerhalb der expressionistischen Bewegung.[1] 1913 sprach Albert Ehrenstein (1886–1950) polemisch, auf Zeitschriften des Bildungsbürgertums anspielend, von »fettig materialisierten Rundschauen« als den »Organen unserer Neunzigjährigen« und plädierte stattdessen für die neuen »kleinen Literaturblätter, die sich infolge der Indolenz des Publikums eine zahlungsfähige Moral und Ausstattung leider nicht gestatten« könnten.[2] Das täuscht jedoch darüber hinweg, daß die Expressionisten auch traditionelle Formen institutionalisierter Öffentlichkeit übernahmen; zudem trugen sie Machtkämpfe in der Medienöffentlichkeit aus. Worin bestanden die besonderen Kommunikationsleistungen dieser Medien, die nur für eine kulturoppositionelle Minderheit bestimmt waren? Es handelt sich um Medien voller Erneuerungspathos und Polemik gegen die Autoritäten des kulturellen Establishments. Sie enthalten Texte junger, meist kaum oder unbekannter Autoren, vor allem Lyrik, Aufrufe und Manifeste, kulturkritische Beiträge, Glossen und Satiren, Pressekritik und Rezensionen, schließlich, unterschiedlich im Umfang, Graphiken. Der Anspruch auf Selbstverständigung und permanente Diskussion war programmatisch. Teilweise bezog man sich auch auf vorgängige Muster der Kulturkritik. Affinitäten zur Jugendbewegung dokumentieren sich zum Beispiel in der Kritik am autoritären Schulsystem [→ 320 ff.]. ›Jugend‹ wurde auch in diesen Medien »zur Chiffre radikaler Abgrenzung vom Wilhelminismus auf allen Ebenen kultureller Praxis«.[3]

Die expressionistischen Zeitschriften sind der Mittelpunkt eines gruppenorientierten Kommunikationssystems. Sie sind Verlautbarungsorgane *und* Reflexionsmedien der literarisch-künstlerischen und radikal-politischen Gruppen, das wichtigste Forum der Kommunikation sowie der gegenseitigen Kritik für einen Teil der jüngeren Schriftstellergeneration. Wert gelegt wurde auf Spontaneität und auf eine privatere Form von Kommunikation, die mehr Entfaltungsmöglichkeiten ließ – der offene Charakter der Text- und Graphikpräsentation war konstitutiv. Aus all dem erwuchs eine enge »Bindung zwischen Kommunikator und Kommunikant mit einem hohen Maß an Identifikation«.[4]

Kommerzialisierung lehnte man ab, ohne ihr jedoch nicht selbst verfallen zu können. Denn auch expressionistische Literatur und Kunst zirkulierte, zumindest teilweise, als Ware im Medienverbund. Das langsam entstehende Geschäft mit dem Expressionismus stand jedoch im Widerspruch zum Sozialverhalten vieler Autoren, die Absicherung ablehnten: Sie begaben sich in eine Außenseiterrolle, die oft an der Realität scheiterte. Ohnehin bewegten sich viele unsicher in den internalisierten Rollen bohèmehaften Dichtertums. Der – meist unreflektierte – Widerspruch von bürgerlicher Herkunft, akademischer Bildung und Beruf sowie einem antibürgerlichen kulturellen Habitus war nicht auflösbar, hielt aber eine Zeitlang eine produktive Spannung in der Medienkultur aufrecht.

Neben den Zeitschriften haben auch die Formen kollektiver Textpräsentation in Anthologien, Jahrbüchern, Verlagsalmanachen sowie Flugschriften- und Heftreihen einen bedeutenden Stellenwert. Literatur- und Buchgeschichte schrieben die erste Lyrik-Anthologie des Expressionismus, der von Kurt Hiller (1885–1972) herausgegebene *Kondor* (1912), der einen Literaturstreit um die Avantgarde entfachte,[5] dann die 86 schwarz kartonierten Hefte der von Kurt Wolff (1887–1963) verlegten, anfangs von Franz Werfel (1890–1945) lektorierten Reihe *Der Jüngste Tag* (1913–1921), in relativ hohen Auflagen von bis zu 10 000 erschienen,[6] sowie die Ende 1919 erstmals publizierte, für die Rezeption des Expressionismus zentrale, von Kurt Pinthus (1886–1975) zusammengestellte Lyrik-Anthologie *Menschheitsdämmerung* (1920). Mit diesen Medien und den Zeitschriften wurden die expressionistischen Dichter bekannt, zum Teil auch kanonisiert; dies gilt für Gottfried Benn (1886–1956) wie für Georg Trakl (1887–1914), für Georg Heym (1887–1912) wie für Jakob van Hoddis (1887–1942) und August Stramm (1874–1915).

II. Produktion, Distribution, Gestaltung

Die Mehrzahl der mehr als einhundert expressionistischen Zeitschriften ist auf holzhaltiges, zeitungsähnliches Papier gedruckt und stellt programmatisch den Flugblatt- und Plakat-Charakter heraus; das Format bewegt sich zwischen Oktav und Folio. Das Spektrum reicht, je nach Programmatik und finanziellen Mitteln, von hektographierten oder im Matritzenabzug billig hergestellten Heften bis zu typographisch anspruchsvollen oder gar bibliophilen Zeitschriften. Die Distribution erfolgte – zumindest anfangs – oft im Selbstverlag, bei kleinen Blättern ist der Buchhandelsvertrieb nicht die Regel, vielmehr rechnet man auf Subskriptionsbasis. Diesen bescheidenen Distributionsformen entspricht auch der Entstehungsraum: Nicht selten befindet sich das Redaktionszimmer in der Privatwohnung des Herausgebers; nur größere Zeitschriften können eigene Redaktionsräume anmieten.

Höhere Auflagen erreichen nur wenige expressionistische Zeitschriften;[7] Ausnahmen sind *Der Sturm* (bis 30 000) und *Die Aktion* (2000–7000). Kamen die *Weißen Blätter* auf 3000–5000, *Das Neue Pathos* auf 3500, *Das Forum* auf 3000, der *Daimon* auf bis zu 2000 Exemplare, so ist für die meisten – speziell spätexpressionistischen – Zeitschriften von Auflagen zwischen 100 und 1000 auszugehen (*Der Anbruch* 1000; *Die Rote Erde* anfangs 1000, später 450; das *Zeit-Echo* 800; *Die Schöne Rarität* 300); die tatsächlich verkaufte Auflage war meist noch geringer. Überschüsse konnten nicht einmal renommierte Blätter wie die *Aktion* erwirtschaften. Honorare zahlten nur wenige Zeitschriften, auch nicht die erfolgreiche *Aktion*. Deshalb spekulierten einige Herausgeber und Verleger mit

›Luxus-Drucken‹ oder Vorzugsausgaben der Zeitschriften, die, zumindest bis zur Inflation Anfang der zwanziger Jahre, ihre Abnehmer fanden.

Im Expressionismus gewinnt die enge, auf Multimedialität ausgerichtete Verbindung von künstlerischer und literarisch-politischer Avantgarde eine Bedeutung wie niemals zuvor. Charakteristisch für die Zeitschriften ist die Verknüpfung von Text und Bild, die nicht nur auf den plakativen Umschlagseiten wirkungsvoll zum Ausdruck kommen sollte. Dem Bild kommt keine bloß komplementäre, vielmehr eine korrespondierende oder sogar dialogische Funktion zu. Der Einheit von Text und Bild näherten sich bibliophile Luxus-Zeitschriften wie *Marsyas* und *Eos* mit großen Formaten und – meist signierter – Originalgraphik. Überzeugender zeigt sich jedoch in den kleineren Blättern die Aufwertung der Illustration. Diese ist nicht mehr Beiwerk, sondern eigenständige, den Texten adäquate Ausdrucksform, der keine Exklusivität mehr anhaften soll. Im Idealfall handelt es sich um »Extrablätter über den letzten Stand des Geistes«, wie der Verleger Felix Stiemer meinte; deshalb müsse das Motto lauten: »fort aus den Ausstellungen. Auf die Straße! Verkauf des geistigen Telegrammverkehrs in Millionenauflagen.«[8] Die expressionistischen Künstler besaßen in den Zeitschriften ein reproduktionswirksames Medium und erreichten, zumal über Themenhefte, ein Publikum jenseits der Galerien.

III. Metropole Berlin: »Höllenpfuhl und Paradies«

Der Ursprung der expressionistischen Medienkultur liegt in der politischen und kulturellen Metropole des Reichs. Berlin war schon vor dem Ersten Weltkrieg Zentrum des Verlagswesens, des Kunsthandels und der Zeitschriften. Das verbreitete Empfinden junger Literaten und Künstler umschrieb der Wiener Hans Flesch-Brunningen (1895–1981) mit den Worten: »Berlin war für uns verrucht, verderbt, großstädtisch, anonym, riesig, zukunftsträchtig, literarisch, politisch, malerisch 〈...〉 kurz und gut – Höllenpfuhl und Paradies in einem. Ich ging mit einem meiner Freunde über den

Gloriettehügel hinter Wien. Es war Nacht. Gegen Norden glühte der Himmel. ›Dort liegt Berlin‹, sagte ich. ›Man müßte nach Berlin gehen‹, sagte ich. ›Warum?‹ fragte mein Freund, praktisch und sparsam gesinnt. ›Dort liest man Gedichte in Cabarets vor. Dort druckt man alles, was neu und modern ist. Nicht Euer Zeug von samtiger Brunst und Pracht.‹«[9]

Die ersten bedeutenden Zeitschriften des Expressionismus, *Der Sturm* und *Die Aktion*, erschienen in Berlin seit 1910 und 1911. Sie konnten ihren Einfluß als ›Zentralorgane‹ der Avantgarde über Jahre behaupten. Beide knüpften an Gruppenaktivitäten an, von denen die des ›Neuen Club‹ als Assoziation studentischer, nahezu unbekannter Schriftsteller, eine »Keimzelle« bildet.[10] Bei heterogenen ideologischen und ästhetischen Anschauungen und ›geistaristokratischem‹ Denken war der gemeinsame Nenner die Ablehnung der wilhelminischen Gesellschaft. Hiller, Heym, van Hoddis, Ernst Blass (1890–1939) gehörten zum ›Neuen Club‹, der mit dem »Neopathetischen Cabaret« (später »Gnu«) Aufsehen erregte; und sie alle schrieben wenig später für *Sturm* und *Aktion*.

Herwarth Walden (1878–1941) und Franz Pfemfert (1879–1954) waren fast gleichaltrig und hatten bereits einschlägige Erfahrungen, die sie für ihre Zeitschriften nutzen konnten. Sie sammelten relativ homogene Mitarbeiterkreise, die sich nur zum Teil überschnitten, fungierten als Herausgeber, Redakteur und Anzeigenverwalter und sorgten für den Vertrieb. Beide wurden ideell und materiell nachhaltig unterstützt von ihren Frauen Nell Walden und Alexandra Ramm. Um ihre Zeitschriften herum organisierten sie weitere Formen von Medienöffentlichkeit. Ihre Unternehmungen entwickelten sich zu Medienverbünden, ihre Aktivitäten waren in Umfang und Qualität singulär; vom *Sturm* und der *Aktion* gingen zudem überregionale Kommunikationsnetze aus.

Den Anfang machte Walden mit *Der Sturm* (1910–1932), in dessen erstem Heft u. a. Karl Kraus (1874–1936), René Schickele (1883–1940) und Else Lasker-Schüler (1869–1945) vertreten sind. Die Zeitschrift verstand sich nicht nur als Forum junger Dichter und Dichterinnen, sondern auch als Medium der künstlerischen Avantgarde.[11] Walden brachte das Blatt im Zeitungsformat heraus, mit 8 Seiten Umfang, dreispaltig gesetzt, zu 10 Pf. die Nummer. In programmatischen Bemerkungen von Rudolf Kurtz heißt es: »Wir wollen sie nicht unterhalten. Wir wollen ihnen ihr bequemes ernsterhabenes Weltbild tückisch demolieren ⟨...⟩ Mit der provokantesten Geste werden wir jede Äußerung dieser Kultur verhöhnen, die statt auf Ausschöpfung des Lebens auf Erhaltung ihrer Konventionen abzielt.«[12] Abgelehnt werden, wie in fast allen expressionistischen Zeitschriften, Klassizismus und bürgerlicher Humanismus, Naturalismus und Liberalismus sowie der lebensferne Historizismus.

Der Sturm zeigt eine künstlerisch-literarische Physiognomie, die ihn zum Angriffsziel sowohl der ›bürgerlichen‹ Kulturträger als auch politisch engagierter Blätter machte. Weniger Anschauung und dafür mehr Abstraktion in Dichtung und Kunst: dies war das Motto Waldens und seiner wichtigsten Mitarbeiter, darunter Rudolf Blümner (1873–1945), Stramm und Kurt Schwitters (1887–1948). Im Gegensatz zu Pfemfert bestand Walden auf dem ›Primat der Kunst‹ und widersetzte sich jeder politischen Instrumentalisierung. Mit seiner antinationalistischen Haltung nimmt *Der Sturm* eine herausragende Stellung in der Avantgardebewegung ein. Walden schaffte es, dem bildkünstlerischen Expressionismus sowie dem Fauvismus, Kubismus und Futurismus in Deutschland zum Durchbruch zu verhelfen und in ausländischen Zentren der Avantgarde den Expressionismus als ›deutschen‹ Stil bekannt zu machen. Dazu dienten ihm weitere mediale Formen: angeblich ein Organisationstalent ohne Geschäftssinn, gründete er 1912 eine Galerie, organisierte in Berlin mehr als 100 Ausstellungen und weitere 100 in anderen Städten und im Ausland; er veranstaltete seit 1914 Sturm-Kunstabende, ließ zwischen 1914 und 1919 in seinem Verlag u. a. ›Sturm-Bücher‹ erscheinen, brachte Kunst-Mappen sowie Kunstdrucke und billige Künstler- und Lichtbildkarten heraus und begründete eine ›Sturm-Bühne‹ (Aufführungen und Bücher) gegen das Repertoiretheater. Schwieriger wurde seine fast exklusive Position als Statthalter der Avantgarde, als Paul Westheim (1886–1963) 1917 *Das Kunstblatt* gründete und seit 1919 die Zeitschrift *Cicerone* als Organ des bildkünstlerischen Expressionismus auftrat. Zwischen 1919 und 1921 fand dann ein Medienkampf zwischen Walden und Westheim um die Führung in der Vermittlung der künstlerischen

Avantgarde, vor allem des französischen Nachimpressionismus und Fauvismus, statt.[13]

Die von 1911 bis 1932 erschienene *Aktion*, begründet, herausgegeben und redigiert von Pfemfert, stand von Anfang an in der radikaldemokratischen Tradition von 1848.[14] Pfemfert versuchte, alle antibürgerlichen Richtungen vom Anarchismus über den Aktivismus bis zum Geist-Marxismus eines Ludwig Rubiner (1881–1920) zu sammeln. Einleitend erklärte der Herausgeber: »›Die Aktion‹ tritt, ohne sich auf den Boden einer bestimmten politischen Partei zu stellen, für die Idee der Großen Deutschen Linken ein.«[15] Pfemfert wollte die politische »Organisierung der Intelligenz« vorantreiben und einen radikalen ›Kulturkampf‹ auf allen Ebenen führen.[16] Er richtete seine Erwartungen an die »revolutionäre deutsche Jugend, die sich von den Fesseln polizeilichen Denkens« befreien, »Ehrfurcht vor dem Geist« haben und die Vergangenheit »überwinden« sollte.[17] Die staatlichen Institutionen, politischen Parteien und die Presse standen im Mittelpunkt der Kritik. Der anfangs recht kleine Anteil literarischer Texte wurde stetig ausgebaut; der Untertitel »Zeitschrift für freiheitliche Politik und Literatur«, Anfang 1912 in »Wochenschrift für Politik, Literatur und Kunst« umgewandelt, fiel im November 1918 fort.

Eine herausragende Rolle spielte die *Aktion* im Kampf gegen den Krieg und dessen Propagandisten. Pfemferts radikales antimilitaristisches Bekenntnis lautete: »Nieder mit der völkerschlachtenden, völkerexpropriierenden Diktatur des Kapitalismus! Es lebe der revolutionäre, antinationale Sozialismus!«[18] *Die Aktion* wurde deshalb schon früh von den Zensurbehörden [→ 394 ff.] beobachtet; 1914 wurden einige Hefte beschlagnahmt, zeitweise durfte sie in Berlin nicht in Bahnhofsbuchhandlungen und an Kiosken verkauft werden. Der Zensur des Blattes kommt später ein wichtiger Kommunikations- und Bedeutungsaspekt zu; das Blatt blieb nach Kriegsbeginn scheinbar apolitisch, doch entwickelte Pfemfert Strategien der Zensurumgehung. Im April 1915 eröffnete er, unter dem Einfluß von Karl Kraus, die Rubrik ›Ich schneide die Zeit‹ aus, in der er bis Kriegsende mit Zitatmontagen den militanten Chauvinismus bloßstellte. Medien der Kritik waren auch die Kolumne ›Kleiner Briefkasten‹ sowie die (ausformulierte) Todesanzeige von im

Krieg gefallenen Dichtern. Damit verfolgte er überzeugend die Strategie des »verdeckenden Schreibens«.[19] Ein weiteres Charakteristikum, das andernorts übernommen wurde, Themenhefte zu Autoren und Künstlern, funktionierte er für die Völkerverständigung um: Er legte spezielle Nummern zu ›Kriegsfeindstaaten‹ wie Frankreich oder Rußland vor. Er schaffte es, die *Aktion* als einzige expressionistische Zeitschrift während des Krieges kontinuierlich erscheinen zu lassen.

Ähnlich wie Walden strebte Pfemfert einen Medienverbund an. Er veranstaltete seit 1911 Autorenabende; seit 1912 kamen gezielte Verlagsaktivitäten hinzu. So setzte er ab 1916 neue Akzente mit den Reihen *Aktions-Bücher der Aeternisten* (1916–21, 10 Bde), *Aktions-Lyrik* (1916–22, 7 Bde.), *Politische Aktions-Bibliothek* (1916–30, 13 Bde.) und *Der Rote Hahn* (1917–25, 60 Nrn.). Zusammengeführt wurde dies alles in einer von seiner Frau seit 1917 geleiteten Buchhandlung. Auch Pfemfert ging es damit um die führende Position als Avantgarde-Kommunikator. Waldens Programm wurde von ihm als ästhetizistische Spielerei bekämpft. Während Walden die ›Kunst‹ als eigentliche Revolution hypostasierte und die ›Wortkunsttheorie‹ dogmatisierte, führte Pfemferts Weg vom Primat der ›linken‹, aber offenen Politik über anarchosyndikalistische Positionen zum Linksradikalismus des Spartakusbundes.

IV. Nähe und Distanz zu den bürgerlichen Kulturzeitschriften

Ein innovatives Organ des Expressionismus trat in Leipzig mit den *Weißen Blättern* (1913–1921) neben *Aktion* und *Sturm*. Redigiert von Franz Blei (1871–1942), anfangs herausgegeben von dem Mäzen Erik-Ernst Schwabach (1891–1938), wechselte es mehrfach den Verlag; zuletzt erschien es bei Paul Cassirer (1871–1926) in Berlin.[20] Die *Weißen Blätter* waren an die *Nouvelle Revue Française* angelehnt, der literarische Revuecharakter war der *Neuen Rundschau* [→ 121 ff.] geschuldet, doch empfand man sich zugleich als deren

Antipode. Der Anteil bedeutender Erstdrucke ist beträchtlich – von Franz Kafka (1883–1924) über Lasker-Schüler bis zu Benn (*Ithaka*, *Gehirne*), von Walter Hasenclever (1890–1940, Drama *Sohn*, 1914) und Heinrich Mann (1871–1951, Zola-Essay, 1915) bis zu Ernst Stadler (1883–1914).

Schickele, verantwortlich ab dem zweiten Jahrgang, benutzte die Zeitschrift zur Verbreitung des Aktivismus [→ 566 ff.] und Internationalismus. In ihr dokumentiert sich sein weltoffenes ›Elsässertum‹; mit der propagierten »Politik der Geistigen« (Schickele in *März*, 1913) berief er sich auf Heinrich Mann. In dem Blatt, das zu einem Zentrum der Kriegsopposition avancierte, fanden auch Sprecher von Friedensorganisationen ein Diskussionsforum. Darüber hinaus druckte Schickele pazifistische französische Dichter wie Romain Rolland, Marcel Martinet und Henri Barbusse. Aus taktischen Gründen brachte er politisch brisante Stellungnahmen in einem Glossenteil und benutzte seit 1915 die Reklame zur »Tarnung gegen die Kriegszensur«.[21] Das Verbot des Maiheftes 1916 blieb, da die Zeitschrift bereits im Zürcher ›Exil‹ war, wirkungslos.

Im Gegensatz zur *Neuen Rundschau* öffnete sich *Der Neue Merkur* (1914–1925), herausgegeben von Efraim Frisch (später gemeinsam mit dem Kunsthistoriker Wilhelm Hausenstein), teilweise dem Expressionismus. Die Zeitschrift nahm eine Position zwischen Avantgarde und bürgerlicher Kulturrundschau ein: Unter den Beiträgern sind Erfolgsautoren des Bildungsbürgertums wie Emil Ludwig (1881–1948), Thomas Mann (1875–1955) und Jakob Wassermann (1873–1934) ebenso wie Alfred Döblin (1878–1957) und Albert Ehrenstein (1886–1950). Ausdrücklich bekannte sich Frisch zur ›Richtungslosigkeit‹, wenn auch »geistige Sammlung und Erneuerung« angestrebt wurden. Aus der »Mannigfaltigkeit der literarischen Produktion« sollte ausgewählt werden, »was natürlich gewachsen und aus künstlerischer Notwendigkeit geschaffen« sei.[22] Die Zeitschrift ist, bei programmatischer Negation von ›Formzertrümmerung‹ und ›Abstraktion‹, von einem ästhetischen und ideologischen Pluralismus bestimmt.

Auch Wilhelm Herzogs *Forum* (1914–1915; 1918–1929) war ein kulturelles Rundschaublatt, doch mit einer Fülle politischer, teils radikaler Artikel. Heinrich Manns Parole von ›Geist und Tat‹

machte sich auch Herzog zu eigen. Der Herausgeber wollte »eine gegen die zum Krieg hetzenden Alldeutschen gerichtete Monatsschrift, die an die Intellektuellen aller Länder appellierte, unbeirrbar zu bleiben, für den Frieden zu kämpfen und sich in den Dienst der Völkerversöhnung zu stellen.«[23] Sein Kampf gegen den Militarismus machte ihn schnell zum Objekt der Zensurbehörden, die ihm ›Landesverrat‹ vorwarfen. Trotz mancher Zensureingriffe und einer Beschlagnahmung setzte Herzog die Zeitschrift fort, bis sie im September 1915 verboten wurde und bis 1918 nicht mehr erschien.

Einen ganz anderen Zeitschriftentyp repräsentiert das *Zeit-Echo* (1914–1917), das von Otto Haas-Heye (Verleger und Finanzier) begründet wurde; für den ersten Jahrgang zeichnete u. a. Friedrich Markus Huebner (1886–1964), für den zweiten Hans Siemsen (1891–1969) verantwortlich. In schmalen Heften ging es um die gleichwertige Präsentation von Literatur (vor allem Lyrik) und Graphik; der Krieg, begriffen als »metaphysische Krisis«,[24] gab den entscheidenden Impuls für das Programm – im Untertitel nannte sich das Blatt *Ein Kriegs-Tagebuch der Künstler*. Doch änderte sich die offene Konzeption schnell: ab dem zweiten Jahrgang wurde das Blatt zu einem pazifistischen. Wegen der Zensur war es schon bald von München nach Berlin verlegt und schließlich, unter Rubiner, im Exil in Zürich fortgeführt worden. Später wurde es zu einem in der Mitarbeiterzahl reduzierten, kaum noch Graphiken enthaltenden aktivistischen Blatt. Äußerlich bescheiden und durch die Verwendung der ›altdeutschen‹ Frakturschrift (im 1. und 2. Jahrgang) konservativ wirkend, sicherten der Zweiwochenschrift die in den ersten beiden Jahrgängen in jedem Heft enthaltenen Originalgraphiken das Interesse von Graphiksammlern. Ungewöhnlich war auch die – zumal überdurchschnittliche – Honorierung von Text- und Kunstbeiträgen. Sie führte jedoch schnell zu hohen Verlusten, die durch Anzeigenwerbung aufgefangen werden sollten.

Andere frühexpressionistische Zeitschriften blieben von marginaler Bedeutung. So indiziert der in Greifswald von Oskar Kanehl (1888–1929) herausgegebene *Wiecker Bote* (1913/14) die Herkunft vieler Expressionisten aus dem akademischen Milieu; die von Hans Leybold (1892–1914) im Münchner Bachmair Verlag publizierte

Revolution (1913) tendiert in Ansätzen zur anarchistischen Revolte. Ebenfalls in München erschienen Erich Mühsams (1878–1934) [→ 417 ff.] anarchistische Zeitschrift *Kain* (1911–1919) sowie *Die Neue Kunst* (1913/14), die Heinrich F. S. Bachmair (1889–1960) herausgab. Eine breitere Resonanz erreichte die Heidelberger Zeitschrift *Saturn* (1911–1920), herausgegeben von Hermann Meister (1890–1956) und Herbert Großberger (1890–1954). Es gelang Meister, eine Reihe bedeutender Expressionisten zur Mitarbeit zu bewegen, ein eigenes Korrespondentennetz aufzubauen und außerdem Bücher seiner Mitarbeiter zu verlegen.

V. Österreich und die »Volldampf-Hysteriker«

Neben Berlin war Wien ein frühes Zentrum von Avantgarde-Bestrebungen, auch wenn sich in der österreichischen Metropole keine vergleichbare Kommunikationsstruktur entwickelte.[25] Während in Berlin mit Pfemferts *Aktion* ein politischer Akzent gesetzt wurde, war der Frühexpressionismus in Wien gleichermaßen musikalisch, künstlerisch und literarisch bestimmt; er zeigte sich, im Anschluß an das ›Fin de siècle‹, vor allem ästhetisch geprägt. Die erste und bis Ende des Kriegs einzig bedeutende literarisch-künstlerische Institution bestätigt dies: der 1908 von Studenten und Hochschullehrern gegründete »Akademische Verband für Literatur und Musik«. 1910/11 erfolgte, unter der Leitung von Ludwig Ullmann (1887–1959) und Erhard Buschbeck (1889–1960), ein Generalangriff auf den Kulturbetrieb. In großen – teils skandalisierenden – Veranstaltungen wurden Oskar Kokoschka und Arnold Schönberg präsentiert, führte man Arthur Schnitzlers (1862–1931) von der Zensur verbotenen *Professor Bernhardi* auf, brachte Lesungen und Vorträge von Frank Wedekind (1864–1918) und Adolf Loos (1870–1933) und zeigte 1913 Waldens Futurismus-Ausstellung [→ 470 f.]. Von Februar 1912 bis Oktober 1913 gab der Verband die Zeitschrift *Der Ruf* (»Ein Flugblatt an junge Menschen«) heraus. Interne Auseinandersetzungen beendeten schnell diesen ersten Organisierungsversuch der Wiener Expressionisten, die sich fortan in den deutschen Literaturbetrieb zu integrieren suchten – über den *Saturn*, Waldens *Sturm* und Pfemferts *Aktion*, in der 1913 ein Schiele-Sonderheft und später eines über Hans Flesch-Brunningen erschien.

Einen zweiten Schwerpunkt des österreichischen Expressionismus bildet die in Innsbruck seit 1910 von Ludwig von Ficker herausgegebene Zeitschrift *Der Brenner*, in der ab 1911 auch Wiener, Prager und schließlich Berliner Autoren gedruckt wurden. Zwar erschienen die ersten Texte Georg Trakls (1887–1914) in Wiener Blättern, doch sein Durchbruch erfolgte mit der Präsenz im *Brenner*.[26] Ludwig von Ficker (1880–1967) zog allerdings die Grenzen seines Verständnisses von Literatur ziemlich eng: Politischen Radikalismus, Abstraktion und ›subversive‹ Literatur lehnte er ab und urteilte über die *Ruf*-Autoren bissig: »Unsere Volldampf-Hysteriker! Hol sie der Teufel! Ihre Hingegebenheit an das Leben ist besinnungslose Schweinerei!«[27] Schon 1913/14 distanzierte er sich vom Literaturbetrieb des Expressionismus, intensivierte dagegen die Beziehungen zu Karl Kraus, dem großen ethischen und sprachkritischen Vorbild des *Brenner*-Kreises.

Erst 1917/18 setzte in Wien eine publizistische Blüte mit Verlags- und Zeitschriftengründungen ein; doch handelte es sich meist um kurzlebige Blätter: Zu nennen sind *Das Flugblatt* (1917–1918), *Der Anbruch* (1917–1920, seit 1921 Berlin), Bleis und Albert Paris von Güterslohs kulturpolitische *Rettung* (1918–1920) und *Aufschwung* (1919). Von größerem Gewicht war die Zeitschrift *Daimon* bzw. *Neuer Daimon* (1918–1919), in Verbindung mit der Schriftenreihe *Die Gefährten* (1920/21), Blätter eines Genossenschaftsverlags; er setzte die Idee der Sozialisierung des Privateigentums um. Robert Müller (1887–1924), Sprachrohr des Wiener Aktivismus, gab 1920, nach Gründung der Vereinigung *Die Katakombe*, die Zeitschrift *Der Strahl* heraus.

Auch in anderen Städten der vormaligen Habsburger Monarchie gab es zumindest kleine expressionistische Gruppen: An erster Stelle ist Prag zu nennen, wo Otto Pick (1886–1940) und Willy Haas (1891–1973) für die deutsche Minderheit 1911/12 die literarisch niveauvollen *Herder-Blätter* herausgaben, finanziert von der Herder-Gesellschaft. In Brünn kam 1918 *Der Mensch* heraus; in Budapest erschien 1916–1919 ein Organ der internationalen Avantgarde, das aktivistische Blatt *Ma* (= *Heute*) – nach Inhaftierung und Flucht des Herausgebers Lajos Kassák wurde es in Wien fortgesetzt. Sogar in der fernen Bukowina, in Czernowitz, gaben 1919 junge Dichter, darunter Alfred Margul-Sperber (1898–1967), die Zeitschrift *Der Nerv* heraus.

VI. Von der Metropole zur Peripherie

Nach der Zäsur des Ersten Weltkriegs – die Zahl der Zeitschriften sank um fast die Hälfte – brachten die Jahre bis 1921 eine Dezentralisierung der expressionistischen Kunst- und Literaturbewegung. Es war dies auch eine Folge der Aufhebung des Reichspressegesetzes und der Kriegszensur. Die revolutionäre Lage 1918/19 und ein freies Diskussionsklima förderten die Entwicklung; aber auch Pfemferts Radikalisierung schuf neuen Medienbedarf. Die Zahl der Zeitschriftengründungen war jedoch so groß, daß Döblin schon 1919 in der *Neuen Rundschau* spottete: »Jeder Verlag, der etwas auf sich hält, ist genötigt, für seine Bekannten eine besondere Zeitschrift herauszugeben, um sie auf dem Laufenden zu halten. Der Geltungsbereich einer Zeitschrift kann, wenn die Not nicht nachläßt, bis auf ein, zwei Häuserblocks eingeschränkt werden. Es ist begreiflich, daß sie alle dieselbe Zeitschrift schreiben. Sie hat verschiedene Namen.« [28]

Nur dort, wo sich Künstler, Schriftsteller, Galeristen und Museumsleiter gegen die starren Traditionen der Kunstakademien und des Kunstbetriebs organisierten, profilierte sich die Avantgarde – geprägt von einer zweiten Generation von Expressionisten. In einer Reihe von Städten – so in Dresden, Kiel, Magdeburg, Karlsruhe, Stuttgart, Bielefeld und Düsseldorf[29] – bildeten sich, angeregt von der Gründung der ›Berliner Novembergruppe‹ und dem ›Rat der geistigen Arbeiter‹, fortschrittliche künstlerische Sezessionen, die »Revolutionäre des Geistes« vereinten;[30] in den ›Provinzstädten‹ hatten sie allerdings meist nur ein oder zwei Jahre Bestand. Nicht überall entwickelten diese Gruppen auch Medienaktivitäten. Als neue künstlerische *und* literarische Zentren des Spätexpressionismus kristallisierten sich dann Dresden, Düsseldorf, Köln, Kiel, Hannover, Darmstadt und München heraus.

In Dresden war zwar schon 1905 die Künstlergemeinschaft ›Die Brücke‹ – neben dem Münchner ›Blauen Reiter‹ die bedeutendste des Expressionismus – gegründet worden, doch erst nach Kriegsende avancierte die Stadt zu einem Zentrum des Expressionismus. Am Beginn stand die Gründung der ›Expressionistischen Arbeitsgemeinschaft Dresden‹ am 1. Oktober 1917 um den Verleger Felix Stiemer, aus der der Dresdner Verlag von 1917 sowie die ›Dresdner Sezession Gruppe 1919‹ hervorgingen. In den ersten Statuten der Gruppe wird deren transitorischer Charakter prägnant umrissen: »Hauptgrundsätze sind: Wahrheit – Brüderlichkeit – Kunst. Der Elan der Zeit hat die Gruppe hervorgebracht, und der kommende kann sie vernichten: Wir werden dazu beitragen, indem wir den kommenden den Weg bereiten, der wir eben schon sind.«[31]

Bedeutung erlangten auch die Zeitschriften *Neue Blätter für Kunst und Dichtung* und *Die Neue Schaubühne*, ferner *Der silberne Spiegel* und *Menschen* (Schriftleitung Walter Rheiner), alle von 1919. Das Einleitungsmotto des *Menschen* ist repräsentativ für die spätexpressionistischen Medien: Man sagt dem »Materialismus« der vergangenen Zeit den Kampf an und vertritt »in künstlerischer, politischer und praktischer Tat« einen »prinzipiellen Idealismus«, der in den Künsten »Expressionismus« heiße, in der Politik »anationaler Sozialismus«; an dessen Aufbau als einer »heiligen Aufgabe« sollen alle »geistig Jungen, unbedingt Gläubigen, die reinen Herzens sind«, mitarbeiten.[32] Sonderhefte des *Menschen* galten, bezeichnend für die Kommunikationsstruktur, der ›Novembergruppe Berlin‹ und der ›Expressionistischen Arbeitsgemeinschaft Kiel‹; mit Kiel, aber auch mit Hamburg, Berlin und Regensburg, ergab sich ein reger Austausch von Mitarbeitern, von Autoren und Künstlern.

Im Rheinland vollzog sich nach dem Krieg eine Internationalisierung der Avantgarde. In Düsseldorf erreichten die Aktivitäten der Gruppe »Junges Rheinland« nach den progressiven, politisch teils radikalen Zeitschriften *Das Ey* (1920) und *Das junge Rheinland* (1921/22) Höhepunkt und Abschluß zugleich 1922 mit der Tagung der an Gruppengegensätzen gescheiterten ›Konstruktivistischen Internationale‹.[33] In Köln rückten die Dadaisten Max Ernst und Johannes Theodor Baargeld ins Rampenlicht der Öffentlichkeit;[34] einflußreich war dort auch der revolutionäre künstlerische Konstruktivismus um Heinrich Hoerle und Franz W. Seiwert, der in der satirisch-polemischen, von Ernst und Baargeld sogar vor den Toren einer Kölner Fabrik verteilten Zeitschrift *Der Ventilator* gipfelte (1919, nach wenigen Nummern von den britischen Besatzungsbehörden verboten); in abgeschwächter Form fortgesetzt wurde diese Richtung in *Der Strom* (1919–1920) sowie in den Druckschriften der ›Kalltal-Gemeinschaft‹ (1919–1920): Sie dokumentieren ein kollektives Autoren-und Künstlerverständnis: Expressionisten, Dadaisten und Konstruktivisten waren hier kurze Zeit vereint.

Hervorzuheben aus der Vielzahl weiterer Zeitschriften sind für Kiel *Der schwarze Turm* und *Die Schöne Rarität*, für Hamburg die *Rote Erde* sowie *Der Sturmreiter*, ferner die *Kündung*; für Hannover *Das Hohe Ufer* und *Der Zweemann*; für Darmstadt, um den Verleger Joseph Würth, die von Carlo Mierendorff u. a. verantwortete *Dachstube* sowie das *Tribunal* mit dem an Büchner gemahnenden Untertitel *Hessische Radikale Blätter.* Zu erwähnen sind schließlich noch die in Regensburg von Georg Britting und dem Künstler Josef Achmann begründete Zeitschrift *Die Sichel*, Rudolf Adrian Dietrichs *Konstanz*, der Münchner *Weg*, die *Neuen Blätter für Kunst und Dichtung* von Bachmair, die im Zeichen der Novemberrevolution und Räterepublik stehenden, von Friedrich Burschell herausgegebenen Münchner Blätter *Revolution* und *Neue Erde* und der *Ararat* des Kunsthändlers Hans Goltz. Und selbst an der äußersten Peripherie gab es kleine Expressionisten-Zirkel: Im oberschlesischen Breslau gab Walter Rilla die *Die Erde* heraus, in Saarbrücken erschien 1920/21 das *Feuer* mit einer Reihe bedeutender Beiträger.

In einigen Städten waren die Expressionisten völlig isoliert (vor allem da, wo es keine Akademien und Universitäten gab); sie waren auf ein kleines Publikum, oft nur aus Freunden und Mäzenen bestehend, angewiesen. Expressionisten in der Provinz – wie etwa in Regensburg oder Konstanz – mußten schon deshalb mit anderen Gruppen kommunizieren, vor Ort galten sie oft nur als Sonderlinge und Störenfriede. So entstanden nach Kriegsende neue Kommunikationsnetze. Sie dokumentieren sich nicht nur im Austausch von Mitarbeitern und Texten, sondern auch in gegenseitiger Empfehlung oder auch in Form von Werbung mit gegenseitig aufgerechneten Anzeigen.

VII. »Konjunkturexpressionismus« und Ende der Medienkultur

Die spätexpressionistischen Zeitschriften waren bestrebt, aus dem Schatten der *Aktion* und des *Sturm* herauszutreten und ein eigenes Profil auszubilden; doch gelang dies nur wenigen. Bei den kleinen Blättern in der Provinz war vieles vom Zufall abhängig, von ›Freundschaftsdiensten‹, von Vermittlungen durch befreundete Autoren und taktischen Erwägungen. Zugleich indiziert der Stilpluralismus in diesen Blättern das nahende Ende des Expressionismus als relativ homogener Gruppenbewegung. Innovationen gab es kaum noch: die Themenschwerpunkte waren weiterhin ›Krieg‹, ›Revolution‹, ›Liebe‹ und ›Utopie‹; die Inhalte und Formen hatten sich, bei inflationärem Gebrauch, abgenutzt. Der in Pathosformeln erstarrte ›Provinzexpressionismus‹ – wie er sich, polemisch, aus der Sicht der großstädtischen Autoren darstellte – existierte als Phänomen nur zwei bis drei Jahre.

Auch Polarisierungen in den spätexpressionistischen Medien beschleunigten deren Verfall: Einerseits wurden wieder Zeitschriften gegründet, die die illusionäre Idee der Massenmedialisierung aufgriffen; andererseits machte sich in vielen Zeitschriften – nicht nur in der Provinz – ein ländlich-regionalistischer, antiurbaner Akzent bemerkbar, der die Abkehr vom ›formzertrümmernden‹ Expressionismus und von politischen Richtungskämpfen spiegelt. Exemplarisch ist der Wandel in der von Wolf Przygode begründeten Zeitschrift *Die Dichtung* (1918–23) dokumentiert; in ihr erschienen zwar auch sprachexperimentelle Arbeiten von Georg Kulka, doch Oskar Loerke, Hermann Kasack, Paula Ludwig u. a. stehen für eine neue Ästhetik und formbewußte Dichtung.[35]

Der Gefahr des Eklektizismus und Epigonentums und einer nur

phrasenhaft proklamierten ›Erneuerung‹ des Menschen erlagen viele Zeitschriften deshalb, weil sie an die alten zivilisationskritischen Muster anknüpften; weil sich das revolutionäre Pathos schnell verbraucht hatte; weil schließlich, ohne Realitätsanbindung, ein ›geistiges Führertum‹ ausgerufen wurde. Man ließ sogar den ›Dichterpropheten‹ wiederauferstehen und inaugurierte damit jenes vormoderne Dichterbild, das die traditionalistische Wende in den folgenden Jahrzehnten kennzeichnet. Und schließlich änderte sich die Realität rasch – mit dem Ende der Revolution, den Anfängen der Republik und der folgenden Konsolidierung sowie der ökonomischen Krise der Inflation –, so daß ein weitreichender Prozeß der Desillusionierung einsetzte: er bedeutete auch das Ende der expressionistischen Medienkultur.

Karl Riha

Die Dichtung des deutschen Frühexpressionismus

Anfänge und Programmatik der Bewegung

»Den Beginn der expressionistischen Lyrik in Deutschland«, so Gottfried Benn (1886–1956) in seinem Vortrag *Probleme der Lyrik*, mit dem er Anfang der fünfziger Jahre hinter das ›Dritte Reich‹ und den Zweiten Weltkrieg zurückverwies und gleichzeitig der Literatur der Gegenwart neue Anstöße zu vermitteln suchte, »rechnet man von dem Erscheinen des Gedichts *Dämmerung* von Alfred Lichtenstein, das 1911 im *Simplicissimus* stand, und dem Gedicht *Weltende* von Jakob van Hoddis, das im gleichen Jahr erschien«. Das »Gründungsereignis der modernen Kunst in Europa«, fährt er im selben Atemzug fort, sei freilich »die Herausgabe des futuristischen Manifestes« durch Filippo Tommaso Marinetti [→ 470 f.] gewesen, das am 20. Februar 1909 im Pariser *Figaro* erschienen sei; seine Kernsätze lauteten, man werde der Geburt des Zentauren beiwohnen, und ein brüllendes Automobil sei schöner als die Nike von Samothrake. Benns Resümee in dieser wie jener Richtung lautet: »Dies waren die Avantgardisten, sie waren aber im einzelnen auch schon die Vollender.«[1]

Wäre Benn intensiver, als es der Vortrag erlaubte, auf die Vorgeschichte des Berliner Frühexpressionismus eingegangen, hätte er als wichtige Keimzelle freilich auch auf den durch Jakob van Hoddis (1887–1942), Kurt Hiller (1885–1972), Erwin Loewenson (1888–1963) u. a. bereits 1908/09 begründeten *Neuen Club* und seine seit Sommer 1910 unter dem Titel *Neopathetisches Cabaret* laufenden Rezitations- und Diskussions-Veranstaltungen hinweisen müssen: hier rezipierte man Friedrich Nietzsche, entdeckte Georg Büchner, der über ein Dreiviertel-Jahrhundert in Vergessenheit geraten war, löste sich von Stefan George (1868–1933) [→ 358 ff.] und Hugo von Hofmannsthal (1874–1929) [→ 360 ff.], denen man sich zunächst verwandt gefühlt hatte, und bot den jungen, in die neue literarische Richtung einschwenkenden Autoren die Gelegenheit zu Lesungen; neben van Hoddis standen bei den ersten ›Cabaret‹-Abenden Georg Heym (1887–1912), Else Lasker-Schüler (1869–1945), Ernst Blass (1890–1939), Erich Unger (1887–1950) und auch Carl Einstein (1885–1940) – mit seinem *Bebuquin oder Die Dilettanten des Wunders* (1912) der radikalste expressionistische Prosa-Autor dieser Jahre – im Programm. In seiner Eröffnungsrede apostrophierte Hiller »erhöhte psychische Temperatur« und »panisches Lachen«: »So versteht es sich auch, daß wir es keineswegs für unwürdig und unvornehm halten, seriöseste Philosopheme zwischen Chansons und (zerebrale) Ulkigkeit zu streun.«[2] Der zeitgenössische Zeitschriftenbericht konstatierte Erfolg, wenn er festhielt:

> In dem dichtgedrängten Saale irgendeines Cafés, bald hell, bald verdunkelt, sitzen etwa 250 Personen, Studenten, Bohemiens, Schauspieler, Maler, Schriftsteller (darunter manch bekanntes, interessantes Gesicht), Männlein und Weiblein, grotesk, farbig, lachen, lauschen, klatschen, zischen, werden hinausbefördert, freuen sich und wollen etwas. Die Kerle haben Mut. Man muß wissen, es ist kein Cabaret im gewöhnlichen Sinne, nicht für jeden. Statt des obligaten Klaviergeklimpers zu schleimigen Zoten kann man plötzlich eine kritisch psychologische Lustbarkeit hören, oder eine Anfrage an das Schicksal, oder die ungenierte Ermordung einer Berühmtheit.[3]

Zu Recht eröffnete also Kurt Pinthus (1886–1975) 1920 (auf 1919 vordatiert) seine Anthologie *Menschheitsdämmerung*, durch die er erst das Bewußtsein für den deutschen Frühexpressionismus schuf, der vor dem Weltkrieg einsetzte und in die Kriegsjahre hineinreichte, eben mit dem *Weltende*-Gedicht des Hans Davidson, der sich, anagrammatisch verfremdet, van Hoddis nannte:

> Dem Bürger fliegt vom spitzen Kopf der Hut,
> In allen Lüften hallt es wie Geschrei,
> Dachdecker stürzen ab und gehn entzwei
> Und an den Küsten – liest man – steigt die Flut.
>
> Der Sturm ist da, die wilden Meere hupfen
> An Land, um dicke Dämme zu zerdrücken.
> Die meisten Menschen haben einen Schnupfen.
> Die Eisenbahnen fallen von den Brücken.[4]

Diese Zeilen avancierten, wie Johannes R. Becher (1891–1958) in späterer Erinnerung festhielt, zu einer Art Erkennungszeichen der expressionistischen Generation:

> Diese zwei Strophen, o diese acht Zeilen schienen uns in andere Menschen verwandelt zu haben, uns emporgehoben zu haben aus einer Welt stumpfer Bürgerlichkeit, die wir verachteten und von der wir nicht wußten, wie wir sie verlassen sollten. ⟨...⟩ Wir riefen sie uns gegenseitig über die Straße hinweg zu wie Losungen, wir saßen mit diesen acht Zeilen beeinander, frierend und hungernd, und sprachen sie gegenseitig vor uns hin, und Kälte und Hunger waren nicht mehr. ⟨...⟩ Wir fühlten uns wie neue Menschen, wie Menschen am ersten geschichtlichen Schöpfungstag, eine neue Welt sollte mit uns beginnen, und eine Unruhe, schworen wir uns, zu stiften, daß den Bürgern Hören und Sehen vergehen sollte und sie es geradezu als eine Gnade betrachten würden, von uns in den Orkus geschickt zu werden.[5]

Erstveröffentlicht wurde der Text am 11. Januar 1911 in der Zeitschrift *Der Demokrat*, entstanden ist er vermutlich schon Mitte 1910, in zeitlicher Nähe nicht nur zu den futuristischen Manifesten, die bald auch in Deutschland zu lesen waren, sondern auch zum Wiedererscheinen des Halley'schen Kometen im Mai des Jahres, das in Europa Panikstimmung auslöste: man fürchtete, daß es beim Durchgang der Erde durch den Schweif des Wandelsterns zu zerstörerischen Explosionen kommen könne. Eine solche Reduktion des Textes auf die erlebnishafte Verarbeitung eines historischen Ereignisses greift jedoch zu kurz; sie verfehlt jene sublimeren, tiefere Krisen signalisierenden Umbruchsstimmungen, die für das Ende des Kaiserreichs symptomatisch waren und vor allem die junge Generation erfaßten; man vergleiche dazu die folgenden Notizen in den Tagebüchern Heyms:

> Warum ermordet man nicht den Kaiser oder den Zaren? Man läßt sie ruhig weiter schädlich sein. / Warum macht man keine Revolution? Der Hunger nach einer Tat ist der Inhalt der Phase, die ich jetzt durchwandere.

Oder:

> Ach, es ist furchtbar. Schlimmer kann es auch 1820 nicht gewesen sein. Es ist immer das gleiche, so langweilig, langweilig, langweilig. Es ge-

schieht nichts, nichts, nichts. ⟨...⟩ Geschähe doch einmal etwas. Würden einmal wieder Barrikaden gebaut. Ich wäre der erste, der sich darauf stellte, ich wollte noch mit der Kugel im Herzen den Rausch der Begeisterung spüren. Oder sei es auch nur, daß man einen Krieg begänne, er kann ungerecht sein. Dieser Frieden ist so faul ölig und schmierig wie eine Leimpolitur auf alten Möbeln.[6]

Ihre stofflich-motivische Entsprechung fand diese aufrührerische Welt- und Lebensperspektive in Gedichten des Autors, die Zerstörung und Weltuntergang beschworen, so etwa *Der Gott der Stadt*, datiert auf Dezember 1910:

Auf einem Häuserblocke sitzt er breit
Die Winde lagern schwarz um seine Stirn.
Er schaut voll Wut, wo fern in Einsamkeit
Die letzten Häuser in das Land verirrn.

Vom Abend glänzt der rote Bauch dem Baal,
Die großen Städte knien um ihn her.
Der Kirchenglocken ungeheure Zahl
Wogt auf zu ihm aus schwarzer Türme Meer.

Wie Korybanten-Tanz dröhnt die Musik
Der Millionen durch die Straßen laut.
Der Schlote Rauch, die Wolken der Fabrik
Ziehn auf zu ihm, wie Duft von Weihrauch blaut.

Das Wetter schwelt in seinen Augenbrauen.
Der dunkle Abend wird in Nacht betäubt.
Die Stürme flattern, die wie Geier schauen
Von seinem Haupthaar, das im Zorne sträubt.

Er streckt ins Dunkel seine Fleischerfaust.
Er schüttelt sie. Ein Meer von Feuer jagt
Durch eine Straße. Und der Glutqualm braust
Und frißt sie auf, bis spät der Morgen tagt.[7]

Ein visionäres Gedicht – eine beschwörende Imagination, die sich allegorischer und mythologischer Elemente bedient, um zu ihrem Ziel zu kommen. Alle Strophen hindurch ist der gespenstisch-überdimensionierte Großstadt-Gott, den die zweite Strophe dann mit »Baal« benennt, präsent, einmal mehr als Gegenstand einer devotionalen Verehrung, zum anderen jedoch als dämonisches Agens, von dem Drohung und Schrecken ausgehen. Dabei ist festzuhalten, daß es sich um kühne poetische Bilder handelt. »Die Winde lagern schwarz um seine Stirn«, heißt es in der zweiten Strophe. Bewegung – »Winde« – und Statik – »lagern« – sind in eins genommen: das Naturbild geht in die Allegorie über, löst sich in ihr auf. Und dann die ungewöhnlich eingesetzte Farbe »schwarz«! Weil sie sich aus der sinnlichen Wahrnehmung herauslösen und zu eigenen Bedeutungsträgern avancieren, spricht man von farblichen Chiffren. Es handelt sich dabei um ein expressionistisches Stilmerkmal. Zum »schwarz«, das sich mit »dunkler Abend«, »Nacht« verbindet und zu »schwarzer Türme Meer« der »Schlote Rauch« assoziieren läßt, kommt kontrastierend die Rot-Farbe hinzu, erstmals signalisiert mit der Verszeile »Vom Abend glänzt der rote Bauch dem Baal« und dann zum Schluß des Gedichts – als Zeichen des Aufruhrs – aufgenommen durch »Meer von Feuer« und »Glutqualm«. Daß mitten im Text von »großen Städten« im Plural die Rede ist, hat eine thematische Verallgemeinerung im Sinne von ›Großstädte überhaupt‹ zur Folge. Deren Hauptkennzeichen – Industrialisierung der Lebensverhältnisse und Vermassung – werden in der dritten Strophe herausgestellt; die Lebensmusik der Millionen ist als Straßenlärm, als wild-dämonischer »Korybanten-Tanz« charakterisiert; daß die Abgase der Fabriken als »Duft von Weihrauch« ausgegeben werden, ist euphemistische Blasphemie, eine lästerliche Schönfärberei. Die Zeitangaben haben symbolische Qualität: »Abend« und »Nacht« stehen für ›späte‹ *Zeit* überhaupt, für Endzeit und die ihr einbeschriebene Todesatmosphäre. Quer durch das Œuvre Heyms finden sich zahlreiche Parallelen zur endzeitlichen Sicht der großen Stadt, Teil einer vielfach in sich korrespondierenden Mythologie mit aktueller gesellschaftlicher und gesellschaftskritischer Funktion. – *Styx*, *Gruft*, *Heimat der Toten* oder *Schwarze Visionen, An eine imaginäre Geliebte* lauten die Titel anderer Gedichte, noch zu Lebzeiten des Dichters veröffentlicht, der früh zu Tode kam.

Neuartig ist auch in van Hoddis *Weltende*-Poem vor allem die Bildlichkeit und mit ihr die Wahrnehmungsproblematik, auf die sie verweist; ihnen gegenüber bleiben – paradox – Metrik, Reim und Strophenform im konventionellen Rahmen: der jambische Fünfheber des van Hoddis weist, wo er ihn verwendet, in sprachlicher wie formaler Hinsicht auf das Vorbild Georges zurück, das zunächst prägend wirkte. Die Parenthese »liest man« in der Schlußzeile der ersten Strophe gibt dem Gedicht den Charakter einer Montage zusammengesetzter Zeitungsnachrichten, die auf den Überraschungseffekt versetzter Katastrophenmeldungen aus sind. Dem Bürger vom Kopf fliegender Hut, abstürzende Dachdecker, Sturmfluten an den Meeresküsten und gebrochene Dämme etc. illustrieren das Sturm-Thema, wie es in der ersten Zeile der zweiten Strophe angeschlagen wird; dabei wird der Charakter des Disparaten, das simultanistisch zusammengesetzt erscheint, dadurch besonders herausgestrichen, daß die lyrischen Bilder – strikt auf je eine einzelne Verszeile beschränkt – im ›expressionistischen Zeilenstil‹ zusammengesetzt sind. Ein weiteres Mittel der Irritation sind verquer eingesetzte Verben, die die Katastrophe scheinbar inadäquat kommentieren; sie lösen den apokalyptischen Ansatz – vom Inhaltlichen wie vom Stil her – ins Spielerische auf. Die bedrohlichen Details werden auf Distanz gerückt und verharmlost – ein Vorgang, der in die Groteske und in den schwarzen Humor führt; um ihre ironische Relativierung oder eine wirkliche Aufhebung des Schreckens handelt es sich dabei nicht, im Gegenteil: die eigenwilligen Bilder grimassieren auf eine neue und viel eindringlichere Weise!

Die publizistischen Träger frühexpressionistischer Lyrik sind die von Franz Pfemfert (1879–1954) herausgegebene Zeitschrift *Die Aktion* [→ 441 ff.] und der von Herwarth Walden (1878–1941) edierte *Sturm*. Anders als im Futurismus stehen am Anfang der literarischen Bewegung keine programmatischen Manifeste, sondern einzelne Autoren mit einer markanten inhaltlich-formalen Ausprägung ihrer Texte, in denen sich der Stilgestus des Symbolismus bzw. Jugendstils parodistisch bricht – so eine in der Literaturwissenschaft vertretene These, gelegentlich an einzelnen Autoren in besonderer Weise herausgearbeitet, zum Beispiel durch Kurt Mautz bei Heym unter dem Titel *Mythologie und Gesellschaft im Expressionismus, Die Dichtung Georg Heyms*. Die Stichhaltigkeit dieser

These läßt sich im direkten Vergleich motiv-ähnlicher Texte erhärten, so etwa in der Gegenüberstellung der beiden Gedichte Arthur Rimbauds (1854–1891) – in der Übersetzung Karl Ammers – und Gottfried Benns (1886–1956):

Rimbaud: Ophelia
Auf stiller, dunkler Flut, im Widerschein der Sterne,
geschmiegt in ihre Schleier, schwimmt Ophelia bleich,
sehr langsam, einer großen Lilie gleich.
Jagdrufe hört man aus dem Wald verklingen ferne.

Schon mehr als tausend Jahre sind es,
daß sie, ein bleich Phantom, die schwarze Flut hinzieht,
und mehr als tausend Jahre flüstert schon sein Lied
ihr sanfter Wahnsinn in den Hauch des Abendwindes.

Die Lüfte küssen ihre Brüste sacht und bauschen
zu Blüten ihre Schleier, die das Wasser wiegt.
Es weint das Schilf, das sich auf ihre Schulter biegt.
Die Weiden über ihrer hohen Stirne rauschen.

Im Schlummer einer Erle weckt sie hin und wieder
ein Nest, aus dem ein kleines Flügelflattern schlägt.
Die Wasserrosen seufzen, wenn sie sie bewegt.
Ein Weiheklang fällt von den goldnen Sternen nieder.[8]

Benn: Schöne Jugend
Der Mund eines Mädchens, das lange im Schilf gelegen hatte,
sah so angeknabbert aus.
Als man die Brust aufbrach, war die Speiseröhre so löcherig.
Schließlich in einer Laube unter dem Zwerchfell
fand man ein Nest von jungen Ratten.
Ein kleines Schwesterchen lag tot.
Die andern lebten von Leber und Niere,
tranken das kalte Blut und hatten
hier eine schöne Jugend verlebt.
Und schön und schnell kam auch ihr Tod:
Man warf sie allesamt ins Wasser.
Ach, wie die kleinen Schnauzen quietschten.[9]

Während Rimbaud das ertrunkene Mädchen – wie der Name *Ophelia* signalisiert – an literarische Assoziationen zurückbindet, zu einer sagenhaften, fast mythischen Gestalt entzeitlicht und in ornamentaler Schönheit über den Wassertod erhebt, den es erleidet, geht Benn ins sezierende Detail und attackiert den Leser durch ästhetische Schocks, die der neuen ›Ästhetik des Häßlichen‹ verpflichtet sind:

Alle poetischen Erwartungen, die der Titel *Schöne Jugend* erweckt, werden in aufreizender Weise enttäuscht; ironisch statt auf das Mädchen auf die jungen Ratten bezogen, scheint der Titel ein Höchstmaß an Lieblosigkeit zu offenbaren. Doch diese scheinbare Inhumanität ist nur der Vorwand für den antiästhetischen Schock, der mit allen Mädchen- und Jugendklischees der Goldschnittlyrik aufräumt und der auch als Antwort auf die poetischen Bilderketten des symbolistischen Gedichts von Rimbaud verstanden werden kann.[10]

Bei anderen Autoren vollzog sich der Wechsel vom Jugendstil zum Expressionismus im eigenen Werk und stellte sich so eindringlich unter Beweis. »In meiner Seele dunklem Spiegel / Sind Bilder niegeseh'ner Meere«, heißt es im zweiten der *Drei Träume* betitelten Gedichte Georg Trakls (1887–1914) aus dem Jahre 1909, »Verlass'ner, tragisch phantastischer Länder, / Zerfließend ins Blaue, Ungefähre«.[11] In den späteren Schaffensphasen verlor sich dieses Ausschweifen ins Imaginäre der Phantasie: sie führten den Dichter in die Selbstentfremdung bis hin zum endgültigen Untergang. Nach Ausbruch des Weltkriegs meldete er sich freiwillig als Militärapotheker, unternahm aber gleich nach seinem ersten Feldeinsatz einen ersten und dicht darauf einen zweiten Selbstmordversuch, dem er dann auch erlag. Das 1915 in der Zeitschrift *Der Brenner* [→ 448] veröffentlichte Gedicht *Grodek* – das letzte des Autors überhaupt – spiegelt dieses Kriegsgeschehen und steigert es in eine eigene ›mythopoetische‹ Verarbeitung der Ich-Verwirrung und des Zerfalls, dem nicht nur die Gegenwart, sondern mit den ›ungeborenen Enkeln‹ auch die Zukunft anheimgegeben ist:

Am Abend tönen die herbstlichen Wälder
Von tödlichen Waffen, die goldenen Ebenen
Und blauen Seen, darüber die Sonne

Düstrer hinrollt; umfängt die Nacht
Sterbende Krieger, die wilde Klage
Ihrer zerbrochenen Münder.
Doch stille sammelt im Weidengrund
Rotes Gewölk, darin ein zürnender Gott wohnt
Das vergoßne Blut sich, mondne Kühle;
Alle Straßen münden in schwarze Verwesung.
Unter goldnem Gezweig der Nacht und Sternen
Es schwankt der Schwester Schatten durch den schweigenden Hain,
Zu grüßen die Geister der Helden, die blutenden Häupter;
Und leise tönen im Rohr die dunklen Flöten des Herbstes.
O stolzere Trauer! ihr ehernen Altäre
Die heiße Flamme des Geistes nährt heute ein gewaltiger Schmerz,
Die ungebornen Enkel.[12]

Freilich läßt sich, quasi komplementär, auch der gegenläufige Prozeß – aus dem frühexpressionistischen Stilgestus zurück in Symbolismus und Jugendstil – beobachten. Nachdem Blass mit *Die Straßen komme ich entlang geweht* – so das Titelgedicht seines ersten, 1912 veröffentlichten Gedichtbandes – analog zu Heym und van Hoddis seinen expressionistischen Zugang zum Großstadtthema gefunden hatte, änderte er 1914 abrupt die Richtung seines Schaffens und bekehrte sich zur Ästhetik und Weltanschauung Georges.

Als geselliger Boheme-Ort [→ 287 ff.] der Berliner Kunst- und Literaturszene der Jahre um die Jahrhundertwende und damit auch des aufbrechenden Frühexpressionismus fungierte das ›Café des Westens‹, auch ›Café Größenwahn‹ tituliert. Neben anderen Autoren, die andere literarische Richtungen repräsentierten, verkehrten hier bald die jungen Avantgardisten jener Tage – vor allem van Hoddis, Blass, Alfred Wolfenstein (1883–1945) und Lasker-Schüler. Als merkwürdiges ›Faktotum‹, Pumpgenie, Maler und Autor war John Höxter (1884–1938) mit von der Partie, der uns in seiner Prosaskizze *Ein Tag im Café des Westens* ein anschauliches Bild des hier stattfindenden Treibens hinterlassen hat:

Aus der Nische vom Zeitschriftenschrank her ruft mir mit Alter und Programm entsprechendem Temperament der um seinen Führer, den Dr. Kurt Hiller, versammelte Kreis der damals Jüngsten, zu, die ›Neopathetiker‹, Inventoren der nach Kerr benannten ›Fortgeschrittenen Lyrik‹. ⟨…⟩ Zwei Minuten bleibe ich stehen, um Hausschlüsselfragen mit Hoddis zu ordnen (einen verlor er wohl jede Woche), dann treibt es mich weiter, meinen Brief zu holen. Aber schon am nächsten Tische bleibe ich wieder hängen. Herwarth Waldens ›Sturm‹-gesellen, Else Lasker-Schüler, Dr. Döblin, Peter Baum, Dr. S. Friedländer-Mynona und Karl Einstein haben Besuch aus Wien erhalten; Karl Kraus und Theodor Loos führen ihre neueste Entdeckung, den Maler Oskar Kokoschka, den Berlinern vor. ⟨…⟩ Mynona, menschenscheu und platzängstlich, fühlt sich sichtlich unbehaglich; seine Hände zittern. Schweiß perlt ihm von der Stirn. Plötzlich bemerke ich, wie er heimlich seine Erbuhr aus der Tasche holt, ein Glas Wasser zu sich heranzieht und dann den Chronometer langsam an der Kette in das kalte Naß hinabgleiten läßt. ›Ah‹, seufzt er befriedigt, als er meinen fragenden Blick fühlt, ›das erfrischt‹. ⟨…⟩ Nun bemerke ich auch einige Tische weiter unten meinen eigentlichen, alltäglich-allnächtigen Kameraden, Erich Mühsam, Ferdinand Hardekopf, René Schickele, Rudolf Kurtz, Ali Hubert, Benno Berneis, Lotte Pritzel, Emmy Hennings und Spela ein neues Gesicht; der Maler Max Oppenheimer (Mopp) aus Prag ist hier der neue Mann, der sich vorläufig durch Anekdotenerzählen bekannt, beliebt und geschätzt zu machen versucht. Stille setze ich mich dazu und stimme in die immer sich wiederholenden Lachsalven ein. Mopp erntet Triumphe. Endlich bemerkt er mich: ›Nun, Herr Höxter, in Prag erzählt man doch, Sie seien ein so geistreicher Mann, Sie reden doch kein Wort?‹ ›In Ihrer Gegenwart, Herr Oppenheimer? Wie könnte ich, ein kleiner Gelegenheitsarbeiter des Witzes, mit einem Warenhaus konkurrieren? Nein, nein, mein Lieber, alle Achtung! Welches Riesenlager, und alles so erstaunlich billig!‹[13]

Erst als der Wirt Lasker-Schüler ihres Null-Verzehrs wegen des Cafés verwies, verließ der Literaten-Zirkel diesen Ort und suchte sich im ›Café Josty‹ einen neuen Unterschlupf.

Da er sich mit dem Herausgeber überwarf, löste sich Pfemfert Anfang 1911 aus der Redaktion des *Demokrat* und gründete innerhalb weniger Tage mit der *Aktion* – im Untertitel »Zeitschrift für freiheitliche Politik und Literatur« – ein eigenes Periodikum: »›Die Aktion‹ hat den Ehrgeiz«, hieß es in der editorischen ›Note‹ gleich des ersten Heftes, »ein Organ des ehrlichen Radikalismus zu sein«.[14] Mit Kurd Adler (1892–1916), Benn, Blass, Paul Boldt (1885–1921), Albert Ehrenstein (1886–1950), Ferdinand Hardekopf (1876–1954), Emmy Hennings (1885–1948), Heym, Hiller, van Hoddis, Einstein,

Claire und Ivan Goll (1891–1977 bzw. 1891–1950), Franz Jung (1888–1963), Oskar Kanehl (1888–1929), Wilhelm Klemm (1881–1968), Lasker-Schüler, Hans Leybold (1892–1914), Alfred Lichtenstein (1889–1914), Mynona (Salomo Friedlaender, 1871–1946), Richard Oehring (1891–1940), Ludwig Rubiner (1881–1920), Ernst Stadler (1883–1914), Franz Werfel (1890–1945) und anderen Autoren öffnete der Herausgeber der Expressionisten-Garde aber nicht nur die Spalten seiner Zeitschrift, sondern ebnete ihnen auch den Weg zu Leseabenden und Buchpublikationen, etwa in den Reihen *Aktions-Bücher der Aeternisten* und *Der rote Hahn* [→ 443 f.]; dabei ergab sich bei seiner eigenen Festlegung auf politische Leitartikel und Kommentare ein enger Rapport zwischen dem gesellschaftskritischen Engagement und den literarischen Texten: die Zeitschrift »trat für die revolutionäre Politik ein und förderte so die Revolution der Dichtung und Kunst«[15]. In den Jahren des Weltkriegs wahrte Pfemfert Distanz zum Kriegsgeschehen und versperrte sich jenen Autoren, die sich der Kriegspropaganda anschlossen; nach 1919 modifizierte er mit dem Untertitel auch das Programm und verabschiedete sich von Literatur und Kunst, sicher mitmotiviert durch die vielen Schriftsteller und Künstler, die gefallen waren und durch ihren Tod der expressionistischen Bewegung ihre eigenwillige Dynamik genommen hatten.

Bereits 1910 gründete Walden die Zeitschrift *Der Sturm*, in deren Rahmen sich ab 1912 eine eigene *Wortkunst*-Richtung des deutschen Expressionismus ausprägen sollte. Der Begriff *Wortkunst* präfigurierte bereits bei Arno Holz (1863–1929) [→ 353 f.] und dessen *Revolution der Lyrik*, korrespondierte aber speziell auch mit dem italienischen Futurismus und hier vor allem mit den radikalen Sprachinnovationen des *Technischen Manifests der Literatur* Marinettis. Wortneubildungen und Irritationen der grammatischen Kategorien bestimmten diesen Zugriff und führten zu einer eigenwilligen Literaturprogrammatik, zu der Adolf Behne (1885–1948) 1914 anmerkte:

> ⟨...⟩ fassen wir zusammen: Expressionismus bezeichnet das Ziel. Die moderne Kunst will eine Kunst des Ausdrucks sein. Kubismus bedeutet die Sprache, deren sich viele Expressionisten, nicht alle, bedienen. Futurismus ist ein Name für Gefühlsströmungen, die die Rolle des Anregers gespielt haben.[16]

Walden präzisierte: »Das Material der Dichtung ist das Wort.«[17] Das heißt: die Literatur rekurrierte auf ihre ureigensten Sprachmittel und befreite sich auf diese Weise aus den Zwängen herkömmlicher Formen und Inhalte. Aus Hauptwörtern wurden Tätigkeitswörter, Adjektiva mutierten zu Verben, die oft im Infinitiv, also ungebeugt, verwandt wurden, neue Adjektiva entstanden durch Substitution: das einzelne Wort entfaltete so eine neue dynamische Aktivität. Das erlebnishafte lyrische Ich wurde vertrieben, den traditionellen poetologischen Lyrik-Charakteristika Metrum, Reim und Strophik wurde aufgekündigt: jedem Gedicht eignete fortan aus seinem Sprachmaterial heraus eine eigene Form. Dies stellten speziell auch die Gedichte unter Beweis, die August Stramm (1874–1915) aus dem Frontgeschehen des Weltkriegs heraus, an dem er als Hauptmann der Reserve seit August 1914 teilhatte, an Walden schickte – so auch *Sturmangriff*:

Aus allen Winkeln gellen Fürchte Wollen
Kreisch
Peitscht
Das Leben
Vor
Sich
Her
Den keuchen Tod
Die Himmel fetzen.
Blinde schlächtert wildum das Entsetzen.[18]

Nach einem Fronturlaub in das Kriegsgeschehen zurückgekehrt, erlag der Dichter am 1. September 1915 einem Kopfschuß und fand sein Grab in Rußland.

Durch seine Veröffentlichungen im *Sturm* und seine Sammlungen *Du, Liebesgedichte*, 1915, und *Tropfblut*, posthum 1919, wirkte Stramm – bereits 1874 geboren, also der älteren Generation angehörend – stimulierend auf den Altersgenossen Richard Blümner (1873–1945), vor allem aber auf eine Reihe jüngerer Autoren wie Franz Richard Behrens (1895–1977), Kurt Heynicke (1891–1985), Otto Nebel (1892–1973), Lothar Schreyer (1886–1966) oder Kurt Schwitters (1887–1948) und schloß diese zu einer ›Schule‹ zusammen. Dabei wahrte der einzelne – wie die Beispiele Blümner, Nebel und Schwitters zeigen – seine Eigenart. Mit *Anga laina, Eine absolute Dichtung* wurde Blümner zum Schöpfer einer eigenwilligen und eigenständigen Lautpoesie; angewidert durch den Mißbrauch der Sprache zum Zwecke der Kriegspropaganda, beschloß Nebel, »zu einer urhaften Sprache« zurückzukehren, »die sich lebensfrischer und neuartiger Bilder bediente«[19], und arbeitete aus diesem Grund – in Analogie zum russischen Futuristen Velimir Chlebnikov – zunächst mit variierten Wortstamm-Silben, um sich dann, noch radikaler, in seinem Gebrauch des Alphabets auf zunächst zwölf, schließlich aber gar nur noch neun Buchstaben – von ihm »Runen« genannt – zu reduzieren:

UNFEIG
Eine Neun-Runen-Fuge
Zur Unzeit gegeigt

Eine Geige rief zu Fernen; –
Eine Geige rief innig.
Ein Tiefer fing Feuer tief innen.

Einer zeigt eine Runen-Fuge.

U E I
N F G
T R Z

Neun Runen nur,
nur neun.
Neun Runen feiern eine freie Fuge nun.

UNFEIG,
Eine Neunrunenfuge,
zur Unzeit gegeigt.[20]

Schwitters schließlich kam in Überwindung, ja sogar Parodie ausgeprägter expressionistischer Anfänge zu seiner eigenwilligen Dada-Variante, der er – abgeschnitten aus dem Wort »Kommerz« – den Namen MERZ gab.

Als Pinthus 1920 seine Anthologie *Menschheitsdämmerung* herausgab, dokumentierte er über den Frühexpressionismus der Vorkriegsjahre hinaus den aktuellen Stand der expressionistischen Lyrik, die sich gegenüber dem Aufbruch der Bewegung nicht unwesentlich verändert hatte. So tendierten viele jener Autoren, die sich nun als Expressionisten bezeichneten, mit der Forderung nach einem ›neuen Menschen‹ zu einem ›neuen Pathos‹ und bogen in gewohnte Bahnen der Versliteratur ein. Aus gutem Grund suchten deshalb die Dadaisten, die sich noch während des Krieges in Zürich, dann in Berlin konstituierten, die Konfrontation mit dieser Form der Moderne, die ihre Spannkraft verloren hatte, parodierten sie, wie Richard Huelsenbecks (1892–1974) Apokalypse-Reflex – »Soweit ist es nun tatsächlich mit dieser Welt gekommen / Auf den Telegraphenstangen sitzen die Kühe und spielen Schach«[21] – zeigt, und setzten ihr radikaleres Programm dagegen, das auf die nicht ausgeschöpften Prinzipien der Futuristen zurückgriff und ihnen mit dem ›BRUITISTISCHEN Gedicht‹, dem ›SIMULTANISTISCHEN Gedicht‹ und dem ›STATISCHEN Gedicht‹ noch einmal neue Reize entlockte. Im 1918 veröffentlichten, sowohl von den Züricher wie den Berliner Dadaisten unterzeichneten *Dadaistischen Manifest* heißt es deshalb:

Die besten und unerhörtesten Künstler werden diejenigen sein, die stündlich die Fetzen ihres Leibes aus dem Wirrsal der Lebenskatarakte zusammenreißen, verbissen in den Intellekt der Zeit, blutend an Händen und Herzen.

Hat der Expressionismus unsere Erwartungen auf eine solche Kunst erfüllt, die eine Ballotage unserer vitalsten Angelegenheiten ist?

Nein! Nein! Nein!

Haben die Expressionisten unsere Erwartungen auf eine Kunst erfüllt, die uns die Essenz des Lebens ins Fleisch brennt?

Nein! Nein! Nein!

Unter dem Vorwand der Verinnerlichung haben sich die Expressionisten in der Literatur und in der Malerei zu einer Generation zusammengeschlossen, die heute schon sehnsüchtig ihre literatur- und kunsthistorische Würdigung erwartet und für eine ehrenvolle Bürger-Anerkennung kandidiert. Unter dem Vorwand, die Seele zu propagieren, haben sie sich im Kampfe gegen den Naturalismus zu den abstrakt-pathetischen Gesten zurückgefunden, die ein inhaltloses, bequemes und unbewegtes Leben zur Voraussetzung haben.[22]

Daran ist so viel richtig, daß der Nachkriegsexpressionismus hinter den Innovationsgestus des Frühexpressionismus zurückfiel; er erlahmte und wurde im Verlauf der zwanziger Jahre nicht nur durch den Dadaismus, der sich rasch auflöste, sondern auch durch die Bewegungen des Surrealismus und der Neuen Sachlichkeit relativiert. Zum eigenständigen Prädadaismus, der sich wenige Monate vor dem Ende des Krieges in Berlin zu rühren begann, hielt Jung in seinen Erinnerungen *Der Weg nach unten* fest:

> Das eigentliche Zentrum unserer Spielart einer provokativen Gesinnung war die Zeitschrift *Neue Jugend*. Sie erschien im Großformat, ähnlich der Londoner *Times*, in der Zeit der Papierbeschränkung und des Verbotes neuer Publikationen eine beachtliche Leistung. Bald in Vier-Farben-Druck, bald auf schwarzem Papier mit weißen Lettern, eine Augenweide. Wir riefen darin auf über eine Zentralstelle mit fiktiver Adresse zur Sammlung von Lebensmittelkarten für die Kriegsgefangenen: das hungernde Deutschland wird die Not seiner Feinde nicht vergessen. George Grosz verbreitete sich darin über die psychologische Notwendigkeit des Radfahrens: Ohne Radfahren keine Politik.

Und weiter – mit Blick auf die ›wilde Zeit‹ der Nachkriegsjahre, die Spartakus-Aufstände 1919 und die Geburtsstunde der Republik:

> Der Trieb zur direkten Aktion, mit der eine Revolution beginnen soll, verlor sehr bald seine motorische Kraft, und setzte sich ab in Verzierungen, die geeignet sein sollten, die Gesellschaft auf andere Weise zu treffen. Es entstand eine detaillierte Herausforderung, vom einzelnen zunächst an die einzelnen.

Schließlich – über Raoul Hausmann (1886–1971) und Johannes Baader (1875–1955), Zentralfiguren der Dada-Bewegung, die mit ihrem Hang zum ›politischen Happening‹ den neuen literarischen Typus repräsentierten:

> Ich halte Raoul Hausmann für den begabtesten dieser intellektuellen Provokateure, ein ausgezeichneter Maler und ein sehr beweglicher abstrakter Philosoph, der sich mit Astronomie und Mathematik ebenso ernsthaft beschäftigte wie mit dem Versuch, eine neue Herrenmode zu kreieren. Zwischendurch hatte er in dem Architekten Baader einen Ober-Dada erfunden.

Ob Baader tatsächlich Architekt gewesen ist und Grundstücke verkauft hatte, die ihm nicht gehörten, so daß er, um den daraus sich ergebenden Schwierigkeiten zu entgehen, ins Militär verschwinden mußte, weiß ich nicht. Als durch Zeugen belegt mag gelten, daß er in Brüssel vor der Front einer Landsturm-Kompagnie nach dem Kaiser Wilhelm gerufen hat, dem er den Befehl von Gott auszurichten habe, sofort Frieden zu schließen. Er wurde noch am gleichen Tage nach Deutschland abtransportiert und wahrscheinlich in ein Irrenhaus gesteckt. Er hatte eine Frau und vier Kinder, die allerdings niemand von uns je gesehen hat.[23]

Mit seiner Unterbrechung des kaiserlichen Hofpredigers Ernst Hermann von Dryander, der seinerzeit den Krieg eingesegnet hatte, im Berliner Dom (November 1918) und dem Abwurf des Flugblatts *Die grüne Leiche* in der Weimarer Nationalversammlung (Juni 1919) war es der Oberdada Baader, der für Dada-Berlin die spektakulärsten Akzente setzte.

Hansgeorg Schmidt-Bergmann

Futurismus und Expressionismus

Das Gründungsereignis der modernen Kunst in Europa war die Herausgabe des futuristischen Manifestes von Marinetti, das am 20. Februar 1909 in Paris im *Figaro* erschien. »Nous allons assister à la naissance du Centaure – wir werden der Geburt des Zentauren beiwohnen« –, schrieb er und: »Ein brüllendes Automobil ist schöner als die Nike von Samothrake«. Dies waren die Avangardisten, sie waren aber im einzelnen auch schon die Vollender.[1]

Die italienischen Futuristen als das Initial der literarischen Avantgarde, darauf hat Gottfried Benn (1886–1956) nicht nur rückblickend in seiner Rede *Probleme der Lyrik* verwiesen. Für ihn, wie auch für Alfred Döblin (1878–1957), für Herwarth Walden (1878–1941), Hugo Ball (1886–1927), August Stramm (1874–1915) und für Theodor Däubler (1876–1934), um nur einige zu nennen, war die futuristische Revolte und künstlerische Formzertrümmerung eine ganz entscheidende Bedingung für ihr sprachliches Experimentieren. Die Anfänge der literarischen Avantgarde in Deutschland ab 1910 stehen in einer direkten Abhängigkeit von italienischen Futurismus, wie er von Filippo Tommaso Marinetti (1876–1944) in Deutschland vor allem im Berliner *Sturm* propagiert worden war: »Kubismus, Futurismus, Expressionismus, diese drei Losungsworte der Modernsten, haben im ›*Sturm*‹ ihren Kampfplatz gefunden«, so hatte Theodor Däubler kommentiert.[2] Und nochmals ist Gottfried Benn zu zitieren. In seinen einleitenden Bemerkungen zu der von ihm herausgebenen Sammlung *Lyrik des expressinistischen Jahrzehnts* sieht Benn rückblickend die literarische Avantgarde in einer eindeutigen Correspondance zum italienischen Futurismus:

Was die Literatur angeht, so fand sie, soweit ich sehen kann, den ersten programmatischen Ausdruck in Italien. Vor mir liegt das Futuristische Manifest von Marinetti, das am 20. Februar 1909 im Pariser ›Figaro‹ erschien.

Dies Manifest enthält erstaunliche Dinge, schon den ganzen Kern der kommenden Woge: Das Antihistorische: »Ein rasendes Automobil ist schöner als die Nike von Samothrake«, »Ein altes Bild bewundern heißt, die Aufmerksamkeit auf eine Urne mit Leichenteilen richten«, aber auch schon stilistische Ordres werden gegeben, wie »il faut abolir l'adjectif«, »destruire le ›Je‹ dans le littérature«, das Lob des Häßlichen und »les mots en liberté« – kurz Haltungen und Motive, die der deutsche Expressionismus unabhängig von Marinetti spontan und autochthon in seinen Produktionen zelebrierte.[3]

Es geht Benn in seiner Deutung der Avantgarden um die Wahlverwandschaft des deutschen Frühexpressionismus mit dem italienischen Futurismus, um verwandte inhaltliche Motive, wie die antihistorische Haltung und das »Lob des Häßlichen«, und um analoge sprachliche Formexperimente der futuristischen und expressionistischen »Worttechniker«.[4]

Gerade in den letzten Jahren[5] hat man den Futurismus im Kontext der Moderne neu gewürdigt,[6] dies auch zurecht in seiner Verstrickung mit dem Faschismus,[7] doch nur wenige zuvor haben so nachdrücklich wie Gottfried Benn den Futurismus zum Ursprung der historischen Avantgardebewegungen erklärt.[8] Gegen den Symbolismus und Ästhetizismus der Jahrhundertwende setzten die italienischen Futuristen ihre Apotheose der Bewegung, Geschwindigkeit, Dynamik und Simultaneität, der maschinellen Produktion, der Revolutionierung der Nachrichten- und Verkehrssysteme [→ 430 f.] und des Krieges: »Wir wollen den Krieg verherrlichen – diese einzige Hygiene der Welt – den Militarismus, den Patriotismus, die Vernichtungstat der Anarchisten, die schönen Ideen, für die man stirbt, und die Verachtung des Weibes«, so heißt es in der bekannten 9. These des Futuristischen Manifestes.[9] Zuallererst verstand sich der italienische Futurismus, anfänglich in der Tradition der Kulturkritik Friedrich Nietzsche (1844–1900) [→ 192 ff.], der eine physiologische Begründung des Kunstwillens zu geben versuchte,[10] provokativ antibürgerlich, womit ein breites oppositionelles künstlerisches Bündnis angesprochen war, in dem auch anarchistische, oder auch sozialistische Parolen ihre Geltung behaupten konnten. Historisch ist der italienische Futurismus zunächst als Teil einer Bewegung zu betrachten, die in den Kontext eines radikalen Modernisierungsprozesses einer immer noch archaisch strukturierten Gesellschaft zu stellen ist.[11] Das erklärt auch, warum im italienischen Futurismus sich nach Mussolinis Machtübernahme spezifische Erneuerungstendenzen haben behaupten können, im Gegensatz zum deutschen Expressionismus, der schnell von den Nationalsozialisten als anti-völkisch ausgegrenzt worden ist. »Schockwahrnehmung, Montageverfremdung, Simultaneität, Sprachzerlegung« und die Destruktion des traditionellen Kunstbegriffs sind daher zuerst auf den zeitgenössischen Erwartungshorizont zu projizieren, der sich anmaßte, als künstlerische auch noch der technologischen Entwicklung vorauseilen zu können.[12] Die futuristische Revolte gegen die Institution Kunst, so ihre Kritiker, verfiel jedoch dem Irrtum, die Aura des Ästhetischen zu zerstören und damit die Kunst selbst in Frage zu stellen. Folgten auch die deutschsprachigen Expressionisten den italienischen Futuristen in der künstlerischen Formerneuerung bis zu einem gewissen Punkt, so wendete man gegen sie das Auratische der Kunst, an dem man festzuhalten gedachte. Wassily Kandinsky (1866–1944) und seine Schrift *Das Geistige in der Kunst* (1912) kann man so als den vehementen theoretischen Einspruch gegen die Destruktion der Kunst durch die Futuristen lesen.[13] In der Revision des »Prometheismus«, der technischen Schöpfung »neuer« Welten, der umfassenden Beherrschung der Natur und der Reaktivierung mythischer Erfahrungsmuster kulminieren die kritischen Einwände, die gegen den einsinnig technizistisch orientierten Futurismus ausgespielt worden sind. Carl Einsteins (1855–1940) *Bebuquin oder die Dilettanten des Wunders* (1912) im Kontext einer »absoluten Kunst«, wie sie auch von Benn propagiert worden ist, Döblins *Die Drei Sprünge des Wang-lun* (1915) als eine frühe deutschsprachige Revision des literarischen Futurismus und Kandinskys Programmschrift des Expressionismus *Über das Geistige in der Kunst* tragen in sich eine Haltung, durch die auch in der Kunst zunehmend Widerstand artikuliert werden sollte gegen eine Tendenz, die sich gegen das Subjekt selbst zu richten drohte, oder wie Georg Simmel (1858–1918) [→ 303 ff.] formuliert hat, die Gefahr, »in einem gesellschaftlich-technischen Mechanismus nivelliert und verbraucht zu werden«.[14] Gegen diese Tendenzen haben sich die deutschsprachigen Expressionisten in Opposition gesetzt. Zu fragen ist daher: Was beinhaltet die futuristische »Worttechnik«, was bedeutet die Forderung nach »Dynamismus« in der Literatur, was »Simultanietät«? – und weitergehend: Was unterscheidet trotz aller Gemeinsamkeiten, die expressionistische »Wortkunst« des *Sturm*-Kreises von der futuristischen »Worttechnik«?[15]

In seinen *Studien zum Epochenwandel der ästhetischen Moderne* hat Hans Robert Jauß im einzelnen dargelegt, warum das Jahr 1912 innerhalb der Entwicklung der Moderne eine »Epochenschwelle« und einen »fortschreitenden Horizontwandel« der Künste markiere:

> Das Jahr 1912 läßt sich aber nicht erst aus der Rückschau auf das, was aus ihm hervorging, sondern schon im Bewußtsein der Zeitgenossen, der damals hervortretenden Avantgarde italienischer Futuristen, französischer Kubisten oder Orphisten, deutscher Expressionisten, angloamerikanischer Imaginisten und russischer Kubofuturisten, den Anbruch des Neuen erkennen.[16]

Rezeptionsgeschichtlich können die Anfänge einer literarischen Avantgarde in Deutschland in die Abhängigkeit der internationalen Avantgarde gestellt werden – mit der Anverwandlung des italienischen Futurismus, so kann man verallgemeinern, wurde die »Kunstwende« auch in Deutschland unwiderruflich eingeleitet. Dies war auch darum möglich, weil der Futurismus es verstand, die modernistischen Kunstforderungen der internationalen Avantgarden in sich zu konzentrieren, provokativ zu präsentieren und wirksam zu propagieren.

Die deutschsprachige Debatte um den Futurismus beginnt mit der Publikation der futuristischen Manifeste seit März 1912 in der von Herwarth Walden (1878–1941) herausgegebenen Zeitschrift *Der Sturm* [→ 441 f.]. Die Mitarbeiter des *Sturm*, unter ihnen als prominentester Döblin, begrüßten den Futurismus anfangs emphatisch. In der Auseinandersetzung gerade mit den literarischen Manifesten Marinettis entwickelten sie eine lyrische Wortkunst, die in Stramm [→ 465 f.], insbesondere mit seiner Sammlung *Tropfblut. Gedichte aus dem Kriege* (1915), für kurze Zeit einen exponierten Vertreter finden sollte. »Unsere Zeitschriften hießen ›Der Sturm‹,

›Die Aktion‹, ›Die Neue Kunst‹ und schließlich, schon Herbst 1913, ›Die Revolution‹«, so berichtet Hugo Ball in *Die Flucht aus der Zeit.*[17] Es waren diese Zeitschriften, die man als den genuien Ort, als Keimzelle dessen begreifen kann, was sich als literarischer Expressionismus herauszubilden begann – und es waren die Zeitschriften, in denen die Futurismusdebatte ausgetragen worden ist. Ausgelöst wurde diese Diskussion 1912 durch die von Walden in der *Sturm*-Galerie in Berlin organisierte Ausstellung futuristischer Maler. Vorbereitend dazu publizierte Walden die ersten futuristischen Manifeste im *Sturm*, in dem dann die wesentlichen programmatischen Texte bist 1915 kontinuierlich erscheinen sollten. Die Präsentation der futuristischen Bilder war die zweite Ausstellung, die Walden in der *Sturm*-Galerie veranstaltete – mit dem Anspruch, den internationalen Künstlern der Avantgarde auch in Deutschland ein Forum zu schaffen. Es sind, neben den futuristischen Bildern, auf die sich Döblin und Ball, der den Futurismus wie eine ästhetische »Befreiung« empfand,[18] enthusiastisch beziehen, vor allem drei programmatische Texte, die für die »klassische« Phase der Futurismusrezeption, die Jahre zwischen 1912 und 1915, in Deutschland von Bedeutung waren. 1912 erschien im *Sturm* unter dem Titel *Manifest der Futuristen* die überarbeitete Fassung des 1910 entstandenen Manifestes *Die futuristische Malerei – Technisches Manifest*, unterzeichnet von Umberto Boccioni (1882–1916), Carlo D. Carrà (1881–1966), Luigi Russolo (1885–1947), Giacomo Balla (1871–1958) und Gino Severini (1883–1966).[19] Erst in der folgenden März-Nummer des *Sturm* folgte das *Manifest des Futurismus* von Filippo Tommaso Marinetti in der autorisierten Übersetzung von Jean-Jacques.[20] Parallel zur Eröffnung der Ausstellung der futuristischen Bilder am 12. April 1912 folgte im *Sturm* das Manifest *Die Aussteller an das Publikum*. Döblin reagiert auf die Konfrontation mit den futuristischen Bildern auch zunächst enthusiatisch:

> Ich bin kein Freund der großen und aufgeblasenen Worte. Aber den Futurismus unterschreibe ich mit vollem Namen und gebe ihm ein deutliches Ja.[21]

Döblins emphatische Bejahung des Futurismus ist zunächst allein auf die futuristischen Bilder zu beziehen, nicht auf die futuristische Programmatik. Vor allem die von Marinetti verfaßten Manifeste reizten ihn dann zum Widerspruch. Gänzlich ablehnend reagierte er dann auf das Programm einer futuristischen Literatur, wie es Marinetti in seinem *Technischen Manifest der futuristischen Literatur* und in dem *Supplement zum technischen Manifest der Futuristischehn Literatur* (1912) formuliert hat. Seine Kritik am literarischen Futurismus publizierte Döblin im März als einen *Offenen Brief an F.T. Marinetti* 1913 ebenfalls im *Sturm*, was deutlich macht, daß auch Walden sich langsam von dem Propagator des Futurismus zu distanzieren begann:

> Lieber Marinetti, das erste Mal waren Sie im vergangenen Sommer bei uns, zur Ausstellung der futuristischen Bilder. Ich schrieb damals für den ›Sturm‹: ›Der Futurismus ist ein großer Schritt. Er stellt einen Befreiungsakt dar. Er ist keine Richtung, sondern eine Bewegung. Besser: er ist die Bewegung des Künstlers nach vorwärts.‹ Die Intensität und Ursprünglichkeit, das Kühne und gänzlich Zwanglose schlug bei mir ein. Ich dachte mehrfach und sagte zu Ihnen – bei Dalbelli-: »Wenn wir in der Literatur auch so etwas hätten!« Damals schwiegen Sie. Nach einigen Monaten schwirrten die literarischen Manifeste über unsere Häuser. Das Unzulängliche war Ereignis geworden.[22]

Zwei Monate später erschien, ebenfalls im *Sturm*, *An Romanautoren und ihre Kritiker. Berliner Programm*, in dem Döblin programmatisch seine eigene Romanpoetik vorstellte. Es zeigt die poetologischen Konsequenzen, die Döblin aus der Auseinandersetzung mit den futuristischen Manifesten gezogen hat. Eindeutig formuliert Döblin: »Pflegen Sie Ihren Futurismus. Ich pflege meinen Döblinismus.«[23] Diesen »Döblinismus« nun versuchte er in seinen folgenden Romanen *Die Drei Sprünge des Wang-lun* und *Berge, Meere und Giganten* in Abgrenzung zum Futurismus zu demonstrieren. Liest man Döblins *Berliner Programm* als theoretische Voraussetzung seines Romans *Die drei Sprünge des Wang-lun*, so kann man den Roman als ein Formexperiment deuten, das sich unmittelbar auf den Futurismus bezieht: Döblin experimentiert mit Elementen einer Spracherneuerung, wie sie die Futuristen gefordert hatten, jedoch ohne die Auflösung jeglichen Erzählens zu akzeptieren – der *Wang-lun* folgt über lange Passagen immer noch narrativen Mustern traditioneller Romane, allerdings mit entscheidenden Modifikationen. Döblins »Sachlichkeit« und »Naturalismus«[24] sind von den futuristischen Manifesten zu unterscheiden. Die Differenzen beginnen mit Marinettis Versuch, die »Welt der Automobile, Aeroplane und Maschinengewehre« zur einzigen Realität zu erklären. Die Forderung, das »Reich der Maschine« zum einzigen Gegenstand der Kunst werden zu lassen, widerspricht Döblins eigenen poetologischen Überlegungen. Seine Unzufriedenheit mit der futuristischen Literatur hat er in seiner Entgegnung deutlich ausgesprochen:

> Entsetzlich, – und doch scheint es fast wahr zu sein. Wir sollen einzig das Meckern, Paffen, Rattern, Heulen, Näseln der irdischen Dinge imitieren, das Tempo der Realität zu erreichen suchen, und dies sollte nicht Phonographie, sondern Kunst, und nicht nur Kunst, sondern Futurismus heißen?[25]

Es ist der sogenannte »Telegrammstil« Marinettis , den Döblin in seinem *Offenen Brief* vehement verwirft – »was gehen mich Ihre Assoziationsreihen an«, fragt Döblin und sieht in der »Katastrophe der fehlenden Interpunktion und der fehlenden Syntax« nichts anderes als »eine Roheit gegen die Kunst«.[26] Nicht eine Mimesis an die Maschinenwelt durch das »Hintereinander unverbundener Substantive«, wie es Marinetti in seinem *Technischen Manifest zur futuristischen Literatur* propagiert hatte, konnte daher das Programm Döblins und anderer frühexpressionistischer Autoren sein, sondern Transzendierung dieser Wirklichkeit durch innovative poetische Verfahren. Anders als Marinetti, der die Symbiose des Subjekts mit der Maschine zum Programm erhoben hatte, ging es Döblin und den übrigen Autoren des *Sturm*-Kreises nicht um eine Entzauberung der Kunst – Marinettis Programm empfand er daher als einen »üblen Ästhetizismus«: »Spielerei! Antiquiert! Museum! Wo sind die Köpfe, was ist mit den Bäuchen!? Und sie wollen Futurist sein? Das ist übler Ästhetizismus!«[27] Döblins Roman *Die drei Sprünge des Wang-lun* wird zu einem Exempel einer spezifischen Anverwandlung, die den Futurismus als ideologisches Programm verwirft, die es jedoch versteht, wesentliche Elemente seiner literarischen Tradition für die eigene künstlerische Arbeit nutzbar werden zu lassen. Direkt verweist Döblin in seinem *Offenen Brief* an Marinetti auf seinen Roman *Die drei Sprünge des Wang-lun*, den er von Beginn an als eine ästhetische Einlösung seines »Döblinismus« konzipiert hatte – und als ein Gegenmodell zu Marinettis Roman *Mafarka il futurista*:

> Marinetti, Sie greifen uns an; sie schimpfen uns Passatisten und rückständig; ich verteidige nicht nur meine Literatur, sondern greife auch ihre an.
>
> Ich sage: man kann Ihre Schlacht noch viel besser machen. Ihre Schlacht ist von Anfang bis Ende vollgestopft mit Bildern, Analogien, Gleichnissen. Gut, aber das sieht mir nicht sehr modern aus, ist doch, rechte, biderbe, alte Literatur; ich schenke Ihnen alle Bilder, – aber heran an die Schlacht.[28]

Wie Alfred Döblin, so haben sich auch die anderen prominenteren Autoren, die zum Umkreis des Expressionismus zu zählen sind, nach einem kurzen emphatischen Bekenntnis zum Futurismus, spätestens nach 1915, von Marinettis Positionen wieder entfernt. Die kurze Begegnung der italienischen und der deutschsprachigen Avantgarde – sicherlich ein Sonderfall, was die Intensität des Austausches zwischen italienischer und deutscher Kunst als ein zweiseitiger Kulturtransfer betrifft – läßt sich rückblickend bestimmen als ein zwar kurzfristiges, aber produktives Zwischenspiel.

Joseph Vogl

Kafka und die Mächte der Moderne

Franz Kafka (1883–1924) war dem Expressionismus über Freundschaften und Vorlieben, über literarische Zirkel und Publikationsweisen verpflichtet. Er verkehrte in den Kreisen deutsch-österreichischer Expressionisten, war wie viele Autoren seiner Generation von der Lektüre Søren Kierkegaards und Friedrich Nietzsches, Heinrich von Kleists und Fjodor Michailowitsch Dostojewskis geprägt und publizierte zu Lebzeiten einige seiner Erzählungen und Erzählsammlungen in expressionistischen Verlagen [→ 154], Buchreihen, Zeitschriften [→ 437 ff.] und Almanachen. Die Themen und Erzählformen seiner Texte korrespondieren dabei mit denen des expressionistischen Jahrzehnts, in dem Kafkas Literatur ihren »authentischen Horizont« und eine erste Bedingung ihrer Kanonisierung erfahren hat.[1] Seien es die Kämpfe zwischen Vätern und Söhnen [→ 314 ff.], sei es eine zugerichtete Dingwelt, die Konzentration aufs Mindere und Verfemte, seien es Geschichten von dressierten Tieren oder die Exemplare einer verstörten und in sich zerfallenen Subjektivität [→ 162 ff.] – einen Experten für Machtfragen hat man Kafka einmal genannt,[2] und es ist eben dieses Spezialistentum, das in einer Doppelgestalt von Evidenz und Verrätselung den Zusammenhang seiner Werke organisiert und sich in den Assoziationsraum der expressionistischen Literatur einschreibt.

I. Erzählformen – die Frage des Subjekts

Schon Kafkas frühe Texte verknüpfen eine Auflösung realistischer Erzählweisen mit der Reflexion auf den Erzählprozeß selbst und diese wiederum mit der Frage nach der Konstruiertheit sozialer Identitäten. Was man eine ›Krise der Innerlichkeit‹ oder ›Krise des Psychologischen‹[3] genannt hat, erscheint in Fragmenten wie *Hoch-*

zeitsvorbereitungen auf dem Lande (1906/07), *Beschreibung eines Kampfes* (1907/08) oder in der Sammlung *Betrachtung* von 1913 in einer mehrfachen Gestalt. Das Aufbrechen erzählerischer Kontinuität, das Privileg der Beschreibung und der szenische Stillstand des Geschehens ergeben eine Verselbständigung von bildlichen, mimischen und gestischen Details. Sie führen zur graphischen Überdeterminierung des Bildhaften selbst, dessen hyperbolische Dichte eine ungewisse Zeichenhaftigkeit freisetzt und einen markanten Riß zwischen der Schicht des Dargestellten und der des Bedeutens dokumentiert. Bildelemente und Deutungseinheiten treten aus einer organischen Ordnung heraus, provozieren eine Desintegration erzählter Wirklichkeit und erzeugen jene seltsam theatralischen Effekte, in denen sich die ›Scheinbarkeit‹ der erzählten Welt und eine Verunsicherung von Ausdrucksqualitäten überhaupt artikuliert: »Ich konnte nicht reden, denn mein Hals war voll Thränen, daher versuchte ich, wie ein Posthorn zu blasen, um nicht stumm zu bleiben.«[4] Dabei ist es bemerkenswert, wie sich das Ich als Gegenstand und Zuschreibungsinstanz fremder Intentionalität erfährt, wie es sich darum als Organ unbeherrschbarer Semiosen verhält und an die Grenzen seiner Auflösung treibt: in zirkelhaften Verweiszusammenhängen, im Kampf mit Doppelgängern, in Vervielfältigung, Spiegelung, Spaltung oder im Verlust innerer Kohärenz. Der szenische Charakter, die Verschiebung zwischen Ausdrucks- und Bedeutungselementen und der ungewisse Aggregatzustand der Ichformen gehören hier zusammen. Sie motivieren jene »Seekrankheit auf festem Lande«,[5] die an Formen literarischer Sprachskepsis um 1900, aber auch an psychopathographische Erzählweisen [→ 492 ff.] frühexpressionistischer Prosa erinnert und ihren Fluchtpunkt schließlich dort besitzt, wo die Prozesse der Depersonalisierung mit dem Verlöschen der erzählten Welt insgesamt zusammentreffen.

Kafka hat also eine Reihe seiner frühen Texte so angelegt, daß Erzählakt und Erzähltes gegeneinander arbeiten, eine Brechung ästhetischer Souveränität bewirken und mit der Denaturierung des Geschehens, mit dem Zerfall personaler Instanzen eine Diskursivierung des Erzählens selbst vollziehen. Diese Wendung, die sich als eine der modernen Literatur beschreiben läßt,[6] determiniert auch die Erzählweise in Kafkas großen und unvollendeten Romanen.

Auch hier gilt eine »Auflösung des Geschehens ins Gestische«;[7] auch hier dominiert die Überdeutlichkeit szenischer Arrangements, in denen man Einflüsse des Stummfilms, eine Nähe zum epischen und vor allem zum jiddischen Theaters erkennen wollte; und auch hier hat man krisenhafte Gestalten moderner Subjektivität entziffert, die das Undurchdringliche der narrativen Ordnung bei Kafka erklären sollen: durch eine objektlose Innerlichkeit, durch eine konsequente Entdifferenzierung von Innen- und Außenräumen, durch ›einsinnige‹ oder hermetisch abgeschlossene Perspektiven.[8] Dabei ist nicht zu übersehen, wie die stillstehende Progression dieses Erzählens vor allem von der Inszenierung einer rekursiven, gegen sich selbst gewendeten Intentionalität hervorgebracht wird. Sei es die Begegnung Josef K.s mit den Agenten des Gerichts im *Proceß*, sei die des »Landvermessers« K. mit dem *Schloß* – die Bewegung dieser Figuren rührt an eine Dramaturgie, die die Ungewißheit eines Suchens auf die Konstitution des Suchenden selbst zurückbiegt. So läßt sich etwa die Anlage des *Proceß*-Romans mit der einer Detektivgeschichte vergleichen, in der nicht nur die Aufdeckung des Täters mißlingt, in der vielmehr das Detektionsprogramm selbst Subjekt und Objekt der Untersuchung zur Deckung bringt. So unklar der initiale Vorfall des Romans erscheint (»Jemand mußte Josef K. verleumdet haben«) und so wenig eine ›Schuld‹ Josef K.s im Verlauf des Romans belegt oder widerlegt werden kann, so sehr setzt diese doppelte Unbestimmtheit einen unabschließbaren ›Proceß‹ in Gang, der Erforschung und Selbsterforschung derart aneinanderbindet, daß »das ganze Leben in den kleinsten Handlungen und Ereignissen in die Erinnerung zurückgebracht, dargestellt und von allen Seiten überprüft werden« müßte.[9] Was Kafka an anderen Stellen als zwanghafte und zirkuläre Verdoppelung von Beobachtung und Selbstbeobachtung beschrieben hat[10], erweist sich als Strukturmoment seiner Texte, die die Manifestationen ihrer Subjekte in einen Zirkel von Außen und Innen und in ein Selbstverhältnis ohne auslotbaren Grund übersetzen. Das Fortschreiten des Geschehens ist damit der Heuristik eines in sich selbst kreisenden Fragens geschuldet, das nur seine eigene Unabschließbarkeit umschließt und aus dem Erzählgeschehen in den Erzählprozeß selbst hinübertritt. Denn diese Spaltung, die zum Schicksal von Kafkas Charakteren geworden ist und die Figur eines verfolgten, sich selbst fernen und fremden Ich entwirft, wiederholt sich in der Redeform der Erzählung, in der man die spezifische Ausprägung einer ›erlebten Rede‹ erkennen kann: eine Rede, die erzählte und erzählende Person ineinander verschränkt und mit der Einheit von Erzähler und Figur die Standortlosigkeit, das Traumhafte und Traumatische des Erzählprozesses diktiert; eine Rede, die das ›Ich‹ der erzählten Welt in einem opaken Anderen verschwinden läßt, das Unpersönlichste in die Person einsenkt und eben diese Differenz, diese Un-Person und diese Entmächtigung des Subjekts zum Träger der narrativen Ereignisse formiert.[11]

II. Genealogien der Macht

Es hängt nicht zuletzt mit selbstreflexiven Strukturen dieser Art zusammen, daß man Kafkas Literatur immer wieder als hermeneutischen Grenz- und Problemfall erkannt hat, der die Verfahren einer verstehenden Vernunft überbietet und auf ihre eigenen Bedingungen zurückverweist.[12] Das zeigt sich insbesondere an jenen exegetischen Szenen, die man als Reflexionszentren von Kafkas Texten ansehen mag und deren berühmteste im Dom-Kapitel des *Proceß*-Romans vorgeführt wird. Die gleichsam talmudische Auslegung der berühmten Parabel *Vor dem Gesetz* erfährt – im Gespräch zwischen Josef K. und dem ›Gefängniskaplan‹ – ihren Sinn gerade dort, wo sie bestimmte Resultate und Deutungen aufschiebt und als Fragen zurückgibt, wo sie Deutungsnötigung und Deutungsnot unmittelbar aufeinander bezieht: »Richtiges Auffassen einer Sache und Mißverstehen derselben Sache schließen einander nicht vollständig aus.«[13] Die exegetische Anstrengung gerät zu ihrer eigenen Fessel, sie arbeitet nicht an der Objektivierung des Sinns, sondern an der Festigung ihres Verfahrens und legt den Gedanken nahe, daß die Lektüreszenen in Kafkas Texten als ein Modell für die Lektüre von Kafkas Texten zu verstehen seien.[14] So wenig nämlich – in der erzählten Parabel – der ›Mann vom Lande‹ ins Innere des Gesetzes gelangt, so wenig erschließt sich Josef K. – im *Proceß* – eine faßbare

Bedeutung dieser Geschichte, und so wenig arrangieren Kafkas Romane selbst einen allegorischen, symbolischen oder metaphorischen Hintersinn für die Figuren des *Gerichts* oder des *Schlosses*. Die bei Kafka verhandelten Auslegungsfragen jedenfalls kommen den Auslegungen seiner Texte zuvor und geben Anlaß genug, die anspielungsreichen Begriffe von ›Gesetz‹ oder ›Schuld‹, die die Reihe von theologisch, existentialistisch oder psychoanalytisch orientierten Interpretationen angezogen haben,[15] nicht als ein Versprechen von Sinn, sondern als Leerform und ›toten Punkt‹ seiner Literatur, als Attrappen und Momente einer Strategie der Ablenkung zu begreifen.[16]

Angesichts dieser Wendung hat man es nicht mehr mit dem Wesen oder Ursprung der ›Gesetze‹ zu tun, sondern mit deren Funktionsweise, die den Blick weniger auf Sinnfragen denn auf die Manifestationen von Macht- und Gewaltverhältnissen konzentriert. Tatsächlich hat Kafka in einer seiner schwärzesten Erzählungen, *In der Strafkolonie*, den Geltungsraum von ›Gesetz‹, ›Urteil‹ und ›Gerechtigkeit‹ an deren Exekution und diese wiederum an die Mechanik eines Straf-›Apparats‹ gebunden. Diese im Herbst 1914 entstandene Erzählung reagiert auf das ›Peinliche‹ ihrer Zeit, sie bezieht sich auf den Militarismus des Kriegsbeginns ebenso wie auf kriminologische Debatten über Deportation und Strafkolonien[17] und verfolgt damit eine aufsteigende und eine absteigende Linie zugleich. Denn zunächst ist sie als Besichtigung einer Hinrichtung konzipiert, die die ›europäischen Anschauungen‹ eines ›Forschungsreisenden‹ mit der Vision eines despotischen Straf- und Folterrituals konfrontiert und damit eine Frage nach den richtigen Proportionen zwischen Schuld, Strafe und Urteil formuliert. Dabei scheint es um die Einschreibung eines Gesetzes zu gehen, das in einer Art Theater des Schreckens den Aufschwung eines gemarterten Körpers zu Vergeistigung, zu Sühne und Erlösung in Aussicht stellt und den ebenso kritischen wie aufgeklärten Beobachter in ihren Bann schlägt. Im selben Zug aber ist die Erzählung selbst in Gegenrichtung zu dieser Metaphysik des Gesetzes angelegt und führt nicht eine Chimäre der Offenbarung (›Jetzt geschieht Gerechtigkeit‹), sondern einen Delegitimationsprozeß vor. Denn die Schrift des Gesetzes bleibt unleserlich, sie ist entzifferbar nur an den Wunden, die sie schlägt, und läßt die gesamte Prozedur allenfalls wie eine humoristische Verdrehung eines transzendenten und unerkennbaren Gesetzes erscheinen. Und so sehr dieser Strafapparat in einer geradezu grotesken Verdichtung christologische, sexuelle und disziplinäre Konnotationen gleichermaßen auf sich vereint, so sehr entpuppt sich sein ›ruhiger Gang‹ als eine ›Täuschung‹, demonstriert er das Gegenteil seines Zwecks und läßt am Schluß mit der Agonie jenes Gesetzes einen ramponierten Leib, zertrümmerte Maschinenteile, bloße Gewalt und pure Zeichenlosigkeit zurück: »kein Zeichen der versprochenen Erlösung war zu entdecken«.[18] Mit diesem Gestus von Abbau und Widerlegung, die am Ursprung des Gesetzes einen Gewaltakt, in seiner Rechtfertigung einen Schatten und in seiner Achtung eine sentimentale Vorliebe erkennt, folgt Kafka einer Bewegung, die an das genealogische Verfahren Nietzsches [→ 192 ff.] erinnert und sich wie bei diesem nicht auf die Hoheit von Gesetzen und Mächten, sondern auf deren Mechanik, Verfertigung und Herkunft bezieht; ein Verfahren, das weniger nach den Gehalten als nach den Prozeduren einer »Heils-Maschinerie«, einer »Vergeistigung und ›Vergöttlichung‹ der Grausamkeit« fragt.[19]

Begreift man das Werk Kafkas als Analyse und Genealogie moderner Mächte, so lassen sich darin zumindest folgende Aspekte unterscheiden.

1. *Die Rolle des Körpers.* Ähnlich wie Nietzsche hat Kafka in einigen seiner Texte die Herkunft des Menschen und seiner Gesetze aus minderen Tatsachen und bescheidenen Anfängen entziffert, in deren Fluchtpunkt eine zugerichtete Körperlichkeit steht. Schmerz, Dressur und Disziplinierung sind die ersten Daten in einer Geschichte der menschlichen Seele, und in verschiedenen Figuren hat Kafka die Maßverhältnisse der Macht auf Ereignisse des Leibs zurückverfolgt, als ›sichtbares Andenken im Fleische‹ (*Die Verwandlung*), als ›auf den Leib‹ geschriebenes Gesetz (*In der Sprafkolonie*), ›große Wunde‹« (*Ein Landarzt*) oder als Pastiche einer Menschwerdung wie im *Bericht für eine Akademie* von 1919. Die Bearbeitung des Körpers, aber auch Tiere und theriomorphe Elemente – seltsame »Kreuzungen«, »halb Kätzchen, halb Lamm«, forschende Hunde, singende Mäuse oder die atavistische Schwimmhaut an Le-

nis Hand im *Proceß* – sind Keimzellen jener genealogischen Frage. Sie stehen für einen Unschärfebereich des Menschlichen selbst, der Verwandlungen in beide Richtungen umfaßt, einen Fluchtweg durch den Menschen hindurch ins Nichtmenschliche reklamiert und dabei auf die Ungewißheit des Anthropomorphen und der Menschen-Form selbst verweist.

2. *Familienszenen.* Nicht von ungefähr geschieht eine der bekanntesten Metamorphosen dieser Art im Zentrum eines familialen Szenariums. Denn der Fall Gregor Samsas, der sich eines Morgens »in seinem Bett zu einem ungeheuren Ungeziefer verwandelt« fand, treibt zwei konträre und doch ineinander verschränkte Bewegungen hervor. Einerseits ist auch dieses ganz unmetaphorische Tierwerden in der *Verwandlung* (1915) als Rückzug und Flucht angelegt, die mit dem Definitionsbereich des Menschlichen auch den der familiären und beruflichen Autoritäten hinter sich läßt. Andererseits besiegelt es zugleich eine Konstellation, in der die Familie als Sozialisationsanstalt zum Schicksal der Individuen geworden ist. In einer Reihe von Texten – in *Der Heizer*, *Das Urteil* und *Die Verwandlung*, die Kafka einmal gemeisam unter dem Titel ›Söhne‹ veröffentlichen wollte, aber auch in Notizen und im *Brief an den Vater* hat Kafka die Familie, die Elterngewalt und vor allem den Vater-Sohn-Konflikt [→ 320 ff.] als Grundriß für die Verhandlung von Machtfragen begriffen. Diese Versuche sind als Reflex auf einen sozialhistorischen Sachverhalt zu verstehen, der dem Familiären seit dem 19. Jahrhundert eine privilegierte Position verschafft: die Privatisierung der Familie und ihre Ausgliederung aus dem Produktionprozeß, die Erzeugung eines Binnenraums, der zum Ort einer affektiven Stabilisierung und einer dauerhaften Durcharbeitung personaler Verhältnisse geworden ist; aber auch die Bildung einer sozialen Parzelle, die als psychologische Agentur der Gesellschaft wiederum von sozialen und ökonomischen Machtverhältnissen heimgesucht wird.[20] Entsprechend hat Kafka, der mit den Arbeiten Sigmund Freuds, aber auch mit Positionen einer antiautoritär orientierten Psychoanalyse vertraut war und einmal mit dem Psychoanalystiker Otto Groß [→ 496 f.] zusammen den Plan für eine Zeitschrift mit dem Titel *Blätter zur Bekämpfung des Machtwillens* gefaßt hatte,[21] die Familienzelle zunächst als Bereich einer basalen

Disziplinierung umrissen. Es geht dabei um die Aufrichtung einer übermächtigen und zugleich brüchigen Vater-Autorität, die, wie Kafka vor allem im *Brief an den Vater* schreibt, einen Haushalt wechselseitiger Verschuldung installiert; es geht um ein Erziehungsprogramm und um Redeordnungen, die an der Auslöschung von »Eigentümlichkeit«, am »Niederstampfen« der »Verschiedenheit« arbeiten und damit kein *Individuum*, sondern ein *Dividuum* erzeugen;[22] und es geht schließlich um die Ausbreitung von konkurrenten, paradoxalen Formen der Kommunikation und des Begehrens, in denen man die Struktur eines *double bind* und die Zwangslage eines ödipalen Konflikts erkannt hat. So sehr allerdings Kafka das Sozialisationsmodell der Familie zu seinem eigenen persönlichen Drama erklärt haben mag, so sehr treibt seine Literatur die Familienszene über sich selbst hinaus. Dies zeigt sich in Texten wie in der 1912 niedergeschriebenen Erzählung *Das Urteil*, deren Entstehen Kafka mit »Gedanken an Freud natürlich«[23] begleitet hat. Während hier nämlich eine scheinbar harmlose Familiensache fast wie ein Musterfall analytischer Demonstration in eine archaische Szene mit Rivalität und Tötungswunsch umschlägt, erscheint das gesamte Geschehen zugleich als eine ›Komödie‹ angelegt, die am Schluß nicht nur die Hauptfigur, sondern den Konflikt und seine Instanzen selbst vernichtet: »Georg fühlte sich aus dem Zimmer gejagt, den Schlag, mit dem der Vater hinter ihm aufs Bett stürzte, trug er noch in den Ohren davon.«[24] Verdichtet sich in Geschichten dieser Art tatsächlich der historische Stand der Klein- und Kernfamilie, nämlich eine doppelte Angst, die Angst vor dem Vater und die Angst, den Vater zu verlieren,[25] so erscheint doch eben dieser Vater nicht als letzte Instanz und Kodierungseinheit in diesem Komplex. Es handelt sich vielmehr um eine verzerrte und brüchige Vaterfigur [→ 83 ff.], die in Kafkas Texten als Phantombild aus allen Varianten von Herrschaftsfiguren blickt; es handelt sich um einen bis zu Unkenntlichkeit vergrößerten Vater, der in keiner Familie Platz hat, kein Urbild der Macht, sondern eher eine Maske und ein »Kondensat all jener Mächte, denen er sich unterworfen hat und denen sich zu unterwerfen er auch dem Sohn empfiehlt«.[26]

3. *Entortete Macht.* So sehr es also Kafka um einen Austritt aus der Ökonomie der Familie geht, so sehr sind es ganz andere

Mächte, deren Einbrechen er hier registriert. Kafka, der als Versicherungsjurist mit Problemen der neuesten Wirtschafts-, Steuerungs- und Verwaltungstechniken im hochentwickelten Industriegebiet Böhmen vertraut war,[27] hat insbesondere in seinen Romanen die Funktionsweise von Mächten eingeholt, die nicht subjektförmig auftreten, nicht in einer Hierarchie der Instanzen darstellbar sind und sich nicht von einem Achimedischen Punkt aus organisieren. Es gehört gerade zum Schicksal seiner Figuren, daß sie diesen Punkt – den Ort der Entscheidung oder das Zentrum der Macht – hartnäckig aufsuchen und ebenso konsequent verfehlen und schließlich erkennen, daß diese Macht eine unendlich prozessualisierte ist und für das Handeln des einzelnen ebenso wirkungsvoll wie unerreichbar bleibt. »Ich wollte«, sagt Josef K. im *Proceß* auf dem Weg zu seiner Hinrichtung, »immer mit zwanzig Händen in die Welt hineinfahren und überdies zu einem nicht zu billigenden Zweck. Das war unrichtig.«[28] Drei Aspekte, Formen oder Systeme sind es im wesentlichen, in denen sich diese dezentralisierte und lokal oder institutionell nicht begrenzbare Macht bei Kafka manifestiert. Zunächst sind es zirkulierende Ströme an Kapital und Information, eine »Bewegung ohne Ende«, die im *Verschollenen* (1912/14) die Dynamik des modernsten Amerikas initiieren, dieses Amerika als Biotop riesenhafter Konzerne ausweist, die Zirkulationssphäre bis in die Bildformen und den Handlungsverlauf des Romans hineintreibt und Karl Roßmann in einem endlosen Prozeß der Deterritorialisierung mit sich reißt. So heißt es etwa vom Konzern des amerikanischen Onkels:

> Das Geschäft bestand ⟨...⟩ in einem Zwischenhandel, der aber die Waren nicht etwa von den Producenten zu den Konsumenten oder vielleicht zu den Händlern vermittelte, sondern welcher die Vermittlung aller Waren und Urprodukte für die großen Fabrikskartelle und zwischen ihnen besorgte. Es war daher ein Geschäft, welches in einem Käufe, Lagerungen, Transporte und Verkäufe riesenhaften Umfangs umfaßte und ganz genaue unaufhörliche telephonische und telegraphische Verbindungen mit den Klienten unterhalten mußte.[29]

Dann – im 1914/15 entstandenen *Proceß* – dominiert eine ›panoptische‹ Organisation, in der das Beobachten und Beobachtet-

Werden zu einer umfassenden sozialen Funktion geworden ist und eine disziplinäre Ordnung konstituiert, die den einzelnen auf einen Zwang zur Selbstaussage verpflichtet, ihn auf eine ebenso entrückte wie schweigende Macht bezieht und garantiert, daß jedes kleinste Ereignis minutiös aufgezeichnet und protokolliert wird, eine Art »Laboratorium der Macht«,[30] das aus einer Wucherung von Räumen, Funktionären und Instanzen besteht und keiner souveränen Beherrschung bedarf, sondern die einzelnen in einem offenen Milieu aus restloser Sichtbarkeit, Schuldbewußtsein und Geständniszwang festhält: »gegen dieses Gericht kann man sich ja nicht wehren, man muß das Geständnis machen. Machen Sie doch bei nächster Gelegenheit das Geständnis. Erst dann ist die Möglichkeit zu entschlüpfen gegeben, erst dann.«[31] Schließlich formiert sich daraus ein bürokratischer Organismus, der vor allem im *Schloß* (1922) die Unterscheidung von ›Amt und Leben‹ unterläuft und jeden Vorfall des konkreten Lebens zu einem administrativen und umgekehrt erklärt; kein bloßer Machtapparat oder »stahlhartes Gehäuse«, wie Max Weber meinte,[32] sondern eine entortete Macht ohne Innen und Außen, deren Welt die der kontingenten Ereignisse ist, eine Welt der Unabschließbarkeit und Kontingenz schlechthin:

> Und nun komme ich auf eine besondere Eigenschaft unseres behördlichen Apparates zu sprechen. Entsprechend seiner Präcision ist er auch äußerst empfindlich. Wenn eine Angelegenheit sehr lange erwogen worden ist, kann es, auch ohne daß die Erwägungen schon beendet wären, geschehen, daß plötzlich blitzartig an einer unvorhersehbaren und auch später nicht mehr auffindbaren Stelle eine Erledigung hervorkommt, welche die Angelegenheit, wenn auch meistens sehr richtig, so doch immerhin sehr willkürlich abschließt.[33]

Mit gutem Grund also hat man Kafka den »größten Theoretiker der Bürokratie«, seine Romane politische Romane im strengen Sinn genannt,[34] und im Zugriff auf jene Mächte – ökonomischer Komplex, Panoptismus und bürokratischer Apparat – situiert sich seine Literatur auf einer Schwelle, die den Übergang von den Disziplinarmächten des 19. Jahrhunderts (Gefängnis, Anstalt, Fabrik) zu den Kontrollmächten des 20. Jahrhunderts (Kapital, Versicherung, Selbstreproduktion) markiert. Immer wieder werden darum bei Kafka die vertikalen Dimensionen wie der unerreichbare Schloßturm, die Frage nach der letzten Instanz oder der hoch aufgerichtete Vater durch horizontale, zirkulär oder korridorartig angeordnete Segmente und Verweiszusammenhänge duchkreuzt. Gemeinsam ist diesen verschiedenen Funktionsweisen der Macht eine De-Insitutionalisierung und ein Zerfall, der Machteffekte nicht auflöst, sondern nur diversifiziert und zum Bewegungsgesetz in Kafkas Texten geworden ist. Diese Macht ist nicht pyramidal aufgebaut oder juridisch in Gesetzen und Rechten kodiert, sie ist, wie Michel Foucault sagte, nicht repressiv, sondern produktiv, sie ist – wie auch die strategische Position der Frauenfiguren [→ 243 ff.] bei Kafka zeigt – von einem unendlichen Verlangen durchzogen, reguliert die Wünsche und durchdringt das Leben selbst in einer wechselseitigen Intensivierung von Stimulation und Erschöpfung.

III. Kleine Literatur

Es ist allerdings nicht nur die Nähe zu einem bürokratischen und kapitalistischen Aufschreibesystem, die das Eigentümliche von Kafkas literarischer Sprache prägt. Sie geht auch aus einer mehrfachen Ghettolage hervor, die das Schreiben eines assimilierten deutschen Juden mit tschechischer Herkunft in Prag bestimmt. Kafka selbst hat angesichts dieser Situation oft auf die Unmöglichkeit einer sozialen und kulturellen Selbstdefinition verwiesen: die Unmöglichkeit etwa, sich auf das Judentum des Vaters zu berufen, auf das Judentum einer ›jüdischen Übergangsgeneration‹, die aus der tschechischen Provinz nach Prag zog und dort die Anpassung an das deutsche Bürgertum suchte;[35] oder die Unmöglichkeit, deutsch zu schreiben und anders zu schreiben als deutsch, eine doppelte Unmöglichkeit, die das Schreiben zu einer notwendigen und feindseligen Sache zugleich macht, zu einer »Zigeunerliteratur«.[36] Wenn Kafka sich einmal einen »enterbten Sohn« nennt[37], so gilt das in mehrfacher Hinsicht und bezieht sich auch auf die zwangsläufige Verfehlung kultureller Identifikationen. Einerseits führte das zur ›parfümierten Wortakrobatik‹ von Autoren wie Gustav Meyrink,

Paul Leppin, Max Brod oder auch in den Jugendwerken von Rainer Maria Rilke und Franz Werfel.[38] Andererseits hat Kafka aus dieser insulären Kargheit eine eigene Verbindung aus Papierdeutsch und Intensität geschaffen, ein Deutsch jedenfalls, das sich in minimalen Differenzen und Abweichungen zum geläufigen Hochdeutsch manifestiert und über die Sinndimension hinaus sein Ausdrucksmaterial selbst verhandelt: »Kein Wort fast, das ich schreibe, paßt zum anderen, ich höre, wie sich die Konsonanten blechern aneinanderreiben, und die Vokale singen dazu wie Ausstellungsneger.«[39]

Es gehört wohl zur Bestätigung dieser Nicht-Zugehörigkeit, daß Kafka auch immun war gegen die hohe und zuweilen identitätssüchtige Ideenkonjunktur seiner Zeit. Er lernte hebräisch, abonnierte jüdische Zeitschriften, nahm Anteil an Siedlungs- und Landbauprojekten in Palästina und teilte doch niemals den Zionismus seines Freundes Max Brod; er besuchte die Veranstaltungen anarchistischer Klubs in Prag, beschäftigte sich als Versicherungsangestellter mit der Verbesserung industrieller Arbeitsbedingungen und war doch niemals bestimmten Formen einer ›Gesellschaftkritik‹ verpflichtet; er bemühte sich nach Kriegsausbruch um seine Einberufung und verfolgte die nationalistischen Straßenumzüge in Prag doch mit »bösem Blick«;[40] und er war etwa ein Bewunderer Franz Werfels (1890–1945) und doch unbeeindruckt von einer expressionistischen Erneuerung des ›Geistes‹ und des ›Menschen‹. Eine deutliche Nähe hat Kafka nur zur Sprache und Literatur des osteuropäischen Judentums deklariert, die er seit 1913 durch den jiddischen Schauspieler Jizchak Löwy kennengelernt hatte. Und in diesem Zusammenhang sind einige von Kafkas seltenen Überlegungen zur Literaturfunktion entstanden, in einer kurzen Einführungrede zur Jiddischen Sprache und Literatur (1912) und in programmatischen Notizen zur Poetik einer ›kleinen Literatur‹. Kafka definiert diese Literatur, die in jüdischen Gemeinschaften Osteuropas zirkulierte, als unmittelbar politische: als Literatur einer Minderheit, die sich in Enklaven und Ghettos behauptet; als eine verkannte Literatur, der es an großen nationalen Vorbildern und Traditionen mangelt und die darum nicht einen dominanten Symbolraum besetzt, sondern fest mit alltäglichen Verständigungen verwachsen ist; als eine Literatur, die die kleinsten Angelegenheiten ins Öffentliche übersetzt, die Überhöhung von Meisterschaft und Originalität ebenso unterläuft wie sie die Instanzen von Autor und Werk kollektiviert und sich als ›Angelegenheit des Volkes‹ versteht.[41] Dabei ist diese ›Lebhaftigkeit‹, ›Principienlosigkeit‹ und ›Popularität‹ nach Kafka nicht zuletzt dem Jiddischen geschuldet, dem Jargon, der in seiner dialektalen Eigenheit nicht an die Klarheit der großen National- und Verkehrssprachen heranreicht. Zum Modellfall des Literarischen wird für Kafka der Jargon gerade deshalb, weil er wie keine andere Sprache als Diagramm derjenigen Kräfte und Mächte erscheint, durch die er hervorgebracht wurde, weil er sich als ein Sprachengemisch präsentiert, das mit hebräischen, deutschen, romanischen und slawischen Rudimenten die Geschichte von Flucht und Vertreibung in sich aufgenommen hat und mit jedem Wort artikuliert; als eine Sprache, die eigentlich »nur aus Fremdwörtern« besteht, von »Völkerwanderungen durchlaufen« wird; als eine Sprache schließlich, die in ihrer dialektalen Eigenheit eine symbiotische Nähe zum Deutschen aufweist und damit »Kräfte« aktiviert, die dem Deutschen selbst eine grundlegende Entortung, eine grundlegende Entfremdung zufügen:

> Wenn Sie aber einmal der Jargon ergriffen hat 〈...〉, dann werden Sie Ihre frühere Ruhe nicht mehr wiedererkennen. Dann werden Sie die wahre Einheit des Jargon zu spüren bekommen, so stark, daß Sie sich fürchten werden, aber nicht mehr vor dem Jargon, sondern vor sich.[42]

In seinen späteren Texten jedenfalls hat Kafka eine sprachliche Deterritorialisierung dieser Art zu einer politischen Konfiguration gewendet und den zeitgenössischen Topos der ›Gemeinschaft‹ aufgelöst – sei es im endlosen und immer unvollständigen Bau einer ›chinesischen Mauer‹, die die Unermeßlichkeit eines Landes und die unendlich variierenden Dialekte nicht wirklich abschließen kann, sei es im Gesang Josefines, der nur ein »gewöhnliches Pfeifen«, womöglich nur ein Geräusch, ein Schweigen oder eine Erinnerung ist und dennoch das »Volk der Mäuse« versammelt.[43]

Wie keine andere sperrt sich Kafkas Literatur darum einer poetologischen Fixierung und zieht die Geschichte großer Gattungen auf einen kargeren Boden herab. Entsprechend hält es Kafka mit minderen Formen, die dem Fortsetzungsroman, der Abenteuer- und Detektivgeschichte näher stehen als etwa dem Bildungsroman: mit alltäglichen Verwirrungen, kleinen Greueln, verfolgten Tugenden und Episodenketten, die an kein gutes und kaum an ein schlechtes Ende gelangen. Entwicklungslinien werden abgebrochen, Erkenntnisprozesse blockiert, Auslegungen begonnen und verworfen, Expositionen nur wiederholt. Der immense Nachlaß, der dieses Werk ist, liest sich daher wie eine Reihe von Anfängen, die bald kürzer, bald länger geraten, nach einem ersten Satz abbrechen und doch manchmal zum Umfang einer ›Erzählung‹, eines ›Romans‹ anwachsen. Begreift man die Literatur Kafkas, der nie einen Text im strengen Sinn plante und konzipierte, als Reaktion und Erfassung von Kräften und Kräfteverhältnissen, so betrifft das schließlich insbesondere sein Schreiben, den Schreibprozeß selbst: als eine strategische Operation, die in Notizen und literarischen Versuchen, aber auch in den Briefen an seine Freundinnen Felice Bauer und Milena Jesenskà, Selbstbehauptung und Selbstauslöschung unmittelbar aneinanderheftet und mit der Inszenierung ihrer Sprachspiele die Grenzen von Werk und Autorschaft ebenso auflöst wie das eigene biographische Ich hinter sich läßt.

Thomas Anz

Die Seele als Kriegsschauplatz – Psychoanalyse und literarische Moderne

1920 hob ein Aufsatz mit dem Titel *Expressionismus und Psychiatrie* den »gewaltigen Einfluß« hervor, »den die Freudschen Gedankengänge auf die Kunst ausgeübt haben. Es gibt kaum ein Kunstwerk der jungen Dichtung, das nicht den Einfluß der psychoanalytischen Forschungsrichtung erkennen ließe«.[1] Der Befund stimmt nicht nur für den Expressionismus, sondern schon für die Wiener Moderne um 1900. Sie und die Psychonalyse haben sich zur gleichen Zeit und am gleichen Ort herausgebildet.[2] Gegenüber dem Naturalismus [→ 28 ff.] profilierte sich in Wien eine literarische Bewegung, die dessen Anspruch auf wissenschaftliche Modernität beibehielt, doch die Biologie als Leitwissenschaft durch die akademische Psychologie ersetzte. *Die Überwindung des Naturalismus*, die 1891 der einflußreiche Wiener Kritiker Hermann Bahr (1863–1934) postulierte, sollte mit einer Wendung vom »Außen zum Innen« erfolgen.[3] Von einer »Bakteriologie der Seele« schrieb Hugo von Hofmannsthal (1874–1929).[4] Als »modern« galt ihm »die Anatomie des eigenen Seelenlebens« oder das »psychologische Graswachsenhören«.[5] Analog zu dieser Interessenverschiebung hatte Sigmund Freud (1856–1939) in der Loslösung von seinen neurophysiologischen Anfängen das Konzept der Psychoanalyse entworfen und Ende 1899 mit der *Traumdeutung* einen ersten Gesamtentwurf vorgelegt.

Die Verwissenschaftlichung des literarisch modernen Diskurses korresponierte, zumindest was die Psychoanalyse angeht, um 1900 mit einer Literarisierung der Wissenschaft. Zum einen illustrierte und legitimierte Freud seine Theorien permanent mit literarischen Texten. Sie sind zum Teil in seine Terminologie eingegangen. Der ›Ödipus-Komplex‹ ist dafür nur das prominenteste Beispiel. In seiner Studie über Wilhelm Jensens (1837–1911) 1903 erschienenen Roman *Gradiva* nennt er die Dichter »wertvolle Bundesgenossen« der wissenschaftlichen Psychologie.[6] Mit noch größerer Genugtuung als die demonstrativ freundlichen Bekundungen der Kooperationsbereitschaft beim gemeinsamen Projekt einer Erkundung des Seelenlebens registrierten etliche Autoren der literarischen Moderne, daß Freuds Psychonalyse sich sogar in ihren Darstellungsformen der Literatur angenähert hatte. Alfred Döblin (1878–1957) zitierte in seiner Rede zu Freuds 70. Geburtstag die dafür signifikante Bemerkung Freuds in den zusammen mit Josef Breuer (1842–1925) 1895 veröffentlichten *Studien über Hysterie*: »Ich bin nicht immer Psychotherapeut gewesen, sondern bin bei Lokaldiagnosen und Elektrodiagnostik erzogen worden, und es berührt mich selbst noch eigentümlich, daß die Krankengeschichten, die ich schreibe, wie Novellen zu lesen sind und daß sie sozusagen des ernsten Gepräges der Wissenschaftlichkeit entbehren.«[7]

Krankengeschichten sind für die psychopathophile literarische Moderne konstitutiv [→ 227 ff.]. Ihnen gegenüber stieß Freuds klassizistisches Literaturverständnis jedoch auf seine Grenzen. *Psychopathische Personen auf der Bühne*, so der Titel seines 1906 verfaßten Aufsatzes, lehnte er ab, und nicht nur auf der Bühne, sondern in literarischen Texten generell.[8] Und diese Abneigung ging mit Ressentiments gegenüber pathologischen Charakterzügen von Autoren einher.[9]

Am Kampf gegen die »entarteten«, »kranken« Kunstwerke und Künstler der Moderne, wie er um und nach 1900 mit Argumenten sozialdarwinistischer und psychiatrischer, sozialistischer, deutschnationaler und rassistischer, heimatkunstbewegter [→ 300 ff.] und neoklassizistischer Provenienz geführt wurde,[10] hat sich Freud allerdings nie beteiligt. Viele Autoren der Moderne kannte er persönlich, schätzte, was sie schrieben (vor allem Arthur Schnitzler, Thomas Mann, Arnold Zweig), und wechselte mit ihnen zahlreiche Briefe.[11] Die literarische Moderne stand ihm indes näher als er ihr. Expressionismus und Dadaismus wurden von ihm ignoriert. Die Bewunderung, die ihm später die Surrealisten entgegenbrachten, registrierte er, mochte diesen indes seinerseits wenig Verständnis entgegenbringen.[12]

Die literarische Moderne zeigte sich an der Psychoanalyse interessiert, seit es diese gab – zuerst in Wien, spätestens seit 1910 in allen anderen deutschsprachigen Zentren des literarischen Lebens, seit den zwanziger Jahren in ganz Europa und in den USA. Bahr hatte 1904 in seinem *Dialog vom Tragischen* die aristotelische Katharsislehre im expliziten Rückgriff auf die *Studien über Hysterie* in ein psychoanalytisches Verständnis überführt. Hofmannsthals Tragödienpraxis partizipierte etwa zur gleichen Zeit ebenfalls am damaligen Stand psychoanalytischen Wissens. Seine Elektra konzipierte er als Hysterikerin und lehnte sich dabei an Breuers Krankengeschichte der Anna O. an. Die 1906 uraufgeführte Tragödie *Ödipus und die Sphinx* verarbeitet Elemente der zu diesem Zeitpunkt noch kaum verbreiteten *Traumdeutung*. Zum ersten Mal stand ein mit psychoanalytischem Wissen konzipierter Ödipus auf der Bühne. Wie Freud interpretierte Hofmannsthal die äußeren Schicksalsmächte, von denen die tragischen Figuren abhängig sind, in Triebschicksale um und begriff die mythische Welt als Projektionen psychischen Geschehens.

Viele Autoren der Moderne waren durch ihre wissenschaftliche Ausbildung einschlägig auf die Rezeption der Psychoanalyse vorbereitet: Robert Musil (1880–1942), Döblin oder Richard Huelsenbeck (1892–1974), vor allem aber Arthur Schnitzler (1862–1931). Als Wissenschaftler nahm er, u. a. mit Rezensionen zu den von Freud Anfang der neunziger Jahre übersetzten und kommentierten Schriften Jean-Martin Charcots, bereits am Entstehungsprozeß der Psychoanalyse intensiven Anteil. Die *Traumdeutung* las er wenige Monate nach ihrem Erscheinen. Die bald nach der Lektüre vollendete Novelle *Leutnant Gustl* (1900) verdankt (wie später der *Ulysses* von James Joyce und Döblins *Berlin Alexanderplatz*)[13] in ihrer gegenüber früheren literarischen Ansätzen perfektionierten Kunst des inneren Monologs gewichtige Anregungen der psychoanalytischen Technik der freien Assoziation.[14]

Bei allem angeregten Respekt, den Schnitzler der Psychoanalyse entgegenbrachte (am intensivsten 1912/13), bewahrte er wie die meisten Autoren der Moderne ihr gegenüber ein hohes Maß an kritischer Eigenständigkeit. Sie konnte sich zuweilen sogar in offenen Feindseligkeiten äußern. Die heftigsten Aversionen artikulierte man, wenn Psychoanalytiker in ihrem Interesse an der Kunst und an Künstlerpersönlichkeiten gegenüber dem Autor und seinem Werk von vornherein einen vaterähnlichen Überlegenheitsanspruch behaupteten, während dem Autor die Rolle eines quasi neurotischen, bewußtseinsmäßig unterlegenen Patienten zugeschrieben wird. Gewiß, es gibt im Umkreis der literarischen Moderne zahllose Beispiele dafür, daß sich Autoren freiwillig als Patienten einer therapeutischen Analyse unterzogen haben. Für viele war dies der Weg, auf dem ihre Rezeption der Psychoanalyse erfolgte. Das Beispiel Rainer Maria Rilke, der im Winter 1911/12 eine psychoanalytische Behandlung erwog, doch dann davon Abstand nahm, weil er fürchtete, mit seiner Neurose auch seine Kreativität zu verlieren,[15] ist nicht ganz so typisch wie oft gesagt wird. Hofmannsthal ließ sich zeitweilig von Wilhelm Fließ behandeln, Erich Mühsam unterzog sich 1907 bei Otto Gross einer Analyse, Hermann Hesse 1916 bei einem Jung-Schüler, nach 1920 bei C. G. Jung selbst. Auch Huelsenbeck, Arnold Zweig, Hermann Broch und sogar einer der heftigsten Kritiker (doch zugleich besten Kenner) Freuds, Musil, ließen sich psychoanalytisch behandeln. Die meisten von ihnen litten unter schweren Arbeitsstörungen, und manche, so Hesse und Broch, beschrieben ihre Analyse als Befreiung zu neuer Kreativität.[16] Hermann Hesse (1877–1962) schrieb den *Demian*, der eine neue Phase seiner literarischen Produktivität einleitete, in der Zeit und unter dem nachweisbaren Eindruck seiner Psychotherapie bei J. B. Lang. Thomas Mann (1875–1955) notierte nach der Lektüre mit Bewunderung in sein Tagebuch, »das psychoanalytische Element [sei] darin entschieden geistiger und bedeutender verwendet als im Zauberberg«.[17] Den produktiven Anstößen der Psychoanalyse steht indes die Bedrohung gegenüber, die von ihren dem ›Therapiemodell‹[18] folgenden Kunstinterpretationen dadurch ausging, daß jeder Autor durch sie, und zwar unfreiwillig und sogar öffentlich, mit seinen Werken zum pathologischen Fall und Untersuchungsobjekt werden konnte.

Es sind nicht zuletzt die oft wütenden Einsprüche von Hofmannsthal, Kraus oder Döblin dagegen,[19] die zeigen: Die Beziehung zwischen literarischer Moderne und Psychoanalyse ist nicht angemessen mit Kategorien wie ›Einfluß‹ oder ›Wirkung‹ zu beschreiben, sondern als ein Interaktionsdrama, das durch Rivalitätsängste, Prioritätsansprüche, aber auch gegenseitigen Respekt gekennzeichnet ist. Psychoanalyse und literarische Moderne reagierten gleichzeitig und in wechselseitiger Abhängigkeit auf gravierende Identitätsprobleme des modernen Subjekts angesichts heterogener, vom Ich zunehmend schwer zu intergrierender Ansprüche der sozialen Umwelt und der eigenen Natur in hochkomplexen, stark ausdifferenzierten Gesellschaften.[20] Psychoanalyse und Literatur kooperierten und konkurrierten dabei miteinander. Bezeichnend dafür ist der so überaus freundliche Brief, mit dem Freud am 14. Mai 1922 Schnitzler zum 60. Geburtstag gratulierte. Er ist in dem Versuch, Prioritätsstreitigkeiten gar nicht erst aufkommen zu lassen, generös, doch an der folgenden Passage ist so gut wie alles falsch: »So habe ich den Eindruck gewonnen, daß Sie durch Intuition – eigentlich aber in Folge feiner Selbstwahrnehmung – alles das wissen, was ich in mühseliger Weise an anderen Menschen aufgedeckt habe.«[21] Schnitzler hatte, und Freud war das keinesweg unbekannt, sein psychologisches Wissen keineswegs allein durch Intuition und Selbstbeobachtung erworben. Der Arzt ist vielmehr durch dieselbe Wiener medizinische Schule gegangen wie Freud und hatte sich wie er auf das Gebiet der Nervenkrankheiten spezialisiert, insbesondere auf Hysterie und Neurasthenie, und darüber auch publiziert. Freud wiederum hatte sein psychoanalytisches Wissen keineswegs nur aus der mühseligen Auseinandersetzung mit anderen Menschen erworben, sondern ebenfalls in Folge intensiver, von eigenen Krisen stimulierter Selbstbeobachtung.[22]

Mit dem Eingeständnis seiner »Doppelgängerscheu« vor Schnitzler formulierte Freud in dem Brief allerdings zutreffend, was Psychoanalyse und literarische Moderne verband: »die nämlichen Voraussetzungen, Interessen und Ergebnisse«, das »Ergriffensein von der Wahrheit des Unbewußten, von der Triebnatur des Menschen« und der »Zersetzung der kulturell-konventionellen Sicherheiten«.[23] Auf der Basis solcher Gemeinsamkeiten ist psychoanalytisches Wissen in die Figurenkonstellationen, die Themen und Motive sowie in die Handlungsmuster, in die Formen, die Bildlichkeit und in die Sprache literarischer Texte transformiert worden. Häufig wird es in der Weise vermittelt, daß die Texte Repräsentanten dieses Wissens (Ärzte, Psychiater, Psychoanalytiker) als literarische Figuren sprechen zu lassen. Im *Zauberberg* ist Dr. Krokowski eine solche Figur.[24] Namentlich oder verschlüsselt taucht Otto Gross (1877–1920) in zahlreichen Erzähltexten und literarisierten Erinnerungen der expressionistischen Generation auf: als Doktor Askonas in Max Brods (1884–1968) *Das große Wagnis* (1919), Dr. Grund in Franz Werfels (1890–1945) Drama *Schweiger* (1922), Dr. Gebhart in seinem Roman *Barbara oder Die Frömmigkeit* (1929), Dr. Kreuz in Leonhard Franks (1882–1961) *Links wo das Herz ist* (1952), Dr. Hoch in Johannes R. Bechers (1891–1958) *Abschied* (1940), Dr. Othmar in Karl Ottens (1889–1963) *Wurzeln* (1963). Franz Jung (1888–1963) stellte ihn unverschlüsselt in den Mittelpunkt seines Romans *Sophie* (1915) und gedachte seiner ausführlich in der Autobiographie *Der Weg nach unten* (1961).[25]

Gross, den der einflußreiche Vater im November 1913 mit Hilfe der Berliner Polizei verhaften und in die Anstalt verschleppen ließ, bot den literarischen Zeitgenossen ein anschauliches Exempel für jene ödipalen Figurenkonstellationen, die Psychoanalyse und Literatur gleichermaßen und in wechselseitigem Interesse füreinander immer wieder beschrieben haben. Ob beispielsweise Hanns Sachs, als er 1917 der ödipalen Konstellation in Walter Hasenclevers (1890–1940) Drama *Der Sohn* (1914) [→ 320 f.] nachspürte,[26] etwas aufdeckte, was der expressionistische Autor ganz bewußt und mit psychoanalytischem Wissen oder eher intuitiv oder gar unbewußt konzipiert hatte,[27] ist wie in vielen vergleichbaren Fällen (etwa Musils *Törleß* oder Kafkas *Das Urteil*) nicht hinreichend geklärt. Selten werden in der literarischen Ausgestaltung ödipaler Beziehungen die Zeichen einer Psychoanalyserezeption so deutlich gesetzt wie in Werfels Novelle *Nicht der Mörder, der Ermordete ist schuldig* (1919). Hier kommentiert der Protagonist in einem Brief an den Staatsanwalt den Fall eines Vatermordes, der mit der eigenen Lebensgeschichte eng verwoben ist, mit den Sätzen: »Jeder Sohn aber tötet mit Ödipus den Laios, seinen Vater, unwissend und wissend den fremden Greis, der ihm den Weg vertritt.«[28]

Werfels Novelle ist typisch für viele psychoanalytisch inspirierte Darstellungen und Motivierungen kriminellen Verhaltens sowie für die Beliebtheit von literarischen Motiven unbewußter und dadurch das Verhalten der Figuren umso wirksamer prägender Kindheitstraumata. Schon vor Werfel hatte sich Frank in seiner psychiatrie- und justizkritischen Erzählung *Die Ursache* (1916) entsprechender Wissenselemente der Psychoanalyse ausdrücklich bedient. Der des

Mordes an seinem Lehrer angeklagte Protagonist erklärt hier vor Gericht: »Furchtbar ist das Vergessen. Denn alle bösen Erlebnisse leben, ohne daß es das Kind weiß, in ihm weiter, werden mit ihm groß, bestimmen alle seine Handlungen«. Nach dem Todesurteil kommentiert ein »Psychologieprofessor« diese Argumentation mit den Sätzen: »Diese Theorie der vergessenen Kindheitserlebnisse ist eine erst vor wenigen Jahren aufgekommene neue Richtung. Modernste Seelenanalyse.«[29]

In der Konfrontation mit den damals dominanten Ausprägungen der Psychologie, Psychiatrie und Justiz bilden moderne Literatur und Psychoanalyse nach 1900 zumeist eine Allianz.[30] Die zunächst freundliche Beziehung zwischen Freud und Karl Kraus (1874–1936) im Kontext der 1908 unter dem Titel *Sittlichkeit und Kriminalität* gesammelten Artikel aus der *Fackel* gegen die öffentliche Sexualmoral und die Übergriffe der Justiz in die Privatsphäre ist dafür das frühste Beispiel.[31] Zumindest eine Interessengemeinschaft bilden sie auch im Hinblick auf Äußerungsformen des Unbewußten (vor allem Träume und Wahnbildungen), sexuelles Handeln und Begehren, pathologische Konflikte und Befindlichkeiten[32] (u. a. Angstneurose und Hysterie[33]) Konstruktionen von Männlichkeit und Weiblichkeit[34] oder auch psychische Bedingungen künstlerischer Kreativität.

Die Interessengemeinschaft ist bei aller Vielfältigkeit auf einen Problemkomplex hin zentriert: die seit der Aufklärung forciert in Anspruch genommene Autonomie des Subjekts. Durch die Psychoanalyse, so konstatierte Freud, werde der menschlichen »Größensucht« eine noch größere Kränkung zugemutet als durch Nikolaus Kopernikus und Charles Darwin. Nachdem die Menschheit von der Astronomie erfahren mußte, daß ihr Ort nicht der Mittelpunkt des Weltalls ist, und von der Biologie auf ihre Abstammung aus dem Tierreich verwiesen wurde, zeige ihr nun die Psychologie, daß das Ich »nicht einmal Herr ist im eigenen Hause«[35] [→ 162 f.]. Das autonome, sich selbst bewußt kontrollierende Subjekt ist nicht mehr, wie in der naturwissenschaftlichen Psychiatrie Wilhelm Griesingers oder der literarischen Psychologie des Realismus, der Normalfall, sondern eine Illusion oder allenfalls das nie ganz zu erreichende Ziel selbstreflexiver Anstrengungen.[36] In der freien Assoziation wie im inneren Monolog, im Traum wie im Wahn oder in pathologischen Symptomen zeigt es sich geschwächt, offenbaren sich auf erschreckende oder lustvoll entfesselte Weise die Wahrheiten des Unbewußten. Beschreibungen von Subjekten, die mit ihrer Autonomie auch ihre Kohärenz verloren haben, die in zwei und mehr Teile gespalten sind, liefern Psychoanalyse, Psychiatrie (Eugen Bleuler führte 1911 den Begriff »Schizophrenie«, Karl Jaspers 1913 den der »Depersonalisation« ein) und literarische Moderne in vergleichbarem Ausmaß.[37] Und insofern die Teile des dissoziierten Ich häufig gegeneinander agieren, werden hier Kämpfe beschrieben, deren Schauplatz die menschliche Psyche ist.

Thomas Manns *Der Tod in Venedig* (1913) spielt in einer Zeit der Kriegsgefahr, erzählt jedoch mit wiederkehrenden Vokabeln wie »Kampf«, »Sieg« oder »Niederlage« vom Tod eines zivilisierten, um seine Autonomie ringenden Subjekts. Der »Schauplatz« der Geschehnisse in jenem furchtbaren Traum, den Aschenbach gegen Ende hat, ist »seine Seele selbst«. Sie wird zum Kriegsschauplatz, wenn es heißt: »Und sie brachen von außen herein, seinen Widerstand – einen tiefen und geistigen Widerstand – gewalttätig niederwerfend, gingen hindurch und ließen seine Existenz, ließen die Kultur seines Lebens verheert, vernichtet zurück.« Der Zug des Dionysos im Kopf des Träumenden überwältigt den sich voller Angst dagegen wehrenden Geist: »Groß war sein Abscheu, groß seine Furcht, redlich sein Wille, bis zuletzt das Seine zu schützen gegen den Fremden, den Feind des gefaßten und würdigen Geistes.«[38] In der Kampfmetaphorik von Friedrich Nietzsches Tragödienschrift gesprochen, kann sich in Aschenbach das »Kriegslager des Apollinischen ⟨...⟩ gegen das titanisch-barbarische Wesen des Dionysischen«[39] nicht mehr behaupten.

Die frappierenden Parallelen der Novelle zu Jensens *Gradiva* legen nahe, daß Mann nicht nur diesen Roman, sondern auch Freuds 1907 erschienene Interpretation dazu kannte. Dafür spricht neben dem, was Manfred Dierks an Belegen angeführt hat, auch die Metaphorik des Kampfes in Freuds Analyse. Was sich in Jensens Protagonisten ›abspielt‹, beschreibt sie als »Kampf zwischen der Macht der Erotik und den sie verdrängenden Kräften; was sich von diesem Kampf äußert, ist ein Wahn.«[40] Im vermutlich 1915 entworfenen

Analyse-Kapitel des *Zauberberg* illustriert Dr. Krokowski, der »selbst in seiner Person den Kampf zwischen Keuschheit und Leidenschaft zu versinnbildlichen« scheint, in der Metaphorik des Kampfes wichtige Bestandteile psychoanalytischer Theorie. Der »Kampf« zwischen zwei »Kräftegruppen«, dem »Liebesdrange« und dessen »gegnerischen Impulsen, unter denen Scham und Ekel besonders zu nennen seien«, werde »in den Untergründen der Seele geführt« und verhindere »jene Einfriedung, Sicherung und Sittigung der irrenden Triebe, die zur üblichen Harmonie, zum vorschriftsmäßigen Liebesleben führe.« Der »Widerstreit« ende nur mit einem »Schein- und Pyrrhussieg« der Keuschheit; denn die »unterdrückte Liebe« erscheine wieder, wenn auch in verwandelter Form, nämlich in »Gestalt der Krankheit«.[41]

Den Antagonismus von Sexualität und Moral, Unbewußtem und Bewußtem, Körper und Geist wird in Literatur und Psychoanalyse gleichermaßen immer wieder mit Metaphern des Kampfes dramatisiert. Zusammen mit ›Unterdrückung‹, ›Widerstand‹ oder ›Abwehr‹ gehört auch ›Kampf‹ zum festen Inventar des psychoanalytischen Vokabulars. Vom »Kampf mit dem mächtigen Triebe« oder »Kampf gegen die Sinnlichkeit« spricht Freud etwa in seiner 1908 erschienen Schrift *Die ›kulturelle‹ Sexualmoral und die moderne Nervosität.*[42] Und Lou Andreas-Salomé (1861–1937) [→ 252 ff.], die 1911 Freud persönlich kennenlernte und bald zu seinem engsten Kreis gehörte,[43] schrieb 1915, wohl nicht zufällig also während der Kriegszeit, in einem ihrer zahlreichen Beiträge zur Psychonalyse: »Gewiß gibt es auch ohne alles spezifische ›Schuldgefühl‹ im Menschen genug Krieg und Widerstreit der Triebe gegeneinander 〈...〉.«[44]

Fast sämtliche Werke Döblins sind Beschreibungen solcher Kämpfe. Franz Biberkopf wird in *Berlin Alexanderplatz* (1929), wie der Erzähler ankündigt, »in einen regelrechten Kampf verwickelt mit etwas, das von außen kommt, das unberechenbar ist und wie ein Schicksal aussieht.« Es sieht jedoch nur so aus; der Erzähler korrigiert diese Perspektive, wenn er sagt: »Es wird ihm aufs deutlichste klar gemacht, woran alles lag. Und zwar an ihm selbst«.[45] *Berlin Alexanderplatz* knüpft damit an einen früheren Roman Döblins an, der die Kampfmetapher schon im Titel trägt: *Wadzeks Kampf mit der Dampfturbine* (1918). Der Roman wurde zwar in den Monaten gleich nach Beginn des Kriegs niedergeschrieben, bezieht aber das politische Ereignis nirgends in die Handlung ein. Der Protagonist denkt und spricht immerzu in militärischen Begriffen, doch die Kämpfe, in die er sich verwickelt sieht, sind Konstrukte seines Kopfes, finden in ihm selber statt. Die frühen Prosaskizzen, Romane und Erzählungen sowie der Einakter *Lydia und Mäxchen* (1906) erzählen alle in unterschiedlichen Variationen die gleiche Geschichte des von fremden Mächten im eigenen Inneren bedrohten und um seine Autonomie kämpfenden Subjekts. Sie wird im selben Zeitraum auch von Musils *Törleß* (1906) oder den *Vereinigungen* (1911) erzählt. Den Widerstreit zwischen dem rationalen Ich und einer dunklen, ichfremden Macht in Törleß schildert Musil gelegentlich ebenfalls in der Metaphorik des Kampfes. Wenn der verwirrte Törleß fürchtet, daß seine erotisierten, »ausschweifenden« Einsamkeitsphantasien »immer mehr Herrschaft über ihn gewinnen könnten«, kündigt sich »die Schwere dieser Kämpfe« zunächst nur »in einer häufigen plötzlichen Ermüdung an«.[46]

Etwas von dem kämpferischen Selbstbehauptungswillen, der in den meisten Texten der literarischen Moderne zur Niederlage verurteilt ist, hat auch der Protagonist in Franz Kafkas (1883–1924) [→ 478 ff.] Romanfragment *Das Schloß* (1920). Als Kampf begreift der Landvermesser K. seine Auseinandersetzung mit dem Schloß schon von Beginn an.[47] Den Wortlaut eines Briefes aus dem Schloß reflektiert er auf eine für seine Mentalität aufschlußreiche Art so: »mit dieser Gefahr mußte er den Kampf wagen. Der Brief verschwieg ja auch nicht, daß, wenn es zu Kämpfen kommen sollte, K. die Verwegenheit gehabt hatte, zu beginnen.«[48] *Blätter zur Bekämpfung des Machtwillens* hieß bezeichnenderweise jenes Zeitschriftenprojekt, durch das Kafka sich dem unorthodoxen Psychoanalytiker und Kulturrevolutionär Otto Gross verbunden sah.[49] Und was damit bekämpft werden sollte, war nicht zuletzt der Machtwille im eigenen Ich. Er steht jener ethischen Regel entgegen, die Gross in der Formulierung zusammenfaßte: »sich selbst nicht vergewaltigen lassen und selbst nicht vergewaltigen wollen.«[50] Gross wurde für die expressionistische Generation zum Paradigma der Kämpfe zwischen Söhnen und Vätern [→ 83 ff.], und zwar im realen Leben wie in der Theorie. Und er vermittelte ihr ein psychoanalytisches Wissen, mit dem sie den Mechanismus der Verinnerlichung solcher Kämpfe begriff. Gross hatte den Vater-Sohn-Konflikt in der ihm eigenen Terminologie als den »ins Innere verlegten Kampf des Eigenen gegen das Fremde«[51] beschrieben, als Kampf zwischen den individuellen, insbesondere sexuellen Bedürfnissen und der ins eigene Innere eingedrungenen väterlichen Autorität. In Kafkas Beschreibungen der Machtkämpfe seiner Protagonisten mit dem Vater und vaterähnlichen Autoritäten entfaltet die patriarchale Macht erst ihre volle, siegreiche Wirksamkeit im Prozeß ihrer Verinnerlichung. Georg Bendemann vollstreckt das Todesurteil des Vaters an sich selbst. Joseph K. und Gregor Samsa verlieren ihren Kampf und sterben erst, nachdem sie selbst damit einverstanden sind.

Beschreibung eines Kampfes (1907/08) lautet der Titel des ersten größeren Erzählfragments, das aus Kafkas Nachlaß erhalten ist. Mit der hier vorgenommenen Aufspaltung eines Subjekts in mehrere Figuren bietet er eines von vielen Beispielen für die zur gleichen Zeit von Freud konstatierte »Neigung des modernen Dichters, sein Ich durch Selbstbeobachtung in Partial-Ichs zu zerspalten und demzufolge die Konfliktströmungen seines Seelenlebens in mehreren Helden zu personifizieren.«[52] Der Titel des frühen Erzählfragmentes bleibt symtomatisch für das gesamte Werk und auch für die Selbstcharakterisierungen eines Autors, der während des Krieges an die Freundin schrieb: »Daß zwei in mir kämpfen, weißt Du.«[53]

Die von Kafka permanent beschriebenen Kämpfe lassen sich freilich nicht auf den Generationenkampf reduzieren. Es sind vor allem auch Kämpfe des um die Reinheit seiner Kunst bedachten Autors gegen die Niederungen des Körpers und der Sexualität.[54] Sie stehen in den Kontexten jener damals exzessiv geführten Debatten, die unter dem Stichwort ›Geschlechterkampf‹ die Phantasien der ästhetischen Moderne um und nach 1900 beherrschten. Die semantischen und mentalen Muster dieses Kampfes entsprechen allerdings den schon beschriebenen. Der Kampf des Mannes gegen die Frau ist im wesentlichen der Kampf des männlichen Geistes gegen die weibliche Geschlechtlichkeit. Angeregt von der frühen psychoanalytischen Szene in Wien hatte Otto Weininger (1880–1903) in seiner berühmt-berüchtigten Dissertation *Geschlecht und Charakter* (1903) maßgeblich dazu beigetragen, daß auch der Kampf zwischen den Geschlechtern in das Innere des Subjektes transponiert werden konnte – indem er nämlich, ausgehend von einer grundsätzlichen Bisexualität des Menschen, Männlichkeit und Weiblichkeit als vom biologischen Geschlecht unabhängige Größen in jedem Subjekt, wenn auch in unterschiedlicher Verteilung repräsentiert wissen wollte. Nach dieser Konstruktion, in der, übersetzt in die spätere metapsychologische Terminologie Freuds, das Weibliche mit dem Es (dem Unbewußten und dem Lustprinzip) und das Männliche mit dem Ich und dem Über-Ich (dem Realitätsprinzip, dem Bewußtsein und der Moralität) identifiziert werden, sind die Kämpfe im Inneren des Subjektes Kämpfe zwischen dem Männlichen und Weiblichen. In dieser Perspektive endet beispielsweise der Kampf Aschenbachs mit dem Sieg des Weiblichen über das Männliche, die Auflösung seiner Selbstdisziplinierung ist ein Prozeß der Effeminierung. Das »sinnlichere Blut« seiner Mutter dominiert über die »Gewissenhaftigkeit« der männlichen Vorfahren (»Offiziere, Richter, Verwaltungsfunktionäre«).[55] Freuds berühmtes Postulat »Wo Es war, soll Ich werden«[56] ist in solchen Zusammenhängen konnotiert mit dem Wunsch: ›Wo Weiblichkeit war, soll Männlichkeit werden.‹ Dem Selbstverständnis Freuds entspricht dies jedoch weniger als dem Weiningers. Überhaupt sind die semantischen Oppositionen, die sich in die dramatisierende Metaphorik des Kampfes mit ihren dichotomischen Freund-Feind-Schemata eingelagert finden, keineswegs auf einen einheitlichen Sinnzusammenhang hin strukturiert. Mit ihnen werden zwar bestimmte Werthierachien konstruiert, aber mit den gleichen Oppositionen können sie auch umgekehrt werden. So begrüßte beispielsweise Kraus enthusiastisch Weiningers Konstruktionen der Geschlechterdifferenzen, machte jedoch das Bild der ausschließlich durch Sexualität bestimmten Frau zur Grundlage nicht ihrer Verachtung, sondern der Verehrung.[57] Der Dadaist, literarische Anarchist und Sexualrevolutionär Raoul Hausmann (1886–1971) wendete um 1920, gestützt auf Gross, die Argumente des Antifeministen Weininger sogar im Sinne eines profeministischen Kampfes für »die Abdankung des männlichen Geistes« und »männlichen Ordnungstriebes« um.[58]

Die Metaphorik des Kampfes, die die ausdifferenzierten Diskursordnungen in den Künsten und Wissenschaften übergreift, wird in der Moderne zum Medium sowohl der Konsens-, weit mehr aber noch der Dissensbildung. Sie läßt ganz unterschiedliche Positionen in der Bewertung des beschriebenen Kampfgeschehens zu. Verschieden gewertet wird schon der Typus des kämpferischen Subjekts. Daß es als »männlich« qualifiziert wird, dafür hatte Darwin evolutionsbiologische Argumente geliefert: Im Konkurrenzkampf hat das männliche Geschlecht jene Qualitäten erwerben müssen, mit denen es dem weiblichen überlegen ist. Nach Weininger ist die Frau zum »Kampf gegen die eigene Begier« gar nicht fähig. Freies, gegenüber dem sexuellen Begehren autonomes Subjekt kann nur der Mann sein, den Weininger als »Kämpfer« bezeichnet und auszeichnet.[59] Der Kult des Kämpfertums ist ein Männlichkeitskult.

Das zeigen auch die Texte Döblins – allerdings mit gänzlich anderen Bewertungen. In seinen Beschreibungen von *Wadzeks Kampf mit der Dampfturbine* gilt die Kritik weniger bestimmten sozialen Verhältnissen und ökonomischen Entwicklungen als einem bürgerlichen Typus, dessen kämpferischer Mentalität Döblins Werke immer wieder pathologische Züge zuschreiben. Für ihn gilt: Keine Schwäche zeigen, sich selbst niemals aufgeben, sich nicht überwältigen lassen von den eigenen Affekten und Bedürfnissen; kühle, überlegene Distanz bewahren gegenüber anderen Menschen, den potentiellen Gegnern; seinen Prinzipien treu bleiben; Standhaftigkeit, Ehrbewußtsein und konsequenten Charakter zeigen; zum Kampf entschlossen sein gegen alles, was dem entgegen steht! In Döblins Erzählung *Die Ermordung einer Butterblume* (1910) ist dieser Typus bereits deutlich vorgezeichnet. Einen »Guerilla-Krieg« führt Michael Fischer »ununterbrochen mit ihr«,[60] der Blume. Mit ihr bekämpft er sich selbst, den eigenen Körper und dessen Bedürfnisse, und wird dabei wie Wadzek zur lächerlichen Figur. Michael Fischer führt jene Art des Kampfes, die Döblin schon 1896 in seiner frühsten Prosaskizze *Modern* beschrieben und mit den programmatischen Sätzen kommentiert hat: »Wer es wagt, der Natur zu trotzen, seine tierischen Triebe zu unterdrücken, er wird in diesem Kampfe gebrochen unterliegen.«[61] Es ist der in den Wahnsinn und oft in den Tod treibende Kampf der krampfhaft um Selbstbehauptung ringenden Vernunft gegen das anarchisch-vitale Begehren der eigenen Natur, des Körpers. Mit den Schilderungen dieses Kampfes entwarf Döblin schon vor seiner Ausbildung zum Psychiater eine literarische Pathologie des modernen, zivilisierten Subjekts. Seiner Männlichkeit hält der *Wadzek*-Roman ein anderes Persönlichkeitsideal entgegen. Es wird nicht zufällig von einer Frau verkörpert und folgt der Devise: Nicht hart sein wie Stahl, sondern weich wie das Wasser und der Wind; keinen geradlinigen, »tragischen Charakter« beweisen wollen, denn »Schlängeln ist viel wichtiger«![62]

Fragt man nach den Parteinahmen und Sympathieverteilungen gegenüber den antagonistischen Kräften im Kampfgeschehen, so kann man im Blick auf größere historische Zusammenhänge seit dem 18. Jahrhundert drei Paradigmen unterscheiden: das aufklärerische, das klassische und das ästhetisch moderne. Im Kampf zwischen Sinnlichkeit und Vernunft ergreift das aufklärerische Paradigma Partei für die Vernunft, das klassische zielt bei gleich verteilten Sympathien und Antipathien auf eine harmonisierende und befriedende Aufhebung des Antagonismus von Sinnlichkeit und Vernunft, das ästhetisch moderne Paradigma sympathisiert mit dem, was in dem Kampf den Herrschaftsansprüchen der Vernunft widerstreitet.

Was die ästhetische Moderne angeht, so lassen sich zum Beleg für die Dominanz des so beschriebenen Paradigmas vor allem Nietzsches [→ 192 ff.] Vitalismus und seine Resonanz anführen. In ihrem Lebenspathos eignet sich die Literatur der Jahrhundertwende und des Expressionismus die Psychonalyse vielfach so an, daß Freuds Interesse an der Ichbildung ganz auf das Es verschoben wird. Die Mächte der Sexualität und des Unbewußten werden gefeiert, weil sie das zivilisierte Subjekt in die verlorene Einheit mit dem Strom des Lebens zu reintegrieren vermögen.[63] Hofmannsthals psychoanalytisch inspirierte Dramen *Elektra* (1904) oder *Ödipus und die Sphinx* (1906)[64] unterscheiden sich hierin von den Intentionen Freuds erheblich. Das gleiche gilt für die unter psychoanalytischer Anregung entstandenen Texte Rilkes [→ 363 ff.]: die dritte der *Duineser Elegien* (1923) und *Der Brief des jungen Arbeiters* (1921 geschrieben), der sich im Gefolge Nietzsches und mit Freudschen Termini gegen die »Entstellung und Verdrängung«[65] diesseitiger Sinnenlust durch das Christentum richtet. Der Nietzsche und Freud, Johann Jakob Bachofen und Alfred Adler kombinierende Gross und seine Anhängerschaft (vor allem Franz Jung und Hausmann) sind zu nennen, aber auch der frühe Döblin oder der Brecht des *Baal* (1920) und der *Hauspostille* (1927). Die ästhetisch und ethisch motivierte Aufwertung, die in der expressionistischen Lyrik und Prosa »der dem Klassizisten zuwidere Wahnsinn« (Carl Einstein) erfährt, ergreift Partei gegen die avitale Ordnung des verhaßten Bürgers, gegen die das authentische Erleben blockierende Logik, Grammatik und Poetik.[66] Die Dissoziation des Ich wird einerseits als eine leidvolle Überforderung des Subjekts angesichts einer in der gesellschaftlichen Moderne hyperkomplex gewordenen Umwelt dargestellt,[67] andererseits auch als notwendige Bedingung für die Verschmelzung von Menschen und Dingen in der Einheit des Lebens.[68] »Nicht zuletzt auf Gross zurückzuführen« ist nach Franz Jung die »Einsicht, daß jede Wahnvorstellung neben ihren negativen ⟨...⟩ auch eine erlebensnotwendige positive Seite hat, die sogenannte Verankerung des Komplexes im positiv Lebendigen.« An der Wahnbildung seien »lebendigkeitsbedingende Instinkte« entscheidend beteiligt.[69]

Die literarische Moderne ist jedoch keineswegs durch ein einheitliches Paradigma geprägt, sondern durch eine Paradigmenpluralität, ein Nebeneinander und kämpferisches Gegeneinander von unterschiedlichen, bei einzelnen Autoren zuweilen rasch wechselnden oder sich unterlaufenden Positionen. Moral- und rationalitätskritische Appelle [→ 267ff.] zur Befreiung libidinöser und unbewußter Energien konkurrieren mit aufklärerischen Programmen zur Stärkung des autonomen, mannhaften Subjekts und mit klassisch-idealistischen Postulaten zur befriedenden Aufhebung der Gegensätze durch die integrative Kraft der Selbstreflexion.

Weininger etwa ist, wie seine über Schopenhauer vermittelten Rekurse auf Kant zeigen, dem aufklärerischen Paradigma zuzuordnen, dessen Autonomieansprüche sich hier (ein Musterbeispiel für die Dialektik der Aufklärung!) in pathologische Zwanghaftigkeit verkehren. Freuds Position, der sich Thomas Manns Aufsätze über ihn[70] weitgehend anschließen, steht mit jenem Konzept eines integrativen, selbstreflexiven Ichs, das die Ansprüche des Es, der Realität und des Über-ich auszugleichen versucht, dem klassisch-idealistischen Paradigma am nächsten. Ganz explizit folgt Lou Andreas-Salomé dem klassisch-idealistischen Dreischrittschema, nach dem auf den Verlust einer ursprünglichen Einheit im notwendigen und produktiven Durchgang durch die (mit Kämpfen verbundenen) Entzweiungen der Moderne eine neue, friedliche Einheit des Subjekts auf höherem Niveau erwartet wird.[71] Und nicht zuletzt Musil zielt in seinen Beschreibungen der Kämpfe zwischen dem »Ratioiden« und »Nicht-Ratioiden«,[72] die auch bei ihm mit Gegenüberstellungen von Männlichem und Weiblichem [→ 245 f.] korrespondieren, auf ›Vereinigungen‹, im *Mann ohne Eigenschaften* (1930–43) dann auf eine androgyne Aufhebung der Gegensätze.

In Kafkas Texten relativieren sich die gegenüber den Kämpfenden eingenommenen Positionen gegenseitig immer wieder. Der im *Brief an den Vater* (1919) beschriebene Generationenkampf setzt sich im Inneren des Sohnes fort: »Zwischen uns war es kein eigentlicher Kampf; ich war bald erledigt; was übrigblieb war ⟨...⟩ innerer Kampf.«[73] Trotz der Anschuldigungen gegen den Vater zielt der mit dem Brief inszenierte Prozeß von Beginn an auf einen Vergleich, auf ein Friedensangebot im Kleinkrieg eines sozialen Mikroorganismus. Es sei zwar kein »neues Leben« möglich, schreibt der Sohn in Abgrenzung wohl vom Expressionismus, aber eine »Art Friede« unter den Kämpfenden.[74] Mit dem Brief sei, so heißt es abschließend in versöhnlichem Ton, »meiner Meinung nach doch etwas der Wahrheit so sehr Angenähertes erreicht, daß es uns beide ein wenig beruhigen und Leben und Sterben leichter machen kann.« Das zielt auf Bewußtwerdung und ihre befreiende Wirkung.

Die vielen Metaphern des Kampfes und des Krieges in den literarischen und psychoanalytischen Beschreibungen psychischer Konflikte lesen sich wie Bestätigungen jener These von Norbert Elias, die den »Prozeß der Zivilisation« als eine Verlagerung alter Kriegsschauplätze zwischen den Menschen ins Innere des zivilisierten Subjekts begreift. Die furchterregenden »körperlichen Auseinandersetzungen, die Kriege und Fehden verringern sich ⟨...⟩. Aber der Kriegsschauplatz wird zugleich in gewissem Sinne nach innen verlegt. Ein Teil der Spannungen und Leidenschaften, die ehemals unmittelbar im Kampf zwischen Mensch und Mensch zum Austrag kamen, muß nun der Mensch in sich selbst bewältigen.«[75] Das zivilisierte Subjekt sieht sich nach Elias im immer dichter und komplexer gewordenen Geflecht sozialer Beziehungen und wechselseitiger

Abhängigkeiten zunehmend genötigt, eine die Folgen des eigenen Handelns vorausbedenkende Rationalität zu entwickeln und spontane Bedürfnisse langfristigen Planungen unterzuordnen. Diese soziale Nötigung hat es zu einer Art ›Selbstzwang-Apparatur‹ verinnerlicht. Sie kommt der gegenseitigen Berechenbarkeit, Gefahrlosigkeit und ökonomischen Effektivität sozialer Interaktionen zugute, ist jedoch mit Leiden an neuen Ängsten und an unausgelebten Triebwünschen verbunden. Elias' in den dreißiger Jahren entstandene Zivilisationstheorie ist freilich selbst in ihrer geradezu plagiatorischen Adaption von Freuds Kulturtheorie dem Diskurs der Psychoanalyse und der literarischen Moderne um und nach 1900 verbunden. Die hochgradig konfliktbelastete Konstitution des modernen Subjekts, die Elias als »Prozeß der Zivilisation« beschrieb, vor ihm Nietzsche als »Genealogie der Moral«, Max Weber als »protestantische Ethik« und »Geist des Kapitalismus« oder Freud als »Kulturprozeß«, nach ihm Max Horkheimer [→ 90 f.] und Theodor W. Adorno als »Dialektik der Aufklärung« oder Jacques Lacan als Eintritt in die »symbolische Ordnung«, ist zugleich auch permanenter Problemstoff der literarischen Moderne.

Hermann Korte

Literarische Autobiographik im Expressionismus

Der Expressionismus, der sich um 1910 als eine eigene (sub-)kulturelle Formation innerhalb eines verzweigten literarisch-künstlerischen Systems zu etablieren begann, hat es von Anfang an verstanden, das Interesse an Kunst und Literatur mit dem Interesse an Künstlern und Dichtern, an deren Lebensgeschichten und Persönlichkeiten, zu verbinden. Das Selbstbekenntnis, zur ›Generation‹ der ›Jüngsten‹ zu gehören, war der kleinste, zugleich aber wirksamste gemeinsame Nenner seiner Protagonisten. In diesem Axiom der Gruppenidentität spiegelt sich bereits jene »Mythisierung der Jugend«, deren Programmatik Frank Trommler mit Blick auf die Jahrhundertwende zusammengefaßt hat: »Kaum etwas hat dem neuen Jahrhundert so viele Sympathien eingetragen wie die Verkündigung, daß Jugendlichkeit einen Wert für sich darstelle, und kaum etwas hat so viel ästhetische Energien geweckt wie der Versuch, dieser Jugendlichkeit Gestalt zu geben.«[1] Jugendlichkeit, verstanden als Anspruch der neuen Dichtergeneration, wird öffentlich inszeniert und findet die ihr spezifischen Ausdrucksformen, so daß neben der vorgetragenen Dichtung die Art der Selbstpräsentation ebenso wichtig wird, was nun seinerseits bei den beteiligten Künstlern den Zwang zur Originalität, ja zur Provokation und zur Theatralisierung der eigenen Autorschaft wie des eigenen Werkes erhöht.

Ein Ergebnis dieses Prozesses ist der ungewöhnlich hohe Anteil *literarischer* Formen der Selbstdarstellung innerhalb des Expressionismus, die nur im geringen Maße den Charakter von Lebensbeschreibungen haben, jedoch umso mehr eine Lust am Experimentieren mit Dichterposen und Allmachtsphantasien erkennen lassen, aber auch eine Neigung zu selbstreflexiven Themen und Gegenständen, zu Selbstbildern voller Orientierungslosigkeit, Angst und Ohnmacht. In diesen Kontext gehören poetologische Gedichte und Manifeste, Widmungs- und Porträtlyrik, Theaterstücke mit jugendlichen Helden (kaum verdeckten Selbstporträts) und exzeptionellen

Wunsch-Rollen wie Rebell, Vatermörder [→ 320 f.] und Erlöser, biographisch verschlüsselte Erzählprosa, schließlich auch Tagebücher, Tagebuchaufzeichnungen, Briefe und eine Reihe von skizzenhaften Lebensläufen, die meistens für Verlage und Zeitschriften geschrieben wurden.

Publiziert wurden bisher allerdings, gemessen an der großen Zahl von Autoren im Umfeld des Expressionismus, nicht viele Tagebücher und Tagebuch-Auszüge. Einige davon, wie Ernst Barlachs (1870–1938) *Güstrower Tagebuch 1914–1917*,[2] stammen von Autoren, die mit dem Tagebuch eine Form wählen, die einen fortwährenden, zuweilen quälenden Prozeß der Selbstfindung initiiert. Der Aufschreibprozeß schichtet fortwährendes Material zur Selbstbiographie auf, die im Kern Selbstbekenntnis und Rechenschaftsbericht sein soll: das Tagebuch als »selbsterzähltes Leben«.[3] Beim Vergleich von Tagebüchern expressionistischer Autoren fällt allerdings auf, daß es nicht einmal im Ansatz eine vergleichbare Schreibpraxis gibt. Charakteristisch ist vielmehr die Spannweite der konzeptionellen Gestaltung und des kompositionellen Aufbaus. Die Funktion der Tagebuchnotiz reicht von der Gedächtnisstütze bis zur poetischen Konfession und persönlichen Selbstoffenbarung. Vor allem die Tagebücher von Georg Heym (1887–1912)[4] und Franz Kafka [→ 478 ff.] (1883–1924)[5] sind immer wieder als authentische Selbstbiographie gelesen worden, die wie ein geheimer Schlüssel zum vertieften Verständnis der Werke und Schriften führte, bis hin zur Synthetisierung von Tagebuch und literarischem Text, zur Parallelisierung von Leben und Dichtung. Dabei ist gerade Heyms Tagebuch ein Beispiel für die disparate, widersprüchliche Form der Selbstbeschreibung. Nicht allein die subjektive Sichtweise auf mitgeteilte Fakten und Begebenheiten, sondern mehr noch die sich im Aufschreibprozeß verselbständigende Poetisierung der Selbstaussage, die häufige Produktion von Wunschrollen und Identifikationsfiguren aus Geschichte und Literatur sowie die selbstkritische Revision früherer Tagebucheintragungen in späteren Aufzeichnungen lassen das Tagebuch als eine fragmentarisch wirkende literarische Form erscheinen. Alle Tagebuchhefte durchzieht von Anfang an eine schroffe Dichotomie von imaginativen, ekstatischen Wunschprojektionen und pessimistisch-fatalistischen Zustandsbeschreibungen; Befreiungsphantasie und alptraumhafter Geborgenheitsverlust bilden eine widersprüchliche Einheit. So ist Heyms verbitterte Tagebuch-Anklage des »schweinernen Vaters« nur die Kehrseite des vergeblichen Wunsches nach »verständiger Pflege«;[6] die Gebärde der Rebellion wird zum geheimen Wunsch nach Nähe. War die ältere Forschungsliteratur den Beschreibungen und Urteilen über patriarchalisch-tyrannische Familienstrukturen [→ 83 ff.] und den gesamten wilhelminischen Repressionsapparat und den Projektionen eines heldenmütigen Aufbegehrens gegen allgewaltige Autoritäten weitgehend unkritisch gefolgt, so hat sich allmählich eine eher differenzierende Interpretation des antiwilhelminischen Jugend-Syndroms und damit auch des expressionistischen Oppositionsgestus durchgesetzt.[7] Die Projektionen der Heymschen Tagebuchaufzeichnung zeigen an, daß es weniger um eine Befreiung von väterlicher Tyrannei geht, sondern vielmehr um die Verwirklichung eines Traums vom exzeptionellen, sich auslebenden Subjekt, um eine Lebenspraxis jenseits der bürgerlichen Reproduktionsbedingungen und ihrer als erstarrt empfundenen wilhelminischen Ordnung. Ein solches Programm hängt eng mit der »Mythisierung der Jugend als Gegenkraft vor und außerhalb der Arbeitssphäre«[8] zusammen, einer »Mythisierung«, die in Heyms Abscheu vor allen juristischen Tätigkeiten wie überhaupt vor der bürgerlichen Berufswelt insgesamt zum Ausdruck kommt. So ist es nur folgerichtig, daß die Alternative, freier Schriftsteller zu werden und sich von der Familie unabhängig zu machen, im Tagebuch nicht einmal hypothetisch in Betracht gezogen wird. Poesie und Broterwerb passen in der Logik des Jugendmythos [→ 127 f.] nicht zusammen.

Kafkas beginnt seine Aufschreibarbeit dort, wo die meisten seiner Zeitgenossen aufhören, bei den Grenzen des Anspruchs auf Authentizität. So notiert er im Januar 1911, er habe »in diesen Tagen« nicht über sich geschrieben, »teils aus Faulheit 〈...〉 teils aber auch aus Angst«, seine »Selbsterkenntnis zu verraten«.[9] Kafka deutet diese »Angst« mit Blick auf die ebenso trügerische wie weit verbreitete Vorstellung vom Tagebuch als Medium der Selbstanamnese und Selbstbeobachtung:

Diese Angst ist berechtigt, denn endgiltig durch Aufschreiben fixiert, dürfte eine Selbsterkenntnis nur dann werden, wenn dies in größter Vollständigkeit bis in alle nebensächlichen Konsequenzen hinein sowie mit gänzlicher Wahrheit geschehen könnte. Denn geschieht dies nicht – und ich bin dessen jedenfalls nicht fähig – dann ersetzt das Aufgeschriebene nach eigener Absicht und mit der Übermacht des Fixierten das bloß allgemein Gefühlte nur in der Weise, daß das richtige Gefühl schwindet, während die Wertlosigkeit des Notierten zu spät erkannt wird.[10]

Aus dem im Tagebuch dokumentierten »Verlangen eine Selbstbiographie zu schreiben«[11] wird der »Haß gegenüber aktiver Selbstbeoachtung«.[12] Daß Schreib-Intention und Aufschreibprozeß beim Tagebuch eben keine Einheit bilden, sondern unversöhnliche Gegensätze, dazu äußert sich Kafka an vielen Stellen der Tagebücher, so daß der Schreibprozeß, ja das Schreiben selbst zum dominierenden Thema wird. Damit aber hat Kafka für sich zugleich eine neue Attraktivität des Tagebuchs entdeckt, probt Schreibrollen aus, schichtet jahrelang fragmentarische Selbstbilder und Selbstinterpretationen auf und beginnt die Reflexion des eigenen Schreibens und die Kommentierung der gerade entstehenden eigenen Texte zu regelrechten ›Schreib-Geschichten‹ auszuformen. So wird das Tagebuch zu einer Schreibform, die das eigene Schreiben beobachtet, es aus verschiedenen Perspektiven untersucht, mit ihm experimentiert, bis hin zur Beobachtung der Handschrift und des Bewegungsvorgangs beim Schreiben. In der Vorstellung vom Schreiben als Anspruch, Weg und Ziel der eigenen Autorschaft unterscheidet sich Kafka von expressionistischen Konzepten literarischer Autorfunktion. Während expressionistische Manifeste die Figur des Dichters als eines exzeptionellen Künstler-Subjekts entwerfen, das Kunstwerke von eminenter Bedeutung und öffentlicher Wirkung produzieren soll, und im Verlaufe des expressionistischen Jahrzehnts sogar intellektuelle und politische Hegemonieansprüche einklagen, entwickelt Kafka eine »Abstinenz gegenüber einer künstlerischen Selbststilisierung« und »ästhetizistischen Selbstinterpretation des Künstlers«.[13] Wo andere offen oder geheim auf die Anerkennung innerhalb der literarischen Öffentlichkeit hoffen, da negieren Kafkas Tagebücher nicht nur die Rolle von Verlegern, Zeitschriften, Buchmarkt [→ 153 ff.], Kritik und Publikum, sondern auch Begriffe wie Werk, Dichtung und Kunst. Kafka interessiert keine ästhetische Ambition, sondern der »Wellengang des Schreibens«,[14] so daß er das eigene Verlangen zu schreiben nicht als »künstlerisches Verlangen« begreifen möchte:

> Ich habe jetzt und hatte schon Nachmittag ein großes Verlangen, meinen ganzen bangen Zustand ganz aus mir herauszuschreiben und ebenso wie er aus der Tiefe kommt in die Tiefe des Papiers hinein oder es so niederzuschreiben daß ich das Geschriebene vollständig in mich einbeziehen könnte. Das ist kein künstlerisches Verlangen.[15]

Wie bei Heym, nur mit gänzlich anderen Intentionen sind letztlich auch Kafkas Tagebücher voller selbstreferentieller Metaphern und Bilder. Sie gelten bei Kafka der stilisierten Figur des Schreibenden und dem Schreiben selbst, wenn es heißt: »Es ist alles nutzlos. Kann ich die Geschichten nicht durch die Nächte jagen, brechen sie aus und verlaufen sich.«[16]

Neben den Diarien von Heym und Kafka, welche in ihrer Gegensätzlichkeit die Spannweite autobiographischen Schreibens beispielhaft illustrieren, ist vor allem Hugo Balls (1886–1927) 1927 veröffentlichtes Tagebuch *Die Flucht aus der Zeit*[17] von besonderem Interesse. Es dokumentiert die Jahre zwischen 1914 und 1921 aus der Perspektive eines Autors, der das Tagebuch als Reflexionsmedium literarisch-künstlerischer Erfahrungen nutzt und sein eigenes künstlerisches Engagement, aber auch die Epoche der Kriegs- und Nachkriegsjahre bewußt im Kontext des Tagesgeschehens registriert. Balls Tagebuch ist daher keineswegs nur von chronikalischem Interesse, auch wenn es meistens als Steinbruch für die Ereignisgeschichte des Zürcher Dada [→ 467 f.] gelesen und zitiert wird. Das Schreiben des Tagebuchs gleicht einem einzigen fortgesetzten Selbstkommentar, der noch in der Emphase seiner einzelnen Berichte skeptisch dem Dargestellten gegenüber bleibt. So kann das Tagebuch nicht nur Ereignisse, Gedanken, Enttäuschungen, Wünsche, Erfolge festhalten, sondern auch als selbstreflexives Medium Einsichten formulieren, die, wie der ausführliche Bericht über die ›Erfindung‹ und ›Uraufführung‹ der eigenen Lautgedichte, die Verwandlung Balls zum »magische⟨n⟩ Bischof«,[18] dem eigenen Engagement und Handeln sowie den eigenen künstlerischen Aktivitäten sogar richtungsverändernde Impulse geben können.

Auch die expressionistische Briefliteratur insgesamt, bisher fast ausschließlich für editionsphilologische Kommentare und Biographien genutzt, dokumentiert das komplizierte persönliche wie gruppenspezifische Beziehungsgeflecht innerhalb eines verzweigten informellen Kommunikationsnetzes. Briefeditionen unterschiedlichster Art – wie die Korrespondenzen von Else Lasker-Schüler, Kafka, Gottfried Benn, Heym, Ball, Ernst Toller, der Briefwechsel Kurt Wolffs [→ 153 f.] mit seinen Autoren und Johannes R. Bechers mit dem Insel-Verlag[19] – sind Ausdruck einer umfangreichen, mit Leidenschaft betriebenen Briefkultur. Sie ist zuweilen die einzige Quelle für Selbstzeugnisse von Autoren, Verlegern, Kritikern und anderen Protagonisten des Literatur- und Theaterbetriebs. Die Bedeutung der Briefkommunikation zeigt sich paradigmatisch am Neuen Club in Berlin, dessen Aktivitäten zwischen 1908 und 1914 im Briefwechsel seiner Protagonisten wesentlich vorbereitet, organisiert und reflektiert wurde, so daß selbst innerhalb derselben Metropole der Brief zur adäquaten Form der Selbstmitteilung und des Dialogs geworden ist. Unter autobiographischem Aspekt sind diese Briefe schon deshalb von besonderer Bedeutung, weil sie den Konstitutionsprozeß des Berliner Frühexpressionismus [→ 454 ff.] als Geschichte eines sich allmählich verändernden Selbstverständnisses dokumentieren. Eine erste Zäsur ist im November 1909 erkennbar, als Erich Loewenson (1888–1963) in seinem Vortrag *Die Décadence der Zeit und der ›Aufruf‹ des ›Neuen Clubs‹* das Wir-Gefühl der Gruppe formuliert:

> Wir wollen uns vergesellschaften, wir paar Cerebralen, wir paar Dutzend Aesthetisch-Starken und wollen einmal Krieg spielen. Wir wollen zusehn, was standhält von dem, was uns richtig dünkt. Wir wollen so tun, als ob wir von vorn anfingen!
>
> Einander bekämpfen: und dadurch uns gegenseitig ein Stimulans zum Leben sein.[20]

Mancher Briefwechsel expressionistischer Autoren verrät mehr über die persönlichen Ziele und literarischen Ambitionen als veröffentlichte Manifeste und Programme. In den Korrespondenzen spiegeln sich Lebensstile, Kommunikationsrituale, Eitelkeiten, Gewohnheiten, Freund- und Feindschaften, politische und weltanschauliche Haltungen, Marktmechanismen und Verlagsstrategien. Darüber hinaus wird der Brief zu einem eigenen literarischen Genre. Der Dialog mancher Künstler untereinander findet seine künstlerische Ausdrucksform, der Brief wird zur Briefdichtung. So hat Else Lasker-Schüler (1869–1945) [→ 268 ff.] sich einer eigenen Briefästhetik bedient, indem sie Skizzen und Zeichnungen in ihre Korrespondenz aufnimmt, persönliche Signets erfindet, Postkarten mit Tusche, Kreide, Feder und Farbstift bearbeitet.[21] Eine große Anzahl von Briefen sind Fortsetzungen jener Dialoge, die in ihren Gedichten beginnen: poetische Spielformen, welche bewußt die Grenze zwischen Fiktion und Mitteilung, künstlerischer und alltäglicher Kommunikation immer wieder überschreiten, bis hin zur Wiederholung von Anrede- und Koseformen, mitunter sogar von längeren Textpassagen in Brief und Dichtung.[22]

Auch in anderen Briefwechseln überkreuzen sich Briefform und Poesie. So sind einige der Gedichte, die Emmy Hennings (1885–1948) in ihrer Biographie Hugo Balls zitiert, versifizierte Briefkorrespondenzen, während umgekehrt Briefe, besonders diejenigen von Hennings, den Charakter von Prosaskizzen haben.[23] Die Ich-Form solcher Briefe verliert ihre biographischen Konturen, die poetische Diktion wird zum beherrschenden Element der Briefrhetorik. Wie die Erzählerin ihrer Kurzprosastücke deutet auch die Briefschreiberin manchen Gedanken nur an, unterbricht immer wieder ihre Reflexionen und führt angedeutete kleine Geschichten und Begebenheiten nicht weiter aus, so daß sie wie eingestreute Erzählfragmente wirken. Am entschiedensten hat Kafka in seinem *Brief an den Vater* [→ 507 f.] (geschrieben 1919)[24] die literarische Kompositionsform zeitgenössischer Briefdichtung entfaltet. Schon vor diesem Hintergrund erscheint es paradox, daß gerade Kafkas Text seine Wirkung als Authentizitätszeugnis Kafkaschen Lebens erfuhr. Elemente einer Briefdichtung enthält auch Ernst Tollers (1883–1939) 1935 veröffentlichte Sammlung *Briefe aus dem Gefängnis*.[25] Geschrieben zwischen 1919 und 1924 unter den Bedingungen der Festungshaft sind diese Briefe historische Dokumentation, autobiographischer Bericht und Gefängnispoesie. Schroffe Gegensätze von aktuellem

Tageskommentar und naturlyrischer Skizze heben den literarischen Charakter der Briefkompositionen hervor und lassen keinen Augenblick vergessen, daß der Verfasser der *Briefe aus dem Gefängnis* ein bereits populär gewordener Schriftsteller ist. Briefeschreiben wird vor solchem Horizont zu einer Frage der Bewältigung von Lebenskrisen und existentiell bedrohlichen Situationen. Für diese Seite expressionistischer Briefkultur lassen sich noch weitere Beispiele finden. So steht eine Reihe von Briefen, die Johannes R. Becher (1891–1958) zwischen 1916 und 1921/22 an Katharina Kippenberg geschrieben hat, in engem Zusammenhang persönlicher Krisen und existentieller Gefährdungen. Manche Briefe lesen sich wie experimentelle, rhythmische Prosa des jungen Becher, manche aber lesen sich wie selbstverfaßte Krankenbulletins. Die Briefe sind so konzipiert, daß sie wie spontane Mitteilungen wirken. Vor allem in der Differenz zu den geschäftsmäßigen, sachlich-unpersönlichen Briefen an Mitarbeiter des Insel-Verlages wird der adressatenbezogene Einsatz Becherscher Brieftechnik deutlich. Stellt der Verfasser in ihnen seine Autorfunktion in den Vordergrund – mit dem Selbstbewußtsein des arrivierten Literaten, der einen Verlag für sich und seine Interessen zu vereinnahmen versteht –, so sind die Briefe an Katharina Kippenberg zuweilen wie Monologe expressionistischer Theaterstücke geschrieben: »O liebe liebste gnädige Frau«, bekennt Becher 1917: »Wie froh, um wieviel sicherer fühle ich mich gleich, wenn Sie im Verlag sind. Eine kindliche Freude fast, denn irgendwie sind Sie doch meine große, ein wenig ferne, gütige Mutter. Nun will ich Ihnen erzählen.«[26] Emphatische »O, daß«-Formeln durchziehen die Briefe sogar bei recht prosaischen Sachverhalten: »O, daß doch bald Exemplare kommen möchten.«[27]

Bechers Schreibimpuls ist symptomatisch für jene Richtung der expressionistischen ›Bewegung‹, die in allen Phasen und allen Formen des Schreibens den Anspruch eigener Autorschaft demonstriert, indem sie letztlich nur über sich selbst und den eigenen Anspruch schreibt. Bechers Briefe gehen auf die Dialogpartnerin kaum ein, sie wird als Person kaum sichtbar, wogegen der Autor sich in Rollen und Dichterposen erprobt. Schreiben ist für Becher ein Sich-Abarbeiten an fortwährenden Ich-Metamorphosen, bis hin zur verblüffenden Veränderung, ja zeitweiligen Diffusion der eigenen Handschrift. Vor diesem Hintergrund ist Bechers Schreiben autobiographisches Schreiben in Permanenz, freilich um den Preis der ›Fiktion‹ des Authentischen. Zumindest für Becher hat Michael Rohrwasser recht, wenn er konstatiert: »Möglicherweise ist ›Autobiographie‹ die klarste Form der Fiktion, weil sie vorgibt, vom Authentischen zu sprechen.«[28] Becher schreibt auf jenes ›Authentische‹ als – utopisch gesetztes – Ziel seiner Dichtung hin, wenn er bekennt: »Es wird eine Zeit geben, wo die Sprache der Dichter direkt von der Wildnis, der Woge und der Erschütterung der Seele spricht.«[29] Er durchmustert fiktive Dichter-Konfigurationen und spielt sie in seinen Briefen wie in seinen Gedichten ad infinitum vor. Daher ist die Grenze zwischen den Textsorten prinzipiell aufgehoben. So erscheint Rolf Selbmanns Behauptung plausibel, Bechers »exzessive Überhebung« stelle »das Ich an das Ende einer poetisch begründeten Willensanstrengung, deren universalem Anspruch sich alles zu unterwerfen hat, auch das eigene Leben.«[30] Bechers Beispiel einer Aufhebung von autobiographischem und literarischem Schreiben im fiktiven Rollenspiel imaginierter und für sich reklamierter Dichterexistenzen ist ein Beispiel für die Selbstthematisierungspraxis der literarischen Moderne. Allerdings zeigt gerade die Briefliteratur des Expressionismus insgesamt, daß die inhaltliche Bestimmung der Autorfunktion für viele seiner Protagonisten unmittelbar mit der Frage nach dem eigenen Selbstverständnis verknüpft war.

Die literarische Selbstdarstellung war für Becher von Beginn an die ihm gemäße Form der Selbstpräsentation. So verwundert es nicht, daß gerade dieser Autor auf Bitten um einen selbstverfaßten Lebensabriß, etwa als Anmerkung zu Buch- oder Zeitschriftenveröffentlichungen, negativ reagierte. In der von Kurt Pinthus (1886–1975) herausgegebenen Anthologie *Menschheitsdämmerung* (1920), die schon im Anhang der Erstausgabe autobiographische Skizzen enthielt, hat Becher lediglich sein Geburtsdatum und seinen Geburtsort veröffentlichen lassen. Andere Autoren waren gesprächiger, wie Rudolf Leonhard (1889–1953) und René Schickele (1883–1940). Bechers Aversion, einen Lebenslauf zu schreiben, ohne sich der literarischen Darstellungsform zu bedienen, kehrt auch in seiner Antwort auf ein Projekt wieder, das der Schriftsteller

Heiner Schilling (1894–1955) für den Dresdner Verlag von 1917 im Mai 1921 plante und später nicht realisierte – eine Veröffentlichung von autobiographischen Skizzen von Autoren aus dem Umfeld des Expressionismus. Hans Daiber hat siebzehn dieser Lebensläufe 1967 in seinem Buch *Vor Deutschland wird gewarnt* vorgestellt.[31] Für die expressionistische Autobiographik sind die Skizzen auch im Hinblick auf die Technik der Selbstporträtierung aufschlußreich. Gottfried Benn (1886–1956) etwa, der für die »Menschheitsdämmerung« noch die Formel »Belangloser Entwicklungsgang, belangloses Dasein als Arzt in Berlin«[32] benutzte, verfaßt im August 1921 einen längeren autobiographischen Text, der die Figur des Arztes für Haut- und Geschlechtskrankheiten akzentuiert und aus ihr mit auktorialer Souveränität sein skeptisches Resümee zur Kulturgeschichte der Menschheit ableitet. Benns Text ist so konzipiert, daß er die zeit- und selbstdiagnostischen Betrachtungen verbindet, und zwar in der theoretischen wie persönlichen Reflexion auf das eigene Ich; »ich begann«, so referiert der Verfasser seine Einsichten, »das Ich zu erkennen als ein Gebilde, das mit einer Gewalt, gegen die die Schwerkraft der Hauch einer Schneeflocke war, zu einem Zustand strebt, in dem nichts mehr von dem, was die moderne Kultur als Geistesgabe bezeichnete, eine Rolle spielte«.[33]

Das autobiographische Schreiben entfaltet sich gerade in seiner zugespitzt selbstdistanzierenden, zergliedernden, zuweilen zynischen, zuweilen melancholischen Betrachtungsweise zu einer adäquaten essayistischen Form. Als Essay gelesen, hebt Benns Lebensabriß die stilisierte Herabsetzung der eigenen literarischen Arbeit effektvoll wieder auf: »Bei Erich Reiß erscheinen in diesem Herbst meine gesammelten Werke, 200 Seiten, sehr wenig, man müßte sich schämen, wenn man noch am Leben wäre.«[34]

Benns in Szene gesetzte Negation des eigenen Werkes ist die bloße Umkehrung der in vielen Lebensskizzen expressionistischer Autoren inszenierten literarischen Karriere, des ›Durchbruchs‹ zur professionellen Autorschaft. Charakteristisch sind Verweise auf den frühexpressionistischen Jugend-Code als ersten Fixpunkt literarischer Praxis. So nennt Walter Hasenclever (1890–1940) sein erstes Gedichtbuch *Der Jüngling*[35] »ein in lyrischer Form vollzogener Ausdruck von Erlebnissen der beginnenden geistigen Jugend«;[36]

Toller beschwört im Zusammenhang mit seinen literarischen Anfängen die »Phalanx der deutschen revolutionären Jugend«,[37] wie überhaupt Toller bis zur Autobiographie *Eine Jugend in Deutschland* (1933)[38] am deutlichsten die Koppelung der expressionistischen ›Bewegung‹ gleichsam als literarische Jugendbewegung bewahrt hat. Umgekehrt hat Paul Zech (1881–1946) in seiner biographischen Notiz zur *Menschheitsdämmerung* das Etikett ›Jugend‹ ironisiert: »ich bin nicht ›Jüngste Dichtung‹, sondern beinah vierzig Jahre ⟨alt⟩«.[39]

Wie sehr die Standpunkte und die Diktion expressionistischer Autobiographik differieren können, macht exemplarisch die Kontrastierung der Lebensskizze Hasenclevers und Max Herrmann-Neißes (1886–1941) deutlich. Hasenclever, der schon mit seinen Zeilen in der Erstausgabe der *Menschheitsdämmerung* Furore machte,[40] legt 1921 seinen Lebensrückblick als eine zielgerichte literarische Karrieregeschichte an. Sie endet in provozierender Diktion mit einer Zurücknahme des Expressionismus, also mit einer lebens- und werkgeschichtlichen Zäsur. Dagegen schließt die Lebensskizze Herrmann-Neißes mit einer Philippika gegen den »letzten geschäftlichen Bluff« eben jener »bürgerlichen Kultur«.[41] Dieses verbitterte Fazit ist im gesamten Lebenslauf angelegt. Seine frühe Dichtungen, so der Autor, »entsprangen dem Leiden unter ⟨...⟩ körperlichen Mißgeschick und unter der üblichen Brutalität deutscher Jungens gegen den wehrlosen Buckligen.«[42] In pathischer Form schildert der Autor seine Initiation zum Dichter: »In einer Zeit der Geschäftlichkeit, des Schwindels, der kalten Hand fühle ich als mein Schicksal, den zum Aussterben verurteilten Typ ›Dichter‹ noch einmal auf mich zu nehmen.«[43] Das Bewußtsein, zu den ›Erwählten‹ zu gehören, verbindet Hasenclever und Herrmann-Neiße; die verklärenden Formeln vom »Einzigen« und vom schicksalsbestimmten »Typ ›Dichter‹« sind Umschreibungen sinnerfüllter Autorfunktion, die beide Schriftsteller für sich reklamieren.

Die Erfahrungen des abseits der Metropolen aufgewachsenen, verarmten Dichters Herrmann-Neiße lassen sich auch in der Entstehungsgeschichte seines Werks rekonstruieren. Eindringlich schildert der Autor 1915 in einem Brief an Schickele die materielle und soziale Notlage eines Menschen, »der nach sieben Semestern Germanistik und zwei Jahren Provinzzeitungsmitarbeiterei erfolglos seinen Weg zu gehen versuchte (ohne Examen, Doktor, Zeugnis und sonstige Bestätigung)«.[44] Der Brief ist ein Dokument des Schriftstellerelends [→ 139ff.], geschrieben von einem unbekannten Autor, der mit einem bereits arrivierten Zeitschriftenherausgeber Kontakt zu halten sucht und in den wenigen autobiographischen Zeilen seine Situation offen ausspricht. Innerhalb des Spektrums expressionistischer Selbstdarstellung gehört Herrmann-Neiße mit diesem Brief zur Gruppe derer, die ohne bohemienhafte Stilisierung [→ 219ff.] ihre Desintegration und Erfolglosigkeit vor dem Hintergrund ihres Unvermögens zum bürgerlichen Leben diskutieren. Motive des Ausgeschlossenseins und des Schmerzes verdichten sich bis zur quasi-religiösen Leidensmetaphorik in Gedichten mit bezeichnenden Titeln wie *Letzter Notschrei*, *Verirrt in dieser Fremdheit Not* und *Mein Gethsemane*,[45] in denen das Ich zur Dulderfigur wird. Die charismatische Dulderfigur ist eine der hervorstechenden literarischen Selbstprojektionen expressionistischer Autoren; sie konkurriert mit Messiasfiguren, Revolutionären und mythischen Helden. Sogar bei Benn, der in seiner autobiographischen Skizze von 1921 alle Spuren der Identifikation beseitigte, läßt sich die (Selbst-) Phantasmagorie des jugendlichen Empörers illustrieren. Schlüsseltexte für das poetologische Selbstverständnis einiger Autoren sind insbesondere Porträtgedichte Friedrich Hölderlins. Was Kurt Bartsch für Georg Trakls (1887–1914) Hölderlin-Rezeption formuliert, gilt analog auch für andere Dichter: »Bei Hölderlin hat er beides vorgefunden: einerseits das Ringen gegen die Übel der Zeit und für eine bessere Zukunft, andererseits die totale Resignation in der Krankheit.«[46]

Das literarische Schreiben in der nur mit Mühe durchgehaltenen Distanz zur literarisch entworfenen Identifikationsfigur erweist sich zuweilen als eine Art ›Sich-Freischreiben‹, ja als Initiation in die Literatur. Vor allem für den familialen Themenkomplex frühexpressionistischer Dramen ist der Zusammenhang von fiktionaler Welt und Lebenswelt konstitutiv. So sind einzelne Protagonisten in Paul Kornfelds (1889–1942) frühen Schauspielen wie *Die Verführung* und *Himmel und Hölle*[47] »Variationen eines Selbstportraits«,[48] wie ein Vergleich mit den Selbstbeschreibungsformeln in den Tagebüchern recht plausibel macht.[49] Auch Tollers Drama *Die Wandlung* (1919)[50] ist ein Beispiel für einen zunächst im privaten Raum situierten Konfliktstoff, an dem sich der Autor abarbeitet, bis er im stilisierten Sprach- und Bildergestus des Textes den Prozeß dichterischer ›Erweckung‹ nachzeichnet und im Titel einen im literarischen Milieu wahrgenommenen, vielzitierten Leitbegriff gefunden hat.

Armin A. Wallas

Expressionistische Novellistik und Kurzprosa

I. Ambivalenz und Dynamik

Spricht man von expressionistischer Prosa, stößt man zunächst auf ein langgehegtes Vorurteil, das auf Albert Soergels 1925 veröffentlichte (und 1963 von Curt Hohoff neubearbeitete) Literaturgeschichte *Dichtung und Dichter der Zeit* zurückgeht, wonach »das expressionistische Experiment« in der Prosa »am wenigsten Erfolg« erzielt habe.[1] Betrachtet man jedoch die zeitgenössische Diskussion, so gewinnt man eine differenziertere Sicht. Den Expressionisten war es nicht nur ein zentrales Anliegen, Ansätze neuer Erzähltheorien bereitzustellen, sondern sie suchten gerade mittels der Epik Möglichkeiten zu erkunden, das Lebensgefühl des modernen Menschen, der den Erfahrungen von Großstadt, Massengesellschaft, Industrie, Technik, Krieg und Revolution, verbunden mit einer Krise des Bewußtseins, der Sprache, der Erkenntnistheorie und der (religiösen, sozialen und sexuellen) Identität ausgesetzt ist, auf formal und thematisch adäquate Weise zu beschreiben und zu analysieren. Den Systematisierungsversuchen der Forschung[2] steht die Widersprüchlichkeit des Textmaterials entgegen. Als ein Grundzug der Epoche wie auch einzelner Autoren könnte demnach die Ambivalenz betrachtet werden.

Bevorzugt verwendeten die Expressionisten kleinere Erzählformen wie Novelle oder Kurzprosa, die zum einen der Tendenz zur Verkürzung und Verdichtung, zu einer dynamisierten, assoziativen Erzählweise, zum anderen dem Anspruch zur Auflösung bzw. Infragestellung von Totalität entgegenkamen. Im Kurzprosatext sollte das ›Essentielle‹, das ›Wesentliche‹, »der Extrakt von tausend Erlebnissen, Menschen, Gedanken« zum Vorschein kommen.[3] Die Novelle diente auch, nach Auffassung Carlo Mierendorffs, als Exerziergerüst für größere epische Formen. Hier konnte – Carl Sternheims »Kampf der Metapher« entsprechend[4] – der Wortschatz erneuert, »Abgegriffenes und Entwertetes« ausgeschieden, die »Wortgebung der Einzelheiten« und deren Assoziationsmöglichkeiten erkundet und die Sprache dynamisiert werden: »Alles ergreift Geschwindigkeit, nimmt Tempo an und strömt in Bewegung ein.«[5] Der Tendenz zur Komprimierung folgt auch das Interesse der Expressionisten an der kleinsten epischen Form, der Prosaskizze.

Der von Robert Müller (1887–1924) proklamierte expressionistische ›Relativitätsmensch‹ findet sein Lebenselement in Bewegung, Elastizität und im Kampf gegen das Starre. Für den Schöpfer expressionistischer »Sprachvisionen« sind die Maßstäbe relativ geworden: »Schaukeln Sie mit, geben Sie Ihre eigene Starre auf – das ist Expressionismus. 〈...〉 Mit den einfachen und geradlinigen Erklärungen ist es vorüber.«[6] Als ein Element der Irritation erweitert sich die Ästhetik des Expressionismus zur Vision einer globalen Neuorientierung der individuellen und sozialen Lebensgestaltung. Die Auflösung von Totalität und Starrheit vollzieht sich für Müller unter Hinweis auf die Relativitätstheorie Albert Einsteins, die auch für Paul Hatvani (1892–1975) in Beziehung zur dynamischen Kunsttheorie des Expressionismus steht: »Auch die Relativitätstheorie hebt jedes Ding und jedes Ereignis aus der Starrheit der Statik und löst es in eine kosmische Dynamik auf. Alles ist Bewegung. 〈...〉 Der Expressionismus zwingt uns, alle Voraussetzungen unserer bisherigen Daseinswelt aufzugeben.«[7]

Begriffe wie Dynamik und Simultaneität, die in der Literaturtheorie des Expressionismus das Zerbrechen der Lebenstotalität und das Auseinanderfallen von Subjekt und Außenwelt bezeichnen, leiten sich jedoch ebenso aus der geschärften Wahrnehmung technischer und sozialer Veränderungen ab: »Diesem Mischgefühl von Entzücken, Enttäuschung und Abscheu des Menschen in der neuen Wirklichkeit entströmte die jüngste Dichtung.«[8] Erlebnisse der Großstadt, die als ambivalenter Ort der Schaulust und der Bedrohung aufgefaßt wird, der Verkehrstechnik (Straßenbahn, Automobil), der Industrialisierung und der Herausbildung der Massengesellschaft, des Krieges [→ 555 ff.] und der Entfesselung moderner Massenvernichtungsmittel, aber auch des neuen Mediums des Films mit seiner assoziativen Verknüpfung bewegter Bilder lösten gleichermaßen Faszination und Verunsicherung aus.

II. Wahnsinn, Krankheit, Außenseiter

Mit dem Anspruch, die Grenze zwischen Realität und Irrealität aufzulösen und den Verzicht auf Kausalität nicht bloß als Element der Handlung, sondern als formkonstituierendes Prinzip zu etablieren, wählten die expressionistischen Erzähler bevorzugt das Thema des Wahnsinns.[9] In der Beschreibung des Wahnsinns konnten das Unbewußte freigesetzt und die Tiefenschichten des Subjekts (Begierden, Triebe, Gewalt) [→ 492 ff.] erkundet werden. Der Wahnsinnige eignete sich sowohl als Figur des Antibürgerlichen wie als Gegeninstanz zum konventionellen Wirklichkeitsbegriff. Der Kaufmann Michael Fischer, der Protagonist von Alfred Döblins (1878–1957) Novelle *Die Ermordung einer Butterblume* (1910; entstanden 1904/05), wird, nachdem er einer Blume mit seinem Spazierstock den Kopf abgeschlagen hatte, von Gewaltvisionen, Angst und Schuldgefühlen gepeinigt. Er erlebt das Brüchigwerden seiner bürgerlichen Existenz, flüchtet in das Ritual einer um den Mord an der Blume ausgerichteten Privatreligion und gibt sich am Ende der Illusion hin, die Natur überlistet zu haben. Die Erzählung endet jedoch mit dem vieldeutigen Satz: »Laut lachte und prustete er. Und so verschwand er in dem Dunkel des Bergwaldes.«[10] Mit Hilfe des durch Tempuswechsel angezeigten Wechsels der Erzählperspektive (Präsens: Visionen Fischers; Präteritum: Erzählung des Handlungsablaufs) kontrastiert Döblin die satirische Kritik am Bürgertum mit der neutralen, beobachtenden Beschreibung der Wahnsinnsmomente.[11] Die Zwangsneurose Fischers resultiert vermutlich aus der Verdrängung von Körperlichkeit und Sexualität (Butterblume und Spazierstock als vaginale und phallische Sexualsymbole bzw. literarische Bezüge auf den Medusa- und Aphrodite-Mythos).[12] Die Symbolfelder Wald (Natur, Körperlichkeit, Unbewußtes) und Kleinstadt (Bürgertum, Geschäftsleben, Zweckgerichtetheit, utilitaristischer Rationalismus) stehen einander unversöhnlich gegenüber. Erst im Wahnsinn befreit sich das verdrängte Unbewußte, wie der offene Schluß der Erzählung vermuten läßt. Die antipsychologische Erzählweise Döblins beschränkt sich – in Anlehnung an die Psychiatrie – »auf die Notierung der Abläufe, Bewegungen«: »Genau wie der Wortkünstler jeden Augenblick das Wort auf seinen ersten Sinn zurück›sehen‹ muß, muß der Romanautor von ›Zorn‹ und ›Liebe‹ auf das Konkrete zurückdringen.« Döblin forderte die Überwindung von ›Psychologismus‹ und ›Erotismus‹ durch den »Mut zur kinetischen Phantasie« und die »Entäußerung des Autors«. Eine solche Poetik des ›Kinostils‹ [→ 429 f.] bzw. ›steinernen Stils‹, eines ›gesteigerten Naturalismus‹, beruht auf dem Bruch mit der »Hegemonie des Autors«, der auf die Funktion eines Registrators von Beobachtungen reduziert wird: »ich bin nicht ich, sondern die Straße, die Laternen, dies und dies Ereignis, weiter nichts.«[13] Dementsprechend drückt sich in Döblins Erzählung die Entstehung von Wahnvorstellungen unter Verzicht auf Erklärungen, in Form der Notierung bloßer Geschehnisabläufe und der Beschreibung von Gestik und Mimik aus.[14]

Wie Döblin lehnt auch Carl Einstein (1885–1940) Psychologismus und Kausalität in der Epik ab, ebenso Lyrismus und deskriptive Schilderung. Seine Forderung zielt darauf, »Bewegung darzustellen«, »das Absurde zur Tatsache ⟨zu⟩ machen«.[15] Unter dem Titel *Bebuquin oder Die Dilettanten des Wunders* (1912; entstanden 1906–1909; Teil-Vorabdruck 1907) veröffentlichte er ein Beispiel ›absoluter‹ Prosa, zusammengesetzt aus Erzählfragmenten, absurden Handlungen, erkenntnistheoretischen Reflexionen und Visionen. Der Text könnte als ein poetologisches Experiment bezeichnet werden – zugleich »Literatur und Metaliteratur«.[16] Der Name des Protagonisten Bebuquin leitet sich, wie Erich Kleinschmidt nachgewiesen hat, vom hebräischen Wort ›buqa‹ (= Krug) ab, das in talmudischer Tradition mit der Bedeutung des Absurden und Alogischen assoziiert wird.[17] Die beiden Hauptfiguren Giorgio Bebuquin, der sich nach dem ›Wunder‹, dem Phantastischen und dem Wahnsinn – in dem er einen kreativen Freiraum vermeint – sehnt, und Nebukadnezar Böhm, ein mittels Autosuggestion existierender Toter, somit eine körperlose, auf Geistiges reduzierte Figur, die die Multiperspektivität der Logik verkündet (»Es gibt viele Logiken, mein Lieber, in uns, welche sich bekämpfen, und aus deren Kampf das Alogische hervorgeht«),[18] erleben ihre Beziehung in Form gegenseitiger Spiegelung. Die Akteure sind »Kunstfiguren in einer imaginären Welt« – die »Grenzen zwischen den Akteuren wie auch zwischen den Akteuren und Dingen« sind »fließend«.[19] Bebuquin, der – mit einem ironischen Hinweis Einsteins auf die Ich-Projektionen des Expressionismus – danach strebt, »den Winkel seiner Stube aus sich heraus ⟨zu⟩ beleben«,[20] und das »rasend Sich-Verlieren« in einem »privaten Irrsinn« ersehnt,[21] scheitert jedoch. Sämtliche Entgrenzungsversuche des Ichs – wie Rausch, Traum, Ekstase und Todessehnsucht – »werden als unzureichend – dilettantisch – erkannt«. Der Text endet mit dem desillusionierenden Wort: »Aus«. Und diese Ernüchterung betrifft nicht bloß die private Erlösungssehnsucht Bebuquins, sondern entlarvt »alle Erneuerungshoffnungen des Expressionismus vorwegnehmend als Illusionen«,[22] wenn es etwa über eine revolutionäre, von einer »spiegelnden Säule« ausgelöste Raserei, in deren Gefolge »verschiedene Messiasse« auftreten, heißt: »Überlebte Messiasse verwandelte man in Redakteure, zumal ihnen Sensation geläufig war. Die neue Weltanschauung kristallisierte sich zur Ziege, die ein Bein gebrochen hat.«[23]

Georg Heyms (1887–1912) namenloser ›Irrer‹, der in der Erzählung *Der Irre* (veröffentlicht im Novellenband *Der Dieb*, 1913; entstanden 1911) eine blutige Spur durch Berlin zieht, verkörpert das vitalistische Element des Wahnsinns. Motiviert scheint die Eruption von Haß und Gewalt durch die brutale Behandlung in einem Irrenhaus, aus dem er zu Beginn der Novelle entlassen wird und in das er wegen Gewalttätigkeit gegen seine Ehefrau eingewiesen worden war. Ein solches Motiv (wie auch die Absicht des ›Irren‹, Rache an seiner Frau zu üben) bleibt jedoch unwesentlich, handelt es sich doch um die Entfesselung irrationaler, triebhaft-untergründiger Kräfte. Schon der Gang über ein Kornfeld, mit dem er seinen Weg ins Freie beginnt, löst eine Zerstörungsphantasie aus – das Knacken der Halme erinnert ihn an das Zertreten von Schädeln (auch: ein Symbol für die Vernichtung der Rationalität). Der ›Irre‹ erlebt den Wahnsinn als Rauschzustand, fühlt sich als ein gottgleiches Wesen und beobachtet sich selbst als »das Tier ⟨...⟩, das in ihm saß«.[24] Das Geschehen wird zum Großteil aus der Perspektive des ›Irren‹ erzählt (erlebte Rede, figurenperspektivische Erzählweise), die Kommentare des Erzählers beschränken sich auf ein Minimum. Die Konfrontation mit der ›Normalität‹ löst in dem ›Irren‹ Angst und Entfremdungsgefühle aus, auf die er mit Aggression antwortet; erst sein – mit frühexpressionistischem »Erlösungs- und Verkündigungspathos«[25] beschriebener – Tod perspektiviert die Aufhebung der Spaltung von Innen- und Außenwelt, von individuellem Freiheitsverlangen und sozialer Deformation.

Paul Adlers (1878–1946) aus der Ich-Perspektive eines Menschen, »dem einiges unklar ist«, erzählter, Raum-Zeit- wie auch Form-Kategorien auflösender[26] Prosatext *Nämlich* (1915)[27] versucht, »einen Ausbruch des Wahnsinns von innen her zu beschreiben«.[28] Die frühexpressionistischen Texte bewerten das Phänomen des Wahnsinns zwar grundsätzlich positiv, es werden jedoch auch die Gefahrenmomente des Massenwahns (als Chiffre für das Zerstörungspotential der Vorkriegsgesellschaft) beschrieben, beispielsweise in der Erzählung *Die Sonnenseuche* (1915) von Heinrich Nowak (1890–1955).[29] Wahnsinnige eigneten sich als Helden expressionistischer Prosa nicht nur, weil an ihrem Beispiel die Bewußtseins- und Subjektkrise der Zeit beschrieben werden konnte, sondern auch aus erzähltechnischen Gründen – die Darstellung eines Geschehens aus der Perspektive eines Wahnsinnigen bedingte geradezu eine antikausale, visionäre Erzählweise.

Mit Sympathie wandten sich expressionistische Erzähler aber auch anderen Außenseitern, Verachteten und Ausgestoßenen der bürgerlichen Gesellschaft zu. Aus der Außenperspektive konnten die Verengungen und Brüche, die zurückgestaute Gewalttätigkeit und das kreativitätsfeindliche Normenkorsett der Gesellschaft umso besser entlarvt werden. Karl Otten (1889–1963) berichtet über einen jugendlichen Häftling, ausgesetzt einer bürgerlichen Umgebung, die ihn umfeindet und vor der er sich ekelt.[30] Der blinde Prager Schriftsteller Oskar Baum (1883–1941) beschreibt in der Novelle *Das fremde Reich* (1918) das Liebeserlebnis eines blinden Schülers mit einer Prostituierten.[31]

In den Prosatexten Alfred Lichtensteins (1889–1914) taucht immer wieder die (auch aus seiner Lyrik bekannte) Figur des Kuno Kohn auf, der gleich mehrere Außenseitereigenschaften in sich vereint – er ist häßlich, »klein und verwachsen«, »hat einen Buckel«, leidet unter »Knochenfraß«, ist Jude und »eigentlich« homosexuell;[32] in einem weiteren Text wird er zudem als ›blind‹ und ›verrückt‹ beschrieben.[33] Diese beinahe ins Groteske übersteigerte

Figur ist »der Leidende, Einsame, Hoffnungslose, Verlierer, Verstoßene, Sehnsüchtige und Träumer schlechthin«,[34] Antipode bürgerlicher Ästhetik und bürgerlichen Wertekanons – und als Dichter zugleich Träger künstlerischer Kreativität, der seine äußere und innere Zerrissenheit in aphoristische Reflexionen und expressionistische Gedichte kleidet. Der Buckel Kuno Kohns kann somit als ein ambivalentes Symbol gedeutet werden, das auf das Ausgestoßensein und die Isolation des Dichters ebenso verweist wie auf seine selbstgewählte Einsamkeit. Von der Spannung zwischen Leiden und Sehnsucht sind auch die Momentaufnahmen aus dem Leben der Außenseiter der Wiener Vorstadt geprägt, die in den Prosaminiaturen der pseudonym publizierenden Schriftstellerin El Hor/El Ha dargestellt werden. Bucklige Mädchen, Bettler, Leierkastenmänner, Schausteller, Dienstmädchen, Trödler, Landstreicher und Verrückte bevölkern eine Szenerie an der Peripherie der Großstadt, in der Hoffnung und Enttäuschung, Liebessehnsucht und alltägliche Tristesse nebeneinander liegen.[35] Bilder der Krankheit, der Verstümmelung, des Sterbens und der Sezierung von Leichen thematisieren in der Prosa des Expressionismus die Auflösung der Ich-Identität. Der Mensch wird auf Fragmente des körperlichen Zerfalls reduziert. Heyms Matrose Jonathan liegt in der gleichnamigen Erzählung (1911) nach einem Unfall, den er auf einer Ostasienfahrt erlitten hat, in der »entsetzlichen Einsamkeit seiner Krankenstube«. Allein gelassen mit seinen Schmerzen, fühlt er die Nähe der Krebskranken, »denen die Knochen wegfaulten« und deren Schreie durch das Krankenhaus dringen.[36] Von Operation, Schmerzen, Fiebervisionen und Morphiuminjektionen handeln mehrere der Kurzprosatexte Elisabeth Jansteins (1891–1944), deren Ich-Erzählerin den Kopfschmerz als einen ›Dämon‹ fühlt, der ihr »Gehirn in ein Tier verwandelt«, das in periodischen Abständen »böse und hungrig nach Schmerz wird«.[37] Aus eigenem Erleben schildert Klabund (1890–1928) das Leben der Tuberkulosekranken, schwankend zwischen Lebenshoffnung und Todesnähe.[38]

III. Schwebende Identitäten

Unter den Lebensflüchtlingen der expressionistischen Novellistik, die ziellos durch das Leben irren, ragt Albert Ehrensteins (1886–1950) *Tubutsch* (1911) hervor. Das Periphere, Skurrile und Banale protokollierend, wandert Tubutsch in der Pose eines Vorstadt-Ahasvers durch die Straßen, Hinterhöfe und Untergründe Wiens. Zufällige Beobachtungen fügen sich zu Collagen des Heterogenen zusammen, in denen die dissoziierte, das beobachtende Subjekt verunsichernde Wahrnehmung in der modernen Großstadt beschrieben wird. Der Flaneur erlebt die Krise der Wahrnehmung als Krise der Existenz. Welt, Zeit und Raum sind in Fragmente zersplittert – Tubutsch erfährt das Ineinanderstürzen der Tage, »die ich nicht durch irgendein Erlebnis zu halten vermag«.[39] Ornament und Inhalt, Sinneseindrücke und existentielle Krisenerfahrung werden zu austauschbaren Versatzstücken einer bruchstückhaften Selbstanalyse, die nicht mehr zwischen Ursache und Wirkung zu unterscheiden vermag. Ehrensteins Tubutsch ist ein Nachfahre der Wiener Moderne, die die »Unrettbarkeit« des Ichs (Ernst Mach) [→ 162 f.] analysiert hat, ebenso wie ein Repräsentant des expressionistischen, die Strukturkrise des Subjekts zugleich leid- und lustvoll zelebrierenden Lebensgefühls. Die Ambivalenz des Textes resultiert aus der Verflechtung grotesker Elemente mit einer pessimistischen Grundtendenz. Im Lokalkolorit der untergehenden Habsburgermonarchie durchleuchtet Ehrenstein die Bewußtseinskrise der Moderne und im besonderen die Identitätskrise des jüdischen Intellektuellen. Die Lebenssituation des Juden in der Diaspora erscheint als eine des *Nicht da nicht dort* (so der Titel eines 1916 von Ehrenstein veröffentlichten Novellenbandes), bedroht von ständiger Unsicherheit, Leid, Verfolgung und Ungeborgenheit.[40]

Gottfried Benns (1886–1956) Novellenband *Gehirne* (1916) hat die (zumeist in der Imagination stattfindenden) Erlebnisse und Reflexionen des jungen Arztes Rönne zum Inhalt, »der früher viel seziert hatte«,[41] in einem Lazarett bei Antwerpen und als »Arzt in einem Hurenhaus«[42] arbeitet. Rönne revoltiert gegen die positivistische Wissenschaftstradition des 19. Jahrhunderts und erlebt die Freisetzung der unbewußten Schichten seines Gehirns (»Wieder quoll das Gehirn herauf«).[43] Bei einem Gang durch die Vorstadt Antwerpens empfindet er das Heranwogen des »Ungeformten« und des »Uferlosen«,[44] einzelne Beobachtungen lösen Assoziationen aus, die in dem Beobachter ein Gefühl des Schwebens auslösen: »Aber über allem schwebte ein leises zweifelndes Als ob: als ob Ihr wirklich wäret Raum und Sterne. ⟨...⟩ Erinnerungsbild an Erinnerungsbild gereiht, dazwischen rauschten die Fäden hin und her.«[45] Die Realität des Alltags öffnet sich in mythische Tiefen, hervorgerufen durch Wortmagie. Assoziativ bewegt sich der Erzählvorgang in visionär erschaffene Räume – wie es Benn in einem späteren Essay erläutert: »Mich sensationiert eben das Wort ohne jede Rücksicht auf seinen beschreibenden Charakter rein als assoziatives Motiv und dann empfinde ich ganz gegenständlich seine Eigenschaft des logischen Begriffs als den Querschnitt durch kondensierte Katastrophen.«[46] Mit Hilfe des »südlichen Wortes«‹, in dem die »Schichten eines Querschnitts von Begriff« »fühlbar« werden,[47] wird das Sprechen reduziert und von der Schablonenhaftigkeit des konventionellen Sprachgebrauchs befreit. Das Wort wird auf sich selbst zurückgeführt, um so den Freiraum zu gewinnen, die »ihm eigentümlichen sprachlichen Bezüge« zu entfalten.[48] Benns Texte deuten zwar Gegenwelt-Entwürfe an – den »Nebelländern« des Nordens kontrastieren die Bilder des »Ostens« und »Südens«, wie etwa Venedig, die Schwellenstadt zwischen Ost und West, Jemen, der Inbegriff arabischen Wüstenlebens, Ägypten, das von Geschichte und Mythos durchwirkte Land zwischen Asien und Afrika, und schließlich Afrika selbst, der Kontinent der üppigen Vegetation, der Farbigkeit und der »Überhöhung«[49] (, diese Bilder werden jedoch vom Autor als literarisch vermittelte Projektionen sichtbar gemacht.

Kasimir Edschmid (1890–1966) verlegt die Handlung der Novellen seiner Bände *Die sechs Mündungen* (1915) und *Das rasende Leben* (1915) an exotische Schauplätze der Gegenwart und Geschichte (Amerika, Spanien, Jahrmarkt, Mittelalter etc.). Die Handlung ist ihm lediglich als auslösendes Moment zur Entfaltung von ›Visionen‹ von Bedeutung. In der Novelle soll ein ›Weltgefühl‹ zur Darstellung gebracht werden, indem Gefühle, Leidenschaften und Menschen »im Kern und im Ursprünglichen« erfaßt werden: »Die

Realität muß von uns geschaffen werden. 〈...〉 So wird der ganze Raum des expressionistischen Künstlers Vision. 〈...〉 Er schildert nicht, er erlebt.«[50] Durch Rhythmisierung und Dynamisierung der Syntax, Parataxen, Satzverkürzung, Substantivierung, Verzicht auf unnötige Füllwörter und gesteigertes Erzähltempo wird das »eigentliche Wesen« des Geschauten unter Verzicht auf psychologische Motivierung sichtbar gemacht: »das Wort 〈...〉 wird Pfeil. Trifft in das Innere des Gegenstands und wird von ihm beseelt.«[51] Beschleunigung und Tempo sind Ausdruck des gesteigerten ›Lebenswillens‹. Begriffe wie ›Rasendes Leben‹, ›Schweben‹, ›Taumeln‹ beziehen die Perzeption der modernen Großstadt und ihrer Verkehrstechnik wie auch des neuen Mediums des Films [→ 422 ff.] in die Erzähltheorie und -praxis des Expressionismus ein. Die Bewertung dieses gewandelten Lebensgefühls fällt ambivalent aus. Die Befreiung, die etwa Benn in der Ich-Entgrenzung sucht, endet bei Walter Rheiner (1895–1925) in der Beschreibung einer Drogenabhängigkeit (*Kokain*, 1918).[52]

Die Erfahrungsräume, die von der expressionistischen Novellistik durchschritten werden, beziehen aber nicht nur psychische Abgründe und Bewußtseinszustände des Individuums ein. Der literarische Kosmos Ehrensteins etwa erstreckt sich in die Tiefen des Weltraums (extraterrestrische Phantasiewelten) und der Geschichte (griechische Antike, China), dies impliziert jedoch keine Flucht aus der Wirklichkeit, vielmehr schärft eine solche Verfremdungsstrategie den Blick für die Mißstände der Gegenwart.

Eugen Hoeflich (1891–1965) konfrontiert in den Kurzprosatexten *Feuer im Osten* (1920) Orient und Okzident anhand symbolhafter Begebnisse. Während sich der Einbruch der europäischen Zivilisation in die orientalische Lebenswelt als Eskalation von Gewalt und Ausbeutung (Europa als Synonym für Krieg, Imperialismus, Antisemitismus, Wertzerfall) vollzieht, stilisiert er den Orient zu einem Identifikationsbild seines eigenen Jude-Seins und zum imaginären Wunschbild einer nichtentfremdeten, in sich geschlossenen, Immanenz und Transzendenz vereinigenden Geistigkeit.[53]

Wie die Flucht in Phantasie, Mythen und exotische Lebenswelten keinen Ausweg schaffen konnte, so endete auch die Flucht in die Sexualität zumeist mit Desillusionierung – entsprechend Walter Serners (1889–1962) skeptischer Diagnose: »Brückenlos steht Mensch vor Mensch.«[54] Das thematische Spektrum expressionistischer Liebeserzählungen reicht von der Unmöglichkeit des Zueinanderfindens von Mann und Frau (etwa in Ehrensteins *Apaturien*, 1912)[55] bis zur exzessiven Befriedigung des Trieblebens (vor allem bei Ernst Weiß (1882–1940) und Curt Corrinth (1894–1960)). Bei der Rolle, die der Frau zugewiesen wird, ist zu unterscheiden zwischen jenen Texten, die aus der Perspektive einer handelnden männlichen Figur bzw. eines männlichen Erzählers verfaßt sind, und den aus der Sicht von Frauen erzählten Texten. Expressionistinnen wie Claire Studer-Goll (1891–1977) oder Henriette Hardenberg (d. i. Margarete Rosenberg, 1894–1993) zergliedern seelische Erlebnisse, thematisieren die Leiden weiblicher Existenz und das Verlangen nach der Befreiung der Frau.[56] [→ 243 ff.] Aus männlicher Sicht oszilliert das Bild der Frau zwischen einer Hoffnungsfigur der Retterin und Heiligen, die den dynamischen, ruhelosen Mann erlöst – etwa in Franz Werfels (1890–1945) *Spielhof* (1920) – und einer Exponentin der verhaßten bürgerlichen Gesellschaft, die den Mann in die Banalität des Alltags hinabzieht (etwa in Ehrensteins *Ritter Johann des Todes*, 1910; entstanden ca. 1901). Die Erzähler thematisieren mit besonderer Vorliebe das Abseitige des Geschlechtslebens, Vergewaltigung,[57] Prostitution,[58] Inzest,[59] sexuelle Hörigkeit[60] – besonders eindringlich in Gustav Sacks (1885–1916) *Der Rubin* (1913)[61] – und Ekel vor der Sexualität.[62] Ambivalent changieren die Texte zwischen dem Kampf gegen die bürgerliche Sexualheuchelei [→ 257 ff.] und existentiellem Leiden (Geschlechtsnot, Liebessuche).

Im Schweben der Identitäten artikuliert sich nicht nur eine Krise des Ich-Bewußtseins, der Geschlechterrollen und der Wahrnehmung in der modernen Industrie- und Massengesellschaft, sondern auch eine Krise religiöser Vorstellungen. Nach Auffassung Max Krells versucht der Expressionismus, »in entgötterter Welt Gott wieder zu finden«.[63] Ehrenstein schleudert Gott den Leidensschrei des von Einsamkeit, Liebesmangel und politischer Hoffnungslosigkeit gequälten Erzähler-Ichs entgegen (*Briefe an Gott*, 1922).[64] Emil Szittya (1886–1964) formuliert aus der Sichtweise eines Vagabunden und Bohemiens, der ziellos das Abseitige des Vorkriegseuropas, Gefängnisse, Bordelle, Artistenkneipen, Dachkammern durchwandert, die *Gebete über die Tragik Gottes* (1922), die aus Enttäuschung und Zweifel in den Satz münden: »Sag Gott! suchst du mich immer noch?«[65] Die Gottesbilder reflektieren die Skepsis der Moderne, die unter dem Einfluß der Nihilismusanalyse Nietzsches [→ 192 ff.] die Ambivalenz zwischen dem krisenhaft erfahrenen Erlebnis des Transzendenzverlusts und der Konstruktion neuer metaphysischer Orientierungsmodelle darstellbar zu machen versucht.[66]

Religiöse Themen boten im besonderen jüdischen Schriftstellern die Möglichkeit, die Konflikte ihrer – in die Spannung zwischen Akkulturation, Zionismus und antisemitischer Ausgrenzung gestellten – Existenz und das Ringen um die Bewahrung der jüdischen Identität zu verarbeiten.[67] Else Lasker-Schülers (1869–1945) Bilder des Kosmos stellen eine Zwischenwelt »zwischen Himmel und Erde, Chaos und Schöpfung, Leben und Tod« dar, »Orte des Zusammenfließens von Sein und Nichtsein«.[68] Paul Adler rezipiert in der Erzählung *Elohim* (1914) Elemente der kabbalistischen Weltdeutung,[69] und Weiß setzt sich mit dem biblischen Propheten Daniel auseinander, der im Babylonischen Exil dem Judentum treu geblieben ist und den er als Identifikationsfigur des leidenden Juden in der Diaspora auffaßt.[70] Simon Kronbergs (1891–1947) Prosabuch *Chamlam* (1921) hat die Identitätssuche eines jungen Juden zum Inhalt.[71] Der Widersprüchlichkeit des Inhalts entspricht die Form, das Ineinander erzählender, lyrischer, visionärer und reflektierender Abschnitte, der Wechsel der Erzählperspektive und die Spiralstruktur der Handlungsführung. Interpretation stellt sich als ein endloser, irritierender, ständig neu aufzunehmender Prozeß der Wahrheitssuche dar.

IV. Bürgertum, Krieg, Revolution

Ein maßgeblicher Strang der expressionistischen Prosa attackiert die repressiven Zustände der bürgerlichen Gesellschaft, des Wilhelminismus im Deutschen Reich und (wie vielfach übersehen wird) des habsburgischen Bürokratismus in Österreich-Ungarn.[72] Soziale Ungerechtigkeit, Sexualheuchelei und Doppelmoral, autoritäres Schulsystem [→ 314 ff.], Untertanenmentalität, obrigkeitsstaatliche

Disziplinierung und die nützlichkeitsorientierte Ethik des Kapitalismus sind bevorzugte Objekte der Kritik. Während im Frühexpressionismus vage Bilder vom Erwachen des unterdrückten Menschen, von einer Verbrüderung der Ausgestoßenen und vom vitalistischen Aufruhr gegen die alte Ordnung – etwa in Georg Heyms Revolutionsnovelle *Der fünfte Oktober* (1911) – vorherrschen, wird die gesellschaftskritische Stoßrichtung in den Jahren des Ersten Weltkriegs und der revolutionären Experimente der Jahre 1918/19 konkreter. In Leonhard Franks (1882–1961) Erzählung *Die Ursache* (1915) erwürgt ein junger Dichter seinen ehemaligen Lehrer, um durch den Mord an diesem »Repräsentant⟨en⟩ der Seelenzerstörer« die geistige und psychische Verkrüppelung einer ganzen Generation durch das autoritäre Erziehungs-, Moral- und Staatssystem zu rächen. Die Menschen werden »schuldig, ohne schuldig zu sein«, deformiert von einer Sozialordnung, die jedwelchen individuellen Freiraum vernichtet: »Der europäische Mensch ist zum kranken, tückischen, reißenden Tier geworden. Gott, die Menschenliebe, die Güte, zogen sich entsetzt zurück vor dem vom Wahnsinn gezeichneten europäischen Gesicht!«[73]

Bevorzugter Schauplatz gesellschaftlicher Konflikte ist die Familie. Die Darstellung bürgerlicher Familienhöllen beschränkt sich jedoch nicht auf den vielzitierten Vater-Sohn-Konflikt [→ 83 ff.] (Kampf gegen den Vater als Symbolfigur für Patriarchalismus, Obrigkeitsstaat und institutionalisierte Gewalt) [→ 315 f.], sondern thematisiert auch die Vater-Tochter-Beziehung (z. B. in Ernst Weiß' *Stern der Dämonen*, 1920) und setzt den Vaterkonflikt mit dem Mutter-Tochter-Verhältnis in Beziehung – etwa in Alfred Wolfensteins (1883–1945) Novelle *Dika*, 1913, die das psychische Zerbrechen eines Mädchens beschreibt, das einen zum Tode verurteilten Vatermörder liebt, der seine Tat stellvertretend »für alle Vergewaltigten« ausgeübt hat.[74] Franz Werfel lotet den Interpretationsspielraum des Themas aus, wenn er in der Erzählung *Nicht der Mörder, der Ermordete ist schuldig* (1920) die Ambivalenz zwischen dem – aus der Perspektive des Kindes – ins Monströse übersteigerten Vaterbild und der eigentlichen Realität eines schwachen, zum Greis gealterten Vaters herausarbeitet.[75]

Die Krise der bürgerlichen Gesellschaft verdichtet sich in Bildern von Untergang und Zerstörung. Georg Heyms Pestschiff (*Das Schiff*, 1911), Albert Ehrensteins erdbebenzerstörte Etruskerstadt Saccumum (*Saccumum*, 1911), Karl Ottens byzantinische Ruinenstadt Mistra (*Mistra*, 1913/14) und Hermann Kochs Weltuntergangsvision (*Taaus Anfang*, 1912) evozieren Vernichtungsszenarien, in denen eine dem Untergang geweihte Gesellschaft porträtiert wird.[76] Der Ausbruch des Ersten Weltkriegs schien eine solche Prophezeiung zu bestätigen. Nach anfänglicher Begeisterung etlicher expressionistischer Schriftsteller für den Krieg [→ 558 ff.], der ihnen den Aufbruch aus der Lethargie des Alltags, Abenteuer und Lebensenergie zu versprechen schien, wurden sie von der Realität des Kampfgeschehens rasch ernüchtert. August Stramm (1874–1915) [→ 464 f.] vollzieht das Sterben an der Front mittels Verdichtung und Lautmalerei nach (*Der Letzte*, 1916, entstanden 1915),[77] während Carl Sternheim (1878–1942) das Grauen der Lazarette wachruft, in denen »auf Stroh verstümmelte Rumpfe lagen« und die vom Gebrüll der Sterbenden und Amputierten widerhallen.[78] Geschult an Henri Barbusse beschreibt Andreas Latzko (1876–1943) in expressiven Bildern die Grausamkeit des Krieges, die Brutalität fanatisierter Offiziere, Antisemitismus im Militär, die physische und psychische Entmenschlichung der Soldaten und die Greuel der Schlachten.[79] Diese Themen sprechen existentielle Fragen der Angehörigen einer ›verlorenen Generation‹ an, für die das Kriegserlebnis und die daraus resultierende Orientierungslosigkeit eine tiefe Identitätskrise auslöste.

Pazifistisches Engagement verband sich zumeist mit Revolutionshoffnung und Erlösungssehnsucht.[80] Der ›Geist‹ sollte zur (revolutionären) ›Tat‹ werden. Claire Studer-Goll rief in ihrem Novellenband *Die Frauen erwachen* (1918) zur Aktivierung der Frauen im Kampf gegen die patriarchalistische Weltordnung auf.[81] Paradigmatisch schildern die Novellen in Leonhard Franks programmatischer Sammlung *Der Mensch ist gut* (1918) Wandlungserlebnisse, in deren Folge aus Mitläufern und Befürwortern des Krieges Pazifisten und Revolutionäre werden.[82] Bei Ivan Goll erhebt sich ›der Mensch‹ in »heiliger Prozession« zur »Befreiung der Erde«,[83] und in Alfred Wolfensteins Novelle *Das Abendland* (1921) deuten die Gegensatz-Orte Turm (des Mannes) und Garten (der Frau) auf den

Gegensatz zwischen männlichem und weiblichem Prinzip (Organisation, Technik und Zerstörung versus Natur, Hingabe und Liebe) – die symbolische Handlung endet mit dem Niedergang der ›Väterwelt‹ und der Geburt eines »neue⟨n⟩ Geschlechts«.[84] Die ersehnte Revolution vollzieht sich als ein religiös-mythisches Ereignis.

Solche utopischen Modelle und Visionen der Expressionisten und Aktivisten [→ 566 ff.] wurden durch die politische Realität zunichte gemacht. Der Traum vom ›neuen Menschen‹ und der ›neuen Gesellschaft‹ war zerstört – an die Stelle der Utopien von sozialer Gerechtigkeit, Frieden und Brüderlichkeit trat die Erkenntnis von der Ohnmacht des Intellektuellen, verbunden mit Enttäuschung und Resignation. Das Scheitern des revolutionären Aufbruchs bestätigte die Utopie-Skepsis, die bereits Carl Einsteins *Bebuquin* ausgesprochen hatte. Mynonas (Salomo Friedlaender, 1871–1946) Groteske *Das Wunder-Ei* (1915) erzählt von einem riesigen Ei »mitten in der Wüste«, das die Fähigkeit besitzen soll, »die Wüste zum Eden um⟨zu⟩schaffen«. Der Ich-Erzähler weigert sich jedoch, den Knopf zu drücken, der die Erlösung verheißt und das »Prinzip der Fruchtbarkeit« freisetzt, mit der skeptischen, an den Leser appellierenden Bemerkung:

> Was heißt hier überhaupt »Prinzip der Fruchtbarkeit?« Soll ich die Erde übervölkern? ⟨...⟩ Sollte das Heil der Welt von einer Nebensache abhängen? Vom Druck auf einen Knopf? ⟨...⟩ Prüfen wir uns! Denken Sie mal nach, ob Sie jetzt gleich sofort auf der Stelle durch einen leichten Fingerdruck das Massen-Glück, das Heil der ganzen Welt herbeiführen wollten? Ob Sie davor nicht eine fürchterlichere Angst anwandeln würde als vor irgendeinem Ihrer so bequem zu habenden Märtyrertode??

Dennoch beschleicht ihn, aus der Distanz der Erinnerung, die heimliche Sehnsucht, er »hätte – ja! hätte drücken sollen«.[85] Die revolutionäre, weltbefreiende Geste ist in die Ambivalenz zwischen Erneuerungshoffnung und (vorauseilende) Desillusionierung gestellt.

Hans-Peter Bayerdörfer

Dramatik des Expressionismus

I. Drama und Theaterreform

Mit dem expressionistischen Jahrzehnt beginnt eine neue Phase im Verhältnis zwischen Dramatik und Bühne. Gleichgültig, ob man an Ernst Barlachs (1870–1938) *Toten Tag* von 1906/7, die frühen Stücke (ab 1907/8) von Oskar Kokoschka (1886–1980),[1] Reinhard Johannes Sorges (1892–1916) *Odysseus*-Einakter (1910) oder die ersten Werke Georg Kaisers (1878–1945) ab *Schellenkönig* (1907) und Walter Hasenclevers (1890–1940) ab *Der Sohn* (1914)[2] denkt – alle diese Stücke sind auf eine Bühne zugeschrieben, auf der Raum und Licht, Bewegung und Farbe, Körper und Klang eigene Wirkungs- und Ausdrucksqualitäten beanspruchen, die sich nicht als Begleiterscheinungen des dramatischen Textes interpretieren lassen. Außerdem reflektieren sie auf eine Bühne, von der europaweit grundlegende Impulse der Veränderung ausgehen, die sowohl inhaltlicher Art sein können als auch Wahrnehmungsverhältnisse des Publikums und damit dessen gesamte intellektuelle und sinnliche Orientierungsfähigkeit erneuernd provozieren. Der dramatische Text ist seinerseits dadurch herausgefordert, jenseits vorgegebener stilistischer Muster und dramatischer Bauformen, sich an den von den Bühnen ausgehenden Reformimpulsen auszurichten.

Die Radikalität, mit der sich die expresssionistische Generation im Umfeld der Theaterreformbewegung organisiert, hat ihren sozialgeschichtlichen Hintergrund in der zweiten Phase des wilhelminischen Reiches. Der Gründergeneration, die den nationalen und imperialen Anspruch des Reiches mit der Industrialisierung und Technisierung der Welt in Einklang zu bringen wußte oder auf der Basis sozialistischer Voraussetzungen durch entsprechende soziale Veränderungen abzufangen suchte, erwächst in der jungen Generation die Gegnerschaft einer ungleich radikaleren Gesellschafts-, Kultur- und Wertkritik auf allen Ebenen. Insofern ist von einem Generationenbruch auszugehen. Unter der scheinbar bruchlosen Fassade des gesellschaftlich-politischen Systems wird dessen totale Krise wahrgenommen und antizipiert, mehrere Jahre vor dem Krieg [→ 555 ff.], der das Europa des 19. Jahrhunderts in den Abgrund führt. Eine Wende in der Geschichte der Dramatik des expressionistischen Jahrzehnts ergibt sich, als das Kriegsende absehbar wird und mit Kapitulation, Revolution und Republik eine neue, demokratische Lebensbasis in Erscheinung tritt, die auch der Hoffnung auf universelle Erneuerung zunächst Raum gibt. Damit kommt für die expressionistische Dramatik die Stunde ihrer bühnenmäßigen Realisierung. In der Verbindung mit dem reformierten Theater gewinnen die Stücke den Rahmen, der ihrem literarisch-dramatischen Anspruch das innovative Potential der neuen Theaterkunst an die Seite rückt und zugleich entgegenstellt.

II. Experimente mit der Szene

Der deutsche Expressionismus teilt mit dem älteren Symbolismus nicht nur die unmittelbare Frontstellung gegen den Naturalismus [→ 64 ff.], sondern auch die Ablehnung aller mimetischen Vor-Traditionen, d. h. des Realismus und Historismus des 19. Jahrhunderts. Soweit ›Mimese‹ in irgend einem Sinne bedeutet, daß das Kunstprodukt verstehbar ist durch Analogien zur empirischen Erfahrung und Alltagsorientierung – erweitert um historisch überlieferte Erfahrungen – stellen Symbolismus wie Expessionismus die radikale Gegenwendung dar. Insofern ergibt sich, historisch gesehen, auch eine Unschärfe zwischen nach-symbolistischen und präexpressionistischen Gestaltungsansätzen in der Dramengeschichte zwischen ca. 1905 und 1912, wie sie beispielsweise im dramatischen Frühwerk von Ernst Barlach (1870–1938) erkennbar sind. Wo der Symbolismus seinen Protest gegen die Abbildbarkeit der Realität zugunsten der Wesenhaftigkeit des Daseins dadurch artikuliert, daß er den Selbstwert des ästhetischen Werkes proklamiert, setzt der Prä-Expressionismus in wechselndem Maße auf unmittelbare Provokation, d. h. die ausdrückliche Infragestellung herkömmlicher

Wahrnehmungsverhältnisse, traditioneller Orientierungsmöglichkeit im Bereich einer Verstehbarkeit, die einen direkten Weg vom sinnlichen Eindruck zur Sinnaussage einschlägt.

Ihren theatergeschichtlichen Ausdruck findet diese Verunsicherung auf zwei Ebenen, die in der Reformdebatte vielfältig diskutiert und mit unterschiedlichsten Konsequenzen bedacht werden. Auf der einen Ebene steht das Verhältnis des Zuschauers zum Bühnengeschehen zur Debatte, das entschieden dynamisiert und vertieft werden und von der passiven Beobachter- oder ästhetischen Genußhaltung zur aktiven Partizipation führen soll. Auf der zweiten Ebene geht es um die Totalität der ›Ansprache‹ des Publikums auf allen Ebenen der sinnlichen und der sprachlichen Wahrnehmung; die Grundfrage ist, wie Eindruck und Bedeutung in allen visuellen, akustischen und sprachlichen Sphären zu gestalten ist, ohne daß von vornherein die Sinngarantie eines vorgegebenen literarisch-dramatischen Textes alle anderen ästhetischen Bereiche der Bühnengestaltung auf sekundäre Funktion reduzieren würde. Es geht um das Gesamtwerk ›Bühnenkunst‹ in seiner mittel- und unmittelbaren Einbeziehung des Zuschauers als Partizipierenden, wobei das Wagnersche ›Gesamtkunstwerk‹ [→ 207 ff.] als Denkmodell einer Bühnensynthese vielfach erörtert wird. Grundsätzlich ausgeschlossen ist in der Bühnenreform die herkömmliche realistische Illusionsbühne, als Guckkasten- oder Rahmenbühne, die der dramatischen Fiktion ein reales Raum-Ding-Gehäuse für die visuell-räumliche Vorstellung beigibt. Stattdesssen geht es um die jeweils eigenen Ausdrucks- und Sinnstiftungsmöglichkeiten von Raum, Farbe, Licht, Ton, Bewegung, Körper, Gestik etc. – deren jeweilige Eigenleistung im Gesamtwerk mit unterschiedlicher Gewichtung zur Geltung gebracht werden muß. Eine Reihe von grundlegenden Bühnenexperimenten führen schon im ersten Jahrzehnt des Jahrhunderts zu Bühnenformen, die dem alten realistischen Illusionsrahmen entgegenstehen. Zu nennen ist die abstrahierende Maeterlinck- oder Draperie-Bühne, mit der u. a. auch August Strindberg auf seinem Stockholmer *Intimen Theater* experimentiert und die alle gegenständlichen Anhaltspunkte durch abstrahierende Farb- und Formwerte ersetzt. Bedeutende Neuerungen bietet weiterhin die Reliefbühne, die Georg Fuchs in München realisiert und auf der zeitweilig auch Max Reinhardt gearbeitet hat; sie gestattet, ein möglichst zuschauernahes, stilisiertes Figurenspiel vor Farbflächen und Aufbauten zu plazieren, die nach Gesichtspunkten der modernen und modernsten Malerei gestaltet sind. Epochale Bedeutung gewinnen schließlich neue Formen der Raumbühne, die Publikum und Bühne in einem räumlichen Kontinuum einander zuordnen, etwa in Gestalt der dem antiken Theater nachgestalteten Zentralbühne, wie sie in Deutschland u. a. durch Reinhardts *Theater der Fünftausend* im Zirkus Schumann zu Berühmtheit gekommen ist.

Expressionistische Dramatik und Bühnenkunst ordnet sich diesen Vorgaben der Theaterreform[3] in der Weise zu, daß sie von vornherein auf mimetisch-realistische Synthese der Eindrücke und der Sinnerstellung verzichtet und nach artifiziellen Wegen der Zuordnung der Gestaltungsbereiche und der damit verbundenen Sinnzentrierung sucht. Dieses ästhetische Prinzip erscheint von außen als Proklamation von Subjektivität, die den Zuschauer stark provoziert. Ihre primären ästhetischen Reizmittel sind Expression und Abstraktion – nicht ohne Grund ist das wichtigste ästhetische Werk für die expressionistische Generation Worringers *Abstraktion* und *Einfühlung*.[4] Expressive Verstörung, sei sie sprachlich, visuell oder musikalisch, und artifizielle Konstruktion sind einander zugeordnet und führen zu unterschiedlichen abstrahierenden Gesamtlösungen, in denen sich das Verhältnis von Drama und Bühne immer neu einspielen muß. Kokoschkas Bühnenanweisung spricht eine deutliche Sprache, wenn er für *Mörder, Hoffnung der Frauen* (Erstfassung 1907/08), verlangt: »schwarzer Boden, so zum Turm aufsteigend, daß alle Figuren reliefartig zu sehen sind«,[5] wenn Hanns Johst (1890–1978) seine *Stunde der Sterbenden* (1914) an einem Ort spielen läßt, der charakterisiert ist: »Eine Dunkelheit, eine Regennacht nach der Schlacht.«[6] Hermann Kasack (1896–1966) entwirft für sein *Vorspiel der Landschaft* (1919), einem Prolog zu dem tragischen Spiel *Abrechnung*, ein reines Licht-Raum-Szenar: »Die Straße wird von der Nacht überfallen. Schatten von Leuten passieren den Weg. Aus einer blauen Tiefe steigt der Mensch auf, ungeheuer wachsend gegen den Horizont.«[7] Und wenn Kaiser in seiner »Skizze für ein Drama«, mit dem Titel *Die Erneuerung* (1917), für die Szenerie angibt: »Die Eingeschlossenheit im begrenzten Raum ist aufgehoben: alles Geschehen ist der Ganzheit des Kosmos mitgeteilt«,[8] so ist eine radikal moderne Bühnengestaltung expressis verbis auf einen umfassenden Sinnbegriff hin entworfen.[9]

Jenseits solcher Bezugnahmen auf das ästhetisch neuorientierte Theater geht aus der Reihe der genannten Titel auch hervor, in welcher Dichte und mit welcher Reichweite reine Experimentalstücke die Dramenproduktion des expressionistischen Jahrzehnts begleiten. Zu den Autoren, die hier – durchaus auch mit Gelegenheitsarbeiten – den Übergangsraum zwischen Literatur und Bühne erkunden, gehört auch Gottfried Benn (1886–1956) mit seinem Einakter *Ithaka* (1914), einem dramatischen Gegenstück zu den *Rönne*-Novellen, Friedrich Koffka (1888–1951) mit einer dramatischen Studie nach alttestamentlichem Stoff, *Kain* (1917), bis hin zu Ivan Goll (1891–1950), der mit dem Einakter *Der Ungestorbene* (1918) groteske Möglichkeiten des expressionistischen Theaters erprobt.[10] Die radikalste Serie experimenteller Stücke schreibt in diesem Zusammenhang August Stramm (1874–1915), der bezeichnenderweise mit einer Maeterlinckiade *Sancta Susanna* (1914) und einer nachnaturalistischen Milieustudie *Rudimentär* (1914) beginnt, um bei abstrahierenden Kleindramen zu enden, die eine extreme dialogische Sprachverknappung bei starker Ausweitung nonverbalen, expressiven Körpergeschehens vorsehen.[11] Als experimentelle Stücke anderer Art, jedoch von vergleichbarem Abstraktionsgrad, entstehen Wassily Kandinskys (1866–1944) Szenare *Der gelbe Klang* oder *Der grüne Klang*, Spielentwürfe, die den Bereich von sprachlich verfaßtem Theater weitgehend verlassen, zugunsten eines aus Raum-, Licht- und Farbwirkung sich ergebenden Geschehens, in dem nur sporadisch menschliche oder menschenanaloge Gestalten auftreten und nur wenige, verrätselt-spruchähnliche Verse zu Gehör kommen.[12] Ein optisch-akustisches Theater unter Ausschluß der Sprache wird in einer Radikalität entworfen, daß eine bühnenmäßige Realisierung erst ein halbes Jahrhundert später (1976) erfolgt.[13] Ähnlich radikal geht Arnold Schönberg (1874–1951) vor, der mit dem Einakter *Erwartung* (1909) seinerseits eine psychologisch umgeschriebene Maeterlinckiade auf die Bühne bringt und mit *Die glückliche Hand* (1910-13) ein Experimentalstück an der Grenze der Sprachlichkeit.[14] Die musikalische und die optisch-szenische Korrelation ist darin so weit ins Abstrakte getrieben, daß im Mittelpunkt eine Sequenz von musikalischen und farblich-beleuchtungsmäßigen Ereignissen steht, die unter dem Stichwort »Lichtsturm« bekannt geworden ist und einen – bis heute nicht überbotenen – Extremwert szenischen Geschehens erreicht.

III. Krise und Utopie

Dem innovativen Elan solcher Experimente steht die inhaltliche Provokation in den Dramen der expressionistischen Autoren in nichts nach. Die Überwindung des alten, als bürgerlich verschrieenen Menschenbildes und der entsprechenden Gesellschaftsvorstellungen durch den ›neuen Menschen‹ führt im Namen Friedrich Nietzsches (1844–1900) [→ 192 ff.] häufig zu synkretistisch vermittelten ethischen und sozialen Idealen unterschiedlichen Ursprungs, die nun gegen gesellschaftliche Entfremdung und Mechanisierung des Lebens, gegen die Bestialisierung der Menschheit im Krieg, nicht zuletzt gegen Kapitalismus und das Machtsytem des Staates aufgeboten werden. Bezeichnend für den Synkretismus der Ideen wie die pseudosakrale Tonlage des Nietzsche-Kultes ist Sorges Dichtung *Antichrist* (1911):

> Nennt Ihr ihn den Antichrist? / Nietzsche? / Den Auferstandenen, / Niedergefahrenen / Nenne ich ihn. / O heilig, heilig der Schmerz, / Mit dem der Erstandene / An dem Gekreuzigten litt. ⟨...⟩ O heilig, heilig die Tat, / Mit der der Erstandene / Erneuerte / Des Gekreuzigten Vermächtnis! / Träumten nicht beide das Paradies?[15]

In diesem Sinne ist der wagnerisierende Titel *Menschheitsdämmerung* (1920) von Kurt Pinthus' (1886–1975) Lyrik-Anthologie[16] zu verstehen: Um die reale Selbstvernichtung der Menschheit zu verhindern, muß das nationalstaatliche Prinzip, das nur zum bedingungslosen Kampf führt, beseitigt werden,[17] und eine metaphorische Selbstvernichtung der Menschheit zugunsten ihrer Erneuerung stattfinden. Von daher erklärt sich nicht nur die Radikalität und verbale Heftigkeit der expressionistischen Revolte, sondern auch die kompromißlose Härte, mit der die Figuren in den Stücken der verbalen Aggression im Dialog oder in den monologischen Anklagereden ausgesetzt werden, sowie die krassen Motive von Zerstörung und Untergang, die an schockierender Grellheit oft nichts zu wünschen lassen. Universale Zivilisationskritik schließt Schule [→ 314 ff.], Universität, Kirche als institutionalisierte Bildung und Religion, sowie Presse, Kultur- und Vergnügungsindustrie ein. Das große Panorama der großstädtisch-mondänen Zerstörungsmächte, das in Kaisers *Von morgens bis mitternachts* (1912) dargestellt wird, umfaßt den Massensport, das Rotlicht-Etablissement, aber auch das Asyl der Heilsarmee. Industrie, Wissenschaft und Hochtechnologie werden in Kaisers *Gas I* (1917/18) und *II* (1918) als Quelle von Machtkonzentration, Zerstörung und Selbstzerstörung auf die Bühne gebracht. Dabei ist es das Agglomerat von Wissenschaft, Technik und Kapital, das angegriffen wird, nicht der einzelne Kapitalist oder eine bestimmte Klasse – gerade der Milliardärssohn als Abkömmling der alten Herrschaftschicht vertritt den utopischen Erneuerungsgedanken gegenüber den im Herrschaftsgedanken Versteinerten, den Technokraten wie den Arbeitern.

Dieser globalen Macht- und Gesellschaftskritik folgt die Moralkritik im einzelnen. Die väterliche Familienautorität trifft es besonders hart, der Vatermord [→ 320 ff.] – nicht tiefenpsychologisch, sondern sozial- und kulturgeschichtlich – ist das häufigste Motiv der Dramenkonzeption. Als befreiende Tat im kleinen repräsentiert er die globale Befreiung als Ziel. So in Walter Hasenclevers (1890–1940) *Der Sohn* (1912), wobei die Metaphorik des Motivs besonders betont wird: in dem Moment, in dem der Sohn sich entschlossen hat, das patriarchalische System in Gestalt des Vaters zu töten und ihn mit dem Revolver bedroht, stirbt dieser von selbst.[18] Der utopische Elan bricht sich in dieser motivischen Wendung Bahn. Wenn sie nur hinreichend entschieden erstrebt wird, setzt sich die Erneuerung durch, ohne daß die vernichtende Gewalttat noch erforderlich ist. Bis zu Arnolt Bronnens (1895–1959) Drama *Vatermord* (1922)[19] erhält sich dieses Motiv mit unterschiedlicher Akzentuierung.

Richtet man von der generellen Bedrohung den Blick auf die begrenzteren Einheiten, so erscheint die moderne Industrie- und

Stadtlandschaft samt ihren Transport- und Verkehrsmedien als Inbegriff des ›wertlosen Leben‹. Die moderne großstädtische Unterhaltungswelt, rekurrierend auf Unterhaltungsindustrie von der Presse bis zum Film [→ 422 ff.] wird zum Inbegriff der Pervertierung.

Damit ist eine Schlüsselposition im Hinblick auf die öffentliche Ersatzreligion des Nationalismus, aber auch auf Technisierung und Industrialisierung als Thema der Dramatik erreicht. Sie wird von anderen Autoren des Expressionismus ebenfalls vertreten. Reinhard Goerings (1887–1936) Antikriegsstück *Seeschlacht* (1917) zeigt am Sujet des U-Boot-Krieges wie die Technisierung die totale Vernichtung ermöglicht. In Ernst Tollers (1883–1939) *Die Maschinenstürmer* (1922), wird die Maschine zum Symbol der Herrschaft von Menschen über Menschen, dank bestimmter Produktionsverhältnisse, wie sie bereits in *Masse Mensch* (1920) thematisiert werden.[20]

Es versteht sich, daß angesichts dieser Übermacht der zerstörerischen Kräfte die Dramen nicht ohne weiteres den Sieg der positiven Gegenkräfte proklamieren. So kennt Toller zwar den utopischen Zug der Revolution zu Frieden und Freiheit (*Die Wandlung*), aber auch den opferbereiten Untergang des einzelnen, der sich gegenüber der Übermacht nicht durchsetzen kann (*Masse Mensch*). Kaiser wechselt von Stück zu Stück zwischen utopisch positiven und destruktiv negativen Ausgängen, wenn man die *Gas*-Stücke mit *Die Bürger von Calais* (ab 1912) vergleicht oder die universale nihilistische Zerstörung von *Nebeneinander* (1923) mit *Hölle Weg Erde* (1919), wo der erlösende Zustand immerhin im Modus der Imagination präsentierbar bleibt. Die Frage ist freilich, aufgrund wovon im expressionistischen Drama überhaupt positive Lösungen möglich erscheinen.

IV. Vision und Erneuerung

Die Antwort gibt ein Begriff, den Kasimir Edschmid (1890–1966) in einem Programmaufsatz der *Neuen Rundschau*, nahezu post festum (1918), in den Mittelpunkt rückt. Er bildet zugleich den Ansatz für das Verständnis der Ästhetik expressionistischer Dramatik:

> So wird der ganze Raum des expressionistischen Künstlers Vision. Er sieht nicht, er schaut ⟨...⟩ Er gibt nicht wieder, er gestaltet.[21]

Die visionäre Schau – und nicht ohne Grund erfolgt hier ein Rückgriff auf die religiöse, mystische Metaphorik – wird zur metaphorischen Chiffre für die Dramengestalt. Der Weltzusammenhang, der so determiniert und auf seiner Oberfläche undurchdringlich erscheint, wird visionär aufgebrochen und in Bewegung versetzt, ein Vorgang, der sich – in den Worten von Pinthus – von innen nach außen vollzieht:

> Die Wirklichkeit ist nicht außer uns, sondern in uns. Der Geist des Menschen und seine Bewegung als Idee, die sich verwirklicht, ist die wirkliche Wirklichkeit.«[22]

Die Destruktion des Alten wird nicht durch real vorstellbare Akte der Zerstörung, d. h. mimetisch, abgebildet, sondern löst die Strukturen von Welt auf. Die perspektivische Verzerrung der Räume und der Gegenstände, die Auflösung der syntaktischen und semantischen Regularitäten der Sprache, die Deformation der menschlichen Gestalt und ihrer Aktion, bis hin zur Körper- und Bewegungsgroteske – dies sind die wichtigsten Formalprinzipien der Gestaltung. Betroffen sind davon natürlich auch alle Traditionen der älteren Dramatik, denen alternative Modelle entgegengestellt werden. Umgekehrt vollzieht sich die Proklamation des Neuen, der erhofften und ersehnten Gegenwelt, mit Hilfe der Erneuerung von alten Stilprinzipien mystischer Rede, der via negationis und der via eminentiae: der Negation der alten Sprachwelt, die in der Verneinung auf das andere bereits implizit verweist, folgt die Überbietung durch die Mittel der steigernden, überhöhenden Hervorhebung. Ellipsen, Anakoluthe, Stilbrüche bezeichnen die sprachliche Auflösung auf der einen, Neologismen und Hyperbolik die Sprachgestaltung auf der anderen Seite, die häufig eine Überspannung der Stillage im ständigen Superlativ zur Folge hat, oder in der ›kühnen Metapher‹, die in ihrer eigenen Negation noch einmal ein Jenseits des Sagbaren zu erreichen sucht. Motivlich besagt dies, daß die expressionistische Sprachgestaltung zur Häufung mythischer, religiöser Bilder und Formeln aus allen Zeitaltern, Religionen und Kulturen neigt. Diesen sprachlich-motivlichen Strategien der Dramen entspricht auf der Bühne die durchgehende Symbolisierung des Raums, der Richtungen, der Farben, der Bewegung, auch hier unter synkretistischer Verwendung und Überlagerung der vorgegebenen Mittel.

Diese doppelte Verfahrensweise hat eine besondere Konsequenz im Hinblick auf das im Drama und auf der Bühne zutage tretende Bild vom Menschen. Die Abtragung aller einschränkenden und fesselnden Traditionsbestände, Regelwerke, Deutungsmuster, impliziert die Freisetzung des Körpers als menschliche Ursprungsgestalt. Dies schließt die Unschuld des Triebes ein, bis hin zum Motiv des Inzests, und die Unmittelbarkeit des Lebensausdrucks. Metaphern von Neugeburt oder Wiedergeburt schließen sich hier an, und eine verbreitete Geburts-, Schoß- und Mutter-Metaphorik, die – nicht nur in einem Drama wie Fritz von Unruhs (1885–1970) *Ein Geschlecht* – im Gegensatz zu den Vater-, Autoritäts- und Reglementierungsmetaphern ausgespielt wird:

> O Mutterleib, o Leib, so wild verflucht / und aller Greuel tiefster Anlaß erst, / Du sollst das Herz im Bau des Weltalls werden / und ein Geschlecht aus Deiner Wonne bilden, / das herrlicher als Ihr ⟨scl. Soldaten⟩ den Stab gebraucht!«.[23]

Aber auch diesseits der Welterneuerungsmetaphorik ist der kreatürliche Körper, als Inbegriff von Lust und Leben, bei den Dramatikern im Zentrum der Umwertung der Werte. Ohne Zweifel findet Nietzsches Zarathustra-Rede *Von den Verächtern des Leibes* vielfachen Widerhall in der expressionistischen Dramatik. Allerdings verbietet sich weitgehend eine rein vitalistische Interpretation dieses Sachverhalts, viel eher ist ein ideell-rousseauistischer Deutungsansatz angemessen.[24] Der expressionistische Körper ist der der menschlichen Kreatürlichkeit, es ist nicht der schöne und schon gar nicht der starke Körper. So erscheint in der Dramatik, angefangen von Tollers *Wandlung* oder Kaisers *Bürgern von Calais* der Körper auch in seiner Zerstörung und Deformation, von der Kriegsverletzung bis zur Verkrüppelung.

V. Sendung und Ohnmacht

Die Konsequenzen für die Dramaturgie der Stücke sind von hier schon absehbar. Die dramatis personae der expressionistischen Dramatik sind in der Regel nicht als psychologisch beschreibbare Individuen erfaßt, sie sind Ideenträger oder Ausdrucksgestalten, die einen Verhaltensanspruch verkörpern. Daher wird ihnen oft ein Name vorenthalten zugunsten einer allgemeinen Kennzeichnung: *Der* Dichter, *der* Vater, *das* Mädchen bilden u. a. das Personal von Sorges *Bettler*. Häufig treten einzelne Figuren von dieser Prägung dann Gruppenpersonen gegenüber, die als Kollektive auch chorisch sprechen oder agieren. Gruppenpersonen sind aber keine sozialen Kollektive, sondern eher funktionale Gruppen, wie sie im Gang des Dramas eine bestimmte Verhaltensweise und mentale Gemeinsamkeit verkörpern, die Zeitung-Lesenden, die Flieger, die Kokotten, und, in abstrakter Kennzeichnung, die drei Gestalten der Zwiesprache, oder die Gelb-Figuren und die Blau-Figuren in Kaisers *Gas*.

Trotz solcher Formalisierung der dramatis personae bleibt die Handlungsführung in der Regel linear, d. h. zielgerichtet. Expressionistische Dramatik nimmt häufig einen schematischen Verlauf. Der einzelne, der im Zentrum steht, wird zunächst in konventioneller Einbindung und Abhängigkeit gezeigt, bis er nach einem schockartigen Konfrontationsereignis alle bisherigen Bindungen und Lebenserfahrungen in Frage stellt. Der Untertitel von Sorges *Bettler*, »Eine dramatische Sendung«, bezeichnet den ideellen Verlauf, der solcher Schematik zugrunde liegt. Die sich heraushebende Gestalt – in diesem Falle der als Bettler bezeichnete Outcast, der zum Seher und Dichter wird – gewinnt seine Position in der Regel aber nicht als Führer, dem blinde Gefolgschaft gebührt, oder als übermenschlicher Heros, sondern als Verkörperung der potentiellen Erfahrung aller. Insofern bleibt die gewandelte Leitfigur auf die Kollektive bezogen, da sie die Leiderfahrung und Orientierunslosigkeit aller anderen teilt, aber in der Reflexion und der utopischen Ausrichtung hinter sich gelassen hat. Der Höchste ist insofern der Niedrigste, nicht zuletzt auch sozialgeschichtlich gesehen, wenn er etwa eine Minorität gegenüber der Majorität vertritt, wie der deutsche Jude Friedrich in Tollers *Wandlung* (1919). Er verkörpert die

Schockerfahrung der Weltkriegsgeneration, die alle vorherigen Maßstäbe von Verhalten und Ethos ungültig werden ließ und in ein Orientierungsvakuum führte, in dem nach der berüchtigten, vom preußischen Generalstab angeordneten Judenzählung im Heer von 1917 auch dem scheinbar stabilen patriotischen Status des deutschen Judentums die Grundlage entzogen war.

Trotz solch verallgemeinernder Züge der Personenkonstellation und der Handlungsführung gibt es für die expressionistische Dramatik keine einheitliche oder gar normative dramatische Gestalt. Ein gewisser Eklektizismus hinsichtlich älterer Formbestände verbindet sich mit experimentellen Formbrüchen.

Bei der kaum überschaubaren Vielfalt von Formen und Entwürfen ist es schwierig, einzelne zu einem Typus neigende Strukturen zu isolieren und zu beschreiben.

Die wichtigste Prägekraft von dramaturgischer Wirkung ist wohl die Intellektualität und ideelle Zielrichtung expressionistischer Dramatik, die zu einer Ideendramaturgie führt, dank derer die Konflikte und Debatten primär geistig ausgetragen werden. Unter Rückgriff auf historischen Stoff und geschlossene Dramenform bildet Kaisers *Die Bürger von Calais* (1914) einen Typus in dieser Richtung. Noch vor Kriegsausbruch steht die Grundfrage zur Debatte, wie einer Welt der Macht und Selbstbehauptung begegnet werden kann, wenn dem neuen Menschen nur die Selbstpreisgabe bleibt, um friedenstiftend eine humanitäre Gesellschaftsordnung zu errichten.

Radikalere dramatische Formen findet das Thema von Frieden und Krieg dann nach den Kriegserfahrungen der ersten Jahre. Als exemplum eximium kann *Seeschlacht* von Goering gelten. Die offene Form des Stückes, in dem die sieben Matrosen ihre individuelle Kenntlichkeit – als gegen Ende Explosionen das Schiff an den Rand des Untergangs bringen – wegen der überzuziehenden Gasmasken endgültig einbüßen, endet auch mit der Konstatierung des offenen Problems, keine Lösung ist in Sicht:

> Die Schlacht geht, weiter, hörst Du? 〈...〉 Ich habe gut geschossen, wie? Ich hätte auch gut gemeutert! Wie? Aber schießen lag uns wohl näher? Wie? Muß uns wohl näher gelegen haben?[25]

Dramatische Situation, ideelle Spannung und szenische Visualisierung entsprechen sich – nicht nur inhaltlich, sondern auch auf dem stilistischen Niveau des Ausdrucks. Der Ideen-Konflikt bricht sich in elementaren Kontrasten von Raum, Farbe und Licht. Das Verkündigungsdrama[26] ist sprachlich proklamierend und expressiv, zugleich szenisch schockierend und sinnlich überwältigend.

Typologisch genauer zu umreißen ist das ›Stationendrama‹, das auch als Ich-Drama oder subjektives Drama bezeichnet wird.

Alle drei Begriffe bezeichnen unterschiedliche Facetten einer dramatischen Struktur, deren Angelpunkt das einzelne, auch vereinzelte Ich einer dramatischen Hauptfigur darstellt, und das sich daher von älteren dramaturgischen Modellen der Balance polarer Kräfte, Protagonist und Antagonist, grundlegend unterscheidet.

Der Stationenbegriff, der diese Ich-dramatische Form von Strindberg her genauer erläutert, ist religiösen Ursprungs, er verweist auf die Kreuzwegstationen der christlichen Passion. Das *Damaskus*-Stück präsentiert einen Leidensweg, der eine potentielle Wende oder Wandlung einschließt. In diesem Sinne ist, abgelöst von jeder unmittelbaren religiösen inhaltlichen Bindung, der Begriff des Stationendramas gängig geworden. Er bezeichnet eine Entwicklung, die – analog zu einer religiösen Umkehr – einen Bewußtseinswandel zum Inhalt hat. Er führt von der alten in die neue Welt, vom alten zum neuen Menschen. Die einzelne Station umreißt einen bestimmten Erfahrungs- und Bewußtseinsstatus, der erst in der Gesamtreihe seinen wahren Aussagewert erhält. Dennoch sind die Stationen nicht handlungsdramatisch miteinander verbunden, sondern durch die Art der Bewußtseinsveränderung, und diese wird überwiegend symbolisch und durch innerszenische Verweise, kaum durch Handlung oder psychologisch vermittelt. Stationen der Ich-Suche lassen dabei in unterschiedlichem Maße Spielraum für die Darstellung der ›Gegenwelt‹, beispielsweise des kleinbürgerlich-familiären, später des großstädtisch-anonymen Ambientes, in dem sich der Leidensweg des Kassierers in Kaisers *Von morgens bis mitternachts* (1912) bis zum bitteren Ende, dem Selbstmord in der Pose des Gekreuzigten, abspielt. Typologisch noch prägnanter ist Tollers Stück, welches das dramaturgische Prinzip, *Die Wandlung* schon im Titel führt. Allegorische und groteske Symbolszenen von großer Eindringlichkeit flankieren den Bewußtseinswandel in Tollers Drama, die Allegorie von »Kriegstod« und »Friedenstod« in der »Totenkaserne« als Eingang, die skurril-groteske Szene der tanzenden Skelette »zwischen den Drahtverhauen«, die Parade der Kriegsverkrüppelten im Hospital.[27]

Eine Reihe weiterer eigenartiger Varianten der Stationendramatik wäre zu erörtern, so Johsts Grabbe-Drama *Der Einsame. Ein Menschenuntergang* (1917), das außer dem Helden nur zwei Kollektivfiguren verzeichnet: seine Freunde und seine Feinde, weiterhin Ludwig Rubiners (1881–1920) Drama *Die Gewaltlosen* (1919), Paul Kornfelds (1889–1942) *Die Verführung* (1913).[28] Alle ausgeführten Möglichkeiten des Wandlungsdramas schließlich überformt Barlach in seinen Stücken *Der arme Vetter* (1917), *Die echten Sedemunds* (1919) oder *Der blaue Boll* (1925/26).[29] Mit Tollers und Kaisers Typen haben die Stücke das Auftreten quasi metaphysischer Figuren gemein, der Frau Venus[30] etwa, oder des »wahren Gottseibeiuns«,[31] der beim Schuster einen Schuh bestellt und dabei sein ganzes Bein samt Klumpfuß gleich dagelassen hat, – aber Barlachs religiös vertiefte Auffassung von der Wandlung zum ›neuen Menschen‹ erschließt andere Dimensionen, wie sie auch in seinen Zeichnungen und Skulpturen zutage treten.

VI. Anti-Helden

Einen Sonderbereich, der mit der expressionistischen Mainstream-Dramatik nur bedingt zutun hat, bildet die Komödie Carl Sternheims (1878–1942), die aus vorexpressionistischen Wurzeln der Wilhelminismus-Kritik erwachsen ist. Die bereits um 1908 einsetzenden Versuche Sternheims, die Molièresche Komödie unter gesellschaftlichen Bedingungen der Gegenwart zu erneuern, führt zu einer rasch in Zyklusdimensionen sich organisierenden Serie, beginnend mit *Die Hose* (1911) und *Der Snob* (1912).[32] Im Mittelpunkt steht der »titanische Kleinbürger« mit dem bezeichnenden Namen Maske, der das reine, pragmatische Selbsterhaltungs- und Machtstreben verkörpert.[33] Unter den Bedingungen der wilhelminischen Gesellschaft und ihrer industriell-kapitalistischen Voraussetzungen gelingt diesem kleinbürgerlichen Machttypus innerhalb dreier Generationen der Aufstieg vom kleinen Kanzleischreiber zum Industriemagnaten in der höchsten bürgerlich-adeligen Finanz-Elite. Die Maske-Trilogie, die im Vorkriegsjahr mit dem Stück *1913* abgeschlossen wird, erhält Seitenstücke mit der neo-Molièreschen Version von *L'Avare* in Gestalt von *Die Kassette* (1911) und mit *Bürger Schippel* (1911), einer Komödie, die die Wirksamkeit des pragmatischen Machtprinzips auf proletarischer Ebene zeigt. In der Nachkriegszeit (1922) findet die Maske-Sequenz in *Das Fossil* ihren Abschluß. Das machtbewußte Durchsetzungsprinzip hat Krieg und Revolution überlebt. Die ganze Serie der sechs Dramen, die Sternheim später unter dem Titel *Das bürgerliche Heldenleben* zusammengefaßt hat, stellt die radikalste Kritik der bürgerlichen Vorkriegsgesellschaft und ihres Weiterlebens in den zwanziger Jahren dar, nicht ohne daß Sternheim sich auch dem Verdacht ausgesetzt hätte, daß die pragmatische Überlebens- und Machttaktik letztlich ein positiv bewertetes, weil das einzige effektive Prinzip überhaupt sein könnte. Dieser Einwand stellt indessen nicht in Frage, daß der Erneuerer aggressiver Komödien sich der radikalen Wilhelminismus-Kritik der expressionistischen Dramatiker inhaltlich zuordnen läßt, obwohl er keine ideelle oder utopische Alternative in seinen Werken zur Darstellung bringt.

Einen wirkungsvoll dekuvrierenden, eindeutigen Abschluß des bürgerlichen Heldenlebens leistet hingegen, bereits im Nachklang des expressionistischen Jahrzehnts, Ivan Goll mit seiner Komödie *Methusalem* (1922). Wie der Untertitel besagt, ist der Held der *ewige Bürger* in seiner ganzen Lächerlichkeit und inneren Hohlheit. Die Gollsche Komödie entlarvt ihn mit Mitteln der Groteskstilisierung, wie sie schon Kokoschka in seiner Groteske *Sphinx und Strohmann* (1907) verwendet hat, fügt aber prä-surrealistische Techniken hinzu, wie die Aufspaltung einer Person in mehrere selbständige psychische Einheiten, die als solche auf der Bühne in Erscheinung treten, oder die skurril gewendeten futuristischen Ansätze, Mischgestalten zwischen menschlichem Körper und mechanischen Maschinenteilen zu entwerfen: »Felix ist der moderne Zahlenmensch. Statt des Mundes trägt er ein kupfernes Schallrohr ⟨...⟩, statt Stirn und Hut eine Schreibmaschine.«[34] Mit den illustrierenden Figurinen von George Grosz bildet Golls Komödie den Ausklang und zugleich einen Rückblick auf den Expressionismus und sein Jahrzehnt.

VII. Bühnenexpressionismus

Das Theater, dessen Reform zu den Voraussetzungen expressionistischer Dramatik gehört, bringt – von vereinzelten Aufführungen abgesehen – diese Dramatik erst auf die ihr angemessene Bühnenform, als nach dem zweiten Kriegswinter die reale Katastrophe absehbar wird. Dabei ist deutlich, daß die Theater in einer Reihe von Großstädten außerhalb Berlins einen Vorsprung gewinnen gegenüber der Reichshauptstadt, in der expressionistische Dramatiker zunächst nur dank der von Max Reinhardt angeregten und unterstützten ›Gesellschaft zur Pflege junger Dichtung‹ mit dem Namen »Das junge Deutschland«, zur Aufführung gebracht werden; Reinhardt selbst inszeniert zu Beginn der Aufführungsserie des Vereins die Uraufführung des *Bettler* (1917). Wichtige Stätten für das expressionistische Theater sind das Albert Theater, Dresden, wo 1917 Kokoschkas Stücke *Mörder* und *Sphinx* aufgeführt werden, das Deutsche Landestheater Prag, das 1916 mit der Uraufführung von Hasenclevers *Der Sohn* hervortritt, später die Bühnen in Mannheim und Frankfurt am Main, wo erneut Werke von Hasenclever und Kornfeld, später von Kaiser ihre Bühnengeschichte beginnen. Weitere Zentren expressionistischer Theaterkunst sind die Hamburger Kammerspiele und die Münchner Kammerspiele.

Mit Kriegsende und Revolution setzt sich dann expressionistische Bühnenästhetik auf neuer Ebene auch in der Reichshauptstadt durch. Leopold Jeßner (1878–1945), dem neuen Intendanten des Preußischen Schauspielhauses gelingt es, der ehemaligen Hofbühne eine neue, zugleich republikanische wie avantgardistische Ausstrahlung zu verschaffen. Im Jahre 1929 hat Jeßner im Rückblick auf ein Jahrzehnt Berliner Tätigkeit das grundsätzliche theaterästhetische Argument formuliert, das ihn mit der expressionistischen Generation verbindet und das zugleich die weitere Geschichte des Verhältnisses von Theater und Drama im zwanzigsten Jahrhundert charakterisiert: »Die Bühne nun – dies wird allzuoft vergessen – hat genauso ihre eigenen unverwechselbaren Gesetze wie die Dichtkunst.«[35] Dies bedeutete für ihn, daß sich auf der Bühne, durchaus im expressionistischen Sinne, die ›Idee‹ eines Werkes im Bühnenkonzept niederschlagen muß, ehe sich der dramatische Text dem räumlich-farblich-bewegungsmäßigen Kosmos des Visuellen zuordnen läßt. Das ›erste Theater der Republik‹, dank Jeßner auch ein ›Theater für die Republik‹, wurde so von Anfang an zum Inbegriff des Regietheaters.

Ästhetisch gesehen ist das Jeßnersche Reformtheater der expressionistischen Kunst zuzuordnen, so wenig Jeßner sich selbst als Expressionist bekennen wollte.[36] In der Arbeit der neuen Generation der Regisseure kommt das Prinzip nun auf der Bühne zur Geltung, das schon der Konzeption expressionistischer Dramentexte weitgehend zugrunde gelegen hat. Expressionistische Regie zeichnet sich daher durch provokative Neukonzepte von Raum und Bewegung aus, sei es, daß die Bühne grundsätzlich einen entgrenzten, weiteste Dimensionen andeutenden Geschehensort darstellt, sei es, daß sich der Raum in unsichtbare Unendlichkeit verflüchtigt, sei es daß er in sich bereits eine symbolische Ordnung etwa im Sinne des Weltwandels vom Alten zum Neuen repräsentiert. Als Heinz Herald, der Dramaturg Reinhardts, die Inszenierung des *Bettler* von Sorge 1917 im Rahmen des »Jungen Deutschland« charakterisiert, spricht er diese Verhältnisse an:

> Es wird auf der leeren Bühne gespielt, nichts ist verstellt, kein Aufbau engt ein und verkleinert. Aus dem großen schwarzen Raum ⟨...⟩ reißt das Licht einen Teil: hier wird gespielt. Oder, ein Mensch steht allein, als Lichtfleck vor einer schwarzen Fläche ⟨...⟩ alles huscht vorbei; aus dem Dunkel ins Licht, aus dem Licht ins Dunkel.[37]

Auch die Schauspiel-Ästhetik gewinnt neue Dimensionen. Alle realistischen, historischen und psychologisierenden Wege der Bühnendarstellung weichen einer expressiven Stilisierung, die Bewegung und Gestik ebenso erfaßt wie Stimme und Sprache, wobei letztere auf Grundmuster des Lautlichen und Klanglichen bezogen und damit von allem alltäglichen Sprechverhalten abgesetzt werden.[38]

Weitere Theaterkonzepte kommen hinzu, die – stark angeregt vom sowjetischen Theater-Oktober – die Theaterreform-Ansätze der Vorkriegszeit vorantreiben: vom stilisierten Theater ergeben sich fließende Übergänge zum ›entfesselten Theater‹, das die entfesselte Sprachgestalt und Dramaturgie expressionistischer Dramatik von der Bühne her noch einmal überbietet.

Dynamik und künstlerische Kreativität dieser Theaterkonzepte überleben auch die historische Grenzmarke, die der expressionistischen Dramatik ein rasches Ende ihrer theatralen Wirkungsgeschichte setzt, das Inflationsjahr 1923. Sie gerät ins Hintertreffen und muß einem Theater und einer Dramatik, die sich erneut reformieren und dynamisch den Zeitproblemen anpassen, für die kommenden Jahre das Terrain überlassen.

Joseph Vogl

Krieg und expressionistische Literatur

Die deutsche Literatur wendet die Kriegserklärungen vom Juli und August 1914 zum singulären Ereignis und zur Wiederholung früherer Emphasen zugleich. Sie assoziiert die Vaterlandsmythen von 1813, sie reproduziert die Siegesfeiern von 1870/71 und präsentiert schließlich die allgemeine Mobilmachung auch als eine poetische. 50 000 Kriegsgedichte sind nach einer Schätzung des Literaturkritikers Julius Bab (1880–1955) in den ersten Kriegswochen täglich in Redaktionen von Zeitungen und Zeitschriften eingegangen. Bab selbst bespricht bis 1916 im *Literarischen Echo* 220 Bände dieses Genres.[1] So sehr die mobilisierte Nation also selbst dichterisch auftritt, so sehr geht umgekehrt die Dichtung in Stellung und reklamiert eine Parallelität von Massenkrieg und Massenliteratur, eine Nähe von Waffe und Wort und damit eine Autorschaft für den Vollzug des aktuellen Geschehens. Von Anbeginn stand dieser Krieg im Zeichen einer diskursiven Totalerfassung, die von Schützengrabenzeitungen und publizierten Feldpostbriefen über Sonderbeilagen und Anthologien bis hin zu den Projekten groß angelegter Kriegssammlungen reichte. Der nationale Aufbruch, die Dezision der Feindschaft und der kaiserlich proklamierte ›Burgfrieden‹ geraten dabei zu einer politischen wie kulturpolitischen Losung, die einen »Krieg der Geister«[2] motiviert. Entsprechend erscheint das Gemenge dessen, was man die »Ideen von 1914« genannt hat – mit Appellen an die Einheit der »Volksgemeinschaft«, an eine Zeit kollektiven Erlebens, an eine soziale, moralische, kulturelle und künstlerische Erneuerung[3] –, als kulturindustrielles Pendant einer Logistik, die im sich totalisierenden Krieg die Unterscheidung zwischen militärischer Aktion und zivilem Leben zu löschen beginnt.

I. Krieg im Vorkrieg

Wie allerdings der Krieg schon im Vorkrieg zu den politischen Optionen des Kaiserreichs gehörte, sich in diversen Plänen des Generalstabs und in »Bildern vom kommenden Krieg« konkretisierte,[4] so durchzieht er als Bild und Reflexionsfigur seit 1910 nicht zuletzt die Texte der expressionistischen Generation. Notorisch sind jene Beobachtungen, die in der Wilhelminischen Gesellschaft eine Spannung zwischen autoritärer Ordnung und Zerfall konstatieren, eine Kakophonie der Ideologien und Kunstrichtungen und darin wiederum die Chriffre einer Krise erkennen. Imperialistisches Projekt und Ausbruchsvision verfließen dabei ineinander, zeugen von einer heterogenen Genese der Positionen von 1914 und prägen die Ambivalenz jener Äußerungen, in denen man immer wieder ein Dokument für die erregte Diagnostik und das Selbstverständnis der jungen Autoren erkannt hat. So schreibt etwa Georg Heym (1887–1912) im Juni 1910:

> Würden einmal wieder Barrikaden gebaut. Ich wäre der erste, der sich darauf stellte, ich wollte noch mit der Kugel im Herzen den Rausch der Begeisterung spüren. Oder sei es auch nur, daß man einen Krieg begänne, er kann ungerecht sein.[5]

Als Ausdruck einer andauernden und stationären Krise appellieren Notizen dieser Art an Figuren der Aufhebung, die im August 1914 die überraschende Lösung einer anomischen Situation versprechen: »Treue, Mut, Unterordnung, Pflichterfüllung, Schlichtheit, – Tugenden dieses Umkreises sind es, die uns heute stark, weil auf den ersten Anruf bereit machen zu kämpfen.«[6]

Vor diesem Hintergrund lassen sich einige Themen und Aspekte unterscheiden, die das Verhältnis von Krieg und Expressionismus schon im Vorkrieg präfigurieren. So haben sich in der frühexpressionistischen Literatur seit 1910 kritische und krisenhafte Muster von Geschichtserfahrung ausgebildet, deren Grundzug – wie in Texten Georg Trakls (1887–1914), Heyms oder Alfred Lichtensteins (1889–1914) – in einer spezifischen Zuspitzung apokalyptischer Dynamiken liegt. Insbesondere Heyms Gedicht *Der Krieg* mag dafür als Beispiel stehen, das in einer katastrophischen Verlaufsform eine Chiffre für den Ausdruck von Geschichtlichkeit sucht. Anläßlich der zweiten Marokkokrise im September 1911 geschrieben, versammelt es zeithistorische Bezüge ebenso wie disparate Bilder der Öde und des Verfalls, die in der Allegorie des hereinbrechenden Kriegs zusammenschießen (»Aufgestanden ist er, welcher lange schlief, / Aufgestanden unten aus Gewölben tief«) – eines Kriegs allerdings, der die heilsgeschichtliche Wendung des apokalyptischen Modells unterbricht und in eine Totalität der Zerstörung mündet.[7] Dezidierte Unbestimmtheiten dieser Art behaupten nicht nur eine Deutungsabsicht, für die der historische Prozeß in einer innerweltlichen Apokalypse gerinnt. Sie dokumentieren zugleich auch eine psychohistorische Dimension, die dem Selbstverständnis einer ›Literatur-Revolution‹ eine Rhetorik der Überwindung und mit dieser eine des Kriegs souffliert. In Gedichten wie *Aufbruch der Jugend* (1913) von Ernst Wilhelm Lotz (1890–1914), *Der Söhne junger Ruf* (1914) von Ernst Kanehl (1888–1929), vor allem aber im Titelgedicht von Ernst Stadlers Zyklus *Der Aufbruch* (1913) führt dies zu einer diffusen Rhetorik der Erneuerung, die Motive der Jugendbewegung, einen nietzscheanischen Vitalismus und einen militanten Bruch mit ästhetischen Positionen der Jahrhundertwende so miteinander verknüpft, daß sie als Vorgriff auf die Emphasen vom August 1914 lesbar werden: »Ich war in Reihen eingeschient, die in den Morgen stießen, Feuer über Helm und Bügel, / Vorwärts, in Blick und Blut die Schlacht, mit vorgehaltnem Zügel.«[8] Während hier ein romantischer Topos und eine Bewegung des Aufbruchs durchscheinen, die noch in der expressionistischen Lyrik [→ 454 ff.] nach 1914 wiederholt werden,[9] behauptet sich – drittens – gerade im Umkreis des Futurismus eine Apologie technischer Modernisierung, die die Reproduktion apparathafter Wahrnehmungen mit einem standhaltenden und heroischen Subjekt neuen Schlags kombiniert. In den im *Sturm* abgedruckten Manifesten Filippo Tommaso Marinettis (1876–1944), aber auch in Aufsätzen wie Robert Müllers (1887–1924) *Apologie des Krieges* (1912) oder *Der Futurist* (Juli 1914) [→ 470 ff.] erscheint wiederum der Krieg im Fluchtpunkt der Perspektive, ein Krieg, der als »Königsorganisation aller Organisationen« den gepanzerten »Dreadnought-

Menschen« zum »Bürger eines heroischen Zeitalters« bestimmt.[10] Schon hier deutet sich schließlich an, daß die ökonomische, politische und militärische Mobilisierung zum Schicksal moderner Gesellschaften geworden ist, die den Krieg ins Gewebe des Friedens einträgt und eine neue Konfiguration der Affekte, eine reformierte Anthropologie und eine Verwandtschaft von industriellen und soldatischen ›Arbeitern‹ in Aussicht stellt: »Krieg und Frieden dürfen nicht als Gegensätze erscheinen, denn sie haben das Gemeinsame der Arbeit.«[11]

II. Kriegserlebnis und Funktionskrise der Literatur

Eine literaturhistorische Konstellation dieser Art zeigt an, daß der Kriegsausbruch 1914 keinesfalls unerwartet geschah; und wie man auch diesen Krieg als eine Fortsetzung der Politik mit anderen Mitteln begreifen mag, so mußte umgekehrt der Frieden davor bereits als bloßer Aufschub des Kriegs erscheinen. Apokalyptisches Motiv, vitalistische Metapher, ästhetischer Technizismus und Sigle eines reformierten Menschen – im August 1914 war also der Krieg für die expressionistische Literatur bereits Passepartout für unterschiedliche und widersprüchliche Gestalten, in denen »technoromantisches Abenteuer« (Karl Kraus), »metaphysischer Krach« und »Massenexperiment« des Kriegs (Robert Musil) ineinander übergehen. Dabei ist es bemerkenswert, daß sich die Mehrzahl der publizistischen Stellungnahmen deutscher Schriftsteller seit August 1914 generell durch eine gespaltene Referenz und eine doppelte Lesbarkeit auszeichnen, in der sich die Feier des Kriegs mit kunst- und kulturpolitischen Programmen verschränkt. Der Gestus wird allgemein vollzogen, ergibt eine Schnittmenge der verschiedenen Richtungen und eint Naturalisten und Symbolisten, Realisten und Expressionisten, von Thomas Mann (1875–1955), der an die »gleichnishaften Beziehungen« von Krieg und Kunst appelliert, bis hin zu Wilhelm Herzog (1884–1960) oder Kurt Hiller (1885–1972), die Soldaten und Künstler als Komplementärfiguren einer schöpferischen »Avantgarde« betrachten.[12] Dabei rückt ein Begründungszusammenhang von Kriegsapologie und Kulturkritik des Vorkriegs mit den Fragen nach Konzept, Stellenwert und Legitimation der Literatur in den Mittelpunkt. Offensichtliche Selbstreklameversuche etwa von Thomas Mann, Klabund (1890–1928), Rudolf Borchardt (1877–1945) oder Mitgliedern des George-Kreises [→ 231 ff.] zeugen ebenso davon wie die detaillierten Reflexionen über das Verhältnis von Kunst und Krieg, Literatur und Gesellschaft. Darin wird ein Funktionsverlust von Literatur artikuliert, der sich als Einbuße ihrer sozialen Geltung mitteilt und dessen Behebung nun unmittelbar möglich erscheint. Das Schwinden der integrierenden Kraft der Literatur als Institut bildungsbürgerlicher Selbstverständigung oder ihre Konkurrenz gegen die Produkte der Massenkultur mögen den sozialhistorischen Rahmen dieser Funktionskrise kennzeichnen, vor deren Hintergrund sich die Rhetorik des dichtenden Außenseiters ebenso wie die einer zunehmenden Fragwürdigkeit künstlerischer Produktion überhaupt abzeichnet. Die geläufigen Themen gestörter Verständigung umschließen demnach in der modernen – und vor allem expressionistischen – Literatur nicht nur eine Diagnostik sozialer Entfremdung,[13] sondern reflektieren zugleich eine Frage literarischer Vermittlung, die zu Beginn des Ersten Weltkriegs auch in einer Emphase der nationalen Integration akut wird. Friedrich Markus Huebner (1886–1964) schreibt etwa, mit Blick auf die expressionistische Kunst:

> Das Erlebnis unserer kriegerischen Einmütigkeit, das Erlebnis unserer völkischen Energie, einer Energie der Seele, des Willens, der unnennbaren Gemütskäfte, dieses große geschichtliche Erlebnis ist auf das Innigste verschwistert mit dem innern zur Schöpfung drängenden Zustande jener neuen Künstler.[14]

Es läßt sich darin eine seit Ferdinand Tönnies zum Topos geronnenene ›Gemeinschaft‹ in Opposition zur ›Gesellschaft‹ erkennen; Kristallisationskern und Vermittlungsbegriff dieser Überlegungen ist aber vor allem eine monolithische Figur des Erlebens. Während nur wenige Autoren Unberührtheit und Distanz vermerken – Franz Kafka (1883–1924) [→ 478 ff.] etwa schreibt am 2. August 1914 ins Tagebuch: »Deutschland hat Rußland den Krieg erklärt. – Nachmittag Schwimmschule«[15] –, werden in zahllosen privaten und halbprivaten Aufzeichnungen nach Kriegsausbruch ein besonderer Produktivitätsschub, »Erlösung« und »Glücksgefühl«, neue »Sorglosigkeit«, »Befreiung« und »Rausch« verzeichnet.[16] Diese Konstellation mag auch die vorübergehende Kriegsbegeisterung einiger Expressionisten motiviert haben: Max Beckmann, Otto Dix, Oskar Kokoschka, Edlef Köppen, Rudolf Leonhard, Alfred Lichtenstein, Ernst Wilhelm Lotz, Franz Marc, August Stramm, Ernst Toller meldeten sich neben vielen anderen kriegsfreiwillig.[17] Gerade die Autoren der expressionistischen Generation vollziehen unter dem Imperativ des Erlebens eine Konjunktion von Krieg und Kunst, die psychologische wie ästhetische Dimensionen gleichermaßen aufweist und sich in die Programmdebatten um die Formprinzipien der neuen Kunst einschreibt. So transportiert das Kriegsereignis hier eine erlebnishafte Unmittelbarkeit, die mit den formsprengenden Seiten der neuen Kunst zusammengeht, Vermittlungsprozesse unterbricht und nicht das Ende, sondern die Vollendung des »Expressionismus« dokumentieren soll:

> Da kam der Krieg. Und auf einmal ward Wirklichkeit, was die Künstler und Mystiker mit ganzer Kraft ersehnten. Sie Seele zeigte sich. Ein Volk von achtundsechszig Millionen Köpfen war mit dem Schlage aus Körper, Kleidung, Besorgung des Alltags herausgefahren, um nichts zu sein als Flutung, Geistigkeit, Wollen Entschlossenheit. Die Seelen bildeten einen einzigen riesenhaften Kontaktschluß 〈...〉.[18]

Das ›Erlebnis‹ des Kriegs reicht also tief in kunstprogrammatische Debatten hinein und gibt die Losung für die unterschiedlichen Positionen: sei es als Reform der Kultur durch eine erregte »Volksgemeinschaft«, sei es als Verabschiedung einer überholten »Pseudokunst«, sei es der Krieg als »sieghafter Zu-Ende-Bildner« der neuen Kunst oder umgekehrt als unzugänglich für den gestalterischen Zugriff: »Kein Krieg bringt Kunst hervor.«[19] Der Krieg konzentriert sich demnach in einem Problem der Darstellbarkeit, und das Verhältnis von Krieg und Kunst wird entsprechend als Modernisierungsschub ihrer jeweiligen Techniken beobachtet. So manifestiert sich etwa für Franz Marc (1880–1916) im Artilleriefeuer der Front ein »mystischer Schauer«, der ein Erhabenheitsmotiv einführt, dem »formbildnerischen Willen« und damit den Abstraktionsleistungen moderner Kunst entgegenkommt;[20] und wie schon der Futurismus Maschine und Gedicht, künstlerisches und kriegerisches Subjekt vereint hat, so bringt auch der Krieg selbst wiederum »Expressionist« und »Artillerist« und damit die Flugbahn der Geschosse und die Hyperbolik des Worts zueinander:

> Bäh / Drüben fliegt ein Eisvogel ab, kerzengrader / Als alle Vögel der Erde / Ein-und-zwanzig / ⟨...⟩ / Verdammt echtes Lebensgefühl bornt verflucht / Heißen Ausdruck / ⟨...⟩.«[21]

Gerade die ›Wortkunst‹ von Autoren wie Franz Richard Behrens, Kurt Heynicke (1891–1985) und August Stramm (1874–1915) [→ 465 f.] aus dem Umkreis von Herwath Waldens (1878–1941) *Sturm* [→ 441 f.] macht beispielhaft deutlich, wie traditionelle und innovative Elemente in dieser expressionistischen Kriegsliteratur einander verschränken und wie sich eine erlebniszentrierte Ästhetik allmählich zugunsten experimenteller Konstellationen auflöst.[22] In deren Fluchtpunkt steht ein spezifischer Sensualismus, der angesichts von neuen Medien, Techniken und Perzeptionsweisen des Kriegs auch in der Literatur eine ästhetische Reproduktion von Wahrnehmungen an der Grenze der Wahrnehmung versucht: die Unsichtbarkeit und Unhörbarkeit des Gaskriegs, die synästhetisch in der Sturmlyrik wiederkehrt, der Luftkrieg, der Wahrnehmungen nach Maßgabe der Geschwindigkeit und des Verschwindens diktiert, die Kommandosprache des Telegramms [→ 434 ff.], die Behrens und nicht zuletzt der Postbeamte Stramm für sich entdeckt haben, oder das kurze Rauschen eines abgeworfenen Fliegerpfeils, das Robert Musil (1880–1942), Hauptmann eines Landsturmbataillons in Südtirol, in seinem Tagebuch verzeichnet und dann als Geräuschexperiment zum Anlaß der späteren Erzählung *Die Amsel* macht.

III. Umwertungen

So sehr damit Wahrnehmungssituationen reproduziert werden, in denen der Krieg als psycho-physisches Experiment extremer Erfahrungen figuriert, so sehr sich hier ein anthropologischer Typus zu formieren beginnt, der als neuer Barbar, Abenteurer, Sportsmann oder Tänzer aus dem Milieu der Schlachten geboren wird, und so sehr sich damit auf geradezu ironische Weise eine Notiz Paul Klees (1879–1940) von 1915 bestätigt – »Je schreckensvoller diese Welt (wie gerade heute), desto abstrakter die Kunst« –, so sehr stiftete der Kriegsausbruch gerade für die Expressionisten eine referentielle Verwirrung. Als Erlebnis vorgefühlt, als Ereignis erwartet, als Bild präfiguriert, als kunstprogrammatische Frage umrahmt, verdichtete sich der Krieg zu einem Ernstfall der Kunst, der mit der »Grammatik des staatlichen Ereignisses«[23] nicht zuletzt eine Deutungsnot gegenüber dem realhistorischen Prozeß provoziert. Ähnlich wie etwa Georg Simmel das Kriegserlebnis als Lösung einer aporetischen Struktur historischer Erfahrung interpretieren konnte, einer Aporie, die in der Spannung zwischen vereinzeltem Datum und der Kontinuität des Erlebens besteht[24], erfassen die literarischen Autoren den Kriegsbeginn im Akt einer ›Sinngebung des Sinnlosen‹ (Theodor Lessing). Dabei hat allerdings die expressionistische Literatur schon bald eine Auflösung jener Figuren vollzogen, die den Kriegsausbruch als Aufbruch und Erneuerung, den Krieg selbst nach heilsgeschichtlichem Modell als »Weltgericht«, »Weltenbrand« oder »heiligen Kampf« apostrophierten.[25] Dazu gehört etwa das letzte Gedicht Trakls (*Grodek*, 1915), in dem das historische Datum – die Schlacht bei Grodek/Rawa-Ruska – nur die Agonie eines Zeitalters bestätigt: »Alle Straßen münden in schwarze Verwesung«;[26] und dazu gehört etwa auch das 1916 geschriebene Drama *Seeschlacht* von Reinhard Goering (1887–1936) [→ 548 f.], das vor dem Hintergrund der Schlacht am Skagerak unterschiedliche – vitalistische, heilsgeschichtliche, pragmatische, skeptizistische – Interpretationen des Kriegs resümiert, gegeneinanderstellt und schließlich angesichts des bloßen Vollzugs des Geschehens kollabieren läßt. Seit den Vernichtungsschlachten an der Marne und an der Somme jedenfalls und spätestens nach der russischen Oktoberrevolution haben sich eine Umwertung, eine Desillusionierung und ein Abbau geschichtsdeutender Monumentalgesten eingestellt, Transformationen, die nun in unterschiedliche Richtungen auseinanderlaufen. Dies mündet einerseits in eine revolutionäre Eschatologie, die expressionistische Leittitel wie »Jüngster Tag« und »Menschheitsdämmerung« auf die Ankunft neuer Gesellschaftsordnungen nach dem Krieg hin ausrichtet: »Paläste wanken. Die Macht ist zu Ende. /〈...〉/ Der Wind steigt aus den Trümmern,/ Die neue Welt bricht an«, heißt es etwa in der zum Revolutionsstück umgedeuteten *Antigone*-Bearbeitung Walter Hasenclevers (1890–1940) von 1917.[27] Andererseits verfällt das Geschehen nun selbst zum kontingenten Datum, das keinem geschichtsmächtigen Subjekt, keinem kohärenten Erfahrungstypus und keiner Sinndeutung mehr zuschreibbar ist und darum vor allem eine Kritik der erhebenden Phrase verlangt, eine Kritik, wie man sie bei Karl Kraus (1874–1936), in den Texten aus dem Umkreis der Dadaisten im Schweizer Exil oder in Otto Nebels (1892–1973) Lyriksammlung *Zuginsfeld* (1918/19) wiedererkennen kann.

Der Verlauf des Kriegs provozierte also einen Einstellungswechsel, der junge Autoren wie Rudolf Leonhard (1889–1953), Toller oder Bertolt Brecht (1898–1956) schon bald von ihrer Kriegsbegeisterung des Jahres 1914 abrücken ließ, eine Wendung, die schließlich verkürzende Rückblicke ermöglichte: »Kein einziger Expressionist war Reaktionär. Kein einziger war nicht Anti-Krieg«.[28] Dabei ist allerdings nicht zu übersehen, wie eng die Grenzen für kriegskritische Publikationen durch die Zensur [→ 394 ff.] gesetzt waren. Wilhelm Herzog etwa, der die Eingriffe der Zensurbehörden in seiner Zeitschrift *Das Forum* demonstrativ hervorhob, mußte im September 1915 auf Anordnung des bayrischen Kriegsministeriums die Herausgabe beenden; ebenso stellten der *Wiecker Bote* (herausgegeben von Kanehl) und Erich Mühsams (1878–1934) *Kain* schon bei Kriegsausbruch ihr Erscheinen ein. Das *Zeit-Echo*, das zunächst als »Kriegstagebuch der Künstler« gedacht war, erschien ab Mai 1917 unter dem neuen Herausgeber Ludwig Rubiner (1881–1920) nicht mehr in München, sondern in Bern und erhielt dort ein neues, pazifistisches Profil; und ebenso übersiedelte René Schickele (1883–1940) 1915/16 mit den *Weißen Blättern* unter zunehmendem Druck der Zensur in die Schweiz, die schon bald zum Zentrum einer internationalen Friedensbewegung und zu einem Sammlungsort von expressionistischen Autoren wurde.[29] Vor allem aber griff Franz Pfemferts (1879–1954) *Die Aktion* [→ 443 f.] mit geschickten publizistischen Strategien die diversen Möglichkeiten einer indirekten Opposition gegen Politik und Ideologie des Reiches auf. Mit antinationaler Geste brachte Pfemfert Sondernummern für französische oder russische Literatur heraus, veröffentlichte Nachrufe auf gefallene (auch ausländische) Schriftsteller, versammelte unter dem Titel *Ich schneide die Zeit aus* kommentarlos eine Blütenlese chauvinistischer Pressezitate, druckte Teile der später verbotenen *Biologie des Krieges*, einer Schrift des Mediziners Georg Friedrich Nicolai gegen die sozialdarwinistische Rechtfertigung des Kriegs, und publizierte ab Oktober 1914 unter einer Rubrik *Verse vom Schlachtfeld* regelmäßig Gedichte jüngerer und zum Teil unbekannter Autoren, die die Phraseologie einer »Poesie des Kriegs« unterliefen, sich gegen heroische Auswertungen sperrten und im Rekurs auf die Erfahrungen der Frontsoldaten bestenfalls eine negative Monumentalität konzedierten: »Dem einen riß es den Kopf herunter, / Dort baumelt eine Hand, hier heult einer ohne Fuß, / Einem Hauptmann schmetterte es gerade in die Brust, / Und der Regen, der Regen rinnt unaufhörlich«.[30] Insgesamt haben sich damit in der expressionistischen Publizistik während des Ersten Weltkriegs Fragen des politischen Engagements und des Pazifismus konkretisiert, die – im Rückbezug auf aktivistische Programmatik des Vorkriegs (Heinrich Mann, Hiller, Rubiner) und im Vorgriff auf die Bekenntnisse zur Revolution von 1918/19 – einen Grundriß für die späteren Debatten über die Rolle des Intellektuellen und über das Verhältnis von Kunst und Politik entwerfen.[31]

Es gehört zur literaturhistorischen Ereignishaftigkeit des Ersten Weltkriegs, daß er vor seinem Ausbruch präsent war und nach seinem Ende nicht enden konnte. Eine Reihe von Reflexionsfiguren bleibt gerade auch in der Literatur der expressionistischen Generation über den Krieg hinweg erstaunlich konstant: das frühexpressionistische Aufbruchsmotiv kehrt wieder in der Apotheose des ›Neuen Menschen‹ [→ 566 ff.], die aus dem Desaster des Kriegs die Leitfiguren eines geläuterten Humanismus hervorholt; die Apokalyptik des Vorkriegs wendet sich in einen ›Geist der Utopie‹, der nun im Ende des Kriegs zugleich den Niedergang der ›alten Welt‹ erkennen will;[32] und die nationale Gemeinschaft des Kriegsbeginns läßt sich in veränderter Form noch in der Gemeinschaft einer sozialistischen Brüderlichkeit erkennen, die in Texten von Johannes R. Becher (1891–1958), Hasenclever, Toller, Franz Werfel (1890–1945), Ivan Goll (1891–1950) oder Alfred Wolfenstein (1883–1945) eine vage politische Konfiguration angenommen hat. Dennoch kann man ab 1918 einige Ausdifferenzierungen beobachten, die zugleich das Ende des ›expressionistischen Jahrzehnts‹ einleiten. Während nämlich noch um 1920 das expressionistische Drama von Autoren wie Toller oder Georg Kaiser (1878–1945) den Kriegsheimkehrer, Revolutionär und wesenhaften Menschen als heilsgeschichtlich motivierte Passions- und Verkündigungsfigur aufführt (Toller, *Hinkemann, Masse Mensch, Die Wandlung*; Kaiser, *Gas*), wird diese bald – bei denselben Autoren – der Kolportage einer neusachlichen Nachkriegsnormalität weichen (z. B. Toller, *Hoppla, wir leben!*). Während der kriegerisch-militärische Typ als neues anthropologisches Modell den Ersten Weltkrieg überlebt und als verläßliche soldatische Fachkraft in Gestalten wie die des *Arbeiters* von Ernst Jünger eingeht, erscheint – etwa bei Musil – der Erste Weltkrieg umgekehrt gerade als Probe auf eine gestaltlose Menschennatur. Und während das Kriegserlebnis zum Angelpunkt für die Auseinandersetzungen um eine politische und historiographische Aneignung der Geschichte geworden ist und zur Konjunktur der Kriegserinnerungen und -romane seit Ende der zwanziger Jahre führt, bleibt umgekehrt der Referent einer kohärenten Erfahrung selbst verschollen: »Ich habe nichts zu erzählen. 〈...〉 Ich habe keine besonderen Eindrücke für Sie mitgebracht«, sagt der Protagonist aus Robert Müllers Erzählung *Ein Leutnant* von 1923.[33] Damit sind die ästhetischen und politischen Konfliktlinien vorgezeichnet, an denen entlang sich die Kämpfe der Weimarer Republik auch als solche um den Status der Kriegserfahrung ausweisen werden. In jedem Fall aber ist der Erste Weltkrieg damit als ein Datum in die Geschichte der Literatur eingegangen, das den Zerfall alter Naivitäten, eines Wissens über das Wesen des Kriegs, der sozialen Ordnung, der gültigen Werte markiert; und die analytischen Anstrengungen am Ende des Kriegs führen nun dorthin zurück, wo er begann: »Alle Linien münden in den Krieg.«[34]

Michael Stark

Literarischer Aktivismus und Sozialismus

I. Begriffsbestimmung

»Expressionismus war eine Ausdrucksart«, erläuterte Kurt Hiller (1885–1972), einer der wichtigsten Propagandisten der jungen Literatur vor dem Ersten Weltkrieg und führender Vertreter des literarischen Aktivismus in Deutschland: »Der Aktivismus, einige Jahre später, war eine Gesinnung.«[1] Indes konstatierten andere Zeitgenossen einen kaum weniger gesinnungshaften »expressionistischen Sozialwillen«,[2] den auch anti-aktivistisch eingestellte Autoren wie Franz Werfel (1890–1945) teilten. Aus historischer Entfernung möchte man die sozialethische Motivation geradezu für den gemeinsamen Nenner halten und andere Unterschiede betonen. Doch ginge es zu weit, den literarischen Aktivismus als Ausdruck eines aufklärerisch-diesseitigen Intellektualismus, den literarischen Expressionismus hingegen als Ausdruck einer metaphysischen Jenseitsorientierung qua »gotischer Lebensform«[3] zu betrachten. Beide Ismen sind weder als gleichrangige Tendenzen noch als grundsätzliche Dichotomie des ›expressionistischen Jahrzehnts‹ aufzufassen. Aus forschungs- und sozialgeschichtlicher Perspektive spricht alles dafür, den literarischen Aktivismus als genuinen programmatischen und organisatorischen Ausdruck des politischen Expressionismus der Kriegs- und Revolutionsjahre zu bestimmen. Nimmt man die von Hiller herausgegebenen *Ziel-Jahrbücher* (1916/24) und Alfred Wolfensteins (1883–1945) zweibändige Anthologie *Die Erhebung* (1919–20) als repräsentative Sammlungen seiner ideologiepolitischen und sozialutopischen Programmatik,[4] kann der Aktivismus als Spielart eines revolutionären Linkssozialismus bestimmt werden, »die den materialistischen Sozialismus als geistfeindlich verwarf und dessen leninistisches Axiom einer ›Diktatur des Proletariats‹ als unethisch ablehnte«.[5] Auch der zuletzt klassenkämpferisch orientierte, in weiten Zügen jedoch utopisch-messianische Aktivismus Ludwig Rubiners (1881–1920), aber auch der anarchosyndikalistische Sozialismus der ›Aktions‹-Gruppe [→ 443 f.] um Franz Pfemfert (1879–1954), haben sich nicht in letzter Konsequenz den Direktiven der kommunistischen Arbeiterbewegung und ihrer Partei untergeordnet.[6] Weltanschaulich war der literarische Aktivismus von der damals virulenten lebensphilosophisch-voluntaristischen ›Tatphilosophie‹[7] inspiriert und zugleich im Moralismus der idealistisch-humanistischen und der jüdisch-christlichen Tradition verankert. Aktivismusnahe Literatur begnügte sich nicht mit dem Aufruf zur politischen Tat, sondern versuchte Tat und Ziele auch poetisch zu konkretisieren.[8] Insgesamt dominierten jedoch die programmatische Essayistik und das Manifest: »Das Mittel des Aktivismus ist der unmittelbare Aufruf, die schriftliche und mündliche Handlung.« Robert Müller (1887–1924), Hauptvertreter des Aktivismus in Österreich, rechtfertigte diesen Bruch mit dem Primat der Kunst sozusagen altruistisch: »Um eine Welt zu ermöglichen, in der die Treuherzigkeit des Expressionisten ohne Gefahr für seine Person und sein Werk unbestochen bleiben kann, verzichtet der Aktivist auf das eigene Kunstwerk.«[10] Im Endeffekt wurde die Kunstausübung sekundär, weil sie als Umweg oder politisch folgenlos erschien.

II. Literaturpolitik und Gesinnungsästhetik

Die Anfänge des literarischen Aktivismus liegen im frühen Expressionismus, der in sezessionistischen Gruppen und Literaturzirkeln kommunikativen Rückhalt fand. Schon Hillers öffentliche Vorstellung der im *Neuen Club* [→ 454f.] versammelten jungen Autoren als »Expressionisten« verlieh dem noch vagen Schlagwort einen aktivistischen Akzent: »Es kommt uns wieder auf den Gehalt, das Wollen, das Ethos an.« [11] Das Ansinnen, durch Kunst und Literatur in das öffentliche Leben einzugreifen, konnte sich auf Vorbilder berufen:

> Karl Kraus, Alfred Kerr, Heinrich Mann 〈...〉 haben sich durch ihre Manifestationen an die Spitze derer gestellt, denen der blasierte, hochnäsige, herzlose, müde und tatenleere Ästhetizismus nachgerade zum Halse herausgewachsen war.[12]

Vor allem aber lag eine innovative Literatur von schockierender Sprache und Metaphorik vor, die es publik zu machen galt. Ein Modellfall solcher Literaturpolitik war die Herausgabe der Gedichtsammlung *Der Kondor* (1912): Hillers provokantes Vorwort löste eine erregte literaturkritische Debatte aus, die ein breiteres Publikum zur Kenntnisnahme der neuen Lyrik zwang.[13] Als literaturpolitisch verstand sich ferner das Motiv, das schwindende Prestige der Kulturintelligenz zu skandalisieren, in das sich der Wunsch nach eigener Prominenz mischte. Hiller, der einerseits die »Idee der Großen Deutschen Linken«[14] beschwor, scheute sich andererseits nicht vor Anbiederung an die Gegenseite: »Der Künstler, zumal der literarische, ist von Hause aus alles eher als demophil«, schrieb er in der Glosse *Kaiser Wilhelm und wir* (1913) und entlarvte seinen ambivalenten Protest durch die Frage: »Warum züchtet man sich Demagogen und Revolteure in uns heran und zwingt uns in den Republikanismus.«[15] Aber nicht allein der Gedanke demokratischer Partizipation lag den frühexpressionistischen Künstlerkreisen noch fern: »Von einem politischen Engagement mit klaren Vorstellungen über die bestehenden sozialen und politischen Verhältnisse des Deutschen Reiches vor 1914 sowie über ihre eigene soziale Situation und mögliche politische Funktion waren sie weit entfernt.«[16] So berührte Rubiners vielbeachteter Artikel *Der Dichter greift in die Politik* (1912) keinerlei real- oder parteipolitische Fragen, sondern feierte allgemein den gegen Zivilisation und Materialismus rebellierenden, moralisch rigorosen Widerspruchsgeist neuer Künstlerschaft: »Politik ist die Veröffentlichung unserer sittlichen Absichten. ⟨...⟩ Es gilt nur, daß wir schreiten. Es gilt jetzt die Bewegung. Die Intensität, und den Willen zur Katastrophe.«[17] Erst in der realen Katastrophe des Ersten Weltkriegs [→ 555 ff.] entwickelten sich die sozio-politischen Ansichten der expressionistischen Generation eindeutiger und mit ihnen ein literarischer Aktivismus, der konkretere Ziele verfolgte. Literaturpolitik implizierte schließlich die Forderung nach einer Politisierung der Schriftsteller und ihrer Literatur. An Tendenzliteratur als pures Mittel zum richtungspolitischen Zweck war dabei zunächst nicht gedacht. Die aus der Engführung von Kunst und Moral resultierende Gesinnungsästhetik sah vor, Kunst nicht länger um der Kunst willen zu produzieren, sondern künstlerisch und literarisch anspruchsvolle Werke zu schaffen, die in den kultur- und ideologiepolitischen Konflikten der Zeit geistig-moralisch Stellung beziehen. Wenn man Hillers Entwicklung zwischen 1908 und 1914 überindividuelle Aspekte zugesteht, wird erkennbar, welchen Weg der literarische Aktivismus hinter sich hatte:

> Von der Überlegenheit und Langeweile des dekadenten, dandyhaften Ästhetismus zur Rhetorik des Aktivismus und der ihn propagierenden ›ideelichen Kunst‹; vom selbstbildenden Individualismus zum weltverbessernden, ethisch-politischen Engagement; vom reformistischen Liberalismus innerhalb des bestehenden Systems zum aristokratischen Sozialismus bzw. revolutionären Utopismus, der sich vornahm, das bestehende System qualitativ zu verändern.[18]

Anders als die Dada-Avantgarde [→ 466f.], deren kulturrevolutionärer Radikalismus die Institution Kunst als solche zu destruieren versuchte, ließen die literarischen Aktivisten das bürgerliche Literatursystem und seinen traditionellen Kunstbegriff unangetastet. Ihre Vermittlung politischer Inhalte vertraute weiterhin auf die besondere Macht verdichteter Aussage, in der bekenntnishafte Botschaft und poetische Kategorien in Einklang gebracht werden sollten. Sprache und Stil des Aktivismus der Literatur blieben dabei zumeist dem rhetorisch-appellativen Code des pathetisch-emphatischen Expressionismus verpflichtet. Nach Johannes R. Bechers (1891–1958) lyrischer Formel beschwor der aktivistische Literaturbegriff die »Trinität des Werks: Erlebnis, Formulierung, Tat«.[19] Zugrunde lag nicht eine trivial-illusionäre Verwechslung von Wort und Tat oder gar von Idee und ihrer Verwirklichung, sondern das normative Postulat, die literarische Tätigkeit als sprachliches Handeln mit politischen Konsequenzen zu betreiben und für die literarisch bekundete Gesinnung auch praktisch einzutreten. Mit der Alternative: »Es gibt zweierlei: zu den Ereignissen Worte machen, und: durch Worte Ereignisse machen«,[20] brachte Hiller den für die aktivistische Gesinnungsästhetik zentralen Wirkungsanspruch auf den Punkt.

III. Der Schriftsteller als Intellektueller

Der literarischer Autoren zur Intervention in öffentlichen Angelegenheiten und die nachgerade missionarische Überzeugung, als Schriftsteller und Publizisten für die politische Veränderung von Kaiserreich und Republik zuständig und verantwortlich zu sein, gingen auf ein epochales Schlüsselereignis zurück. Als erfolgreiches Zusammenwirken von *Geist und Tat* (1911), wie Heinrich Manns (1871–1950) vielzitierter Essay überschrieben war, stand die Dreyfus-Affäre in Frankreich vor Augen und damit die prominente Rolle, die Schriftsteller im Streit um dieses Justizverbrechen und seine politisch-gesellschaftliche Bewältigung gespielt hatten. Émile Zolas (1840–1902) publizistischer Einsatz und die Manifeste der Gleichgesinnten führten nicht nur zur Begnadigung und späteren Rehabilitierung des zu Unrecht verurteilten jüdischen Offiziers, sondern mobilisierten eine breite Öffentlichkeit gegen Militarismus, Klerikalismus, Republikfeindschaft und Antisemitismus der Reaktion. Von ihren Gegnern abschätzig ›intellectuells‹ genannt, gebrauchten sie das Schimpfwort erst recht als positive Selbstbenennung. Der neue Begriff ›Intellektueller‹, zog René Schickele (1883–1940) als Fazit, ist

> nicht ein zur beliebigen Verfügung stehendes Schlagwort, sondern die Bezeichnung für eine *geschichtliche* Erscheinung 〈...〉. Es war eine Partei geistiger Freischärler. Die Partei der Unprofessionellen oder gar Parteilosen, hochherzig empfindender und radikal denkender Bürger, die vor allem *geistige* Ziele verfolgten.[21]

Heinrich Manns Diktum: »Ein Intellektueller, der sich an die Herrenkaste heranmacht, begeht Verrat am Geist.«[22] durfte der Zustimmung unter den jungen Literaten in Deutschland sicher sein, die ›Geist‹ indessen weniger als problemerkennende, ethische Lösungen setzende und realisierende Vernunft, denn als vital-irrationale Energie begriffen.[23] In den Intellektuellendebatten der Folgezeit geriet oftmals in den Hintergrund, »daß ein kritisches Prinzip – und nicht eine Ideologie oder Wahrheit – am Ursprung eines repräsentativen Engagements 〈...〉 stand, eines Bewußtseins über

Bürgerrechte und einer Ethik des Wissens«.[24] Insbesondere aber gelang der ›coup de parole‹ hierzulande nicht: Das Fremdwort wurde weithin verfänglich oder denunziatorisch gebraucht.[25] Bereits Mitte der zehner Jahre beschrieb Otto Flake (1880–1963) den Expressionismus als typische Intellektuellenliteratur und pointierte negativ: »Diese Intellektuellen lieben alle die französische Dominante der Kultur, die ⟨...⟩ man bei uns ganz richtig die demokratische nennt.«[26] Dennoch wäre es voreilig, von den Aktivisten des politischen Expressionismus eine ausbalancierte Einschätzung der modernen Rolle des Schriftstellers als Intellektueller in der politischen Kultur sozialer Demokratien zu erwarten. Als Verdienst des Aktivismus stellte Theodor Heuß seinerzeit dar, »den Literaten aus der Spazierwiese der ästhetischen Wertungen oder des selbstgenießerischen Skeptizismus herauszulocken und ihn zum Kampf für die Idee, für ethische Werte, für öffentliche Reinlichkeit, meinethalben für das ›Vernünftige‹ einzustellen ⟨...⟩.«[27] Welche Widerstände dabei zu überwinden waren, belegt etwa Werfels Sentenz: »Ich kann gar nicht beschreiben, wie kontradiktorisch für mich die Begriffe Poesie und Politik sind.«[28] Die Unpolitischen unter den Schriftstellern sahen in der Politisierung des Schriftstellers einen Verrat an der dichterischen Berufung oder verwarfen, wie Thomas Mann (1875–1955) im Ressentiment seiner *Betrachtungen eines Unpolitischen* (1918), den Aktivismus der »Zivilisationsliteraten« als kunstfremde Intellektualisierung, Radikalisierung und Demokratisierung Deutschlands, »was alles man wohl in das Wort ›Entdeutschung‹ nicht übel zusammenfaßt«.[29] Hier wie dort wurde allerdings demselben Kulturträgerehrgeiz gehuldigt: »Der Schriftsteller hat sich seiner Rolle bewußt zu sein. Er ist das Gewissen der Zeit, er sollte es wenigstens sein, und hat danach zu handeln.«[30] Ihr elitäres Selbstverständnis und die Projektion einer Machtergreifung des Geistes, die auf der Rechten wie auf der Linken faszinierte, hinderte auch die Aktivisten daran, ein realistisches Verständnis der Rolle des kritisch-libertären Intellektuellen zu entwickeln. Der Überspannung lag eine Verwechslung von intellektuellem Einfluß mit der Verfügung über politische Macht zugrunde:

Diese Aktivisten teilen mit den unpolitischen Dichterfürsten und mit den Mandarinen der Wissenschaft den bildungselitären Anspruch aufs Höhere, während sie mit den Realpolitikern die falsche Annahme teilen, daß politisches Engagement für den Intellektuellen heißen müsse, im Kampf der politischen Parteien eine eigene Machtposition zu erringen und im politischen Betrieb selbst eine Funktion zu übernehmen.[31]

IV. Links über den Parteien

Die aktivistische Forderung: »Werdet politisch!«,[32] die eine »Vergesellschaftung und Tatengemeinschaft« der vom Volk abgehobenen und zersplitterten literarischen Intelligenz versprach, erfüllte sich auf unerwartete Weise: »Da brach der Krieg herein. Und aus kultivierten ichsüchtigen Ästheten wurden Politiker. Volksanbeter. Jetzt schwuren sie ihrem Individualismus ab und wollten nur noch Masse sein.«[33] Nicht nur die unpolitischen Dichterfürsten, auch die meisten Expressionisten verfielen einer patriotisch drapierten Kriegsbegeisterung, die sozialpsychologische Phantasmen hegte: »Der Krieg ist nicht als solcher wünschbar«, hatte Robert Müller (1887–1924) in der Wiener Zeitschrift *Der Ruf* [→ 447f.] erklärt, »sondern in seinen ethischen Erscheinungen und in seiner Produktivität«.[34] Schnell erwies sich die ersehnte Flucht aus dem bürgerlichen Alltag in die vermeintlich gemeinschaftsstiftende und kreative Sphäre des Krieges als grauenhafte Konfrontation mit physischer und psychischer Vernichtung. »Wir machen augenblicklich die furchtbarste Schule des Aktivismus durch«,[35] schrieb Rudolf Kayser (1889–1964). Kriegsenthusiasten, die mit Ernst Troeltsch (1865–1923) Freiheit in »todesmutigem Glauben an die Selbstbestimmung des Geistes durch Gedanke und Überzeugung statt seinem Geschobenwerden durch Zufall, Umwelt und Vererbung«[36] gesucht hatten, wandelten sich zu Kriegsgegnern. Nun unterschied man den richtigen friedensbewegten ›Geist‹ von der falschen deutschen Gesinnung der ›Ideen von 1914‹. Die erzwungene Umorientierung der Geistigen und des Geistes schien das mehrdeutige Vokabular des schriftstellerischen Aktivismus nicht zu tangieren: »Der Geist ist die Kraft, die aufs Ganze geht«, proklamierte Hiller in seinem resonanzreichen Essay *Philosophie des Ziels*: »Seien wir der Geist! Sein Weg: lang, beschwerlich und voller Opfer; aber der einzige, den es zu schreiten lohnt. Seien wir der Geist; marschieren wir mit irdischfestem Fuß, – im Auge Unendlichkeit!«[37] Auch der fragwürdige Herrschaftsanspruch blieb ungebrochen: »Aus dem Innersten Stellung nehmend, wollen wir die Politik als Geistige begleiten und vielleicht einmal führen«,[38] verkündet der intellektuelle Protagonist in Robert Müllers Drama *Die Politiker des Geistes*. Insititutionell begleitete den Intellektuellendiskurs der Aktivisten eine Reihe von Versuchen zur ›Organisierung der Intelligenz‹, die jedoch wenig Bestand hatten und zudem miteinander rivalisierten. Der August 1917 von Hiller gegründete ›Bund zum Ziel‹ wollte eine Plattform für den internationalen Austausch der friedenswilligen Eliten bilden.[39] Franz Pfemferts 1915 gegründete illegale ›Antinationale Sozialisten-Partei‹, deren ›Aufruf‹ im November 1918 u. a. von Albert Ehrenstein (1886–1950), Karl Otten (1889–1963) und Carl Zuckmayer (1896–1977) unterzeichnet wurde, kontaktierte mit dem Spartakus-Bund.[40] Die Mehrzahl der Aktivisten unterstützte das reformistisch moderierte Programm der zur gleichen Zeit in Berlin und München konstituierten ›Politischen Räte geistiger Arbeiter‹, das den in der USPD vertretenen Positionen nahestand.[41] Rubiner versuchte ab 1919 im Berliner ›Bund für proletarische Kultur‹, die von pazifistischen und utopisch-revolutionären Impulsen getragene Künstlerschaft auf den konkreten Klassenbezug einzuschwören.[42] Schickele dagegen war als Leiter der deutschen Sektion der im Juli 1919 von Henri Barbusse (1873–1935) u. a. gegründeten Clarté-Gruppe tätig, die eine sozialistische ‹Internationale des Geistes‹ propagierte, bevor sie sich der kommunistischen III. Internationale annäherte.[43] Die politischen Ansichten der Linksintellektuellen gingen zu weit auseinander, um eine homogene Opposition zuzulassen. Wer den Sozialismus als Kommunismus materieller Besitzverhältnisse begriff, akzeptierte letzten Endes die bolschewistische Methode revolutionärer Gewalt. Wem ein abstrakt-freiheitlicher Sozialismus vorschwebte, setzte auf die Proklamation sozialer Gerechtigkeit und die Hoffnung auf solidarisch-humane Neuorientierung.[44] »Der Fall des Geistes! Sein Ort ist in Wahrheit: *links über den Parteien*«,[45] beschrieb Hiller die prekäre Position seines logokratischen Aktivismus, der jenseits politischer Parteien den Anspruch auf Teilhabe am radikalen Neubeginn erhob. Um »Herr der Abläufe zu werden. Mindestens Mit-Herr«,[46] schlug er allen Ernstes eine eigene politische Vertretung der Intelligenz vor, ein »Herrenhaus«,[47] das er ohne demokratisches Mandat zur Regierung des Volkes befähigt und legitimiert hielt. Anarchistische und linkskommunistische Radikal-Aktivisten quittierten dieses Konzept mit Spott und wütenden Angriffen. Mit den »weltverbessernden Theorien literarischer Hohlköpfe«,[48] wie die Berliner Dadaisten polemisierten, wollte auch der ›Aktions‹-Kreis nichts zu schaffen haben. Aktivisten vom Schlage Hillers galten dort als Verräter der Revolution, die »an ihrer bauchblähenden Pöbelverachtung krepieren«[49] mögen. »Die ganz brutalen Marxisten blieben weg«, replizierte Müller in seiner *Bilanz des Aktivismus*, »die feinen, die landauerschen Intellekte des Sozialismus ⟨...⟩ hielten ihre personelle Affinität zur aktivistischen Gemeinschaft selbst unterm Druck des Dogmatischen, dem sie verschrieben sind, aufrecht.«[50]

V. Geist der Utopie

Oberste normative Instanz der Kulturkritik und Literaturpolitik des Aktivismus war ein überdeterminierter Begriff des ›Geistes‹, der nicht nur im Kantischen Sinne das rationale, der Freiheit und Entfaltung des Lebens dienende Denken meinte, sondern Geist darüberhinaus im spirituellen Sinne eines den ganzen Menschen erfassenden Pneuma und als subversiv-vitale Energie der Empörung bestimmte:

> Geist ist immer dagegen. Und deshalb ist er der schöpferische Teil des Lebens. Er bewirkt die Dynamik der Welt. ⟨...⟩ Der Geist ist der ewige Kampf, die tägliche Geburt, die fortwährende Auferstehung.[51]

Um nichts weniger als die »Besserung des Loses der Menschheit« besorgt, verstanden sich aktivistische Geistespolitiker als Avantgarde der utopischen Intention: »Klipp und klar sei es ausgesprochen: Wir wollen, bei lebendigem Leibe, ins Paradies.«[52] Zwar verzichteten sie darauf, dieses Paradies auszumalen, doch war ihr meist in theoretisch ambitionierter Form vorgetragener gefühlsbetonter Sozialismus[53] sozialutopisch überfrachtet und, von sachkundigen Vorschlägen zur Reform des Schulwesens, der Presse und des Strafrechts abgesehen, auch wegen Verkennung der realen Machtverhältnisse nicht geeignet, die konkreten Probleme in Staat, Wirtschaft und Gesellschaft zu lösen. Das spricht nicht gegen den damals philosophisch werdenden ›Geist der Utopie‹, der hoffte, »das Rechte zu finden, um dessentwillen es sich ziemt, zu leben, organisiert zu sein«, und dort »das Wahre, Wirkliche« zu suchen, »wo das bloß Tatsächliche verschwindet«.[54] Widerlegt wurde die Illusion des literarischen Aktivismus, eine autonome Intellektuellenpolitik habe echte Machtchancen. Der Sprung von der ›tathaften Politik‹ in die Realpolitik endete bekanntlich im Desaster der Münchner Räterepublik.[55] Weder folgten die Massen dem Glauben an die Möglichkeit des Übergangs von der ›bürgerlichen‹ zur ›sozialistischen‹ Revolution, noch gelang es, die Bürgerklasse zu einer ›Revolution des Geistes‹ zu bewegen. Wie problematisch-inkompetent und im Max Weberschen Sinne dilettantisch das gesinnungsethisch geprägte Politikverständnis Kurt Eisners (1867–1919), Gustav Landauers (1870–1919) [→ 411 ff.], Erich Mühsams (1878–1934) [→ 417 ff.] und Tollers aber auch gewesen sein mag, es darf zugute gehalten werden, was Hugo Ball (1886–1927) als unbewältigbare Aufgabe resümierte: Den Versuch, »mit unzureichenden Mitteln 〈...〉 in wenigen Jahren das nachzuholen, was ganze Generationen versäumt und verabschiedet haben«.[56] Als ein Jahr nach der Inflation unter dem Titel *Geistige Politik* das letzte der fünf *Ziel-Jahrbücher* erschien, war der literarische Aktivismus als konturierte geistig-politische Bewegung zwischen 1915 und 1920 schon Vergangenheit und Gegenstand kritischer Rückschau. Rudolf Leonhard meinte, »die Bilanz ergibt, da er eine Vorfrage war und da er ohne Beziehung blieb, zwar keine Schulden, nicht einmal Schulden, sondern Null«.[57] Gegen Ende der latent revolutionären Phase der Weimarer Republik schlossen auch andere Kapitel der ›Literaturrevolution‹ mit Enttäuschung: Der späte Expressionismus verebbte als modische Konjunktur, die Dada-Avantgarde löste sich auf und der intellektuelle Linksradikalismus fand sich am Rand wieder.[58] Zugegeben: »Es war ein folgenschwerer Irrtum der Intellektuellen, die ihnen vertraute literarische Öffentlichkeit, die sich 1918/19 tatsächlich in einer schöpferischen Aufbruchsstimmung befand, mit der politischen Öffentlichkeit, die nach dem Krieg nichts als Ruhe und Ordnung wollte, zu identifizieren.«[59] Der Anspruch parteiunabhängiger ›Geistespolitik‹ als Korrektur der Realpolitik blieb in der linksbürgerlichen Kritik der Weimarer Republik präsent, bevor die Machtergreifung Hitlers ihr endgültiges Scheitern besiegelte. »Aber da auch alle anderen Politiken in der Epoche des Faschismus ihre spezifischen Niederlagen erfahren mußten, kommt dieser Aussage nichts Dramatisches 〈...〉 zu.«[60]

Anhang

Anmerkungen

Vorbemerkung

1 Vgl. Barner; Wilfried: Kommt der Literaturwissenschaft ihr Gegenstand abhanden? In: Jb. d. dt. Schillergesellschaft 42, 1998, 457–462; Graevenitz, Gerhart von: Literaturwissenschaft und Kulturwissenschaft. Eine Erwiderung. In: Deutsche Vierteljahresschrift für Literaturwissenschaft und Geistesgeschichte 73/1, 1999, 94–115; Mix; York-Gothart: Der Text und seine Medialisierung. Literatur- und Buchwissenschaft im Kontext der postmodernen Theoriediskussion. In: Weimarer Beiträge 45/1, 1999, 94–111; Voßkamp; Wilhelm: Die Gegenstände der Literaturwissenschaft und ihre Einbindung in die Kulturwissenschaft. In: Jb. d. dt. Schillergesellschaft 42, 1998, 503–507.

2 Jurt, Joseph: Bourdieus Analyse des literarischen Feldes oder der Universalitätsanspruch des sozialwissenschaftlichen Ansatzes. In: IASL 22/2, 1997, 172.

3 Vgl. Mix, York-Gothart: Kulturelles Kapital für 20, 50 oder 80 Pfennige. Medialisierungsstrategien Leipziger Verleger in der frühen Moderne am Beispiel der ›Universal Bibliothek‹, der ›Insel-Bücherei‹ und der Sammlung ›Der jüngste Tag‹. In: Archiv für Kulturgeschichte (AKG) 2, 1999; Jäger, Georg: Keine Kulturtheorie ohne Geldtheorie. Grundlegung einer Theorie des Buchverlags. In: Schmidt, Siegfried J. (Hrsg.): Empirische Literatur- und Medienforschung. Siegen 1995, 31 (= Lumis-Schriften Sonderreihe, 7)

4 Grimminger, Rolf: Vorbemerkung. In: G. R. (Hrsg.): Deutsche Aufklärung bis zur Französischen Revolution 1680–1789. München 1980, 8. (= Hansers Sozialgeschichte der deutschen Literatur, 3).

5 Ort, Klaus-Michael: Vom Text zumWissen. Die literarische Konstruktion soziokulturellen Wissens als Gegenstand einer nicht-reduktiven Sozialgeschichte der Literatur. In: Danneberg, Lutz/Vollhardt, Friedrich (Hrsg.): Vom Umgang mit Literatur und Literaturgeschichte. Positionen und Perspektiven nach der ›Theoriedebatte‹. Stuttgart 1992, 411.

6 Grimminger, Vorbemerkung (s. Anm. 4), 7.

7 Le Goff, Jacques: Neue Geschichtswissenschaft. In: L. G., J./Chartier, Roger/Revel, Jacques (Hrsg.): Die Rückeroberung des historischen Denkens. Grundlagen der Neuen Geschichtswissenschaft. Frankfurt/M. 1990, 50.

8 Vgl. Voßkamp, Wilhelm: Einheit in der Differenz. Zur Situation der Literaturwissenschaft in wissenschaftshistorischer Perspektive. In: Jäger, Ludwig (Hrsg.): Germanistik. Vorträge des Deutschen Germanistentags 1994. Disziplinäre Identität und kulturelle Leistung. Weinheim 1995, 29–45; Chartier, Roger: Zeit der Zweifel. Zum Verständnis gegenwärtiger Geschichtsschreibung. In: Conrad, Christoph/Kessel, Martina (Hrsg.): Geschichte schreiben in der Postmoderne. Beiträge zur aktuellen Diskussion. Stuttgart 1994, 90 f. Bei Chartier heißt es: Es geht »um etwas Grundlegendes: 1. zu verstehen, wie die jeweils besondere und erfindungsreiche Lektüre des einzelnen Lesers von einer Reihe von Determinationen eingegrenzt wird; 2. um die von den Texten angestrebten Bedeutungseffekte;

3. um die durch die Formen der Textvermittlung an die Leser (oder Hörer) auferlegten Beschränkungen; 4. um die der jeweiligen Lesergemeinschaft eigentümlichen Kompetenzen oder Konventionen der individuellen Lektüre.«

9 Luhmann; Niklas: Tautologie und Paradoxie in den Selbstbeschreibungen der modernen Gesellschaft. In: Zeitschrift. f. Soziologie 16, 1987, 161.

10 Luhmann, Niklas: Gesellschaftsstruktur und Semantik. Studien zur Wissensoziologie der modernen Gesellschaft. Bd. I. Frankfurt/M. 1980, 15.

Horst Thomé: Modernität und Bewußtseinswandel in der Zeit des Naturalismus und des Fin de siècle

1 Zur Begriffsgeschichte vgl. *Gumbrecht, Modern*. Der Schwerpunkt liegt hier auf der ästhetischen Begriffsbildung.

2 Vgl. *Bölsche, Grundlagen der Poesie*, 1.

3 Vgl. die Ausführungen zur »modernen Tragödie« bei *Lukács, Drama,* 203 ff. und 495 ff.

4 Zum ›modernen‹ Konservatismus vgl. *Mohler, Konservative Revolution.* Die ›Ideen‹ der Bewegung lassen sich durchaus bis ins Kaiserreich zurückverfolgen.

5 Vgl. *Gumbrecht, Modern*, 120 ff.

6 *Tönnies, Gemeinschaft* (zuerst 1887).

7 *Simmel, Philosophie* (zuerst 1900).

8 Vgl. die große, späte Zusammenfassung *Weber, Wirtschaft* (zuerst 1921).

9 Vgl. *Parsons, System; Münch, Kultur.*

10 Vgl. *Luhmann, Gesellschaftliche Struktur.*

11 Ebd., 15.

12 Als Modellstudie vgl. *Stichweh, Entstehung.*

13 Vgl. *Weber, Sozialismus*, 498.

14 Vgl. *Eulner, Entwicklung.*

15 Zur Industrialisierung vgl. *Wehler, Gesellschaftsgeschichte,* 493 ff.

16 Zu Bildungsbürgertum und Universität vgl. ebd., 730 ff., 1201 ff. und *Nipperdey, Geschichte*, 1. Bd., 382 ff., 531 ff.

17 So die höchst erfolgreiche Schrift *Büchner, Kraft.*

18 Zu den Parteien vgl. *Wehler*, *Gesellschaftsgeschichte,* 848.

19 *Vgl. Zwick, Erinnerungskultur.* Zu den Wissenschaften allgemein auch *Nipperdey, Geschichte*, 602 ff., bes. 676 ff. Die Spezialisierung und Fragmentierung setzt in den ›weicheren‹ Wissenschaften später ein. So gibt es in der Psychologie (Wilhelm Wundt) oder in der Psychiatrie (Richard von Krafft-Ebing, Emil Kraepelin) noch lange die großen persönlichen Summen.

20 Zum modernen Meinungspluralismus vgl. *Luckmann, Identität.*

21 Vgl. *Koselleck, Geschichte.*

22 Zu den Medien vgl. *Wehler, Gesellschaftsgeschicht*e, 1224 ff.

23 Zum Beispiel der Ausbildung des »intimen«, an einer kleinen Zielgruppe orientierten Dramas vgl. *Lukács, Drama*, 52 ff.

24 Vgl. *Žmegač, Jahrhundertwende.*

25 Vgl. *Rasch, Literatur*, 6–8.
26 Vgl. *Luhmann, Individuum.*
27 Vgl. *Rosenbaum, Familie.*
28 So *Wehler, Gesellschaftsgeschichte*, 518 ff.
29 Vgl. *Luhmann, Liebe.*
30 Nach *Münch, Moderne,* 2. Bd., 683 ff., war die deutsche Gesellschaft auf die Modernisierung besonders schlecht vorbereitet, da diese der aus lutherischen Traditionen gespeisten Kultur der Innerlichkeit widersprach. Der Modernisierungsschock prägt sich deshalb deutlicher und wirkungsmächtiger aus als in den westlichen Gesellschaften (Amerika, England). Zu den österreichischen Sonderbedingungen (Verunsicherung des deutschsprachigen Bildungsbürgertums durch den frühen Zusammenbruch des Liberalismus) vgl. *Schorske, Wien.*

Theo Meyer: Naturalistische Literaturtheorien

1 So definiert Eugen Wolff, ganz im Sinne Zolas, den »künstlerischen Naturalismus« als Ausdruck der inneren und äußeren Konditionen des Menschen, der »Anlagen« und der »Verhältnisse«. (Wolff, Eugen: Die jüngste deutsche Litteraturströmung und das Prinzip der Moderne. Litterarische Volkshefte, Nr. 3. Berlin 1888, 271.
2 Vgl. *Schulz, Naturalismus*, 96; vgl. Der Realismus vor Gericht. Vorgeschichte des Prozesses. In: Die Gesellschaft, 6. Jg., 1890, H. 8., 1141–1232.
3 Vgl. *Schwab-Felisch, Weber*, 93–98, 243–261.
4 Die Gesellschaft, 1. Jg., 1885, Nr. 1, 1.
5 Hart, Heinrich/Hart, Julius: Wozu, Wogegen, Wofür? 7. In: Kritische Waffengänge. Leipzig 1882, I. Heft, 3–8
6 Ebd., 4.
7 Holz, Arno: Das Buch der Zeit. Lieder eines Modernen. Zürich 1886, 308.
8 *Conrad, Übermensch*, 8.
9 *Bleibtreu, Kampf*, 84.
10 Conrad, Michael Georg: Flammen! Für freie Geister. Leipzig 1882, 58.
11 Alberti, Conrad: Entwicklung und Ergebnisse der »grossen Revolution«. In: Die Gesellschaft, 5. Jg., 1889, H. 10, 1379–1405, hier 1320.
12 »Trois sources différentes contribuent à produire cet état moral élémentaire, *la race, le milieu* et *le moment*« (Taine, Hippolyte: Histoire de la Littérature Anglaise. Tome premier. Paris 1863, XXII f.).
13 Hart, H. u. J.: Wozu, Wogegen, Wofür? (s. Anm. 5), 6 u. 7.
14 Bleibtreu, Carl: Revolution der Litteratur. Leipzig 1886. Neu hrsg. v. Johannes J. Braakenburg. Tübingen 1973, 29.
15 Ebd., 31.
16 Ebd., 31.
17 Ebd., 95.
18 Bölsche, Wilhelm: Die naturwissenschaftlichen Grundlagen der Poesie. Prolegomena einer realistischen Aesthetik. Leipzig 1887. Mit zeitgenössischen Rezensio-

nen und einer Bibliographie der Schriften Wilhelm Bölsches. Neu hrsg. v. Johannes J. Braakenburg. Tübingen 1976, 1.

19 Ebd., 4.

20 Ebd., 7.

21 Ebd., 64.

22 Alberti, Conrad: Die zwölf Artikel des Realismus. Ein litterarisches Glaubensbekenntnis. In: Die Gesellschaft, 5. Jg., 1889, H. 1, 2–11.

23 Alberti, Conrad: Natur und Kunst. Beiträge zur Untersuchung ihres gegenseitigen Verhältnisses. Leipzig 1890, 7 f.

24 Ebd., 216 und 218 f.

25 Hart, Heinrich/Hart, Julius: Für und gegen Zola, 48. In: Kritische Waffengänge, 1882, 2. Heft, 44–55.

26 Holz, Arno: Briefe. Eine Auswahl. Hrsg. v. Anita Holz und Max Wagner. Mit einer Einführung von Hans Heinrich Borcherdt. München 1948, 72 (Brief an Otto Erich Hartleben vom August 1885).

27 Holz, Arno: Dr. Richard M. Meyer, Privatdozent an der Universität Berlin, ein litterarischer Ehrabschneider. Berlin 1900, 30.

28 Holz, Arno: Revolution der Lyrik. Berlin 1899, 23.

29 Holz, Arno: Die Kunst. Ihr Wesen und ihre Gesetze ⟨2 Teile⟩. Berlin 1891 u. 1892. I, 117.

30 Ebd., 112.

31 Holz, Arno: Die neue Wortkunst. Eine Zusammenfassung ihrer ersten grundlegenden Dokumente. Berlin 1925, 187.

32 Holz, Kunst (s. Anm. 29), II, 83 f.

33 Holz, Briefe (s. Anm. 26), 84 (Brief an Max Trippenbach v. 10. Februar1889).

34 Ebd., 104 (Brief an Henri Gartelmann vom 2. Juni 1896).

35 Ebd., 105.

36 Ebd., 220 (Brief an Carl Meissner vom 1. Mai 1916). Zum Begriff »Sekundenstil« vgl. *Hanstein*, *Deutschland*, 157. Dort heißt es mit Bezug auf die Holzsche Sprachtechnik: »Die innere Technik ist das, was ich als ›Sekundenstil‹ bezeichnen möchte, insofern Sekunde für Sekunde Zeit und Raum geschildert werden«.

37 Holz, Briefe (s. Anm. 26), 206 (Brief an Julius Bab vom 13. Dezember 1915)

38 Holz, Kunst (s. Anm. 29), II, 44. Zur Kritik der Ismen vgl. auch Gerhart Hauptmann: Die Kunst des Dramas. Über Schauspiel und Theater. Zusammengestellt v. Martin Machatzke. Frankfurt/M./Berlin 1963, 25 (1890).

39 Zum Naturbegriff von Arno Holz vgl. generell *Emrich*, *Holz*.

40 Holz, Kunst (s. Anm. 29), I, 88.

41 Ebd., 97.

42 Ebd., 89.

43 Ebd., 96.

44 Holz, Briefe (s. Anm. 26), 104 (Brief an Henri Gartelmann v. 2. Juni 1896).

45 Zola, Emile: Le Roman Expérimental.16. In: Les Œuvres complètes. Hrsg. v. Maurice Le Blond. Paris 1927–1930, Bd. 35, 1–126).

46 Ebd., 17.

47 Ebd., 24 und 25.

48 Conrad, Michael Georg: Zola und Daudet. In: Die Gesellschaft, 1. Jg., 1885, Nr. 40, 746–750, Nr. 43, 800–805, hier 746.
49 Holz, Arno/Schlaf, Johannes: Papa Hamlet. Hrsg. u. m. einem Nachwort versehen v. Theo Meyer. Frankfurt/M. 1979, 30.
50 Hart, Heinrich/Hart, Julius: Hugo Bürger. In: Kritische Waffengänge, 1882, H. 3, 3–51, hier 4.
51 Hillebrand, Julius: Naturalismus schlechtweg! (= Die Wahrheit im modernen Roman, 4). In: Die Gesellschaft, 2. Jg., 1886, 1. Bd., H. 4, 232–237, hier 236.
52 Halbe, Max: Berliner Brief. In: Die Gesellschaft, 5. Jg., 1889, H. 8, 1171–1186, hier 1174.
53 Ebd., 1176 f.
54 Ebd., 1177.
55 Ebd., 1177.
56 Ebd., 1178.
57 Holz, Arno: Sozialaristokraten. Komödie. Hrsg. v. Theo Meyer. Stuttgart 1980, 138.
58 Ebd., 138.
59 Holz, Arno: Evolution des Dramas. In: Holz, Wortkunst (s. Anm. 31), 211–484, hier 222.
60 Ebd., 224.
61 Ebd., 232.
62 Hauptmann, Kunst (s. Anm. 38), 35.
63 Ebd., 35.
64 Der Begriff ›sozial‹ ist ein im ganzen schlagwortartiger Begriff. Er gewinnt erst Kontur und Evidenz in der naturalistischen Darstellung des sozialen Milieus bei Gerhart Hauptmann. Bleibtreu nennt Hauptmanns *Vor Sonnenaufgang* das »erste wirkliche ›soziale Drama‹ unserer Tage, mit rein realistischer Technik« (Besprechung in: Die Gesellschaft, 5. Jg., 1889, H. 11, 1657–1660, Zitat: 1659).
65 Hauptmann, Kunst (s. Anm. 38), 204.
66 Ebd., 204.
67 Ebd., 193.
68 Ebd., 40.
69 Ebd., 38 (Dramaturgisches, 1912).
70 Ebd., 57 (Shakespeare-Visionen, 1918).
71 Ebd., 19 f (Das Drama im geistigen Leben der Völker, 1934).
72 Ebd., 20.
73 Moderne Dichter-Charaktere. Hrsg. v. Wilhelm Arent. Mit Einleitungen v. Hermann Conradi und Karl Henkell. Berlin 1885, I–IV. Zitat: II.
74 Ebd., V–VII. Zitate: V; VII.
75 Hart, Heinrich/Hart, Julius.: Ein Lyriker à la mode. In: Kritische Waffengänge, 1882, H. 3, 52–68, hier 53.
76 Holz, Revolution (s. Anm. 28), 23.
77 Ebd., 24.
78 Ebd., 45.
79 Ebd., 45.

80 Holz, Briefe (s. Anm. 26), 127 (Brief an Karl Hans Strobl vom 25. Juni 1900).

81 Zum »Biogenetischen Grundgesetz« vgl. Haeckel, Ernst: Generelle Morphologie der Organismen. 2. Bde. Berlin 1866, hier Bd. 2, Allgemeine Entwicklungsgeschichte der Organismen, 300. In der *Blechschmiede* von Holz tritt Haeckel auf und deklamiert: »Erst der Affe, dann das Genie – phylogenetische Psychologie!« (Holz, Arno: Die Blechschmiede (1902), II. Berlin 1924, 705).

82 Holz, Arno: Phantasus. Faksimiledruck der Erstfassung. Hrsg. v. Gerhard Schulz. Stuttgart 1968. Erstes Heft Berlin 1898, Zweites Heft Berlin 1899. Zitat: 2. H., 59. – Daß Arno Holz bei aller naturwissenschaftlichen Disziplin auch der poetischen Phantasie Spielraum läßt, zeigt die jede astrophysikalische Zeitdimension etwa im Hinblick auf die Entstehung des Kosmos hinter sich lassende überdimensionale Zeiterstreckung von sieben Billionen Jahren.

83 Holz, Arno: Phantasus, III. Berlin 1925, 1345.

Manuela Günter: Sozialistische Literaturtheorie im Wilhelminismus: Franz Mehring

1 Zu nennen sind v. a. Georgij Plechanov, Clara Zetkin und Rosa Luxemburg.

2 Unmittelbarer Anlaß dieser Intervention war das Erscheinen der Lessing-Monographie des Scherer-Nachfolgers Erich Schmidt. Wilhelm Scherer hatte die Literaturwissenschaft nachhaltig geprägt: »Die Substanz dieser wissenschaftlichen Schule? Preußisch-deutsche Ideologie. Die Methode? Deutsche Philologie als Selbstzweck.« (Vgl. *Mayer, Literaturwissenschaft,* 326).

3 Die ›Befreiung‹ der Bauern erweist sich in dieser Perspektive als Kampf gegen die Junker und ihr Verfügungsrecht über die Leibeigenen, das Friedrich II. für sich selbst beanspruchte, die Reformen und Liberalisierungen offenbaren sich als unabdingbar zur Beschaffung von Finanzmitteln für den aufwendigen Militärapparat (Mehring, Franz: Die Lessinglegende. In: Gesammelte Werke. Hrsg. v. Thomas Höhle, Hans Koch u. Josef Schleifstein. Berlin 1963 (= MGS) Bd. IX, 112–152).

4 MGS IX, 115.

5 »Der Grund ihrer verschiedenen Schicksale liegt nicht in der verschiedenen Art ihrer Begabung 〈...〉, sondern in der verschiedenen Stärke ihres Klassenbewußtseins.« (MGS IX, 217)

6 Engels, Friedrich: Brief an August Bebel vom 16. März 1892. In: Marx, Karl/ Engels, Friedrich: Werke. Berlin 1968 (= MEW) Bd. 38. 307–308, hier 308. »Es ist die beste regelrechte Belagerung der Zitadelle der preußischen Legende, die ich kenne 〈...〉.« (Ebd.)

7 *Lukács, Probleme,* 399.

8 Marx, Karl: Einleitung 〈zur Kritik der Politischen Ökonomie〉. In: MEW Bd. 13, 615–642, hier 640.

9 *Lukács, Probleme,* 399.

10 Zum politischen Kontext dieser Kritik vgl. *Bogdal, Mehring,* 80.

11 Ebd., 95.

12 »Das Geschmacksurteil ist also kein Erkenntnisurteil, mithin nicht logisch, sondern ästhetisch, worunter man dasjenige versteht, dessen Bestimmungsgrund *nicht anders* als *subjektiv* sein kann.« (Kant, Immanuel: Kritik der Urteilskraft. In: Werke in zehn Bänden. Hrsg. v. Wilhelm Weischedel. Bd. 8, 279.)

13 *Bogdal, Mehring*, 99.

14 Vgl. Engels, Friedrich: Brief an Franz Mehring vom 14. Juli 1893. In: MEW Bd. 39, 96–100, hier 97. Ausführlich polemisiert Engels in diesem Brief gegen das Mißverständnis einer Verabsolutierung der Basis gegen den Überbau: »Im Anfang wird stets die Form über den Inhalt vernachlässigt. 〈...〉 Damit zusammen hängt auch die blödsinnige Vorstellung der Ideologen: Weil wir den verschiednen ideologischen Sphären, die in der Geschichte eine Rolle spielen, eine selbständige historische Entwicklung absprechen, sprächen wir ihnen auch jede *historische Wirksamkeit* ab. Es liegt hier die ordinäre undialektische Vorstellung von Ursache und Wirkung als starr einander entgegengesetzten Polen zugrunde, die absolute Vergessung der Wechselwirkung.« (Ebd., 98).

15 *Buck, Mehring*, 19.

16 Luxemburg, Rosa: Franz Mehring: Schiller. Ein Lebensbild. In: Schriften über Literatur und Kunst. Hrsg. u. m. einem Nachwort vers. v. Marlen M. Korallow. Dresden 1972, 20–24, hier 20.

17 Ebd., 21.

18 Ebd., 20.

19 *Benjamin, Fuchs*, 467 f.

20 *Bogdal, Mehring*, 103.

21 Vgl. z. B. Mehrings Besprechung zu Hofmannsthal, MGS XI, 527–530.

22 Vgl. Schweichel, Robert: 〈Rezension zu *Germinal*〉. In: *Die Neue Zeit*, 3. Jg. (1885), 361–370.

23 Vgl. Mehring, Franz: Der heutige Naturalismus. In: MGS XI, 131–133; Etwas über den Naturalismus. In: MGS XI, 127–130.

24 Mehring, Franz: Gerhart Hauptmanns »Weber«. In: MGS XI, 277–285, hier 284.

25 Mehring, Franz: Der Fall Holz. In: MGS XI, 230–237.

26 Mehring, Franz: Ästhetische Streifzüge. In: MGS XI, 141–226, hier 224.

27 Mehring, Franz: Kunst und Proletariat. In: MGS XI, 134–140, hier 139; an anderer Stelle heißt es: »Unter den Waffen schweigen die Musen.« (MGS XI, 225)

28 *Stieg/Witte, Abriß*, 21.

29 Zwar verlegt auch Clara Zetkin in ihrem Aufsatz *Kunst und Proletariat* die »Renaissance der Kunst« »auf jene 〈...〉 Insel der Seligen, in 〈die〉 sozialistische 〈...〉 Gesellschaft« (Zetkin, Clara: Über Literatur und Kunst. Hrsg. v. Emilia Zetkin-Milowidowa. Berlin 1955. 100–114, hier 114), allerdings situiert sie deren Anfänge selbstbewußt in der Gegenwart und kritisiert die Ignoranz der Literaturkritiker, auch aus den eigenen Reihen: »Fast alle Leute, die in unseren Reihen literarisch etwas verstehen 〈...〉, sind in ekelhaftester Weise ›verkunstwartelt‹. Sie haben kein Verständnis dafür, daß das Proletariat auch auf künstlerischem Gebiete die bürgerliche Kultur nicht bloß übernehmen und weiterwursteln kann, sondern mit der ›Umwertung aller Werte‹ beginnen muß. Sie wollen das Proletariat ästhetisch verbürgerlichen, statt die neuen kulturellen Kräfte zu lösen und zur

Entfaltung selbständigen Lebens zu bringen.« (Brief Clara Zetkins an Franz Mehring v. 14. September 1904, zit. nach MGS XI, 596)

30 Mehring, Kunst und Proletariat, MGS XI, 445 f.

31 Vgl. *Fülberth, Proletarische Partei*, 110–114, bes. 112.

32 Steiger wollte mit seinem Abdruck der naturalistischen Romane *Der neue Gott* von Hans Land und *Mutter Bertha* von Wilhelm Hegeler in der sozialdemokratischen Familienzeitschrift *Neue Welt* das proletarische Publikum an die Moderne heranführen und entfesselte damit auf dem Parteitag in Gotha 1896 eine heftige Auseinandersetzung. Ausführlich zu dieser Debatte vgl. *Fülberth, Proletarische Partei*, 84–105.

Günter Häntzschel: Geschlechterdifferenz und Dichtung.
Lyrikvermittlung im ausgehenden 19. Jahrhundert

1 Vgl. Häntzschel, Günter (Hrsg.): Bibliographie der deutschsprachigen Lyrikanthologien 1840–1914. Teil 1: Bibliographie. Teil 2: Register. Unter Mitarbeit v. Sylvia Kucher und Andreas Schumann. München 1991; Häntzschel, Günter: Die deutschsprachigen Lyrikanthologien 1840 bis 1914. Sozialgeschichte der Lyrik des 19. Jahrhunderts. Wiesbaden 1997. Dort Angaben zu weiterer Forschungsliteratur.

2 Kluge, Hermann (Hrsg.): Auswahl deutscher Gedichte. Im Anschluß an die Geschichte der deutschen Nationalliteratur. Altenburg [4]1890.

3 Echtermeyer, Theodor (Hrsg.): Auswahl deutscher Gedichte für höhere Schulen. Halle [29]1888. [30]1891.

4 Ludwig, Oskar/Wolff, Bernhard (Hrsg.): Poetischer Hausschatz des deutschen Volkes. Vollständigste Sammlung deutscher Gedichte nach den Gattungen geordnet, begleitet von einer Einleitung, die Gesetze der Dichtung im Allgemeinen, so wie der einzelnen Abtheilungen insbesondere enthaltend, nebst einer kurzen Uebersicht ihrer Bildungsgeschichte seit den frühesten Zeiten ihres Erscheinens in Deutschland bis auf unsere Tage, und biographischen Angaben über die Dichter, aus deren Werken Poesieen gewählt wurden. Leipzig [28]1884. [29]1893.

5 Zettel, Karl (Hrsg.): In zarte Frauenhand. Ein Album in Wort und Bild für alle Jahreszeiten. Aus den Schätzen der Dichtkunst ausgewählt. Mit vielen Illustrationen in Holzschnitt und Lichtdruck. Stuttgart [5]1890.

6 Hoffmann, Carl (Hrsg.): Dichterblüthen. Eine Festgabe für Frauen und Jungfrauen. Bonn [4]1890.

7 Braun, Clara (Hrsg.): Knospen und Blumen. Lieder der Liebe und Freundschaft. Illustriert von R. E. Kepler und Anderen. Stuttgart 1890.

8 Braun, Clara (Hrsg.): Aus der Rosenzeit. Ein Liederstrauß. Mit 12 Photogravüren als Vollbilder nach Originalen von R. E. Kepler. Stuttgart 1890.

9 Braun, Clara (Hrsg.): Der Schönsten die Rose. Lieder deutscher Dichter. Mit acht in buntem Lichtdruck ausgeführten Vollbildern. Mit farbigem Randeinfassungen. Gebunden mit Goldschnitt und Riechkissen. Stuttgart 1890.

10 Bouffier, Franz (Hrsg.): Im Heiligthum der Familie. Dichtergrüße in Freud und Leid am eigenen Herd. Leipzig 1879.

11 Hausser, Marie (Hrsg.). Für Haus und Herz. Ein Album mit Original-Beiträgen deutscher Dichter und Dichterinnen. Breslau 1881.
12 Bern, Maximilian (Hrsg.): Am eignen Herd. Ein deutsches Hausbuch. Leipzig 1887.
13 Polko, Elise (Hrsg.): Hausgarten. Sammlung von Citaten und Gedichten über das Leben der Frau. Leipzig 1871.
14 Polko, Elise (Hrsg.): Poetische Albumsprüche. Leipzig 1879.
15 Polko, Elise (Hrsg.): Unser Glauben, Lieben und Hoffen. Fromme und ernste Lieder und Verse neuerer und neuester Dichter. Mit vier Chromolithographien nach Aquarellen von A. Brager. Hannover 1891.
16 Polko, Elise: Unsere Pilgerfahrt von der Kinderstube bis zum eignen Heerd. Lose Blätter.Leipzig 1863. 64 Tsd. 1909.
17 Dorenwell, Karl (Hrsg.): Das deutsche Haus im Schmucke der Poesie und Kunst. Mit 12 Photogravuren zum Text nach Originalen von Th. Schütz und Rudolf Köselitz. Wolfenbüttel [3]1893.
18 Koenig, Robert: Deutsche Literaturgeschichte. Mit 160 Bildnissen und erläuternden Abbildungen im Text und 33 zum Theil farbigen Beilagen außerhalb des Textes. Bielefeld/Leipzig 1879. Hrsg., bearbeitet und bis auf die Gegenwart fortgeführt v. Paul Weiglin. Ebd. [37]1930.
19 Koenig, Robert (Hrsg.): Deutsches Frauenleben im deutschen Liede. Oldenburg 1882.
20 Koenig, Robert (Hrsg.): Weibliches Leben. Von der Wiege bis zum Grabe. Im Munde deutscher Dichter alter und neuer Zeit. Eine Blütenlese heimatlicher Dichtungen aus den Quellen für das Haus und die Schule gesammelt und stufenmäßig geordnet. Oldenburg 1860.
21 Grabein, Paul (Hrsg.): Liebeslieder moderner Frauen. Eine Sammlung. Berlin 1902. Zitat IX
22 Blumen der Liebe. Sammlung lyrischer Gedichte, im Garten neuerer deutscher Dichtung ausgewählt von Frauenhand. Leipzig [7]1884, 487.
23 Virginia, Julia (Hrsg.): Frauenlyrik unserer Zeit. Berlin/Leipzig 1907, 121.

Theo Meyer: Das naturalistische Drama

1 Hauptmann, Gerhart: Das Abenteuer meiner Jugend. In: Sämtliche Werke. Hrsg. v. Hans-Egon Hass. Darmstadt 1962, Bd. VII., 451–1088, hier 1075.
2 Zur Episierung des Dramas vgl. generell *Szondi*, *Theorie*.
3 Hauptmann, Das Problem des Dramatischen (1912). In: Sämtliche Werke (s. Anm. 1), Bd. VI., 917–918, hier 917
4 Hauptmann, Dramaturgie. In: Sämtliche Werke (s. Anm. 1), Bd. VI., 1036–1045, hier 1043.
5 Hauptmann, Gerhart: Die Kunst des Dramas. Über Schauspiel und Theater. Zusammengestellt v. Martin Machatzke. Frankfurt/M., Berlin/Wien 1963, 204. Zu Handlung und Charakter vgl. auch *Schulz*, *Theorie*, 410 u. 414 f.
6 Hauptmann, Kunst des Dramas (s. Anm. 5), 35.

7 Holz, Arno: Evolution des Dramas. In: Die neue Wortkunst. Berlin 1925, 211–484, hier 227.
8 In einem Brief vom 23. Oktober 1875 schreibt Ibsen, das Drama werde »viele wesentliche Probleme der Zeit anschneiden« (Ibsen, Henrik: Briefe. Auswahl, Übersetzung u. Nachwort v. Anni Carlsson. Stuttgart 1967, 91).
9 Ibsen, Henrik: Die Stützen der Gesellschaft. Schauspiel in vier Akten. Aus dem Norwegischen neu übertragen v. Hans Egon Gerlach. Stuttgart 1960, 114 u. 118.
10 Ibsen, Briefe (s. Anm. 8), 109 (14. April 1880).
11 Vgl. dazu *Meyer*, *Darwinismus*; *Cast*, *Vererbung*; *Schmidt*, *Darwinismus*.
12 Ibsen, Briefe (s. Anm. 8), 116 f. (6. Januar 1882).
13 Das hat schon Otto Brahm (1856–1912) in seinem Ibsen–Essay von 1886 hervorgehoben. Vgl. *Brahm*, *Ibsen*, 37 ff.
14 Vgl. dazu *Friese*, *Ibsen*.
15 Zur zeitgenössischen Rezeption vgl. *Schlenther*, *Finsternis* sowie *Olden*, *Tolstoi*. Generell zur Wirkung der Russen vgl. *Hoefert*, *Russische Literatur*, VII–XXV; *Hoefert*, *Hauptmann*.
16 Tolstois Anliegen ist eine von der »exklusiven Kunst der höchsten Klassen« radikal unterschiedene religiöse, kommunikative »Kunst des Volkes« (Tolstoi, Lew: Was ist Kunst? (1898). In: Ästhetische Schriften. Hrsg. v. Gerhard Dudek. Berlin 1984, 39–232, hier 105).
17 Strindberg, August: Das Plädoyer eines Irren (1887/88). In: Werke in zeitlicher Folge. 5. Bd. . Hrsg. v. Wolfgang Butt. Frankfurt/M. 1984, 309–580, hier 509.
18 Hauptmann, Kunst des Dramas (s. Anm. 5), 95.
19 Vgl. Schwab-Felisch, Hans: Gerhart Hauptmann. Die Weber. Vollständiger Text des Schauspiels. Dokumentation. Frankfurt/M., Berlin/Wien 1959 ff., 115–152.
20 Vgl. Hauptmann, Gerhart: Erlebnisse, in Schwab-Felisch (s. Anm. 19), 161–165.
21 Schwab-Felisch, Weber (s. Anm. 19), 96.
22 Zur Auseinandersetzung um Hauptmanns Stück s. ebd., bes. 93–106.
23 Vgl. dazu *Martini*, *Biberpelz*.
24 Martini verweist auf die 1894 im Reichstag erfolgende Debatte über die gegen Staatskritik gerichtete Umsturzvorlage (*Martini*, *Nachwort*, 149).
25 Holz, Evolution des Dramas (s. Anm. 7), 222.
26 Holz, Arno: Sozialaristokraten. Komödie. Hrsg. v. Theo Meyer, Stuttgart 1980, 138, sowie Holz, Arno u. Schlaf, Johannes: Neue Gleise. Berlin 1892, 221–223. Neudruck in: *Meyer, Theorie*, 274–276 (Neuausgabe 1997 mit umfangreicher Bibliographie).
27 Holz, Sozialaristokraten (s. Anm. 26), 138.
28 Vgl. dazu *Scheuer*, *Sozialismus und Individualismus*
29 Schlaf, Johannes: Vom intimen Theater. In: Neuland. 2. Jg. 1. Bd. 1898, 33–38, hier 35.
30 Hauptmann, Kunst und Wissenschaft (1912). In: Sämtliche Werke (s. Anm. 1). Bd. VI., 697–700, hier 698.
31 *Mehring*, *Streifzüge*, 187.
32 Ebd., 189.
33 Ebd., 194 f.

34 Vgl. dazu *Pforte, Sozialdemokratie und Naturalisten.*
35 *Blätter*, 10. Nach Koopmann bestehen allerdingsspezifische Gemeinsamkeiten zwischen Symbolismus und Naturalismus (Traditionskritik, Gruppenbildung, Lebensbegriff, Sprachtechniken, Symbolik); vgl. *Koopmann, Kunsttheorien*, 62–75)
36 Vgl. *Bahr, Naturalismus.*
37 *Kornfeld, Der beseelte Mensch*, 3 u. 10–13.
38 *Brecht, Theater*, 301.
39 *Brecht, Realismustheorie*, 302.
40 *Brecht, ⟨Rundfunkgespräch⟩*, 151.

Helmut Scheuer: Generationskonflikte im naturalistischen Familiendrama

1 *Mannheim, Generationen*, 509–565.
2 *Koebner, Mythos Jugend*, 360.
3 Moeller van den Bruck, Arthur: Die Deutschen. Bd. 1. Minden 1904, 142; siehe dazu *Stern, Kulturpessimismus*, 226.
4 *Nordau, Lügen*, 274 f.
5 Ebd., 275.
6 *Brauneck/Müller, Naturalismus*, 21.
7 Zit. nach *Scheuer, Arno Holz*, 50.
8 *Brauneck/Müller, Naturalismus*, 33.
9 Ebd., 59.
10 Zit. nach *Scheuer, Arno Holz*, 60, 62.
11 Ebd., 47.
12 *Brauneck/Müller, Naturalismus*, 43.
13 Zit. nach *Scheuer, Arno Holz*, 63.
14 Brahm, Otto: Kritiken und Essays. Ausgew., eingel. u. erl. v. Fritz Martini. Zürich/Stuttgart 1964, 324.
15 *Dosenheimer, Soziales Drama*, 5.
16 *Schrimpf, Struktur*, 285.
17 Hebbel, Friedrich: Maria Magdalena. Ein bürgerliches Trauerspiel in drei Akten. Stuttgart 1986, 26.
18 So am 11. Dez. 1843 an Auguste Stich-Crelinger. In: Sämtliche Werke. Hrsg. v. Richard Maria Werner. Abt. 3: Briefe. Bd. 1–8. Berlin 1904–07. Bd. 2, 347 f.
19 Hebbel, Maria Magdalena (s. Anm. 17), 28 f.
20 Vgl. dazu *Scheuer, Selicke*, 87–97.
21 Vgl. dazu *Kafitz, Grundzüge*, 276–280.
22 *Schrimpf, Struktur*, 280; *Kayser, Dramaturgie*, 222; *Kluge, Das verfehlte Soziale*, 196; *Koopmann, Sentimentalität*, 182; vgl. dazu *Scheuer, Selicke*, 87 f.
23 Auch *Dosenheimer, Soziales Drama* hat kein einheitliches Schema.
24 So *Kluge, Das verfehlte Soziale*, 233.
25 Vgl. dazu *Scheuer, Selicke*, 86–97.
26 *Elias, Prozeß*, Bd. 1, Einleitung.

27 *Horkheimer, Autorität*, 53.
28 Hauptmann, Gerhart: Sämtliche Werke. Hrsg. v. Hans-Egon Hass. 11 Bde. Frankfurt/M./Berlin 1962–1974 (Centenar-Ausgabe). Bd. 1: Dramen, 1142.
29 Ebd., 253.
30 Ebd., 249 f.
31 Ebd., 250.
32 Ebd.
33 Ebd., 1171.
34 Ebd., 126.
35 Ebd., 135.
36 Ebd., 147.
37 Ebd., 149.
38 Ebd., 128.
39 Wedekind, Frank: Werke in zwei Bänden. München 1990. Bd. 1, 531.
40 Hauptmann, Werke (s. Anm. 28), 249 f.
41 Wedekind, Werke (s. Anm. 39), 531.
42 Zit. nach *Wais, Vater-Sohn*, 13.
43 Ebd., 12.
44 Ebd., 16.
45 Vgl. *Scheuer, Hasenclever.*
46 Zit. n. *Wais, Vater-Sohn*, 17.
47 Ebd., 18.
48 *Sørensen, Herrschaft*. Vgl. auch *Scheuer, Väter und Töchter*.
49 Vgl. dazu *Müller-Salget, Autorität*; *Scheuer, Selicke*.
50 Holz, Arno/Schlaf, Johannes: Die Familie Selicke. Stuttgart 1966 (Reclam UB 8987), 58.
51 Vgl. *Weber-Kellermann, Familie*; *Rosenbaum, Familie*.
52 Vgl. dazu *Greis, Drama Liebe*.
53 Vgl. dazu *Glaser, Rührstück*.
54 Hauptmann, Werke (s. Anm. 28), 121.
55 Ebd., 230.
56 Ebd., 250.
57 Holz/Schlaf, Die Familie Selicke (s. Anm. 50), 45.
58 *Requardt/Machatzke, Hauptmann*, 161.
59 Hauptmann, Werke (s. Anm. 28), Bd. VI, 1043.
60 *Horkheimer, Autorität*, 71.
61 Ebd., 69.
62 Ebd., 50.
63 Ebd., 52.
64 Ebd., 58.
65 Ebd., 57.

Ken Moulden: Naturalistische Novellistik

1 Hart, Heinrich: Neue Welt. 1878. In: Ruprecht, Erich (Hrsg.): Literarische Manifeste des Naturalismus 1880–1892. Stuttgart 1962, 14.
2 Keller, Gottfried: Sämtliche Werke in drei Bänden. München/Wien 1979. Bd. 3, 301.
3 Vgl. Hart, Heinrich/Hart, Julius: Für und gegen Zola. 1882. In: Ruprecht, Manifeste (s. Anm. 1), 29–35.
4 Hille, Peter: Die Striken. Aus: Die Sozialisten. Leipzig 1886. In: Schulz, Gerhard (Hrsg.): Prosa des Naturalismus. Stuttgart 1987, 45–50.
5 Langmann, Philipp: Ein Unfall. 1891. In: Schulz, Prosa (s. Anm. 4), 181–188.
6 Ebd., 181.
7 Ebd., 188.
8 Conradi, Hermann: Brutalitäten. Skizzen und Studien. Zürich 1886.
9 Alberti, Konrad: Plebs. Novellen aus dem Volke. Leipzig 1887.
10 Mackay, John Henry: Ekel. 1895. In: Schulz, Prosa (s. Anm. 4), 246–253.
11 Ebd., 252.
12 Ebd., 252 f.
13 Kretzer, Max: Die Engelmacherin. 1888. In: Schulz, Prosa (s. Anm. 4), 55–63.
14 Ebd., 55.
15 Ebd., 63.
16 Schnitzler, Arthur: Ein Arzt. 1892. In: Schulz, Prosa (s. Anm. 4), 197–206.
17 Ebd., 205 f.
18 Holz, Arno/Schlaf, Johannes: Krumme Windgasse 20. 1890. Zit. in: Schulz, Prosa (s. Anm. 4), 18.
19 Conradi, Hermann: Eine Frühlingsnacht. 1888. In: Schulz, Prosa (s. Anm. 4), 63–66.
20 Ebd., 64.
21 Ebd., 65.
22 Bahr, Hermann: Die gute Schule. 1891. In: Schulz, Prosa (s. Anm. 4), 166–171.
23 Ebd., 171.
24 Wedekind, Frank: Rabbi Esra. 1897. In: Schulz, Prosa (s. Anm. 4), 253–259.
25 Ebd., 258.
26 Hartleben, Otto Erich: Vom gastfreien Pastor. 1893. In: Schulz, Prosa (s. Anm. 4), 229–246.
27 Kretzer, Max: Das Rätsel des Todes und andere Geschichten. Dresden-Leipzig 1891, 141.
28 Ernst, Paul: Zum ersten Mal. 1891. In: Schulz, Prosa (s. Anm. 4), 171–180.
29 Eine detaillierte Analyse dieser Thematik findet man bei Irma von Troll-Borostyani: Die Wahrheit im modernen Roman. 1886. In: Ruprecht, Manifeste (s. Anm. 1), 71–81. In ihrer Auseinandersetzung mit dem französischen Dichter zitiert sie den folgenden Aphorismus: »Wir naturalistische Schriftsteller haben uns nur mit dem physiologischen Menschen zu thun, der metaphysische Mensch ist für uns tot!«.
30 Sudermann, Hermann: Die Reise nach Tilsit. In: Litauische Geschichten. Stuttgart 1917. Zit. aus einer Neuausgabe, Stuttgart 1960.

31 Ebd., 53.
32 Viebig, Clara: Simson und Delila. In: Kinder der Eifel. Novellen. Berlin 1897.
33 Ebd., 32.
34 Ebd., 69.
35 Aus einer autobiographischen Skizze, die am 17. Juli 1930 zum 70. Geburtstag erschien. Zit. in: Fleisser, O. S.: Ist Clara Viebig konsequente Naturalistin? PMLA 46 (1931), 917–929, hier 918.
36 Hauptmann, Gerhart: Bahnwärter Thiel. München 1888. Zitate aus der Reclam-Ausgabe, Stuttgart 1988.
37 Ebd., 16.
38 Ebd., 11.
39 Ebd., 3.
40 Ebd., 4.
41 Ebd., 31.
42 Ebd., 19.
43 Ebd., 16.
44 Ebd., 18.
45 Ebd., 33.
46 Ebd., 24.
47 Ebd., 35.
48 Hart, Heinrich/Hart, Julius. In: Ruprecht, Manifeste (s. Anm. 1), 29.
49 Holz, Arno: Das Werk von Arno Holz. Berlin 1925. X. Band, 271.
50 Der Begriff wurde 1900 v. Adalbert von Hanstein formuliert. Siehe: Hanstein, Adalbert von: Das jüngste Deutschland. Zwei Jahrzehnte miterlebter Literaturgeschichte. Leipzig 1900, 159.
51 Holz, Arno: Der erste Schultag. 1889. In: Schulz, Prosa (s. Anm. 4), 65–96.
52 Holz, Arno/Schlaf, Johannes: Die papierne Passion. 1890. In: Schulz, Prosa (s. Anm. 4), 97–122.
53 Ebd., 111.
54 Hillebrand, Julius: Naturalismus schlechtweg. 1886. In: Ruprecht, Manifeste (s. Anm. 1), 68.
55 Holz/Schlaf, Passion (s. Anm. 52), 105. Eine ausführliche Analyse der Sprache bei Arno Holz findet sich in: Strohschneider-Kohrs, Poetica 1 (1967), 44–66.
56 Holmsen, Bjarne P. (= Holz, Arno/Schlaf, Johannes): Papa Hamlet. Leipzig/Berlin 1889. Zitate aus der Reclam-Ausgabe, Stuttgart 1994.
57 Holz, Arno/Schlaf, Johannes: Vorwort zu einer Neuausgabe des ›Papa Hamlet‹. In: Holz/Schlaf, Hamlet (s. Anm. 56), 5.
58 Schlaf, Johannes: Ein Dachstubenidyll. 1890. In: Holz/Schlaf, Hamlet (s. Anm. 56), 83–102.
59 Ebd., 53.
60 Martini; Fritz: Das Wagnis der Sprache. Interpretation deutscher Sprache von Nietzsche bis Benn. Darmsatadt 1984, 99–132.
61 Holz/Schlaf, Hamlet (s. Anm. 56), 62.

Günter Helmes: Der ›soziale Roman‹ des Naturalismus
Conrad Alberti und John Henry Mackay

1 *Adler, Einleitung*, 1.
2 Die Rede vom ›kollektiven Gedächtnis‹ (wie die von der ›kollektiven Identität‹) unterstellt freilich ein angesichts gesellschaftlicher Ausdifferenzierungen, Partialisierungen und Frakturen sehr fragwürdiges Ganzes. Zudem setzt sie wie selbstverständlich voraus, daß Literaturgeschichtsschreibung maßgeblich zu diesem ›kollektiven Gedächtnis‹ beiträgt (und weiterhin beitragen kann). Angesichts des prekärer werdenden Stellenwerts des Mediums ›Buch‹, des schwindenden Stellenwerts eines historisch-kritischen Bewußtseins und der Selbstbehauptungsnöte philologischer Disziplinen steht freilich Literaturgeschichtsschreibung selbst zunehmend in der Gefahr, an die Peripherie (der Generatoren) des ›kollektiven Gedächtnisses‹ gedrängt oder gar aus (diesen) diesem verdrängt zu werden.
3 Mit »Praxis« sind Handlungsräume wie Hochschule und Schule, Stiftungs- und Förderungswesen, Film und Fernsehen sowie Verlags-, Bibliotheks- oder Kritikerwesen gemeint.
4 Vgl. die Belegzahlen für Autorinnen und Autoren ›sozialer Romane‹ des Vormärz und des Naturalismus in *Martino, Leihbibliothek*.
5 *Adler, Einleitung*, 3. Für einige wenige beachtete ›soziale Romane‹ vgl. ebd., 2 ff., Anm. 1–3.
6 Es gehört zu den Simplifizierungen der Literaturgeschichtsschreibung, den Naturalismus auf die ›soziale Frage‹ zu reduzieren. Der Roman des Naturalismus etwa kennt auch den ›Gesellschaftsroman‹ (u. a. Conrad, Michael Georg: *Was die Isar rauscht*, 1888; Kapff-Essenther, Franziska von: *Versorgung*, 1895), den ›politischen Roman‹ (u. a. Hollaender, Felix: *Jesus und Judas*, 1891; Land, Hans: *Der neue Gott*, ²1892; Kretzer, Max: *Sonderbare Schwärmer*, 1881), den ›psychologischen Roman‹ (u. a. Schlaf, Johannes: *Das dritte Reich*, 1900; Walloth, Wilhelm: *Im Banne der Hypnose*, 1897), den ›Künstlerroman‹ (u. a. Alberti, Conrad: *Mode*, 1892; Böhlau, Helene: *Der Rangierbahnhof*, ²1896; Suttner, Bertha von: *Schriftsteller-Roman*, 1888), den ›Entwicklungsroman‹ (u. a. Reuter, Gabriele: *Aus guter Familie*, 1896; Schlaf, Johannes: *Junge Leute*, 1890), den ›Frauenroman‹ (u. a. Bock, Annie: *Dora Peters*, 1896; Böhmer, Emma: *Sehnsucht*, 1899; Frapan, Ilse: *Arbeit*, 1903; Reuter, Gabriele: *Ellen von der Weiden*, 1901) und den ›essayistischen Roman‹ (u. a. Conradi, Hermann: *Adam Mensch*, 1889). Selbstverständlich sind die Grenzen hier zum Teil fließend. Romane wie etwa Conrad Albertis *Das Recht auf Liebe* (1890), Helene Böhlaus *Halbtier!* (1899) oder Clara Viebigs *Das Weiberdorf* (1900) lassen sich je nach Fokussierung auch mehreren Genres zuordnen.
7 Vgl. etwa *Martino, Leihbibliothek, Hanstein, Deutschland, Lublinski, Bilanz* und *Soergel, Dichtung*.
8 Im Unterschied zu *Adler, Einleitung*, 4, möchte ich vom ›sozialen Roman‹ nicht als Gattung sprechen. Ich halte es für funktioneller, in dem Begriff ›sozial‹ eine im wesentlichen auf *Inhalte* bzw. *Themen* bezogene Differentia spezifica des auf übergeordnete, ›dynamisch-konstante‹ Semiotisierungsverfahren bezogenen Ge-

nus proximum ›Roman‹ zu sehen. – Da das ›Soziale‹ gerade in dem hier zur Rede stehenden Zeitraum auch in dramatischen und lyrischen Texten eine beträchtliche Rolle spielt, zöge die Bestimmung des ›sozialen Romans‹ als Gattung zudem die Aufgabe nach sich, eine die soziale Dramatik, Lyrik und Erzählprosa umgreifende Bezeichnung zu finden; sich anbietende Bezeichnungen wie etwa ›soziale Dichtung‹ oder ›soziale Literatur‹ sind aber aufgrund von (emphatischen) Mitbedeutungen in sich widersprüchlich oder verwischen die Grenzen zwischen einzelnen Diskursformen über Gebühr.

9 Zitate *Adler*, *Einleitung*, 4.

10 Die Rede von der »sozialen Frage« kommt im Zusammenhang mit der um 1835 einsetzenden, ersten Industrialisierungsphase in Deutschland auf. Vgl. u. a. *Henning*, *Industrialisierung*, 111–200, *Mottek*, *Wirtschaftsgeschichte*, Kap. 7 ff., *Born*, *Reichsgründung*, Kap. 2, 17, 18 und *Nipperdey, Geschichte*, Bd. 1, Kap. VIII.

11 *Adler*, *Soziale Romane*, 39. Unter »Stand der ökonomischen Entwicklung« spreche ich im folgenden aus pragmatischen Gründen neben dem primären, dem sekundären und dem tertiären Wirtschaftsektor auch politisch-institutionelle Rahmenbedingungen an.

12 U. a. Eisenbetonbau (1870), Indigosynthese (1878), Elektrische Lokomotive (1879), Thomas-Stahl (1879), Kontaktverfahren (1879), Elektro-Stahl (1880), Dampfturbine (1883), Benzinmotor (1884), Setzmaschine (1884), Autogenes Schweißen (1885), ›Pilgerschritt‹ (1886), Elektroschmelzofen (1887), Drehstrommotor (1887), Spannbeton (1888) und Hochspannungstransformator (1891).

13 U. a. Preisverfall/Verschuldung (1875 ff.), Zuchtmaßnahmen bei Pflanzen und Tieren (1880 ff.), Einsatz von Maschinen (1880 ff.), kräftiger Produktionsanstieg (1880 ff.), künstliche Düngung (1890 ff.).

14 U. a. Konsumvereine (1875 ff.), Markthallen (1879 ff.), Kaufhäuser/Magazine (1879 ff.), Konzern- und Kartellbildungen (1882 ff.), 19 000 Großbetriebe mit 3 Millionen Beschäftigten in Deutschland (1895), enorme Wachstumsraten u. a. im Metall-, Bau-, Chemie/Steine/Erden- und Elektrogewerbe sowie im Bergbau (1873 ff.).

15 U. a. einheitliche Reichsgoldwährung (1873), Maß-, Gewichts- und Münzgesetze (1873), Reichsbank (1875), Reichspatentamt (1877), Reichsgericht (1879), Steuer- und Zollgesetze (1879), Schutzzollpolitik (1880 ff.), Physikalisch-Technische Reichsanstalt (1887), rapide steigende Anzahl von Interessen- und Arbeitgeberverbänden (1890 ff.), rapide steigende Mitgliederzahlen der Freien Gewerkschaften (1890 ff.), Bund der Landwirte (1893).

16 U. a. Urbanisierung, Landflucht, (E- und Im-)Migration, Bevölkerungswachstum bzw. -explosion.

17 U. a. expandierendes privates Bankenwesen (Aktien- und Hypothekenbanken; 1870 ff.), forcierter Ausbau des Eisenbahn-, Straßen und Binnenschiffahrtsnetzes (1873 ff.), Rohrpost (Berlin 1876), Berliner Ringbahn (1877), Stahl- und Dampfschiffbau (1880 ff.), Elektrische Straßenbahn (Berlin 1881), Ortsfernsprechnetze (1881), *Berliner Lokalanzeiger* (1883), Kaiser-Wilhelm-Kanal (= Nord-Ostsee-Kanal; 1895), *Berliner illustrierte Zeitung* (= *Berliner Morgenpost*; 1891). Für Anm. 12–17 vgl. die Literaturhinweise in Anm. 10.

18 Mit ›Verpreußung‹ ist jener nach innen gerichtete Versuch Preußens gemeint, die anderen Bundesstaaten vor allem in kultureller und mentaler Hinsicht (u. a. calvinistische Arbeits- und Alltagsethik, Protestantismus, Militarismus, Obrigkeitsglaube, Fortschrittsideologie, instrumentelle Vernunft) zu überformen.

19 Die vor allem in Großstädten katastrophalen Wohnbedingungen und äußerst mangelhaften hygienischen Verhältnisse; der im Verhältnis zum Wirtschaftswachstum nur mähliche Anstieg der realen Einkommen; hohe Auswanderungsraten in den 80er Jahren. Vgl. *Henning, Industrialisierung*, 265 f..

20 Etwa die sozialen Romane Englands und Frankreichs.

21 Vor allem Darwinismus, Sozialdarwinismus und Monismus (Charles Darwin, Ernst Haeckel), Empirismus und Positivismus (Auguste Comte, John Stuart Mill, Herbert Spencer, Hyppolyte Taine), Materialismus und Sozialismus (Friedrich Engels, Ludwig Feuerbach, Karl Marx, David Friedrich Strauß), Kulturkritik (Paul de Lagarde, Julius Langbehn), Rassentheorie (Joseph Arthur Gobineau, Houston Stewart Chamberlain), Rechtswissenschaft (Bernhard Windscheid, Rudolf von Jhering, Otto von Gierke) sowie die Philosophie Friedrich Nietzsches.

22 Literarisch präsent etwa in Conrad Albertis *Schröter & Co.* (1893), Annie Bocks *Dora Peters* (1896) und in Felix Hollaenders *Sturmwind im Westen* (1896).

23 Erkennbar etwa daran, daß die Romane häufig (z. T. seitenlange) fremdsprachliche Einschübe enthalten. Das Schreiben für ein bürgerliches oder bourgeoises Lesepublikum macht den ›sozialen Roman‹ freilich »für den voyeuristischen Modus der Darbietung« und damit für ein marktorientiertes, den ›sozialen Roman‹ zuweilen diskreditierendes Schreiben anfällig. (*Adler, Einleitung*, 9).

24 Z. B. Literatur, Ökonomie und Politik. In diesem Zusammenhang ist etwa an den ›Leipzig Realistenprozeß‹ (1890) und an die ›Naturalismus-Debatte‹ auf dem Gothaer Parteitag der SPD 1896 zu erinnern. Vgl. im einzelnen *Kolkenbrock-Netz, Fabrikation.*

25 Vgl. *Helmes, Innere Kolonisation.*

26 Vgl. *Helmes, Kretzer.*

27 Die sich an Darwin bzw. an den Sozialdarwinismus anlehnende Rede vom »Kampf ums Dasein« durchzieht den naturalistischen Roman wie ein roter Faden. Conrad Alberti nennt gar seine die Romane *Wer ist der Stärkere?* (1888), *Die Alten und die Jungen* (1889), *Das Recht auf Liebe* (1890), *Mode* (1892), *Schröter & Co.* (1893) und *Maschinen* (1895) umfassende Romanreihe *Der Kampf ums Dasein*, da er im »Kampf ums Dasein 〈...〉 die Grundlage«, ja die »Verfassungsurkunde der menschlichen Gesellschaft« sieht. (Vorrede zu *Mode*, o. S.).

28 Autorinnen und Autoren naturalistischer Romane bevorzugen Figurennamen, die eine ideologische und/oder soziologische Variable der betreffenden Figur betonen. Die Benennung einer Figur durch Vor- und Zuname eröffnet allerdings vielfältige Kombinationsmöglichkeiten. Darüber hinaus wird der Bedeutungsaufbau der einzelnen Namen durch den intratextuellen Kontext (Konflikfiguration, Figurenkonstellation) nachhaltig gesteuert. Im einzelnen läßt sich zwischen Figurennamen unterscheiden, die phraseonymische oder phrenonymische Eigenschaften haben und insofern eine relative Indifferenz gegenüber historischen Kontexten und rezipientenspezifischen Voraussetzungen aufweisen, und solchen, deren

(De-)Kodierung an bestimmte historische oder aktuelle soziokulturelle Kontexte und an das Wissen um diese Kontexte gebunden ist.

29 Vgl. *Mahal, Naturalismus*, 95–106.

30 Das sind die schon von Zeitgenossinnen und Zeitgenossen kanonisierten Erzähltexte der ausländischen Vorbilder sowie exponierte dramatische Texte und singuläre Prosaskizzen des deutschsprachigen Naturalismus.

31 Die Art und der Grad der jeweiligen segmentalen Repräsentation(en) bestimmt auch die in der Regel natürlichen Sprechakten nachgebildete Sprache der Figuren. Sind Figuren soziologisch denotiert, sprechen sie mehrheitlich den Soziolekt und/oder die Fachsprache des betreffenden Segments. Dieser Soziolekt und/oder die Fachsprache sind öfter infolge weiterer segmentaler Anschlüsse (Lebensraum, Geschlecht, Alter, ideologische Orientierung) und je nach Geschehensverlauf figurenspezifisch eingefärbt. Sind Figuren ideologisch denotiert, ist ihre Rede in den meisten Fällen in hochsprachlicher Schreibsprache gehalten. Soziolektale, dialektale und psycholektale Ausdrucksweisen kommen eher am Rande vor, so daß die Figurensprache mehrheitlich wohl fachsprachlich oder ideolektal, kaum aber figurenspezifisch ausfällt.

32 Zu beachten ist allerdings, daß mehrheitlich die Anzahl der repräsentierten Segmente gering ausfällt, so daß nicht von komplexen Figurenphysiognomien gesprochen werden kann.

33 Bei einer *oppositionellen* Figurenkonstellation sind die Figuren aufgrund der Dominanz soziologischer oder ideologischer Segmente in zwei Gruppen voneinander unterschieden. Besonders häufig ist jene oppositionelle Figurenkonstellation anzutreffen, bei der Figuren, die ein und dasselbe soziologische Segment repräsentieren, dominant durch ideologische Kriterien voneinander geschieden sind. – Im deutschsprachigen (›sozialen‹) Roman des Naturalismus lassen sich auch *lineare* und *panoramatische* Figurenkonstellationen ausmachen. Bei einer linearen Konstellation sind die Figuren entlang einer Kette möglicher, sich den Grundsätzen nach ausschließender, jedoch Schnittmengen bildender Antworten auf eine zentrale Fragestellung gereiht. Sie repräsentieren also im wesentlichen ein ideologisches Segment der Zeitwirklichkeit. Ihre soziologische Zu(sammen)gehörigkeit bzw. ihr gesellschaftlicher Status spielen nur innerhalb romanimmanenter Subsysteme eine Rolle. Eine panoramatische Konstellation setzt ein Figurenset voraus, das in soziologischer und/oder ideologischer Hinsicht die Mehrzahl der dominanten zeitgenössischen Segmente repräsentiert.

34 »Es muß gelitten sein; denn gleichwie der / Flachs 〈…〉 muß / viel leiden, ehe er zum rechten Brauch kommt / und das Ende erreichet, darum er gesäet wird; / also müssen Christen viel leiden, müssen gesäet, geraffelt, gedroschen werden.«

35 Ottilie liest neben Haeckels *Natürlicher Schöpfungsgeschichte* und Nietzsches *Menschliches, Allzumenschliches* auch Werke v. Bebel, Zola, Ibsen, Tolstoj und Maupassant (114, 140), die ›Klassiker‹ also der naturalistischen Generation. Ihre – schließliche! – Haltung gegenüber diesen Autoren bzw. Werken kann mit derjenigen Albertis in eins gesetzt werden.

36 Die rechte Hand von Segonda sind sein Sohn Aribert, ein Leutnant, und dessen Freund und Corps-Bruder Dr. Fahner, ein verantwortungsloser Mediziner

(6, 22 ff., 160). Mit diesen Figuren deutet Alberti auf die gegen den vierten Stand gerichtete Interessenallianz zwischen Kapital, Militär und Wissenschaft im Kaiserreich hin.

37 Henning hat sich »durch eigne Kraft vom niedern und verachteten Arbeiter zum Leiter einer großen Anstalt aufgeschwungen«. (47)

38 Unabhängig von der jeweiligen Figurenkonstellation, gibt es in fast allen (›sozialen‹) Romanen des Naturalismus eine, in einigen Fällen auch eine Gruppe von (meist unterschiedlich gewichteten) Figuren, die als Sprachrohr der Autorinnen und Autoren fungiert. Darüber hinaus findet sich in der Mehrzahl der Romane zumindest eine Figur, der die Aufgabe zukommt, Negativfolie für die jeweiligen Überzeugungen der Autorinnen und Autoren zu sein.

39 Henning »wußte, daß Schmutz, Staub, Krankheiten, Unglücksfälle bei ausgedehntem Maschinenbetrieb unvermeidlich waren 〈...〉, daß Gott den Lohn ungleichmäßig vertheilt hatte wie die Gaben und daß nicht jeder Braten essen konnte.« (108)

40 Vgl. Marx' 11. These über Feuerbach, in: *Marx, 〈Thesen〉*, 7.

41 Vgl. Mackays ›Einleitung‹, IX. In der Figur Otto Trupp ist beispielsweise der Sozialrevolutionär Otto Rinke porträtiert, der in den sozialistischen Zirkeln Londons am Ausgang der 1880er Jahre eine bedeutende Rolle spielte.

42 Der Roman beginnt im Oktober 1887, fünf Monate nachdem »jene albernen Feierlichkeiten der fünfzigjährigen Regierungszeit einer Frau, welche sich ›Königin von Großbritannien und Irland und Kaiserin von Indien‹ nennen ließ, in Szene gesetzt waren, nach denen das Jahr 1887 das ›Jubilee Year‹ genannt wurde«. (3) Ausführlich wird u. a. auf die Entwicklung des Anarchismus in Frankreich, auf die Arbeiterbewegung in den USA (Haymarket), auf den Chicagoer Anarchistenprozeß von 1887 (das »Golgatha der Arbeiter«, 285) sowie auf den damit in Zusammenhang stehenden »Bloody Sunday« (13. November 1887) eingegangen.

43 Über den Roman sind zahlreiche Invektiven gegen Deutschland verstreut. U. a. wird von einem »unaustilgbaren Widerwillen gegen deutsches Bürgerleben« (117) und von der »hündische〈n〉 Winselei« der Deutschen gesprochen, die es einem »Mann« unmöglich mache, »aufrecht 〈...〉 unter diesen devot gebeugten Nacken« (151) zu leben.

44 Der Inschutznahme der SPD gegen das »Schandgesetz« (78) stehen schärfste Angriffe auf diese Partei von Seiten mehrerer Romanfiguren gegenüber. Die SPD sei »autoritativ« (92) und äußerst »corrupt« (308). – Mackays radikalem Individualismus entspricht die grundsätzliche Ablehnung aller Parteien (125).

45 Vgl. den Romanschluß. Auban wird hier als ein »einsamer Wanderer« imaginiert. (367)

46 Im Verständnis der bewunderten Proudhon und Stirner (vgl. u. a. 114, 132). Dagegen grenzt sich Auban scharf von Bakunin und dessen Lehre ab, die als »Wahn-Glaube« (55; vgl. auch 94) verworfen wird.

47 In dessen »komplizirteste〈r〉 und brutalste〈r〉« (33) Form sich die Menschheit nach Auban bereits am Ausgang des 19. Jahrhunderts befindet.

48 Vgl. etwa ein Gedicht wie *Zum zweiten September* v. Arno Holz, politische Essays wie *Was erwartet die Deutsche Kunst von Kaiser Wilhelm II.?* v. Alberti und

Der Kampf um's Dasein der Litteratur v. Karl Bleibtreu sowie einen Artikel wie »Das soziale Kaisertum« v. Michael Georg Conrad. – Auf die ›eigennützigen‹ diskurstheoretischen und -praktischen Motive für den Patriotismus und Monarchismus dieser Autoren kann an dieser Stelle nicht eingegangen werden. Vgl. u. a. *Kolkenbrock-Netz, Fabrikation.*

49 Daß sich Alberti mit seinem Roman an Bourgeoisie und Adel wendet, ist u. a. daran zu erkennen, daß der Roman einen vierseitigen, französischsprachigen Auszug aus Marie Baschkirtseffs *Tagebuch* enthält (273–276).

50 S. Anm. 46.

51 Von daher kann es auch für Mackay keine an Herrschende gerichtete Appelle geben, die auf (systemkonforme) soziale Meliorationen zielen. Aus seiner Sicht wären solche Meliorationen geradezu kontraproduktiv.

Günter Butzer / Manuela Günter: Literaturzeitschriften der Jahrhundertwende

1 Vgl. hierzu *Fischer, Kommunikationssystem*, 20; zu den Traditionen in der Zeitschriftenlandschaft um 1880 vgl. ausführlich *Obenaus, Zeitschriften.*

2 Zu nennen ist hier v. a. *Das Magazin für die Literatur des In- und Auslandes* (1832 ff.); um die Jahrhundertwende erscheinen dann *Das literarische Echo* (1898 ff.) und *Die schöne Literatur* (1900 ff.).

3 Gründungsprospekt *Deutsche Rundschau*, zit. n. Rodenberg, Julius: Die Begründung der »Deutschen Rundschau«. Ein Rückblick. Berlin 1899, 29–31, hier 29.

4 Vgl. Kritische Waffengänge, H. 1 (1882), 5 f.

5 Ebd., 7, 3.

6 Zit. n. *Pross, Literatur und Politik*, 153.

7 Sie erscheint in verschiedenen Aufmachungen mit wechselnden Untertiteln zunächst wöchentlich, vom 2. bis zum 13. Jahrgang monatlich und ab dem 14. Jahrgang 1898 bis zu ihrer Einstellung 1902 halbmonatlich.

8 Die Gesellschaft I, 1 (1885), 1.

9 Ebd., 2.

10 Zwar zählt Conrad zu den wenigen Verfechtern Zolas in Deutschland, aber diese Begeisterung für den französischen Naturalisten beruht auf einem Mißverständnis, da er den rationalistischen Wahrheitsbegriff Zolas in einen irrationalen umdeutet: Als mythologisches Kraftprinzip will Conrad das Naturhafte gerade der Wissenschaft und Technik entgegengestellt sehen. Zur Zola-Rezeption in der Gesellschaft vgl. *Strieder, Gesellschaft,* 84 ff., und *Voswinkel, Naturalismus*, 122 ff.

11 Vgl. *Strieder, Gesellschaft*, 65.

12 Für Bleibtreu beispielsweise sind Dichter »Gefässe der göttlichen Gnade, des heiligen Geistes, der über den Dingen schwebenden Centralkraft.« (Bleibtreu, Karl: Revolution der Litteratur. Leipzig 1886, 76.)

13 Lienhard, Friedrich: Reformation der Litteratur. In: Die Gesellschaft IV (1888). Beilage Litterarisch-kritische Rundschau. Nr. 3, 233.

14 Vgl. Alberti, Conrad: Die zwölf Artikel des Realismus. Ein litterarisches Glaubensbekenntnis. In: Die Gesellschaft V, 1 (1889), 2–9.

15 Vgl. hierzu auch *Ruprecht, Manifeste*, 38 f.
16 Conrad, Michael Georg: Von Emile Zola bis Gerhart Hauptmann. Erinnerungen zur Geschichte der Moderne. Leipzig 1902, 4.
17 Ab 1897 sind alle literarischen Richtungen vertreten, auch der Gegensatz zu den Berlinern wird relativiert.
18 *Die Gesellschaft* reagiert mit heftigen, auch antisemitischen Angriffen auf die Berliner Gründung und bezichtigt sie der »Ausländerei«, ohne dadurch den eigenen Abstieg aufhalten zu können. Auch Gegengründungen wie die der *Modernen Blätter* als dem Organ der Münchner »Gesellschaft für modernes Leben« bilden keine Konkurrenz für die *Freie Bühne*. In diesen Zusammenhang gehören auch die verschiedenen – erfolglosen – Projekte von Leo Berg, deren bekanntestes *Die Moderne* ist; 1891 gegründet, findet auch diese Zeitschrift keine Resonanz und wird nach einem Jahr eingestellt (vgl. hierzu *Schlawe, Zeitschriften*, 24–26; *Dimpfl, Organisation*, 122).
19 Alle Zitate aus Freie Bühne für modernes Leben I, 1 (1890), 1–2.
20 *Dimpfl, Organisation*, 124.
21 Während Grothe, sich auf Aussagen von Brigitte Bermann-Fischer berufend, die Auflage »im ersten Jahrzehnt« mit 8000 und bis zum Ersten Weltkrieg mit 12 000 Exemplaren angibt (vgl. *Grothe, Neue Rundschau*, 976), liegen die Angaben Peter de Mendelssohns, der auf Briefe Fischers verweist, weit darunter: Danach beginnt die Zeitschrift mit einer Auflage von 1000 Exemplaren, die erst zwischen 1904 und 1913 auf ca. 5000 Hefte ansteigt (vgl. *Mendelssohn, S. Fischer*, 121, 448).
22 Unter dem Titel *Die Neue Rundschau* (ab 1904) existiert sie bis heute.
23 Die Frauenfrage bildet ein wichtiges Thema der Zeitschrift; dabei wechseln emanzipatorische (Lou Andreas-Salomé, Helene Stöcker u. a.) und konservative Stellungnahmen (Ellen Key, Ricarda Huch u. a.) ab (vgl. *Mendelssohn, S. Fischer*, 270 ff.).
24 Vgl. *Grothe, Neue Rundschau*, 908 ff.
25 So der Titel von Bahrs berühmter Schrift, die 1891 in Dresden bei E. Pierson erschienen ist.
26 Hofmannsthal wird auch, zum Mißfallen Georges, Mitarbeiter der ab November 1896 zweiwöchentlich erscheinenden *Wiener Rundschau*, herausgegeben von Rudolf Strauß, die als Nachfolgerin von Kafkas *Moderner Rundschau*, jedoch ohne klares literarisches Profil, anzusehen ist. Im ersten Jahrgang dieser Zeitschrift veröffentlicht Karl Kraus seine Abrechnung mit dem ›Jungen Wien‹ in dem mehrteiligen Essay *Die demolirte Literatur*, bevor er 1899 die *Fackel* gründet.
27 Blätter für die Kunst I, 1 (1892), 1. Vgl. auch den Aufsatz des französischen Symbolisten Paul Gérardy: Geistige Kunst. In: Blätter für die Kunst II, 4 (1894), 110–113.
28 Vgl. *Briefwechsel George-Hofmannsthal*, 160.
29 Vgl. *Mettler, Publikationspolitik*, 87; *Kluncker, Blätter*, 61 f.
30 Vgl. *Briefwechsel George-Hofmannsthal*, 71, 73, 151, 155.
31 Vgl. *Durzak, Epigonenlyrik*, 488–493, 523–529.
32 Vgl. Blätter für die Kunst III, 5 (1896), 131.

33 Vgl. *Mettler, Publikationspolitik*, 12 f.

34 Vgl. Blätter für die Kunst III, 2 (1896), 33; III, 5 (1896), 129 f.; IV, 1–2 (1897), 1–4; V (1900/01), 1–3.

35 Vgl. die zahlreichen Beschwörungen von Jugend und Schönheit in der Zeitschrift (bes. Blätter für die Kunst IV, 1–2 (1897), 4 und V (1900/01), 4) und vor allem die Maximin-Legende Georges in der VIII. Folge (1908/09); dort 8–16 die Gedichte Maximilian Kronbergers unter dem Titel *Nachträge zu Maximin* und 28–33 Georges *Vorrede zu Maximin*.

36 Die Blätter für die Kunst antizipieren damit die Entwicklung vom ›geschmückten‹ zum ›typographischen‹ Buch, die die Buchkunst zu Beginn des 20. Jahrhunderts genommen hat. Vgl. *Zeller, Buchkunst*, 7.

37 Zur Einordnung der im folgenden zu behandelnden Zeitschriften aus buchkünstlerischer Sicht vgl. *Schauer, Buchkunst*, 316–319.

38 Vgl. Bodenhausen, Eberhard von: Das englische Buch. In: Pan II, 4 (1897), 337–340; Bode, Wilhelm: Zur Illustration moderner deutscher Kunstbücher. In: Pan V, 3 (1900), 183–187.

39 Die Titelvignette von Franz Stuck mit dem Kopf des Pan gilt als erstes modernes Zeitschriftensignet; neben diesem sind Josef Sattler, Ludwig von Hofmann, Emil Rudolf Weiß, Thomas Theodor Heine, Otto Eckmann, Peter Behrens und Fidus (d. i. Hugo Höppener) als Gestalter tätig.

40 Vgl. Bode, Wilhelm: Anforderungen an die Ausstattung einer illustrierten Kunstzeitschrift. In: Pan I, 1 (1895), 30–33. Eine detaillierte Darstellung der Ausstattung des *Pan* gibt *Thamer, Historismus*, 45–134.

41 Lichtwark, Alfred: Zur Einführung. In: Pan I, 2 (1895), 97–100, hier 98 f.

42 Die Gründer des *Pan* gehören zu Beginn der neunziger Jahre dem Berliner Künstlerkreis um Strindberg und Przybyszewski an, der jedoch in der Planungsphase der Zeitschrift ab Februar/März 1894 bereits aufgelöst ist. Vgl. *Fischer, Fin de siècle*, 24.

43 Vgl. *Salzmann, Pan*, 216.

44 Vgl. Lichtwark, Alfred: Die Entwickelung des Pan. In: Pan I, 3 (1895), 173–176.

45 *Zeller, Buchkunst*, 9.

46 Besonders wirken die außergewöhnlich dynamischen, in klaren Farben und betont freien Umrißlinien gestalteten, stets neuen Titelblätter an der massenwirksamen Identifikation von Zeitschrift und neuem Stil mit. Vgl. *Koreska-Hartmann, Jugendstil*, 21.

47 ⟨Vorbemerkung zum 1. Heft⟩ Jugend I, 1 (1896), 2.

48 *Koreska-Hartmann, Jugendstil*, 38.

49 ⟨Vorbemerkung zum 1. Heft⟩ Jugend I, 1 (1896), 2.

50 Bedeutende Künstler der Zeit wie Weisgerber, Barlach, Slevogt, Kollwitz, Hodler u. a. liefern Beiträge; was die Belletristik betrifft, so sind neben heute vergessenen Schriftstellern auch Autoren wie Rilke und Rosegger, Altenberg und Wedekind, Ebner-Eschenbach und Hofmannsthal vertreten.

51 *Koreska-Hartmann, Jugendstil*, 50.

52 Zum Boom von erotischer und pornographischer Literatur um die Jahrhundertwende vgl. *Fischer, Fin de siècle*, 53 ff.

53 Aus einer Besprechung der Jugend in den Hamburger Nachrichten vom 15. August 1897, zit. nach *Koreska-Hartmann, Jugendstil*, 43.
54 Vgl. *Hermand, Schein*, 39 ff., 55 ff.
55 So hat beispielsweise Langen den Werbeeffekt von Verboten und Konfiskationen für den *Simplicissimus* klar erkannt. Deshalb weigert er sich auch nach dem Majestätsbeleidigungsprozeß im November 1898, der ihn für viereinhalb Jahre ins Pariser Exil zwingt, die satirische Schärfe des Blattes zu mäßigen.
56 Vgl. *Hermand, Commercialization*, 77 ff.
57 Die Insel. In: Almanach der Insel für 1900. Hrsg. v. Otto Julius Bierbaum, Alfred Walter Heymel, Rudolf Alexander Schröder. Berlin 1899 ⟨unpaginiert⟩.
58 Vgl. *Salzmann, Die Insel*, 589, 591.
59 Schröder, Rudolf Alexander: Aus den Münchner Anfängen des Insel-Verlags. In: Gesammelte Werke. 3. Bd. Frankfurt/M. 1952, 945–974, hier 948.
60 Der Insel-Verlag, der gleichzeitig mit der Zeitschrift gegründet wird, ist zunächst wie diese allein vom Vermögen Heymels abhängig, bis er am 1. Oktober 1901 in Leipzig als selbständige GmbH unter der Geschäftsführung von Rudolf von Poellnitz angemeldet wird. Die ersten Veröffentlichungen umfassen ausschließlich Werke der Zeitschriften-Herausgeber und -Autoren. Sein Aufstieg als erster Verlag, der bibliophile Ausgaben zu einem erschwinglichen Preis herausbringt (berühmt wurde die ab 1912 erscheinende Insel-Bücherei), beginnt erst unter Anton Kippenberg, der den Verlag ab September 1906 leitet. Vgl. *Salzmann, »Die Insel«*, 586; *Schöffling, Insel Verlag*, 26 f. Allgemein zur Ära Kippenberg des Insel-Verlags vgl. *Zeller, Die Insel.*
61 Vgl. Bierbaum, Otto Julius: Zum dritten Jahrgang. In: Die Insel III, 1 (1901), 3–5. – »Kein Programm, aber eine Vorliebe«, schreibt Franz Blei in seiner Autobiographie über Bierbaum (vgl. Blei, Franz: Erzählung eines Lebens. Leipzig 1930, 322).
62 Vgl. *Schwerte, Literatur*, 12 f.; *Zeller, Borchardt/Heymel/Schröder*.
63 Borchardt, Rudolf: Epilog zur ›Insel‹. Vorwort und Anm. v. Hanns Martin Elter. Würzburg o. J., 19, 30.
64 Weitere buchkünstlerisch wichtige Zeitschriften der Jahrhundertwende, die hier nicht näher behandelt werden, sind *Ver sacrum*, das ab 1898 als Organ der Wiener Secessionisten erscheint, und das von Richard Scheid in neun Einzelheften 1901 herausgegebene Jahrbuch *Avalun*, in dem vor allem Rilke publiziert. Von Bleis Zeitschriften sind noch zu nennen *Amethyst. Blätter für seltsame Literatur und Kunst* (Privatdruck, München 1905–1906) und *Der Zwiebelfisch. Eine kleine Zeitschrift für Geschmack in Büchern und anderen Dingen* (1909–1929), den er im ersten Jahrgang herausgibt.
65 Vgl. *Sternberger, Jugendstil*, 54–61; *Koreska-Hartmann, Jugendstil*,, 50 ff.
66 Vgl. *Schauer, Buchkunst*, 334 f.
67 Vgl. Joris-Karl Huysmans' Romane *Là-bas* (1891) und *En route* (1895); für die skandinavische Literatur vgl. Arne Garborgs Roman *Müde Seelen* (1891, dt. 1893) und August Strindbergs *Inferno* (1898). Es ist hier zu unterscheiden zwischen »dekadenter Religiosität und Religiosität als Ausweg aus der Dekadenz ⟨...⟩ auch wenn beides nicht immer säuberlich zu trennen ist.« (*Fischer, Fin de siècle*, 91.)

68 *Nabbe, Hyperion*, 134.
69 Zur Polemik des *Kunstwart* gegen den *Hyperion* sowie zur gegensätzlichen Kunstpolitik von *Hyperion* und ›Dürerbund‹ vgl. *Nabbe, Hyperion*, 138, 141.
70 Vgl. *Hermand, Schein*, 22 f.
71 Vgl. *Pross, Literatur und Politik*, 69 ff.
72 Vgl. *Vogler, Süddeutsche Monatshefte*, 96, 107 f.
73 Vgl. *Nöhbauer, Literaturkritik*, 160 ff.
74 Vgl. Die Rheinlande I, 1 (1900), 24–27.
75 Ähnliche Bestrebungen verfolgen die Zeitschriften *Erwinia* (1893–1915) und *Der Stürmer* bzw. dessen Nachfolger *Der Merker* (1902–1903); letztere werden von der Autorengruppe ›Das jüngste Elsaß‹ (René Schickele, Otto Flake u. a.) herausgegeben. Vgl. *Schlawe, Zeitschriften*, 39, 47.
76 Die Differenz der Angaben zum Ende des Erscheinens bei Krause und Schlawe erklärt sich daraus, daß der Titel *Kunstwart* 1932 zwar wegfällt, das Blatt jedoch unter dem Titel *Deutsche Zeitschrift* noch bis 1937 weitergeführt wird.
77 *Dimpfl, Organisation*, 119.
78 Eine aussagekräftige Übersicht der charakteristischen Literatur und ihrer Autoren bei *Kratzsch, Geschichte der Gebildeten*, 239 ff.
79 ⟨Langbehn, Julius⟩: Rembrandt als Erzieher. Von einem Deutschen. Weimar 1922, 21.
80 Lienhard versucht sich von Januar bis September 1900 an einer eigenen Zeitschrift mit dem Titel *Heimat. Blätter für Litteratur und Volkstum*. Nicht zu verwechseln ist dieses aggressiv-chauvinistische Heimatkunstblatt mit der ab 1876 in Wien erscheinenden *Heimath*, die unter anderem von Ludwig Anzengruber herausgegeben wird und deren regionalistische und nicht-nationalistische Ausrichtung vergleichbar ist mit Peter Roseggers ebenfalls 1876 gegründetem und in Graz erscheinendem *Heimgarten*.
81 Zur Rolle des Kritikers Adolf Bartels vgl. auch *Lublinski, Bilanz*, 281, 300 und passim. Während der *Kunstwart* Gustav Frenssens *Jörn Uhl* begeistert feiert, finden die gleichzeitig erscheinenden *Buddenbrooks* keine Erwähnung.
82 1915 wurde der *Kunstwart* vorübergehend in *Deutscher Wille* umbenannt: »Durchhalteappelle, aber auch Appelle zur Gesunderhaltung, zur Körperkultur, zur Wehrerziehung und Stellungnahmen gegen den Alkoholgenuß in der Truppe beherrschten den Inhalt« (*Krause, Kunstwart*, 221).
83 *Kratzsch, Geschichte der Gebildeten*, 105.
84 Vgl. *Krause, Kunstwart*, 216.
85 Avenarius an Wolfgang Kirchbach am 23. Dezember 1887, zit. nach *Kratzsch, Geschichte der Gebildeten*, 112.
86 *Pross, Literatur und Politik*, 73; Pross weist darauf hin, daß die Gefolgschaft überwiegend aus Volksschullehrern, dem typischen Aufstiegsberuf des Kaiserreichs, bestand. Dies gilt in gleicher Weise für den *Charon*.
87 *Krause, Kunstwart*, 220.
88 Während der *Kunstwart* die national-konservativen Kreise erreicht, versucht Carl Muth mit seiner 1903 gegründeten Zeitschrift *Hochland* die nach dem Kulturkampf marginalisierte katholische Leserschaft zu reorganisieren. Um 1908 kann

dieser eine Auflage von ca. 10 000 Exemplaren verbuchen. Die Vermittlung von Glauben und Literatur führt freilich ebenfalls in den Heimatkunst-Realismus: Enrica Handel-Manzetti und Lulu von Strauss und Torney gehören zu den Haus-Autorinnen. Vgl. *Pross, Literatur und Politik*, 75 ff. Das weniger erfolgreiche evangelische Pendant zu *Hochland* stellt *Der Türmer* (1898–1943, hrsg. v. Emil von Grotthuß) dar.

89 Während der ersten vier Jahre seines Bestehens wurde der *Charon* entweder verhöhnt oder totgeschwiegen, vgl. *Soergel/Hohoff, Dichtung und Dichter*, 539 f. Ab Herbst 1907 entwickelt sich jedoch eine Lesergemeinde, die immerhin den Fortbestand bis 1914 garantiert.

90 Zur Linde, Otto: Arno Holz und der Charon. Zugleich ein Versuch einer Einführung in das tiefere Verständnis vom Wesen des Charon. Großlichterfelde 1911, CXXXX. (Erstveröffentlichung in Charon VII (1910) und VIII (1911)).

91 Paulsen, Rudolf: Wie ich zum Charon kam. In: Charon IV (1907), 18–19, hier 18.

92 Vgl. zur Linde, Arno Holz (s. Anm. 90), CXXXIV. Vgl. auch Styx, Eugen: Charonbrief an eine Dame. In: Charon IX (1912). Beiblätter H. 1, 1–4, hier 2.

93 Vgl. *Bürger, Avantgarde*, 29.

94 Zur Linde, Otto: Über individuelle Kunst und die Gemeinschaft der Volksgenossen. (Erste Antwort auf einen Brief.) In: Charon IX (1912), 155–162, hier 156.

95 Vgl. Paulsen, Rudolf: Otto zur Linde. Ein Kapitel aus dem deutschen Schrifttum der Gegenwart. In: Charon IX (1912), XXIX. Natürlich hat die Technikbegeisterung des italienischen Futurismus keine Entsprechung bei den Charontikern.

96 Vgl. *Schwerte, Literatur*, 12 f.

Stephan Füssel: Das Autor-Verleger-Verhältnis in der Kaiserzeit

1 Suttner, Bertha von: Schriftstellerroman, Dresden 1888, 196.

2 *Scheideler, Beruf – Berufung*, 26.

3 *Fischer, Schutzverband*, Sp. 18/19.

4 Vgl. *Füssel, Preisbindung*, 91 ff.

5 Vgl. *Jäger, Kampf*, 185 f.

6 *Becker, Zeitungen*, 382–408.

7 *Wittmann, Geschichte*, spricht verfälschend von 19 380 Personen; bei dieser Gruppe in der Reichsstatistik wurden jedoch weitere Berufsgruppen, wie Privatgelehrte, mitgezählt; kritisch dazu *Scheideler, Beruf – Berufung*, 28 f.

8 Literaturkalender 1893, 7.

9 Goehler, Rudolf: Geschichte der Deutschen Schillerstiftung. Berlin 1909; *Linduschka, Dichterberuf*, 46; *Schwabach-Albrecht Schillerstiftung*. Vgl. auch die einzeln edierten Akten von Kirsten, Wulf (Hrsg.): Die Akte Detlev von Liliencron. Weimar o. J.; Klein, Alfred (Hrsg.): Die Akte Arno Holz. Weimar o. J.; Müller, Joachim (Hrsg.): Die Akten Gustav Falke und Max Daudendey. o. J.

10 Zit. n. *Die Feder* Nr. 115 vom 11. Dezember 1905.

11 *Die Feder* Nr. 83 vom 1. Dezember 1902, 696 f.

12 Fred, W. ⟨d. i. Alfred Wechsler⟩: Literatur als Ware. Bemerkungen über die Wertung schriftstellerischer Arbeit. Berlin 1911, 38.
13 Über dieses Kartell sind wir durch die materialreiche und umfassende Studie von *Martens, Lyrik kommerziell*, bestens informiert.
14 Ebd., 128.
15 Vgl. *Ungern-Sternberg, Rezension*, 256 f.
16 Vgl. Hasenclever, Walter (Hrsg.): Dichter und Verleger. Briefe von Wilhelm Friedrich und Detlev von Liliencron. München/Berlin 1914, hier Brief vom 21. Mai 1886.
17 Ebd., Brief vom 2. März1889.
18 Literaturkalender 1895, 6.
19 *Jens, Dichter*, 224. Vgl. dazu auch die Darlegung zum Akademieprojekt bei *Scheideler, Beruf – Berufung*, 1997, 93 ff.
20 Zit. n. *Scheideler, Beruf – Berufung*, 1997, 50.
21 Ebd.
22 In: Das Magazin für Litteratur. Jg. 60 (1891), Nr. 52, 818–819; zit. n.: Manifeste und Dokumente zur deutschen Literatur 1890–1910. Jahrhundertwende. Hrsg. v. Erich Ruprecht und Dieter Baensch. Stuttgart 1970, 1–4.
23 Ebd., 1.
24 Mann, Thomas: Tonio Kröger. In: Erzählungen, 298–374, hier 372; zu der virulenten Problematik Künstler-Bürger bei Thomas Mann vgl. *Kurzke: Thomas Mann*, 44–52.
25 Zit. n. *Glaser*, *Literatur* 71.
26 Vgl. zum SDS *Fischer, Schutzverband*, Sp. 126 f.
27 Die Aktiengesellschaften im Buchgewerbe und Buchhandel. In: Börsenblatt Nr. 115 vom 23. Mai 1910, 6105–6117, hier 6106.
28 Vgl. *Hellge, Wilhelm Friedrich*.
29 Ebd., Sp. 844.
30 Hasenclever, Walter: Dichter und Verleger. München 1914, 94.
31 Steiger, Edgar: Der Kampf um die neue Dichtung. Leipzig [2]1889, 84.
32 Vgl. Die Briefausgabe Samuel Fischer, ediert v. Bernhard Zeller. Eine differenzierte Verlagsgeschichte des S. Fischer Verlages gehört leider heute noch zu den Desiderata; die erdrückende materialreiche Arbeit von Peter de Mendelssohn ist aus einer sehr subjektiven Warte heraus geschrieben, so daß sie in vielen Fällen objektiveren Überprüfungen nicht standhält.
33 Piper, Reinhard: Mein Leben als Verleger, München 1964, 293 f.
34 Ebd., 244.
35 Börsenblatt vom 10. Februar 1910.
36 Das Blaubuch. Hrsg. v. A. Ilgenstein. V. Jg. 1910, I. Quartal. Nr. 7 vom 17. Februar 1910.
37 Ebd., 198 f.
38 Ebd., 204 f.
39 Ebd., 225 f.
40 *Füssel, Göschen & Seume*, 5261.
41 Wichtige Hinweise verdanken wir *Göbel, Wolff Verlag*; *Göbel, Lektoren*; vgl. neuerdings *Schneider, Lektorat*.

42 Vgl. *Göbel, Wolff Verlag*, Sp. 603.
43 Ebd., 607 f.
44 Wolff, Kurt: Briefwechsel eines Verlegers. 1911–1963. Hrsg. v. Bernhard Zeller und Ellen Otten. Frankfurt/M. 1980. Wolff an Kafka vom 20. März 1913, 28.

Wolf Wucherpfennig: Antworten auf die naturwissenschaftlichen Herausforderungen in der Literatur der Jahrhundertwende

1 Nietzsche, Friedrich: Über Wahrheit und Lüge im aussermoralischen Sinne. In: Werke in drei Bänden, hrsg. v. Karl Schlechta. Darmstadt 1994, Bd. 3, 309–322, hier 309.
2 Du Bois-Reymond, Emil: Das Kaiserreich und der Friede. Berlin 1871, 4. Ich danke Renate Werner für den Hinweis.
3 Nur der Marxismus hat diese Unterscheidung beibehalten. Von hier aus haben Wladimir I. Lenin (Materialismus und Empiriokritizismus, 1909) und später Georg Lukács (Die Zerstörung der Vernunft, 1954) die Philosophie der Jahrhundertwende kritisiert.
4 Rasch, Wolfdietrich: Aspekte der deutschen Literatur um 1900. In: Zur deutschen Literatur der Jahrhundertwende. Gesammelte Aufsätze. Stuttgart 1967, 1–48.
5 Über die Tradition des Topos vom ›Zusammenhang der Dinge‹ und über das entsprechende Analogiedenken vgl. ausführlich Gebhard, Walter: »Der Zusammenhang der Dinge«. Weltgleichnis und Naturverklärung im Totalitätsbewußtsein des 19. Jahrhunderts. Tübingen 1984, passim.
6 Bölsche, Wilhelm: Die naturwissenschaftlichen Grundlagen der Poesie. Prolegomena einer realistischen Ästhetik (1887). Hrsg. v. J. J. Braakenburg. Tübingen 1976, 4.
7 Ebd., 61.
8 Wenn Bölsche erklärt, die Kausalketten seien letztlich nicht mehr zu entwirren (»dessen letzte Gründe wir nicht kennen«), so ist das ebensowenig als Erkenntnisverzicht zu verstehen wie das »Ignorabimus« von Du Bois-Reymond (Über die Grenzen des Naturerkennens, 1872), das nur von weitergehender religiöser Spekulation abgrenzen soll.
9 Bölsche, Wilhelm: Weltblick. Gedanken zu Kunst und Natur. Dresden 1904, 149.
10 Bayertz, Kurt: Die Deszendenz des Schönen. Darwinisierende Ästhetik im Ausgang des 19. Jahrhunderts. In: Fin die siècle. Zu Naturwissenschaft und Literatur der Jahrhundertwende im deutsch-skandinavischen Kontext. Kopenhagen u. München 1984, 88–110, hier 92.
11 Bölsche: Die naturwissenschaftlichen Grundlagen der Poesie, 13 (s. Anm 6).
12 Genauer hierzu Heidelberger, Michael: Die innere Seite der Natur. Gustav Theodor Fechners wissenschaftlich-philosophische Weltauffassung. Frankfurt/M. 1993.
13 Vgl. Fick, Monika: Sinnenwelt und Weltseele. Der psychophysische Monismus in der Literatur der Jahrhundertwende. Tübingen 1993, 53 u. 87, sowie Heidelberger, Michael: Die innere Seite der Natur, 209 u. 305; von hier führt ein Weg zu den

okkulten, spiritistischen und theosophischen Strömungen der Jahrhundertwende. Vgl. Sinnenwelt und Weltseele, Kap. 4 u. 5.

14 »Durch das Weltsystem des *Copernicus*, welches Newton mechanisch (durch die Gesetze der Schwere und der Massenanziehung) begründete, wurde die geocentrische Weltanschauung der Menschheit umgestoßen, d.h. der Irrwahn, daß die übrigen Weltkörper, Sonne, Mond und Sterne, nur dazu da seien, um sich rings um die Erde herumzudrehen. Durch die Entwicklungstheorie des Lamarck, welche Darwin mechanisch (durch die Gesetze der Vererbung und der Anpassung) begründete, wurde die anthropocentrische Weltanschauung der Menschheit umgestoßen, d. h. der Irrwahn, daß der Mensch der Mittelpunkt des Erdenlebens und die übrige Natur, Thier , Pflanzen und Anorgane, nur dazu da sei, um dem Menschen zu dienen.« Haeckel, Ernst: Gemeinverständliche Vorträge und Abhandlungen aus dem Gebiete der Entwicklungslehre. 2 Bde. Bonn ²1902, Bd. 1, 69.

15 Wille, Bruno: Das lebendige All. Idealistische Weltanschauung auf naturwissenschaftlicher Grundlage im Sinne Fechners. Hamburg u. Leipzig 1905, 3.

16 Ebd., 7 f.

17 In Bölsches *Naturwissenschaftlichen Grundlagen der Poesie* ist der Kampf ums Dasein schon reduziert auf den Kampf der Ideen um die Führung auf dem Weg des Fortschritts (s. Anm. 6, 56). Die allgemeine Tendenz, den darwinistischen Konkurrenzkampf in ein entwicklungsharmonisches Gesamtbild umzudeuten, beschreibt Sternberger, Dolf: Panorama oder Ansichten vom 19. Jahrhundert. In: Schriften. Bd. 5. Frankfurt/M. 1981, Kap. 4.

18 Scherer, Wilhelm: Vorträge und Aufsätze zur Geschichte des geistigen Lebens in Deutschland und Österreich. Berlin 1874, 412.

19 Zit. n. Krauss, Werner: Literaturgeschichte als geschichtlicher Auftrag. In: Studien und Aufsätze. Berlin 1959, 19–71, hier 33.

20 Scherer, Vorträge und Aufsätze (s. Anm. 18), 414

21 Mach, Ernst: Die Analyse der Empfindungen und das Verhältnis des Psychischen zum Psychischen. Jena ⁵1906, 20 .

22 Vgl. ebd., 2 f., 19 ff., 292 f.

23 Vgl. ebd., 255.

24 Ebd, 2.

25 Ebd., 24.

26 Zit. nach Misch, Georg: Lebensphilosophie und Phänomenologie. Eine Auseinandersetzung der Dilthey'schen Richtung mit Heidegger und Husserl. Bonn 1930, 122. Noch grundsätzlicher und präziser hatte schon Nietzsche, nachdem er das »Ding an sich« abgewiesen, »die formlos-unformulierbare Welt des Sensationen-Chaos« der logisch (und damit sprachlich) zurechtgemachten Welt der sogenannten Phänomene gegenübergestellt. Vgl. Nietzsche, Friedrich: Aus dem Nachlaß der Achtzigerjahre. In: Werke in drei Bänden (s. Anm. 1), Bd. 3, 415–925, hier 534.

27 Lessing, Theodor: Europa und Asien. Untergang der Erde am Geist. Leipzig ⁵1930, 6.

28 Mach, Ernst: Erkenntnis und Irrtum. Skizzen zur Psychologie der Forschung. Leipzig ⁵1926, 460.

29 Brief an die Eltern vom 16. November 1853. In: Uschmann, Georg: Ernst Haeckel. Forscher, Künstler, Mensch. Briefe. Leipzig, Jena ²1958, 18. In diesem Zusammenhang ist an das Aufblühen der Naturheilkunde in der intellektuellen Subkultur der Epoche zu erinnern. Vgl. hierzu die ausführliche Einleitung in: Frecot, Janos, Geist, Johann Fr. u. Kerbs, Diethart: Fidus 1868–1948. Zur ästhetischen Praxis bürgerlicher Fluchtbewegungen. München 1972

30 Müller-Freienfels, Richard: Philosophie der Individualität. Leipzig ²1923, 231.

31 Mann, Heinrich: Ein Zeitalter wird besichtigt. Düsseldorf 1974, 6.

32 Nietzsche, Friedrich: Also sprach Zarathustra (Kap.: Von den Verächtern des Leibes). In: Werke in drei Bänden (s. Anm. 1), Bd. 2, 300.

33 Bezeichnenderweise setzt Bölsche solche natürlichen Rhythmen ineins mit den gesellschaftlichen Rhythmen, in denen sich seiner Meinung nach technischer und humanitärer Fortschritt ausbreiten. Vgl. Gebhard, Der Zusammenhang der Dinge (s. Anm. 5), 378 .

34 Zit. n. Gebhard, Der Zusammenhang der Dinge (s. Anm. 5),316

35 Nach Wucherpfennig, Wolf: Kindheitskult und Irrationalismus in der Literatur um 1900. Friedrich Huch und seine Zeit. München 1980, 228.

36 Zit. n. Gebhard, Der Zusammenhang der Dinge (s. Anm. 5), 492.

37 Mach: Die Analyse der Empfindungen (s. Anm. 21), 3 f.

38 Klages, Ludwig: Vom kosmogonischen Eros. In: Sämtliche Werke. Hrsg. v. Frauchiger u. a. Bd. 3. Bonn 1974, 353–497, hier 387.

39 »Was ist also Wahrheit? Ein bewegliches Heer von Metaphern, Metonymien, Anthropomorphismen, kurz eine Summe von menschlichen Relationen, die, poetisch und rhetorisch gesteigert, übertragen, geschmückt wurden, und die nach langem Gebrauch einem Volke fest, kanonisch und verbindlich dünken: die Wahrheiten sind Illusionen, von denen man vergessen hat, daß sie welche sind, Metaphern, die abgenutzt und sinnlich kraftlos geworden sind ⟨...⟩.« Nietzsche, Über Wahrheit und Lüge im außermoralischen Sinne, 314. Das Reden in Formen der Analogie, von der späteren Lebensphilosophie zum Prinzip erhoben, wird hier noch als Problem gesehen, doch als unvermeidliches, solange man nach der eigentlichen Wahrheit fragt.

40 Ebd., 310 f.

41 Nietzsche, Friedrich: Zur Genealogie der Moral. In: Werke in drei Bänden (s. Anm. 1), Bd. 2, 761–900, hier 778.

42 Ebd., 827.

43 Ebd.

44 Ebd., 828.

45 Nietzsche, Friedrich: Die Geburt der Tragödie oder Griechentum und Pessimismus. Versuch einer Selbstkritik. In: Werke in drei Bänden (s. Anm. 1), Bd. 1, 9–20, hier 14.

46 Nietzsche, Friedrich: Die fröhliche Wissenschaft. In: Werke in drei Bänden (s. Anm. 1), Bd. 2, 7–274, hier 201.

47 Nietzsche, Friedrich: Also sprach Zarathustra. In: Werke in drei Bänden (s. Anm. 1), Bd. 2, 275–561, hier 470.

48 Ebd.

49 Ebd., 475.

50 Hofmannsthal, Hugo von: Aufzeichnungen. In: Gesammelte Werke in Einzelausgaben, hrsg. v. H. Steiner. Frankfurt/M. 1959, 47.

Marianne Wünsch: Phantastik in der Literatur der frühen Moderne

1 Vgl. dazu *Todorov, Einführung, Fischer/Thomsen, Phantastik, Brooke-Rose, Unreal, Cersowsky, Phantastische Literatur, Wünsch, Fantastische Literatur, Traill, Possible Worlds.*

2 Vgl. dazu *Wünsch, Fantastische Literatur*, Kap. 3.

3 Meyrink, Gustav: Der Golem. München 1915, 308.

4 Drastische Beispiele solcher Normverstöße finden sich etwa in Hermann Ungars *Die Verstümmelten* (1923), Döblins *Der schwarze Vorhang* (1919), Ernst Weiß' *Stern der Dämonen* (1921) usw. Die merkwürdig verständnisvolle Behandlung des Lustmordes findet sich auch in Wassermanns *Christian Wahnschaffe* (1919), Flakes *Ruland* (1922), Döblins *Berlin Alexanderplatz* (1929), Musils *Der Mann ohne Eigenschaften* (1930 ff.) und Leonhard Franks *Traumgefährten* (1936). Vgl. *Wünsch, Modell, Titzmann, Konzept, Titzmann, Drama.*

5 So z. B. in Spundas *Devachan* (1921) oder in *Der gelbe und der weiße Papst* (1923), *Das ägyptische Totenbuch* (1924), *Baphomet* (1928), Kubins *Die andere Seite* (1909), Meyrinks *Der weiße Dominikaner* (1921) usw. Vgl. dazu auch das Kap. *Die Götter und ihre Moral* in *Wünsch, Fantastische Literatur*, 181 ff.

6 So z. B. in Bergengruens *Das Gesetz des Atum* (1923), Meyrinks *Das Wachsfigurenkabinett* (1908), *Walpurgisnacht* (1917), *Der weiße Dominikaner* (1921), Spundas *Devachan* (1921), Strobls *Umsturz im Jenseits* (1920), Soykas *Eva Morsini – die Frau, die war* (1923).

7 Vgl. z. B. Willy Seidels *Der Käfig* (1925), Strobls *Umsturz im Jenseits* (1920), Meyrinks *Der Engel vom westlichen Fenster* (1927), Wiedmers *Die Verwandlungen des Walter von Tillo* (1930).

8 Vgl. *Lukas, Das Selbst.*

9 Vgl. *Titzmann, Konzept.*

10 Vgl. *Rasch, Literatur, Lindner, Leben.*

11 Vgl. *Wünsch, Realismus.*

John A. McCarthy: Die Nietzsche-Rezeption in der Literatur 1890–1918

1 Vgl. Lublinski, Samuel: Die Bilanz der Moderne (1904). Hrsg. v. Gotthart Wunberg. Tübingen 1974, 3–49.

2 Ebd., 49.

3 Aschheim, Steven E.: The Nietzsche Legacy in Germany 1890–1990. Berkeley 1992, 31–50, bes. 45–46. Siehe ferner Canicik, Hubert: Der Nietzsche-Kult in Weimar. Ein Beitrag zur Religionsgeschichte der wilhelminischen Ära. In: Nietzsche Studien 16 (1987), 405–429; Krause, Jürgen: ›Märtyrer‹ und ›Prophet‹. Stu-

dien zum Nietzsche-Kult in der bildenden Kunst der Jahrhunderwende. Berlin/New York 1984; Simmel, Georg: Der Nietzsche-Kultus. In: Deutsche Literaturzeitung 42 (23. Okt. 1897), 1645–1651. Simmel war von Nietzsche begeistert und ließ sich in seinem soziologischen System inspirieren (vgl. z. B. der Begriff der ›Vornehmheit‹).

4 Lublinksi, Bilanz (s. Anm. 1), 45.

5 Krummel, Richard Frank: Nietzsche und der deutsche Geist, 2 Bde. Berlin/New York 1974/1983. Diese wichtige Bibliographie ist durch die Kompilation v. Herbert W. Reichert und Karl Schlechta, International Nietzsche Bibliography (Chapel Hill 1960) zu ergänzen. Weitere Jahresbibliographien werden in den Nietzsche-Studien: Internationales Jahrbuch für die Nietzsche-Forschung (Berlin 1972) verzeichnet. Holub, Robert C.: Friedrich Nietzsche. TWAS 857. New York 1995, bietet eine wertvolle kommentierte Auswahlbibliographie jüngst erschienener Nietzsche-Studien in meist englischer Sprache (178–82).

6 Siehe Aschheim, Steven E.: The Nietzsche Legacy in Germany 1890–1990. Berkeley 1992; Hillebrand, Bruno (Hrsg.): Nietzsche und die deutsche Literatur. 2 Bde. Tübingen 1978; Pütz, Peter: Friedrich Nietzsche. Stuttgart 1967. Siehe auch Holub, Nietzsche (s. Anm. 5). Den Einfluß auf Politik und Gesellschaft untersucht Hinton, Thomas R.: Nietzsche in German Politics and Society 1890–1918. Manchester 1983. Für die Nietzsche-Rezeption in England siehe Thatcher, David S.: Nietzsche in England 1890–1914. Toronto 1970 und Bridgwater, Patrick: English Writers and Nietzsche. In: Pasley, Malcolm (Hrsg): Nietzsche: Imagery and Thought. Berkeley 1978, 220–58. Für Frankreich siehe Deudon, Eric Hollingsworth: Nietzsche en France. L'Antichristianisme et la Critique, 1891–1915. Washtington DC 1982.

7 Vgl. Kaufmann, Walter: Nietzsche: Philosopher, Psychologist, Antichrist. Princeton 1974, 9.

8 Siehe z. B. Nehamas, Alexander: Life as Literature. Cambridge MA 1985 und Magnus, Bernd/Stewart, Stanley/Mileur, Jean-Pierre: Nietzsche's Case: Philosophy as/and Literature. New York 1993.

9 Vgl. Holub, Robert C.: The Social Observer. In: Nietzsche (s. Anm. 5), 79–101 und Polin, Raymond: Nietzsche und der Staat oder Die Politik eines Einsamen. In: Nietzsche, Werk und Wirkung. Hrsg. v. Hans Steffen. Göttingen 1974, 27–44.

10 Aschheim, Nietzsche Legacy (s. Anm. 6), 3–7.

11 Nietzsche, Friedrich: Sämtliche Werke. Kritische Studienausgabe in 15 Einzelbänden. Hrsg. Giorgio Colli und Mazzino Montinari. München 1988. Bd. 6, 298. Nachher als »KSA« mit Band- und Seitennummer im Text in Klammern zitiert.

12 Holub, *Nietzsche* (s. Anm. 5), 6–8.

13 Holub, *Nietzsche* (s. Anm. 5), 9.

14 *Mix, Die Schulen* 7 f., 25 ff., 168 f., 185 f. et passim.

15 Berg, Leo: Friedrich Nietzsche. Studie. In: Deutschland Nr. 9. Berlin 1889, 148 f., 168 ff.; Benn, Gottfried: Nietzsche – nach fünfzig Jahren. In: Gesammelte Werke. Hrsg. v. Dieter Wellershoff. Bd. 1: Essays, Reden, Vorträge. Wiesbaden 1959, 482–493. Auszüge abgedruckt in Nietzsche und die deutsche Literatur. 2 Bde.

Hrsg. v. Bruno Hillebrand. Bd. 1, Texte zur Nietzsche Rezeption 1873–1963. Tübingen 1978, 62–64; 300–306.

16 Hillebrand, Nietzsche (s. Anm. 15), Bd. 1, 5–6.

17 McGrath, William J.: Dionysian Art and Populist Politics in Austria. New Haven CT 1974.

18 Brandes' *Aristokratischer Radikalismus. Eine Abhandlung über Friedrich Nietzsche* ist 1890 in Deutschland erschienen: Deutsche Rundschau 63.7 (April 1890), 52–89.

19 Mann, Thomas: Notizen zu Geist und Kunst, Nr. 103 (1909). In: Hillebrand, Nietzsche (s. Anm. 15), Bd. 1, 157.

20 Morgenstern, Christian: Nietzsche. In: Hillebrand, Nietzsche (s. Anm. 15), Bd. 1, 110.

21 Ebd., 56.

22 Dehmel, Richard: Offener Brief an den Herausgeber der *Kultur* (1902). In: Hillebrand, Nietzsche (s. Anm. 15), Bd. 1, 136.

23 Ernst, Paul: Friedrich Nietzsche. In: Hillebrand, Nietzsche (s. Anm. 15), Bd. 1, 65–67.

24 Mann, Heinrich: Zum Verständnis Nietzsches. Hillebrand, Nietzsche (s. Anm. 15), Bd. 1, 106.

25 Aschheim, Nietzsche Legacy (s. Anm. 6), 19; Cancik, Hubert A.: Der Nietzsche-Kult in Weimar (II). In: Die Religion von Oberschichten: Religion, Profession, Intellektualismus. Hrsg. v. Peter Antes und Donate Pahnke. Marburg 1989, 89, 110–111; Levenstein, Adolf: Friedrich Nietzsche im Urteil der Arbeiterklasse. Leipzig 1914.

26 Aschheim, Nietzsche Legacy (s. Anm. 6), 6, 116–127, 146–152.

27 Vgl. Hillebrand, Nietzsche (s. Anm. 15), Bd. 1: Texte zur Nietzsche-Rezeption 1873–1973 und Mix, Schulen der Nation (s. Anm. 14).

28 Der Schriftsteller Wilhelm Weigand berichtet von seiner Begeisterung für den Sprachstil der aphoristischen *Götzen-Dämmerung*, die er 1889 mit Erstaunen verschlungen habe. In: Welt und Weg. Aus meinem Leben. Bonn 1940, 14–15. Auch im gleichen Jahr 1889 erschien Leo Bergs Studie über Nietzsche. Für Berg war Nietzsches Sprachkunst am bestechendsten. Vgl. Berg, Leo: Friedrich Nietzsche. Studie. In: Deutschland Nr. 9. Berlin 1889, 148–49, 168–70. Auszüge abgedruckt in Hillebrand, Nietzsche (s. Anm. 15), Bd. 1. Vgl. ferner Dehmel, Offener (s. Anm. 22), 135–38.

29 Hillebrand, Nietzsche (s. Anm. 15), Bd. 1, 23–25. Vgl. die Auszüge aus Hofmannsthals Schriften: Hillebrand, Bd. 1: 78–80, 82, 89–91, 105–106, 116.

30 Nietzsche, Friedrich: Über Wahrheit und Lüge im aussermoralischen Sinne (1873). KSA 1: 884; Jenseits von Gut und Böse (1886). KSA 5: 18, 53, 56–58.

31 Nietzsche, Jenseits von Gut und Böse, KSA 5: 158.

32 Der Untertitel von *Ecce Homo* lautet: »Wie man wird, was man ist« (KSA 6: 293); vgl. Nehamas, Alexander: How One Becomes What One Is. In:Life as Literature (s. Anm. 8), 170–199.

33 Hillebrand, Nietzsche (s. Anm. 15), Bd. 1, 27–30.

34 Kayser, Rudolf: Friedrich Nietzsche und Stefan George. In: Monatshefte 29

(1937): 145–52; Pütz, Peter: Nietzsche und George. In: Stefan George Kolloquium. Hrsg. v. E. Heftrich, P.G. Klussmann und H. J. Schrimpf. Köln 1971, 49–66.

35 Hillebrand, Nietzsche (s. Anm. 15), 30.

36 Vgl. Dehn, Fritz: Rilke und Nietzsche. In: Dichtung und Volkstum 37 (1936), 1–22; Heller, Eric: Rilke und Nietzsche. In: Enterbter Geist. Frankfurt 1954; Fleischer, Margot: Nietzsche und Rilkes Duineser Elegien. Diss. Köln 1958.

37 Rilke, Rainer Maria: Marginalien zu Friedrich Nietzsche. In Hillebrand, Nietzsche (s. Anm. 15), Bd. 1, 131.

38 Im 2. Band von Hillebrand, Nietzsche (s. Anm. 15) finden sich neun einschlägige Studien über Nietzsches Wirkung; sechs davon betreffen die Jahre 1890–1918. Insbesonders ist die detaillierte und informative Untersuchung von Gunter Martens: Nietzsches Wirkung im Expressionismus (Bd. 2, 35–82) hervorzuheben, da die Anfänge jener Strömung in die Endphase der gegenwärtigen Abhandlung zurückreichen und aus Platzmangel nicht mehr berücksichtigt werden konnten.

39 Mann, Notizen zu Geist und Kunst. (s. Anm. 19), 157; vgl. 36–37.

40 Benn, Nietzsche nach 50 Jahren (s. Anm. 15), 300–306.

41 Musil, Robert: Etwas über Nietzsche (1899). In: Hillebrand, Nietzsche (s. Anm. 15), Bd. 1, 140.

42 Heym, Georg: Erstes Tagebuch (1906). In: Hillebrand, Nietzsche (s. Anm. 15), Bd. 1, 147.

43 Siehe Lungstrum, Janet: Self-Constructs of Impermanence: Kafka, Nietzsche and Creativity. In: Seminar 27.2 (1991), 102–20.

44 Vgl. Trommler, Frank: Sozialistische Literatur in Deutschland. Ein historischer Überblick. Stuttgart 1976, 40–69, 136–163, 266–270, 274–282.

45 Ebd., 140.

46 Schlaf, Johannes: Der »Fall« Nietzsche (1907). In: Hillebrand, Nietzsche (s. Anm. 15), Bd. 1, 148.

47 Mann, Thomas: Betrachtungen eines Unpolitischen (1918). In Hillebrand, Nietzsche (s. Anm. 15), Bd. 1, 183–84.

48 1934 ließ sich z. B. Hitler neben der Büste Nietzsches photographieren, und 1944 hielt der Chefideologe des Dritten Reichs, Alfred Rosenberg, die Festrede zum 100. Geburtstag des Dichters in Weimar.

49 Hillebrand, Nietzsche (s. Anm. 15), Bd. 1, 39–40.

50 Döblin, Alfred: Der Wille zur Macht als Erkenntnis bei Friedrich Nietzsche (1902) und Zu Nietzsches Morallehre (1903). Erstdruck : Hillebrand, Nietzsche (s. Anm. 15), Bd. 1, 315–58.

51 Aschheim, Nietzsche Legacy (s. Anm. 6), Chapter V: Zarathustra in the Trenches, 128–63.

52 Aschheim, Nietzsche Legacy (s. Anm. 6), 151—155. Auszug abgedruckt in: Hillebrand, Nietzsche (s. Anm. 15), Bd. 1, 189. f.

53 Mann, Thomas: Brief an Ernst Bertram vom 21. September 1918. In: Hillebrand, Nietzsche (s. Anm. 15), Bd. 1, 185

Dieter Borchmeyer: Richard Wagner und die Literatur der frühen Moderne

1 Magee, Bryan: Aspects of Wagner. London 1968, 86.
2 Furness, Raymond: Wagner and Literature. Manchester 1982, X.
3 Benjamin, Walter: Illuminationen. Ausgewählte Schriften. Hrsg. v. Siegfried Unseld. Frankfurt/M. 1961, 185.
4 Vgl. Borchmeyer, Dieter: Der Mythos als Oper. Hofmannsthal und Richard Wagner. In: Hofmannsthal-Forschungen 7. Freiburg i. Br. 1983, 19–66.
5 Koppen, Erwin: Dekadenter Wagnerismus. Studien zur europäischen Literatur des Fin de siècle. Berlin 1973, 82.
6 Vgl. dazu Dieter Borchmeyer: Das Theater Richard Wagners. Idee, Dichtung, Wirkung. Stuttgart 1982, 11 ff., 254 ff.
7 Zit. n. Bauer, Roger: Paul Claudel und Richard Wagner. In: Richard Wagner und das neue Bayreuth. Hrsg. v. Wieland Wagner. München 1962, 53.
8 Nordau, Max: Entartung. 2 Bde. Berlin 1892/93.
9 Einstein, Alfred: Verdi und Wagner. In: Melos 18 (1951), 41.
10 Nietzsche und Wagner. Stationen einer epochalen Begegnung. Hrsg. v. Dieter Borchmeyer und Jörg Salaquarda. Frankfurt/M. 1994, 873.
11 Vgl. Borchmeyer, Dieter: Décadence. In: Moderne Literatur in Grundbegriffen, hrsg v. Dieter Borchmeyer u. Viktor Žmegač Tübingen 1994, 69–76.
12 Borchmeyer/Salquarde, Nietzsche und Wagner (s. Anm. 10), 1100 f.
13 Ebd., 931 ff.
14 Ebd., 1075.
15 Mann, Thomas: Versuch über das Theater. In: Gesammelte Werke in dreizehn Bänden. Bd. X. Frankfurt/M. ^{2}1974, 27.
16 Vgl. Borchmeyer, Dieter: Das Theater Richard Wagners, 316–323 und Ders: Melusine oder die »ewig sieggewisse Macht« des Elementaren. Mörike und Wagner in einer Parallele Fontanes. In: Sei mir, Dichter, willkommen!« Studien zur deutschen Literatur von Lessing bis Jünger. Kenzo Miyashita gewidmet. Hrsg.v. Klaus Garber u. a.. Köln 1995, 169–182.
17 Fontane, Theodor: Quitt. In: Sämtliche Werke. Hrsg. v. Walter Keitel. Bd. I. Darmstadt 1962, 378.
18 Mann, Thomas: Einführung in den Zauberberg. In: Gesammelte Werke. In dreizehn Bänden. Bd. XI. Frankfurt ^{2}1974, 611.
19 Vgl. Borchmeyer: Mythos. In: Borchmeyer/Žmegač Moderne Literatur (s. Anm. 11), 292–308.
20 Mann, Thomas: Freud und die Zukunft. In: Gesammelte Werke. In dreizehn Bänden. Bd. IX. Frankfurt ^{2}1974, 493.
21 Der Hang zum Gesamtkunstwerk. Europäische Utopien seit 1800. Hrsg. V. Harald Szeemann. Aarau, Frankfurt/M. 1983.
22 Vgl. Vordtriede, Werner: Richard Wagners Tod in Venedig. In: Euphorion 58 (1958), 378–395.
23 Vgl. Borchmeyer, Dieter: Verdi contra Wagner. Franz Werfels ›Roman der Oper‹. In: Ton – Sprache. Komponisten in der deutschen Literatur. Hrsg. v. Gabriele Brandstetter. Bern/Stuttgart,Wien 1995, 125–142.

24 Vgl. Fuchs, Eduard und Kreowski, Ernst: Richard Wagner in der Karikatur. Berlin 1907.
25 Vgl. Wagner-Parodien. Ausgewählt und mit einem Nachwort versehen v. Dieter Borchmeyer und Stephan Kohler. Frankfurt/M. 1983.
26 Borchmeyer/Salquarde, Nietzsche und Wagner (s. Anm. 10), 1079.
27 Ebd., 307.
28 Ebd., 642.
29 Mann: Gesammelte Werke (s. Anm. 20), Bd. IX, 375 f.

Monika Fick: Literatur der Dekadenz in Deutschland

1 *Koppen, Wagnerismus*, 7–66.
2 Ebd.
3 Ebd., 36 ff.
4 Ebd., 48; *Kafitz, Dekadenz*, 9 ff.
5 *Pikulik, Leistungsethik*, 16 ff.
6 *Rasch, Décadence.*
7 *Koppen, Wagnerismus*, 278 ff.
8 *Rasch, Décadence*, 38 ff.
9 *Kafitz, Dekadenz.*
10 Vgl. *Pfotenhauer, Kunst*, 104
11 *Kafitz, Dekadenz*, 16.
12 Vgl. *Pikulik, Leistungsethik*, 27 ff.
13 Mann, Thomas: Buddenbrooks. Verfall einer Familie. Gesammelte Werke in Einzelbänden. Hrsg. v. Peter de Mendelssohn. Frankfurt/M. 1981, 281, 369, 478 f.
14 Mann, Thomas: Schopenhauer. In: Leiden und Größe der Meister. Gesammelte Werke in Einzelbänden. Hrsg. v. Peter de Mendelssohn. Frankfurt/M. 1982, 664 ff., bes. 675 f.
15 Mann, Buddenbrooks (s. Anm. 13), 671.
16 Ebd., 637.
17 *Thomé, Autonomes Ich*, bes. 180 ff.
18 Nordau, Max: Entartung. Bd. 1. Berlin o. J. ⟨[1]1892⟩, 189 ff.
19 *Thomé, Autonomes Ich*, 210 ff., 226 ff.
20 ›Das Problem des Sokrates‹ aus *Götzen-Dämmerung*.
21 Nietzsche, Friedrich: Götzendämmerung. Mit einem Nachwort v. Alfred Baeumler. Stuttgart 1930, 89 (Das Problem des Sokrates, Nr. 4).
22 Nietzsche, Der Fall Wagner, ebd., 15 (Nr. 5).
23 Nietzsche, Der Fall Wagner, ebd., 19 (Nr. 7), 38 f. (Nachschrift). Dazu das Hysterie-Kapitel bei *Thomé, Autonomes Ich*, 196 ff.
24 Z. B. Mann, Buddenbrooks (s. Anm. 13), 639, 663.
25 Ebd., 736, 739.
26 Vgl. *Koppen, Wagnerismus*, 272 ff.
27 Mann, Heinrich: Die Göttinnen oder die drei Romane der Herzogin v. Assy. Erster Roman: Diana. Berlin o. J., 6 ff.

28 *Winter, Naturwissenschaft*, 30 ff., bes. 85 ff.
29 *Koppen*, *Wagnerismus*, 111–113.
30 Zit. n. *Kafitz, Dekadenz*, 10.
31 Lombroso, Cesare: Der geniale Mensch. Übers. v. O. Fraenkel. Hamburg 1890, 411 ff.
32 Ebd., 413.
33 Panizza, Oskar: Genie und Wahnsinn (1891). In: Psychopathia Criminalis. Mit Vorworten v. Bernd Mattheus. (debatte 21). München [2]1985, 83 ff., bes. 114.
34 Bachmann, Beatrix und Britta Grohs-Vicente, Friedrich Huch: »Mao«. Dekadenz und Schizophrenie, in: *Kafitz, Dekadenz*, 225–241.
35 Hesse, Hermann: Unterm Rad. Jubiläumsausg. Bd. 1. Frankfurt/M. 1980, 162.
36 Ebd., 259 f., 262 (»Momente körperhafter Anschauung«).
37 *Kafitz, Johannes Schlaf*, bes. 123 ff.
38 *Thomé, Autonomes Ich*, 461 ff. und *Fick, Sinnenwelt*, 300 ff.
39 Vgl. *Kafitz, Dekadenz*, 32.
40 Ebd., 14 f.
41 Vgl. hierzu *Braungart, Sinn*, 219 ff.
42 Keyserling, Eduard von: Beate und Mareile. Eine Schloßgeschichte. Mit einem Nachwort v. Heide Eilert. München 1995, 11.
43 Vgl. *Thomé, Autonomes Ich*, 494 ff. Zum Aspekt der Dekadenz: *Rasch, Décadence*, 224 ff.

Michael Winkler: Der George-Kreis

1 Gundolf, Friedrich: George. Berlin 1920. Die drei Zitate nach der 4. Aufl. Darmstadt 1968, 31.
2 Das Buch erschien wieder als Bd. VIII der Gesamt-Ausgabe von Georges Werken.
3 Zit. nach: Stefan George 1868–1968. Der Dichter und sein Kreis. Eine Ausstellung des Deutschen Literaturarchivs (Katalog Nr. 19) München 1968, 88. Das »Verzeichnis« auch in Landmann, Georg Peter: Stefan George und sein Kreis. Eine Bibliographie. Hamburg 1976, Nr. 219.
4 Einleitung zur X. Folge der ›Blätter‹ (November 1914), zit. n. Katalog, 223.
5 Zitat aus einem Brief an Sabine Lepsius vom Juni 1904, zit. n. Katalog, 181.
6 Die biographischen Umstände sind größtenteils bekannt: George war Anfang 1902 dem Münchner Gymnasiasten Maximilian Kronberger begegnet, dessen jugendliche Schönheit ihm besonders auffiel. Ihr Verhältnis entwickelte sich zu einer nach außen hin höflich distanzierten Freundschaft. Wenigstens legen die 1937 privat gedruckten Aufzeichnungen des Schülers, der auch talentierte Gedichte schrieb, diesen Eindruck nahe (vgl. dazu Bibliographie, Nr. 1350). Sein Tod im April 1904, einen Tag nach seinem 16. Geburtstag, muß für George ein sehr schmerzhafter Verlust gewesen sein. Er spricht davon in einem Brief an Melchior Lechter vom 27. April 1905 (Katalog, 180) als einem »mir übersinnlichen ereignis,« das »die menge im günstigsten fall scheel ansehen wird.« Im Januar

1907 ließ er einen 56seitigen Subskriptionsdruck *Maximin. Ein Gedenkbuch* in 200 Exemplaren erscheinen.

7 Das neunte (letzte) Gedicht im »Eingang« zu *Der Stern des Bundes* beantwortet seine Frage: Wer ist dein Gott? mit den Schlußversen: Der sohn aus sternenzeugung stellt ihn dar / Den neue mitte aus dem geist gebar.

8 Dieses und die folgenden Zitate aus der »Vorrede« zu Maximin; vgl. Katalog, 181.

9 Die Jahrbücher zu knapp 150 Seiten erschienen in 500 Exemplaren ohne öffentliche Werbung.

10 Die Schrift hat drei Teile (Das Reich – Der Herrscher – Der Dienst) und wurde von Lechter als Opus 1 der von ihm betreuten Einhorn-Presse in 510 Exemplaren hergestellt. Ein Teilabdruck erschien im Auslese-Band (1909) der ›Blätter‹, also in deren VIII. Folge, zusammen mit Gundolfs Beitrag *Gefolgschaft und Jüngertum.* Eine 2. Ausg. wurde 1920 mit Blätter-Signet bei Bondi gedruckt; eine 3. Aufl. lag schon 1923 vor, wurde »aber erst im Mai 1925 ausgegeben« (vgl. Bibliographie, Nr. 481).

11 Brief Gundolfs an George vom Oktober 1910, zit. n. Stefan George – Friedrich Gundolf, Briefwechsel. Hrsg. v. Robert Boehringer mit Georg Peter Landmann. München/Düsseldorf 1962, 207.

12 Das Buch ging aus Gundolfs Heidelberger Habilitation hervor. Es wurde bei Bondi ohne Blätter-Signet veröffentlicht.

13 Lepenies, Wolf: Die drei Kulturen. Soziologie zwischen Literatur und Wissenschaft. München 1985, 257.

14 George, 22.

15 Vgl. Weber, Max: Gesamtausgabe. Tübingen 1992, Abt. 1, Bd. 17. Weber hatte unter diesem Titel am 7. Dezember 1917 vor dem Freistudentischen Bund in München eine Rede gehalten, die er für den Druck 1919 umarbeitete.

16 Vgl. dazu Fügen, Hans Norbert: Der George-Kreis in der »dritten Generation«. In: Die deutsche Literatur in der Weimarer Republik. Hrsg. v. Wolfgang Rothe. Stuttgart 1974, 334–358 und Breuer, Stefan: Ästhetischer Fundamentalismus. Stefan George und der deutsche Antimodernismus. Darmstadt 1995, bes. 78–85.

Gisela Brinker-Gabler: Weiblichkeit und Moderne

1 Vgl. *Brinker-Gabler, Feminismus.* Dort auch die folgenden Zitate 229.

2 Vgl. *Oliver, Womanizing Nietzsche,* 34–42.

3 *Hartmann, Nietzsche,* 65 f.

4 Weininger, Otto: Geschlecht und Charakter. Eine prinzipielle Untersuchung. Wien 1903; Reprint München 1980.

5 Weininger, Geschlecht, 383.

6 Vgl. im besonderen die Aufsätze Die Weiblichkeit, Einige psychische Folgen des anatomischen Geschlechtsunterschiedes und Über die weibliche Sexualität in: Freud, Sigmund: Gesammelte Werke. London 1944–1952.

7 Vgl. für einen aufschlußreichen Vergleich der zeitgenössischen Wertungen von

Fontanes *Effi Briest* und Gabriele Reuters *Aus guter Familie*: *Heydebrandt/Winko, Geschlechterdifferenz*.

8 Böhlau, Helene: Der Rangierbahnhof. Roman. Berlin 1896. Dies.: Halbtier! Berlin 1899, ^{4}1902.

9 Böhlau, Halbtier! (s. Anm. 8), 290.

10 Ebd., 298.

11 Reventlow, Franziska Gräfin zu: Ellen Olestjerne. München 1903. Neu hrsg. und mit einem Nachwort versehen v. Gisela Brinker-Gabler. Frankfurt/M. 1985.

12 Kreuzer, Helmut: Die Boheme. Analyse und Dokumentation der intellektuellen Subkultur vom 19. Jahrhundert bis zur Gegenwart. Stuttgart 1971, 82 f.

13 Reventlow, Ellen Olestjerne (s. Anm. 11), 231.

14 Nietzsche, Sämtliche Werke. Hrsg. v. Giorgio Colli und Mazzino Montinari. München 1980, Bd. 4, 84.

15 Reventlow, Ellen Olestjerne (s. Anm. 11), 225.

16 Andreas-Salomé, Lou: Der Mensch als Weib. In: Deutsche Rundschau 10 (1899), 225–243. Erster Neudruck in Gisela Brinker-Gabler: Zur Psychologie der Frau. Frankfurt 1978, 285—311 (unter dem Titel *Die in sich ruhende Frau*).

17 Andreas-Salomés Unternehmen weist Ähnlichkeiten zu dem Projekt der Psychoanalytikerin und Philosophin Luce Irigaray auf, zusätzlich zu dem in der traditionellen Philosophie entworfenen singulären Modells der Subjektivität, das historisch männlich ist, ein weibliches zu erarbeiten.

18 Vgl. *Brinker-Gabler, Renaming*.

19 Friedrich Nietzsche, Paul Rée, Lou von Salomé. Die Dokumente ihrer Begegnung. Hrsg. v. Ernst Pfeiffer. Frankfurt/M. 1970, 189.

20 Andreas-Salomé, Lou: In der Schule bei Freud. Hrsg. v. Ernst Pfeiffer. Zürich, Frankfurt, Berlin 1983.

21 Andreas-Salomé, Lou: Narzißmus als Doppelrichtung. In: Imago VII (1921), 361 ff. Vgl. dazu *Martin, Woman*.

22 Andreas-Salomé, Lou: Fenitschka. Eine Ausschweifung. Erzählungen. Stuttgart 1898. Neu hrsg. und mit einem Nachwort versehen v. Ernst Pfeiffer. Frankfurt/M./Berlin/Wien 1983.

23 Musil, Robert: Tonka. In: Drei Frauen: Prosa, Dramen, Späte Briefe. Hrsg. v. Adolf Frisé. Hamburg 1957. Vgl. dazu *Ryan, Each One*.

24 Andreas-Salomé, Lou: Der Mensch als Weib (s. Anm. 16), 303.

25 Dohm, Hedwig: Die Antifeministen. Ein Buch der Verteidigung. Berlin 1902, 119–137.

26 Ebd., 20—33. Dabei ist folgendes zu berücksichtigen: diese wie auch andere seiner ›Wahrheiten‹ sind generell durch Nietzsches radikale Kritik der Autorität des Philosophen, mithin auch seiner selbst, zu relativieren. Das macht er auch gerade in bezug auf seine ›Wahrheiten‹ über die Frau deutlich. Allerdings können diese Einsichten nicht den Schaden beseitigen, den Nietzsches ›private Wahrheiten‹ anrichten, in dem sie öffentlich gemacht und institutionell machtvoll werden.

27 Dohm, Hedwig: Christa Ruland. Roman Frankfurt/M. 1902.

28 Dohm, Hedwig: Erinnerungen und weitere Schriften von und über Hedwig Dohm. Ges. und mit einem Vorwort v. Berta Rahm, 149.

29 Ebd., 150.
30 Vgl. *Fischer, Fin de siècle* und *Rasch, Décadence.*

Hiltrud Gnüg: Erotische Rebellion, Bohememythos und die Literatur des Fin de siècle

1 *Kreuzer, Bohème*, 1.
2 Heine, Heinrich: Romantische Schule. In: Sämtliche Schriften. Hrsg. v. Klaus Briegleb, Bd. 5. München 1968, 460.
3 Baudelaire, Charles: Bohémiens en Voyage. In: Oeuvres complètes, 2 vol. Texte établi, présenté et annoté par Claude Pichois. Paris 1975 ff., I, 18.
4 Rimbaud, Arthur: Ma Bohème. In: Oeuvres complètes. Édition établie, présentée et annotée par Antoine Adam. Paris 1972, 35.
5 Mann, Thomas: Tonio Kröger. In: Sämtliche Erzählungen. Frankfurt/M. 1963, 96.
6 *Kreuzer, Bohème*, 2
7 Murger, Henry: Scènes de la Vie du Bohème. Vienne o. J., 422.
8 *Reventlow, Autobiographisches*, 85.
9 *Reventlow, Briefe*, 28.
10 *Reventlow, Autobiographisches*, 172.
11 *Reventlow, Tagebücher*, 360.
12 *Reventlow, Romane,* 101 f.
13 *Reventlow, Autobiographisches*, 478.
14 Ebd.
15 Ebd., 479.
16 Ebd.
17 Ebd., 477.
18 *Bauschinger, Lasker-Schüler*, 26 f.
19 Lasker-Schüler, Else: Werke. Lyrik, Prosa, Dramatisches. Hrsg. v. Sigrid Bauschinger. München 1991, 190 f.
20 Lasker-Schüler, Else: Briefe an Karl Kraus. Hrsg. v. Astrid Gehlhoff-Claes. Köln, Berlin 1959, 39.
21 Lasker-Schüler, Werke (s. Anm. 19), 195.

Gertrud M. Rösch: Satirische Publizistik, Cabaret und Ueberbrettl zur Zeit der Jahrhundertwende

1 Zu den folgenden Periodika, besonders zu kleineren, bibliographisch schwer verifizierbaren Blättern vgl. die Darstellung von *Koch, Teufel in Berlin*, 335–352, 726–732; eine sehr umfassende Dokumentation der Satire-Journale in München neben *Simplicissimus* und *Jugend* bieten *Koch/Behmer, Grobe Wahrheiten*; eine Liste der Witzblätter zwischen 1838 bis 1931 bei *Herbst, Meggendorfer Blätter*, 206–208.

2 Schütz, Hans (Hrsg.): Der Wahre Jakob. Ein halbes Jahrhundert in Faksimiles. Bonn/Bad Godesberg 1977; *Dietzel/Hügel, Zeitschriften* Bd. 4, Nr. 3101.

3 Walter Benjamin skizziert und würdigt 1937 Fuchs und sein Projekt einer Kulturgeschichte in einer Studie, die für die *Zeitschrift für Sozialforschung* bestimmt war. Vgl. Eduard Fuchs, der Sammler und der Historiker. In: Walter Benjamin, Gesammelte Schriften. Unter Mitw. v. Theodor W. Adorno und Gershom Sholem hrsg. v. Rolf Tiedemann und Hermann Schweppenhäuser. II: Aufsätze, Essays, Vorträge. Frankfurt 1977, 465–505, 1316–1363.

4 Zum *Süddeutschen Postillon* vgl. *Hollweck, Karikaturen*, 77–86; ebenso Götz, Monika: Süddeutscher Postillon. Die Geschichte des Münchner sozialistischen Blattes und sein Kampf gegen die Feinde der Arbeiter (1882–1910). Diplomarbeit am Institut für Kommunikationswissenschaft (Zeitungswissenschaft) 1987.

5 *Dietzel/Hügel, Zeitschriften*, Bd. 2, Nr. 1592. Biographien bei *Heinrich-Jost, Kladderadatsch*, 317–332.

6 Die Anzeigen und Karikaturen bei *Heinrich-Jost, Kladderadatsch*, 33, 55; die Anekdote bei *Koch, Teufel in Berlin*, 704.

7 *Koch, Teufel in Berlin*, 338.

8 *Heinrich-Jost, Kladderadatsch*, Nr. 107, 108, 112 und Erläuterung 176; gegen das Frauenstudium E. R., Semester-Rede an der Frauen-Universität im Jahre 1920, Kladderadatsch 63, Nr. 6, 7. Beiblatt, 6. Februar 1901.

9 Zu den ständigen Rubriken gehörten Rückblicke, die alle Vierteljahr erschienen und ein Element des satirischen Kalenders darstellten, wie ihn viele Zeitschriften zusätzlich einmal im Jahr herausgaben. Das von Wilhelm Busch übernommene ABC, wiederum eine Hülle für aktuelle Anspielungen, wurde gepflegt, vgl. Satirische ABC-Verse, Kladderadatsch 52, Nr. 28, 9. Juli 1899; Kladderadatsch 52, Nr. 53, 31. Dezember 1899, ebenso die »Moralischen Erzählungen« und eine Sparte »Romanphrasen«, in denen eine blumige, bilderreiche Sprache des Herzens mit politischen Anspielungen amalgamiert wurde; der unsinnige, entgleisende Vergleich formte die Pointe. Während der »Kleine Briefkasten für jedermann«, in dem die Figuren der Zeitschrift sich in Leserzuschriften äußerten, eine nur im *Kladderadatsch* vorkommende Sparte blieb, fehlte ihm der längere erzählende Beitrag, der den literarischen Anspruch des *Simplicissimus* begründen und erhalten half.

10 Feininger, Lyonel: Der Sieg des Automobils. In: Ulk 31, Nr. 16 (18. April 1902), 3.

11 *Koch, Teufel in Berlin*, 339 f.

12 Feininger, Lyonel: Der neue Noah. In: Lustige Blätter 21, Nr. 10 (ohne Datum, 1906). Der Zar steht auf einem Schiff im blutroten Meer, die Subscriptio lautet: »Nikolaus: Jedesmal, wenn das Vieh zurückkommt, bringt's statt des Oelblattes einen neuen ›Aufruf‹ der Revolutionäre.« Die Karikatur spielt auf die Revolution und den »Blutsonntag« am 9. Januar 1905 an. Zu der kaum dokumentierten Mitarbeit Feiningers an mehreren Witzblättern vgl. Eberhard Ruhmer, Lyonel Feininger. Zeichnungen. Aquarelle. Graphik. München 1961, 11–14.

13 *Koch, Teufel in Berlin*, 727.

14 Zu den *Fliegenden* vgl. *Dietzel/Hügel, Zeitschriften*, Bd. 2, Nr. 973; ebenso *Hollweck, Karikaturen*, 96–112.

15 Wende, Waltraud: Der Jugendstil der ›Jugend‹. Eine literarisch-künstlerische Zeitschrift der Jahrhundertwende. In: Philobilon 1993, 258–272, hier 262. Grundsätzlich zur *Jugend*: Jugend. Facsimile-Querschnitt durch die »Jugend‹. Hrsg. v. Eva Zahn. Bern/München o. J; Gourdon, Suzanne: La »Jugend« de Georg Hirth. La Belle Epoque munichoise entre Paris et Saint Pétersbourg 1896/1914. Strasbourg 1996.

16 Fidus: Frühlingslust. Jugend 1, Nr. 13 (28 März 1896), dessen Titelblatt aber das romantisierende Bild eines Flußtals zeigt. Zu den Zeichnern und deren Behandlung der Sexualität vgl. *Koreska-Hartmann, Jugendstil*, 49–76.

17 Wassermann, Jakob: Finsterniss. Jugend 1, Nr. 8 (23. Februar 1896), 118, 119, 121.

18 Neue Preisausschreiben der *Jugend*: Jugend 1, Nr. 9 (29. Februar 1896), 148.

19 Vgl. Rösch, Gertrud M.: Ästheten. Intellektuelle. Schlawiner. Drückeberger. Die Auseinandersetzung um die moderne Malerei im »Simplicissimus« 1910–1921. In: Zwischen den Wissenschaften. Beiträge zur deutschen Literaturgeschichte. Bernhard Gajek zum 65. Geburtstag. Hrsg. v. Gerhard Hahn und Ernst Weber. Regensburg 1994, 334–345.

20 Die Programme beider Blätter sind erörtert bei *Pöllinger, Briefwechsel*, 31–39; *Rösch, Thoma*, 45–50.

21 Das Kopierbuch Korfiz Holms (1899–1903). Ein Beitrag zur Geschichte des Albert Langen Verlags und des »Simplicissimus«. Hrsg. v. Helga Abret und Aldo Keel. Bern/Frankfurt/M./New York, Paris 1989. Ebenso Abret, Helga: Albert Langen. Ein europäischer Verleger. München 1993.

22 Zu den Genres im *Simplicissimus* vgl. Horn, Beate: Die Prosa-Gattungen im »Simplicissimus«. Bestandsaufnahme und Faktoren der Evolution. In: *Rösch, Simplicissimus*, 86–96.

23 Rösch, Gertrud M.: »Wer Vieles bringt, wird manchem etwas bringen.« Zum literarischen Profil des »Simplicissimus«. In: Simplicissimus. Begleitheft zur Ausstellung »Simplicissimus 1896–1944«. Hrsg. v. Gisela Vetter-Liebenow. Wilhelm-Busch-Museum Hannover 1996, 12–15.

24 Grundsätzlich zu der Zensurverfolgung Wedekinds und Thomas: Breuer, Dieter: Geschichte der literarischen Zensur in Deutschland. Heidelberg 1982, 194–206. Zu den einzelnen Prozessen und Pressefehden vgl. *Rösch, Thoma*, 95–146.

25 Joachimsthaler, Jürgen: Das Ende der Satire in der Anekdote. Warum werden Verfasser von Anekdoten zu Objekten von Anekdoten? In: *Rösch, Simplicissimus*, 97–109.

26 *Pöllinger, Briefwechsel* 144–146, 248 f. Ebenso Rösch, Gertrud M.: Werbeseiten im Simplicissimus. Ein weites Forschungsfeld, in: *Rösch, Simplicissimus*, 110–125.

27 Müller-Stratmann, Claudia: Josef Ruederer (1861–1915). Leben und Werk eines Münchner Dichters der Jahrhundertwende. Frankfurt/M. u. a. 1994, 292 (Regensburger Beiträge B/56).

28 Abret, Helga: Satire als Exportartikel? Die Kontroverse um die »édition francaise« des Simplicissimus 1908. In: *Rösch, Simplicissimus*, 34–48. Zur großen Vorsicht der Zensur, wenn nationale Stereotypen auf der Bühne präsentiert wurden, vgl. auch Stark, Gary D.: Diplomacy by Other Means: Entertainment, Censorship, and German Foreign Policy, 1871–1918. In: Zensur und Kultur. Zwi-

schen Weimarer Klassik und Weimarer Republik mit einem Ausblick bis heute (Censorship and Culture). Hrsg. v. John A. McCarthy u. Werner von der Ohde. Tübingen 1995, 123–133.

29 Wedekind an Karl Henckell, 9. Januar 1893, Wedekind, Frank: Gesammelte Briefe. 2 Bde. München 1924, 1, 245–248, hier 247.

30 Zum frühen Cabaret vgl. Heydrich, Peter Thomas: Ein Popo kostet 15 Mark. Von der Geburt des deutschen Kabaretts. In: Die Horen 40/1, 1995, 13–22.

31 Die Fakten, Gründungsdaten und Mitarbeiter der einzelnen Cabarets wurden, wenn nicht anders angegeben, genommen aus *Budzinski, Kabarett*, ebenso Budzinski, Klaus: Pfeffer ins Getriebe. Ein Streifzug durch 100 Jahre Kabarett. München 1984; vgl. v. a. *Budzinski/Hippen, Kabarett.*

32 *Wolzogen, Ansichten*, 235. Eine Glosse über eine Vorstellung des »Ueberbrettls« in Bremen veröffentlichte Rainer Maria Rilke, der die Vorstellung, in der auch Yvette Guilbert gastierte, am 26. Februar 1902 besuchte. Vgl. dazu Rilke, Rainer Maria: Sämtliche Werke. Hrsg. v. Ruth Sieber-Rilke, besorgt durch Ernst Zinn. 6 Bde. Frankfurt/M. 1987, 5, 523–526 und 6, 1394–1396.

33 Die Geschichte von *Schall und Rauch* ist gut dokumentiert in: *Sprengel, Schall und Rauch*, Einleitung, 7–44.

34 Über Thomas *Lokalbahn* in Reinhardts Kleinem Theater vgl. Bühne und Brettl 3, Nr. 6 (29. März 1903), 3.

35 So legt es die Legende nahe, aber dagegen *Schmitz, Elf Scharfrichter*, 283.

36 Dieser Gründungsmythos ist gut zu verfolgen in der »Elf-Scharfrichter-Nummer«, Bühne und Brettl 3, Nr. 4 (2. März 1903), 3–7.

37 Kreuzer, Helmut: Exkurs über die Bohème. In: Deutsche Literatur im 20. Jahrhundert. Hrsg. v. Otto Mann und Wolfgang Rothe. Bd. 1: Strukturen. 5. veränd. u. erw. Aufl. Bern/München 1967, 222 –234; Kreuzer, Helmut: Die Bohème. Beiträge zu ihrer Beschreibung. Stuttgart 1968. Ebenso *Jelavich, Theatrical Modernism*, 167 f.

38 Zeichnungserklärung der »Elf Scharfrichter«, in: *Schmitz, Münchner Moderne*, 523.

39 *Vogel, Fiktionskulisse*, 76.

40 Auf diesen Aspekt weisen bes. hin *Schmitz, Elf Scharfrichter*, 280–282, *Sprengel, Schall und Rauch*, hier 11.

41 Wolzogen, Ernst von: Das Überbrettl. In: Das litterarische Echo 3 (1900/01), H. 8, Sp. 542–548, hier 543, ebenso in: *Wolzogen, Ansichten*, 222.

42 Vgl. Eysler, Robert: Wolzogen, Bühne und Brettl 1, Nr. 4 (10. Oktober 1901), 5; ebenso Münchner Brief, Bühne und Brettl 2, Nr. 3 (10. Februar 1902).

43 *Jelavich, Theatrical Modernism*, 165–167; über Wedekinds Verhältnis zum Cabaret vgl. *Schmitz, Elf Scharfrichter*, 289 f.

44 Bericht v. Ludwig Simerl vom 12. Mai 1901, Staatsarchiv München, Pol. Dir. 2057/1. Er faßt die einzelnen Titel zu acht Gruppen zusammen, wohl ein Hinweis, wo die Conference, für die er keine Stichpunkte überlieferte, sich jeweils dazwischen schaltete. Als Vergleich halte man dagegen den Bericht v. Carossa, Hans: Reise zu den Elf Scharfrichtern. In: *Schmitz, Münchner Moderne* 529–535; auch abgedruckt in: Sämtliche Werke, Frankfurt 1962, 2, 558–578.

45 Die ungewöhnlich hohen Preise (für die Galaexekution am 13. April 1901 waren 9,99 Mark Garderobegebühr zu zahlen, für die weiteren Vorstellungen ab dem 15. April 2,99 Mark. Studenten und künstlerisch Tätige konnten ermäßigten Eintritt für 99 Pfennig erhalten) wurden veröffentlicht in den Münchner Neuesten Nachrichten, 16. April 1901, vgl. Pol. Dir. 2057/1. Auf dem gleichen Bogen ist vermerkt, daß der Verein der Polizeidirektion ordnungsgemäß als »geschlossen« gemeldet sei.

46 Simerl nannte ihn eine »Parodie auf ›Unsere Kraft‹ 1. Theil« und meinte hier *Über unsere Kraft* von Björnstjerne Björnson, ein Schauspiel über religiöse Hysterie und den Verlust des Glaubens, das 1899 in Stockholm uraufgeführt wurde. Die insgesamt fünfzehn Programme der Scharfrichter sind kommentiert bei *Jelavich, Theatrical Modernism*, 171–179.

47 *Das Straßburger Mädchen* war vertont v. Frigidius Strang, der Text stammte aus: *Brentano, Wunderhorn*, I, 178. *Im Schlosse Mirabel* stammt von O. J. Bierbaum, abgedruckt bei *Kühn, Donnerwetter*, 49.

48 Henckell, Karl: Gesammelte Werke 2: Buch des Kampfes. München 1921, 44 f.

49 Willy Raths *Die feine Familie* brachte Anspielungen auf den Burenkrieg und die deutsche Intervention durch den Feldmarschall Waldersee nach dem Aufstand in Peking, zwei Ereignisse, die auch die satirische Presse beherrschten und zu einer meist englandfeindlichen Haltung veranlaßten.

50 Das Scharfrichter-Lied ist abgedruckt in *Schmitz, Münchner Moderne*, 537, ebenso bei *Kühn, Donnerwetter*, 44; *Der Nachbar* in: *Schmitz, Münchner Moderne*, 542–549, ebenso bei *Kühn, Donnerwetter*, 29–33. Zu den Texten Wedekinds vgl. Wedekind, Frank: Werke in 2 Bänden. München 1990, 1, 41, 44, 52, 94.

51 Wedekind schrieb am 6. August 1901 an Martin Zickel, daß er »den Cultus des Überbrettls gerne und vielleicht immer als wohlthuenden Nebenberuf pflegen und hegen werde«, solange die sich wiederholenden Aufführungsverbote verhinderten, daß seine Dramen sich durchsetzten, vgl. Wedekind, Briefe (s. Anm. 29), Bd. 2, 77.

52 *Die Judentochter*, vgl. *Brentano, Wunderhorn* I, 237; für *Spinnerlied* ist nicht zu entscheiden, welcher Text aus dem *Wunderhorn* zugrunde lag (vgl. *Brentano, Wunderhorn* III, 39 f., 43).

53 Liste der Gäste zur Ehrenexekution, Staatsarchiv München, Pol. Dir. 2057/3.

54 *Jelavich, Theatrical Modernism*, 154.

55 Von diesem Lied existiert eine frühere Fassung von 1894, vgl. Wedekind, Werke (s. Anm. 50), Bd. 1, 26 f.: »Er nahm mich um den Leib und lachte//Und flüsterte: Es tut nicht weh – //Und dabei schob er sachte, sachte//Mein Unterröckchen in die Höh.« In den Programmen der *Elf Scharfrichter* vom Oktober 1901 und vom Februar 1902 waren zwar stets Chansons von Wedekind angekündigt, aber nicht die Texte abgedruckt wie bei den anderen Nummern des Abends. Es muß daher offen bleiben, ob Wedekind oder Delvard jemals eine andere als die bei Bierbaum abgedruckte Version des Chansons *Ilse* vortrugen. Zu Wedekinds Verhältnis zum Cabaret vgl. auch *Schmitz, Elf Scharfrichter*, 281–282.

56 Beide Chansons hatten die *Elf Scharfrichter* im Oktober 1901 in ihrem Programm.

57 Vgl. die Interpretation v. Viering, Jürgen: Ein Arbeiterlied? Über Richard Deh-

mels ›Der Arbeitsmann‹. In: Gedichte und Interpretationen Bd. 6: Vom Naturalismus bis zur Jahrhundertmitte. Hrsg. v. Harald Hartung. Stuttgart 1983, 53–66.

58 Diese Beispiele und Textzitate stammen alle aus: Deutsche Chansons (Brettl-Lieder). Mit den Porträts der Dichter und einer Einleitung v. O. J. Bierbaum. Berlin/Leipzig 1901. Eine Untersuchung zu Sprache und Sujets der Cabaret-Lyrik steht noch aus; auf alle Fälle wären die Aufführungssituationen mit zu interpretieren, die gerade in Anthologien wie der von Volker Kühn ausgeblendet bleiben. Eine die Polizeiberichte und die Pressereaktionen einbeziehende Darstellung bei *Jelavich, Theatrical Modernism*, 167–185.

59 *Schmitz, Elf Scharfrichter*, 283; *Jelavich, Theatrical Modernism*, 182–185.

60 Vgl. Bühne und Brettl 5, Nr. 23, 1905: Sondernummer über Münchener Cabarets. Über das Cabaret *Zum Siebten Himmel* vgl. Bühne und Brettl 3, Nr. 10 (25. Mai 1903), 6. Der Gründer Georg David Schulz trat seine Frau Marietta an Thoma ab, der sie am 26.3.1907 heiratete. Daher Details zu diesem Cabaret auch in der Thoma-Biographik, vgl. Schad, Martha: Ludwig Thoma und die Frauen. Regensburg 1995. Zu den Berliner Kleinkunstbühnen *Budzinski/Hippen, Kabarett*, 26–27, ferner Erich Mühsam über *Zum Peter Hille*, vgl. Bühne und Brettl 3, Nr. 10 (25. Mai 1903), 12–13; zum Cabaret *Unter den Linden* vgl. Bühne und Brettl 5, Nr. 7, 1905, dort Bilder der Mitwirkenden; zum Cabaret *Roland von Berlin* vgl. Bühne und Brettl 5, Nr. 2, 1905, dort Impressionen von den Darbietungen und Bilder der Mitwirkenden.

61 Bilder der Revue *Ein tolles Jahr* in Bühne und Brettl 4, Nr. 8, 1904 (»Briefe, die ihn nie erreichten«), in Bühne und Brettl 4, Nr. 9, 1904 (»Ein Ordensfest«).

62 Vgl. dazu das Sonderheft Bühne und Brettl 4, Nr. 24, 1904.

Wolfgang Bunzel: Kaffeehaus und Literatur im Wien der Jahrhundertwende

1 *Schivelbusch, Paradies*, 68.

2 In Steeles *Tatler* war jedem Themenbereich ein bestimmtes Kaffeehaus zugeordnet, das gleichsam als Quellenangabe für die darin mitgeteilten Nachrichten fungierte. So heißt es in der programmatischen Ankündigung in der ersten Nummer vom 12. April 1709: »All accounts of gallantry, pleasure, and entertainment, shall be under the article of White's Chocolate-house; poetry, under that of Will's Coffee-house; Learning, under the title of Grecian; foreign and domestic news, you will have from Saint James's Coffee-house.« Zit. n. Westerfrölke, Hermann: Englische Kaffeehäuser als Sammelpunkte der literarischen Welt im Zeitalter von Dryden und Addison. Jena 1924, 63.

3 Heinrich Laube erinnert sich: »Erst allmählich haben sich die Konditoreien in Norddeutschland zu Kaffeehäusern entwickelt.« Laube, Heinrich: Nachträge zu den Erinnerungen. In: Gesammelte Werke in fünfzig Bänden. Unter Mitwirkung v. Albert Hänel hrsg. v. Heinrich Hubert Houben. Bd. 41. Leipzig 1909, 304.

4 Vgl. die Berichte über die *Konditorei Stehely* bei: Dronke, Ernst: Berlin/Frankfurt/M. 1846, 46 ff. und bei: Sass, Friedrich: Berlin in seiner neuesten Zeit und Entwicklung. Leipzig 1846, 70 ff.

5 Kraus, Karl: Die demolirte Literatur. Zit. n. *Wunberg, Wien*, 1, 647. Es ist daher eine Entwicklung zu konstatieren »von der Zeitungsauflage im 17./18. Jh. über das Lesezimmer um 1800 bis zum Lesecafé des späten 19. Jh.« (*Heise, Kaffee*, 137).

6 Vgl. *Johnston, Kultur*, 64.

7 Zit. n. *Greve/Volke, Jugend*, 24.

8 Zit. n. *Heering, Kaffeehaus*, 39.

9 So berichtet der in Prag lebende Schriftsteller und Publizist Josef Rybák: »Wenn wir nicht in der Redaktion sein mußten und einen längeren Artikel für die Sonntagsausgabe zu schreiben hatten, gingen wir ins Café. In der Redaktion konnte man kaum arbeiten. Die Tür stand nie still, und das Telefon klingelte unablässig.« (zit. n. *Jähn, Kaffeehaus*, 225).

10 *Binder, Polak*, 385. Einige Kaffeehäuser kamen dem entgegen, indem sie Konversationslexika und enzyklopäische Nachlagewerke anschafften und für die Journalisten bereithielten.

11 Die Aussage von Žmegač, daß die Stadt Wien »den ›literarischen Salon‹ kaum zu ihren Traditionen zählen konnte«, trifft nicht zu (*Žmegač, Geschichte*, 265). Es führt deshalb auch in die Irre, wenn Bachmaier das Kaffeehaus als »ein Surrogat für den Salon« bezeichnet (*Bachmaier, Kaffeehausliteraten*, 239). Schließlich verkehrten mehrere Autoren des Jungen Wien nach wie vor in Salons (Bahr, Hofmannsthal, Schnitzler). Salon und Kaffeehaus sind vielmehr als konkurrierende soziale Institutionen mit spezifischen Kommunikationsformen anzusehen.

12 Zu den Merkmalen und historischen Erscheinungsformen des Salons vgl. *Seibert, Salon*.

13 Mehrfach wurde das Literaturcafé deshalb auch mit einem Club verglichen. So betont Otto Friedländer die Zwanglosigkeit dieses sozialen Orts: »Das Kaffeehaus ist der Klub des Wieners – ein idealer Klub ohne Statuten, ohne Affären, ohne Ehrengericht.« (zit. n. *Heering, Kaffeehaus*, 251). Demgegenüber weist Großmann stärker auf den Aspekt der Exklusivität hin: »Das Wiener Caféhaus war eine Art von Klub, scheinbar ein Klub mit offener Tür, in Wirklichkeit meistens eine geschlossene Gesellschaft«; vgl. Großmann, Stefan: Ich war begeistert. Eine Lebensgeschichte. Berlin 1931, 54.

14 *Lorenz, Moderne*, 23.

15 Die Buchlektüre war im Kaffeehaus nicht so üblich.

16 Privatvorlesungen im kleinen Kreis kommen zwar gelegentlich vor, sind aber die Ausnahme.

17 Zur zwanglosen Geselligkeit trug auch die Möglichkeit bei, Schach, Domino oder Karten zu spielen; selbst Billardtische waren in einigen Cafés aufgestellt.

18 *Kreuzer, Bohème*, 206.

19 Ebd., 203.

20 »Die Bindung ans Café erscheint als ›Wesenszug‹, als fixierte Eigenschaft des typischen Bohemiens«, bemerkt Kreuzer; vgl. *Kreuzer, Bohème*, 202.

21 Bei der Annäherung an das Phänomen der Kaffeehauskultur fällt denn auch die Unmenge der Anekdoten auf, die es zuweilen schwer macht, die Bedeutung der Institution Kaffeehaus jenseits der Selbststilisierung seiner Besucher zu bestimmen.

22 Milan Dubrovic etwa attestiert dem *Café Herrenhof* ein »Fluidum großbürgerlicher Saturiertheit« und beschreibt dessen Ambiente folgendermaßen: Den Mittelpunkt des Cafés bildete ein »⟨...⟩ riesiger, von einem Glasdach erhellter Saal, der mit zahlreichen Tischen in der Mitte und mehreren geräumigen Logen für je fünf bis sechs Personen an den Wänden ausgestattet war. Jede dieser halbkreisförmigen Plüschbänke konnte mittels zusätzlicher Stühle zu einem vollen Kreis für acht bis zehn Personen erweitert werden. Jede Loge verfügte über ein geistiges Oberhaupt, eine namhafte oder sonstwie attraktive Persönlichkeit, um die herum sich Freunde und Anhänger gruppierten.« (zit. n. *Heering, Kaffeehaus*, 205).

23 *Wunberg, Wien*, 1, 220 f.

24 Ebd., 221.

25 Ebd.

26 So heißt es in Schnitzlers Tagebuch: »Das junge Oesterreich. Im Griensteidl. Dörmann, Salten, Herold aus Prag, Korff, Kulka etc.« Schnitzler, Arthur: Tagebuch 1879–1892. Unter Mitwirkung v. Peter Michael Braunwarth, Susanne Pertlik und Reinhard Urbach hrsg. v. der Kommission für literarische Gebrauchsformen der Österreichischen Akademie der Wissenschaften. Wien 1987, 318.

27 Bahrs Aufsatz *Das junge Oesterreich* (1893) dokumentiert die Phase des Übergangs; Bahr rechnet außer sich selbst, Schnitzler und Hofmannsthal namentlich Felix Dörmann, Heinrich von Korff, Richard Specht und Carl von Torresani-Lanzenfeld zum ›Jungen Österreich‹.

28 Schnitzler, Arthur: Jugend in Wien. Eine Autobiographie. Hrsg. v. Therese Nickl und Heinrich Schnitzler. Frankfurt/M. 1981, 99.

29 Im Rückblick auf 1891 notiert Schnitzler in sein Tagebuch: »Anregender Kreis, der sich bildete, Loris ⟨Hofmannsthal⟩, Salten, Beer-Hofmann, später Bahr, Bératon, auch Schwarzkopf – (Fels etc.).«; vgl. Schnitzler, Tagebuch 1879–1892 (s. Anm. 26), 359. Die Namen weiterer dem *Griensteidl*-Kreis zugehöriger Personen verzeichnet *Zohner, Griensteidl*, 1715–1736.

30 *Žmegač, Geschichte*, II/2, 269.

31 Dieses Kaffeehaus kann geradezu »als Synonymbegriff für die literarischen Bestrebungen der jungen Schriftstellerrunde um Hermann Bahr« gelten; vgl. *Lorenz, Moderne*, 25.

32 Bahr hatte schon 1891 die »Überwindung des Naturalismus« proklamiert.

33 So spricht beispielsweise Ottokar Stauf von der March in seinem Brief an Karl Henckell vom 10. November 1893 vom »Kafféе Größenwahn, vulgo Griensteidl« (zit. n. *Greve/Volke, Jugend*, 121). Robert Hirschfeld wiederum sieht sich in seiner Besprechung von Schnitzlers Drama *Liebelei* (1895) dazu veranlaßt, den als *Griensteidl*-Besucher bekannten Autor vor dem gängigen Vorurteil, im Kaffeehaus verkehrten nur unproduktive Literaten, ausdrücklich in Schutz zu nehmen. Er kommt zu dem Fazit, »daß Griensteidl für Dichter und Kritiker nicht eigentlich ein Hinderniß ist« (zit. n.: *Greve/Volke, Jugend*, 186).

34 Die Schließung des Cafés erfolgte am 20. Januar 1897.

35 *Wunberg, Wien*, 1, 653 f.

36 Ebd., 653.

37 Ebd., 652.

38 Ebd., 653.
39 Ebd., 654.
40 Ebd., 664.
41 Ebd., 655.
42 Kraus, Karl: Frühe Schriften 1892–1900. Hrsg. v. Johannes J. Braakenburg. Bd. 1. München 1979, 69.
43 *Lorenz, Moderne*, 161.
44 *Wunberg, Wien*, 1, 652..
45 Dieser Text nimmt auf weite Strecken bereits Argumente und Pointen des Pamphlets *Die demolirte Literatur* vorweg.
46 Tatsächlich entspringt die Rivalität der beiden Gruppierungen allerdings nur zu einem Teil unterschiedlichen ästhetischen Programmen; in erster Linie ist sie wohl einem erbitterten Kampf um Publizität und Marktanteile zuzuschreiben.
47 Eine gewisse Distanz hatte im übrigen immer zwischen den Jungwienern und Bahr bestanden. Sie führte dazu, daß dieser eine eigene Jüngerschar zu rekrutieren suchte. So äußert sich Schnitzler am 25. Mai 1896 in seinem Tagebuch abfällig über die »papierenen jungen Menschen, die sich um Bahr sammeln, seinen Stil äffen und für die die Welt im Jahr 1889 (frühestens!) angefangen hat«; vgl. Schnitzler, Arthur: Tagebuch 1893–1902. Unter Mitwirkung v. Peter Michael Braunwarth, Konstanze Fliedl, Susanne Pertlik und Reinhard Urbach hrsg. v. der Kommission für literarische Gebrauchsformen der Österreichischen Akademie der Wissenschaften. Wien 1989, 192.
48 Deutsch-German, Alfred: Wiener Porträts. Hermann Bahr. Zit. n. Polgar, Alfred: Sperrsitz. Hrsg. und mit einem Nachwort »Wien, Jahrhundertwende, der junge Alfred Polgar« v. Ulrich Weinzierl. Wien 1980, 203.
49 Zit. n. *Heering, Kaffeehaus*, 58 f. Eine andere, wohl noch stärker stilisierte Version seiner ›Entdeckung‹ teilt Altenberg in *So wurde ich* mit. An anderer Stelle berichtet er, daß er im Sommer 1894, im Ferienort Gmunden seine erste Skizze *9 und 11* geschrieben habe; vgl. Altenberg, Peter: Mein Lebensabend. Berlin 1919, 9.
50 *Lorenz, Moderne*, 155.
51 Schnitzler, Tagebuch 1893–1902 (s. Anm. 47), 222.
52 Dieser förderte ihn lebenslang und stellte u. a. auch den Kontakt zu Samuel Fischer her, in dessen Verlag mit einer Ausnahme alle Bücher Altenbergs erschienen.
53 Vgl. *Greve/Volke, Jugend*, 255.
54 Schnitzler bemerkt am 23. Dezember 1902 über Altenberg, daß dieser »um 8 Uhr Abd. aufsteht«; Schnitzler, Tagebuch 1893–1902 (s. Anm. 47), 392.
55 Zit. n. *Heering, Kaffehaus*, 145 f.
56 In einem literarischen Porträt Altenbergs von Erich Mühsam, das am 4. September 1908 in der Berliner Zeitschrift *Morgen* erschien, heißt es: »Fremdlingen, die sich unter Führung eines Eingeborenen die Wiener Sehenswürdigkeiten zu Gemüte führen, wird – sofern man bei ihnen Neugier auf interne Erlesenheit voraussetzt – im Café Central der Dichter Peter Altenberg gezeigt. Besichtigung: von elf Uhr abends bis fünf Uhr morgens.« Mühsam, Erich: Ausgewählte Werke.

Bd. 2: Publizistik. Unpolitische Erinnerungen. Hrsg. v. Christlieb Hirte, unter Mitarbeit v. Roland Links und Dieter Schiller. Berlin 1978, 51.

57 Veigl, Hans: Literaten im Kaffeehaus. In: *Veigl, Legenden*, 15.

58 Zit. n. *Binder, Polak*, 385.

59 *Schneider, Kaffeehaus*, 147.

60 Zit. n. *Heering, Kaffeehaus*, 192.

61 Ebd., 234.

62 Kuh, Anton: Zeitgeist im Literatur-Café. Feuilletons, Essays und Publizistik. Neue Sammlung. Hrsg. v. Ulrike Lehner. Wien 1985, 9.

63 Ebd., 12.

64 Torberg, Friedrich: Das Kaffeehaus. In: Torberg, Friedrich: Wien – Vorstadt Europas. Zürich 1963, 14.

65 *Veigl, Legenden*, 15.

66 Auch in Prag waren die Kaffeehäuser für viele Emigranten die bevorzugten Aufenthaltsorte; vgl. *Canz, Flucht*, 27–32.

67 Vgl. Schnitzlers Brief an Hofmannsthal vom 29. Juli 1892: »Vorgestern habe ich meine Novelle beendet. 〈…〉 Ich habe sie plötzlich zu Ende schreiben müssen, nachts im Café, während schläfrige Kellner bereits die Sessel aufeinander türmten.« Hugo von Hofmannsthal/Arthur Schnitzler: Briefwechsel. Hrsg. v. Therese Nickl und Heinrich Schnitzler. Frankfurt/M. 1983, 25.

68 *Köwer, Altenberg*, 69. Völlig zu Recht schränkt denn auch Köwer an anderer Stelle ein: »Ein Großteil des literarischen Schaffens der ›Jung Wiener‹ Autoren hat jedoch, wie auch Gespräche und Lesungen, im privaten Bereich stattgefunden.« (ebd., 294, Anm. 270).

69 In Schnitzlers Tagebuch heißt es etwa unter dem 15. März 1895: »Im K〈a〉f〈fee〉h〈aus〉. schrieb ich Kritik für Rob.〈ert〉 Hirschfeld (S. u. M. Ztg.) Kritik Feodora. – Feuilleton Pötzl. – (›Sterben‹.).« Vgl. Schnitzler, Tagebuch 1893–1902 (s. Anm. 47), 130.

70 So sind etwa »von Polgar 〈…〉 aus den Jahren nach 1900 zahlreiche Briefe an die geliebte Frau erhalten, meist spät in der Nacht oder am frühen Morgen in Wiener Cafés zu Papier gebracht«; vgl. Polgar, Sperrsitz (s. Anm. 48), 220.

71 Auch ist belegt, daß in Künstlercafés zahlreiche Karikaturen entstanden sind. Im Wiener *Café Sperl* habe es sogar »einen Tisch mit Lade für Papiere, Farben und Pinsel« gegeben; vgl. *Bisanz, Kaffeehaus*, 37.

72 Polgar, Alfred: Peter Altenberg. In: Altenberg, Peter: Der Nachlaß. Berlin 1925, 152; vgl. auch den Text *Karriere*, in: Altenberg, Peter: Fechsung. Berlin 1915, 36.

73 *Schaefer, Altenberg*, 51.

74 Die meisten Publikationen zur Kaffeehauskultur erschöpfen sich bislang in der Aneinanderreihung mehr oder weniger kurzweiliger Anekdoten. Eine ernstzunehmende Forschung zu diesem Thema hätte allererst die Realien zu sichern, um darauf aufbauend das Funktionieren der Institution Kaffeehaus im Kontext der anderen literarisch-sozialen Institutionen sozialgeschichtlich zu erläutern. Einen ersten großen Schritt in diese Richtung stellt der Sammelband Literarische Kaffeehäuser, Kaffeehausliteraten, hrsg. v. Michael Rössner, Wien/Köln/Weimar 1999 dar.

75 *Köwer, Altenberg*, 69.
76 *Schivelbusch, Paradies*, 68.
77 *Žmegač, Geschichte*, II/2, 266 f.

Karlheinz Rossbacher: Heimatkunst der frühen Moderne

1 Mitscherlich, Alexander: Die Unwirtlichkeit unserer Städte. Anstiftung zum Unfrieden. Frankfurt/M. 1965, 124.
2 Ebd., 60; Mitscherlich zitiert hier den Architekten Richard Neutra.
3 Rossbacher, Karlheinz: Provinzkunst. A Countermovement to Viennese Culture. In: Nielsen, Erika (Hrsg.): Focus on Vienna. Change and Continuity in Literature, Music, Art and Intellectual History. München 1982, 23–31.
4 Schwerte, Hans: Zum Begriff der sogenannten Heimatkunst in Deutschland. In: Das Nürnberger Gespräch 1, 1966, 179. In Karl Mannheims Unterscheidung von »Traditionalismus« und »Konservatismus« wären eine Anzahl von Autoren, jedenfalls aber alle im Folgenden genannten Programmatiker, als im zeitgenössischen Wortgebrauch als ›konservativ‹ zu bezeichnen. ›Traditionalistisch‹ reagieren die meisten Menschen, wenn sie sich gegenüber Veränderung vertrauter Lebensumstände spontan bedauernd oder widerwillig verhalten. Gibt sich Traditionalismus ein reflektiertes Handlungsprogramm, so spricht Mannheim von »Konservatismus«. Vgl. Mannheim, Karl: Ein Beitrag zur Soziologie des Wissens. Hrsg. v. David Kettler, Volker Meja und Nico Stehr. Frankfurt/M. 1984, 92–136.
5 Rossbacher, Karlheinz: Heimatkunstbewegung und Heimatroman. Zu einer Literatursoziologie der Jahrhundertwende. Stuttgart 1975, 16 f.
6 10 von 116; diese Zahlen beziehen sich auf Verfasser und Verfasserinnen, die von der Jahrhundertwende bis in die Zwischenkriegszeit mit heimatliterarischen Veröffentlichungen hervorgetreten sind und über die grundlegende Daten bio-bibliographischer Art aus zeitgenössischen Quellen eruiert werden konnten. Die Gesamtzahl dürfte wesentlich höher liegen. Vgl. Rossbacher, Heimatkunstbewegung und Heimatroman(s. Anm. 5), 68 ff.
7 Brief vom 7. November 1911, zit. bei Deimann, Wilhelm: Der Künstler und Kämpfer. Eine Lönsbiographie und Briefausgabe: Hannover 1935, 257.
8 Rossbacher, Heimatkunstbewegung und Heimatroman (s. Anm. 5), 19 ff.
9 Vgl. Wagner, Karl: Die literarische Öffentlichkeit der Provinzliteratur. Der Volksschriftsteller Peter Rosegger. Tübingen 1991, 344–375.
10 Bahr, Hermann: Die Entstehung der Provinz. In: Bildung. Essays. Leipzig 1901. Zuerst in: Neues Wiener Tagblatt, 33. Jg., Nr. 270 (1. Oktober 1899).
11 Rossbacher, Karlheinz: Dichtung und Politik bei Guido Zernatto. Ideologischer Kontext und Traditionsbezug der im Ständestaat geförderten Literatur. In: Aufbruch und Untergang. Österreichische Kultur zwischen 1918 und 1938. Hrsg. v. Franz Kadrnoska Wien/München/Zürich 1981, 548.
12 Eine Auswahl davon in Jahrhundertwende. Manifeste und Dokumente zur deutschen Literatur 1890–1910. Hrsg. v. Dieter Bänsch u. Erich Ruprecht. Stuttgart 1970, 321–363.

13 Rossbacher, Heimatkunstbewegung und Heimatroman (s. Anm. 5), 25–64 und 126–251.
14 Dahme, Heinz-Jürgen und Otthein Rammstedt: Einleitung zu Simmel, Georg: Schriften zur Soziologie. Eine Auswahl. Hrsg. v. Heinz-Jürgen Dahme u. Otthein Rammstedt. Franakfurt/M. 1983, 27.
15 Simmel, Georg: Die Großstädte und das Geistesleben (1903). In: Das Individuum und die Freiheit. Essais. Berlin 1984, 201.
16 Simmel, Georg: Die Bedeutung des Geldes für das Tempo des Lebens. In: Neue deutsche Rundschau Bd. 8 (1897), 115.
17 Ebd., 122.
18 Ebd.
19 Simmel, Die Großstädte und das Geistesleben (s. Anm. 15).
20 Ebd., 198.
21 Mitscherlich, Unwirtlichkeit (s. Anm. 1), 142, 134.
22 Simmel, Die Großstädte und das Geistesleben (s. Anm. 15), 192.
23 Ebd., 193.
24 Müller, Lothar: Die Großstadt als Ort der Moderne. Über Georg Simmel. In: Die Unwirklichkeit der Städte. Großstadtdarstellungen zwischen Moderne und Postmoderne. Hrsg. v. Klaus R. Scherpe. Reinbek bei Hamburg 1988, 16.
25 Simmel, Die Großstädte und das Geistesleben (s. Anm. 15), 200.
26 Mitscherlich, Unwirtlichkeit (s. Anm. 1), 153, von Mitscherlich in Verlängerung des Gedankens bei Simmel gedacht.
27 Ahrens-Rostock, Rudolf: Noch einiges aus einer kleinen Stadt. In: Deutsche Heimat 2 (1902/03), 1580.
28 Rossbacher, Heimatkunstbewegung und Heimatroman (s. Anm. 5), 65–90.
29 Tönnies, Ferdinand: Gemeinschaft und Gesellschaft. Leipzig 1887.
30 Stauf von der March, Ottokar (=Fritz Chalupka): Literarische Studien und Schattenrisse. Dresden 1903, 19.
31 Lienhard, Friedrich: Sommerfestspiele. In: Neue Ideale. Gesammelte Aufsätze. Berlin/Leipzig 1901, 232. Zuerst in: Heimat 4/1 (1900/01), 593–600.
32 Rosegger, Peter: Kunst und Provinz (1899). In: Volksreden über Fragen und Klagen, Zagen und Wagen der Zeit. Berlin 1907, 157.
33 »Das Ich ist unrettbar.« Vgl. Mach, Ernst: Antimetaphysische Bemerkungen (1885). Aus: Die Analyse der Empfindungen und das Verhältnis des Physischen zum Psychischen. Jena ^{4}1903, 1–30. Gekürzt in: Wunberg, Gotthart (Hrsg.): Die Wiener Moderne. Literatur, Kunst und Musik zwischen 1890 und 1910. Stuttgart 1981, 142.
34 Diederichs, Eugen: Aus meinem Leben. Leipzig 1927, 62.
35 Ebd., 65 f.
36 Frenssen,Gustav: Lebensbericht. Berlin 1941, 296 ff.
37 Baumgart, Reinhard: Aussichten des Romans oder Hat Literatur Zukunft? Frankfurter Vorlesungen (1968). München 1970, 23. Zur antithetischen Veränderung von Merkmalen des Heimatromans der Jahrhundertwende und der Zwischenkriegszeit in der Literatur nach 1945, gezeigt an der österreichischen, vgl. Kunne, Andrea: Heimat im Roman. Last oder Lust? Transformationen

eines Genres in der österreichischen Nachkriegsliteratur. Amsterdam, Atlanta 1991.

38 Musil, Robert: Der Mann ohne Eigenschaften. In: Gesammelte Werke. Hrsg. v. Adolf Frisé. Bd. 2. Reinbek bei Hamburg 1978, 650.

39 Musil, Robert: Bücher und Literatur (26. November, 10., 17. Dezember 1926). In: Gesammelte Werke. Hrsg. v Adolf Frisé. Bd. 8: Essays und Reden. Reinbek bei Hamburg 1978, 1179.

40 Langbehn, Julius und Momme-Nissen, Benedikt: Dürer als Führer (1904). München 1928, 8.

York-Gothart Mix: Generations-und Schulkonflikte in der Literatur des Fin de siècle und des Expressionismus

1 Mann, Thomas: Betrachtungen eines Unpolitischen. In: Gesammelte Werke in Einzelbänden. Frankfurter Ausgabe. Hrsg. v. Peter de Mendelssohn. Frankfurt/M. 1983, 247.

2 Ebd., 247. Vgl. in diesem Zusammenhang auch Schulz, Arthur: Der Mensch und seine natürliche Ausbildung. Wider das althergebrachte Verfahren in Erziehung und Unterricht. Berlin 1893, 81 ff.

3 Zweig, Stefan: Die Welt von gestern. Erinnerungen eines Europäers. Frankfurt/M. 1958, 41.

4 Ebd., 42.

5 Münch, Paul: ›Vater Staat‹ Staatsmänner als Vaterfiguren? In: Sturz der Götter? Vaterbilder im 20. Jahrhundert. Hrsg. v. Werner Faulstich u. Gunter E. Grimm. Frankfurt/M., 87. Vgl. in diesem Zusammenhang auch Weber, Max: Wirtschaft und Gesellschaft. Grundriss der verstehenden Soziologie. Hrsg. v. Johannes Winckelmann. Tübingen [5]1972, 651 ff.

6 Storm, Theodor: Carsten Curator. In: Sämtliche Werke in vier Bänden. Hrsg. v. Karl Ernst Laage u. Dieter Lohmeier. Bd. II. Frankfurt/M. 1987, 521.

7 Münch, Vater Staat (s. Anm. 5), 87.

8 Zweig, Die Welt von gestern (s. Anm. 3), 42.

9 Anz, Thomas/Stark, Michael: Alter und Jugend, Väter und Söhne. Einleitung. In: Expressionismus. Manifeste und Dokumente zur deutschen Literatur 1910–1920. Hrsg. v. Thomas Anz u. Michael Stark. Stuttgart 1982, 144.

10 Federn, Paul: Zur Psychologie der Revolution. Die vaterlose Gesellschaft. In: Expressionismus. Manifeste und Dokumente zur deutschen Literatur 1910–1920. 1982, 167.

11 Becher, Johannes R.: Abschied. In: Gesammelte Werke. Bd. XI. Hrsg. v. Ingeborg Klaas-Ortloff. Berlin/Weimar 1975, 132. Zum Verhältnis von Epik und Biographik vgl. Mix, York-Gothart: Die Schulen der Nation. Bildungskritik in der Literatur der Moderne. Stuttgart/Weimar 1995, 2 ff., 49 ff.

12 Becher, Abschied (s. Anm. 11), 219.

13 Fallada, Hans: Der junge Goedeschal. Ein Pubertätsroman. Berlin [3]1920, 54.

14 Strauß, Emil: Freund Hein. Eine Lebensgeschichte. Kirchheim/Teck 1982, Titel.

15 Ebd., 7.
16 Mann, Betrachtungen eines Unpolitischen (s. Anm. 1), 144.
17 Mann, Thomas: Buddenbrooks. In: Gesammelte Werke in Einzelbänden. Frankfurter Ausgabe. Hrsg. v. Peter de Mendelssohn. Frankfurt/M. 1981, 518.
18 Ebd., 518.
19 Mann, Betrachtungen eines Unpolitischen (s. Anm. 1), 145.
20 Mann, Buddenbrooks (s. Anm. 17), 518.
21 Mann, Betrachtungen eines Unpolitischen (s. Anm. 1), 144. (Im Original hervorgehoben).
22 Mann, Buddenbrooks (s. Anm. 17), 518.
23 Ebd., 670 f.
24 Krummacher, Friedhelm: Musikgeschichte im Werk Thomas Manns. In: 800 Jahre Musik in Lübeck. Teil II. Hrsg. v. Arnfried Edler, Werner Neugebauer u. Heinrich W. Schwab. Lübeck: Der Senat der Hansestadt Lübeck, Amt für Kultur 1983, 105.
25 Mann, Betrachtungen eines Unpolitischen (s. Anm. 1), 139.
26 Pikulik, Lothar: Leistungsethik contra Gefühlskult. Über das Verhältnis von Bürgerlichkeit und Empfindsamkeit in Deutschland. Göttingen 1984, 59.
27 Krummacher, Musikgeschichte (s. Anm. 24), 106.
28 Ebd., 106.
29 Mann, Buddenbrooks (s. Anm. 17), 710.
30 Wysling, Hans: Narzißmus und illusionäre Existenzform. Zu den Bekenntnissen des Hochstaplers Felix Krull. Bern/München 1982, 67.
31 Schopenhauer, Arthur: Die Welt als Wille und Vorstellung. In: Sämmtliche Werke. Hrsg. v. Julius Frauenstädt. Bd. III. Leipzig, [2]1919, 452.
32 Ebd., 453.
33 Wucherpfennig, Wolf: Kindheitskult und Irrationalismus in der Literatur um 1900. München 1980, 181. Vgl. *Mix, Die Schulen*, 36 ff.
34 Hesse, Hermann: Unterm Rad. In: Gesammelte Werke in zwölf Bänden. Bd. II. Frankfurt/M. 1970, 13.
35 Wucherpfennig, Kindheitskult (s. Anm. 33), 196.
36 Ebd., 192.
37 Ebner-Eschenbach, Marie von: Der Vorzugsschüler. In: Gesammelte Werke. Bd. I. Erzählungen. Hrsg. v. Edgar Groß. München 1961, 227.
38 Nipperdey, Thomas: Deutsche Geschichte 1800–1866. Bürgerrecht und starker Staat. München [5]1991, 120.
39 Berg, Christa: Familie, Kindheit, Jugend. In: Handbuch der deutschen Bildungsgeschichte. Bd. IV. 1870–1918. Von der Reichsgründung bis zum Ende des Ersten Weltkriegs. Hrsg. v. Christa Berg. München 1991, 99.
40 Ebner-Eschenbach, Der Vorzugsschüler. Bd. I., 279.
41 Ebd., 280.
42 Ebd., 279.
43 Ebd., 273.
44 Key, Ellen: Erziehung. In: Das Jahrhundert des Kindes. Studien. Berlin [11]1905, 181.

45 Ebd., 180.
46 Wysling, Narzissmus (s. Anm. 30), 34.
47 Ebd., 35.
48 Wucherpfennig, Kindheitskult (s. Anm. 33), 193.
49 Anz, Thomas/Stark, Michael: Dichterberuf und Intellektuellenrolle. Einleitung. In: Anz/Stark, Expressionismus (s. Anm. 9),355.
50 Wysling, Narzissmus. (s. Anm. 30), 213.
51 Zum Begriff der Generation vgl. Mannheim, Karl: Das Problem der Generationen. In: Kölner Vierteljahreshefte für Soziologie 7 (1928), 170 ff., 175 ff., 181 ff.; Mitterauer, Michael: Sozialgeschichte der Jugend. Frankfurt/M. 1986, 247 ff.; Schuckert, Lothar: Geistige Väter und Söhne. Beobachtungen zum Wandel pädagogischer Autorität. In: Das Vaterbild im Abendland I. Rom, Frühes Christentum, Mittelalter, Neuzeit, Gegenwart. Hrsg. v. Hubertus Tellenbach. Stuttgart 1978, 124 f, 131 ff.
52 Mann, Betrachtungen eines Unpolitischen (s. Anm. 1), 576.
53 Mann, Heinrich: Kaiserreich und Republik. In: Ausgewählte Werke in Einzelausgaben. Hrsg. v. Alfred Kantorowicz. Bd. XII. Essays. Berlin 1956, 51.
54 Anz/Stark, Expressionismus (s. Anm. 9), 355.
55 Ebd., 356.
56 Mann, Betrachtungen eines Unpolitischen (s. Anm. 1), 145.
57 Heym, Georg: Tagebücher. In: Dichtungen und Schriften. Gesamtausgabe. Hrsg. v. Karl Ludwig Schneider. Bd. III. Tagebücher, Träume, Briefe. Hamburg/München 1960, 15. Vgl. in diesem Zusammenhang auch Heym, Georg: Über Genie und Staat. In: Dichtungen und Schriften. Gesamtausgabe. Hrsg. v. Karl Ludwig Schneider. Bd. II. Prosa und Dramen. Hamburg/München 1962, 174 f.
58 Elss, Hermann: Heinrich Begemann (1851–1930). In: Heym Georg: Dichtungen und Schriften. Gesamtausgabe. Hrsg. v. Karl Ludwig Schneider. Bd. VI. Dokumente zu seinem Leben und Werk. München 1968, 374.
59 Heym, Tagebücher, Träume, Briefe (s. Anm. 57), 71.
60 Ebd., 171.
61 Ebd., 10 f.
62 Vgl. Ernst Rowohlt an Hermann Heym, 7. Februar 1912. In: Heym, Dokumente zu Leben und Werk (s. Anm. 58), 485 f.
63 Heym, Tagebücher (s. Anm. 57), 124. Vgl. in diesem Zusammenhang auch Heym, Georg: Versuch einer neuen Religion. In: Heym, Prosa und Dramen (s. Anm. 57), 172.
64 Heym, Tagebücher, Träume, Briefe (s. Anm. 57), 175.
65 Ebd., 79.
66 Ebd., 10 f, 49, 58, 97, 171, 175.
67 Korte, Hermann: Georg Heym. Stuttgart 1982, 17.
68 Heym, Georg: (An das Provinzialschulkollegium in Berlin), (August 1906). In: Heym, Tagebücher, Träume, Briefe (s. Anm. 57), 194. Vgl. in diesem Zusammenhang auch ebd., 10 f, 37 f, 51 f, 71.
69 Bronnen, Arnolt: arnolt bronnen gibt zu protokoll. beiträge zur geschichte des modernen schriftstellers. Hamburg 1954, 25. Vgl. in diesem Zusammenhang

auch Wyneken, Gustav: Schule und Jugendkultur. Jena 1913, 13 ff., 33 ff.; Bernfeld, Siegfried: Die neue Jugend und die Frauen. Wien/Leipzig 1914, 19 ff.; Münch, Ursula: Weg und Werk Arnolt Bronnens. Wandlungen seines Denkens. Frankfurt/M. 1985, 61 ff.

70 Bronnen, protokoll (s. Anm. 69), 25 f.

71 Ebd., 26.

72 Hasenclever, Walter: Der Sohn. In: Gedichte, Dramen, Prosa. Hrsg. v. Kurt Pinthus. Reinbek bei Hamburg 1963, 149. Vgl. in diesem Zusammenhang auch Raggam, Miriam: Walter Hasenclever. Leben und Werk. Hildesheim 1973, 66 ff.

73 Hasenclever, Der Sohn (s. Anm. 72), 143.

74 Becher, Johannes R.: Der Sohn. In: An Europa. Neue Gedichte. Leipzig 1916, 27.

75 Bronnen, protokoll (s. Anm. 69), 26.

76 Vgl. Becher, Abschied (s. Anm. 11), 219 f.

77 Mann, Klaus: Die neuen Eltern. In: Uhu. Das neue Monats-Magazin 2, 11 (1926), 6.

78 Vgl. Hermand, Jost: Oedipus lost. Oder der im Massenerleben der Zwanziger Jahre ›aufgehobene‹ Vater-Sohn-Konflikt des Expressionismus. In: Die sogenannten Zwanziger Jahre. Hrsg. v. Reinhold Grimm u. Jost Hermand. Bad Homburg/Berlin/Zürich 1970, 203 ff.; Hinck, Walter: Individuum und Gesellschaft im expressionistischen Drama. In: Festschrift für Klaus Ziegler. Hrsg. v. Eckehard Catholy u. Winfried Hellmann. Tübingen 1968, 350 ff.; Rothe, Wolfgang: Der Expressionismus. Theologische, soziologische und anthropologische Aspekte einer Literatur. Frankfurt/M. 1977, 161 f.; Müller-Seidel, Walter: Franz Kafkas ›Brief an den Vater‹ Ein literarischer Text der Moderne. In: Orbis Litterarum 42 (1987), 369 ff.

79 Mann, Die neuen Eltern (s. Anm. 77), 7.

80 Ebd., 6.

81 Vgl. Die neuen Kinder. (Ein Gespräch mit Thomas Mann über den Aufsatz seines Sohnes ›Die neuen Eltern‹). In: Uhu. Das neue Monats-Magazin 2, 11 (1926), 9.

82 Mann, Die neuen Eltern (s. Anm. 77), 6.

83 Vgl. Wehler, Hans-Ulrich: Das Deutsche Kaiserreich 1871–1918. Göttingen [6]1988, 127 f. – Berg, Familie (s. Anm. 39), 136; Mattenklott, Gert: ›Nicht durch Kampfesmacht und nicht durch Körperkraft…‹ Alternativen Jüdischer Jugendbewegung in Deutschland vom ›Anfang‹ bis 1933. In: ›Mit uns zieht die neue Zeit‹. Der Mythos Jugend. Hrsg. v. Thomas Koebner, Rolf-Peter Janz u. Frank Trommler. Frankfurt/M. 1985, 344 f.

Helmut Koopmann: Gesellschafts- und Familienromane der frühen Moderne

1 Conversations-Lexicon Bd. 8. Leipzig [4]1817, 399.

2 Börne, Ludwig: Sämtliche Schriften. Neu bearbeitet u. hrsg. v. Inge und Peter Rippmann. Bd. 2. Düsseldorf 1964, 396.

3 Ebd., 397.

4 Gutzkow, Karl: Vom deutschen Parnaß II. In: Unterhaltungen am häuslichen Herd 2 (1854), Nr. 18, 288.

5 Spiegelhagen, Friedrich: Neue Beiträge zur Theorie und Technik der Epik und Dramatik. Leipzig 1898, 213.
6 Spiegelhagen, Friedrich: Beiträge zur Theorie und Technik des Romans. Faksimile-Druck der 1. Aufl. von 1883. Göttingen 1967, 73 f.
7 Ebd., 74.
8 Fontane, Theodor: Werke, Schriften und Briefe. Hrsg. v. Walter Keitel u. Helmuth Nürnberger. Abt. IV, Briefe. 3. Bd. 1879–1889. Darmstadt 1980, 319.
9 Fontane, Theodor: Werke, Schriften und Briefe. Hrsg. v. Walter Keitel u. Helmuth Nürnberger. Abt. IV, Briefe. 4. Bd. 1890–1898. Darmstadt 1982, 370.
10 Fontane, Theodor: Werke, Schriften und Briefe. Hrsg. v. Walter Keitel u. Helmuth Nürnberger. Abt. I, Sämtliche Romane, Erzählungen, Gedichte, Nachgelassenes. 4. Bd. Darmstadt 1973, 235 f.

Simone Winko: Novellistik und Kurzprosa des Fin de siècle

1 Vgl. dazu auch *Nehring, Moderne*, 384 f. Textsammlungen, anhand derer man sich einen Überblick verschaffen kann, sind *Rasch, Dichterische Prosa*, und *Reich-Ranicki, Anbruch*; Reich-Ranicki berücksichtigt Texte erst ab 1900, bietet dafür aber ein breiteres Spektrum.
2 Die Auflage seiner Novelle *Der Opfergang* (1912) belief sich bereits 1933 auf 360 000; vgl. *Richards, Bestseller*, 56.
3 Diese Auflösungstendenzen setzen zwar schon in der Novellenliteratur des Biedermeier und des Realismus ein, um 1900 potenzieren sie sich aber noch einmal deutlich; vgl. dazu *Aust, Novelle*, 97 f. und 112 f.
4 Vgl. dazu *Fülleborn, Prosagedicht*; zum Problem der Einordnung des Prosagedichts als Gattung vgl. auch *Jäger, Prosagedicht.*
5 Vgl. dazu *Wehler, Gesellschaftsgeschichte*, 1038 ff., 1066 f.
6 Vgl. dazu auch *Žmegač, Jahrhundertwende.*
7 Vgl. dazu auch *Fülleborn, Prosagedichte*, 29, sowie die Texte der Abt. V und IV.
8 Ernst, Paul: Zur Technik der Novelle (1901/02). In: Der Weg zur Form. Ästhetische Abhandlungen, vornehmlich zur Tragödie und Novelle. Berlin 1906, bes. 54–58.
9 *Musil, Chronik*, 1466.
10 Ebd., 1465.
11 Vgl. zum folgenden Bahr, Hermann: Die neue Psychologie. In: Moderne Dichtung. Bd. 2. H. 2 (1. August 1890), 507–509; H. 3 (1. September 1890), 573–576; zit. n. Das Junge Wien. Hrsg. v. Gotthart Wunberg. Bd. I: 1887–1896. Tübingen 1976, 92–101, bes. 95 f. u. 100.
12 Musil, Robert: Tagebücher. Hrsg. v. Adolf Frisé. Bd. II. Reinbek bei Hamburg 1976, 942 f.

Elke Austermühl: Lyrik der Jahrhundertwende

1 Beispielhaft dafür ist u. a. das Werk Richard Dehmels, das neben traditionellen Erlebnis- und Bekenntnisgedichten auch naturalistisch beeinflußte ›soziale Lyrik‹ und prosanahe ›Alltagslyrik‹ umfaßt, aber auch dem Genre der Kabarettlyrik verbunden ist.
2 Holz, Arno: ⟨Selbstanzeige zum Erscheinen des *Phantasus*⟩. In: Die Zukunft 6, 1897/98, H. 31; zit. n.: Werke. Hrsg. v. Wilhelm Emrich u. Anita Holz. Bd. 5. Neuwied/Berlin-Spandau 1962, 64.
3 Vgl. Schutte, Jürgen: Lyrik des deutschen Naturalismus (1885–1893). Stuttgart 1976, 22 ff.; Bullivant, Keith: Naturalistische Prosa und Lyrik. In: Jahrhundertwende: Vom Naturalismus zum Expressionismus. 1880–1918. Hrsg. v. Frank Trommler. Reinbek bei Hamburg 1982, 169–187; hier 183 ff.
4 Conradi, Hermann: Unser Credo. In: Moderne Dichter-Charaktere. Hrsg. v. Wilhelm Arent. Leipzig ⟨1885⟩, ⟨I⟩.
5 Henckell, Karl: Die neue Lyrik. In: Moderne Dichter-Charaktere (s. Anm. 4), V.
6 Conradi, Unser Credo (s. Anm. 4), II.
7 Vgl. Mahal, Günther: Wirklich eine Revolution der Lyrik? Überlegungen zu einer literaturgeschichtlichen Einordnung der Anthologie ›Moderne Dichter-Charaktere‹. In: Naturalismus. Bürgerliche Dichtung und soziales Engagement. Hrsg. v. Helmut Scheuer. Stuttgart u. a. 1974, 11–47.
8 In: Moderne Dichter-Charaktere (s. Anm. 4), 180 f.
9 Vgl. dessen *Lied vom Eisenbahnarbeiter*, *Arbeiterlied* und *An das ideale Proletariat*. In: Henckell, Karl: Gesammelte Werke. Bd. 2. München 1921, 8 f., 113 f. u. 123 ff.
10 Conradi, Unser Credo (s. Anm. 4), III.
11 Ebd.
12 Ebd.
13 Vgl. Völker, Ludwig: »Alle Erinnerung geht von irgendeiner ›Prosa‹ aus«. Die lyrische Moderne und der Naturalismus. In: Deutsche Dichtung um 1890. Beiträge zu einer Literatur im Umbruch. Hrsg. v. Robert Leroy und Eckardt Pastor. Bern u. a. 1991, 203–235; hier 209 f.
14 Vgl. Liliencron, Detlev von: Neue Gedichte. Leipzig ⟨1893⟩, 103–106.
15 Die Darstellung bezieht sich auf den 1898/99 in zwei Heften erschienene *Urphantasus*, der in einem v. Gerhard Schulz hrsg. Faksimiledruck (Stuttgart 1968) neu verfügbar ist. Die 1916 und 1925 erschienenen erweiterten Fassungen bleiben unberücksichtigt.
16 Vgl. Holz, ⟨Selbstanzeige zum Erscheinen des *Phantasus*⟩ (s. Anm. 2), 62 ff.
17 Ebd., 64.
18 Ebd., 67.
19 Strohschneider-Kohrs, Ingrid: Sprache und Wirklichkeit bei Arno Holz. In: Poetica 1, 1967, 56.
20 Mennemeier, Franz Norbert: Literatur der Jahrhundertwende I, Europäisch-deutsche Literaturtendenzen 1870–1910. Bern u. a. 1985, 107.
21 Holz, Arno: Idee und Gestaltung des Phantasus. In: Werke, Bd. 5 (s. Anm. 2), 88.

22 Ebd.
23 Ebd., 87.
24 Bierbaum, Otto Julius: Ein Brief an eine Dame statt einer Vorrede. In: Deutsche Chansons (Brettl-Lieder). Berlin/Leipzig 1900, IX.
25 Ebd., X.
26 Ebd.
27 Hamann, Richard/Hermand, Jost: Stilkunst um 1900 (Epochen deutscher Kultur von 1870 bis zur Gegenwart, Bd. 4). München [2]1975, 266.
28 Abgedruckt in: Otto, Rainer/Rösler, Walter: Kabarettgeschichte. Abriß des deutschsprachigen Kabaretts. Berlin 1977, 36.
29 Vgl. Hamann/Hermand, Stilkunst (s. Anm. 27), 267.
30 Wedekind, Frank: Lautenlieder. Hrsg. u. komm. v. Friederike Becker. München 1989, 225 f.
31 Vgl. Riha, Paul: Moritat, Bänkelsong, Protestballade. Zur Geschichte des engagierten Liedes in Deutschland. Frankfurt/M. 1975.
32 Wedekind, Lautenlieder (s. Anm. 30), 170.
33 Der Text erschien 1893 in Kopenhagen unter der Mitautorschaft v. Gustav Uddgren unter dem Titel »Verdensaltet. Det nye sublime i kunsten«. Die Handschrift ist im Dauthendey-Nachlaß des Stadtarchivs Würzburg unter der Signatur P 41/2 und P 41/3 erhalten. Sie besteht aus den Kapiteln »I. Die Kunst des Intimen« und »II. Die neue Form des Erhabenen«.
34 Dauthendey (s. Anm. 33), Kap. I, 1.
35 Ebd., 5.
36 Vgl. Mach, Ernst: Die Analyse der Empfindungen und das Verhältniss des Physischen zum Psychischen (Erstausgabe 1886: u. d.Titel: »Beitrage zur Analyse der Empfindungen«). Jena [4]1903, 1–37.
37 Ebd., 9.
38 Dauthendey (s. Anm. 33), II, 21.
39 Ebd., 22.
40 Vgl. Dauthendey (s. Anm. 33), I, 19.
41 Ebd., 18 f.
42 Dauthendey (s. Anm. 33), I, 18.
43 Vgl. das Gedicht *Jasmin*. In: Dauthendey, Maximilian: Ultra Violett. Einsame Poesien (1893); zit. n. der Edition v. Jan Ehling. Berlin 1990, 39.
44 Dauthendey (s. Anm. 33), II, 6.
45 Ebd., 2.
46 Vgl. Fick, Monika: Sinnenwelt und Weltseele. Der psychophysische Monismus in der Literatur der Jahrhundertwende. Tübingen 1993.
47 Vgl. Vgl. Hamann/Hermand, Stilkunst (s. Anm. 27), 282 f.
48 Bayertz, Kurt: Die Deszendenz des Schönen. Darwinisierende Ästhetik im Ausgang des 19. Jahrhunderts. In: Fin de siècle. Zu Naturwissenschaft und Literatur der Jahrhundertwende im deutsch-skandinavischen Kontext. Vorträge des Kolloquiums am 3. u. 4. Mai 1984. Hrsg. v. Klaus Bohnen, Uffe Hansen u. Friedrich Schmöe. Kopenhagen/München 1983, 99.
49 Ebd., 99 f.

50 Vgl. Mach, Analyse (s. Anm. 36), 20.
51 ⟨o.T.⟩ In: Blätter für die Kunst 1, 1892/93, Bd. 1, ⟨1⟩.
52 ⟨o.T.⟩ In: Blätter für die Kunst 2, 1894/95, Bd. 2, 34.
53 Über Dichtung. In: Blätter für die Kunst 2, 1894/95, Bd. 4, 122.
54 ⟨o.T.⟩ In: Blätter für die Kunst 2, 1894/95, Bd. 2, 34.
55 ⟨o.T.⟩ In: Blätter für die Kunst 3, 1896, Bd. 1, ⟨1⟩.
56 George, Stefan: Über Dichtung II. In: Gesamt-Ausgabe der Werke. Bd. 17. Berlin 1933, 86.
57 Vgl. George, Stefan: Werke. 2 Bde. München/Düsseldorf 1958. Bd. 1, 45 ff. – Während hier deutliche Spuren frz. Symbolismus nachzuweisen sind, äußert sich schon im *Teppich des Lebens* (1900) die fortan zunehmend ideologische Prägung seines Werks; diese wie die späteren Dichtungen Georges bleiben hier unberücksichtigt. – Vgl. zum Gesamtwerk Winkler, Michael: Stefan George. Stuttgart 1970 sowie Durzak, Manfred: Zwischen Symbolismus und Expressionismus: Stefan George. Stuttgart/Berlin/Köln/Mainz 1974, zum *Teppich des Lebens* vgl. Aller, Jan: Symbol und Verkündigung. Studien um Stefan George. Düsseldorf/München 1976, 214–235.
58 Adorno, Theodor W.: Ästhetische Theorie. Frankfurt/M. 1973, 369.
59 Wuthenow, Ralph-Rainer: Der Europäische Ästhetizismus. In: Die literarische Moderne in Europa. Hrsg. v. Hans Joachim Piechotta, Ralph-Rainer Wuthenow u. Sabine Rothemann. Bd. 1. Opladen 1994, 129.
60 George, Werke (s. Anm. 57), Bd. 1, 121.
61 Lauster, Martina: Die Objektivität des Innenraums. Studien zur Lyrik Georges, Hofmannsthals und Rilkes. Stuttgart 1982, 55.
62 Hofmannsthal, Hugo von: Poesie und Leben (1896). In: Die Zeit (Wien) 1896, Nr. 85; zit. n.: Theorie des Jugendstils. Hrsg. v. Jürg Mathes. Stuttgart 1984, 143.
63 Hofmannsthal, Hugo von: Sämtliche Werke. Kritische Ausgabe. Veranstaltet v. Freien Deutschen Hochstift. Hrsg. v. Eugene Weber. Bd. I:, Gedichte 1. Frankfurt/M. 1984, 45.
64 Ebd., 23. Vgl. dazu die Interpretation v. William H. Reys: Die Drohung der Zeit in Hofmannsthals Frühwerk. In: Hugo von Hofmannsthal. Hrsg. v. Sibylle Bauer. Darmstadt 1968, 165–206; hier 176 f.
65 Hofmannsthal, Sämtliche Werke (s. Anm. 63), Bd. I, 26.
66 Die nachfolgende Charakterisierung folgt weitgehend dem Kapitel »Die Krise des mythischen Bewußtseins und die ›universelle‹ Form der Lyrik« in Tarot, Rolf: Hugo von Hofmannsthal. Daseinsform und dichterische Struktur. Tübingen 1970, 191–238; hier 227.
67 Ebd., 246.
68 Vgl. Wunberg, Gotthart: Der frühe Hofmannsthal. Schizophrenie als dichterische Struktur. Stuttgart/Berlin/Köln/Mainz 1965, 11.
69 Tarot, Hofmannsthal (s. Anm. 66), 203.
70 Alle genannten Gedichte in: Hofmannsthal, Sämtliche Werke (s. Anm. 63), Bd. I.
71 Mauser, Wolfram: Daseinsunmittelbare Sprache und Gebärdensprache (1961). In: Hugo von Hofmannsthal. Hrsg. v. Sibylle Bauer, a. a. O., 38.

72 Hofmannsthal, Hugo von: Briefe 1890–1901. Berlin 1935, 336 f.; auf diese Stellungnahme hat Wolfram Mauser (a. a. O.) aufmerksam gemacht.
73 Hofmannsthal, Hugo von: Das Gespräch über Gedichte. In: Gesammelte Werke in Einzelausgaben. Prosa II. Frankfurt/M. 1959, 85.
74 Hofmannsthal: Poesie und Leben (s. Anm. 62), 145.
75 Nietzsche, Friedrich: Ueber Wahrheit und Lüge im aussermoralischen Sinne 2. In: Kritische Studienausgabe. Hrsg. v. Giorgio Colli und Mazzino Montinari. Bd. 1. München u. a. [2]1988, 888.
76 Ebd.
77 Hamburger, Käte: Rilke. Eine Einführung. Stuttgart 1976, 46; die Charakterisierung des *Stundenbuchs* folgt weitgehend ihrer Darstellung, 44 ff.
78 Rilke, Rainer Maria: Das Stundenbuch. In: Sämtliche Werke. Hrsg. v. Rilke-Archiv. In Verbindung mit Ruth Sieber-Rilke besorgt v. Ernst Zinn. Bd. 1. Frankfurt/M. 1955, 253.
79 Hamburger, Rilke (s. Anm. 77),46.
80 Ebd., 57 f.
81 Höhler, Gertrud: Niemandes Sohn. Zur Poetologie Rainer Maria Rilkes. München 1979, 51.
82 Zur Struktur des Zyklus vgl. Bradley, Brigitte L.: R. M. Rilkes Neue Gedichte. Ihr zyklisches Gefüge. Bern/München 1967.
83 Rilke, Rainer Maria: Vorrede zu einer Lesung aus eigenen Werken (1919). In: Sämtliche Werke. Bd. 6. Frankfurt/M. 1966, 1098.
84 Ebd., 1097 f.
85 Zum Begriff der »Verwandlung« vgl. auch Hamburger, Rilke (s. Anm. 77), 21 ff.
86 Vgl. Wolfgang Müller: Rainer Maria Rilkes Neue Gedichte. Vielfältigkeit eines Gedichttyps. Meisenheim am Glan 1971, 93 ff.
87 Ebd., 63 ff.
88 Rilke, Rainer Maria: Neue Gedichte. In: Sämtliche Werke. (s. Anm. 78) Bd. 1, 530 f.

Hartmut Vinçon: Einakter und kleine Dramen

1 *Schultze, Studien*, 5.
2 Strindberg, August: Die Modernen? Das Magazin für Literatur 64, 1895, Sp. 5–8, hier Sp. 8.
3 Ebd., Sp. 6.
4 Strindberg, August: Vom modernen Drama und modernen Theater (März 1899). In: Elf Einakter. München/Leipzig [2]1908, 321–341, hier 331 ff.
5 Strindberg, Die Modernen (s. Anm. 2), Sp. 6.
6 *Mayr, Dramen*, 315 f.
7 *Matthes, Vaudeville*, 173 ff.
8 Strindberg, Drama (s. Anm. 4), 339.
9 *Schels, Tradition*, 52.
10 Strindberg, Drama (s. Anm. 4), 339.

11 Ebd., 337.
12 *Witkowski, Dramen*, 857.
13 Ebd., 861.
14 Ebd.
15 *Wollf, Einakter*, Sp. 200.
16 *Witkowski, Dramen*, 861.
17 *Lothar, Einakter*, Sp. 805.
18 Ebd., Sp. 805.
19 *Wollf, Einakter*, Sp. 201: »Die Form des einaktigen Dramas eignet sich für unaufhaltsam ansteigende, heftig explodierende Handlungen, sei es, daß alle wesentlichen Geschehnisse sich vor unseren Augen vollziehen, sei es, daß nur die Entladung einer schon anfänglich gegebenen kritischen Konstellation gezeigt wird. Der Einakter kann aber auch auf lebhaft bewegte Handlung verzichten und versuchen, einen wertvollen Gedanken auf reizvolle Weise dialogisch zu entwickeln oder einen bedeutsamen Zustand durch charakteristische Gespräche anschaulich zu machen.«
20 *Lothar, Einakter*, Sp. 803.
21 *Witkowski, Dramen*, 863.
22 Ebd., 862.
23 Zur Geschichte der Theorie des Augenblicks in den Künsten vgl. *Thomsen/Holländer, Augenblick*, 1 ff.
24 *Neumann-Hofer, Von Einaktern*, 143.
25 Rilke, Rainer Maria: Sämtliche Werke. Hrsg. v. Ernst Zinn. Frankfurt 1976. Bd. 10, Der Wert des Monologes, 435.
26 Vgl. *Lothar, Einakter*, 804, *Witkowski, Dramen*, 865 u. Rilke, Rainer Maria: Der Wert des Monologes. In: Sämtliche Werke. 12 Bde. Hrsg. v. Rilke-Archhiv. Frankfurt 1976, 434 f. u. 438 f.
27 *Mayr, Dramen*, 314, *Neumann-Hofer, Von Einaktern*, 140.
28 Vgl. Strindberg, August: Vorwort zur Erstausgabe von »Fräulein Julie. Naturalistisches Trauerspiel«. ⟨1888⟩. Stuttgart 1983, 67 sowie Strindberg, Drama (s. Anm. 4), 338. Die Auffassung wirkt noch in Szondis Formulierung nach, der Einakter sei »immer als Grenzsituation, als Situation vor der Katastrophe« zu verstehen (*Szondi, Theorie*, 92).
29 *Pazarkaya, Dramaturgie*, 6 f. u. *Pazarkaya, Singspiel*, 115 f.
30 Vgl. Strindberg, Drama (s. Anm. 4), 338.
31 Vgl. *Szondi, Theorie*, 92.
32 Vgl. dazu *Schultze, Studien*, 12 ff.
33 Holz, Arno: Werke. Ausgabe in sieben Bänden. Hrsg. v. Wilhelm Emrich u. Anita Holz. Darmstadt 1961, Bd. 5, 55.
34 Vgl. Strindberg, Vorwort (s. Anm. 28), 61 ff. u. Paul Ernst, zit. n. Conrad, Michael Georg: Die Sozialdemokratie und die Moderne. In: Die literarische Moderne. Ausgew. u. mit einem Nachwort hrsg. v. Gotthart Wunberg. Frankfurt 1971, 94–123, hier 108.
35 Strindberg, Vorwort (s. Anm. 28), 62.
36 Holz, Werke (s. Anm. 33), Bd. 5, 56.

37 Alberti, Conrad: Milieu ⟨1890⟩. In: Die literarische Moderne. Ausgew. u. mit einem Nachwort hrsg. v. Gotthart Wunberg. Frankfurt 1971, 43–51, hier 45 u. 48.
38 Strindberg, August: Über Realismus (1882). In: Über Drama und Theater. Köln 1966, 35–38, hier 35.
39 Bahr, Hermann: Wahrheit, Wahrheit. In: Jahrhundertwende. Manifeste und Dokumente zur deutschen Literatur 1890–1910. Hrsg. v. Erich Ruprecht und Dieter Bänsch. Stuttgart 1970/1981, 169.
40 Paul Ernst zit. n. Conrad, Sozialdemokratie (s. Anm. 34), 112 ff.
41 Zit. n. *Offermanns, Schnitzler*, 153.
42 Ebd., 187.
43 *Weiss, Schnitzler*, 53 f.
44 Vgl. *Szondi, Theorie*, 21.
45 Vgl. dazu Hofmannsthal, Hugo von: Sämtliche Werke. Band III, Dramen 1. Frankfurt 1982. 319 u. 325.
46 Vgl. dazu *Szondi, Drama*, 160.
47 Dauthendey, Max: Anrede. Stadtarchiv Würzburg, Nachlaß Dauthendey. P 41/4, 3.
48 Hofmannsthal, Werke (s. Anm. 45), 325.
49 Ebd., 446; *Szondi, Drama*, 160 übersieht dies.
50 Zur Formulierung s. Hofmannsthal, Werke (s. Anm. 45), 31 u. 310 f.; vgl. auch die Formulierung »unklare Stimmungen« bei Schnitzler, Arthur: Anatol. In: Das Dramatische Werk. 8 Bde. Frankfurt 1979, Bd. 1, 83.
51 Hofmannsthal, Sämtliche Werke (s. Anm. 45), 619.
52 Vgl. ebd., 617, 620, 625.
53 Ebd., 620.
54 Hofmannsthal, Hugo: Briefe 1900 – 1909, Wien 1937, 102 f.
55 Wedekind, Frank: Werke. Kritische Studienausgabe in acht Bänden mit drei Doppelbänden. Hrsg. v. Elke Austermühl. Darmstadt 1994, Bd. 4, 10.
56 Zur Differenz zwischen der Intimität des Kabaretts und des Intimem Theater vgl. die Ausführungen v. *Bayerdörfer, Überbrettl*, 308; dabei sollte jedoch bedacht werden, daß schon etwa ab 1905 zwischen Intimem Theater und Kabarett immer weniger unterschieden wurde. So firmierte z. B. das Kabarett Die sieben Tantenmörder als Intimes Theater.
57 Wie die Elf Scharfrichter wurden und was sie sind. In: Elf Scharfrichter-Nummer. Bühne und Brettl 3, 1903, Nr. 4, 2.
58 *Scheerbart, Arbeiten*, Bd. 1, 7.
59 Ebd., Bd. 2, 118.

Rolf Kieser: Autobiographik und schriftstellerische Identität

1 Paulsen, Wolfgang: Das Ich im Spiegel der Sprache. Autobiographisches Schreiben in der deutschen Literatur des 20. Jahrhunderts. Tübingen 1991, 1.
2 1939 schrieb Hans Wilhelm Rosenhaupt in Bern eine einsame Dissertation über den Gegenstand. Vgl. Rosenhaupt, Hans Wilhelm: Der deutsche Dichter um die Jahrhundertwende und seine Abgelöstheit von der Gesellschaft. Diss. Bern/Leip-

zig 1939. Vierzig Jahre später erschien ein Aufsatz von Kay Goodman über Die große Kunst, nach innen zu weinen. Autobiographien deutscher Frauen im späten 19. und frühen 20. Jahrhundert. In: Paulsen, Wolfgang (Hrsg.): Die Frau als Heldin und Autorin. Neue kritische Ansätze zur deutschen Literatur. Bern/München 1979, 1.

3 Hoffmann, Volker: Tendenzen in der deutschen autobiographischen Literatur 1890–1923. In: Niggl, Günter (Hrsg.): Die Autobiographie. Zur Form und Geschichte einer literarischen Gattung. Darmstadt 1989, 482.

4 Niggl, Autobiographie (s. Anm. 3).

5 Hoffmann, Tendenzen (s. Anm. 3), 484 f.

6 Ebd., 487.

7 Stadler, Peter: Memoiren der Neuzeit. Betrachtungen zur erinnerten Geschichte. Zürich 1995, 16, 21.

8 Vierhaus, Rudolf: Die Rekonstruktion historischer Lebenswelt. Probleme moderner Kulturgeschichtsschreibung. In: Lehmann, Hartmut (Hrsg.): Wege zu einer neuen Kulturgeschichte, Göttingen 1995, 9.

9 Lehmann, Jürgen: Bekennen – Erzählen – Berichten. Studien zu Theorie und Geschichte der Autobiographie. Tübingen 1988, 23.

10 Niggl, Autobiographie (s. Anm. 3), 2

11 Neumann, Bernd: Identität und Rollenzwang. Zur Theorie der Autobiographie. Frankfurt/M. 1970, 1.

12 Niggl, Autobiographie (s. Anm. 3), 8.

13 Lehmann, Bekennen (s. Anm. 9), 4.

14 Winter, Helmut: Der Aussagewert von Selbstbiographien.. Zum Status autobiographischer Urteile. Heidelberg 1985.

15 Smith, Robert: Derrida and Autobiography. Cambridge 1995, 1.

16 Neubauer, John: The Fin-De-Siècle Culture of Adolescence . New Haven & London 1992.

17 Alker, Ernst: Die deutsche Literatur im 19. Jahrhundert (1832–1914). Stuttgart 1969, 660.

18 Hoffmann, Tendenzen (s. Anm. 3), 489.

19 Blei, Franz: Erzählung eines Lebens. Leipzig 1904, 214 f.

20 In Auswahl erstmals 1937.

21 Hauptmann, Gerhart: Die großen Beichten (Das Abenteuer meiner Jugend. Das zweite Vierteljahrhundert, Neue Leidenschaft) Berlin, 1966.

22 Hauptmann, Gerhart: Das Abenteuer meiner Jugend. 2 Bde. Berlin 1937, Bd. I, 439.

23 Vgl. dazu Druvins, Ute: Alternative Projekte um 1900. Utopie und Realität auf dem ›Monte Verità‹ und in der ›Neuen Gemeinschaft‹. In: Gnüg, Hiltrud (Hrsg.): Literarische Utopie-Entwürfe. Frankfurt/M. 1982, 236–249.

24 Hoffmann, Tendenzen (s. Anm. 3), 502

25 Paulsen, Das Ich (s. Anm. 1), 8.

26 Hauptmann, Abenteuer meiner Jugend (s. Anm. 22), I, 449 f.

27 Altenberg, Peter: Vita ipsa. Berlin 1918.

28 Halbe, Max: Die Jahrhundertwende. Geschichte meines Lebens, 1853–1914. Danzig 1935, 88.

29 Ebd., 5.
30 Andreas-Salomé, Lou: Lebensüberblick. Grundriß einiger Lebenserinnerungen. Zürich 1951, 101.
31 Ebd., 125
32 Rilke, Rainer Maria: Tagebücher aus der Frühzeit. Frankfurt 1975, 236.
33 Andreas-Salomé, Lebensüberblick (s. Anm. 30), 146.
34 Blei, Erzählung (s. Anm. 19), 255 f.
35 Ebd., 238.
36 Mann, Heinrich: Ein Zeitalter wird besichtigt. Stockholm 1946, 224.
37 Ebd., 189.
38 Scholz, Wilhelm von: Eine Jahrhundertwende. Lebenserinnerungen. Leipzig 1936, 179.
39 Halbe, Jahrhundertwende (s. Anm. 28), 306.
40 Ebd. 304.
41 Blei, Franz: Der schüchterne Wedekind. Persönliche Erinnerungen In: Der Querschnitt, 9. Jg., H. 3, 1929, 169–176.
42 Hauptmann, Abenteuer meiner Jugend (s. Anm. 22), 408.

Uwe Schneider: Literarische Zensur und Öffentlichkeit im Wilhelminischen Kaiserreich

1 ⟨Blei, Franz⟩: Die Zensur. In: Der lose Vogel 1 (1912), 80 f.; hier 81.
2 Vgl. zum Hintergrund *Boettcher, Ibsen*, v. a. 63–98.
3 Theodor Fontane in der Vossischen Zeitung, Nr. 456 vom 30. September 1889; wieder in: Causerien über Theater. Hrsg. v. Paul Schlenther. Berlin 1905, 188 f.
4 Vgl. *Wehler, Modernisierungstheorie.*
5 Vgl. *Urner, Schweiz*, 269. – Die Züricher ›Vor-Moderne‹ muß jedoch als Desiderat der Forschung gelten.
6 Vgl. zu den Umständen *Sommer, Theaterzensur*; *Breuer, Geschichte* 184 f.
7 *Aulich, Elemente*, 179; vgl. a. *Brauneck, Literatur*, 15 ff.
8 In der Rechtsterminologie wird denn auch von einem öffentlichen Theaterrecht gesprochen; vgl. *Opet, Theaterrecht*; *Goldbaum, Theaterrecht.* – Der Begriff ›Zensur‹, abgeleitet vom lat. censere (prüfen, beurteilen), ist in der deutschen Sprache seit dem 15. Jahrhundert mit der Überwachung der Buchproduktion konnotiert. Der Begriff ›Öffentlichkeit‹ ist erstmals 1765 im Kontext einer Definition der literarischen Zensur belegt; vgl. Sonnenfels, J. von: Grundsätze der Polizey. In: Handlung und Finanz 1 (1765), 82.
9 *Heindl, Theaterzensur*, 33.
10 Wilhelm II. hat vor allem in zwei programmatischen Reden das kaiserliche Kunstverständnis formuliert: am 16. Juni 1898 vor dem Kunstpersonal der Kgl. Schauspiele und am 18. Dezember 1901 anläßlich der Einweihung der Fürstendenkmäler in der Siegesallee; dort auch das Diktum: »Eine Kunst, die sich über die von Mir bezeichneten Gesetze und Schranken hinwegsetzt, ist keine Kunst mehr ⟨...⟩.« *Johann, Reden des Kaisers*, 102.

11 *Schefold, Zensur*, 985.

12 *Heindl, Theaterzensur*, 35.

13 Rikkert, Julius: Polizeiliche Zensur an Bühnenwerken. In: Kunstwart 1 (1887/88), 265–268, hier 267.

14 Vgl. zur Diskussion der Auslegung *Kleefeld, Theaterzensur*; *Heindl, Theaterzensur*; dort jeweils weiterführende Literaturangaben.

15 Das Verfahren der Theaterzensur sieht vor, für jede öffentliche Theatervorstellung die schriftliche Erlaubnis der Polizei einzuholen (nach der Berliner Theaterordnung § 4), dabei sind Zeit und Ort der Aufführung zu benennen. »Die Erlaubniserteilung ist ohne Einfluß auf die Entscheidung anderer Polizeibehörden in der gleichen Sache. Es kann ein und dasselbe Stück in der Hauptstadt erlaubt und in den Provinzstädten verboten werden und umgekehrt« (*Heindl, Theaterzensur*, 37). Das Verbot in der einen Stadt und die Erlaubnis zur Aufführung in einer anderen sind keine Seltenheit. Die Polizei kann die Erlaubnis ohne Angabe von Gründen jederzeit widerrufen. Will man die in den Begründungen genannten Aspekte eines Aufführungsverbots systematisieren, so lassen sich folgende Kategorien bilden: 1) Inhalt, 2) voraussichtliche Wirkung auf das Publikum, 3) die Form bzw. Sprache des Textes. Vgl. zu den regionalen Unterschieden *Stark, Censorship*; *Jelavich, Censorship*.

16 Strittig war von Anfang an v. a. die Auslegung des Artikels 27 der preußischen Verfassung, der besagt: »Jeder Preuße hat das Recht, durch Wort, Schrift, Druck und bildliche Darstellung seine Meinung frei zu äußern. Die Zensur darf nicht eingeführt werden«. In der Rechtspraxis des Wilhelminischen Kaiserreichs wurde dieser Artikel vom preußischen Oberverwaltungsgericht und entsprechenden anderen Instanzen jedoch lediglich auf die Pressefreiheit bezogen. Vgl. zur Diskussion *Heindl, Theaterrecht*, v. a 44 ff.; *Opet, Theaterrecht*, 149 ff.; *Kleefeld, Theaterzensur*, 24 ff.; *Bar, Rechtmäßigkeit*; *Kitzinger, Beseitigung*.

17 Vgl. zur Zensur- und Prozeßgeschichte *Pfoser/Pfoser-Schewig/Renner, Schnitzlers ›Reigen‹*.

18 Nachzuweisen sind u. a. Lesungen Wedekinds auf einem Gesellschafts-Abend der Litterarischen Gesellschaft in Leipzig (26. November 1897) und nach seiner Agenda am 18. April 1904 in München; vgl. Handschriftenabteilung der Stadtbibliothek München, Wedekind-Nachlaß, L 3511.

19 Vgl. Halbe, Max: Jahrhundertwende. Geschichte meines Lebens. 1893–1914. Danzig 1935, 159: »Unter den vielen bewegten Abenden der ›Nebenregierung‹ wohl der bewegteste war jener, an dem Frank Wedekind uns sein ›Sonnenspektrum‹ im ›Kaffee Minerva‹ gegenüber der Akademie, vorlas oder, um es richtiger zu bezeichnen, an den Kopf schleuderte. Es wird im Frühjahr 1896 gewesen sein 〈...〉.«

20 Vgl. exemplarisch *Houben, Verbotene Literatur*; *Leiss, Kunst*; sowie Blumenthal, Otto: Verbotene Stücke. Berlin 1900.

21 Vgl. *Kanzog, Zensur*, 1002 f.; *Aulich, Elemente*, 190; *Houben, Hier Zensur*, 3, formuliert programmatisch: »Der Kampf der Literatur mit der Zensur 〈...〉 ist der ewige Widerstreit zweier Weltanschauungen, Kampf des Lichtes gegen die Finsternis, der Aufklärung gegen den Obscurantismus.« Vgl. zum Stand der wissenschaftlichen Aufarbeitung des Phänomens *Breuer, Zensurforschung*.

22 Vgl. den Definitionsvorschlag für Zensur von *Link/Link-Heer, Propädeutikum*, 207.
23 Vgl. *Breuer, Zensurforschung*, 57.
24 Es liegen mehrere geschichtliche Gesamtdarstellungen vor; verwiesen sei auf *Breuer, Geschichte*, 183–219; dort weiterführende Literaturangaben.
25 Vgl. die Literaturhinweise bei *Brauneck, Literatur*, 203 f.
26 Vgl. *Schley, Freie Bühne*; *Schanze, Theater*.
27 Fontane, Theodor: Briefe an die Freunde. Hrsg. v. Friedrich Fontane u. Hermann Fricke. Berlin 1943. Bd. 2. 459.
28 Vgl. *Marshall, German Naturalists*.
29 Vgl. Meyer, *Theaterzensur*, 45 ff.; zum Verbot des Vereins *Wenig, Theater*, 22 ff.
30 *Brauneck, Literatur*, 15.
31 Leipziger Tageblatt, Nr. 178, 27. Juni 1890, 4. Beilage.
32 *Houben, Verbotene Literatur*, Bd. I, 13. Inhaltliche Aspekte der inkriminierten Texte und eine Skizze des Prozeßverlaufes bei *Schulz, Zensur*, 96–102.
33 Vgl. z. B. Mario, C.: »Was erwartet die deutsche Kunst von Kaiser Wilhelm II?« In: Kunstwart 2 (1888/89), 131 f.; Alberti, Conrad: In Sachen: Was erwartet die deutsche Kunst von Kaiser Wilhelm II? In: Kunstwart 2 (1888/89), 186 f.
34 Alberti an Sudermann am 22. Oktober 1890, Deutsches Literaturarchiv Marbach a. N., Signatur: Cotta, Nachl. Sudermann, VI 46, Bl. 2.
35 Vgl. *Hellge, Wilhelm Friedrich*, Sp. 1151–1158; v. a. Sp. 1153.
36 N.N.: Der Realismus vor Gericht. In: Gesellschaft 6 (1890), III, 1141–1232. Und (hiernach zit.): N.N.: Der Realismus vor Gericht. Nach dem stenographischen Bericht über die Verhandlung am 23., 26. und 17. Juni 1890 vor der Strafkammer I des Königl. Landgerichts zu Leipzig gegen Conrad Alberti, Hermann Conradi u. Wilhelm Walloth und deren Verleger. Leipzig 1890.
37 Röhr, Julius: Der Naturalismus vor Gericht. In: Die Gegenwart Bd. 38 (1890), 200–202; Röhr begrüßt die Publikation der Prozeßprotokolle: »Alle Gründe, welche in der Verhandlung für oder gegen« die ›neue Richtung‹ »vorgebracht sind, sind typisch und müssen bei jeder Erörterung über dieselbe wiederkehren« (200).
38 Vgl. Realismus vor Gericht (s. Anm. 36), 79 ff. Alberti provozierte den Staatsanwalt, indem er diesem vorwarf, Ovid nicht zu kennen, was Alberti wiederum eine Ordnungsstrafe von 40 Mark eintrug. Nach Prozeßende hat Alberti nach eigener Aussage bei der Leipziger Staatsanwaltschaft Denunziation gegen Texte von Plato, Petron und Schiller eingereicht; vgl. Alberti, Conrad: Die vernagelte Literatur. In: Die Gesellschaft 6 (1890), III, 1137–1140, hier 1139.
39 *Houben, Verbotene Literatur*, Bd. I, 11. Vgl. Realismus vor Gericht (s. Anm. 36), 26, 29 u. ö.
40 Realismus vor Gericht (s. Anm. 36), 46; vgl. 60. Das *Leipziger Tageblatt* berichtet am 24., 27. u. 28. Juni 1890 ausführlich vom Prozeßgeschehen.
41 Realismus vor Gericht (s. Anm. 36), 13 u. ö.
42 Ebd., 61 u. ö.
43 Die Berliner *Freie Bühne* thematisiert dies unmittelbar nach Prozeßende mehrmals; vgl. Schwind, B.: Unzüchtige Schriften. In: Freie Bühne 1 (1890), 609 f., Lienhard, Fritz: Der verklagte Realismus. In: Freie Bühne 1 (1890), 642 f.

44 Realismus vor Gericht (s. Anm. 36), 62.
45 So Alberti vor Gericht; ebd., 83.
46 Ebd., 86.
47 Die Autoren wurden zu Geldstrafen verurteilt, ihre Romane eingezogen und ihr Verleger freigesprochen; vgl. ebd., 91–94.
48 F. M. ⟨Fritz Mauthner⟩: Das Obscöne vor Gericht. In: Deutschland 1 (1889/90), 683 f., hier 683.
49 Kreowski, Ernst: Strafgesetz und Schriftsteller. In: Münchner Kunst 2 (1890), Nr. 27, 9. Juli 1890, 216 f., hier 217.
50 Bleibtreu, Karl: Eine kulturhistorische Mitteilung. In: Gesellschaft 8 (1892), III, 1102 f., hier 1102.
51 Blumenthal, Verbotene Stücke (s. Anm. 20). Ebenfalls (hiernach zit.) in: Deutsche Revue über das gesamte nationale Leben der Gegenwart 25 (1900), I, 92–108; 204–219.
52 Ebd., 92. Folgende Zitate ebd. 98, 99, 96, 205.
53 M. H. ⟨Harden, Maximilian⟩: Das verbotene Sodom. In: Gegenwart Bd. 38 (1890), 286 f., hier 286.
54 Alberti an Sudermann, 22. Oktober 1890 (s. Anm. 34); vgl. *Stark, Censorship*, 339.
55 Aliberti an Sudermann, 22. Oktober 1890 (s. Anm. 34).
56 Vgl. zu dieser These auch *Schulz, Zensur*, 93 f.
57 Blumenthal, Verbotene Stücke (s. Anm. 20), 216.
58 Vgl. Walloth, Wilhelm: Lebensrätsel eines Wiedergeborenen. H. 6. Handschriftenabteilung der Stadtbibliothek München, Nachlaß Wilhelm Walloth, L 1538, H. 6; zit. bei *Stark, Censorship*, 341.
59 Wille, Bruno: Die Justiz als Kunstrichterin. Glossen zum Urteil des Oberverwaltungsgerichts über die »Freie Volksbühne«. In: Allgemeine Theater-Revue für Bühne und Welt 1 (1892), Nr. 3, 1–5, hier 2. Wille hatte dies freilich schon in seinem Gründungsaufruf vorausgesehen, vgl. Aufruf zur Gründung einer Volksbühne. In: Berliner Volksblatt vom 23. März 1890.
60 Zit. bei Wille, Justiz als Kunstrichterin (s. Anm. 63), 3.
61 Vgl. *Günther, Gruppenbildung*, 102–122.
62 Vgl. *Jelavich, Theatrical Modernism*, 41–43; *Engelmann, Öffentlichkeit und Zensur*, 269, 361; *Schmitz, Münchner Moderne*, 326.
63 Wille, Justiz als Kunstrichterin (s. Anm. 63), 5.
64 Vgl. die Materialsammlungen v. *Praschek, Hauptmanns ›Weber‹* und *Schwab-Felisch, Die Weber*; weiter *Brauneck, Literatur und Öffentlichkeit*, 50–86.
65 *Brauneck, Literatur*, 19.
66 Zit. n. *Praschek, Hauptmanns ›Weber‹*, 255.
67 Wolff, Eugen: Die Überweisung des Bühnenwesens an das Kultusministerium und der Erlaß eines Theatergesetzes. In: Der Lotse 2 (1901/02), 470–478; hier 470 f.
68 Brahm, Otto: Bairische Kammer und Naturalismus. In: Freie Bühne 1 (1890), 295–299, hier 299.
69 Ebd.

70 ⟨Franzos, Karl Emil⟩: Die Frage der Theater-Zensur. ⟨Rundfrage⟩. In: Deutsche Dichtung (1892/93), Bd. 13, 22–27; 72–78; 124–126; 146–149; 173–176; 251 f. Referiert bei *Brauneck, Literatur,* 18 f., 204.

71 Theater-Zensur. Eine Rundfrage. In: Bühne und Welt 3 (1900/01), 466–468, 505–515, 568, hier 514.

72 Vgl. die Fallsammlungen v. *Houben, Verbotene Literatur* und *Leiss, Kunst* sowie *Engelmann, Öffentlichkeit.* Zu Panizza vgl. *Bauer, Panizza,* v. a. 151–178.

73 Vgl. *Schmitz, Elf Scharfrichter*; *Engelmann, Öffentlichkeit,* 274 f.

74 Vgl. *Leiss, Kunst,* 117 ff.

75 *Schmitz, Münchner Moderne,* 366.

76 Als problematisch galt in der Diskussion vor allem die Auslegung des Begriffs der ›unzüchtigen Schrift‹, worauf man freilich schon im Vorfeld der ›Lex Heinze‹ hingewiesen hatte; vgl. *Schauer, Begriff.*

77 Der legislative Ablauf der Lex Heinze ist dokumentiert in: Schultheß' Europäischen Geschichtskalender N. F. 16 (1900), 19–77. Vgl. *Pöllinger, Gründung*; *Mast, Freiheit,* 139–190. Zum ›Gesetz zum Schutz der Jugend‹ und die damit verbundene Debatte um Schundlitteratur vgl. *Jäger, Kampf*; *Hütt, Hintergrund,* 25–37.

78 Vgl. die Dokumente in Falckenberg, Otto: Das Buch von der Lex Heinze. Ein Kulturdokument aus dem Anfang des 20. Jahrhunderts. Leipzig 1900.

79 Der vollständige Wortlaut ist abgedruckt in *Meyer, Theaterzensur,* 17.

80 N. N.: Die Münchener Protestversammlung gegen die lex Heinze. In: Berliner Tageblatt, Nr. 122, 8. März 1900.

81 Zit. n. dem Bericht über die Veranstaltung in den Münchner Neuesten Nachrichten, Nr. 114, 9. März 1900.

82 Zu den Gründungsmitglieder zählen u. a. Michael Georg Conrad, Max Dauthendey, Max Halbe, Karl Henckell, Paul Heyes, Georg Hirth, Franz von Lenbach, Franz Stuck, Ludwig Thoma, Frank Wedekind. Eine vollständige Liste in: Hirth, Georg: Wege zur Freiheit. München 1903, 178.

83 Die Statuten des Goethebundes werden im März 1900 gedruckt und an die Mitglieder verteilt; zit. n. dem Exemplar im Münchner Wedekind-Nachlaß (s. Anm. 18), Signatur L 3476/53.

84 Vgl. Hirth, Wege zur Freiheit (s. Anm. 88), 177.

85 Zur Berliner Kampagne vgl. N. N.: Pfui! Ein Aufruf an die Künstler. In: Berliner Tageblatt, Nr. 72, 9. Februar 1900; N. N.: Sudermann und seine Freunde. In: Berliner Tageblatt, Nr. 75, 10. Februar 1900; den Bericht im BT, Nr. 123, 8. März 1900 ⟨mit einer Mitgliederliste des Berliner Kommitees zur Protestversammlung⟩; N. N.: Auch ein Protest gegen die »lex Heinze«! In: Berliner Tageblatt, Nr. 126, 10. März 1900.

86 A. ⟨Ferdinand Avenarius⟩: Ueber das Denunzieren. In: Kunstwart 11 (1897/98), 109–112; hier 111.

87 Vgl. die kontextbezogene Interpretation v. *Füssel, Gladius Dei*; ferner *Frühwald, Milieu- und Stilparodie.*

88 Lier, Leonhard: Künstlerische, nicht polizeiliche Zensur! In: Kunstwart 11 (1897/98), 186–188; vgl. auch *Schulz, Zensur,* 115 f.

89 Vgl. zu Geschichte und Arbeitsweise des Müchener Zensurbeirats ausführlich *Meyer, Theaterzensur*, 86–154.

90 Ebd., 119–130.

91 Vgl. z. B. *Abret/Keel, Majestätsbeleidigungsaffäre*; *Seehaus, Wedekind*; *Meyer, Theaterzensur*; *Pankau, Polizeiliche Tugendlichkeit.*

92 Zum Einfluß der Zensur auf Wedekinds Lulu-Stoff, der den Autor über zwanzig Jahre hinweg sein Drama immer wieder überarbeiten läßt, vgl. die Quellen in Wedekind, Frank: Werke. Kritische Studienausgabe. Bd. 3/II, Kommentar. Hrsg. v. Hartmut Vinçon. Darmstadt 1996, 833–1324.

93 Vgl. zu den Rollenbildern *Kleemann, Rebellion.*

94 *Seehaus, Wedekind*, 28 (ebd. auch Beleghinweise); *Meyer, Theaterzensur*, 300.

95 Vgl. Wedekind, Frank: Aufklärungen. In: Pan 1 (1910/11), Nr. 1, 11–16. Ab dem 4. Tsd. als *Über Erotik* in: Feuerwerk. Erzählungen. München 1911.

96 Wedekind, Frank: Torquemada. Zur Psychologie der Zensur. In: Berliner Tageblatt, Nr. 141 vom 17. März 1912. Noch Wedekinds *Simson oder Scham und Eifersucht* (1914) stellt, und dies bereits im Titel, Begriffe einer ›geschlechtlichen Sittlichkeit‹ unter den Bedingungen einer herrschenden Zwangsmoral in den Mittelpunkt.

97 Vgl. Panizza, Oskar: Frühlings-Erwachen, eine Kindertragödie von Frank Wedekind. In: Gesellschaft 8 (1892), II, 652–655; -zz- ⟨Oskar Panizza⟩: Wedekind, Frank: »Der Erdgeist«, eine Tragödie. In: Gesellschaft 12 (1896), 693–695; Dehmel, Richard: Erklärung. In: Gesellschaft 8 (1892), IV, 1473–1475; Henckell, Karl: Moderne Dichterabende. Zwanglose Plaudereien. Leipzig/Zürich 1895, 93–96.

98 Vgl. *Seehaus, Wedekind*, v. a. das Kapitel »Das Wedekind-Bild im Wandel der Zeit«, 11–56.

99 In: Münchner Neueste Nachrichten, Nr. 608, 30. Dezember 1911; Berliner Tageblatt, Nr. 662, 30. Dezember 1911 u. ö.; dort die folgenden Zitate. Vgl. auch die Meldung der Münchner Zeitung, Nr. 6, 9. Januar 1912: »Wie wir jedoch aus guter Quelle erfahren, hat indessen eine *Beratung des Zensurbeirates* stattgefunden, in der sich die meisten der Mitglieder dafür entscheiden, Wedekinds Fragen mit Schweigen zu beantworten.«

100 Kantonsbibliothek Aarau, Wedekind-Nachlaß, Schachtel IV, Nr. 171.

101 Vgl. die Interpretationsskizze bei *Vinçon, Wedekind*, 224–226.

102 Münchner Wedekind-Nachlaß (s. Anm. 18), L 3501, Notizbuch, Nr. 56, 65^{V}.

103 Lautensack, Heinrich: Das heimliche Theater. Ein Weg zur Ueberwindung des Zensors. In: Aktion 2 (1912), Sp. 97–100, hier Sp. 99.

104 Exemplarisch ist dies, ohne den Wedekind-Bezug zu erkennen, für Sternheim gezeigt worden, vgl. *Klee, Macht und Ohnmacht*; Eulenberg z. B. gesellt seiner *Simson*-Tragödie (1910) ein erläuterndes Satyrspiel bei.

105 *Vinçon, Anmerkung*, 317.

Walter Fähnders: Anarchismus und Literatur

1 Vgl. *Linse, Anarchismus*, 163 ff.
2 Reszler, André: L'esthétique anarchiste. Paris 1973.
3 Vgl. Bock, Hans-Manfred: Bibliographischer Versuch zur Geschichte des Anarchismus und Anarcho-Syndikalismus in Deutschland. In: Jahrbuch Arbeiterbewegung. Bd 1. Über Karl Korsch. Hrsg. Claudio Pozzoli. Frankfurt/M. 1973, 293–334.
4 Landauer, Gustav: Aufruf zum Sozialismus (1911). Reprint Wetzlar 1978, 1 und 62; Hervorhebung im Original.
5 Landauer, Gustav: Eine Ansprache an die Dichter (1918). In: Der werdende Mensch. Aufsätze über Leben und Schrifttum. Hrsg. von Martin Buber. Potsdam 1921, 356–363, hier 363.
6 Vgl. Gustav Landauer – Fritz Mauthner. Briefwechsel 1890–1919. Hrsg. v. Hanna Delf. München 1994.
7 Landauer, Gustav: Ein Weg deutschen Geistes. In: Frankfurter Zeitung 6. Februar 1916 (Nr. 36).
8 Vgl. *Fähnders, Anarchismus*, 32 f.
9 Landauer, Gustav: Durch Absonderung zur Gemeinschaft (1900). In: Die Botschaft der Titanic. Ausgewählte Essays. Hrsg. v. Walter Fähnders/Hansgeorg Schmidt-Bergmann. Berlin 1994, 7–28, hier 8, 28.
10 Alle Nachweise der Zitate und Titel vgl. *Fähnders, Anarchismus*, 86 ff.
11 Vgl. Fähnders, Walter: Anarchism and Homosexuality in Wilhelmine Germany: Senna Hoy, Erich Mühsam, John Henry Mackay. In: Gay Men and the Sexual History of the Political Left. Hrsg. von G. Hekma, H. Oosterhuis, J. Steakley. New York 1995, 117–153.
12 *Bab, Berliner Bohème*, 46.
13 Mühsam, Erich: Bohême. In: Ausgewählte Werke. 2 Bde., hrsg. v. Chris Hirte. Berlin/DDR 1978, Bd. 2, 25–31, hier 31.
14 Vgl. *Fähnders, Anarchismus*, 55 ff. und 117 ff.
15 Vgl. Fähnders, Walter: Else Lasker-Schüler und »Senna Hoy«. In: Meine Träume fallen in die Welt. Ein Else-Lasker-Schüler-Almanach. Hrsg. v. Sarah Kirsch, Jürgen Serke, Hajo Jahn. Wuppertal 1995, 55–77.
16 Przybyszewski, Stanislaw: Auf den Wegen der Seele. Gustav Vigeland (1897). In: Kritische und essayistische Schriften. Hrsg. v. Jörg Marx. Paderborn 1992 (= Werke, Aufzeichnungen und ausgewählte Briefe. Bd. 6), 17–45, hier 40.
17 *Brupbacher, Psychologie*, 73/75; zur anarchistischen Décadence-Rezeption vgl. *Fähnders, Anarchismus*, 136 ff.

Harro Segeberg: Technische Konkurrenzen.
Film und Tele-Medien im Blick der Literatur

1 Zur Literatur- wie Kunstgeschichte der Laterna magica und anderer sogenannter Vorläufer-Medien des Films vgl. die Beiträge in *Segeberg, Mobilisierung.*
2 Vgl dazu die anschaulichen Schilderungen bei *Chardère, Le roman.* Zur auf Dauer nicht konkurrenzfähigen deutschen Frühgeschichte des Films vgl. genauer *Castan, Skladanowsky.*
3 So Meurville, Louis de in: Le Gaulois, Paris, 12. Februar 1896; zit. n. *Müller, Cinématographe*, 30 f.
4 Vgl. I. M. Pacatus (d. i. Maxim Gorki) in: Nishe gorodski Listok, Nr. 182, 4. Juli 1896; zit. n. *Müller, Cinématographe*, 51–57, hier 51 f.. Zu den tatsächlichen Reaktionen des Publikums auf die als besonders gelungene Illusionierungstricks genossenen kinematographischen Lumière-Lokomotiven vgl. *Segeberg, (Stadt-) Wahrnehmung*, 349 ff. sowie *Loiperdinger, Lumiére.*
5 So Meurville, Louis de in: Le Gaulois, zit. n. *Müller, Cinématographe*, 30 (Hervorhebung im Zitat durch den Autor dieses Beitrags).
6 So Wagner, Richard: Oper und Drama (1851); zit. n. *Dahlhaus, Konzeption*, 114 f.
7 Zu Einzelheiten vgl. *Segeberg, (Stadt-)Wahrnehmung*, 340–352.
8 *Bergson, Entwicklung*, 309.
9 Vgl. dazu im einzelnen *Müller, Kinematographie.*
10 Vgl. dazu im einzelnen die Beiträge in *Müller/Segeberg, Modellierung* sowie *Elsaesser, Second Life.*
11 Hardekopf, Ferdinand: Der Kinematograph (1910), zit. n. *Schweinitz, Prolog*, 155–159, hier 157. Ebendort auch die folgenden Zitate (Hervorhebung im Text).
12 Zur Reihenfolge der Zitate vgl. Gaupp, Robert: Die Gefahren des Kinos, in *Schweinitz, Prolog*, 64–69 hier 66; Hardekopf, Ferdinand: ebd., 156; Friedell, Egon: Prolog vor dem Film, ebd., 206; Döblin, Alfred: Romanautoren. In: Kleine Schriften I. Hrsg. v. Antony W. Riley. Olten/Freiburg i. Br. 1989, 120, 122.
13 So Hardekopf, Kinematograph (s. Anm. 11), 156 f. Zur Rolle der Zwischentexte im Stummfilm vgl. *Paech, Vor-Schriften*, 23–40, hier 28 ff. Sowie zum Einsatz von sogenannten Kino-Erklärern im Kino der zehner Jahre die Berichte v. Ulrich Rauscher: Die Welt im Film (1912) sowie Siegfrieds Traum (1913). In *Schweinitz, Prolog*, 195–201 u. 39–42; und jetzt *Châteauvert, Kino*, 81–95. Ein solcher Kino-Erklärer konnte dann mit »sittlichem Empfinden« »das Seelenleben ⟨der⟩ Personen erläutern« (so Rauscher in: *Schweinitz, Prolog*, 198) und damit in gewisser Weise eine Rückübersetzung des Films in die Deutungsstandards einer hier sehr popular-moralisch begründeten Wort-Kunst vornehmen.
14 Brod, Max: Kinematograph in Paris (1912), zit. n. *Güttinger, Kino*, 35–38, hier 36.
15 Vgl. Polgar, Alfred: Das Drama im Kinematographen (1911), zit. n. *Schweinitz, Prolog* 159–164, hier 161.
16 Altenloh, Emilie: Theater und Kino (1912/13), zit. n. *Schweinitz, Prolog*, 248–252, hier 251 (Hervorhebung im Text). Zum folgenden Zitat Friedells vgl. ebd., 204.

17 Ebd., 202.

18 Zur Rolle des lange unterschätzten Autorenfilms vgl. genauer den Beitrag v. Müller, Corinna in *Müller/Segeberg, Modellierung* sowie Quaresima, Leonardo: Dichter heraus! The Autorenfilm and the German Cinema of the 1910's. In: Griffithiana 13 (1990), No. 38/39, 100–120.

19 Vgl. etwa einige Antworten auf eine Umfrage des Börsenblattes für den Deutschen Buchhandel zum Verhältnis von Kino und Buchhandel. In *Schweinitz, Prolog*, 272–289, hier 279, 286, 288. Vgl. auch *Prodolliet, Abenteuer* und *Kammer, Schnitzler*.

20 Vgl. weiter die einschlägigen Zeugnisse im gleichnamigen Ausstellungskatalog zu: Die Schriftsteller und der Stummfilm. Hrsg. v. Ludwig Greve u. a. Marbach 1976.

21 So etwa das tatsächlich verfilmte Szenarium zu *Zwischen Himmel und Erde* v. Heinrich Lautensack.

22 Pinthus, Kurt: Vorwort zur Neu-Ausgabe (1963). In: Das Kinobuch. Kinostücke von Richard A. Bermann u. a. Frankfurt/M. 1983, 7–17. Zur Frühform eines Filmromans vgl. *Schweinitz, Automobile*.

23 Pfemfert, Franz: Kino als Erzieher (1911). Zit. n. *Schweinitz, Prolog*, 165–169, hier 166 f.

24 Vgl. dazu *Schweinitz, Kintopp*, 72–88.

25 Für eine genauere Interpretation vgl. *Segeberg, Literatur*, 273 ff.

26 Vgl. *Zischler, Kafka*.

27 So Kafka, Franz: »Friedländer Reisetagebuch« (1911) In: Tagebücher. Hrsg. v. Hans-Gerd Koch u. a. Frankfurt/M. 1990, 937.

28 Musil, Robert: Die Verwirrungen des Zöglings Törleß (1906). Zit. n.: Gesammelte Werke. Hrsg. v. Adolf Frisé. Reinbek bei Hamburg 1978, Bd. 6, 91.

29 Vgl. Mann, Heinrich: Professor Unrat (1905). Hamburg 1994, 77 sowie Benjamin, Walter: Das Kunstwerk im Zeitalter seiner technischen Reproduzierbarkeit. ›Zweite Fassung‹. Zit. n.: Gesammelte Schriften. Hrsg. v. Rolf Tiedemann und Hermann Schweppenhäuser. Bd. I, 2. Frankfurt/M. 1974, 500.

30 Vgl. Döblin, Alfred: Die Selbstherrlichkeit des Wortes (1920). In: Kleine Schriften I (1902–1921). Hrsg. v. Anthony W. Riley. Olten/Freiburg i. Br. 1985, 267 ff., hier 268; vgl. weiter: An Romanautoren und ihre Kritiker. In: Schriften zu Ästhetik, Poetik und Literatur. Hrsg. v. Erich Kleinschmidt. Olten/Freiburg i. Br. 1989, 119–123, hier 120 f.

31 Einstein, Carl: Die Pleite des deutschen Films (1922). In: Werke, Bd. 2 (1919–1922). Hrsg. v. Marion Schmid. Berlin 1981, 219–222, hier 221.

32 Einstein, Carl: Über den Roman. In: Werke, Bd. 1 (1908–1918). Hrsg. v. Rolf Peter Baacke. Berlin 1980, 127 ff., hier 128; Einstein, Carl: Bebuquin. Hrsg. v. Erich Kleinschmidt. Stuttgart 1985, 24. Vgl. dazu im einzelnen *Segeberg, Literatur*, 279 ff.

33 Einstein, Carl: Vathek (1910). Zit. n.: Werke, Bd. 1 (s. Anm. 32), 28–31, 29, 31

34 Zit. n. *Flichy, Tele*, 134 f.

35 So Meurville, Louis de in: Le Gaulois, 12. Februar 1896, zit. n. *Müller, Cinématographe*, 31.

36 Vgl. dazu die entsprechenden Überblickskapitel in *Flichy, Tele*. Und zu den literarischen Utopien einer Tele-Technisierung um 1800 und ihren realtechnischen Kontexten *Segeberg, Literatur*, 67 f.

37 Zit. n. *Flichy, Tele* 112; zur Frühgeschiche des Telefons vgl. *Bräunlein, Ästhetik*, 37–48.

38 Der Terminus photo-phonographisch wurde übernommen v. Mahal, Günther: Naturalismus. München 1975, 169.

39 Vgl. Kafka, Franz: Briefe an Milena. Erweiterte Ausgabe. New York, Frankfurt/M. 1983, 302.

40 Vgl. Kafka, Franz: Briefe an Felice und andere Korrespondenzen aus der Verlobungszeit. Hrsg. v. Erich Heller und Jürgen Born. Frankfurt/M. 1976; im Text mit Datum des Briefes zitiert.

41 Rosegger, Peter: Homunkeltum. In: Mein Weltleben, Bd. 2 (1916). Zit. n.: Zitzenbacher, Walter (Hrsg.): Bildet die Arbeiter!. Peter Rosegger – Texte zur Industrie. Graz, Stuttgart 1990, 57–67, hier 61 f., 65.

42 Rosegger, Peter in: Heimgarten 38 (1914), ebd., 106 f. sowie Rosegger, Homunkeltum (s. Anm. 41), 65.

43 Holitscher, Arthur: Amerika. Heute und morgen. Berlin 1912, 26.

44 Kafka, Franz: Der Verschollene. Roman in der Fassung der Handschrift. Hrsg. v. Jost Schillemeit. Frankfurt/M. 1983, 37, 65 ff.

45 Vgl. ders.: Die Überwindung des Naturalismus (1891). Zit. n. Wunberg, Gotthart (Hrsg.): Die Wiener Moderne. Literatur, Kunst und Musik zwischen 1890 und 1910. Stuttgart 1981, 201 ff. Vgl. weiter Altenberg, Peter: Lebensenergien (1910). In: Gesammelte Werke in fünf Bänden. Hrsg. v. Werner J. Schweiger. Bd. 2, Wien/Frankfurt/M. 1987, 204.

46 Altenberg, Peter: Selbstbiographie (1901). Zit. n. Schweiger, Werner J. (Hrsg.): Das große Peter Altenberg Buch. Wien/Hamburg 1977, 9–14, hier 10. (Hervorhebung im Text).

47 Altenberg, Lebensenergien (s. Anm. 45), 204 und 228.

48 Erb, W.: Über wachsende Nervosität unserer Zeit. Heidelberg 1893. Zit. bei Freund, Sigmund: Die ›kulturelle‹ Sexualmoral und die moderne Nervosität. In: Werke (Studienausgabe IX). Frankfurt/M. 1974, 11–32, hier 15. Zu Fontanes Verhältnis zur Telegraphie vgl. *Segeberg, Literatur*, 177 ff., 182.

49 So *Kittler, Telegrammstil*, 361. Ihm folgt *Siegert: Relais*, 202 f.

50 Zit. n. *White, Futurism*, 158 (Hervorhebung im Text)

51 Vgl. Goll, Ivan: Das Wort an sich. Versuch einer neuen Poetik. In: Die neue Rundschau 32 (1921), H. 10, 1082 ff. Hier zit. n. *Anz/Stark, Expressionismus*, 613–617, hier 614.

52 *White, Futurism*, 157, 155; vgl. auch Goll, Yvan: Frühe Gedichte 1906–1930. Hrsg. v. Barbara Glauert-Hesse. Berlin 1996, 191, 195, 261.

53 Zit. n. Stramm, August: Das Werk. Hrsg. v. René Radrizzani. Wiesbaden 1963, 105 ff., hier 105.

54 Zit: n. Stramm, August: Alles ist Gedicht. Briefe, Gedichte, Bilder, Dokumente. Hrsg. v. Jeremy Adler. Zürich 1990, 14 f.

55 So etwa *Demetz, Worte*, 87 ff.

56 Zit. n. Stramm, Das Werk (s. Anm. 53), 123.
57 Im folgenden zit. n. Stramm, Alles ist Gedicht (s. Anm. 54), 107. Die folgenden Briefzitate sind mit ihrem jeweiligen Datum nachgewiesen.

Wilhelm Haefs: Zentren und Zeitschriften des Expressionismus

1 Vgl. allgemein *Schacherl, Zeitschriften*; *Stappenbacher, Zeitschriften; Raabe, Zeitschriften*; *Schlawe, Zeitschriften*; *Schlenstedt, Gruppe*; *Pirsich, Expressionismus*; *Ciré/Ochs, Zeitschrift*; *Wallas, Zeitschriften*, 49 ff.
2 Ehrenstein, Albert in: Der Sturm 4, 1913/14, zit. n.: *Anz/Stark, Expressionismus*, 504.
3 *Korte, Expressionismus*, 93.
4 *Baumeister, Die Aktion*, 34.
5 Vgl. *Stark, Kondor-Krieg.*
6 Zur herausragenden Bedeutung des Kurt Wolff Verlags insgesamt vgl. *Goebel, Wolff Verlag.*
7 Die Auflagenzahlen im folgenden nach *Raabe, Zeitschriften*; *Schlawe, Zeitschriften* sowie den Spezialmonographien.
8 Schöne Rarität 1, 1918, Juni.
9 Zit. n. *Raabe, Aufzeichnungen*, 135.
10 *Sheppard, Schriften.* Bd. 2, 421; vgl. auch das Nachwort, 419–557.
11 Zum »Sturm« und zu Herwarth Walden vgl. besonders *Pirsich, Der Sturm*; *Brühl, Walden; Möser, Literatur*; *Mühlhaupt, Walden*; *Schweiger, Kokoschka*; *Walden/Schreyer, Der Sturm.*
12 Kurtz, Rudolf, Programmatisches (12910), zit. n. *Anz/Stark, Expressionismus*, 515 und 517.
13 Vgl. *Windhöfel, Paul Westheim*, 87–114.
14 Zur »Aktion« sind grundlegend *Raabe, Die Aktion; Raabe, Ich schneide die Zeit aus*; *Peter, Literarische Intelligenz*; *Rietzschel, Die Aktion*; *Rietzschel, Die Aktion 1911–1918*; *Baumeister, Die Aktion.*
15 Die Aktion 1, 1911, Nr. 1, Sp. 24.
16 Ebd.
17 Die Aktion 2, 1912, Nr. 50, Sp. 1574; Nr. 17, Sp. 517.
18 Die Aktion 8, 1918, Nr. 45/46, Sp. 585; zit. n. *Anz/Stark, Expressionismus*, 334.
19 Vgl. *Baumeister, Die Aktion*, bes. 126 ff., 166 ff.
20 Vgl. Zu den »Weißen Blättern« *Meyer, Kunstfrühling*; *Noe, Kritik*; *Godé, Schickele.*
21 *Meyer, Kunstfrühling*, 120.
22 Zit. n.: Konstellationen. Die besten Erzählungen aus dem »Neuen Merkur« 1914–1925. Stuttgart 1964. Einleitung v. Guy Stern, 14; vgl. zur Zeitschrift: *Stern, War.*
23 Das Forum III, 1918, 23.
24 Friedrich Markus Huebner 1914 in »März«, zit. n. *Grötzinger, Zeit-Echo*, 110.
25 Vgl. zum folgenden *Wallas, Beitrag*; *Fischer/Haefs, Hirnwelten*; *Amann/Wallas, Expressionismus*; *Sprengel/Streim, Moderne*, 563-–617.
26 Vgl. *Klettenhammer, Trakl*; vgl. Zum »Brenner« auch *Methlagel, Untersuchungen.*

27 Zit. n. *Fischer/Haefs, Hirnwelten*, XI.
28 Neue Rundschau, 1919, 623.
29 Vgl. die – unvollständige – ›Landkarte‹ des Expressionismus bei *Barron, Expressionismus*, 128 f..
30 Rundschreiben der ›Novembergruppe‹ vom 13. Dezember 1918, zit. n. *Kliemann, Novembergruppe*, 55.
31 Zit. n. *Bertonati, Dresdner Sezession*, unpaginiert; vgl. zu Dresden auch *Ludewig, Schrei in die Welt.*
32 Menschen 1, H. 1, 1.
33 Vgl. *Krempel, Rheinland.*
34 Vgl. besonders *Herzogenrath, Max Ernst*; *Schäfer, Dada Köln.*
35 Zur Entwicklung des ›Nachexpressionismus‹ vgl. *Haefs, Nachexpressionismus.*

Karl Riha: Die Dichtung des deutschen Frühexpressionismus

1 Benn, Gottfried: Probleme der Lyrik. In: Gesammelte Werke in vier Bänden. Hrsg. v. Dieter Wellershoff. Bd. 1. Wiesbaden [3]1965, 494–532, hier 498.
2 Hiller, Kurt: Das Cabaret und die Gehirne, Salut. In: Der Sturm, 1. Jg., Nr. 44, 1910, 351.
3 Notiz in der Zeitschrift *Der Demokrat*, Jg. 1910; zit. n. Lange, Viktor: Jakob van Hoddis. In: Expressionismus als Literatur. Hrsg. v. Wolfgang Rothe. München 1969, 344.
4 Hoddis, Jakob van: Gesammelte Dichtungen. Hrsg. v. Paul Pörtner. Zürich 1958, 28.
5 Expressionismus, Aufzeichnungen und Erinnerungen der Zeitgenossen. Hrsg. v. Paul Raabe, Freiburg i. Br. 1965, 51 f.
6 Heym, Georg: Dichtungen und Schriften. Hrsg. v. Karl Ludwig Schneider. Hamburg, München 1960 ff., Bd. 3, 135.
7 Heym, Dichtungen und Schriften (s. Anm. 6), Bd. 1, 192.
8 Rimbaud, Arthur: Gedichte. Aus dem Französischen übersetzt v. K. L. Ammer. Mit einem Geleitwort v. Stefan Zweig. Frankfurt/M. 1964, 15. Die erste Ausgabe dieser Übersetzung erschien bereits 1917.
9 Benn, Gesammelte Werke (s. Anm. 1) Bd. 3. Wiesbaden [3]1966, 8.
10 Hinck, Walter: Integrationsfigur menschlicher Leiden. Zu Georg Heyms ›Ophelia‹. In: Gedichte und Interpretationen. Vom Naturalismus bis zur Jahrhundertmitte. Hrsg. v. Harald Hartung. Stuttgart 1983, 134.
11 Trakl, Georg: Dichtungen und Briefe. Hist.-krit. Ausg., Bd. 1. Hrsg. v. Walther Killy u. Hans Szklenar. Salzburg [2]1987, 215.
12 Ebd., 167.
13 Höxter, John: Ich bin noch ein ungeübter Selbstmörder. Hrsg. v. Karl Riha. Hannover 1988, 24 ff.
14 Die Aktion. Hrsg. v. Franz Pfemfert. Reprint mit Einführung und Kommentar v. Paul Raabe. München 1961, 1, Sp. 24.

15 Raabe, Paul: Die Aktion. Geschichte einer Zeitschrift, ebd. 9.
16 Behne, Adolf: Deutsche Expressionisten. In: Der Sturm, 5. Jg., Nr. 17/18, 1914, 114.
17 Walden, Herwarth u. Silbermann, Peter: Expressionistische Dichtungen vom Weltkrieg bis zur Gegenwart. Berlin 1932, 8.
18 Stramm, August: Alles ist Gedicht. Briefe, Gedichte, Bilder, Dokumente. Hrsg. v. Jeremy Adler. Zürich 1990, 107.
19 Nebel, Otto: Zur Entwicklung des Künstlers. In: Das dichterische Werk. Bd. 3. Hrsg. v. René Radrizzani. München 1979, 52–70, hier 53.
20 Nebel, Das dichterische Werk (s. Anm 19), Bd. 1, 183 f.
21 Huelsenbeck, Richard: Phantastische Gebete. Zürich 1960, 45.
22 Dada total. Manifeste, Aktionen, Texte, Bilder. Hrsg. v. Jörgen Schäfer u. Karl Riha, Stuttgart 1994, 91 ff.
23 Jung, Franz: Der Weg nach unten, Neuwied, Berlin-Spandau 1961, 110 f.

Hansgeorg Schmidt-Bergmann: Futurismus und Expressionismus

1 Benn, Gottfried: Probleme der Lyrik. In: Gesammelte Werke in vier Bänden. Bd. 1. Hrsg. v. Dieter Wellershof. Wiesbaden [3]1965, 498.
2 Däubler, Theodor: Acht Jahre »Sturm«. In: Das Kunstblatt 1 (1919), 46.
3 Benn, Gottfried (Hrsg.): Einleitung. In:: Lyrik des expressionistischen Jahrzehnts. Von den Wegbereitern bis zum Dada. Wiesbaden 1955, 7.
4 Vgl. dazu Chiellino, Carmine: Die Futurismusdebatte. Zur Bestimmung des futuristischen Einflusses in Deutschland. Frankfurt/Bern/Las Vegas 1978 (= Europäische Hochschulschriften); Demetz, Peter: Worte in Freiheit. Der italienische Futurismus und die deutsche Avantgarde 1912–1934. Mit einer ausführlichen Dokumentation. München 1990; Schmidt-Bergmann, Hansgeorg: Die Anfänge der literarischen Avantgarde in Deutschland. Über Anverwandlung und Abwehr des italienischen Futurismus. Stuttgart 1991 (dort befindet sich auch ein ausführliches weiterführendes Literaturverzeichnis zum Verhältnis von Futurismus und Expressionismus, vgl. 439–463).
5 Vgl. dazu beispielsweise die grundlegende Untersuchung v. Baumgarth, Christa: Geschichte des Futurismus. Reinbek bei Hamburg 1966; ergänzend dazu: Pörtner, Paul: Literatur-Revolution 1910–1925. Dokumente. Manifeste. Programme. Bd. II: Zur Begriffsbestimmung der Ismen. Neuwied, Berlin 1961.
6 Vgl. dazu Schmidt-Bergmann, Hansgeorg: Futurismus. Geschichte, Ästhetik, Dokumente. Reinbek bei Hamburg 1993.
7 Vgl. dazu Hesse, Eva: Die Achse Avantgarde-Faschismus. Reflexionen über Felippo Tommaso Marinetti und Ezra Pound. Zürich o. J. ⟨1991⟩.
8 Vgl. dazu auch Hardt, Manfred (Hrsg.): Literarische Avantgarden. Darmstadt 1989 (= Wege der Forschung), ferner Riesz, János: Deutsche Reaktionen auf den literarischen Futurismus. In: arcadia. Zeitschrift für vergleichende Literaturwissenschaft 11, 1976, 260.
9 Vgl. dazu: Marinetti, Filippo Tommaso: Manifest des Futurismus. In: Schmidt-Bergmann, Futurismus (s. Anm. 6), 78.

10 Vgl. dazu Pfotenhauer, Helmut: Die Kunst als Physiologie. Nietzsches ästhetische Theorie und literarische Produktion. Stuttgart 1985.

11 Vgl. dazu Lill, Rudolf: Geschichte Italiens in der Neuzeit. Darmstadt 1986 (= 3., verbesserte und erweiterte Auflage), 256 f.

12 Vgl. dazu auch Lindner, Burkhardt: Nach den Wiederentdeckungen. Avantgardismus im Alltag und erneuerte Literaturform. In: Literaturmagazin (1989), H. 24, 46.

13 Vgl. dazu Schmidt-Bergmann, Hansgeorg: Wassily Kandinsky und die Erneuerung des »Geistigen« in der Kunst. In: Schmidt-Bergmann, Anfänge der literarischen Avantgarde (s. Anm. 4), 130–144.

14 Vgl. Simmel, Georg: Die Großstädte und das Geistesleben. In: Brücke und Tor. Essays des Philosophen zur Geschichte, Religion, Kunst und Gesellschaft. Im Verein mit Margarete Susmann hrsg. v. Michael Landmann. Stuttgart 1957, 227.

15 Vgl. dazu auch Brinkmann, Richard: Zur Wortkunst des Sturm-Kreises. Anmerkungen über Möglichkeiten und Grenzen abstrakter Dichtung. In: Unterscheidung und Bewahrung. Festschrift für Hermann Kunisch. Berlin 1961. Zu Recht hat John J. White die »Wortkunst« des Sturm-Kreises als deutschsprachigen Beitrag zu einem »literarischen Futurismus« bezeichnet. Vgl. White, John J.: Literay Futurism. Aspects of the First Avant-Garde. Oxford 1990, 7.

16 Jauß, Hans Robert: Studien zum Epochenwandel der ästhetischen Moderne. Frankfurt 1989, 237. Den Begriff »Epochenschwelle« begründet Jauß an anderer Stelle, vgl. 244.

17 Vgl. Ball, Hugo: Die Flucht aus der Zeit. München/Leipzig 1927, 9.

18 Hugo Ball schreibt über die Bilder des Futurismus, die er auf der Station der Wanderausstellung in Dresden gesehen hat: »Diese Bilder sind das Innerste, Erschütterndste, Grandioseste, Unfaßbarste, das seit Menschengedenken gemacht worden ist.« Ball, Hugo: Die Reise nach Dresden. In: Der Künstler und die Zeitkrankheit. Ausgewählte Schriften. Hrsg. v. Burkhard Schlichtung. Frankfurt 1984, 12 f. (zuerst in: Revolution 1 (1913), Nr. 3).

19 Vgl. Der Sturm 3 (1912), Ne. 105, 823 f.

20 D. i. Hans Jacob. Vgl. dazu auch Jacob, Hans: Kind meiner Zeit. Lebenserinnerungen. Köln, Berlin 1962, 30 f.

21 Döblin, Alfred: Die Bilder der Futuristen. In: Kleine Schriften I (= Ausgewählte Werke in Einzelbänden. Begründet v. Walter Muschg. Hrsg. v. Anthony W. Riley). Olten/Freiburg i. Br. 1985, 116 f.

22 Döblin, Alfred: Futuristische Worttechnik. Offener Brief an F. T. Marinetti. In: Aufsätze zur Literatur. Olten/Freiburg i. Br. 1963 (= Ausgewählte Werke in Einzelbänden. In Verbindung mit den Söhnen des Dichters hrsg. v. Walter Muschg), 9.

23 Ebd., 15.

24 Vgl. dazu im einzelnen: Busch, Walter: »Naturalismus, Naturalismus; wir sind noch lange nicht genug Naturalisten«. Alfred Döblin und der italienische Futurismus – ein Vergleich in naturwissenschaftlicher Sicht. In: Möbius, Hanno/ Berns, Jörg Jochen (Hrsg.): Die Mechanik in den Künsten. Studien zur ästhetischen Bedeutung von Naturwissenschaft und Technologie. Marburg 1990, 245–265.

25 Döblin, Futuristische Worttechnik (s. Anm. 22), 10 f.

26 Ebd., 13.
27 Ebd., 12 f.
28 Ebd., 12.

Joseph Vogl: Kafka und die Mächte der Moderne

1 Adorno, Theodor W.: Aufzeichnungen zu Kafka. In: Prismen. Kulturkritik und Gesellschaft. Frankfurt/M. 1976, 326.
2 *Canetti, Kafka*, 86.
3 *Sarraute, Zeitalter*, 10–11.
4 Kafka, Franz: Beschreibung eines Kampfes. In: Schriften, Tagebücher, Briefe. Kritsche Ausgabe. Nachgelassene Schriften und Fragmente. Hrsg. v. Malcolm Pasley. Frankfurt/M. 1993. Bd 1, 60.
5 Ebd., 84.
6 *Eisele, Struktur.*
7 *Benjamin, Kafka*, 418.
8 Vgl. *Kobs, Kafka*, 32; Walser, Martin: Beschreibung einer Form. Versuch über Franz Kafka. München 1961, 29; *Beißner, Erzähler*, 37.
9 Kafka, Franz: Der Proceß. In: Kafka, Schriften (s. Anm. 4), 170.
10 Kafka, Franz: Tagebücher. Hrsg. v. Hans-Gerd Koch, Michael Müller, Malcolm Pasley. In: Kafka, Schriften (s. Anm. 4), 874.
11 Vgl. dazu auch *Cohn, K. enters; Blanchot, Kafka; Vogl, Vierte Person.*
12 *Henel, Deutbarkeit*; *Elm, Hermeneutik*; *Steinmetz, Interpretation*; *Hiebel, Antihermeneutik*.
13 Kafka, Proceß (s. Anm. 9), 297.
14 Vgl. *Derrida, Préjugés.*
15 Vgl. zum kritischen Überblick über die Kafkaforschung bis in die siebziger Jahre: *Beicken, Kafka.*
16 *Schweppenhäuser, Kafka*, 98, 154; *Bourdieu, Instance*; *Neumann, Umkehrung.*
17 Vgl. Kafka an Kurt Wolff, 11. Oktober 1916. In: Kafka, Franz: Briefe 1902–1924. Hrsg. v. Max Brod. Frankfurt/M. 1975, 150; *Müller-Seidel, Deportation.*
18 Kafka, Franz: In der Strafkolonie. In: Schriften, Tagebücher, Briefe. Kritische Ausgabe. Drucke zu Lebzeiten. Hrsg. v. Wolf Kittler, Hans-Gerd Koch, Gerhard Neumann. Frankfurt/M. 1994, 245. Zum Verhältnis von Sinnlichkeit und Gesetz vgl. *Lyotard, Vorschrift.*
19 Vgl. *Vogl, Gewalt*, 170–195.
20 Vgl. *Donzelot, Ordnung*, 67; *Foucault, Sexualität*, 131–132; *Hausen, Polarisierung*, 181–182; *Lacan, Familie*, 77; *Fromm, Sozialpsychologie*, 17.
21 Vgl. *Anz, Kafka*, 33–38.
22 Vgl. Kafka, Schriften (s. Anm. 4), Bd. 2, 143–217, 7–13.
23 Kafka, Tagebücher (s. Anm. 10), 461.
24 Kafka: Das Urteil. In: Drucke zu Lebzeiten (s. Anm. 18), 43–61.
25 Vgl. Paul Federn zur »Vaterlosen Gesellschaft«, in: *Anz/Stark, Expressionismus*, 166–168.

26 *Deleuze/Guattari, Kafka*, 18; *Deleuze/Guattari, Anti-Ödipus*, 124.
27 Kafka, Franz: Amtliche Schriften. Hrsg. v. K. Hermsdorf. Berlin 1984. – Vgl. *Stölzl, Kafkas böses Böhmen*; *Wagenbach, Kafka*, 58–70.
28 Kafka, Proceß (s. Anm. 9), 308.
29 Kafka, Franz: Der Verschollene. Hrsg. v. J. Schillemeit. In: Schriften, Tagebücher, Briefe. Kritische Ausgabe. Frankfurt/M. 1983. 65–66. – Vgl. *Hermsdorf, Kafka*, 50 ff.; *Wirkner, Kafka*.
30 *Foucault, Überwachen*, 263.
31 Kafka, Proceß (s. Anm. 9), 143. Vgl. *Abraham, Held*; *Vogl, Gewalt*, 5–31, 54–79.
32 *Weber, Ethik*, Bd. 1, 188.
33 Kafka, Franz: Das Schloß. Hrsg. v. Malcolm Pasley. New York, Frankfurt/M. 1982, 109.
34 *Deleuze/Guattari, Tausend Plateaus*, 291; *Balke, Fluchtlinien*, 167.
35 Kafka: Brief an den Vater. In: Nachgelassene Schriften (s. Anm. 4), Bd. 2, 189–191.
36 Kafka an Max Brod, Juni 1921. In: Briefe (s. Anm. 17) , 337–338.
37 Kafka, Nachgelassene Schriften (s. Anm. 4), Bd. 2, 194.
38 *Wagenbach, Kafka*, 51–55.
39 Kafka, Tagebücher (s. Anm. 10), 130; vgl. dazu *Wagenbach, Kafka*, 84–95.
40 Kafka, Tagebücher (s. Anm. 10), 547.
41 Ebd., 312–315, 321–322, 326; vgl. *Deleuze/Guattari, Kafka*, 24–39.
42 Kafka, Nachgelassene Schriften (s. Anm. 4), Bd. 1., 188–193; vgl. Siegert, Bernhard: Kartographien der Verstreuung. In: *Kittler/Neumann, Schriftverkehr*.
43 Kafka: Beim Bau der chinesischen Mauer. In: Nachgelassene Schriften (s. Anm. 4), Bd. 1, 337–357. Josefine die Sängerin oder das Volk der Mäuuse. In: Drucke zu Lebzeiten (s. Anm. 18), 350–377.

Thomas Anz: Die Seele als Kriegsschauplatz – Psychoanalyse und literarische Moderne

1 *Jolowicz, Expressionismus*, 191. Siehe dazu den Forschungsbericht von *Anz, Psychoanalyse*.
2 Vgl. zu folgendem ausführlicher die grundlegende und vorzügliche Monographie von *Worbs, Nervenkunst*; sowie auch *Thomé, Autonomes Ich*.
3 *Ruprecht/Bänsch, Jahrhundertwende*, 168.
4 Hofmannsthal, Hugo von: Briefe 1890–1901. Berlin 1935, 18.
5 Hofmannsthal, Hugo von: Werke. Prosa. 4 Bde. Frankfurt/M. 1952, 149.
6 Freud, Sigmund: Studienausgabe. 10 Bde. Frnakfurt/M. 1969–1975, Bd. 10, 14.
7 Döblin, Alfred: Sigmund Freud zum 70. Geburtstag. In: Die Zeitlupe. Kleine Prosa. Olten/Freiburg i. Br. 1962, 80–88, hier 84. Mit der (von Döblin nicht ganz korrekt zitierten) Bemerkung von Freud beginnt die ›Epikrise‹ zur Krankengeschichte der Elisabeth v. R. in: Breuer, Joseph/Freud, Sigmund: Studien über Hysterie. Einleitung v. Stavros Mentzos. Frankfurt/M. 1991, 180.

8 Freud, Sigmund: Psychopathische Personen auf der Bühne (1906). In: Freud, Studienausgabe (s. Anm. 6), Bd. 10, 161–168. Vgl. *Worbs, Nervenkunst*, 98.

9 Dostojewski beispielsweise hat er, wie aus einem Brief an Theodor Reik hervorgeht, »bei aller Bewunderung« nicht gemocht. »Das kommt daher, daß sich meine Geduld mit pathologischen Naturen in der Analyse erschöpft.« (Zit. n. *Jones, Freud*, Bd. 3, 494, im Kapitel über Freuds Verhältnis zur Literatur).

10 Vgl. *Anz, Gesund und krank*.

11 Mit Stefan Zweig, der bei Freuds Begräbnis eine Rede hielt, vereinbarte er schon 1908 die gegenseitige Zusendung der Veröffentlichungen.

12 Vgl. *Rutschky, Seele*, 9 ff. u. 164.

13 Zur Psychoanalyserezeption von Joyce vgl. u. a. *Kyora, Psychoanalyse*, 40–55. Döblin berief sich mehrfach auf seine psychoanalytischen Erfahrungen, um die seinem Roman *Berlin Alexanderplatz* unterstellten Abhängigkeiten von James Joyce zurückzuweisen. Die »Assoziationstechnik« kenne er genauer als Joyce, »nämlich vom lebenden Objekt, von der Psychoanalyse«. Döblin, Alfred: Briefe. Olten/Freiburg i. Br. 1970, 377.

14 Vgl. *Worbs, Nervenkunst*, 237–242. Daß die Entstehung der Novelle *Fräulein Else* (1921–1926), mit der Schnitzler an die Monologtechnik von *Leutnant Gulstl* anknüpfte, in eine Zeit der Wiederannäherung an Freud fällt, ist wohl kein Zufall.

15 Die materialreichste Rekonstruktion von Rilkes (und Lou Andreas-Salomés) Freud-Rezeption ist die von *Pfeiffer, Rilke*.

16 Einen Überblick zur Psychoanalyse vieler der hier genannten Autoren geben die jetzt gesammelt vorliegenden Aufsätze v. Johannes Cremerius zu dem Thema (*Cremerius, Freud*).

17 Notiz vom 30./31. Mai 1919 in Thomas Mann: Briefe 1889–1936. Hrsg. v. Erika Mann. Frankfurt/M. 1961, 175.

18 Zur Unterscheidung zwischen dem »Kooperations-« und dem »Therapiemodell« psychoanalytischer Kunstinterprettion s. *Rutschky, Seele*.

19 »Ich bin 〈...〉 unvermögend mich gegen Interpretationen der vagsten Art zu wehren 〈...〉, wenn morgen ein Freudianer meine sämtlichen Arbeiten bis aufs I-Tüpferl als infantil-erotische Halluzinationen ›erkennt‹«, schrieb Hofmannsthal in einem Brief. (zit. n. *Urban, Hofmannsthal*, 120). Vgl. auch Karl Kraus in: Die Fackel Nr. 256, 5. Juni 1908, 21: »Nervenärzt, die uns das Genie verpathologisieren, soll man mit dessen gesammelten Werken die Schädeldecke einschlagen.« Döblin sprach in diesem Zusammenhang von »Tölpeleien« (»Soll man die Psychoanalyse verbieten?« In: Weser-Zeitung, 28. Juli 1925).

20 Zur integrativen Funktion individueller Ich-Identität im gesellschaftlichen Modernisierungsprozeß siehe das erhellende Kapitel »Soziale Ordnung und individuelle Autonomie« in Münch, Richard: Theorie des Handelns. Frankfurt/M. 1982, 281–426. Vgl. auch die Überlegungen zur Konstitution des Subjekts in der modernen Gesellschaft bei *Thomé, Autonomes Ich*, 12 f.

21 Freud, Sigmund: Briefe an Arthur Schnitzler. In: Neue Rundschau: 66, 1955, 95–106, hier 97 (14. Mai 1922).

22 Siehe auch Schnitzler, Arthur: Medizinische Schriften. Hrsg. v. Horst Thomé.

Frankfurt/M. 1991, hier v. a. auch das Vorwort des Herausgebers. Zum Thema Schnitzler und Freud s. (neben den einschlägigen Kapiteln in *Worbs, Nervenkunst*, 179–258, und *Thomé, Autonomes Ich*, 598–722) die Zusammenfassung und weitere Hinweise auf ältere Forschungsbeiträge in *Perlmann, Schnitzler*, 21 f. u. 27 f.

23 Freud, Briefe (s. Anm. 21), 97.

24 Vgl. *Dierks, Psychoanalytischer Priester.*

25 Zu Otto Gross und seinen Wirkungen auf die expressionistische Szene siehe v. a.: *Hurwitz, Gross*; *Michaels, Anarchy*; *Zanasi, Il caso.*

26 *Sachs, Der Sohn.*

27 Vgl. zum gelegentlich behaupteten Einfluß von Otto Gross auf den Dramenautor *Michaels, Anarchy and Eros*, 133–137.

28 Werfel, Franz: Nicht der Mörder, der Ermordete ist schuldig. In: Die schwarze Messe. Erzählungen. Frankfurt/M. 1989 (=Gesammelte Werke in Einzelbänden. Hrsg. v. Knut Beck), 214–335, hier 114.

29 Frank, Leonhard: Die Ursache. München/Zürich 1988, 79 u. 88.

30 Das gilt mit Einschränkungen auch für Döblins *Die beiden Freundinnen und ihr Giftmord* (1924), obwohl diese Literarisierung eines authentischen Kriminalfalls sich in ihrer Wissenschaftskritik partiell auch gegen die Psychoanalyse richtet. Doch hatte sogar Musil in einer Kurzrezension des Textes dem Wiener Publikum Döblin als einen »Dichter« und »Arzt« vorgestellt, dessen Psychologie »stark psychoanalytisch gefärbt« sei. (Musil, Robert: Gesammelte Werke. Bd. 9. Reinbek b. Hamburg 1978, 1715.) Ähnliches gilt für Ernst Weiß' im selben Jahr und in derselben Buchreihe ›Außenseiter der Gesellschaft. Die Verbrechen der Gegenwart‹ erschienene Kriminalstudie über eine Giftmischerin *Der Fall Vikobrankowics*. Weiß spricht hier zwar vom Versagen der Freudschen Hysterie-Theorie im Hinblick auf diesen Fall, schränkt jedoch ein: »Ganz ergebnislos ist die Untersuchung allerdings auch nach dieser Richtung nicht.« (Weiß, Ernst: Der Fall Vikobrankowics. Gesammelte Werke. Bd. 7. Frankfurt/M. 1982, 104.) In einem Überblick über die Buchreihe weist Joachim Linder darauf hin, daß die Überlegungen zum Außenseiter, mit denen Eduard Trautner seine Gerichtsreportage *Der Mord am Polizeiagenten Blau* (Bd. 3, 1924) ergänzt, den Schriften von Otto Gross verpflichtet sind. (*Linder, Außenseiter*, 254.) Die Auseinandersetzung mit der Psychoanalyse tangiert im übrigen auch den »Fall Moosbrugger« in Musils *Der Mann ohne Eigenschaften.*

31 Vgl. *Worbs, Nervenkunst*, 149 ff.

32 Vgl. *Anz, Literatur.*

33 Zur Rezeption von Breuers und Freuds *Studien über Hysterie* durch Hermann Bahr und Hofmannsthal (vor allem in *Elektra*) vgl. *Worbs, Nervenkunst*, 139 ff., 259 ff.; zu Musils Rezeption (vor allem in den beiden Erzählungen *Vereinigungen*, aber auch in seiner Konzeption des »anderen Zustandes«) vgl. *Corino, Ödipus*, 176 ff. u. 221. Zu den Übereinstimmungen zwischen den *Studien über Hysterie* und der Erzählung *Die Versuchung der stillen Veronika* siehe weiterhin *Martens, Musil and Freud* und *Kyora, Psychoanalyse*, 167 ff. Vgl. auch die in Anm. 34 angeführten Arbeiten von Schuller.

34 Vgl. im Hinblick auf die psychiatrischen, psychoanalytischen, philosophischen und literarischen Diskurse über Hysterie *Schuller, Im Unterschied*; hierin die Aufsätze: »Weibliche Neurose« und »kranke Kultur«. Zur Literarisierung einer Krankheit um die Jahrhundertwende, 13–45; Literatur und Psychoanalyse. Zum Fall der hysterischen Krankengeschichte bei Sigmund Freud, 67–80; Hysterie als Artefaktum. Zum literarischen und visuellen Archiv der Hysterie um 1900, 81–94.

35 Freud: Studienausgabe (s. Anm. 6), Bd. 1, 284.

36 Vgl. *Thomé, Autonomes Ich*, 1–5.

37 Vgl. dazu *Wunberg, Hofmannsthal* (mit dem bezeichnenden Untertitel ›Schizophrenie als dichterische Struktur‹); *Anz, Literatur*, 106–129; *Thomé, Autonomes Ich*, Kap. »Dissoziation und Kohärenz des Ich in der Erzählliteratur der Jahrhundertwende«, bes. 393 ff.

38 Mann, Thomas: Frühe Erzählungen. Frankfurter Ausgabe. Frankfurt/M. 1981, 632 f.

39 Nietzsche, Friedrich: Sämtliche Werke. Studienausgabe. Bd. 1. München/Berlin 1980, 41.

40 Freud, Sigmund: Der Wahn und die Träume in W. Jensens Gradiva mit dem Text der Erzählung von Wilhelm Jensen. Hrsg. v. Bernd Urban und Johannes Cremerius. Frankfurt/M. 1973, 126.

41 Mann, Thomas: Der Zauberberg. Gesammelte Werke in Einzelbänden. Frankfurter Ausgabe. Frankfurt/M. 1981, 180 f.

42 Freud, Studienausgabe (s. Anm. 6), Bd. 9, 26.

43 Zum Thema Lou Andreas-Salomé und die Psychoanalyse siehe v. a. *Welsch/Wiesner, Andreas-Salomé*; *Gropp, Andreas-Salomé*; *Riedel, Homo Natura*, 270–292.

44 Andreas-Salomé, Lou: »Anal« und »sexual«. In: Imago 4, 1915/16, 249–273; hier 257.

45 Döblin, Alfred: Berlin Alexanderplatz. Zürich/Düsseldorf 1996, 11.

46 Musil, Werke. (s. Anm. 30), Bd. 6, 25 f.

47 »K. horchte auf. Das Schloß hatte ihn also zum Landvermesser ernannt. Das war einerseits ungünstig für ihn, denn es zeigte, daß man im Schloß alles Nötige über ihn wußte, die Kräfteverhältnisse abgewogen hatte und den Kampf lächelnd aufnahm.« (Kafka, Franz: Das Schloß. Kritische Ausgabe. Frankfurt/M. 1982, 12.).

48 Ebd., 43.

49 Vgl. *Anz, Jemand*.

50 Gross, Otto: Vom Konflikt des Eigenen und Fremden. In: Die Freie Straße 1916, Nr. 4, 3–5. Hier zit. n. dem Abdruck in Gross, Otto: Von geschlechtlicher Not zur sozialen Katastrophe. Mit einem Textanhang v. Franz Jung. Hrsg. v. Kurt Kreiler. Frankfurt/M. 1980, 28.

51 Gross, Otto: Elterngewalt, ebd., 10.

52 Freud, Studienausgabe (s. Anm. 6) Bd. 10, 177. Vgl. *Kurz, Traum-Schrecken*, 31. ›Strukturparallelen‹ zwischen Kafkas Frühwerk und der Psychoanalyse zeigt *Sokel, Narzismus*.

53 Kafka, Franz: Briefe an Felice. Hrsg. v. Max Brod. Frankfurt/M. 1970, 755.

54 Vgl. dazu vor allem *Stach, Kafka*.
55 Mann, Frühe Erzählungen (s. Anm. 38), 565.
56 Freud, Studienausgabe (s. Anm. 6), Bd. 1, 516.
57 Über den ›Männlichkeitswahn‹ von Kraus und Weininger sowie über die Differenzen zwischen ihnen siehe im Kontext der Geschlechterkampfthematik um 1900 das instruktive Buch *Wagner, Geist und Geschlecht*, v. a. 157 ff.
58 Hausmann, Raoul: Zur Weltrevolution. In: Bilanz der Feierlichkeit. Texte bis 1933. Bd. 1. München 1982, 51. Zu Hausmanns Weininger-Rezeption vgl. seinen Aufsatz »Zur Auflösung des bürgerlichen Frauentypus«, ebd., 62–68.
59 Weininger, Otto: Geschlecht und Charakter. München 1980, 367.
60 Döblin, Alfred: Ausgewählte Werke in Einzelbänden. Bd. 6: Die Ermordung einer Butterblume. Olten 1962, 52.
61 Döblin, Alfred: Jagende Rosse, Der Schwarze Vorhang und andere frühe Erzählwerke. Olten/Freiburg i. Br. 1981, 15.
62 Döblin, Alfred: Wadzeks Kampf mit der Dampfturbine. Olten/Freiburg i. Br. 1982, 305.
63 *Thomé, Autonomes Ich*, 3.
64 Der Kampf des Mannes Ödipus mit der weiblichen, rätselhaften, tierhaften, bedrohlichen Sphinx spielt in der Geschlechterkampf-Phantasien der Jahrhundertwende eine bedeutende Rolle.
65 Rilke, Rainer Maria: Sämtliche Werke. Bd. 6. Frankfurt/M. 1966, 1111–1127, hier 1123.
66 Vgl. dazu *Anz, Phantasien*; hiernach zit. auch die Bemerkung Carl Einsteins, 158.
67 Siehe dazu v. a. *Vietta/Kemper, Expressionismus*, 11 ff. u. 30 ff.
68 So *Thomé, Autonomes Ich*, 395 f.
69 Gross, Von geschlechtlicher Not (s. Anm. 50), 141.
70 Gesammelt in Mann, Thomas: Freud und die Psychoanalyse. Reden, Briefe, Notizen, Betrachtungen. Hrsg. v. Bernd Urban. Frankfurt/M. 1991.
71 Vgl. dazu auch *Welsch/Wiesner, Andreas-Salomé*.
72 Zuerst 1918 in der »Skizze zur Erkenntnis des Dichters« In: Musil, Werke (s. Anm. 30). Bd. 2, 1025–1030
73 Kafka, Brief an den Vater. In: Nachgelassene Schriften und Fragmente II. Kritische Ausgabe. Frankfurt/M. 1992, 179
74 Ebd., 145
75 Elias, Norbert: Über den Prozeß der Zivilisation. 2 Bde. Frankfurt/M. 1978. Bd. 2, 330.

Hermann Korte: Literarische Autobiographik im Expressionismus

1 Trommler, Frank: Mission ohne Ziel. Über den Kult der Jugend im modernen Deutschland. In: Mit uns zieht die neue Zeit. Der Mythos Jugend. Hrsg. v. Thomas Koebner, Rolf-Peter Janz und Frank Trommler. Frankfurt/M. 1985, 21. Vgl. zum Jugendbegriff des Expressionismus auch *Korte, Expressionismus*. In: IASL 13, 1988, 73–82.

2 Barlach, Ernst: Das dichterische Werk. Hrsg. v. Friedrich Droß. Bd. 3. München 1959.
3 Barlach, Ernst: Ein selbsterzähltes Leben. Berlin 1928.
4 Heym, Georg: Dichtungen und Schriften. Gesamtausgabe. Hrsg. v. Karl Ludwig Schneider. Bd. 3. Hamburg/München 1960.
5 Kafka, Franz: Tagebücher in der Fassung der Handschrift. Hrsg. v. Hans-Gerd Koch, Michael Müller u. Malcolm Pasley. Frankfurt/M. 1990; vgl. *Korte, Schreib-Arbeit.*, 254–271.
6 Heym, Tagebücher (s. Anm. 4), Bd. 3, 171.
7 ·Vgl. zur Erziehungsgeschichte und zum Generationenkonflikt Scholz, arald: Die Wandervogelbewegung im Zusammenhang der wilhelminischen Erziehungspolitik. In: Zeitschrift für Pädagogik 27, 1981, 963–971; ferner Aufmuth, Ulrich: Die deutsche Wandervogelbewegung unter soziologischem Aspekt. Göttingen 1979.
8 Trommler, Mission ohne Ziel (s. Anm. 1), 21.
9 Kafka, Tagebücher (s. Anm. 5), 143.
10 Ebd.
11 Ebd., 298.
12 Ebd., 608.
13 *Kremer, Kafka*, 137.
14 So Kafka in einem Brief an Felice Bauer (Kafka, Franz: Briefe an Felice und andere Korrespondenz aus der Verlobungszeit. Hrsg. v. Erich Heller/Jürgen Born. Frankfurt/M. 1976, 66).
15 Kafka, Tagebücher (s. Anm. 5), 286.
16 Ebd., 715.
17 Ball, Hugo: Die Flucht aus der Zeit. Hrsg. v. Bernhard Echte. Zürich 1992.
18 Ebd., 105 f.
19 Harder, Rolf/Siebert, Ilse (Hrsg.): Becher und die Insel. Briefe und Dichtungen 1916–1954. Leipzig 1981.
20 Zit. n. Sheppard, Richard (Hrsg.): Die Schriften des Neuen Clubs 1908–1914. 2 Bde. Hildesheim 1983, Bd. 1, 190.
21 Vgl. Marc, Franz/Lasker-Schüler, Else: Der Blaue Reiter präsentiert Eurer Hoheit sein Blaues Pferd. Karten und Briefe. Hrsg. v. Peter-Klaus Schuster. München 1987.
22 Vgl. Korte, Hermann: Mitten in mein Herz. Else Lasker-Schülers Widmungsgedichte. In: Text+Kritik. H. 122: Else Lasker Schüler. 1994, 18–32.
23 Vgl. Ball-Hennings, Emmy: Hugo Ball. Sein Leben in Briefen und Gedichten. Mit einem Vorwort v. Hermann Hesse. Berlin 1929.
24 Kafka, Franz: Gesammelte Werke. Hrsg. v. Max Brod. Bd. 6. Frankfurt/M. 1976, 119–162.
25 Toller, Ernst: Gesammelte Werke. Hrsg. v. John M. Spalek/Wolfgang Frühwald. München 1978/79. Bd. 5, Briefe aus dem Gefängnis. Zur (mehrfachen) Bearbeitung der Briefe 198–201. Zur Festungshaft und den von der Zensur behinderten Schreibbedingungen Tollers vgl. *Dove, Toller*, 118–129.
26 Becher und die Insel (s. Anm. 19), 116 (Brief vom 14. November 1917).
27 Ebd., 121 (Brief vom 12. Dezemeber 1917).

28 *Rohrwasser, Weg*, 54.
29 Becher und die Insel (s. Anm. 19), 191 (Brief vom 4. Juli 1920).
30 Selbmann, Rolf: Dichterberuf. Zum Selbstverständnis des Schriftstellers von der Aufklärung bis zur Gegenwart. Darmstadt 1994, 170.
31 *Daiber, Vor Deutschland*, (Bechers Antwort 11 f.).
32 Pinthus, Kurt (Hrsg.): Menschheitsdämmerung. Ein Dokument des Expressionismus. Rheinbek b. Hamburg 1959, 336. Zur Permanenz autobiographischen Schreibens und zur Bedeutung, die Benn der Autobiographie zukommen läßt, vgl. Benn, Gottfried: Gesammelte Werke in der Fassung der Erstdrucke. Hrsg. v. Bruno Hillebrand. Bd. 2: Prosa und Autobiographie. Frankfurt/M. 1984.
33 Ebd.
34 Ebd., 18.
35 Hasenclever, Walter: Der Jüngling. Leipzig 1913; vgl. auch *Kasties, Hasenclever*, 97 ff.
36 *Daiber, Vor Deutschland*, 46.
37 Ebd., 92.
38 Toller, Gesammelte Werke (s. Anm. 25), Bd. 4.
39 Pinthus, Menschheitsdämmerung (s. Anm. 32), 369.
40 So die Hinweise des Herausgebers zu einem Selbstkommentar Hasenclevers in weiteren Auflagen der *Menschheitsdämmerung*, nachdem sein provozierender Ton öffentlich kritisiert worden war; vgl. Pinthus, Menschheitsdämmerung (s. Anm. 32), 345.
41 Ebd., 55.
42 Ebd., 52.
43 Ebd., 54.
44 Zit. nach Edschmid, Kasimir (Hrsg.): Briefe der Expressionisten, Frankfurt/M. 1964, 26.
45 Gedichte in: Herrmann-Neisse, Max: Empörung, Andacht, Ewigkeit. Leipzig 1918, 7, 16, 29 f.
46 *Bartsch, Hölderlin*, 123. Bartsch untersucht u. a. die Hölderlin-Rezeption bei Heym, Ehrenstein, Trakl und Becher.
47 Kornfeld, Paul: Die Verführung. Eine Tragödie in fünf Akten. Berlin 1916; Kornfeld, Paul: Himmel und Hölle. Eine Tragödie in fünf Akten und einem Epilog. Berlin 1919; zu Kornfeld vgl. *Haumann, Paul Kornfeld*.
48 *Pazi, Fünf Autoren*, 215.
49 Vgl. ebd., 210–254.
50 Toller, Gesammelte Werke (s. Anm. 25), Bd. 2.

Armin A. Wallas: Expressionistische Novellistik und Kurzprosa

1 Soergel, Albert u. Hohoff, Curt: Dichtung und Dichter der Zeit. Vom Naturalismus bis zur Gegenwart. Düsseldorf 1963, Bd. 2, 181 f.
2 Vgl. Krell, Max: Expressionismus der Prosa. In: Literaturgeschichte der Gegenwart. Hrsg. v. Ludwig Marcuse. Leipzig/Wien/Bern 1925, Bd. 2, 3–59; Max

Krell: Über neue Prosa. Berlin 1919 (= Tribüne der Kunst und Zeit, Bd. 7); Klee, Wolfhart Gotthold: Die charakteristischen Motive der expressionistischen Erzählungsliteratur. Diss. Leipzig 1934; Schneider, Otto: Bedeutung und Gedanke der Einheit in der expressionistischen Prosa. Diss. Rostock 1949; Jens, Inge: Studien zur Entwicklung der expressionistischen Novelle. Diss. Tübingen 1953 (Buchausgabe unter dem Titel: Die expressionistische Novelle. Studien zu ihrer Entwicklung. Tübingen 1997); Sokel, Walter H.: Die Prosa des Expressionismus. In: Expressionismus als Literatur. Gesammelte Studien. Hrsg. v. Wolfgang Rothe. Bern/München 1969, 153–170; Arnold, Armin: Prosa des Expressionismus. Herkunft, Analyse, Inventar. Stuttgart/Berlin/Köln/Mainz 1972 (= Sprache und Literatur, Bd. 76); Krull, Wilhelm: Prosa des Expressionismus. Stuttgart 1984 sowie: Politische Prosa des Expressionismus. Rekonstruktion und Kritik. Frankfurt/M./Bern 1982; Dierick, Augustinus P.: German Expressionist Prose. Theory and Practice. Toronto, Buffalo, London 1987; Brockington, Joseph L.: Vier Pole expressionistischer Prosa. Kasimir Edschmid, Carl Einstein, Alfred Döblin, August Stramm. New York/Bern/Frankfurt/M./Paris 1987 (= Studies in Modern German Literature, Bd. 4); Machonko, Maria: Überlegungen zur expressionistischen Prosa im Kontext des expressionistischen Epochenbegriffs. In: Studia Germanica Posnaniensia. Jg. 19 (1993), 19 f. – Vgl. auch die Textsammlungen: Ahnung und Aufbruch. Expressionistische Prosa. Hrsg. v. Karl Otten. Neuwied 1957, Neuausgabe Darmstadt/Neuwied 1977, 1984; Ego und Eros. Meistererzählungen des Expressionismus. Hrsg. v. Karl Otten. Mit einem Nachwort v. Heinz Schöffler. Darmstadt/ Stuttgart 1963; Das leere Haus. Prosa jüdischer Dichter. Hrsg. v. Karl Otten. Stuttgart 1959; Prosa des Expressionismus. Hrsg. v. Fritz Martini. Stuttgart 1970; Prosa des Expressionismus mit Materialien. Hrsg. v. Eckhard Philipp. Stuttgart/Düsseldorf/Berlin/Leipzig 1982 (= Editionen für den Literaturunterricht); Sekunde durch Hirn. 21 expressionistische Erzähler. Hrsg. v. Thomas Rietzschel. Leipzig 1987; Prosa des Expressionismus. Für die Sekundarstufe II. Hrsg. v. Manfred Braunroth. Stuttgart 1996 (= Arbeitstexte für den Unterricht); Die rote Perücke. Prosa expressionistischer Dichterinnen. Hrsg. v. Hartmut Vollmer. Paderborn 1996; Hirnwelten funkeln. Literatur des Expressionismus in Wien. Hrsg. v. Ernst Fischer und Wilhelm Haefs. Salzburg 1988; Schrei in die Welt. Expressionismus in Dresden. Hrsg. v. Peter Ludewig. Berlin 1988 u. Zürich 1990; Expressionismus in der Schweiz. Bd. 1: Erzählende Prosa, Mischformen, Lyrik. Bd. 2: Dramen, Essayistik. Hrsg. v. Martin Stern. Bern/Stuttgart 1981; Texte des Expressionismus. Der Beitrag jüdischer Autoren zur österreichischen Avantgarde. Hrsg. v. Armin A. Wallas. Linz/Wien 1988; Prager deutsche Erzählungen. Hrsg. v. Dieter Sudhoff/Michael M. Schardt. Stuttgart 1992; Zwischen Trauer und Ekstase. Expressionistische Liebesgeschichten. Hrsg. v. Thomas Rietzschel. Berlin 1985 u. Zürich 1988; Phantasien über den Wahnsinn. Expressionistische Texte. Hrsg. v. Thomas Anz. München/Wien 1980; Die goldene Bombe. Expressionistische Märchendichtungen und Grotesken. Hrsg. v. Hartmut Geerken. Darmstadt 1970 (= Agora, Bd. 25); Sonderausgabe auch unter dem Titel: Märchen des Expressionismus.

3 Vgl. Pinthus, Kurt: Glosse, Aphorismus, Anekdote. In: März. Jg. 7 (1913), H. 19,

213 f.; auch in: Expressionismus. Manifeste und Dokumente zur deutschen Literatur 1910–1920. Hrsg. v. Thomas Anz und Michael Stark. Stuttgart 1982, 654 f.

4 Vgl. Sternheim, Carl: Kampf der Metapher! In: Berliner Tageblatt, 21. Juli 1917; auch in: Expressionismus (s. Anm. 3), 64–68.

5 Mierendorff, Carlo: Wortkunst. Von der Novelle zum Roman. In: Die weißen Blätter. Jg. 7 (1920), 278–282; auch in: Expressionismus (s. Anm. 3), 667–671.

6 Müller, Robert: Die Zeitrasse. In: Der Anbruch. Jg. 1 (1917), H. 1, (2); fortgesetzt in: ebd. Jg. 1 (1918), H. 2, (2).

7 Hatvani, Paul: Versuch über den Expressionismus. In: Die Aktion. Jg. 7 (1917), Sp. 146–150; auch in: Texte des Expressionismus (s. Anm. 2), 9–12.

8 Pinthus, Kurt: Zur jüngsten Dichtung (1915). In: Expressionismus. Der Kampf um eine literarische Bewegung. Hrsg. v. Paul Raabe. München 1965 u. Zürich 1987, 73.

9 Zur literarischen Tradition vgl. Lange, Wolfgang: Der kalkulierte Wahnsinn. Innenansichten ästhetischer Moderne. Frankfurt/M. 1992. In einer zeitgenössischen Besprechung wird der erzählenden Literatur des Expressionismus die »Tendenz« zugeschrieben, »das Leben wie eine Kette grotesk-grausiger Halluzinationen zu erleben«, vgl. Müller-Freienfels, Richard: Die Literatur um 1915. (Der sogenannte ›Expressionismus‹). In: Das literarische Echo. Jg. 19 (1917), 1108.

10 Vgl. Döblin, Alfred: Die Ermordung einer Butterblume. In: Der Sturm. Jg. 1 (1910/11), H. 28/29, 220 f. u. 229; auch in: Ausgewählte Werke in Einzelbänden. Ausgewählte Erzählungen 1910–1950. Hrsg. v. Walter Muschg. Olten/Freiburg i. Br. 1962, 42–54.

11 Vgl. Anz, Thomas: Die problematik des autonomiebegriffs in Alfred Döblins frühen erzählungen. In: Wirkendes Wort. Jg. 24 (1974), 393.

12 Vgl. Duytschaever, Joris: Eine Pionierleistung des Expressionismus: Alfred Döblins Erzählung *Die Ermordung einer Butterblume*. In: Amsterdamer Beiträge zur neueren Germanistik. Jg. 2 (1973), 37 f. Zur Sexualmotivik vgl. auch Müller-Salget, Klaus: Alfred Döblin. Werk und Entwicklung. Bonn 1972, 75.

13 Döblin, Alfred: An Romanautoren und ihre Kritiker. Berliner Programm. In: Der Sturm. Jg. 4 (1913/14), H. 158/159, 17 f.; auch in: Expressionismus (s. Anm. 3), 659–661.

14 Vgl. Binneberg, Kurt: Die Funktion der Gebärdensprache in Alfred Döblins Erzählungen. In: Zeitschrift für deutsche Philologie. Jg. 98 (1979), 497–514.

15 Einstein, Carl: Über den Roman. Anmerkungen. In: Die Aktion. Jg. 2 (1912), H. 40, Sp. 1264–1269; auch in: Werke. Berliner Ausgabe. Bd. 1, 1907–1918. Hrsg. v. Hermann Haarmann u. Klaus Siebenhaar unter Mitarbeit v. Katharina Langhammer, Martin Mertens, Karen Tieth u. Rainer Wieland. Berlin 1994, 146–149.

16 Hara, Katsumi: »Bebuquin« als poetologischer Versuch in der Übergangsphase vom Symbolismus zur Avantgarde. In: Carl-Einstein-Kolloquium 1986. Hrsg. v. Klaus H. Kiefer. Frankfurt/M./Bern/New York/Paris 1988 (= Bayreuther Beiträge zur Literaturwissenschaft, Bd. 12), 190. Vgl. auch Braun, Christoph: Carl Einstein. Zwischen Ästhetik und Anarchismus: Zu Leben und Werk eines expressionistischen Schriftstellers. München 1987; Krämer, Thomas: Carl Einsteins »Be-

buquin«. Romantheorie und Textkonstitution. Würzburg 1991 (= Epistemata, Bd. 63); Heißerer, Dirk: Negative Dichtung. Zum Verfahren der literarischen Dekomposition bei Carl Einstein. München 1992 (= Cursus, Bd. 5); Kiefer, Klaus H.: Diskurswandel im Werk Carl Einsteins. Ein Beitrag zur Theorie und Geschichte der europäischen Avantgarde. Tübingen 1994 (= Communicatio, Bd. 7).

17 Vgl. Nachwort. In: Einstein, Carl: Bebuquin. Hrsg. v. Erich Kleinschmidt. Stuttgart 1985, 73 f.

18 Einstein, Carl: Bebuquin oder Die Dilettanten des Wunders. In: Werke (s. Anm. 15), 92–132, hier 99. Erstdruck in: Die Aktion. Jg. 2 (1912), H. 28–41; erste Buchveröffentlichung: Berlin 1912.

19 Ihrig, Wilfried: Literarische Avantgarde und Dandysmus. Eine Studie zur Prosa von Carl Einstein bis Oswald Wiener. Frankfurt/M. 1988, 68 f.

20 Einstein, Bebuquin (s. Anm. 18), 98.

21 Vgl. ebd., 127.

22 Ihekweazu, Edith: Immer ist der Wahnsinn das einzig vermutbare Resultat. Ein Thema des Expressionismus in Carl Einsteins *Bebuquin*. In: Euphorion. Jg. 76 (1982), 193.

23 Einstein, Bebuquin (s. Anm. 18), 126 f.

24 Heym, Georg: Der Irre (1911). In: Dichtungen und Schriften. Bd. 2, Prosa und Dramen. Hrsg. v. Karl Ludwig Schneider. Hamburg 1962, 25.

25 Schönert, Jörg: »Der Irre« von Georg Heym. Verbrechen und Wahnsinn in der Literatur des Expressionismus. In: Der Deutschunterricht. Jg. 42 (1990), H. 2, 93.

26 Vgl. Egyptien, Jürgen: Mythen-Synkretismus und apokryphes Kerygma. Paul Adlers Werk als Projekt einer Resakralisierung der Welt. In: Expressionismus in Österreich. Die Literatur und die Künste. Hrsg. v. Klaus Amann und Armin A. Wallas. Wien/Köln/Weimar 1994 (= Literatur in der Geschichte – Geschichte in der Literatur, Bd. 30), 389.

27 Vgl. Adler, Paul: Nämlich. Dresden-Hellerau 1915; auch in: Das leere Haus (s. Anm. 2), 153.

28 Abicht, Ludo: Paul Adler, ein Dichter aus Prag. Wiesbaden/Frankfurt/M. 1972 (= Studien zur Germanistik), 154.

29 Nowak, Heinrich: Die Sonnenseuche. In: Die weißen Blätter. Jg. 2 (1915), H. 8, 963–990; auch in: Die Sonnenseuche. Das gesamte Werk (1912–1920). Hrsg. v. Wilfried Ihrig u. Ulrich Janetzki. Wien/Berlin 1984, 76.

30 Vgl. Otten, Karl: Die Heimkehr. In: Der Sprung aus dem Fenster. Leipzig (1918) (= Der jüngste Tag, Bd. 55), 32 f.; auch in: Die Reise durch Albanien und andere Prosa. Hrsg. v. Ellen Otten u. Hermann Ruch. Zürich 1989, 84–92.

31 Vgl. Baum, Oskar: Das fremde Reich. Novelle. In: Der Mensch. Jg. 1 (1918), H. 6/7, 78–83.

32 Lichtenstein, Alfred: Kuno Kohn. In: Der Sturm. Jg. 1 (1910), H. 32, 256; auch in: Dichtungen. Hrsg. v. Klaus Kanzog u. Hartmut Vollmer. Zürich 1989, 152 f.

33 Vgl. Lichtenstein, Alfred: Der Selbstmord des Zöglings Müller. In: Simplicissimus. Jg. 17 (1912), H. 34, 543 f.; auch in: Dichtungen (s. Anm. 32), 161–166.

34 Vollmer, Hartmut: Alfred Lichtenstein – Zerrissenes Ich und verfremdete Welt. Ein Beitrag zur Erforschung der Literatur des Expressionismus. Aachen 1988,

149. Vgl. auch Paulsen, Wolfgang: Alfred Lichtensteins Prosa. Bemerkungen gelegentlich der kritischen Neuausgabe. In: Jahrbuch der Deutschen Schiller-Gesellschaft. Jg. 12 (1968), 586–598.

35 Vgl. El Hor/El Ha: Vorstadtmorgen. In: Die Schaukel. Schatten. Prosaskizzen. Neu hrsg. v. Hartwig Suhrbier. Göttingen 1991.

36 Vgl. Heym, Georg: Jonathan (1911). In: Prosa und Dramen (s. Anm. 24), 38–51.

37 Janstein, Elisabeth: Eingegittert. In: Die Kurve. Aufzeichnungen. Wien/Prag/Leipzig 1920, 89–93.

38 Vgl. Klabund: Die Krankheit. In: Klabund in Davos. Texte Bilder Dokumente. Zusammengestellt v. Paul Raabe. Zürich 1990, 41–77; Erstausgabe: Die Krankheit. Berlin 1917.

39 Ehrenstein, Albert: Tubutsch. Mit 12 Zeichnungen von O⟨skar⟩. Kokoschka. Wien/Leipzig 1911, 13 f.; auch in: Werke. Bd. 2, Erzählungen. Hrsg. v. Hanni Mittelmann. München 1991, 36–58.

40 Vgl. Wallas, Armin A.: Albert Ehrenstein. Mythenzerstörer und Mythenschöpfer. München 1994 (= Reihe Forschungen, Bd. 5); Beck, Gabriel: Die erzählende Prosa Albert Ehrensteins (1886–1950). Interpretation und Versuch einer literarhistorischen Einordnung. Freiburg/Schweiz 1969 (= Seges, Bd. 11); Beigel, Alfred: Erlebnis und Flucht im Werk Albert Ehrensteins. Frankfurt/M. 1972; Laugwitz, Uwe: Albert Ehrenstein. Studien zu Leben, Werk und Wirkung eines deutsch-jüdischen Schriftstellers. Frankfurt/M./Bern/New York/Paris 1987 (= Hamburger Beiträge zur Germanistik, Bd. 5); Köster, Thomas: Zerfall ohne Zauber: Paradoxie und Resignation in Albert Ehrensteins ›Tubutsch‹. In: The German Quarterly. Jg. 63 (1990), 233–244.

41 Benn, Gottfried: Gehirne. In: Sämtliche Werke. Stuttgarter Ausgabe. Bd. 3, Prosa 1. In Verbindung mit Ilse Benn hrsg. v. Gerhard Schuster. Stuttgart 1987, 29. Erstausgabe: Gehirne. Novellen. Leipzig 1916 (= Der jüngste Tag, Bd. 35).

42 Benn, Gottfried: Der Geburtstag. In: Prosa 1 (s. Anm. 41), 51.

43 Ebd., 59.

44 Vgl. Benn, Gottfried: Die Reise, ebd., 47.

45 Benn, Geburtstag (s. Anm. 42), 50, 53.

46 Benn, Gottfried: Schöpferische Konfession (1919). In: Prosa 1 (s. Anm. 41), 109.

47 Vgl. Benn, Gottfried: Epilog und Lyrisches Ich (1921/27), ebd., 133.

48 Vgl. Oehlenschläger, Eckart: Provokation und Vergegenwärtigung. Eine Studie zum Prosastil Gottfried Benns. Frankfurt/M. 1971 (= Literatur und Reflexion, Bd. 7), 123.

49 Vgl. Benn, Geburtstag (s. Anm. 42), 54.

50 Edschmid, Kasimir: Expressionismus in der Dichtung. Rede gehalten am 13. Dezember 1917 vor dem Bund Deutscher Gelehrter und Künstler und der Deutschen Gesellschaft 1914. In: Die neue Rundschau. Jg. 29 (1918), 359–374; auch in: Expressionismus (s. Anm. 3), 46.

51 Ebd., 49 f.

52 Vgl. Rheiner, Walter: Kokain. Lyrik Prosa Briefe. Hrsg. v. Thomas Rietzschel. Leipzig 1985; Erstausgabe: Kokain. Novelle. Mit sieben Zeichnungen von Felixmüller. Dresden 1918.

53 Vgl. Hoeflich, Eugen: Feuer im Osten. Leipzig/Wien/Zürich 1920. Vgl. Wallas, Armin A.: Der Pförtner des Ostens. Eugen Hoeflich – Panasiat und Expressionist. In: Von Franzos zu Canetti. Jüdische Autoren aus Österreich. Neue Studien. Hrsg. v. Mark H. Gelber, Hans Otto Horch und Sigurd Paul Scheichl. Tübingen 1996 (= Conditio Judaica, Bd. 14), 305–344.

54 Serner, Walter: Inferno. In: Sirius. Jg. 1 (1915), H. 1, 3. Vgl. Puff-Trojan, Andreas: Wien/Berlin/Dada. Reisen mit Dr. Serner. Wien 1993.

55 Vgl. Ehrenstein, Albert: Apaturien. In: Der Selbstmord eines Katers. München/ Leipzig (1912), 121–155; auch in: Werke. Erzählungen (s. Anm. 39), 114–128 (diese Erzählung erschien auch unter dem Titel *Sarpedon*).

56 Vgl. Studer, Claire: Die Frauen erwachen. Novellen. Frauenfeld 1918; Goll, Claire: Der gläserne Garten. In: Werke in Einzelbänden. Bd. 3, Prosa 1917–1939. Hrsg. v. Barbara Glauert-Hesse. Berlin 1989; Hardenberg, Henriette: Dichtungen. Hrsg. v. Hartmut Vollmer. Zürich 1988.

57 Vgl. etwa die Geschichte der Schlangenbeschwörerin Djaga, die ihren Vergewaltiger von einer Schlange töten läßt: Nowak, Heinrich: Djaga. Novelle. In: Die Aktion. Jg. 4 (1914), Sp. 810–815; auch in: Nowak, Sonnenseuche (s. Anm. 29), 65–70.

58 Vgl. (in kleiner Auswahl) Tagger, Theodor: Die Vollendung eines Herzens. Eine Novelle. Berlin 1917; Lemm, Alfred: Die Hure Salomea. In: Mord. 2 Bde. München 1917/18 (= Die neue Reihe, Bd. 10/11); auch in: Zwischen Trauer und Ekstase (s. Anm. 2), 99–120; Zellermayer, Robert: Die Schildkröte. In: Erzählungen. Aus dem Nachlaß. Wien/Leipzig 1921 (= Die Gefährten, Bd. 11), 24–28.

59 Vgl. Einstein, Carl: Die Mädchen auf dem Dorfe. In: Der unentwegte Platoniker. Leipzig 1918, 131–177; auch in: Werke (s. Anm. 15), 346–368.

60 Vgl. Sternheim, Carl: Ulrike. Eine Erzählung. Leipzig 1918 (= Der jüngste Tag, Bd. 50).

61 Vgl. Sack, Gustav: Der Rubin. In: Die Entfaltung. Novellen an die Zeit. Hrsg. v. Max Krell. Berlin 1921, 188–192; auch in: Sack, Gustav: Prosa – Briefe – Verse. Hrsg. v. Dieter Hoffmann. München/Wien 1962, 307–311.

62 Vgl. Boldt, Paul: Der Versuch zu lieben. Eine Novelle. In: Die weißen Blätter. Jg. 1 (1913/14), H. 7, 691–694; auch in: Junge Pferde! Junge Pferde! Das Gesamtwerk. Lyrik – Prosa – Dokumente. Hrsg. v. Wolfgang Minaty. Mit einem Vorwort von Peter Härtling. Olten/Freiburg i. Br. 1979, 111–116.

63 Krell, Max: Vorbemerkung. In: Krell, Die Entfaltung (s. Anm. 61), IX.

64 Vgl. Ehrenstein, Albert: Briefe an Gott. Leipzig/Wien 1922 (= Die Gefährten, Bd. 13).

65 Szittya, Emil: Gebete über die Tragik Gottes. Berlin 1922, o. S. Vgl. Szittya, Emil: Ahasver Traumreiter. Sammlung früher Prosa. Hrsg. v. Max Blaeulich. Klagenfurt 1991; Weinek, Christian: Emil Szittya: Leben und Werk im deutschen Sprachraum 1886–1927. Diss. Salzburg 1987; Wallas, Armin A.: Von Mistral zu Horizont. Emil Szittya und Dada. In: DADAutriche 1907–1970. Hrsg. v. Günther Dankl und Raoul Schrott. Innsbruck 1993, 21–31.

66 Vgl. Rothe, Wolfgang: Der Mensch vor Gott: Expressionismus und Theologie. In: Expressionismus als Literatur (s. Anm. 2), 37–66; Guthke, Karl S.: Die Mytholo-

gie der entgötterten Welt. Ein literarisches Thema von der Aufklärung bis zur Gegenwart. Göttingen 1971; Wallas, Armin A.: Der Gott Israels; Das Volk Israel. In: Die Bibel in der deutschsprachigen Literatur des 20. Jahrhunderts. Hrsg. v. Heinrich Schmidinger. Mainz 1999, Bd. 2, 7–52.

67 Zum »vielstimmigen jüdischen Diskurs über den messianischen Geist utopischen Bewußtseins im expressionistischen Jahrzehnt« vgl. Horch, Hans Otto: Expressionismus und Judentum. Zu einer Debatte in Martin Bubers Zeitschrift »Der Jude«. In: Die Modernität des Expressionismus. Hrsg. v. Thomas Anz u. Michael Stark. Stuttgart/Weimar 1994, 120–141; vgl. auch Mittelmann, Hanni: Expressionismus und Judentum. In: Conditio Judaica. Dritter Teil: Judentum, Antisemitismus und deutschsprachige Literatur vom Ersten Weltkrieg bis 1933/1938. Hrsg. v. Hans Otto Horch u. Horst Denkler. Tübingen 1993, 251–259.

68 Hermann, Iris: Raum – Körper – Schrift. Mythopoetische Verfahrensweisen in der Prosa Else Lasker-Schülers. Paderborn 1997 (= Literatur- und Medienwissenschaft, Bd. 57), 55.

69 Vgl. Adler, Paul: Elohim. In: Elohim. Dresden-Hellerau 1914, 7–33.

70 Vgl. Weiß, Ernst: Daniel. Erzählung. Berlin 1924; Weiß, Ernst: Daniel und der Kaiser. In: Die deutsche Novelle der Gegenwart. Hrsg. v. Hanns Martin Elster. Berlin 1925, 193–206.

71 Vgl. Kronberg, Simon: Chamlam. Potsdam 1921; auch in: Werke. Bd. 1: Lyrik – Prosa. Hrsg. v. Armin A. Wallas. München 1993, 133–179.

72 Aus Wien stammen die beiden führenden frühexpressionistischen Romanschriftsteller Robert Müller (*Tropen*, 1915) und Albert Paris Gütersloh (*Die tanzende Törin*, 1911), vgl. Storch, Ursula: »Zwischen den Worten liegen alle anderen Künste«. Ästhetische Studien zum literarischen Frühwerk A. P. Güterslohs. Diss. Wien 1988. Zum Expressionismus in Österreich-Ungarn mit den Zentren Wien und Prag vgl. Expressionismus in Österreich (s. Anm. 26).

73 Frank, Leonhard: Die Ursache. Erzählung. München/Wetzlar 1983, 41, 68 u. 78; Erstausgabe: München 1915.

74 Vgl. Wolfenstein, Alfred: Dika. Novelle. In: Arkadia. Ein Jahrbuch für Dichtkunst. Hrsg. v. Max Brod. Leipzig 1913, 175–194; auch in: Werke. Bd. 3, Erzählende Dichtungen. Hrsg. v. Günter Holtz. Mainz 1985, 17–36.

75 Vgl. Werfel, Franz: Nicht der Mörder, der Ermordete ist schuldig. Eine Novelle. München 1920; auch in: Gesammelte Werke. Erzählungen aus zwei Welten. Bd. 1, Krieg und Nachkrieg. Hrsg. v. Adolf D. Klarmann. Stockholm 1948, 163–284. Vgl. Wallas, Armin A.: Franz Werfel – Kulturkritik und Mythos 1918/19. |Zur Phantasie *Spielhof*. |In: Jahrbuch des Wiener Goethe-Vereins. Jg. 94 (1990), 75–137.

76 Vgl. Heym, Georg: Das Schiff (1911). In: Prosa und Dramen (s. Anm. 24), 52–64; Ehrenstein, Albert: Saccumum. In: Die Fackel, Nr. 317/318, 28. Februar 1911, 33–40; auch in: Ehrenstein, Erzählungen (s. Anm. 39), 129–135; Otten, Karl: Mistra. In: Die weißen Blätter. Jg. 1 (1913/14), 643–645; auch in: Otten, Reise durch Albanien (s. Anm. 30), 114–116; Koch, Hermann: Taaus Anfang. In: Flut. Die Anthologie der jüngsten Belletristik. Heidelberg 1912, 64–67. Vgl. auch Wallas, Armin A.: Gewalt und Zerstörung. Zur Thematisierung von Violenz in der öster-

reichischen Literatur der Jahrhundertwende. In: Zeitschrift für deutsche Philologie. Jg. 108 (1989), 198–221.

77 Stramm, August: Der Letzte. In: Die Dichtungen. Sämtliche Gedichte, Dramen, Prosa. Hrsg. v. Jeremy Adler. München/Zürich 1990, 257 f.

78 Vgl. Sternheim, Ulrike (s. Anm. 60), 19 f.

79 Vgl. Latzko, Andreas: Friedensgericht. Zürich 1918; Menschen im Krieg. Zürich 1918; Der letzte Mann. München/Wien/Zürich 1919 (= Die Pforte, Bd. 1).

80 Vgl. Paulsen, Wolfgang: Expressionismus und Aktivismus. Eine typologische Untersuchung. Bern/Leipzig 1935; Wallas, Armin A.: ›Geist‹ und ›Tat‹ – Aktivistische Gruppierungen und Zeitschriften in Österreich 1918/19. In: Literatur, Politik und soziale Prozesse. Studien zur deutschen Literatur von der Aufklärung bis zur Weimarer Republik. Hrsg. v. Georg Jäger, Dieter Langewiesche und Alberto Martino. Tübingen 1997 (= Internationales Archiv für Sozialgeschichte der deutschen Literatur, 8. Sonderheft), 107–146.

81 Vgl. Studer, Frauen erwachen (s. Anm. 56), 29–45.

82 Vgl. Frank, Leonhard: Der Mensch ist gut. Zürich/Leipzig 1918.

83 Goll, Ivan: Die Prozession. In: Dithyramben. Leipzig 1919 (= Der jüngste Tag, Bd. 54), 15 f.

84 Vgl. Wolfenstein, Alfred: Das Abendland. Novelle. In: Die neue Rundschau. Jg. 32 (1921), 1138–1150; auch in: Wolfenstein, Werke (s. Anm. 74), Bd. 3, 87–103.

85 Mynona: Das Wunder-Ei. In: Die Schaubühne. Jg. 11 (1915), 138–142; auch in: Schwarz-Weiß-Rot. Grotesken. Mit zwei Zeichnungen von L⟨udwig⟩. Meidner. Leipzig 1917 (= Der jüngste Tag, Bd. 31), 25–31; auch in: Rosa die schöne Schutzmannsfrau und andere Grotesken. Hrsg. v. Ellen Otten. Zürich 1989, 77–82.

Hans-Peter Bayerdörfer: Dramatik des Expressionismus

1 *Mörder, Hoffnung der Frauen* (1. Fassung 1907), *Hiob* (1907, beendet 1917), *Sphinx und Strohmann* (1907), *Der brennende Dornbusch* (1911) und *Orpheus und Eurydike* (1915–18).

2 Genannt sind hier und im folgenden jeweils die Entstehungsdaten, die Uraufführungsdaten liegen z. T. erheblich später.

3 Die Theaterreformdebatte ist anthologisch gut dokumentiert in der älteren Sammlung von Pörtner, Paul: Experiment Theater. Chronik und Dokumente. Zürich 1960, in neueren Anthologien von Brauneck, Manfred: Theater im 20. Jahrhundert. Programmschriften, Stilperioden, Reformmodelle. Reinbek bei Hamburg 1986 und Klassiker der Schauspielregie. Positionen und Kommentare zum Theater im 20. Jahrhundert. Reinbek bei Hamburg 1988; Balme, Christopher: Das Theater von Morgen. Text zur deutschen Theaterreform (1870–1920). Würzburg 1988.

4 Worringer, Wilhelm: Abstraktion und Einfühlung. Ein Beitrag zur Stilpsychologie. München 1908. Der Begriff ›Expressionismus‹ kommt aus der bildenden Kunst (Julien-Auguste Hervé, 1901) und bezieht sich zunächst auf Vincent van Gogh, Paul Gauguin u. a. Ab 1905 – zusammen mit dem Hervortreten von Künst-

lern wie Ernst Ludwig Kirchner, Karl Schmitt-Rottluff u. a. – wird er zur Abgrenzung gegen die als akademisch empfundene impressionistische Malerei verwendet: die ›innere Sicht‹ soll an die Stelle der visuellen Impression treten.

5 Kokoschka, Oskar. Das schriftliche Werk. 4 Bde. Hrsg. v. Heinz Spielmann. Hamburg 1973–76, Bd 1: Dichtungen und Dramen, 35.

6 Johst, Hanns: Die Stunde der Sterbenden. In: Einakter und kleine Dramen des Expressionismus. Hrsg. v. Horst Denkler. Stuttgart 1996 (1968), 138 (folgende Stücke werden nach dieser Sammlung zitiert: Kandinsky, Wassily: Der gelbe Klang; Kasack, Hermann: Vorspiel der Landschaft; Koffka, Friedrich: Kain).

7 Ebd., 136.

8 Kaiser, Georg: Werke. 6 Bde. Hrsg. v. Walther Huder. Berlin 1971/72, Bd. 6, 710.

9 Aber auch schon fünf Jahre vorher hat Sorge in seinem *Bettler* im ersten Aufzug eine Simultanbühne verlangt, die es gestattet, die veschiedenen Gruppen von Menschen, die die moderne Gesellschaft repräsentieren, gleichzeitig an veschiedenen Teilen der Bühne zu plazieren, ohne daß sie handlungsmäßig mit einander verbunden wären. Sorge, Reinhard Johannes: Werke. In drei Bänden. Hrsg. v. Hans Gert Rötzer. Nürnberg o. J. ⟨1962–67⟩, Bd. 2, 13–93.

10 Benn, Gottfried: Ithaka. In: Gesammelte Werke in vier Bänden. Hrsg. v. Dieter Wellershoff, Bd. 2, Prosa und Szenen. Wiesbaden 1959, 293–303; Koffka, Friedrich: Goll in: Denkler, Einakter (s. Anm. 6).

11 *Erwachen*; *Kräfte*; *Geschehen*. Alle Stücke in: Stramm, August: Das Werk. Hrsg. v. René Radrizzani. Wiesbaden 1963.

12 In: Denkler, Einakter (s. Anm. 6).

13 Die Welturaufführung fand 1976 im Champs-Elysées-Theater statt. Für die Regie zeichnete der in Deutschland und in den USA bekannte Regisseur und Szenograph Jacques Polieri verantwortlich.

14 Vgl. Schönberg, Arnold: Erwartung. Monodram. Wien 1917, sowie Die glückliche Hand. Drama mit Musik. Wien 1917.

15 Sorge, Der Antichrist. In: Werke (s. Anm. 9), Bd. 1, 327–350, hier 328.

16 Menschheitsdämmerung. Ein Dokument des Expressionismus. Hrsg. v. Kurt Pinthus. Berlin 1920.

17 Hierin liegt einer der bezeichnenden Unterschiede zum italienischen Futurismus, der das Nationalitätenprinzip bis zur Errichtung des faschistischen Staats weiter weltanschaulich vertritt und auch den Krieg, die einzige »Hygiene« der Menschheit laut Marinetti, weiter im positiven Sinne metaphorisch beibehält.

18 Hasenclever, Walter: Sämtliche Werke. Hrsg. v. Dieter Breuer. 7 Bde. Mainz 1990 ff., Bd. 2.1., Stücke bis 1924.

19 Bronnen, Arnolt: Vatermord. In: Werke: Mit Zeugnissen zur Entstehung und Wirkung. 5 Bde. Hrsg. v. Friedbert Aspetsberger. Klagenfurt 1989, Bd. 1, 205–271.

20 Goering, Reinhard: Seeschlacht. In: Prosa Dramen Verse. München 1961, 269–318; Toller, Ernst: Gesammelte Werke. Hrsg. v. John M. Spalek und Wolfgang Frühwald; hier Bd. 2: Dramen und Gedichte aus dem Gefängnis 1918–1924. München 1983 (1978).

21 Edschmid, Kasimir: Expressionismus in der Dichtung (Rede 1917; veröffentlicht in: Die Neue Rundschau 29 (1918) Bd. 1, 359–374). Abgedruckt in: Expressionis-

mus. Manifeste und Dokumente zur deutschen Literatur 1910–20. Hrsg. v. Thomas Anz u. Michael Stark. Stuttgart 1982, 46.

22 Pinthus, Kurt: Rede für die Zukunft. In: Die Erhebung. Hrsg. v. Alfred Wolfenstein (1919); hier zit. n. Geschichte der deutschen Literatur vom 18. Jahrhundert bis zur Gegenwart. Bd. II/2 1848–1918. Hrsg. v. Viktor Žmegač, 430.

23 Unruh, Fritz von: Ein Geschlecht. Eine Tragödie. In: Sämtliche Werke. Bd. 3: Dramen II. Hrsg. v. Hanns Martin Elster. Berlin 1973, 7–49, hier 46.

24 Daher ist auch eine rassistische Interpretation der Körpermotivik überwiegend auszuschließen, so häufig und auf den ersten Blick verfänglich auch Blut- und Lebensmetaphern in den Texten verwendet werden.

25 Goering, Prosa Dramen Verse (s. Anm. 20), 318.

26 Lämmert, Eberhart: Das expressionistische Verkündigungsdrama. In: Das deutsche Drama vom Expressionismus bis zur Gegenwart. Hrsg. v. Manfred Brauneck. Bamberg 1972, 21–35.

27 Toller, Die Wandlung. In: Gesammelte Werke (s. Anm. 20), Vorspiel. Bild IV und Bild VI.

28 Die Texte von Rubiner und Kornfeld sind zugänglich in Günther Rühles Anthologie: Zeit und Theater. Bde. 1. u. 2. Berlin 1973 und 1980.

29 Barlach, Ernst: Dramen. Hrsg. v. Helmar Harald Fischer. München 1987/88.

30 Barlach, Der arme Vetter (s. Anm. 29), Bild VI.

31 Barlach, Der blaue Boll (s. Anm. 29), Bild I.

32 Sternheim, Carl: Gesamtwerk. Hrsg. v. Wilhelm Emrich. Neuwied 1963–76. Eine eingehende Würdigung von Sternheims Stücken in Verbindung mit der expressionistischen Dramatik erbringt Vietta, Silvio: Das expressionistische Drama. In: Der Deutschunterricht, Jg. 42, H. 2/1990, 48 ff.

33 Ebd., 49.

34 Goll, Iwan: Methusalem. Hrsg. v. Reinhold Grimm und Viktor Žmegač. Berlin 1966. (Komedia 12). Szene IV.

35 Jeßner, Leopold: Ist die Regie als eine reproduktive oder produktive Kunst aufzufassen? In: Schriften. Theater der zwanziger Jahre. Hrsg. v. Hugo Fetting. Berlin 1979, 172.

36 Jeßner selbst hat sich nicht als Expressionist verstanden, wohl aber als Theaterkünstler die Ansätze des Reformtheaters im analogen Sinne zum dramatischen Expressionismus bühnengeschichtlich radikalisiert und in puristischer Strenge durchgesetzt. Zu Jeßners theatergeschichtlicher Bedeutung für die Weimarer Republik vgl. Rühle, Günther: Theater in unserer Zeit. Frankfurt/M. 1976, 47–82.

37 Zit. n. Fischer-Lichte, Erika: Kurze Geschichte des deutschen Theaters. Tübingen 1993, 310. Als weitere epochemachende Inszenierungen des expressionistischen Theaters werden *Der Sohn* (Regie: Richard Weichert. Mannheimer Hof- und Nationaltheater 1918), *Die Wandlung* (R: Karl-Heinz Martin. Die Tribüne, Berlin 1919) und Friedrich Schillers *Wilhelm Tell* (R: Leopold Jessner. Staatl. Schauspielhaus Berlin, 1919) beschrieben. Vgl. ebd., 308–319.

38 An Gesamtdarstellungen des expressionistischen Theaters sind zu nennen: Schultes, Paul: Expressionistische Regie. Diss. Köln 1981; Zimmermann, Verena: Das gemalte Drama. Die Vereinigung der Künste im Bühnenbild des deutschen Ex-

pressionismus. Diss. Aachen 1987. Zur Bedeutung des Bühnenbilds: Giesing, Michaela: Dekomposition und Illusion. Expressionistische Bühnenbilder. In: Der Deutschunterricht. Jg. 42, H. 2/1990, 18–37.

Joseph Vogl: Krieg und expressionistische Literatur

1 Bab, Julius: Die deutsche Kriegslyrik 1914–1918. Eine historische Bibliographie. Stettin 1920, 25.
2 Kellermann, Hermann (Hrsg.): Der Krieg der Geister. Eine Auslese deutscher und ausländischer Stimmen zum Weltkriege 1914. Weimar 1915.
3 See, Klaus von: Die Ideen von 1789 und die Ideen von 1914. Frankfurt/M. 1975.
4 Vgl. Bernhardi, Friedrich von: Deutschland und der nächste Krieg. Stuttgart und Berlin [4]1912; Lamszus, Wilhelm: Das Menschenschlachthaus. Bilder vom kommenden Krieg. Hamburg 1912.
5 Heym, Georg: Tagebücher, Träume, Briefe. In: Dichtungen und Schriften. Hrsg. v. Karl Ludwig Schneider. München 1960 ff., Bd. 3, 138.
6 Musil, Robert: Europäertum, Krieg, Deutschtum. In: Die Neue Rundschau 25, 1914, 1303.
7 Heym, Der Krieg I. In: Dichtungen und Schriften (s. Anm. 5), Bd. 1: Das lyrische Werk, 346–347. – Vgl. Mautz, Kurt: Georg Heym. Mythologie und Gesellschaft im Expressionismus. Frankfurt/M. 1972; Damann, Günter/Schneider, Karl Ludwig/Schöberl, Joachim: Georg Heyms Gedicht »Der Krieg«. Heidelberg 1978; Metzner, Joachim: Persönlichkeitszerstörung und Weltuntergang. Das Verhältnis von Wahnbildung und literarischer Imagination. Tübingen 1976.
8 Zit. n. Anz, Thomas/Vogl, Joseph (Hrsg.): Die Dichter und der Krieg. Deutsche Lyrik 1914–1918. München 1982, 13.
9 Zur Transformation des Aufbruch-Motivs vgl. Korte, Hermann: Der Krieg in der Lyrik des Expressionismus. Studien zur Evolution eines literarischen Themas. Bonn 1981, 19 ff., 127 ff.
10 Müller, Robert: Apologie des Krieges. In: Der Ruf 3, 1912, 2; Der Futurist. In: Allgemeine Flugblätter deutscher Nation 5, Juli 1914; vgl. die Manifeste v. Filippo Tommaso Marinetti in: Der Sturm 3, H. 104 (März 1912), H. 111 (Mai 1912) und H. 133 (Oktober 1912).
11 Otto Soyka, Der farblose Krieg. In: Der Sturm 1, H. 21 (Juli 1910), 164–165. – Zum Verhältnis von Moderne, Krieg und Konstitution eines neuen anthropologischen Typs vgl. Horn, Eva: Krieg und Krise. Zur anthropologischen Figur des Ersten Weltkriegs. In: Graevenitz, Gerhart von (Hrsg.): Konzepte der Moderne. Stuttgart 1998.
12 Mann, Thomas: Gedanken im Kriege. In: Gesammelte Werke. Bd. 13, Nachträge. Frankfurt/M. 1974, 530; Herzog, Wilhelm: Der Triumph des Krieges. In: Das Forum 1, 1914, H. 5/6, 257–285; Hiller, Kurt: An die Partei des deutschen Geistes. In: Der Neue Merkur 1, 1914/15, 645–653.
13 Vgl. Anz, Thomas: Literatur der Existenz. Literarische Psychopathographie und ihre soziale Bedeutung im Frühexpressionismus. Stuttgart 1977.

14 Huebner, Friedrich Markus: Krieg und Expressionismus. In: Die Schaubühne 10, 1914, 441.

15 Kafka, Franz: Tagebücher. Hrsg. v. Hans-Gerd Koch, Michael Müller, Malcolm Pasley. Kritische Ausgabe. Frankfurt/M. 1990, 543.

16 Vgl. z. B. Döblin, Alfred: Brief vom 13. Dezember 1959, in: Briefe. Olten 1970, 80; Barlach, Ernst: Briefe vom 17. und 29. August 1914, in: Die Briefe I. 1888–1924. München 1968, 431–432; Klee, Paul: Tagebücher 1898–1914. Köln 1957, 337; Lotz, Ernst Wilhelm: Brief vom 5. August 1915, in: Prosaversuche und Feldpostbriefe. Dissen o. J., 62; Musil, Robert: Tagebücher. Reinbek bei Hamburg 1976, 339.

17 Lichtenstein fiel am 25. September 1914, Lotz am 26. Septemebr 1914, Marc am 4. März 1916, Stramm am 1. September 1915.

18 Huebner, Krieg (s. Anm. 14), 443.

19 Döblin, Alfred: Es ist Zeit. In: Schriften zur Politik und Gesellschaft 1896–1951. Olten 1972, 39; Marc, Franz: Im Fegefeuer des Krieges. In: Der Sturm 7, April 1916, 2; Huebner, Krieg (s. Anm. 14), 441; Hausenstein, Wilhelm: Für die Kunst. In: Die Weißen Blätter 2, 1915, 40.

20 Marc, Fegefeuer (s. Anm. 19), 2.

21 Behrens, Franz Richard: Expressionist – Artillerist. In: Der Sturm 6, Februar 1916, 130.

22 Jordan, Lothar: Zum Verhältnis von traditioneller und innovativer Elemente in der Kriegslyrik August Stramms. In: Drews, Jörg (Hrsg.): Das Tempo dieser Zeit ist keine Kleinigkeit. Zur Literatur um 1918. München 1981, 112–127.

23 Szitya, Emil: Die Grammatik des Ereignisses. In: Der Mistral 1, März 1915, 1–2.

24 Simmel, Georg: Das Problem der historischen Zeit. Berlin 1916.

25 Vgl. Vondung, Klaus: Geschichte als Weltgericht. Genesis und Degradation einer Symbolik. In: Kriegserlebnis. Der Erste Weltkrieg in der literarischen Gestaltung und symbolischen Deutung der Nationen. Göttingen 1980, 62–89.

26 Trakl, Georg: Grodek. In: Der Brenner 5, 1915, 14.

27 Hasenclever, Walter: Antigone. In: Gedichte, Dramen, Prosa. Reinbek bei Hamburg 1963, 190;

28 Goll, Iwan: Der Expressionismus stirbt (1921). In: Anz, Thomas/Stark, Michael: Expressionismus. Manifeste und Dokumente zur deutschen Literatur 1910–1920. Stuttgart 1982, 108.

29 Vgl. Stern, Martin: Expressionismus in der Schweiz. Bern u. Stuttgart 1981.

30 Klemm, Wilhelm: Abend im Feld. In: Die Aktion 4, 1915, 834–835; vgl. hierzu auch das Nachwort in Anz/Vogl, Die Dichter und der Krieg (s. Anm. 8), 238.

31 Stark, Michael: Für und wider den Expressionismus. Die Entstehung der Intellektuellendebatte in der deutschen Literaturgeschichte. Stuttgart 1982.

32 Rubiner, Ludwig (Hrsg.): Kameraden der Menschheit. Potsdam 1919 (Leipzig 1971, 167 ff).

33 Müller, Robert: Ein Leutnant. In: Rassen, Städte, Physiogrnomien. Berlin 1923, 140.

34 Musil, Robert: Notiz zur »Grundidee« für den Mann ohne Eigenschaften. In: Gesammelte Werke, Bd. 1. Reinbek bei Hamburg 1978, 1851.

Michael Stark: Literarischer Aktivismus und Sozialismus

1 Hiller, Kurt: Begegnungen mit »Expressionisten«. In: Der Monat 13, 1961, Nr. 148, 55.
2 Sydow, Eckart von: Die deutsche expressionistische Kultur und Malerei. Berlin 1920, 35.
3 Vgl. *Paulsen, Expressionismus.* Weitere Forschungsliteratur: *Amann/Wallas, Expressionismus; Kolinsky, Engagierter Expressionismus; Stark, Für und wider; Trommler, Sozialistische Literatur.* Zu einzelnen Autoren: *Habereder, Hiller; Petersen, Rubiner; Helmes, Müller; Kreuzer/Helmes, Expressionismus.*
4 Das Ziel. Aufrufe zu tätigem Geist. Hrsg. v. Kurt Hiller. München/Berlin 1916; Tätiger Geist. Zweites der Ziel-Jahrbücher. Hrsg. v. Kurt Hiller München/Berlin 1918; Das Ziel. Jahrbücher für geistige Politik. Hrsg. v. Kurt Hiller, Jahrbuch III, 1. Halbband. Leipzig 1919; Das Ziel. Jahrbücher für geistige Politik. Hrsg. v. Kurt Hiller München 1920; Geistige Politik. Hrsg. v. Kurt Hiller, Fünftes der Ziel-Jahrbücher. Wien 1924; Die Erhebung. Jahrbuch für neue Dichtung und Wertung. Hrsg. v. Alfred Wolfenstein. Berlin (1919); Die Erhebung. Jahrbuch für neue Dichtung und Wertung. Zweites Buch. Hrsg. v. Alfred Wolfenstein Berlin 1920.
5 *Rothe, Tänzer und Täter*, 129.
6 Vgl. *Bock, Syndikalismus.*
7 In der ersten Publikation, die das Schlagwort ›Aktivismus‹ im Titel führt, verwies Hiller auf den Aufsatz *Vom Sinn der Tat* des Fichte-Philosophen Fritz Münch (Kurt Hiller: Über einen neuen Aktivismus. In: Die neue Rundschau 27, 1916, Bd. 2, 1679–1689. Auszug in: *Pörtner, Literaturrevolution* 2, 410–413). Vgl. auch *Rothe, Aktivismus*, 10 f.
8 Eine Bibliographie des literarischen Aktivismus ist Desiderat der Forschung. Exemplarisch für den Aktivismus als Literatur sind Ludwig Rubiners Betrachtungen *Der Mensch in der Mitte* (Berlin Wilmersdorf 1917), Leonhard Franks Novellensammlung *Der Mensch ist gut* (Zürich/Leipzig 1918), Dramen wie *Die Wandlung* (Potsdam 1919) von Ernst Toller, *Die Gewaltlosen* (Potsdam 1919) von Rubiner, *Die Menschen* (Berlin 1918) von Walter Hasenclever und Rubiners Anthologien *Die Gemeinschaft* (Potsdam 1919) und *Kameraden der Menschheit* (Potsdam 1919).
9 Wolfenstein, Alfred: Das neue Dichtertum des Juden. In: Juden in der deutschen Literatur. Essays über zeitgenössische Schriftsteller. Hrsg. v. Gustav Krojanker. Berlin 1922, 333–359; zit. n. *Pörtner, Literaturrevolution* 2, 452.
10 Müller, Robert: Geistrasse. In: Daimon 1, 1918/19, H. 4, August 1918, 210.
11 Hiller, Kurt: Die Jüngst-Berliner. In: Heidelberger Zeitung. Beilage Literatur und Wissenschaft Nr. 7, 22. Juli 1911; zit. n. *Anz/Stark, Expressionismus*, 34 f.
12 Hiller, Kurt: Litteraturpolitik. In: Die Aktion 1, 1911, Nr. 5, 138 f., hier 138.
13 Der Kondor. Verse von Ernst Blass u. a. Hrsg. v. Kurt Hiller. Heidelberg 1912. Nachdruck mit einem Vorwort von Paul Raabe. Berlin 1989. Zur Debatte vgl. *Stark, Kondor-Krieg..*
14 ‹Hiller, Kurt›: Note. In: Die Aktion 1, 1911, Nr. 1, 24; zit. n. *Anz/Stark, Expressionismus*, 427.

15 Hiller, Kurt: Kaiser Wilhelm und wir. In: Die Aktion 3, 1913, Nr. 26, 635 f.
16 *Peter, Literarische Intelligenz*, 16.
17 Rubiner, Ludwig.: Der Dichter greift in die Politik. In: Die Aktion 2, 1912, Nr. 21, 22. Mai, 645–652; Nr. 23, 5. Juni, 709–715, 645 u. 715.
18 *Sheppard, Schriften* 2, 473.
19 Becher, Johannes R.: Vorbereitung. In: An Europa. Neue Gedichte. Leipzig 1916; zit. n.: Menschheitsdämmerung. Symphonie jüngster Dichtung. Hrsg. v. Kurt Pinthus. Berlin 1920, 213.
20 Hiller, Kurt: Philosophie des Ziels. In: Das Ziel, 187–217; zit. n. *Pörtner, Literaturrevolution* 2, 409.
21 Schickele, René.: Politik der Geistigen. In: März 7, 1913, H. 11, 15. März, 405–407, H. 12, 22. März, 440 f., H. 14, 5. April, 30 f; zit. n. *Stark, Intellektuelle*, 53.
22 Mann, Heinrich: Geist und Tat. In: Pan 1, 1910/11, Nr. 5, 1. Januar 1911, 137–143. Zit. n: *Stark, Intellektuelle*, 40.
23 Vgl. hierzu in *Wolff, Heinrich Mann* die Beiträge v. Jürgen Haupt (61–83) und Elke Emrich (25–60); ferner *Knobloch, Schriftsteller.*
24 *Duclert, Dreyfus-Affäre*, 145.
25 Vgl. *Bering, Die Intellektuellen; Charle, Naissance; Neusüss, Bewußtsein; Stark, Für und wider*.
26 Flake, Otto: Von der jüngsten Literatur. In: Die Neue Rundschau 26, 1915, H. 9 (September), 1276–1287; zit. n. *Stark, Intellektuelle*, 82 f.
27 Heuß, Theodor: Die Politisierung des Literaten. In: Das literarische Echo 18, 1916, H. 11, 1. März, 657– 664; zit. n. *Stark, Intellektuelle*, 95.
28 Werfel, Franz: Brief an einen Staatsmann. In: Das Ziel, 1916 (Anm. 4), 91–98, hier 95.
29 Mann, Thomas: Der Taugenichts. In: Die neue Rundschau 27, 1916, November, 1478–1490; zit. n. *Anz/Stark, Expressionismus*, 282.
30 Burschell, Friedrich: Der Schriftsteller. In. Neue Erde 1, 1919, H. 1, 24.
31 *Habermas, Heine*, 457.
32 Kanehl, Oskar: Werdet politisch! In: Wiecker Bote 1, 1914, H. 10, 1–4, hier 4.
33 Herzog, Wilhelm: Klärungen. Kultur und Zivilisation. In: Das Forum 1, 1914/15, H. 11, Februar 1915, 553–558, hier 554.
34 Müller, Robert: Apologie des Krieges. In: Der Ruf 1, 1912, H. 3, 1–8 , hier 7.
35 Kayser, Rudolf: Krieg und Geist. In: Das Ziel, 1916 (s. Anm. 4), 31–36 , hier 35.
36 Troeltsch, Ernst: Die Ideen von 1914. In: Die Neue Rundschau 27, 1916, 605–624, hier 610.
37 Hiller, Kurt: Philosophie des Ziels. In: Das Ziel, 1916 (s. Anm. 4); zit. n. *Rothe, Aktivismus*, 35, 38, 54.
38 Müller, Robert: Die Politiker des Geistes. Sieben Situationen. Berlin 1917, 40.
39 Vgl. schon Hiller, Kurt: Der Bund der Geistigen. In: Die Schaubühne 11, 1915, Nr. 24, 557–562; Leitsätze des ›Bundes zum Ziel‹. In: Das Ziel, 1919 (s. Anm. 4), 218 f.
40 Aufruf der Antinationalen Sozialisten Partei (A.S.P.) Gruppe Deutschland. In: Die Aktion 8, 1919, H. 45/46, 583–586; Nachdruck und Kommentar in: *Anz/Stark, Expressionismus*, 332–335.

41 Rat geistiger Arbeiter. In: Die Weltbühne 14, 1918, Nr. 47, 473–475. Auch in: Das Ziel, 1919 (s. Anm. 4), 219–223; Nachdruck und Kommentar in: *Anz/Stark, Expressionismus*, 288–292.
42 Vgl. *Fähnders/Rector, Klassenkampf.*
43 Der Gründungsaufruf »Clarté« ist abgedruckt in: Die weißen Blätter 6, 1919, H. 7, 331 f.
44 Vgl. *Zammito, The great debate.*
45 Hiller Kurt: Kongreßbericht. In: Das Ziel, 1920 (s. Anm. 4), 209.
46 Hiller, Kurt: Ortsbestimmung des Aktivismus. In: Die Erhebung 1, 1919 (s. Anm. 4), 360–377; zit. n. *Pörtner, Literaturrevolution* 2, 432–436, hier 433 f.
47 Vgl. Hiller, Kurt: Ein deutsches Herrenhaus. Leipzig 1918. Mit Anmerkungen wiederabgedruckt in: Verwirklichung des Geistes im Staat. Leipzig 1925, 80–119.
48 Huelsenbeck, Richard: Dadaistisches Manifest. In: Dada-Almanach. Berlin 1920, 36–41; zit. n. *Anz/Stark, Expressionismus*, 77.
49 Michels, Pol: Das Verbrechen der Intellektuaille. Zum 9. November. In: Die Aktion 9, 1919, Nr. 45/46, 752–754; zit. n. *Stark, Intellektuelle*, 176.
50 Müller, Robert: Bilanz des Aktivismus. In: Der Strahl. Mitteilungen des Bundes der geistig Tätigen. Wien. H. 2, 1920, 5–10, hier 8.
51 Michel, Wilhelm: Der Mensch versagt. Berlin 1920, 11 f.
52 Hiller, Kurt: Philosophie des Ziels; zit. n. *Rothe, Aktivismus*, 37 f.
53 Weithin prägend war Gustav Landauers *Aufruf zum Sozialismus* (Berlin 1919, 1. Aufl. 1911).
54 Bloch, Ernst: Geist der Utopie. München/Leipzig 1918, 9; zit. n. *Anz/Stark, Expressionismus*, 139. Zur eschatologisch-apokalyptischen Tradition vgl. *Vondung, Apokalypse.*
55 Vgl. *Kreiler, Schriftstellerrepublik; Viesel, Literaten.*
56 Ball, Hugo: Vorwort. In: Almanach der Freien Zeitung. 1917–1918. Bern 1918, XIII f.
57 Leonhard, Rudolf: Die Ewigkeit dieser Zeit. Eine Rhapsodie gegen Europa. Berlin 1924; zit. n. *Best, Theorie*, 138 f.
58 Vgl. hierzu in *Weyergraf, Weimarer Republik*, die einschlägigen Beiträge v. Hermann Korte (99–134) Bernhard W. (135–159) und Walter Fähnders (160–173).
59 *Kaes, Weimarer Republik*, XX.
60 *Schoeller, Bekenntnis*, 172.

Auswahlbibliographie

Die Bibliographie dient vor allem dem Nachweis der in den Anmerkungen kurzzitierten Titel der Sekundärliteratur. Die Kurzform erscheint *kursiv* vor der vollständigen Titelangabe. Allgemeine Bibliographien, Nachschlagewerke, literarische Lexika, Personalbibliographien sowie häufiger angeführte, gängige Primärtexte oder Werkausgaben wurden nur in Ausnahmefällen aufgenommen. Für weitere Informationen wird empfohlen: Blinn, Hansjürgen: Informationshandbuch. Deutsche Literaturwissenschaft. Frankfurt/M. [3]1994 sowie Segebrecht, Wulf (Hrsg.): Fundbuch der Gedichtinterpretationen. Paderborn u. a. 1997.

Abels, Norbert: Franz Werfel in Selbstzeugnissen und Bilddokumenten. Reinbek 1990.

Abendroth, Wolfgang: Einführung in die Geschichte der Arbeiterbewegung. Bd. I. Von den Anfängen bis 1933. Hrsg. v. Heinz-Gerd Hofschen. Heilbronn 1985.

Abraham, Held Abraham, Ulf: Der verhörte Held. Verhöre, Urteile und die Rede von Recht und Schuld im Werk Franz Kafkas. München 1985.

Abret/Keel, Majestätsbeleidigungsaffäre Abret, Helga/Keel, Aldo: Die Majestätsbeleidigungsaffäre des ›Simplicissimus‹-Verlegers Albert Langen. Frankfurt/M. 1985.

Adler, Einleitung Adler, Hans: Einleitung. In: H. A.: Der deutsche soziale Roman des 18. und 19. Jahrhunderts. Darmstadt 1990 (= Wege der Forschung, 630), 1–14.

Adler, Soziale Romane Adler, Hans: Soziale Romane im Vormärz. Literatursemiotische Studie. München 1980.

Admoni, Wladimir: Henrik Ibsen. München 1991.

Adolphs, Dieter W.: Das Glück der Kindheit im frühen Werk Thomas Manns. In: Orbis Litterarum 42, 1987, 141–167.

Adorno, Theodor W.: Aufzeichnungen zu Kafka. In: T. W. A.: Prismen, Kulturkritik und Gesellschaft. Frankfurt/M. 1976, 302–342.

Adriani, Götz: Toulouse-Lautrec und das Paris um 1900. Köln 1978.

Alberti, Conrad: Maschinen. Roman. Leipzig 1895.

Albertsen, Elisabeth: Ratio und ›Mystik‹ im Werk Robert Musils. München 1968.

Allen, Roy F.: Literary life in German Expressionism and the Berlin circles. Göppingen 1974 (= Göppinger Arbeiten zur Germanistik, 129).

Alt, Peter-André: Ironie und Krise. Ironisches Erzählen als Form ästhetischer Wahrnehmung in Thomas Manns ›Der Zauberberg‹ und Robert Musils ›Der Mann ohne Eigenschaften‹. Frankfurt/M. u. a. 1985.

Altenberg, Peter: Vita ipsa. Berlin 1918.

Altenloh, Emilie: Zur Soziologie des Kinos. Die Kino-Unternehmung und die sozialen Schichten ihrer Besucher. Jena 1914.

Altmeier, Werner: Die bildende Kunst des deutschen Expressionismus im Spiegel der Buch- und Zeitschriftenpublikationen zwischen 1910 und 1925. Zur Debatte um ihre Ziele, Theorien und Utopien. Diss. Saarbrücken 1971.

Altner, Manfred (Hrsg.): Das proletarische Kinderbuch. Dokumente zur Geschichte der sozialistischen deutschen Kinder- und Jugendliteratur. Dresden 1988.

Amann/Wallas, Expressionismus Amann, Klaus/Wallas, Armin A. (Hrsg.): Expressionismus in Österreich. Die Literatur und die Künste. Wien/Köln/Weimar 1994.

Andreas-Salomé, Lou: Lebensüberblick. Grundriß einiger Lebenserinnerungen. Zürich 1951.

Anz, Gesund und krank Anz, Thomas: ›Gesund‹ und ›krank‹. Kriterien der Kritik im Kampf gegen die literarische Moderne um 1900. In: Schöne, Albrecht (Hrsg.): Kontroversen, alte und neue. Akten des VII. Internationalen Germanisten-Kongresses. Göttingen 1985/Tübingen 1987, 240–250.

Anz, Jemand Anz, Thomas: Jemand mußte Otto G. verleumdet haben. Kafka, Werfel, Otto Gross und eine ›psychiatrische Geschichte‹. In: Akzente 31, 1984, 184–191.

Anz, Kafka Anz, Thomas. Franz Kafka. München 1989.

Anz, Literatur Anz, Thomas: Literatur der Existenz. Literarische Psychopathographie und ihre soziale Bedeutung im Frühexpressionismus. Stuttgart 1977.

Anz, Phantasien Anz, Thomas (Hrsg.): Phantasien über den Wahnsinn. Expressionistische Texte. München 1980.

Anz, Psychoanalyse Anz, Thomas: Psychoanalyse in der literarischen Moderne. Ein Forschungsbericht und Projektentwurf. In: Richter, Karl/Titzmann, Michael u. a. (Hrsg.): Literatur im wissenschaftlichen Kontext. Stuttgart 1997.

Anz/Stark, Expressionismus Anz, Thomas/Stark, Michael (Hrsg.): Expressionismus. Manifeste und Dokumente zur deutschen Literatur 1910–1920. Stuttgart 1982.

Anz, Thomas/Stark, Michael (Hrsg.): Die Modernität des Expressionismus. Stuttgart/Weimar 1994.

Aressy, Lucien: La dernière Bohème. Verlaine et son milieu. Paris 1944.

Arnold, Heinz Ludwig (Hrsg.): Handbuch der deutschen Arbeiterliteratur. 2 Bde. München 1977.

Asendorf, Christoph: Batterien der Lebenskraft. Zur Geschichte der Dinge und ihrer Wahrnehmung im 19. Jahrhundert. Gießen 1984.

Asendorf, Christoph: Ströme und Strahlen. Das langsame Verschwinden der Materie um 1900. Gießen 1990.

Asholt, Wolfgang/Fähnders, Walter (Hrsg.): Manifeste und Proklamationen der europäischen Avantgarde (1909–1938). Stuttgart/Weimar 1995.

Audebrand, Philibert: Derniers jours de la Bohème. Souvenirs littéraires. Paris o. J.

Auerochs, Bernd: Erzählte Gesellschaft. Theorie und Praxis des Gesellschaftsromans bei Balzac, Brecht und Uwe Johnson. München 1994.

Aulhorn, Edith: Dichtung und Psychoanalyse. In: G R M 10, 1922, 279–292.

Aulich, Elemente Aulich, Reinhard: Elemente einer funktionalen Differenzierung der literarischen Zensur. Überlegungen zu Form und Wirksamkeit von Zensur als einer intentional adäquaten Reaktion gegenüber literarischer Kommunikation. In: Göpfert, Herbert G./Weyrauch, Erdmann (Hrsg.): ›Unmoralisch an sich‹. Zensur im 18. und 19. Jahrhundert. Wiesbaden 1988, 177–230.

Aust, Novelle Aust, Hugo: Novelle. Stuttgart 1990.

Austermühl, Elke: Poetische Sprache und lyrisches Verstehen. Studien zum Begriff der Lyrik. Heidelberg 1981 (= Reihe Siegen, 30).

Austin, Gerhard: Phänomenologie der Gebärde bei Hugo von Hofmannsthal. Heidelberg 1981 (= Frankfurter Beiträge zur Germanistik, 18).

Bab, Berliner Bohème Bab, Julius: Die Berliner Bohème. Bd. II. Berlin/Leipzig [4]1904.

Bachmaier, Kaffeehausliteraten Bachmaier, Helmut (Hrsg.): Kaffeehausliteraten. In: Paradigmen der Moderne. Amsterdam/Philadelphia 1990.

Backes-Haase, Alfons: Kunst und Wirklichkeit. Zur Typologie des Dada-Manifests. Frankfurt/M. 1992.

Bahr, Hermann: Die Entdeckung der Provinz. In: H. B.: Bildung. Essays. Leipzig 1901, 148–191.

Bahr, Hermann: Die neue Psychologie. In: Moderne Dichtung 2/2, 01.08.1890, 507–509; 2, 3, 01.09.1890, 573–576. Auch in: Wunberg, Gotthart (Hrsg.): Das junge Wien. Bd. I: 1887–1896. Tübingen 1976, 92–101.

Bahr, Hermann: Fin de siècle. Berlin 1891.

Bahr, Hermann: Selbstbildnis. Berlin 1923.

Bahr, Naturalismus Bahr, Hermann: Die Überwindung des Naturalismus (1891). In: H. B.: Überwindung des Naturalismus. Theoretische Schriften 1887–1914. Hrsg. v. Gotthart Wunberg. Stuttgart 1968, 33–102.

Balázs, Béla: Der sichtbare Mensch oder die Kultur des Films. Wien/Leipzig 1924.

Baldensperger, Fernand: Bohème et Bohème: un doublet linguistique et sa fortune littéraire. In: Mélanges publiés en l'honneur de Václav Tille. Prag 1927.

Baldick, Robert: The First Bohemian. The Life of Henry Murger. London 1961.

Balke, Fluchtlinien Balke, Friedrich: Fluchtlinien des Staates. Kafkas Begriff des Politischen. In: Balke, Friedrich/Vogl, Joseph (Hrsg.): Gilles Deleuze. Fluchtlinien der Philosophie. München 1996, 150–178.

Baltz-Balzberg, Regina: Primitivität der Moderne 1895–1925 am Beispiel des Theaters. Königstein/Ts. 1983.

Balzac, Honoré de: Un Prince de la Bohème. In: H. d. B.: Œuvres complètes. Bd. XVIII. Paris 1947.

Bamler, Albrecht: Der Publizist und Schriftsteller Hermann Stegemann (1870–1945). seine Wandlung vom linksliberalen Journalisten zum deutschnationalen Publizisten. Frankfurt/M. u. a. 1989.

Banuls, André: Thomas Mann und sein Bruder Heinrich – ›eine repräsentative Gegensätzlichkeit‹. Stuttgart 1968.

Bar, Rechtmäßigkeit Bar, [?] von: Rechtmäßigkeit und Zweckmäßigkeit der Theaterzensur. In: Deutsche Juristen-Zeitung 8, 01.05.1903, 205–208.

Barck, Simone/Bürgel, Tanja/Giel, Volker/Schiller, Dieter/Schlenstedt, Silvia (Hrsg.): Lexikon sozialistischer Literatur. Ihre Geschichte in Deutschland bis 1945. Stuttgart/Weimar 1994.

Barron, Expressionismus Barron, Stephanie (Hrsg.): Expressionismus. Die zweite Generation 1915–1925 (anläßlich der Ausstellung ›Expressionismus. Die zweite Generation 1915–1925‹. Los Angeles und Halle 1988/1989). München 1989.

Barth, Dieter: Zeitschriften für alle. Das Familienblatt im 19. Jahrhundert. München/Regensburg 1974.

Bartl, Andrea u. a. (Hrsg.): ›In Spuren gehen ...‹ Festschrift für Helmut Koopmann. Tübingen 1998.

Bartsch, Hölderlin Bartsch, Kurt: Die Hölderlin-Rezeption im deutschen Expressionismus. Frankfurt/M. 1974.

Bauer, Matthias: Romantheorie. Stuttgart/Weimar 1997.

Bauer, Otto: Die österreichische Revolution. Wien 1923.

Bauer, Panizza Bauer, Michael: Oskar Panizza. Ein literarisches Porträt. München/Wien 1984.

Bauer, Roger: Altes und Neues über die Décadence. In: Literaturwissenschaftliches Jahrbuch 32, 1991, 149–173.

Bauer, Roger u. a. (Hrsg.): Zu Literatur und Kunst der Jahrhundertwende. Frankfurt/M. 1977.

Baumeister, Die Aktion Baumeister, Ursula Walburga: Die Aktion 1911–1932. Publizistische Opposition und literarischer Aktivismus der Zeitschrift im restriktiven Kontext. Erlangen/Jena 1996 (= Erlanger Studien, 107).

Baumgart, Reinhard: Das Ironische und die Ironie in den Werken Thomas Manns. München 1964.

Bauschinger, Lasker-Schüler Bauschinger, Sigrid: Else Lasker-Schüler. Ihr Werk und ihre Zeit. Heidelberg 1980.

Bauschinger, Sigrid (Hrsg.): Ich habe etwas zu sagen. Annette Kolb 1870–1967. Ausstellung der Münchner Stadtbibliothek vom 24.9.–29.10.1993. München 1993.

Bayer, Dorothee: Der triviale Familien- und Liebesroman im 20. Jahrhundert. Tübingen 1971.

Bayerdörfer, Hans-Peter/Conrady, Karl-Otto/Schanze, Helmut (Hrsg.): Literatur und Theater im Wilhelminischen Zeitalter. Tübingen 1978.

Bayerdörfer, Überbrettl Bayerdörfer, Hans-Peter: Überbrettl und Überdrama. Zum Verhältnis von literarischem Kabarett und Experimentierbühne. In: Bayerdörfer, Hans-Peter/Conrady, Karl-Otto/Schanze, Helmut (Hrsg.): Literatur und Theater im Wilhelminischen Zeitalter. Tübingen 1978.

Beaufils, Marcel: Wagner et le Wagnérisme. Paris 1947.

Becker, Sabina: Urbanität und Moderne. Studien zur Großstadtwahrnehmung in der deutschen Literatur 1900–1930. St. Ingbert 1993.

Becker, Telefonieren Becker, Jörg (Hrsg.): Telefonieren. Marburg 1989 (= Blätter für Hessische Volks- und Kulturforschung, 24).

Becker, D.: Zeitungen sind doch das Beste. Bürgerliche Realisten und der Vorabdruck ihrer Werke in der periodischen Literatur. In: Kreuzer, Helmut (Hrsg.): Gestaltungsgeschichte und Gesellschaftsgeschichte. Festschrift für Fritz Martini. Stuttgart 1969, 382–408.

Bedwell, Carol E. B.: The Parallelism of Artistic and Literary Tendencies in Germany 1880–1910. Diss. Bloomington 1962.

Beicken, Kafka Beicken, Peter U.: Franz Kafka. Eine kritische Einführung in die Forschung. Frankfurt/M. 1974.

Beißner, Erzähler Beißner, Friedrich: Der Erzähler Franz Kafka. Frankfurt/M. 1983.

Bendt, Jutta/Schmidgall, Karin (Bearb.): Ricarda Huch, 1864–1947. Ausstellung des Deutschen Literaturarchivs im Schiller-Nationalmuseum Marbach am Neckar. Marbach 1994.

Benjamin, Fuchs Benjamin, Walter: Eduard Fuchs, der Sammler und der Historiker. In: W. B.: Gesammelte Schriften. Unter Mitwirkung von Theodor W. Adorno und Gershom Scholem. Hrsg. v. Rolf Tiedemann und Hermann Schweppenhäuser. Bd. II. Frankfurt/M. 1980, 465–505.

Benjamin, Kafka Benjamin, Walter: Franz Kafka. Zur zehnten Wiederkehr seines Todestages. In: W. B.: Gesammelte Schriften. Hrsg. v. Rolf Tiedemann und Hermann Schweppenhäuser. Bd. II. Frankfurt/M. 1980, 409–438.

Benjamin, Walter: Berliner Kindheit um 1900. In: W. B.: Gesammelte Schriften. Hrsg. v. Tillmann Rexroth. Bd. X. Frankfurt/M. 1980, 235–304.

Benjamin, Walter: Charles Baudelaire. Ein Lyriker im Zeitalter des Hochkapitalismus. In: W. B.: Gesammelte Schriften. Hrsg. v. Rolf Tiedemann und Hermann Schweppenhäuser. Bd. I,2. Frankfurt/M. 1980, 509–690.

Benjamin, Walter: Das Kunstwerk im Zeitalter seiner technischen Reproduzierbarkeit. Frankfurt/M. [5]1975.

Benson, Timothy O.: Raoul Hausmann and Berlin Dada. Ann Arbor/Michigan 1987.

Berg, Christa (Hrsg.): Handbuch der deutschen Bildungsgeschichte. Bd. IV. 1870–1918. Von der Reichsgründung bis zum Ende des Ersten Weltkriegs. München 1991.

Berg, Hubert van den: Dada-Zürich, Anarchismus und Bohème. In: Neophilologus 71, 1987, 575–585.

Berg, Hubert van den: Erich Mühsam. Bibliographie der Literatur zu seinem Leben und Werk. Leiden 1992.

Bergius, Hanne: Das Lachen Dadas. Die Berliner Dadaisten und ihre Aktionen. Gießen 1989.

Bergmann, Joachim: Die Schaubühne – Die Weltbühne 1905 bis 1933. Bibliographie und Register. 3 Bde. München u. a. 1991–1994.

Bergmann, Klaus: Agrarromantik und Großstadtfeindschaft. Meisenheim am Glan 1970.

Bergson, Entwicklung Bergson, Henri: Schöpferische Entwicklung. Jena 1921 (zuerst 1907).

Bering, Die Intellektuellen Bering, Dietz: Die Intellektuellen. Geschichte eines Schimpfwortes. Stuttgart 1978.

Bernfeld, Siegfried: Die neue Jugend und die Frauen. Wien/Leipzig 1914.

Bernhardt, Rüdiger: Die Programmschriften des frühen deutschen Naturalismus. In: Weimarer Beiträge 7, 1982, 5–34.

Bernhardt, Rüdiger: Lessing als literarische Autorität für die Theoretiker des Naturalismus. In: Werner, Hans-Georg (Hrsg.): Bausteine zur einer Wirkungsgeschichte Gotthold Ephraim Lessing. Berlin/Weimar 1984, 286–311.

Bernheimer, Charles: The Splitting of the ›I‹ and the Problem of Narration. Kafka's ›Hochzeitsvorbereitungen auf dem Lande‹. In: Struc, R./Yardley, J. C. (Hrsg.): Franz Kafka (1883–1983). Waterloo/Ontario 1986, 7–24.

Bertonati, Dresdner Sezession Bertonati, Emilio (Hrsg.): Dresdner Sezession 1919–1923. Einf. von Fritz Löffler. Mit ergänzendem Text von Joachim Heusinger von Waldegg. Ausstellungskatalog. Milano/München 1977.

Best, Theorie Best, Otto (Hrsg.): Theorie des Expressionismus. Stuttgart 1976.

Binder, Hartmut (Hrsg.): Prager Profile. Vergessene Autoren im Schatten Kafkas. Berlin 1991.

Binder, Hartmut (Hrsg.): Kafka-Handbuch in zwei Bänden. Stuttgart 1979.

Binder, Polak Binder, Hartmut: Ernst Polak – Literat ohne Werk. Zu den Kaffeehauszirkeln in Prag und Wien. In: Jahrbuch der deutschen Schillergesellschaft 23, 1979, 366–415.

Bisanz, Kaffeehaus Bisanz, Hans: Wiener Kaffeehaus, Kunst und Literatur 1880–1938. In: Brandstätter, Christian/Schweiger, Werner J. (Hrsg.): Das Wiener Kaffeehaus. Wien/München/Zürich 1978, 36–44.

Blaetter Blaetter für die Kunst. Eine Auslese aus den Jahren 1892–98. Berlin 1899.

Blanchot, Kafka Blanchot, Maurice: Von Kafka zu Kafka. Frankfurt/M. 1993.

Blei, Franz: Erzählung eines Lebens. Leipzig 1930.

Bleibtreu, Kampf Bleibtreu, Karl: Der Kampf um's Dasein der Literatur. Leipzig 1888.

Blos, Anna (Hrsg.): Die Frauenfrage im Lichte des Sozialismus. Dresden 1930.

Bludau, Beatrix/Heftrich, Eckhard/Koopmann, Helmut (Hrsg.): Thomas Mann 1875–1975. Frankfurt/M. 1977.

Boberg, Jochen u. a. (Hrsg.): Die Metropole. Industriekultur in Berlin im 20. Jahrhundert. München 1986.

Bock, Hans-Manfred: Bibliographischer Versuch zur Geschichte des Anarchismus und Anarcho-Syndikalismus in Deutschland. In: Pozzoli; Claudio (Hrsg.): Über Karl Korsch. Frankfurt/M. 1973, 293–334 (Jahrbuch Arbeiterbewegung, 1).

Bock, Syndikalismus Bock, Hans-Manfred: Syndikalismus und Linkskommunismus von 1918 bis 1923. Ein Beitrag zur Sozial- und Ideengeschichte der frühen Weimarer Republik. Darmstadt 1993.

Bode, Dietrich (Hrsg.): Reclam. 125 Jahre Universal-Bibliothek 1867–1992. Verlags- und kulturgeschichtliche Aufsätze. Stuttgart 1992.

Böckmann, Paul: Die Bedeutung Nietzsches für die Situation der modernen Literatur. In: DVjs 27, 1953, 77–101.

Bogdal, Klaus-Michael: ›Schaurige Bilder‹: Der Arbeiter im Blick des Bürgers am Beispiel des Naturalismus. Frankfurt/M. 1978.

Bogdal, Mehring Bogdal, Klaus-Michael: Franz Mehring als Literaturkritiker. Das Problem der Konstituierung einer ›marxistischen Spezialdisziplin‹. In: Bogdal, Klaus-Michael/Lindner, Burkhardt/Plumpe, Gerhard (Hrsg.): Arbeitsfeld: Materialistische Literaturtheorie. Beiträge zur Gegenstandsbestimmung. Wiesbaden 1975, 76–118.

Bohnen, Klaus/Hansen, Uffe/Schmöe, Friedrich (Hrsg.): Fin de siècle. Zu Naturwissenschaft und Literatur der Jahrhundertwende im deutsch-skandinavischen Kontext. Vorträge des Kolloquiums am 3.5.–4.5.1984. Kopenhagen/München 1984.

Bollinger, Hans/Magnaguagno, Guido/Meyer, Raimund: Dada in Zürich. Zürich 1985.

Bölsche, Grundlagen der Poesie Bölsche, Wilhelm: Die naturwissenschaftlichen Grundlagen der Poesie. Prolegomena einer realistischen Ästhetik (1887). Mit zeitgenössischen Rezensionen und einer Bibliographie der Schriften Wilhelm Bölsches neu hrsg. von Johannes J. Braakenburg. Tübingen 1976 (Deutsche Texte 40).

Borchmeyer, Dieter: Das Theater Richard Wagners. Idee – Dichtung – Wirkung. Stuttgart 1982.

Borchmeyer, Dieter: Der Mythos als Oper. Hofmannsthal und Richard Wagner. In: Hofmannsthal-Forschungen 7, 1983, 19–66.

Borchmeyer, Dieter: Verdi contra Wagner. Franz Werfels ›Roman der Oper‹. In: Brandstetter, Gabriele (Hrsg.): Ton – Sprache. Komponisten in der deutschen Literatur. Bern/Stuttgart/Wien 1995, 125–142 (= Facetten der Literatur. St. Galler Studien, 5).

Born, Jürgen: Deutschsprachige Literatur aus Prag und den böhmischen Ländern 1900–1925. Chronologische Übersicht und Bibliographie. München u. a. [2]1993.

Born, Jürgen u. a. (Hrsg.): Kafka-Symposion. München 1969.

Born, Reichsgründung Born, Karl Erich: Von der Reichsgründung bis zum Ersten Weltkrieg. München 10 1985 (= Handbuch der deutschen Geschichte (Gebhardt),16).

Böschenstein-Schäfer, Renate: Zeit und Gesellschaftsromane. In: Glaser, Horst-Albert (Hrsg.): Deutsche Literatur. Eine Sozialgeschichte. Bd. VII: Vom Nachmärz zur Gründerzeit: Realismus. 1848–1888. Reinbek 1982, 101–123.

Böttcher, Ibsen Böttcher, Max: Henrik Ibsen. Zur Bühnengeschichte seiner ›Gespenster‹. Frankfurt/M. 1989.

Bourdieu, Instance Bourdieu, Pierre: La dernière instance. In: Le siècle de Kafka. Paris (Centre Georges Pompidou) 1984, 268–270.

Bourdieu, Pierre: Das literarische Feld. In: Pinto, Louis/Schultheis, Franz (Hrsg.): Streifzüge durch das literarische Feld. Konstanz 1997, 33–147.

Bourdieu, Pierre: Les règles de l'art. Genèse et structure du champ littéraire. Paris 1992.

Bourdieu, Pierre: Zur Soziologie der symbolischen Formen. Frankfurt/M. 1974.

Brahm, Ibsen Brahm, Otto: Henrik Ibsen. In: *Friese, Ibsen*, 19–55.

Brand, Guido K.: Werden und Wandlung. Eine Geschichte der deutschen Literatur von 1880 bis heute. Berlin 1933.

Brands, Heinz-Georg: Theorie und Stil des sogenannten ›Konsequenten Naturalismus‹ von Arno Holz und Johannes Schlaf. Kritische Analyse und Versuch einer Neubestimmung. Bonn 1978.

Brauneck, Literatur Brauneck, Manfred: Literatur und Öffentlichkeit im ausgehenden 19. Jahrhundert. Studien zur Rezeption des naturalistischen Theaters in Deutschland. Stuttgart 1974.

Brauneck/Müller, Naturalismus Brauneck, Manfred/Müller, Christine (Hrsg.): Naturalismus. Manifeste und Dokumente zur deutschen Literatur 1880–1900. Stuttgart 1987.

Braungart, Sinn Braungart, Georg: Leibhafter Sinn. Der andere Diskurs der Moderne. Tübingen 1995 (= Studien zur deutschen Literatur, 130).

Bräunlein, Ästhetik Bräunlein, Jürgen: Ästhetik des Telefonierens. Berlin 1997.

Brecht, Realismustheorie Brecht, Bertolt: Über den formalistischen Charakter der Realismustheorie (um 1938). In: B. B.: Gesammelte Werke. Bd. IXX. Frankfurt/M. 1967, 298–307.

Brecht, ⟨Rundfunkgespräch⟩ Brecht, Bertolt: ⟨Kölner Rundfunkgespräch⟩ (1927–1931). In: B. B.: Gesammelte Werke. Bd. XV. Frankfurt/M. 1967, 146–153.

Brecht, Theater Brecht, Bertolt: Über experimentelles Theater (1939). In B. B.: Gesammelte Werke. Bd. XV. Frankfurt/M. 1967, 285–305.

Bredow, Wilfried von/Zurek, Rolf (Hrsg.): Film und Gesellschaft in Deutschland. Dokumente und Materialien. Hamburg 1975.

Breitwieser, Ludwig/Usinger, Fritz/Klippel, Hermann: Die Dachstube. Das Werden des Freundeskreises und seiner Zeitschrift. Darmstadt 1976.

Brenner, Peter J.: Der Reisebericht in der deutschen Literatur. Ein Forschungsüberblick als Vorstudie zu einer Gattungsgeschichte. Tübingen 1990.

Brennicke, Ilona/Hembus, Joe: Klassiker des deutschen Stummfilms 1910–1930. München 1983.

Brentano, Wunderhorn Brentano, Clemens: Des Knaben Wunderhorn. In: C. B.: Sämtliche Werke und Briefe. Hist.-krit. Ausgabe hrsg. von Jürgen Behrens, Wolfgang Frühwald, Detlev Lüders. Bd. VI-VIII: Des Knaben Wunderhorn 1–3. Hrsg. v. Heinz Rölleke. Stuttgart 1975–1977.

Brettschneider, Werner: ›Kindheitsmuster‹. Kindheit als Thema autobiographischer Dichtung. Berlin 1982.

Breuer, Geschichte Breuer, Dieter: Geschichte der literarischen Zensur in Deutschland. Heidelberg 1982.

Breuer, Josef/Freud, Sigmund: Studien über Hysterie. Einleitung von Stavros Mentzos. Frankfurt/M. 1991.

Breuer, Zensurforschung Breuer, Dieter: Stand und Aufgaben der Zensurforschung. In: Göpfert, Herbert G./Weyrauch, Erdmann (Hrsg.): ›Unmoralisch an sich ...‹. Zensur im 18. und 19. Jahrhundert. Wiesbaden 1988, 37–60.

Briefwechsel George-Hofmannsthal Briefwechsel zwischen George und Hofmannsthal. München/Düsseldorf [2]1953.

Brinker-Gabler, Feminismus Brinker-Gabler, Gisela: Feminismus und Moderne. In: Kontroversen, alte und neue. Akten des VII. Internationalen Germanisten-Kongresses. Göttingen 8, 1986, 228–234.

Brinker-Gabler, Gisela: Alterity, Marginality, Difference. In Inventing Places for Women. In: Women in German Yearbook, 8. Nebraska: University of Nebraska Press 1993.

Brinker-Gabler, Gisela: Der leere Spiegel. Nachwort. In: Franziska Gräfin zu Reventlow: Ellen Olestjerne. Frankfurt/M. 1985.

Brinker-Gabler, Gisela: Perspektiven des Übergangs. Weibliches Bewußtsein und frühe Moderne. In: G. B.-G. (Hrsg.): Deutsche Literatur von Frauen. Bd. II: 19. und 20. Jahrhundert. München 1988, 169–205.

Brinker-Gabler, Renaming Brinker-Gabler, Gisela: Renaming the Human. Lou Andreas-Salomé's Project of ›Becoming Woman‹ in the Context of Modernity. In: Seminar. A Journal of Germanic Studies. November 1999. Special Issue on Lou Andreas-Salomé.

Brinkmann, Richard: Expressionismus. Internationale Forschung zu einem internationalen Phänomen. Stuttgart 1980 (= DVjs Sonderband).

Brod, Max: Über Franz Kafka. Frankfurt/M. 1974.

Brooke-Rose, Unreal Brooke-Rose, Christine: A Rhetoric of the Unreal. Studies in narrative structure, especially of the fantastic. Cambridge/London 1981.

Brühl, Walden Brühl, Georg: Herwarth Walden und ›Der Sturm‹. Leipzig 1983.

Brupbacher, Psychologie Brupbacher, Fritz: Die Psychologie des Dekadenten. Zürich/Rüschlikon 1904.

Bry, Carl Christian: Buchreihen. Fortschritt oder Gefahr für den Buchhandel? Gotha 1917.

Bucher, Willi/Pohl, Klaus (Hrsg.): Schock und Schöpfung. Jugendästhetik im 20. Jahrhundert. Darmstadt, Neuwied 1986.

Buck, Mehring Buck, Theo: Franz Mehring. Die Anfänge der materialistischen Literaturbetrachtung in Deutschland. Stuttgart 1973.

Buck-Morss, The Flaneur Buck-Morss, Susan: The Flaneur, the Sandwichman, and the Whore: The Politics of Loitering. In: New German Critique 39, 1986.

Budzinski/Hippen, Kabarett Budzinski, Klaus/Hippen, Reinhard: Metzler Kabarett Lexikon. Stuttgart/Weimar 1996.

Budzinski, Kabarett Budzinski, Klaus: Das Kabarett. Zeitkritik – gesprochen, gesungen, gespielt – von der Jahrhundertwende bis heute. Düsseldorf 1985.

Büchner, Kraft Büchner, Ludwig: Kraft und Stoff. Empirisch-naturwissenschaftliche Studien in allgemeinverständlicher Darstellung. Frankfurt/M. [3]1856.

Bürger, Christa/Bürger, Peter/Schulte-Sasse, Jochen (Hrsg.): Naturalismus, Ästhetizismus. Frankfurt/M. 1979.

Bürger, Avantgarde Bürger, Peter: Theorie der Avantgarde. Frankfurt/M. 1974.

Bütow, Thomas: Der Konflikt zwischen Revolution und Pazifismus im Werk Ernst Tollers. Hamburg 1975.

Canetti, Kafka Canetti, Elias: Der andere Prozeß. Kafkas Briefe an Felice. München 1969.

Canz, Flucht Canz, Sigrid: Flucht über die ›grüne Grenze‹ in das Caféhaus als ›Wartesaal der Emigration‹. In: Becher, Peter/Canz, Sigrid (Katalogbearb.): Drehscheibe Prag/Staging Point Prague. Deutsche Emigranten/German exiles 1933–1939. Ausstellung des Adalbert Stifter Vereins, München. München 1989, 27–32.

Carco, Francis: La Bohème et mon cœur. Paris 1912.

Cassou, Jean/Langui, Emil/Pevsner, Nikolaus: Durchbruch zum 20. Jahrhundert. Kunst und Kultur der Jahrhundertwende. München 1962.

Cast, Vererbung Cast, Gottlob: Das Motiv der Vererbung im deutschen Drama des 19. Jahrhunderts. Madison 1932.

Castan, Skladanowsky Castan, Joachim: Max Skladanowsky oder der Beginn einer deutschen Filmgeschichte. Stuttgart 1995.

Cersowsky, Phantastische Literatur Cersowsky, Peter: Phantastische Literatur im ersten Viertel des 20. Jahrhunderts. Untersuchungen zum Strukturwandel des Genres, seinen geistesgeschichtlichen Voraussetzungen und zur Tradition der ›schwarzen Romantik‹ insbesondere bei Gustav Meyrink, Alfred Kubin und Franz Kafka. München 1983.

Chardère, Le roman Chardère, Bernard: Le roman des Lumière. Le cinéma sur le vif. Paris 1995.

Charle, Naissance Charle, Christophe: Naissance des ›intellectuels‹ (1880–1900). Paris 1990.

Châteauvert, Kino Châteauvert, Jean: Das Kino im Stimmbruch. In: Kintop. Aufführungsgeschichten. Jahrbuch zur Erforschung des frühen Films 5, 1996, 81–95.

Ciré/Ochs, Zeitschrift Ciré, Annette/Ochs, Haila (Hrsg.): Die Zeitschrift als Manifest. Aufsätze zu architektonischen Strömungen im 20. Jahrhundert. Basel/Berlin/Boston 1991.

Coeuroy, André: Wagner et l'esprit romantique. Paris 1965.

Cohn, K. enters Cohn, Dorrit: K. enters the Castle: on change of the person in Kafka's manuscript. In: Euphorion 62, 1968, 28–45.

Conrad, Michael Georg: Von Emile Zola bis Gerhart Hauptmann. Erinnerung zur Geschichte der Moderne. Leipzig 1922.

Conrad, Übermensch Conrad, Michael Georg: Der Übermensch in der Politik. Betrachtungen über die Reichs-Zustände am Ausgang des Jahrhunderts. Stuttgart 1895.

Corino, Ödipus Corino, Karl: Ödipus oder Orest? Robert Musil und die Psychoanalyse. In: Bauer, Uwe/Goltschnigg, Dietmar (Hrsg.): Vom ›Törleß‹ zum ›Mann ohne Eigenschaften‹. München/Salzburg 1973, 123–235 (= Musil-Studien, 4).

Cremerius, Freud Cremerius, Johannes: Freud und die Dichter. Freiburg i. Br. 1995.

Croll, Gerhard (Hrsg.): Richard Wagner 1883–1983. Die Rezeption im 19. und 20. Jahrhundert. Stuttgart 1984 (= Stuttgarter Arbeiten zur Germanistik).

Cunow, Heinrich: Politische Kaffeehäuser. Pariser Silhouetten aus der großen Französischen Revolution. Berlin 1925.

Czucka, Eckehard: Idiom der Entstellung. Auffaltung des Satirischen in Carl Sternheims ›Aus dem bürgerlichen Heldenleben‹. Münster 1982.

Dahlhaus, Konzeption Dahlhaus, Carl: Wagners Konzeption des musikalischen Dramas (1971). München 1990.

Daiber, Vor Deutschland Daiber, Hans: Vor Deutschland wird gewarnt. 17 exemplarische Lebensläufe. Gütersloh 1967.

Daus, Ronald: Zola und der französische Naturalismus. Stuttgart 1976.

Dauthendey, Max: Gedankengut aus meinen Wanderjahren. 2 Bde. München 1913.

De Kay, Charles: The Bohemian. A Tragedy of Modern Life. New York 1878.

Deleuze/Guattari, Anti-Ödipus Deleuze, Gilles/Guattari, Félix: Anti-Ödipus. Kapitalismus und Schizophrenie I. Frankfurt/M. 1979.

Deleuze/Guattari, Kafka Deleuze, Gilles/Guattari, Félix: Kafka. Für eine kleine Literatur. Frankfurt/M. 1976.

Deleuze/Guattari, Tausend Plateaus Deleuze, Gilles/Guattari, Félix: Tausend Plateaus. Kapitalismus und Schizophrenie 2. Berlin 1992.

Delvau, Alfred: Henry Murger et la bohème. Paris 1866.

Delvau, Alfred: Histoire Anecdotique des Cafés & Cabarets de Paris. Paris 1862.

Demetz, Worte Demetz, Peter: Worte in Freiheit. Der italienische Futurismus und die deutsche literarische Avantgarde (1912–1934). München/Zürich 1990, 172–178.

Denkler, Horst: Drama des Expressionismus. Programm, Spieltext, Theater. München 1967.

Deréky, Pal: Ungarische Avantgarde-Dichtung in Wien 1920–1926. Ihre zeitgenössische literaturkritische Rezeption in Ungarn sowie in der ungarischen Presse Österreichs, Rumäniens, Jugoslawiens und der Tschechoslowakei. Wien/Köln/Weimar 1991.

Derrida, Préjugés Derrida, Jacques: Préjugés. In: Bolz, Norbert/Hübner, W. (Hrsg.): Spiegel und Gleichnis. Festschrift für Jakob Taubes. Würzburg 1983, 343–366.

Dierks, Manfred: Der Wahn und die Träume in ›Der Tod in Venedig‹. Thomas Manns folgenreiche Freudlektüre im Jahre 1911. In: Psyche 44, 1990, 240–26.

Dierks, Manfred: Thomas Mann und die Tiefenpsychologie. In: Koopmann, Helmut (Hrsg.): Thomas-Mann-Handbuch. Stuttgart 1989, 284–300.

Dierks, Psychoanalytischer Priester Dierks, Manfred: Thomas Manns psychoanalytischer Priester. Die Rolle der Psychoanalyse im ›Zauberberg‹. In: Großklaus, Götz

(Hrsg.): Geistesgeschichtliche Perspektiven. Rückblick – Augenblick – Ausblick. Festgabe für Rudolf Fahrner zu seinem 65. Geburtstag am 30. Dezember 1968. Bonn 1969, 226–240.

Diersch, Manfred: Empiriokritizismus und Impressionismus. Über Beziehungen zwischen Philosophie, Ästhetik und Literatur um 1900 in Wien. Berlin 1973.

Dietzel/Hügel, Zeitschriften Dietzel, Thomas/Hügel, Otto: Deutsche Literarische Zeitschriften 1880–1945. Ein Repertorium. München u. a. 1988.

Dilthey, Wilhelm: Einleitung in die Geisteswissenschaften. Versuch einer Grundlegung für das Studium der Gesellschaft und der Geschichte (1883). In: W. D. : Gesammelte Schriften. Bd. I. Stuttgart 1959.

Dimpfl, Organisation Dimpfl, Monika: ›Der Kunstwart‹, ›Freie Bühne/Neue Deutsche Rundschau‹ und ›Blätter für die Kunst‹: Organisation literarischer Öffentlichkeit um 1900. In: D., M./Jäger, Georg (Hrsg.): Zur Sozialgeschichte der deutschen Literatur im 19. Jahrhundert. Tübingen 1990, 116–197.

Döhl, Reinhard: Das literarische Werk Hans Arps 1903–1930. Zur poetischen Vorstellungswelt des Dadaismus. Stuttgart 1967.

Donahne, Neil H.: Forms of disruption. Abstraction in modern German prose. Ann Arbor 1993.

Donzelot, Ordnung Donzelot, Jacqes: Die Ordnung der Familie. Frankfurt/M. 1980.

Doppler, Alfred: Mann und Frau im Wien der Jahrhundertwende. Die Darstellungsperspektive in den Dramen und Erzählungen Arthur Schnitzlers. In: A. D.: Geschichte im Spiegel der Literatur. Aufsätze zur Literatur des 19. und 20. Jahrhunderts. Innsbruck 1990, 95–109.

Doppler, Bernhard: Katholische Literatur und Literaturpolitik. Enrica von Handel-Mazzetti. Königstein/Ts. 1980.

Dorgelès, Roland: Quand j'étais Montmartrois. Paris 1936.

Dosenheimer, Soziales Drama Dosenheimer, Elise: Das deutsche soziale Drama von Lessing bis Sternheim. Darmstadt 1974.

Dove, Toller Dove, Richard: Ernst Toller. Ein Leben für Deutschland. Aus dem Englischen von Marcel Hartges. Göttingen 1993.

Drost, Wolfgang (Hrsg.): Fortschrittsglaube und Dekadenzbewußtsein im Europa des 19. Jahrhunderts. Literatur – Kunst – Kulturgeschichte. Heidelberg 1986.

Druvius, Ute: Oskar Kanehl. Ein politischer Lyriker der expressionistischen Generation. Bonn 1977.

Duclert, Dreyfus Duclert, Vincent: Die Dreyfus-Affäre. Militärwahn, Republikfeindschaft, Judenhaß. Aus dem Franz. von Ulla Biesenkamp. Berlin 1994.

Durzak, Epigonenlyrik Durzak, Manfred: Epigonenlyrik. Zur Dichtung des George-Kreises. In: Jahrbuch der deutschen Schillergesellschaft. 13, 1969, 482–529.

Easton, Malcom: Artists and Writers in Paris. The Bohemian Idea, 1803–1869. London 1964.

Ebrecht, Angelika: Das individuelle Ganze. Zum Psychologismus der Lebensphilosophie. Stuttgart 1991.

Edler, Erich: Die Anfänge des sozialen Romans und der sozialen Novelle in Deutschland. Frankfurt/M. 1977 (= Studien zur Philosophie und Literatur des neunzehnten Jahrhunderts der Fritz Thyssen Stiftung, 34).

Eibl, Karl: Kommentar. In: K. E. (Hrsg.): Robert Musil: Drei Frauen. Text, Materialien, Kommentar. München 1978, 95–158.

Eisele, Struktur Eisele, Ulf: Die Struktur des modernen Romans. Tübingen 1984.

Eisenhauer, Gregor: Der Literat. Franz Blei – Ein biographischer Essay. Tübingen 1993.

Elias, Norbert: Studien über die Deutschen. Machtkämpfe und Habitusentwicklung im 19. und 20. Jahrhundert. Hrsg. v. Nichael Schröter. Frankfurt/M. 1989.

Elias, Prozeß Elias, Norbert: Über den Prozeß der Zivilisation. 2 Bde. Frankfurt/M. 1976.

Elm, Hermeneutik Elm, Theo: Problematisierte Hermeneutik. Zur ›Uneigentlichkeit‹ in Kafkas kleiner Prosa. In: DVjs 50, 1976, 477–510.

Elsaesser, Second Life Elsaesser, Thomas/Wedel, Michael (Hrsg.): A Second Life. German Cinema's First Decades. Amsterdam 1996.

Emmel, Hildegard: Symbolismus. In: Kanzog, Klaus/Masser, Achim (Hrsg.): .Reallexikon der deutschen Literaturgeschichte. Bd. IV. Berlin/New York [2]1979, 333–344 .

Emrich, Holz Emrich, Wilhelm: Arno Holz und die moderne Kunst. In: W. E.: Protest und Verheißung. Studien zur klassischen und modernen Dichtung. Frankfurt/M./ Bonn 1960, 155–168.

Emrich, Wilhelm: Franz Kafka. Frankfurt/M. 1958.

Engelmann, Öffentlichkeit Engelmann, Roger: Öffentlichkeit und Zensur. Literatur und Theater als Provokation. In: Prinz, Friedrich/Krauss, Marita (Hrsg.): München – Musenstadt mit Hinterhöfen. Die Prinzregentenzeit 1886–1912. München 1988, 267–276, 360–362.

Erdmann, Gustav (Hrsg.): Gerhart Hauptmann. Neue Akzente – neue Aspekte. Berlin 1992.

Erlhoff, Michael: Raoul Hausmann, Dadasoph. Versuch einer Politisierung der Ästhetik. Hannover 1982.

Ernst, Paul: Bemerkungen über mein Leben. Chemnitz 1922.

Ernst, Paul: Zur Technik der Novelle (1901/02). In: P. E.: Der Weg zur Form. Ästhetische Abhandlungen, vornehmlich zur Tragödie und Novelle. Berlin 1906, 53–62.

Eulner, Entwicklung Eulner, Hans-Heinz: Die Entwicklung der medizinischen Spezialfächer an den Universitäten des deutschen Sprachgebiets. Stuttgart 1970 (= Studien zur Medizingeschichte des neunzehnten Jahrhunderts, 4).

Eykman, Christoph: Denk- und Stilformen des Expressionismus. München 1974.

Faber, Richard: Abendland. Ein politischer Kampfbegriff. Hildesheim 1979.

Fähnders, Anarchismus Fähnders, Walter: Anarchismus und Literatur. Ein vergessenes Kapitel deutscher Literaturgeschichte zwischen 1890 und 1910. Stuttgart 1987.

Fähnders/Rector, im Klassenkampf Fähnders, Walter/Rector, Martin (Hrsg.): Literatur im Klassenkampf. Zur proletarisch-revolutionären Literaturtheorie 1919–1923. Eine Dokumentation. München 1971.

Falk, Walter: Der kollektive Traum vom Krieg. Epochale Strukturen der deutschen Literatur zwischen ›Naturalismus‹ und ›Expressionismus‹. Heidelberg 1977.

Faure, Ulrich: Im Knotenpunkt des Weltverkehrs. Herzfelde, Heartfield, Grosz und der Malik-Verlag 1916–1947. Berlin/Weimar 1992.

Fechner, Frank: Thomas Mann und die Demokratie. Wandel und Kontinuität der demokratierelevanten Äußerungen des Schriftstellers. Berlin 1990.

Fertig, Ludwig: Vor-Leben. Bekenntnis und Erziehung bei Thomas Mann. Darmstadt 1994.

Fiala-Fürst, Ingeborg: Der Beitrag der Prager deutschen Literatur zum deutschen literarischen Expressionismus. Relevante Topoi ausgewählter Werke. St. Ingbert 1996 (= Beiträge zur Robert-Musil-Forschung und zur neueren österreichischen Literatur, 9).

Fick, Sinnenwelt Weltseele Fick, Monika: Sinnenwelt und Weltseele. Der psychophysische Monismus in der Literatur der Jahrhundertwende. Tübingen 1993 (= Studien zur deutschen Literatur, 125).

Fiedler, L. M./Heuer, R./Taeger-Altenhofer, A. (Hrsg.): Gustav Landauer (1870–1919). Eine Bestandsaufnahme seines Werkes. Frankfurt/M./New York 1995.

Finck, Adrien/Ritter, Alexander/Staiber, Maryse: René Schickele aus neuer Sicht. Beiträge zur deutsch-französischen Kultur. Hildeheim u. a. 1991.

Fischer, Alfred M. (Ausstellung und Katalogbearb.): Die Aktion. Sprachrohr der expressionistischen Kunst. Sammlung Dr. Kurt Hirche. Katalog zur Ausstellung Bonn, Städt. Kunstmuseum im Haus der Redoute, Bonn-Bad Godesberg, 7. Dezember 1984–13. Januar 1985. Köln 1984.

Fischer, Fin de siècle Fischer, Jens Malte: Fin de siècle. Kommentar zu einer Epoche. München 1978.

Fischer/Haefs, Hirnwelten Fischer, Ernst/Haefs, Wilhelm (Hrsg.): Hirnwelten funkeln. Literatur des Expressionismus in Wien. Salzburg 1988.

Fischer, Kommunikationssystem Fischer, Heinz-Dietrich: Die Zeitschrift im Kommunikationssystem. In: H.-D. F. (Hrsg.): Deutsche Zeitschriften des 17. bis 20. Jahrhunderts. Pullach bei München 1973, 11–27.

Fischer, Peter: Alfred Wolfenstein. Der Expressionismus und die verendende Kunst. München 1968.

Fischer, Schutzverband Fischer, Ernst: Der Schutzverband deutscher Schriftsteller 1909–1933. In: Archiv für Geschichte des Buchwesens 21, 1980, 1–666.

Fischer/Thomsen, Phantastik Fischer, Jens Malte/Thomsen, Christian W. (Hrsg.): Phantastik in Literatur und Kunst, Darmstadt 1980.

Flach, Jakob: Ascona. Gestern und Heute. Zürich/Stuttgart 1960.

Flichy, Tele Flichy, Patrice: Tele. Geschichte der modernen Kommunikation. Frankfurt/M./New York 1994.

Foucault, Sexualität Foucault, Michel: Sexualität und Wahrheit. Der Wille zum Wissen. Frankfurt/M. 1977.

Foucault, Überwachen Foucault, Michel: Überwachen und Strafen. Die Geburt des Gefängnisses. Frankfurt/M. 1977.

Frank, Manfred: Kaltes Herz. Unendliche Fahrt. Neue Mythologie. Motiv-Untersuchungen zur Pathogenese der Moderne. Frankfurt/M. 1989.

FrauenKunstGeschichte-Forschungsgruppe Marburg (Hrsg.): Feministische Bibliografie zur Frauenforschung in der Kunstgeschichte. Pfaffenweiler 1993.

Friedmann, Hermann (Hrsg.): Expressionismus. Gestalten einer literarischen Bewegung. Heidelberg 1956.

Friese, Ibsen Friese, Wilhelm (Hrsg.): Ibsen auf der deutschen Bühne. Texte zur Rezeption. Tübingen 1976.

Frisby, David: Fragmente der Moderne. Georg Simmel, Siegfried Kracauer, Walter Benjamin. Rheda/Wiedenbrück 1989.

Frodl, Hermann: Die deutsche Dekadenzdichtung der Jahrhundertwende. Wurzeln, Entfaltung, Wirkung. Diss. Wien 1963.

Froehlich, Jürgen: Liebe im Expressionismus. Eine Untersuchung der Lyrik in den Zeitschriften ›Die Aktion‹ und ›Der Sturm‹ von 1910–1914. New York u. a. 1990 (= Studies in Modern German Literature, 38).

Fromm, Sozialpsychologie Fromm,Erich: Analytische Sozialpsychologie und Gesellschaftstheorie. Frankfurt/M. 1982.

Frühwald, Milieu und Stilparodie Frühwald, Wolfgang: ›Der christliche Jüngling im Kunstladen‹. Milieu- und Stilparodie in Thomas Manns Erzählung ›Gladius Dei‹. In: Schnitzler, Günter (Hrsg.): Bild und Gedanke. Festschrift für Gerhart Baumann. München 1980, 324–342.

Frühwald, Wolfgang: Sechs Thesen zu Karl Kraus' ›Dritter Walpurgisnacht‹. In: Institut für Österreichkunde (Hrsg.): Interpretationen zur österreichischen Literatur. Wien 1971, 111–132.

Fuchs, Eduard: Der Weltkrieg in der Karikatur. Bd. I. Bis zum Vorabend des Weltkrieges. München o.J.

Fuchs, Stefan F.: Dekadenz. Versuch zur ästhetischen Negativität im industriellen Zeitalter anhand von Texten aus dem französischen und englischen Fin de siècle. Heidelberg 1992.

Fülberth, Proletarische Partei Fülberth, Georg: Proletarische Partei und bürgerliche Literatur. Auseinandersetzungen in der deutschen Sozialdemokratie der II. Internationale über Möglichkeiten und Grenzen einer sozialistischen Literaturpolitik. Neuwied/Berlin 1972 (= collection alternative, 4).

Fülleborn, Deutsche Prosagedichte Fülleborn, Ulrich (Hrsg.): Deutsche Prosagedichte vom 18. Jahrhundert bis zur letzten Jahrhundertwende. Eine Textsammlung. München 1985.

Fülleborn, Prosagedicht Fülleborn, Ulrich: Das deutsche Prosagedicht. Zu Theorie und Geschichte einer Gattung. München 1970 .

Füllner, Karin: Richard Huelsenbeck. Texte und Aktionen eines Dadaisten. Heidelberg 1983 (= Reihe Siegen, 48).

Füssel, Gladius Dei Füssel, Stephan: Thomas Manns ›Gladius Dei‹ (1902) und die Zensurdebatte der Kaiserzeit. In: Hahn, Gerhard/Weber, Ernst (Hrsg.): Zwischen den Wissenschaften. Beiträge zur deutschen Literaturgeschichte. Bernhard Gajek zum 65. Geburtstag. Regensburg 1994, 427–436.

Füssel, Göschen & Seume Füssel, Stephan: Göschen & Seume. In: Jörg Drews: Johann Gottfried Seume. Katalog. Bielefeld 1991, 52–61.

Füssel, Preisbindung Füssel, Stephan: Die Preisbindung für Bücher aus kulturhistorischer Sicht. In: Die Buchpreisbindung aus europa-rechtlicher, ökonomischer und kulturhistorischer Sicht. Frankfurt/M. 1997, 89–102.

Furness, Raymond: Wagner and Literature. Manchester University Press 1982.

Gautier, Théophile: Souvenirs Romantiques. Introduction et Notes par Adolphe Boschot. Paris 1929.

Gay, Peter: Die zarte Leidenschaft. Liebe im bürgerlichen Zeitalter. München 1987.

Gebhard, Walter: ›Der Zusammenhang der Dinge‹. Weltgleichnis und Naturverklärung im Totalitätsbewußtsein des 19. Jahrhundert. Tübingen 1984.

Gehrke, Manfred: Probleme der Epochenkonstituierung des Expressionismus. Diskussion von Thesen zur epochenspezifischen Qualität des Utopischen. Frankfurt/M. u. a. 1990.

Gerhard, Marlis: Franziska zu Reventlow. In: Schulz, Hans-Jürgen (Hrsg.): Frauen. Porträts aus zwei Jahrhunderten. Stuttgart 1981, 226–243.

Gerhardt, Volker: Pathos und Distanz. Studien zur Philosophie Friedrich Nietzsches. Stuttgart 1988.

Gerhardt, Volker: Selbstbegründung. Nietzsches Moral der Individualität. In: Nietzsche-Studien 21, 1992, 28–41.

Gestrich, A./Knoch, P./Merkel, H. (Hrsg.): Biographie – sozialgeschichtlich. Göttingen 1988.

Glaser, Literatur Glaser, Horst-Albert (Hrsg.): Deutsche Literatur. Eine Sozialgeschichte. Bd. VII: Vom Nachmärz zur Gründerzeit: Realismus. 1848–1888. Reinbek 1982

Glaser, Rührstück Glaser, Horst Albert: Das bürgerliche Rührstück. Analekten zum Zusammenhang von Sentimentalität und Autorität in der trivialen Dramatik Schröders, Ifflands, Kotzebues und anderer Autoren am Ende des 18. Jahrhunderts. Stuttgart 1969.

Glaubrecht, Martin: Studien zum Frühwerk Leonhard Franks. Bonn 1965.

Gnüg, Hiltrud/Möhrmann, Renate: Frauen Literatur Geschichte. Stuttgart/Weimar ²1998.

Göbel, Lektoren Göbel, Wolfram: Lektoren als geistige Geburtshelfer. In: Gutenberg-Jahrbuch 1986, 271–280.

Göbel, Wolff Verlag Göbel, Wolfram: Der Kurt Wolff Verlag 1913–1930. Expressionismus als verlegerische Aufgabe. Mit einer Bibliographie des Kurt Wolff Verlages und der ihm angeschlossenen Unternehmen 1910–1930. Frankfurt/M. 1977 (= Sonderdruck aus Archiv für Geschichte des Buchwesens 15/16, 1976/77).

Godé, Schickele Godé, Maurice: René Schickeles Pazifismus in den »Weißen Blättern«. In: Elsässer, Europäer, Pazifist: Studien zu René Schickele. Hrsg. v. Adrien Finck und Maryse Staiber. Kehl/Strasbourg/Basel 1984, 59–93

Goldbaum, Theaterrecht Goldbaum, W.: Theaterrecht. Berlin 1914.

Goltschnigg, Dietmar (Hrsg:) Materialien zur Rezeptions- und Wirkungsgeschichte Georg Büchners. Kronberg/Ts. 1974.

Götte, Jürgen-Wolfgang (Hrsg.): Expressionismus. Texte zum Selbstverständnis und zur Kritik. Frankfurt/M. u. a. 1976.

Grant, Alyth F.: From ›Halbtier‹ to ›Übermensch‹: Helene Böhlau's Iconoclastic Reversal of Cultural Images. In: Women in German Year Book, 11. Nebraska: University of Nebraska Press, 1995, 131–150.

Greis, Drama Liebe Greis, Jutta: Drama Liebe. Zur Entwicklungsgeschichte der modernen Liebe im Drama des 18. Jahrhunderts. Stuttgart 1991.

Greissinger, Hermann: ›In die vierte Existenz vielleicht‹. Konzeption von ›Leben‹ und ›Nicht-Leben‹ im Werk von Jakob Wassermann und in den Erzähltexten der Frühen Moderne. Eine semiotisch-strukturale Werk- und Epochenanalyse. Bern 1986.

Grena, César: Bohemian versus Bourgeois. French Society and the French Man of Letters in the Nineteenth Century. London 1964 .

Greve, Ludwig u. a. (Hrsg.): Die Schriftsteller und der Stummfilm. Marbach 1976.

Greve/Volke, Jugend Greve, Ludwig/Volke, Werner (Ausstellung und Katalogbearb.): Jugend in Wien. Literatur um 1900. Eine Ausstellung des Deutschen Literaturarchivs im Schiller-Nationalmuseum Marbach am Neckar. Marbach 1974.

Grimm, Jürgen: Guillaume Appolinaire. München 1992.

Grimminger, Rolf/Murasow, Jurij/Stückrath, Jörn (Hrsg.): Europäische Literatur im 19. und 20. Jahrhundert. Reinbek 1995.

Gropp, Andreas-Salomé Gropp, Rose-Maria: Lou Andreas-Salomé mit Sigmund Freud. Grenzgänge zwischen Literatur und Psychoanalyse. Weinheim/Basel 1988.

Groß, Wolfgang: Gedicht- und Bildstrukturen in Dichtung und Malerei des beginnenden 20. Jahrhunderts. Diss. Köln 1965.

Grothe, Neue Rundschau Grothe, Wolfgang: Die Neue Rundschau des Verlages S. Fischer. Ein Beitrag zur Publizistik und Literaturgeschichte der Jahre 1890 bis 1925. In: Archiv für Geschichte des Buchwesens 4, 1963, 809–996.

Grötzinger, Zeit-Echo Grötzinger, Vera: Der Erste Weltkrieg im Widerhall des ›Zeit-Echo‹ (1914–1917). Zum Wandel im Selbstverständnis einer künstlerisch-politischen Literaturzeitschrift. Bern u. a. (= Berliner Studien zur Germanistik, 4).

Gumbrecht, Modern Gumbrecht, Hans Ulrich: Modern, Modernität, Moderne. In: Brunner, Otto/Conze, Werner/Koselleck, Reinhart (Hrsg.): Geschichtliche Grundbegriffe. Historisches Lexikon zur politisch-sozialen Sprache in Deutschland. Bd. IV. Stuttgart 1978, 93–131

Gumppenberg, Hanns von: Lebenserinnerungen. Aus dem Nachlass des Dichters. Berlin 1929.

Günther, Gruppenbildung Günther, Katharina: Literarische Gruppenbildung innerhalb des Berliner Naturalismus. Bonn 1972.

Güttinger, Kino Güttinger, Felix (Hrsg.): Kein Tag ohne Kino. Schriftsteller über den Stummfilm. Eine Textsammlung. Frankfurt/M. 1984.

Haacke, Wilmont: Handbuch des Feuilletons. Bd. I. Emsdetten 1951.

Habereder, Hiller Habereder, Juliane: Kurt Hiller und der literarische Aktivismus. Zur Geistesgeschichte des politischen Dichters im frühen 20. Jahrhundert. Frankfurt/M./Bern 1981.

Haberland, Detlef (Hrsg.): ›Die Großstadt rauscht gespenstisch fern und nah ...‹ Literarischer Expressionismus zwischen Neisse und Berlin. Berlin 1995.

Habermas, Heine Habermas, Jürgen: Heinrich Heine und die Rolle des Intellektuellen in Deutschland. In: Merkur 40/6, 1985, 453–468.

Hädicke, Wolfgang: Poeten und Maschinen. deutsche Dichter als Zeugen der Industrialisierung. München/Wien 1993.

Haefs, Nachexpressionimus Haefs, Wilhelm: Nachexpressionismus. Zur literarischen Situation um 1920. In: Gajek, Bernhard/Schmitz, Walter (Hrsg.): Georg Britting (1891–1964). Vorträge des Regensburger Kolloquiums 1991. Frankfurt/M. u. a./Regensburg 1993, 74–98.

Haefs, Wilhelm: ›Die Sichel‹. Profil einer spätexpressionistischen Zeitschrift (1919–

1921). In: Schmitz, Walter/Schneidler, Herbert (Hrsg.): Expressionismus in Regensburg. Texte und Studien. Regensburg 1991, 105–134.

Hähnel, Klaus-Dieter: Rainer Maria Rilke. Werk – Literaturgeschichte – Kunstanschauung. Berlin/Weimar 1984.

Hajek, Edelgard: Literarischer Jugendstil. Vergleichende Studien zur Dichtung und Malerei um 1900. Düsseldorf 1971.

Halbe, Max: Jahrhundertwende. Geschichte meines Lebens. 1893–1914. Danzig 1935.

Halbey, Hans Adolf: Der Erich Reiss Verlag 1908–1936. Versuch eines Porträts. Mit einer Übersicht über die Verlagsproduktion. In: Archiv für Geschichte des Buchwesens 21, 1980, 1127–1256.

Halliday, John D.: Karl Kraus, Franz Pfemfert and the First World War. A comparative study of ›Die Fackel‹ and ›Die Aktion‹ between 1911 and 1928. Passau 1986.

Halter, Martin: Sklaven der Arbeit – Ritter vom Geiste. Arbeit und Arbeiter im deutschen Sozialroman zwischen 1840 und 1880. Frankfurt/M. 1982 (= Europäische Hochschulschriften, I/625).

Hamann, Richard/Hermand, Jost: Impressionismus. Berlin 1960.

Hammer, Karl: Deutsche Kriegstheologie 1870–1918. München 1971.

Hanstein, Deutschland Hanstein, Adalbert von: Das jüngste Deutschland. Zwei Jahrzehnte miterlebter Literaturgeschichte. Leipzig ^{2}1901 (1. Aufl. 1900).

Hansen, Volkmar: Thomas Mann. Stuttgart 1984.

Hardy, William: Jugendstil. Die ästhetische Kunstrichtung. Hamburg 1990.

Harms, Rudolf: Philosophie des Films. Seine ästhetischen und metaphysischen Grundlagen. Leipzig 1926.

Hartmann, Eduard: Die Weltanschauung der modernen Physik. Bad Sachsa 1909.

Hartmann, Nietzsche Hartmann, Eduard von: Nietzsches ›neue Moral‹. In: E.v.H.: Ethische Studien. Leipzig 1898, 34–69.

Hartogs, René: Die Theorie des Dramas im deutschen Naturalismus. Diss. Frankfurt/M. 1931.

Haß, Ulrike: Militante Pastorale. Zur Literatur der antimodernen Bewegungen im frühen 20. Jahrhundert. München 1993.

Hasubek, Peter: Der Zeitroman. Ein Romantypus des 19. Jahrhunderts. In: Zs. f. dt. Philologie 87, 1968, 218–245.

Haug, Wolfgang: Das ›Phänomen Pfemfert‹ – eine biographische Skizze. In: Pfemfert, Franz: Ich setze diese Zeitschrift wider diese Zeit. Sozialpolitische und literaturkritische Texte. Hrsg. v. Wolfgang Haug. Darmstadt u. a. 1985, 7–62.

Haumann, Kornfeld Haumann, Wilhelm: Paul Kornfeld. Leben – Werk – Wirkung. Würzburg 1996.

Haupt, Jürgen: Heinrich Mann. Stuttgart 1980.

Hauptmann, Carl: Aus meinem Tagebuch. Berlin 1900.

Hausen, Polarisierung Hausen, Karin: Die Polarisierung der ›Geschlechtscharaktere‹. Eine Spiegelung der Dissoziation von Erwerbs- und Familienleben. In: Rodenbaum, H. (Hrsg.): Seminar: Familie und Gesellschaftsstruktur. Materialien zu den sozioökonomischen Bedingungen von Familienformen. Frankfurt/M. 1978, 161–191.

Heering, Kaffeehaus Heering, Kurt-Jürgen (Hrsg.): Das Wiener Kaffeehaus. Mit zahlreichen Abbildungen und Hinweisen auf Wiener Kaffeehäuser. Frankfurt/M./Leipzig 1993.

Heidelberger, Michael: Die innere Seite der Natur. Gustav Theodor Fechners wissenschaftlich-philosophische Weltauffassung. Frankfurt/M. 1993.

Heindl, Theaterzensur Heindl, Robert: Geschichte, Zweckmäßigkeit und rechtliche Grundlagen der Theaterzensur. München 1907.

Heinrich-Jost, Kladderadatsch Heinrich-Jost, Ingrid: Kladderadatsch. Die Geschichte eines Berliner Witzblattes von 1848 bis ins Dritte Reich. Köln 1982.

Heise, Kaffee Heise, Ulla: Kaffee und Kaffeehaus. Eine Kulturgeschichte. Leipzig 1987.

Heller, Heinz B.: Literarische Intelligenz und Film. Zur Veränderung der ästhetischen Theorie und Praxis unter dem Eindruck des Films 1910–1930 in Deutschland. Tübingen 1985.

Hellge, Wilhelm Friedrich Hellge, Manfred: Der Verleger Wilhelm Friedrich und das ›Magazin für die Literatur des In- und Auslandes‹. In: Archiv für die Geschichte des Buchwesens16, 1976, 791–1216.

Helmes, Günter: Studien zur Poetik des deutschsprachigen naturalistischen Romans. Habil. Paderborn 1995.

Helmes, Innere Kolonisation Helmes, Günter: Innere Kolonisation und Kultur(en)-kampf. Annie Bocks Roman ›Der Zug nach dem Osten‹ (1898) und die kontinentale Germanisierungspolitik des Deutschen Kaiserreichs: In: LiLi 24, 1994, H. 95, 10–29. Wieder in: Feindt, Hendrik (Hrsg.): Studien zur Kulturgeschichte des deutschen Polenbildes 1848–1939. Wiesbaden 1995, 82–102 (= Veröffentlichungen des Deutschen Polen-Instituts Darmstadt, 9).

Helmes, Kretzer Helmes, Günter: Max Kretzer: ›Meister Timpe‹. In: DU 40/2, 1988, 51–63.

Helmes, Müller Helmes, Günter: Robert Müller. Themen und Tendenzen seiner publizistischen Schriften. Frankfurt/M. 1986.

Henel, Deutbarkeit Henel, Ingeborg: Die Deutbarkeit von Kafkas Werken. In: Zs. f. dt. Philologie 86, 1967, 250–266.

Hennecke, Hans: Jugendstil in der Literatur. Ein Diskussionsbeitrag. In: Jahrbuch der Deutschen Akademie für Sprache und Dichtung. Darmstadt 1976,145–148.

Henning, Industrialisierung Henning, Friedrich-Wilhelm: Die Industrialisierung in Deutschland 1800 bis 1914. Paderborn 1973 (= Wirtschafts- und Sozialgeschichte, 2).

Hepp, Corona: Avantgarde. Moderne Kunst, Kulturkritik und Reformbewegung nach der Jahrhundertwende. München 1986.

Herbst, Meggendorfer Blätter Herbst, Helmut: Die Illustrationen der ›Meggendorfer Blätter‹. Ein Beitrag zur Erforschung der Illustration im beginnenden 20. Jahrhundert. In: Oberbayerisches Archiv 106, 1981, 7–228.

Hermand, Commercialization Hermand, Jost: The Commercialization of Avant-Garde Movements at the Turn of the Century. In: New German Critique 29, 1983, 71–83.

Hermand, Jost: Oedipus lost. Oder der im Massenerleben der Zwanziger Jahre ›aufgehobene‹ Vater-Sohn-Konflikt des Expressionismus. In: Grimm, Reinhold/ Hermand, Jost (Hrsg.): Die sogenannten Zwanziger Jahre. Bad Homburg, Berlin/Zürich 1970, 203–224.

Hermand, Schein Hermand, Jost: Der Schein des schönen Lebens. Studien zur Jahrhundertwende. Frankfurt/M. 1972.

Hermsdorf, Kafka Hermsdorf, Klaus: Kafka. Weltbild und Roman. Berlin 1966.

Herzogenrath, Max Ernst Herzogenrath, Wulf (Hrsg.): Max Ernst in Köln. Die rheinische Kunstszene bis 1922. Köln 1980.

Hessing, Jakob: Else Lasker-Schüler. Ein Leben zwischen Bohème und Exil. München 1987.

Heukenkamp, Ursula: Die Sprache der schönen Natur. Berlin/Weimar 1982.

Hewitt, A Feminine Dialectic Hewitt, Andrew: A Feminine Dialectic of Enlightment? Horkheimer and Adorno Revisited. In: New German Critique 56, 1992.

Heydebrand, Renate von (Hrsg.): Robert Musil. Darmstadt 1982.

Heydebrand/Winko, Geschlechterdifferenz Heydebrand, Renate von/Winko, Simone: Geschlechterdifferenz und literarischer Kanon. Historische Beobachtungen und systematische Überlegungen. In: IASL 19, 2, 96–173.

Hiebel, Anithermeneutik Hiebel, Hans H.: Antihermeneutik und Exegese. Kafkas ästhetische Figur der Unbestimmtheit. In: DVjs 52, 1978, 90–110.

Hiebel, Hans H.: Die Zeichen des Gesetzes. Recht und Macht bei Franz Kafka. München 1983.

Hille, Peter: Die Sozialisten. Leipzig o. J. (1887).

Hille, Peter: Gesammelte Werke. Hrsg. v. seinen Freunden. Eingeleitet von Julius Hart. Berlin [3]1921.

Hillebrand, Bruno: Ästhetik des Nihilismus. Von der Romantik zum Modernismus. Stuttgart 1991.

Hillebrand, Bruno: Benn. Frankfurt/M. 1986.

Hillebrand, Bruno: Theorie des Romans. Erzählstrategien der Neuzeit. Stuttgart/Weimar [3]1993.

Hinck, Walter: Integrationsfigur menschlicher Leiden. Zu Georg Heyms ›Ophelia‹. In: Hartung, Harald (Hrsg.): Gedichte und Interpretationen. Stuttgart 1983, 128–137.

Hinterhäuser, Hans: Fin de siècle. Gestalten und Mythen. München 1977.

Hirsch, Rudolf: Beiträge zum Verständnis Hugo von Hofmannsthals. Frankfurt/M. 1995.

Hirschfeld, Hans Magnus: Sittengeschichte des Weltkrieges. Bd. I und II. Leipzig/Wien 1930.

Hirte, Chris: Erich Mühsam. ›Ihr seht mich nicht feige‹. Biographie. Berlin 1985.

Hoefert, Hauptmann Hoefert, Sigfrid: ›Gerhart Hauptmann und andere‹ – zu den deutsch-russischen Literaturbeziehungen in der Epoche des Naturalismus. In: *Scheuer, Naturalismus*, 235–264.

Hoefert, Russische Literatur Hoefert, Sigfrid (Hrsg.): Russische Literatur in Deutschland. Texte zur Rezeption von den Achtziger Jahren bis zur Jahrhundertwende. Tübingen 1974.

Hoefert, Sigfrid: Das Drama des Naturalismus. Stuttgart 1968.

Hoefert, Sigfrid: Gerhart Hauptmann. Stuttgart [2]1982.

Hoesch, Jörg: Der Imagismus im Spiegel seiner spätromantischen Quellen. Diss. Karlsruhe 1967.

Hofstätter, Hans H.: Idealismus und Symbolismus. Wien/München 1972.

Hofstätter, Hans H.: Symbolismus und die Kunst der Jahrhundertwende. Voraussetzungen, Erscheinungsformen, Bedeutungen. Köln 1965.

Höhne, Gisela: Probleme der Wahrnehmung und einer frühen Medientheorie im ›Konsequenten Naturalismus‹ und den theoretischen Überlegungen von Arno Holz vor 1900. Diss. Berlin 1990.

Holitscher, Arthur: Lebensgeschichte eines Rebellen. Meine Erinnerungen. Berlin 1924.

Hollander, Brigitte von: Die Theorie der Lyrik von Hebbel bis Liliencron. Diss. Jena 1943.

Hollweck, Karikaturen Hollweck, Ludwig: Karikaturen. Von den Fliegenden Blättern zum Simplicissimus 1844–1914. München 1973.

Holm, Korfiz: ich – klein geschrieben. Heitere Erlebnisse eines Verlegers. München/Wien 1966.

Holz, Arno: Kindheitsparadies. Berlin 1924.

Horkheimer, Autorität Horkheimer, Max: Autorität und Familie. In: M. H. (Hrsg.): Studien über Autorität und Familie. Neuaufl. Lüneburg 1987, 3–76.

Houben, Hier Zensur Houben, Heinrich Hubert: Hier Zensur – wer dort? Antworten von gestern auf Fragen von heute. Leipzig 1918.

Houben, Verbotene Literatur Houben, Heinrich Hubert: Verbotene Literatur von der klassischen Zeit bis zur Gegenwart. Ein kritisch-historisches Lexikon über verbotene Bücher, Zeitschriften und Theaterstücke, Schriftsteller und Verleger. Bd. I: Berlin 1924; Bd. II: Bremen 1928.

Höxter, John: So lebten wir. 25 Jahre Berliner Bohème. Erinnerungen. Berlin 1929.

Hübinger, Paul Egon: Thomas Mann, die Universität Bonn und die Zeitgeschichte. Drei Kapitel deutscher Vergangenheit aus dem Leben des Dichters 1905–1955. München 1974 .

Hucke, Karl-Heinz: Utopie und Ideologie in der expressionistischen Lyrik. Tübingen 1980.

Hug, Heinz: Erich Mühsam. Untersuchungen zu Leben und Werk. Glashütten/Ts. 1974.

Hug, Heinz/Jungblut, Gerd W.: Erich Mühsam (1878 bis 1934). Bibliographie. Vaduz 1991.

Hügel, Hans-Otto (Hrsg.): Deutsche Schriftsteller im Portrait. Bd. V. Jahrhundertwende. München 1983.

Hugo, Charles: La Bohème dorée. Paris 1859.

Hüppauf, Bernd (Hrsg.): Expressionismus und Kulturkrise. Heidelberg 1983 (= Reihe Siegen, 42).

Hüppauf, Bernd: Langemarck, Verdun and the Myth of a New Man in Germany after the First world War. In: War&Society 6/2, 1988, 70–103.

Hurwitz, Gross Hurwitz, Emanuel: Otto Gross. Paradies-Sucher zwischen Freud und Jung. Zürich/Frankfurt/M. 1979.

Hütt, Hintergrund Hütt, Wolfgang (Hrsg.): Hintergrund. Mit den Unzüchtigkeits- und Gotteslästerungsparagraphen des Strafgesetzbuches gegen Kunst und Künstler 1900–1933. Berlin 1990.

Huyssen, Andreas: After the Great Divide. Modernism, Mass Culture, Postmodernism. Indiana: University of Indiana Press, 1986.

Jäckel, Kurt: Richard Wagner in der französischen Literatur. Breslau 1931/ 1932.

Jacobs, Jürgen: Wilhelm Meister und seine Brüder. Untersuchungen zum deutschen Bildungsroman. München 1972.

Jäger, Georg: Die Avantgarde als Ausdifferenzierung des bürgerlichen Literatursystems. Eine systemtheoretische Gegenüberstellung des bürgerlichen und avantgardistischen Literatursystems mit einer Wandlungshypothese. In: Titzmann, Michael (Hrsg.): Modelle des literarischen Strukturwandels. Tübingen 1991, 221–244.

Jäger, Georg: Keine Kulturtheorie ohne Geldtheorie. Grundlegung einer Theorie des Buchverlags. In: Schmidt, Siegfried J. (Hrsg.): Empirische Literatur- und Medienforschung. Siegen 1995, 24–40 (= Lumis-Schriften Sonderreihe, 7).

Jäger, Kampf Jäger, Georg: Der Kampf gegen Schmutz und Schund. In: Archiv für Geschichte des Buchwesens 31, 1988, 163–191.

Jäger, Prosagedicht Jäger, Georg: Ulrich Fülleborn. Das deutsche Prosagedicht. Rezension. In: GRM 52, 1970, 479–482.

Jähn, Kaffeehaus Jähn, Karl-Heinz (Hrsg.): Das Prager Kaffeehaus. Literarische Tischgesellschaften. Berlin 1988.

Jähner, Horst: Künstlergruppe Brücke. Geschichte einer Gemeinschaft und das Lebenswerk ihrer Repräsentanten. Berlin 1984 (auch: Frankfurt/M./Olten/Wien 1984).

Jelavich, Censorship Jelavich, Peter: The Censorship of Literary Naturalism, 1890–1895: Bavaria. In: Central European History 18, 1985, 344–359.

Jelavich, Theatrical Modernism Jelavich, Peter: Munich and Theatrical Modernism. Politics, Playwriting, and Performance 1890–1914. Cambridge u. a. 1985.

Jens, Dichter Jens, Inge: Dichter zwischen rechts und links. Die Geschichte der Sektion für Dichtkunst der Preußischen Akademie der Künste dargestellt nach Dokumenten. München 1971.

Johann, Reden des Kaisers Johann, Ernst (Hrsg.): Reden des Kaisers. Ansprachen, Predigten und Trinksprüche Wilhelms II. München 1977.

Johnston, Kultur Johnston, William M.: Österreichische Kultur- und Geistesgeschichte. Gesellschaft und Ideen im Donauraum 1848–1938. Wien/Köln/Graz 1974.

Jolowicz, Expressionismus Jolowicz, Ernst: Expressionismus und Psychiatrie. In: Das Kunstblatt 4, 1920, 273–276. Nachdruck in: *Anz/Stark, Expressionismus*, 190–195.

Jones, Freud Jones, Ernest: Sigmund Freud. Leben und Werk. München 1984.

Jost, Dominik: Literarischer Jugendstil. Stuttgart [2]1980.

Junge, Henrike (Hrsg.): Avantgarde und Publikum. Zur Rezeption avantgardistischer Kunst in Deutschland 1905–1933. Köln/Weimar/Wien 1992.

Jünger, Wolfgang: Herr Ober – ein' Kaffee! Illustrierte Kulturgeschichte des Kaffeehauses. München 1955.

Jurt, Joseph: Bourdieus Analyse des literarischen Feldes oder der Universalitätsanspruch des sozialwissenschaftlichen Ansatzes. In: IASL 22/2, 1997, 152–180.

Kaes, Anton: Kino-Debatte. Texte zum Verhältnis von Literatur und Film 1909–1929. Tübingen 1978.

Kaes, Weimarer Republik Kaes, Anton (Hrsg.): Weimarer Republik. Manifeste und Dokumente zur deutschen Literatur 1918–1933. Stuttgart 1983.

Kaffeehaus. Literarische Spezialitäten und amouröse Gusto-Stückln aus Wien. Auswahl und Nachwort von Ludwig Plakolb. München 1959.

Kafitz, Dekadenz Kafitz, Dieter (Hrsg.): Dekadenz in Deutschland. Beiträge zur Erforschung der Romanliteratur um die Jahrhundertwende. Frankfurt/M. u. a. 1987 (= Studien zur Deutschen Literatur des 19. und 20. Jahrhunderts, 1).

Kafitz, Dieter: Naturalismus als Weltanschauung. Zur Kunstauffassung von Johannes Schlaf. In: Leroy, Robert/Pastor, Eckart (Hrsg.): Deutsche Dichtung um 1890. Beiträge zu einer Literatur im Umbruch. Frankfurt/M. u. a. 1991, 417–451.

Kafitz, Dieter: Struktur und Menschenbild naturalistischer Dramatik. In: Zs. f. dt. Philologie 97, 1978, 225–255.

Kafitz, Dieter: Tendenzen der Naturalismus-Forschung und Überlegungen zu einer Neubestimmung des Naturalismus-Begriffs. In: DU 40/2, 1988, 11–29.

Kafitz, Grundzüge Kafitz, Dieter: Grundzüge einer Geschichte des deutschen Dramas von Lessing bis zum Naturalismus. Königstein/Ts. 1982.

Kafitz, Johannes Schlaf Kafitz, Dieter: Johannes Schlaf – Weltanschauliche Totalität und Wirklichkeitsblindheit. Ein Beitrag zur Neubestimmung des Naturalismus-Begriffs und zur Herleitung totalitärer Denkformen. Tübingen 1992 (= Studien zur deutschen Literatur, 120).

Kaiser, Herbert: Der Dramatiker Erst Barlach. Analysen und Gesamtdeutung. München 1972.

Kammer, Schnitzler Kammer, Manfred: Das Verhältnis Arthur Schnitzlers zum Film. Aachen 1993.

Kanzog, Zensur Kanzog, Klaus: Literarische Zensur. In: K. K./Masser, Achim (Hrsg.): Reallexikon der deutschen Literaturgeschichte. Bd. IV. Berlin/New York [2]1984, 998–1049.

Karthaus, Ulrich (Hrsg.): Impressionismus, Symbolismus und Jugendstil. Stuttgart 1977.

Karthaus, Ulrich: Zu Thomas Manns Ironie. In: Thomas Mann Jahrbuch 1, 1988, 80–98.

Kasang, Dieter: Wilhelminismus und Expressionismus. Das Frühwerk Fritz von Unruhs 1904–1921. Stuttgart 1980.

Kast, Raimund: Der deutsche Leihbuchhandel und seine Organisation im 20. Jahrhundert. In: Archiv für Geschichte des Buchwesens 36, 1991, 165–349.

Kasten, Helmut: Die Idee der Dichtung und des Dichters in den literarischen Theorien des sogenannten ›Deutschen Naturalismus‹ (Karl Bleibtreu, Hermann Conradi, Arno Holz). Zur Geschichte der Auseinandersetzung zwischen dem deutschen Idealismus und dem westeuropäischen Positivismus und Naturalismus in deutschen Dichtungstheorien zu Ende des 19. Jahrhunderts. Würzburg 1938 (Diss. Königsberg 1935).

Kasties, Hasenclever Kasties, Bert: Walter Hasenclever. Eine Biographie der deutschen Moderne. Tübingen 1994.

Kauffeldt, Rolf: Erich Mühsam. Literatur und Anarchie. München 1983.

Kayser, Dramaturgie Kayser, Wolfgang: Zur Dramaturgie des naturalistischen Dramas. In: W. K.: Die Vortragsreise. Bern 1958, 214–231.

Kemper, Hans-Georg: Vom Espressionismus zum Dadaismus. Eine Einführung in die dadaistische Literatur. Kronberg/Ts. 1974.

Kessler, Harry Graf: Gesichter und Zeiten. Erinnerungen. Berlin 1935.

Kesten, Hermann: Dichter im Café. Wien/München/Basel 1959.

Ketelsen, Uwe-K.: Völkisch-nationale und nationalsozialistische Literatur in Deutschland 1890–1945. Stuttgart 1976.

Key, Ellen: Das Jahrhundert des Kindes. Studien. Berlin [11]1905.

Kiefer, Klaus H.: Diskurswandel im Werk Carl Einsteins. Ein Beitrag zu Theorie und Geschichte der europäischen Avantgarde. Tübingen 1994.

Kieruj, Mariusz: Zeitbewußtsein, Erinnern und die Wiederkehr des Kultischen: Kontinuität und Bruch in der deutschen Avantgarde 1910–1930. Frankfurt/M./Berlin 1995.

Kiesel, Helmuth: Literarische Trauerarbeit. Das Exil- und Spätwerk Alfred Döblins. Tübingen 1986.

Kittler, Friedrich: Aufscheibesysteme 1800/ 1900. München 1985.

Kittler, Friedrich: Grammophon, Film, Typewriter. Berlin 1986.

Kittler/Neumann, Schriftverkehr Kittler, Wolf/Neumann, Gerhard: Franz Kafka: Schriftverkehr. Freiburg i. Br. 1990.

Kittler, Telegrammstil Kittler, Friedrich: Im Telegrammstil. In: Gumbrecht, Hans Ulrich/Pfeiffer, K. Ludwig (Hrsg.): Stil. Geschichten und Funktionen eines kulturwissenschaftlichen Diskurselements. Frankfurt/M. 1986, 358–367.

Kitzinger, Beseitigung Kitzinger, F.: Beseitigung oder Reform der Theaterzensur. In: Deutsche Juristen-Zeitung 8, 5. 6. 1903, 286–287.

Klaiber, Theodor: Die deutsche Selbstbiographie. Beschreibung des eigenen Lebens, Memoiren, Tagebücher. Stuttgart 1921.

Klee, Macht und Ohnmacht Klee, Siegbert: Macht und Ohnmacht des Zensurspielers Carl Sternheim. In: McCarthy, John A./Ohe, Werner von der (Hrsg.): Zensur und Kultur. Zwischen Weimarer Klassik und Weimarer Republik mit einem Ausblick bis heute. Tübingen 1995, 134–148.

Kleefeld, Theaterzensur Kleefeld, Kurt: Die Theaterzensur in Preussen. Berlin 1905.

Kleemann, Rebellion Kleemann, Elisabeth: Zwischen symbolischer Rebellion und politischer Revolution. Studien zur deutschen Bohème zwischen Kaiserreich und Weimarer Republik – Else Lasker-Schüler, Franziska Gräfin Reventlow, Frank Wedekind, Ludwig Derleth, Arthur Moeller van den Bruck, Hanns Johst, Erich Mühsam. Frankfurt/M. u. a. 1985.

Kleinschmidt, Erich: Gleitende Sprache. Sprachbewußtsein und Poetik in der literarischen Moderne. München 1992.

Klettenhammer, Sieglinde/Wimmer-Webhofer, Erika: Aufbruch in die Moderne. Die Zeitschrift ›Der Brenner‹ 1910–1915. Innsbruck 1990.

Klettenhammer, Trakl Klettenhammer, Sieglinde: Georg Trakl in Zeitungen und Zeitschriften seiner Zeit. Kontext und Rezeption. Innsbruck 1990 (= Innsbrucker Beiträge zur Kulturwissenschaft. Germanistische Reihe, 42).

Kliemann, Novembergruppe Kliemann, Helga: Die Novembergruppe. Berlin 1969.

Klüsener, Erika/Pfäfflin, Friedrich (Bearb.): Else Lasker-Schüler 1869–1945. Mit einer Auswahl aus den Tagebüchern. Marbach 1995.

Kluge, Das verfehlte Soziale Kluge, Gerhard: Das verfehlte Soziale. Sentimentalität und Gefühlskitsch im Drama des deutschen Naturalismus. In: Zs. f. dt. Philologie 96, 1977, 195–234.

Kluge, Thomas: Gesellschaft, Natur, Technik. Zur lebensphilosophischen und ökologischen Kritik von Technik und Gesellschaft. Opladen 1985.

Kluncker, Blätter Kluncker, Karlhans: Blätter für die Kunst. Zeitschrift der Dichterschule Stefan Georges. Frankfurt/M. 1974 (= Studien zur Philosophie und Literatur des neunzehnten Jahrhunderts, 24).

Knobloch, Hans-Jörg: Das Ende des Expressionismus. Von der Tragödie zur Komödie. Bern, Frankfurt/M. 1975.

Knobloch, Hans-Jörg: Naturalismus – gab es das? Überlegungen zum Naturalismus-Begriff. In: Heinrich Mann-Jahrbuch 5, 1987, 165–188.

Knobloch, Schriftsteller Knobloch, Hans-Jörg: ›Der Schriftsteller ist Führer jeder Demokratie‹. Heinrich Mann, die Expressionisten und die Weimarer Republik. In: Heinrich Mann-Jahrbuch 10, 1992, 95–111.

Knopf, Sabine: Leipzig und der Frühexpressionismus. In: Aus dem Antiquariat 2, 1996, 142–155.

Kobs, Kafka Kobs, Jörgen: Kafka. Untersuchung zu Bewußtsein und Sprache seiner Gestalten. Bad Homburg 1970.

Koc, Richard A.: The German Gesellschaftsroman at the Turn of the Century. A Comparison of the Works of Theodor Fontane and Eduard von Keyserling. Bern u. a. 1982.

Koch/Behmer, Grobe Wahrheiten Koch, Ursula E./Behmer, Markus (Hrsg.): Grobe Wahrheiten – Wahre Grobheiten. Feine Striche – Scharfe Stiche. Jugend, Simplicissimus und andere Karikaturen-Journale der Münchner ›Belle Epoque‹ als Spiegel und Zerrspiegel der kleinen wie der großen Welt. München 1996.

Koch, Teufel in Berlin Koch, Ursula E.: Der Teufel in Berlin. Von der Märzrevolution bis zu Bismarcks Entlassung. Illustrierte politische Witzblätter einer Metropole 1848–1890. Köln 1991 (= Satire und Macht, 5).

Koebner, Mythos Jugend Koebner, Thomas u. a. (Hrsg.): ›Mit uns zieht die neue Zeit‹. Der Mythos Jugend. Frankfurt/M. 1985.

Koester, Eckart: Literatur und Weltkriegsideologie. Positionen und Begründungszusammenhänge des publizistischen Engagements deutscher Schriftsteller im Ersten Weltkrieg. Kronberg/Ts. 1977.

Koester, Rudolf: Hermann Hesse. Stuttgart 1975.

Köhnen, Diana: Das literarische Werk Erich Mühsams. Kritik und utopische Antizipation. Würzburg 1988.

Kolinski, Expressionismus Kolinsky, Eva: Engagierter Expressionismus. Politik und Literatur zwischen Weltkrieg und Weimarer Republik. Stuttgart 1970.

Kolkenbrock-Netz, Fabrikation Kolkenbrock-Netz, Jutta: Fabrikation – Experiment – Schöpfung. Strategien ästhetischer Legitimation im Naturalismus. Heidelberg 1981 (Diss. Bochum 1981) (= Reihe Siegen, 28).

Koopmann, Helmut: Deutsche Literaturtheorien zwischen 1880 und 1920. Eine Einführung. Darmstadt 1997.

Koopmann, Helmut: Die Klassizität der ›Moderne‹. Bemerkungen zur naturalistischen Literaturtheorie in Deutschland. In: Koopmann, Helmut/ Schmoll, J. Adolf (Hrsg.): Beiträge zur Theorie der Künste im 19. Jahrhundert. Bd. II. Frankfurt/M. 1972, 132–148.

Koopmann, Helmut (Hrsg.): Thomas-Mann-Handbuch. Stuttgart 1990.

Koopmann. Helmut: Ist ein ›Image‹ wirklich nur ein Bild? Bemerkungen zu einigen Gemeinsamkeiten und Unterschieden in imagistischer und expressionistischer Kunstauffassung. In: Jankosky, Kurt R./Dick, Ernst S. (Hrsg.): Festschrift für Karl Schneider. Amsterdam/Philadelphia 1982, 499–516 .

Koopmann, Kunsttheorien Koopmann, Helmut: Naturalistische Kunsttheorien. In: H. K.: Deutsche Literaturtheorien zwischen 1880 und 1920. Eine Einführung. Darmstadt 1997, 62–90.

Koopmann, Sentimentalität Koopmann, Helmut: Naturalismus und Sentimentalität. Zum Aufkommen von Trivialsymbolik unter dem Programm des konsequenten Realismus. In: Bayerdörfer, Peter u. a. (Hrsg.): Literatur und Theater im Wilhelminischen Zeitalter. Tübingen 1978, 166–182.

Koppen, Erwin: Der Wagnerismus – Begriff und Phänomen. In: Müller, Ulrich/Wapnewski, Peter (Hrsg.): Richard-Wagner-Handbuch. Stuttgart 1986, 609–624.

Koppen, Wagnerismus Koppen, Erwin: Dekadenter Wagnerismus. Studien zur europäischen Literatur des Fin de siècle. Berlin/New York 1973 (= Komparatistische Studien, 2).

Koreska-Hartmann, Jugendstil Koreska-Hartmann, Linda: Jugendstil – Stil der ›Jugend‹. Auf den Spuren eines alten, neuen Stil- und Lebensgefühls. München 1969.

Kornfeld, Mensch Kornfeld, Paul: Der beseelte und der psychologische Mensch. In: Das junge Deutschland. 1/1, 1918, 1–13.

Korte, Expressionismus Korte, Hermann: Expressionismus und Jugendbewegung. In: IASL 13, 1988, 70–106.

Korte, Hermann: Abhandlungen und Studien zum literarischen Expressionismus 1980–1990. In: IASL. 6. Sonderheft, 3. Folge. 1994, 225–279.

Korte, Hermann: Der Krieg in der Lyrik des Expressionismus. Studien zur Evolution eines literarischen Themas. Bonn 1981.

Korte, Hermann: Die Abdankung der Lichtbringer. Wilhelminische Ära und literarischer Expressionismus in Ernst Tollers Komödie ›Der entfesselte Wotan‹. In: GRM 65, 1985, 117–132.

Korte, Hermann: Die Dadaisten. Reinbek bei Hamburg 1994.

Korte, Hermann: Georg Heym Stuttgart 1982.

Korte, Schreib-Arbeit Korte, Hermann: Schreib-Arbeit. Literarische Autorschaft in Kafkas Tagebüchern. In: Text + Kritik. Sonderband 1994, 254–271.

Kosch, Günter/Nagl, Manfred: Der Kolportageroman. Bibliographie 1850 bis 1960. Stuttgart u. a. 1993.

Koselleck, Geschichte Geschichte, Geschichten und formale Zeitstrukturen. In: Geschichte – Ereignis und Erzählung. Hrsg. v. R. K. und Wolf-Dieter Stempel. München 1973, 211–222.

Köster, Udo: Die Überwindung des Naturalismus. Begriffe, Theorien und Interpretationen zur deutschen Literatur um 1900. Hollfeld 1979.

Köwer, Altenberg Köwer, Irene: Peter Altenberg als Autor der literarischen Kleinform. Untersuchungen zu seinem Werk unter gattungstypologischem Aspekt. Frankfurt/M u. a. 1987.

Kratzsch, Geschichte der Gebildeten Kratzsch, Gerhard: Kunstwart und Dürerbund.

Ein Beitrag zur Geschichte der Gebildeten im Zeitalter des Imperialismus. Göttingen 1969.

Krause, Kunstwart Krause, H. Fred: Der Kunstwart (1887–1937). In: Fischer; Heinz-Dietrich (Hrsg.): Deutsche Zeitschriften des 17. bis 20. Jahrhunderts. Pullach bei München 1973, 215–227.

Kreiler, Schriftstellerrepublik Kreiler, Kurt: Die Schriftstellerrepublik. Zum Verhältnis von Literatur und Politik in der Münchner Räterepublik. Berlin 1978.

Kremer, Kafka Kremer, Detlef: Kafka. Die Erotik des Schreibens. Schreiben als Lebensentzug. Frankfurt/M. 1989.

Krempel, Rheinland Krempel, Ulrich (Hrsg.): Am Anfang: Das Junge Rheinland. Zur Kunst- und Zeitgeschichte einer Region 1918–1945. Düsseldorf 1985.

Kreutzer, Leo: Alfred Döblin. Sein Werk bis 1933. Stuttgart u. a. 1970.

Kreuzer, Die Bohème Kreuzer, Helmut: Die Bohème. Analyse und Dokumentation der intellektuellen Subkultur vom 19. Jahrhundert bis zur Gegenwart. Stuttgart 1971.

Kreuzer, Bohème Kreuzer, Helmut: Die Bohème. Beiträge zu ihrer Beschreibung. Stuttgart 1968.

Kreuzer/Helmes, Expressionismus Kreuzer, Helmut/Helmes, Günter (Hrsg.): Expressionismus – Aktivismus – Exotismus. Studien zum literarischen Werk Robert Müllers (1887–1924). Göttingen 1981.

Kron, Friedhelm: Schriftsteller und Schriftstellerverbände. Schriftstellerberuf und Interessenpolitik 1842–1973. Stuttgart 1976.

Krull, Wilhelm: Politische Prosa des Expressionismus. Rekonstruktion und Kritik. Frankfurt/M./Bern 1982.

Krull, Wilhelm: Prosa des Expressionismus. Stuttgart 1984.

Krummacher, Friedhelm: Musikgeschichte im Werk Thomas Manns. In: Edler, Arnfried/Neugebauer, Werner/Schwab, Heinrich W. (Hrsg.): 800 Jahre Musik in Lübeck. Teil. II. Lübeck 1983, 103–112.

Kuchenbuch, Thomas: Bild und Erzählung. Geschichten in Bildern vom frühen Comic-Strip bis zum Fernsehfeature. Münster 1992.

Kuhn, Anna K.: Der Dialog bei Frank Wedekind. Untersuchungen zum Szenengespräch der Dramen bis 1900. Heidelberg 1981 (= Reihe Siegen, 19).

Kühn, Donnerwetter Kühn, Dieter (Hrsg.): Donnerwetter – tadellos: Kabarett zur Kaiserzeit 1900–1918. Berlin 1987 (= Kleinkunststücke, 1).

Kühne-Bertram, Gudrun: Aus dem Leben – zum Leben. Entstehung, Wesen und Bedeutung populärer Lebensphilosophien in der Geistesgeschichte des 19. Jahrhunderts. Frankfurt/M. u. a. 1987.

Kurz, Gerhard (Hrsg.): Der junge Kafka. Frankfurt/M. 1984.

Kurz, Traum-Schrecken Kurt, Gerhard: Traum-Schrecken. Kafkas literarische Existenzanalyse. Stuttgart 1980.

Kurzke, Hermann: Auf der Suche nach der verlorenen Irrationalität. Thomas Mann und der Konservativismus. Würzburg 1980.

Kurzke, Thomas Mann Kurzke, Hermann: Thomas Mann. Epoche – Werk – Wirkung. München 1997.

Kuxdorf, Manfred: Die Suche nach dem Menschen im Drama Georg Kaisers. Frankfurt/M. 1971.

Kyora, Psychoanalyse Kyora, Sabine: Psychoanalyse und Prosa im 20. Jahrhundert. Stuttgart 1992.

Lacan, Familie Lacan, Jacques: Die Familie. In: J. L.: Schriften. Hrsg. v. N. Haas. Bd. III. Olten 1973ff, 39–100.

Landfried, Klaus: Stefan George – Politik des Unpolitischen. Heidelberg 1975.

Landmann, Robert: Monte Verità. Geschichte eines Berges. Ascona [3]1934.

[Langbehn, Julius]: Rembrandt als Erzieher. Von einem Deutschen. Leipzig [16]1890.

Lange-Kirchheim, Astrid: Franz Kafka: ›In der Strafkolonie‹ und Alfred Weber: ›Der Beamte‹. In: G R M 27, 1977, 202–221.

Langendorf, Erich: Zur Entstehung des bürgerlichen Familienglücks. Exemplarische Studien anhand literarischer Texte. Frankfurt/M. u. a. 1983.

Langewiesche, Dieter: Zur Freizeit des Arbeiters. Bildungsbestrebungen und Freizeitgestaltung österreichischer Arbeiter im Kaiserreich und in der Ersten Republik. Stuttgart 1979.

Laqueur, Walter: Die deutsche Jugendbewegung. Eine historische Studie. Köln 1978.

Lasker-Schüler, Else: Mein Herz. Ein Liebesroman mit Bildern und wirklich lebenden Menschen. Berlin 1920.

Lehmann, Hans: Die Kinomatographie, ihre Grundlagen und ihre Anwendungen. Leipzig 1911.

Lehmann, Jürgen: Bekennen – Erzählen – Berichten. Studien zu Theorie und Geschichte der Autobiographie. Tübingen 1988.

Lehnert, Herbert: Geschichte der deutschen Literatur vom Jugendstil zum Expressionismus. Stuttgart 1978.

Leiss, Kunst Leiss, Ludwig: Kunst im Konflikt. Berlin 1971.

Lengefeld, Cecilia: Der Maler des glücklichen Heims. Zur Rezeption Carl Larssons im wilhelminischen Deutschland. Heidelberg 1993 (Skandinavist. Arb., 14).

Leroy, Robert/Pastor, Eckart (Hrsg.): Deutsche Dichtung um 1890. Beiträge zu einer Literatur im Umbruch. Bern u. a. 1991.

Levesque, Paul: Jahrhundertwende, Fin de siècle: Wilhelminian era: reexaming German literary culture 1871–1918. In: German Studies Review 13, 1990, 9–25.

Lieber, Hans-Joachim: Kulturkritik und Lebensphilosophie. Studien zur Deutschen Philosophie der Jahrhundertwende. Darmstadt 1974.

Liersch, Werner: Hans Fallada. Sein großes kleines Leben. Biographie. Düsseldorf, Köln 1981.

Linden, Marcel van der/Mergner, Gottfried (Hrsg.): Kriegsbegeisterung und Kriegsvorbereitung. Interdisziplinäre Studien. Berlin 1991.

Linder, Außenseiter Linder, Joachim: Außenseiter der Gesellschaft. Die Verbrechen der Gegenwart. Straftäter und Strafverfahren in einer literarischen Reihe der Weimarer Republik. In: Kriminologisches Journal 26/4, 1994, 249–272.

Lindner, Leben Lindner, Martin: Leben in der Krise. Zeitromane der Neuen Sachlichkeit und die intellektuelle Mentalität der klassischen Moderne. Stuttgart/Weimar 1994.

Linduschka, Dichterberuf Linduschka, Heinz: Die Auffassung vom Dichterberuf im deutschen Naturalismus. Frankfurt/M./Bern/Las Vegas 1978.

Lingren, Irène: Arthur Schnitzler im Lichte seiner Briefe und Tagebücher. Heidelberg 1993.

Link, Jürgen: ›Arbeit‹ oder ›Leben‹? Das Drama der ›Nationalcharaktere und der Bruderzwist im Hause Mann. In: Gangl, Manfred/Raulet, Gérard (Hrsg.): Intellektuellendiskurse in der Weimarer Republik. Zur politischen Kultur einer Gemengelage. Darmstadt 1994, 129–144.

Link, Jürgen/Wülfing, Wolf (Hrsg.): Nationale Mythen und Symbole in der zweiten Hälfte des 19. Jahrhunderts. Stuttgart 1991.

Link/Link-Heer, Propädeutikum Link, Jürgen/Link-Heer, Ursula: Literatursoziologisches Propädeutikum. Mit Ergebnissen einer Bochumer Lehr- und Forschungsgruppe Literatursoziologie 1974–1976. München 1980.

Linse, Anarchismus Linse, Ulrich: Organisierter Anarchismus im Deutschen Kaiserreich von 1871. Berlin 1969.

Loewenberg, Peter: Antisemitismus und jüdischer Selbsthaß. Eine sich wechselseitig verstärkende sozialpsychologische Doppelbeziehung. In: Geschichte und Gesellschaft 5, 1979, 455–475.

Loiperdinger, Lumière Loiperdinger, Martin: Lumières Ankunft des Zugs als Gründungsmythos eines neuen Mediums. In: Kintop. Aufführungsgeschichten. Jahrbuch zur Erforschung des frühen Films 5, 1996, 37–70.

Lorenz, Moderne Lorenz, Dagmar: Wiener Moderne. Stuttgart/Weimar 1995.

Löschnigg, Martin: Der Erste Weltkrieg in deutscher und englischer Dichtung. Heidelberg 1994.

Lothar, Einakter Lothar, Rudolph: Der Einakter. Das literarische Echo 5, 1902/03, Sp. 801–805.

Lublinski, Bilanz Lublinski, Samuel, Die Bilanz der Moderne (1904). Mit einem Nachwort neu hrsg. von Gotthart Wunberg. Tübingen 1974.

Luckmann, Identität Luckmann, Thomas: Persönliche Identität, soziale Rolle und Rollendistanz. In: Identität. Hrsg. v. Odo Marquard und Karlheinz Stierle (Poetik und Hermeneutik 8). München 1978, 293–314.

Ludewig, Schrei in die Welt Ludewig, Peter (Hrsg.): Schrei in die Welt. Expressionismus in Dresden. Berlin 1988 (Neuaufl. Zürich 1990).

Luhmann, Gesellschaftliche Struktur Luhmann, Niklas: Gesellschaftliche Struktur und semantische Tradition. In: N. L.: Gesellschaftsstruktur und Semantik. Studien zur Wissensoziologie der modernen Gesellschaft. 3 Bde. Frankfurt/M. 1980, Bd. 1, 9–71.

Luhmann, Individuum Luhmann, Niklas: Individuum, Individualität, Individualismus. In: N. L.: Gesellschaftsstruktur und Semantik. Studien zur Wissensoziologie der modernen Gesellschaft. Bd. III. Frankfurt/M. 1989, 149–258.

Luhmann, Liebe Luhmann, Niklas: Liebe als Passion. Zur Codierung von Intimität. Frankfurt/M. [4]1984.

Lukács, Drama Lukács, Georg: Entwicklungsgeschichte des modernen Dramas. In: G. L. : Werke. Hrsg. v. Frank Benseler. Darmstadt/Neuwied 1981, Bd. 15.

Lukács, Probleme Lukács, Georg: Probleme der Ästhetik. In: G. L.: Werke. Neuwied/Berlin 1969, Bd. 10.

Lukas, Das Selbst Lukas, Wolfgang: Das Selbst und das Fremde. Epochale Lebenskrisen und ihre Lösung im Werk Arthur Schnitzlers. München 1996.

Luserke, Matthias: Robert Musil. Stuttgart/Weimar 1995.

Lüth, Paul E. H.: Literatur als Geschichte. deutsche Dichtung von 1885 bis 1947. 2 Bde. Wiesbaden 1947.

Luther, Gisela: Barocker Expressionimus? Zur Problematik der Beziehung zwischen der Bildlichkeit expressionistischer und barocker Lyrik. The Hague 1969.

Lützeler, Paul Michael: Erweiterter Naturalismus. Hermann Broch und Emile Zola. In: Zs. f. dt. Philologie 93, 1974, 214–238.

Lützeler, Paul Michael: Hermann Broch. Eine Biographie. Frankfurt/M. 1985.

Lyotard, Vorschrift Lyotard, Jean-Francois: Die Vorschrift. In: Welsch, W./Pries, Ch. (Hrsg.): Ästhetik im Widerstreit. Interventionen zum Werk von Jean-Francois Lyotard. Weinheim 1991, 27–44.

Maag, Georg: Kunst und Industrie im Zeitalter der ersten Weltausstellungen. Synchronische Analyse einer Epochenschwelle. München 1986.

Mach, Die Analyse der Empfindungen Mach, Ernst: Die Analyse der Empfindungen und das Verhältnis des Physischen zum Psychischen. Jena 1906.

Mackay, John Henry: Die Anarchisten. Ein Kulturgemälde aus dem Ende des XIX. Jahrhunderts. Zürich 1891.

Mahal, Günther: Wirklich eine Revolution der Lyrik? Überlegungen zur literaturgeschichtlichen Einordnung der Anthologie ›Moderne Dichter-Charaktere‹. In: *Scheuer, Naturalismus*, 11–47.

Mahal, Naturalismus Mahal, Günther: Naturalismus. München [2]1975.

Mahrholz, Walter: Deutsche Selbstbekenntnisse. Ein Beitrag zur Geschichte der Selbstbiographie von der Mystik bis zum Pietismus. Berlin 1919.

Maier-Metz, Harald: Expressionismus – Dada – Agitprop. Zur Entwicklung des Malik-Kreises in Berlin 1912–1924. Frankfurt/M. u. a. 1984.

Maillard, Firmin: Les Derniers Bohèmes. Henri Murger et son Temps. Paris 1874.

Mannheim, Generationen Mannheim, Karl: Das Problem der Generationen. In: K. M.: Wissenssoziologie. Auswahl aus dem Werk. Hrsg. v. K. H. Wolff. Berlin/Neuwied 1964, 509–565.

Mannheim, Karl: Konservatismus. Ein Beitrag zur Soziologie des Wissens. Hrsg. v. David Kettler, Volker Meja und Nico Stehr. Frankfurt/M. 1984.

Marschall, Birgit: Reisen und Regieren. Die Nordlandfahrten Kaiser Wilhelm II. Heidelberg 1991 (= Skandinavist. Arb., 9).

Marshall, German Naturalists Marshall, Alan: The German Naturalists and Gerhart Hauptmann. Reception and Influence. Frankfurt/M./Bern 1982.

Martens, Gunter: Vitalismus und Expressionismus. Ein Beitrag zur Genese und Deutung expressionistischer Stilstrukturen und Motive. Stuttgart u. a. 1971.

Martens, Kurt: Schonungslose Lebenschronik 1870–1900. Wien 1921.

Martens, Lyrik kommerziell Martens, Wolfgang: Lyrik kommerziell. Das Kartell lyrischer Autoren 1902 bis 1933. München 1975.

Martens, Musil and Freud Martens, Lorna: Musil and Freud: the ›foreign body‹ in ›Die Versuchung der stillen Veronika‹. In: Euphorion 81 (1987), 100–118.

Martin, Woman Martin, Biddy: Woman and Modernity. Ithaca: Cornell University Press.

Martini, Biberpelz Martini, Fritz: ›Der Biberpelz‹ – Gedanken zum Bautypus einer naturalistischen Komödie. In: F. M.: Lustspiele – und das Lustspiel. Stuttgart 1974, 213–235.

Martini, Nachwort Martini, Fritz: Nachwort zu Gerhart Hauptmann, Florian Geyer. Stuttgart 1977, 146–152.

Martino, Leihbibliothek Martino, Alberto: Die deutsche Leihbibliothek. Geschichte einer literarischen Institution (1756–1914). Wiesbaden 1990.

Mast, Freiheit Mast, Peter: Künstlerische und wissenschaftlich Freiheit im Deutschen Reich 1890–1901. O. O. 1991.

Mathes, Jürg (Hrsg.): Theorie des literarischen Jugendstils. Stuttgart 1984.

Matt, Peter von: Verkommene Söhne, mißratene Töchter. Familiendesaster in der Literatur. München 1995.

Mattenklott, Gert: Bilderdienst. Ästhetische Opposition bei Beardsley und George. München 1970.

Mattenklott, Gert/Scherpe, Klaus R. (Hrsg.): Positionen der literarischen Intelligenz zwischen bürgerlicher Reaktion und Imperialismus. Kronberg/Ts. 1973.

Matthes, Vaudeville Matthes, Lothar: Vaudeville. Untersuchungen zu Geschichte und literatursystematischem Ort einer Erfolgsgattung. Heidelberg 1983.

Matuszek, Gabriela (Hrsg.): Über Stanislaw Przybyszewski. Rezensionen – Erinnerungen – Porträts – Studien (1892–1995). Paderborn 1995.

Matzigkeit, Michael (Hrsg.): ›... die beste Sensation ist das Ewige ...‹. Gustav Landauer – Leben, Werk und Wirkung. Düsseldorf 1995.

Matzigkeit, Michael: Literatur im Aufbruch. Schriftsteller und Theater in Düsseldorf zwischen 1900–1933. Düsseldorf 1990.

Mautz, Kurt: Georg Heym. Mythologie und Gesellschaft im Expressionismus. Frankfurt/M. 21972.

Mayer, Literaturwissenschaft Mayer, Hans: Literaturwissenschaft in Deutschland. In: Friedrich, Wolf-Hartmut/Killy, Walther (Hrsg.): Das Fischer-Lexikon. Literatur II/1. Frankfurt/M. 1965, 317–333.

Mayr, Dramen Mayr, Ludwig: Einaktige Dramen von Paul Heyse. Die Gesellschaft 1, 1885, 313–316.

Mazzoni, Ira Diana: Prachtausgaben. Literaturdenkmale in Quart und Folio. Marbach 1991.

McInnes, Edward: Die naturalistische Dramentheorie und die dramaturgische Tradition. In: Zs. f. dt. Philologie 93/2 1974, 161–186.

McInnes, Edward: German Social Drama. 1840–1900: From Hebbel to Hauptmann. Stuttgart 1976.

Mehring, Streifzüge Mehring, Franz: Ästhetische Streifzüge. In: F. M.: Aufsätze zur deutschen Literatur von Hebbel bis Schweichel. Berlin 1961, 141–226.

Meixner, Horst: Naturalistische Natur: Bild und Begriff der Natur im naturalistischen deutschen Drama. Diss. Freiburg i. Br. 1961.

Melchinger, Christa: Illusion und Wirklichkeit im dramatischen Werk Arthur Schnitzlers. Heidelberg 1968.

Melzweg, Brigitte (Bearb): Deutsche sozialistische Literatur 1918–1945. Bibliographie der Buchveröffentlichungen. Berlin/Weimar 1975.

Mendelssohn, S. Fischer Mendelssohn, Peter de: S. Fischer und sein Verlag. Frankfurt/ M. 1970.

Mennemeier, Franz Norbert: Literatur der Jahrhundertwende. Europäisch-deutsche Literaturtendenzen 1870–1910. Bern/Frankfurt/M./New York 1988.

Methlagl, Untersuchungen Methlagl, Walter/Sauermann, Eberhard/Scheichl, Sigurd Paul (Hrsg.): Untersuchungen zum ›Brenner‹. Festschrift für Ignaz Zangerle zum 75. Geburtstag. Salzburg 1981.

Methlagl, Walter: ›Der Brenner‹. Weltanschauliche Wandlungen vor dem Ersten Weltkrieg. Diss. Innsbruck 1966.

Mettler, Publikationspolitik Mettler, Dieter: Stefan Georges Publikationspolitik. Buchkonzeption und verlegerisches Engagement. München u. a. 1979 (= Buch und Zeitschrift in Geistesgeschichte und Wissenschaft, 2).

Meyer, Darwinismus Meyer, Richard M.: Der Darwinismus im Drama. In: Bühne und Welt. 11. Jg., 12. 2. 1909, 449–451 .

Meyer, Jochen (Bearb.): Alfred Döblin. 1878–1978. Ausstellung des Deutschen Literaturarchivs im Schiller-Nationalmuseum Marbach am Neckar. Marbach 1978.

Meyer, Kunstfrühling Meyer, Julie: Vom elsässischen Kunstfrühling zur utopischen Civitas Hominum. Jugendstil und Expressionismus bei René Schickele (1900–1920). München 1981.

Meyer, Raimund/Bolliger, Hans (Bearb.): Dada. Eine internationale Bewegung 1916–1925. Ausstellungskatalog. München 1993.

Meyer, Theaterzensur Meyer, Michael: Theaterzensur in München 1900–1918. Geschichte und Entwicklung der polizeilichen Zensur und des Theaterzensurbeirats unter besonderer Berücksichtigung Frank Wedekinds. München 1982.

Meyer, Theo: Nietzsche: Kunstauffassung und Lebensbegriff. Tübingen 1991.

Meyer, Theorie Meyer, Theo (Hrsg.): Theorie des Naturalismus. Stuttgart 1973. Bibliographisch ergänzte Ausgabe Stuttgart 1997.

Michaels, Anarchy Michaels, Jennifer: Anarchy and Eros. Otto Gross' impact on German expressionist writers: Leonhard Frank, Franz Jung, Johannes R. Becher, Karl Otten, Curt Corrinth, Walter Hasenclever, Oskar Maria Graf, Franz Kafka, Franz Werfel, Max Brod, Raoul Hausmann and Berlin DaDa. New York u. a. 1983.

Miller, Henry: Vom großen Aufstand (Rimbaud) (dt. von Oswalt von Nostitz). Zürich 1954.

Misch, Georg: Geschichte der Autobiographie. 4 Bde. Leipzig/Berlin/Frankfurt/M. 1907–1969.

Mitterauer, Michael. Sozialgeschichte der Jugend. Frankfurt 1986.

Mittler, Rudolf: Theorie und Praxis des sozialen Dramas bei Gerhart Hauptmann. Hildesheim 1985.

Mix, York-Gothart: Der Auftakt zur Fibel des Entsetzens. R. M. Rilkes Erzählung ›Die Turnstunde‹ und die pädagogische Reformbewegung der Jahrhundertwende. In: Euphorion 88/4, 1994, 437–447.

Mix, York-Gothart: Der Text und seine Medialisierung. Literatur- und Buchwissenschaft im Kontext der postmodernen Theoriediskussion. In: Weimarer Beiträge 1999, 94–111.

Mix, Die Schulen Mix, York-Gothart: Die Schulen der Nation. Bildungskritik in der Literatur der frühen Moderne. Stuttgart/Weimar 1995.

Mix, York-Gothart: Kulturelles Kapital für 20, 50 oder 80 Pfennige. Medialisierungsstrategien Leipziger Verleger in der frühen Moderne am Beispiel der ›Universal-Bibliothek‹, der ›Insel-Bücherei‹ und der Sammlung ›Der jüngste Tag‹. In: AKG 2 (1999)

Mix, York-Gothart: Ohne Taschenbuch und Almanach in die Moderne – Otto Julius Bierbaums ›Moderner Musen-Almanach‹ (1893–94) im medienhistorischen Kontext. In: Klussmann, Paul Gerhard/M., Y.-G. (Hrsg.): Literarische Leitmedien. Almanach und Taschenbuch im kulturwissenschaftlichen Kontext. Wiesbaden 1998, 183–199 (= Mainzer Studien zur Buchwissenschaft, 4).

Mix, York-Gothart: Pubertäre Irritation und literarische Examination. Selbstentfremdung und Sexualität in F. Wedekinds ›Frühlings Erwachen‹, R. Musils ›Die Verwirrungen des Zöglings Törleß‹, E. Seyerlens ›Die schmerzliche Scham‹ und H. Falladas ›Der junge Goedeschal‹. In: Text&Kontext 19/2, 1995, 261–274.

Mix, York-Gothart: Selbstmord der Jugend. H. Falladas ›Der junge Goedeschal‹, J. R. Bechers ›Abschied‹, H. Hesses ›Unterm Rad‹ und der Erziehungsalltag im Kaiserreich. In: GRM 44/1, 1994, 63–76.

Möbius, Hanno: Der Naturalismus. Epochendarstellung und Werkanalyse. Heidelberg 1982.

Möbius, Hanno: Der Positivismus in der Literatur des Naturalismus. Wissenschaft, Kunst und soziale Frage bei Arno Holz. München 1980.

Mohler, Konservative Revolution Mohler, Armin: Die konservative Revolution in Deutschland 1918–1932. Ein Handbuch. Darmstadt ^{4}1994.

Montinari, Mazzino: Nietzsches Nachlaß von 1885 bis 1888 oder Textkritik und Wille zur Macht. In: Salaquarda, Jörg (Hrsg.): Nietzsche. Darmstadt 1980, 323–349.

Mornin, Edward: From Propaganda to Literature: Remarks on the writings of John Henry Mackay. In: Seminar 18, 1982, 184–195.

Möser, Literatur Möser, Kurt: Literatur und die ›Große Abstraktion‹. Kunsttheorien, Politik und ›abstrakte Dichtung‹ im ›Sturm‹ 1910–1930. Erlangen 1983.

Moulden, Ken/Wilpert, Gero von (Hrsg.): Buddenbrooks-Handbuch. Stuttgart 1988.

Mottek, Wirtschaftsgeschichte Mottek, Hans: Wirtschaftsgeschichte Deutschlands. Ein Grundriss. Band 2: Von der Zeit der Französischen Revolution bis zur Zeit der Bismarckschen Reichsgründung. Berlin 1973.

Mühlhaupt, Walden Mühlhaupt, Freya (Hrsg.): Herwarth Walden 1878–1941. Wegbereiter der Moderne. Berlin 1991.

Müller, Cinématographe Lumière Müller, Martina: Cinématographe Lumière. Kino vor hundert Jahren. Textheft zur gleichnamigen Sendefolge im W D R III. Köln 1995.

Müller, Kinematographie Müller, Corinna: Frühe deutsche Kinematographie. Formale, wirtschaftliche und kulturelle Entwicklungen 1907–1912. Stuttgart/Weimar 1994.

Müller-Lauter, Wolfgang/Gerhardt, Volker (Hrsg.): Aufnahme und Auseinandersetzung. Friedrich Nietzsche im 20. Jahrhundert. Berlin/New York 1982.

Müller-Lauter, Wolfgang: Nietzsche. Seine Philosophie der Gegensätze und die Gegensätze seiner Philosophie. Berlin/New York 1971.

Müller, Peter: Die Bedeutung der Wissenschaft im Denken Zolas und ihr Einfluß auf die Entfaltung einer originellen Weltsicht in seinen Romanen. In: Brockmeier, Peter/Wetzel, Hermann H. (Hrsg.): Französische Literatur in Einzeldarstellungen. Bd. II: Von Stendhal bis Zola. Stuttgart 1982, 209–244.

Müller-Salget, Autorität Müller-Salget, Klaus: Autorität und Familie im naturalistischen Drama. In: Zs. f. dt. Philologie103, 1984, 502–519.

Müller-Salget, Klaus: Alfred Döblin. Werk und Entwicklung. Bonn ²1988.

Müller/Segeberg, Modellierung Müller, Corinna/Segeberg Harro (Hrsg.): Die Modellierung des Kinofilms. Zur Geschichte des Kinoprogramms zwischen Kurzfilm und Langfilm (1905/06–1918). München 1997 (= Mediengeschichte des Films, 2).

Müller-Seidel, Deportation Müller-Seidel, Walter: Die Deportation des Menschen. Kafkas Erzählung ›In der Strafkolonie‹ im europäischen Kontext. Stuttgart 1986.

Müller-Seidel, Walter: Franz Kafkas ›Brief an den Vater‹. Ein literarischer Text der Moderne. In: Orbis Litterarum 42, 1987, 353–374.

Müller-Stratmann, Claudia: Wilhelm Herzog und ›Das Forum‹. ›Literatur-Politik‹ zwischen 1910 und 1915. Ein Beitrag zur Publizistik des Expressionismus. Frankfurt/M. u. a. 1997.

Münch, Moderne Münch, Richard: Die Kultur der Moderne. 2 Bde. Frankfurt/M. 1986.

Münchow, Ursula: Deutscher Naturalismus. Berlin 1968.

Murger, Henry: Scènes de la Vie de Bohème. (Gütersloh) 1960.

Musil, Chronik Musil, Robert: Literarische Chronik (August 1914). In: R. M.: Gesammelte Werke. Bd. IX. Reinbek ²1981, 1265–1266.

Mutschler, Friedrich: Alfred Döblin. Autonomie und Bindung. Untersuchungen zu Werk und Person bis 1933. Frankfurt/M. u. a. 1993.

Nabbe, Hyperion Nabbe, Hildegard: Zwischen Fin de Siècle und Expressionismus: Die Zeitschrift ›Hyperion‹ (1908–1910) als ein Dokument elitärer Tendenzen. Seminar 22, 1986, 126–143.

Nägele, Horst: Jens Peter Jacobsen. Stuttgart 1973.

Naumann, Friedrich: Die Kunst im Zeitalter der Maschine. Berlin 1908.

Nehring, Moderne Nehring, Wolfgang: Der Beginn der Moderne. In: Polheim, Karl Konrad (Hrsg.): Handbuch der deutschen Erzählung. Köln 1981, 382–408.

Nerval, Gérard de: La Bohème Galante. Nouvelle Edition. Paris 1866.

Neteler, Theo: Verleger und Herrenreiter. Das ruhelose Leben des Alfred Walter Heymel. Göttingen 1995.

Netuschil, Claus (Hrsg.): Die Graphik des Darmstädter Expressionismus. Ausstellungskatalog. Darmstadt 1995.

Neugebauer, Rosamunde (Hrsg.): Aspekte der literarischen Buchillustration im 20. Jahrhundert. Wiesbaden 1996 (= Mainzer Studien zur Buchwissenschaft, 5).

Neumann, Bernd: Identität und Rollenzwang. Zur Theorie der Autobiographie. Frankfurt/M. 1970.

Neumann, Gerhard: Franz Kafka: Das Urteil. Text, Materialien, Kommentar. München 1981.

Neumann-Hofer, Von Einaktern Neumann-Hofer, Von Einaktern uns anderen Nebensachen. Das nationale Deutschland, Bd. 1907, 138–146.

Neumann, Umkehrung Neumann, Gerhard: Umkehrung und Ablenkung. Franz Kafkas ›gleitendes Paradox‹. In: DVjs 42, 1968, 385–401.

Neusüss, Bewußtsein Neusüss, Arnhelm: Utopisches Bewußtsein und freischwebende Intelligenz. Zur Wissenssoziologie Karl Mannheims. Meisenheim a. Glan 1968.

Niemann, Bodo (Hrsg.): Novembergruppe. Ausstellungskatalog, Galerie Niemann. Berlin 1993.

Niemann, Ludwig: Soziologie des naturalistischen Romans. In: Germanische Studien 148, 1934, 1–116.

Nievers, Knut/Manitz, Bärbel (Katalogbearb.): Kunstwende. Der Kieler Impuls des Expressionismus 1915–1922. Ausstellung. Kiel 1992.

Niggl, Günter: Die Autobiographie. Zur Form und Geschichte einer literarischen Gattung. Darmstadt 1989.

Nipperdey, Geschichte Nipperdey, Thomas: Deutsche Geschichte 1866–1918. Band 1: Arbeitswelt und Bürgergeist. München 1990.

Nipperdey, Thomas: Deutsche Geschichte 1866–1918. Band 2: Machtstaat vor der Demokratie. München 1992.

Noble, Cecil A. M.: Sprachskepsis. Über Dichtung der Moderne. München 1978.

Noe, Kritik Noe, Helga: Die literarische Kritik am Ersten Weltkrieg in der Zeitschrift ›Die Weißen Blätter‹: René Schickele, Annette Kolb, Max Brod, Andreas Latzko, Leonhard Frank. Diss. Zürich 1986.

Nöhbauer, Literaturkritik Nöhbauer, Hans F.: Literaturkritik und Zeitschriftenwesen 1885–1914. Diss. München 1956.

Nordau, Lügen Nordau, Max: Die conventionellen Lügen der Kulturmenschheit. 70–71. Tsd. Leipzig o. J.

Nusser, Peter: Trivialliteratur. Stuttgart 1991.

Obenaus, Zeitschriften Obenaus, Sibylle: Literarische und politische Zeitschriften 1848–1880. Stuttgart 1987.

Oellers, Norbert (Hrsg.): Schiller – Zeitgenosse aller Epochen. Dokumente zur Wirkungsgeschichte Schillers in Deutschland. Teil II. 1860–1966. München 1976.

Offermanns, Schnitzler Offermanns, Ernst L. (Hrsg.): Arthur Schnitzler, »Anatol«. Texte und Materialien zur Interpretation. Berlin 1964.

Olden, Tolstoi Olden, Hans: Tolstoi und sein Berliner Publikum. In: Freie Bühne 14–15, 1890. Neudruck in: *Hoefert, Russische Literatur*, 88–90.

Oliver, Womanizing Nietzsche Oliver, Kelly: Womanizing Nietzsche. Philosophy's Relation to the ›Feminine‹. New York/London: Routledge 1985.

Opet, Theaterrecht Opet, Otto: Deutsches Theaterrecht. Unter Berücksichtigung fremder Rechte. Berlin 1897.

Ostermann, Eberhard: Der Begriff des Fragments als Leitmetapher der ästhetischen Moderne. In: Athenäum 1, 1991, 189–205.

Paech, Joachim: Literatur und Film. Stuttgart 1988.

Paech, Vor-Schriften Paech, Joachim: Vor-Schriften – In-Schriften – Nach-Schriften. In: Ernst, Gustav (Hrsg.): Sprache im Film. Wien 1994, 23–40, 28ff.

Pailer, Gaby: Schreibe, die du bist. Die Gestaltung weiblicher ›Autorschaft‹ im erzählerischen Werk Hedwig Dohms. Pfaffenweiler 1994.

Palmier, Jean-Michel: Die Zeitschriften des Expressionismus und der Krieg. In: Paris-Berlin 1900–1933. (Katalog) München 1979, 441–445.

Pankau, Johannes G.: Wege zurück. Zur Entwicklungsgeschichte restaurativen Denkens im Kaiserreich. Eine Untersuchung kulturkritischer und deutschkundlicher Ideologiebildung. Frankfurt/M, Bern, New York 1983.

Pankau, Polizeiliche Tugendlichkeit Pankau, Johannes G.: Polizeiliche Tugendlichkeit:

Frank Wedekind. In: Kogel, Jörg-Dieter (Hrsg.): Schriftsteller vor Gericht. Verfolgte Literatur in vier Jahrzehnten. Frankfurt/M. 1996, 142–170.

Parkhurst Ferguson, Priscilla: The Flaneur on and off the Streets of Paris. In: The Flaneur. Edited by Keith Tester. New York: Routledge 1994, 22–34.

Parsons, System Parsons, Talcott: Das System moderner Gesellschaften. Mit einem Vorwort von Dieter Claessens. Weinheim/München [4]1996.

Pascal, Roy: From Naturalism to Expressionism. German Literature and Society 1890–1918. London 1973.

Paulsen, Expressionismus Paulsen, Wolfgang: Expressionismus und Aktivismus. Eine typologische Studie. Bonn/Leipzig 1935.

Paulsen, Wolfgang: Das Ich im Spiegel der Sprache. Autobiographisches Schreiben in der deutschen Literatur des 20. Jahrhunderts. Tübingen 1991.

Paulsen, Wolfgang (Hrsg.): Sinn aus Unsinn. Dada international. 12. Amherster Kolloquium zur deutschen Literatur. Bern/München 1982.

Pazarkaya, Dramaturgie Pazarkaya, Yüksel: Die Dramaturgie des Einakters. Der Einakter als eine besondere Erscheinungsform im deutschen Drama des achtzehnten Jahrhunderts. Göppingen 1973 (Göppinger Arbeiten zur Germanistik, Nr. 69).

Pazarkaya, Singspiel Pazarkaya, Yüksel: Das einaktige Singspiel bei Goethe im Verhältnis zur Dramaturgie des Einakters im 18. Jahrhundert. In: Geschichte und Dramaturgie des Operneinakters. Hrsg. v. Winfried Kirsch und Sieghart Döhring. Laaber 1991, 115–126.

Pazi, Fünf Autoren Pazi, Margarita: Fünf Autoren des Prager Kreises. Frankfurt/M. 1978.

Perkins, Geoffrey C.: Contemporary Theory of Expressionism. Bern/Frankfurt/M. 1974.

Perlmann, Schnitzler Perlmann, Michaela M: Arthur Schnitzler. Stuttgart 1987.

Peter, Literarische Intelligenz Peter, Lothar: Literarische Intelligenz und Klassenkampf. ›Die Aktion‹ 1911–1932. Köln 1972.

Petersen, Rubiner Petersen, Klaus: Ludwig Rubiner. Eine Einführung mit Textauswahl und Bibliographie. Bonn 1980.

Pfäfflin, Friedrich u. a. (Bearb.): Hermann Hesse 1877–1977. Stationen seines Lebens, des Werkes und seiner Wirkung. Ausstellung im Schiller-Nationalmuseum Marbach am Neckar. Marbach 1977.

Pfeiffer, Ernst: Friedrich Nietzsche, Paul Rée und Lou von Salomé. Die Dokumente ihrer Begegnung. Frankfurt/M. 1970 .

Pfeiffer, Rilke Pfeiffer, Ernst: Rilke und die Psychoanalyse. In: Literaturwissenschaftliches Jahrbuch 17, 1976, 247–320.

Pfemfert, Franz: Ich setze diese Zeitschrift wider diese Zeit. Sozialpolitische und literaturkritische Texte. Hrsg. v. Wolfgang Haug. Darmstadt/Neuwied 1985.

Pfister, Manfred (Hrsg.): Die Modernisierung des Ich. Studien zur Subjektkonstitution in der Vor- und Frühmoderne. Passau 1989.

Pforte, Sozialdemokratie und Naturalisten Pforte, Dietger: Die deutsche Sozialdemokratie und die Naturalisten. Aufriß eines fruchtbaren Mißverständnisses. In: *Scheuer, Naturalismus*, 175–205.

Pfoser/Pfoser-Schewig/Renner, Schnitzlers Reigen Pfoser, Alfred/Pfoser-Schewig, Kristina/Renner, Gerhard: Schnitzlers ›Reigen‹. Zehn Dialoge und ihre Skandalgeschichte. Analysen und Dokumente. 2 Bde. Frankfurt/M. 1993.

Pfotenhauer, Kunst Pfotenhauer, Helmut: Die Kunst als Physiologie. Nietzsches ästhetische Theorie und literarische Produktion. Stuttgart 1985 .

Philipp, Eckhard: Dadaismus. Einführung in den literarischen Dadaismus und in die Wortkunst des ›Sturm‹-Kreises. München 1980.

Pikulik, Leistungsethik Pikulik, Lothar: Leistungsethik contra Gefühlskult. Über das Verhältnis von Bürgerlichkeit und Empfindsamkeit in Deutschland. Göttingen 1984.

Pinthus, Kurt (Hrsg.): Das Kinobuch. Kinostücke von Richard A. Bermann u. a. Frankfurt/M. 1983.

Pirsich, Der Sturm Pirsich, Volker: Der ›Sturm‹ und seine Beziehungen zu Hamburg und zu Hamburger Künstlern. Göttingen 1981.

Pirsich, Expressionismus Pirsich, Volker: Verlage, Presssen und Zeitschriften des Hamburger Expressionismus. Frankfurt/M. 1988 (= Sonderdruck aus Archiv für Geschichte des Buchwesens 30, 1988).

Pirsich, Volker: Der späte Expressionismus 1918–1925. Speyer 1985 (= Pfälz. Arbeiten zum Buch- und Bibliothekswesen u. zur Bibliographie, 12).

Pirsich, Volker: ›Der Sturm‹. Eine Monographie. Herzberg 1985.

Poeschel, Carl Ernst: Zeitgemäße Buchdruckkunst. Leipzig 1904.

Polácek, Josef: Die soziale Prosa des deutschen Naturalismus der 80er Jahre. Max Kretzer, Karl Bleibtreu, Michael Georg Conrad (1955). Wieder in: Adler, Hans (Hrsg.): Der deutsche soziale Roman des 18. und 19. Jahrhunderts. Darmstadt 1990, 393–425 (= Wege der Forschung, 630).

Polácek, Josef: Zum Thema der bürgerlich-individualistischen Revolte in der deutschen pseudosozialen Prosa. Hans Land, Felix Hollaender, John Henry Mackay. In: Philologica Pragensia 7/1, 1964, 1–14.

Polheim, Karl Konrad (Hrsg.): Theorie und Kritik der deutschen Novelle von Wieland bis Musil. Tübingen 1970.

Pöllinger, Briefwechsel Pöllinger, Andreas (Hrsg.): Der Briefwechsel zwischen Ludwig Thoma und Albert Langen. 1899–1908. Ein Beitrag zur Lebens-, Werk- und Verlagsgeschichte um die Jahrhundertwende. 2 Bde. Frankfurt/M. u. a. 1993 (= Regensburger Beiträge, 7).

Pöllinger, Gründung Pöllinger, Andreas: Die Gründung des Goethebundes 1900. Ein Beitrag zum literarischen Leben im wilhelminischen Deutschland. In: Buchhandelsgeschichte 3, 1991, B89-B98.

Pörtner, Literaturrevolution Pörtner, Paul (Hrsg.): Literaturrevolution 1910–1925. Dokumente, Manifeste, Programme. 2 Bde. Darmstadt/Neuwied/Berlin-Spandau 1960/61.

Praschek, Hauptmanns Weber Praschek, Helmut: Gerhart Hauptmanns ›Weber‹. Eine Dokumentation. Berlin 1981.

Praschek, Helmut: Das Verhältnis von Kunsttheorie und Kunstschaffen im Bereich der deutschen naturalistischen Dramatik. Diss. Greifswald 1957.

Prévot, René: Du mein Schwabing! Kreislauf romantischer Ironie. München 1964.

Prodolliet, Abenteuer Prodolliet, Ernest: Das Abenteuer Kino. Der Film im Schaffen von Hugo von Hofmannsthal, Thomas Mann und Alfred Döblin. Freiburg 1991.

Pross, Literatur und Politik Pross, Harry: Literatur und Politik. Geschichte und Programme der politisch-literarischen Zeitschriften im deutschen Sprachgebiet seit 1870. Olten/Freiburg i. Br. 1963.

Pütz, Peter: Thomas Mann und Nietzsche. In: Hillebrand, Bruno (Hrsg.): Nietzsche und die deutsche Literatur. Bd. II. Forschungsergebnisse. München/Tübingen 1978, 121–155.

Quaresima, Leonardo: ›Dichter heraus!‹ The ›Autorenfilm‹ and the German Cinema of the 1910's. In: Griffithiana 13/38–39, 1990, 100–120 .

Raabe, Aufzeichnungen Raabe, Paul: Expressionismus. Aufzeichnungen und Erinnerungen der Zeitgenossen. Olten/Freiburg i. Br. 1965.

Raabe, Die Aktion Raabe, Paul: Die Aktion. Geschichte einer Zeitschrift. Einführung und Kommentar zum Nachdruck der ›Aktion‹. Stuttgart 1961, 7–21.

Raabe, Ich schneide die Zeit aus Raabe, Paul (Hrsg.): Ich schneide die Zeit aus. Expressionismus und Politik in Franz Pfemferts ›Aktion‹. 1911–1918. München 1964.

Raabe, Paul: Die Autoren und Bücher des literarischen Expressionismus. Ein bibliographisches Handbuch. Stuttgart 1985.

Raabe, Paul: Expressionismus. Der Kampf um eine literarische Bewegung. München 1964 (Neuausgabe Zürich 1987).

Raabe, Paul/Greve, Ludwig (Hrsg.): Expressionismus. Literatur und Kunst 1910–1923. Eine Ausstellung des Deutschen Literaturarchivs im Schiller-Nationalmuseum. Marbach am Neckar. Marbach 1960.

Raabe, Paul (Hrsg.): Der späte Expressionismus. Bücher, Bilder, Zeitschriften, Dokumente. Ausstellung d. Veranstaltungsreihe ›Wege und Gestalten‹. Biberach 1966.

Raabe, Paul: Index Expressionismus. Bibliographie der Beiträge in den Zeitschriften und Jahrbüchern des literarischen Expressionismus 1910–1925. 18 Bde. Liechtenstein 1972.

Raabe, Zeitschriften Raabe, Paul: Die Zeitschriften und Sammlungen des literarischen Expressionismus. Repertorium der Zeitschriften, Jahrbücher, Anthologien, Sammelwerke, Schriftenreihen und Almanache 1910–1921. Stuttgart 1964.

Radkau, Johannes: Die wilhelminische Ära als nervöses Zeitalter, oder: Die Nerven als Netz zwischen Tempo- und Körpergeschichte. In: Geschichte und Gesellschaft 20, 1994, 211–241.

Raggam, Miriam: Walter Hasenclever. Leben und Werk. Hildesheim 1973.

Ransome, Arthur: Bohemia in London. London 1907.

Rappl, Hans-Georg: Die Wortkunsttheorie von Arno Holz. Diss. Köln 1957.

Rasch, Décadence Rasch, Wolfdietrich: Die literarische Décadence um 1900. München 1986.

Rasch, Dichterische Prosa Rasch, Wolfdietrich (Hrsg.): Dichterische Prosa um 1900. Tübingen 1970.

Rasch, Literatur Rasch, Wolfdietrich: Zur deutschen Literatur der Jahrhundertwende. Gesammelte Aufsätze. Stuttgart 1967.

Rasch, Wolfdietrich: Claudio. Zur Darstellung der Lebensferne in der Dichtung um 1900. In: Jahrbuch der Deutschen Schillergesellschaft 22, 1987, 552–571.

Rauch, Angelika: Das Trauerspiel of the Prostituted Body or Woman as Allegory of Modernity. In: Cultural Critique 10, 1989, 77–88.

Reboux, Paul: La vie de Bohème. In: La vie parisienne à l'époque romantique. Paris 1931.

Reed, Philippa: ›Alles, was ich schreibe, steht im Dienste der Frauen‹. Zum essayistischen und fiktionalen Werk Hedwig Dohms (1833–1919). Frankfurt/M./Bern/New York 1987.

Rehm, Walter: Der Renaissancekult um 1900 und seine Überwindung. In: Zs f. dt. Philologie 54, 1929, 296–328.

Reich-Ranicki, Anbruch Reich-Ranicki, Marcel (Hrsg.): Anbruch der Gegenwart. Deutsche Geschichten 1900–1918. Neuausgabe München/Zürich 1992.

Reichards, Donald Ray: The German Bestseller in the 20th Century. A Complete Bibliography and Analysis 1915–1940. Bern 1968.

Reis, Gilbert: Musils Frage nach der Wirklichkeit. Königstein/Ts. 1983.

Requardt/Machatzke, Hauptmann Requardt, Walter/Machatzke, Martin: Gerhart Hauptmann und Erkner – Studien zum Berliner Frühwerk. Berlin 1980.

Requardt, Paul: Unbürgerliche Dichterporträts des Expressionismus. Würzburg 1985.

Reventlow, Autobiographisches Reventlow, Franziska Gräfin zu: Autobiographisches: Ellen Olestjerne (Roman), Novellen, Schriften, Selbstzeugnisse. Hrsg. v. Else Reventlow. München/Wien 1980.

Reventlow, Briefe Reventlow, Franziska Gräfin zu: Briefe 1890–1917. Hrsg. v. Else Reventlow. München/Wien 1975.

Reventlow, Franziska Gräfin zu: Tagebuch 1895–1910. Frankfurt/M. 1976.

Reventlow, Romane Reventlow, Franziska Gräfin zu: Romane. Hrsg. v. Else Reventlow. München/Wien 1976.

Reventlow, Tagebücher Reventlow, Franziska Gräfin zu: Tagebücher 1895–1910. Hrsg. v. Else Reventlow. München/Wien 1971.

Richards, Bestseller Richards, Donald Ray: The German Bestseller in the 20th Century. A Complete Bibliography and Analysis (1915–1940). Bern 1968.

Riedel, Homo Natura Riedel, Wolfgang: ›Homo Natura‹. Literarische Anthropologie um 1900. Berlin/New York 1996.

Riess, Curt: Ascona. Geschichte des seltsamsten Dorfes der Welt. Zürich 1964.

Rietzschel, Die Aktion Rietzschel, Thomas: ›Die Aktion‹ – eine politische Zeitschrift im expressionistischen Jahrzehnt. In: Zs. f. Germanistik 4, 1983, 25–40.

Rietzschel, Die Aktion 1911–1918 Rietzschel, Thomas (Hrsg.): Die Aktion 1911–1918. Eine Auswahl. Köln 1987 (Dem Bürger fliegt vom spitzen Kopf der Hut. Eine Einführung in Die Aktion. Sp. 1–38).

Ritchie, J. M.: Das Bild Londons in dem Romanwerk des deutschen Anarchisten John Henry Mackay. In: Wiedemann, Conrad (Hrsg.): Rom – Paris – London. Erfahrung und Selbsterfahrung deutscher Schriftsteller und Künstler in den fremden Metropolen. Ein Symposion. Stuttgart 1988, 635–647.

Ritzer, Monika: Hermann Broch und die Kulturkrise des frühen 20. Jahrhunderts. Stuttgart 1988.

Robertson, Ritchie: Kafka. Judaism, Politics and Literature. Oxford 1985.

Rochefort, Henri: La Grande Bohème (les Francais de la Décadence). Paris 1886.

Roebling, Irmgard (Hrsg.): Lulu, Lilith, Mona Lisa.. Frauenbilder der Jahrhundertwende. Pfaffenweiler 1989.

Röhl, John C.G.: Kaiser, Hof und Staat. Wilhelm II. und die deutsche Politik. München 1987.

Rohrwasser, Weg Rohrwasser, Michael: Der Weg nach oben. Johannes R. Becher. Politiken des Schreibens. Basel/Frankfurt/M. 1980.

Rösch, Thoma als Journalist Rösch, Gertrud Maria: Ludwig Thoma als Journalist. Ein Beitrag zur Publizistik des Kaiserreichs und der frühen Weimarer Republik. Frankfurt/M. u. a. 1990 (= Regensburger Beiträge, B/42).

Rösch, Simplicissimus Rösch, Gertrud Maria (Hrsg.): Simplicissismus. Glanz und Elend der Satire in Deutschland. Regensburg 1996 (= Schriftenreihe der Universität Regensburg, 23).

Rosenbaum, Familie Rosenbaum, Heide: Formen der Familie. Untersuchungen zum Zusammenhang von Familienverhältnissen, Sozialstruktur und sozialem Wandel in der deutschen Gesellschaft des 19. Jahrhunderts. Frankfurt/M. 1982.

Rosenhaupt, Hans Wilhelm: Der deutsche Dichter um die Jahrhundertwende und seine Abgelöstheit von der Gesellschaft. Diss. Bern/Leipzig 1939.

Roßbach, Bruno: Spiegelungen eines Bewußtseins. Der Erzähler in Thomas Manns ›Tristan‹. Marburg 1989.

Rossbacher, Karlheinz: Heimatkunstbewegung und Heimatroman. Zu einer Literatursoziologie der Jahrhundertwende. Stuttgart 1975.

Rossbacher, Karlheinz: Provinzkunst. A Countermovement to Viennese Culture. In: Nielsen, Erika (Hrsg.): Focus on Vienna 1900. Change and Continuity in Literature, Music, Art and Intellectual History. München 1982, 23–32 (= Houston German Studies, 4).

Rosselit, Jutta: Aufbruch nach innen. Studien zur literarischen Moderne mit einer Theorie der Imagination. Würzburg 1993.

Rothe, Aktivismus Rothe, Wolfgang (Hrsg.): Der Aktivismus 1915–1920. München 1969.

Rothe, Tänzer Rothe, Wolfgang: Tänzer und Täter. Gestalten des Expressionismus. Frankfurt/M. 1979.

Rothe, Wolfgang: Der Expressionismus. Theologische, soziologische und anthropologische Aspekte einer Literatur. Frankfurt/M. 1977.

Rothe, Wolfgang (Hrsg.): Expressionismus als Literatur. Gesammelte Studien. Bern/München 1969.

Rötzer, Hans-Georg (Hrsg.): Begriffsbestimmung des literarischen Expressionismus. Darmstadt 1976 (= Wege der Forschung, 380).

Rubiner, Ludwig: Der Dichter greift in die Politik. Ausgewählte Werke 1908–1919. Hrsg. v. Klaus Schuhmann. Leipzig bzw. Frankfurt/M. 1976.

Rubiner, Ludwig: Künstler bauen Barrikaden. Texte und Manifeste 1908–1919. Hrsg. v. Wolfgang Haug. Darmstadt 1988.

Rüdinger, Karl (Hrsg.): Literatur – Sprache – Gesellschaft. München 1970.

Rudolph, Hermann: Kulturkritik und konservative Revolution. Zum kulturell-politischen Denken Hofmannsthals und seinem problemgeschichtlichen Kontext. Tübingen 1970.

Rülcker, Christoph: Ideologie der Arbeiterdichtung 1914–1933. Eine wissenssoziologische Untersuchung. Stuttgart 1970.

Rumold, Rainer/Werckmeister O. K. (Hrsg.): The Ideological Crisis of Expressionism. The Literary and Artistic German War Colony in Belgium 1914–1918. Columbia, SC 1990.

Ruprecht/Bänsch, Jahrhundertwende Ruprecht, Erich/Bänsch, Dieter (Hrsg.): Jahrhundertwende. Manifeste und Dokumente zur deutschen Literatur 1890–1910. Stuttgart 1981.

Ruprecht, Erich/Bänsch, Dieter (Hrsg.): Literarische Manifeste der Jahrhundertwende 1890–1910. Stuttgart 1970.

Ruprecht, Manifeste Ruprecht, Erich (Hrsg.): Literarische Manifeste des Naturalismus 1880–1892. Stuttgart 1962.

Rutschky, Seele Rutschky, Michael: Lektüre der Seele. Eine historische Studie über die Psychoanalyse der Literatur. Frankfurt/M. u. a. 1981.

Ryan, Each One Ryan, Judith: Each One as She May: Melanctha, Tonka, Nadja. In: Modernity and the Text. Revisions of German Modernism. Edited by Andreas Huyssen and David Bathrick. New York: Columbia University Press 1989, 95–109.

Sachs, Der Sohn Sachs, Hanns: Der Sohn. Ein Drama in fünf Akten von Walter Hasenclever. In: Imago 5/1, 1917, 43–48. Nachdruck in: *Anz/Stark, Expressionismus*, 154–158.

Saladin, Linda A.: Fetishism and Fatal Woman. Gender, Power, and Refelexive Discourse. New York u. a. 1993.

Salten, Felix: Gestalten und Erscheinungen. Berlin 1913.

Salzmann, Die Insel Salzmann, Karl H.: ›Die Insel‹. In: Berliner Hefte 4/2, 1949, 583–594.

Salzmann, Pan Salzmann, Karl H.: Pan. Geschichte einer Zeitschrift. In: Archiv für Geschichte des Buchwesens. 1, 1958, 212–225 (gekürzter Nachdruck in: Hermand, Jost (Hrsg.): Jugendstil. Darmstadt 1971 (Wege der Forschung, 110), 178–208.

Sarraute, Zeitalter Sarraute, Nathalie: Zeitalter des Argwohns. Über den Roman. Köln/Berlin 1963.

Schacherl, Zeitschriften Schacherl, Lillian: Die Zeitschriften des Expressionismus. Versuch einer zeitungswissenschaftlichen Strukturanalyse. Diss. München 1957.

Schaefer, Altenberg Schaefer, Camillo: Peter Altenberg oder Die Geburt der modernen Seele. Wien/München 1992.

Schäfer, Dada Köln Schäfer, Jörgen: Dada Köln. Max Ernst, Hans Arp, Johannes Theodor Baargeld und ihre literarischen Zeitschriften. Wiebaden 1993

Schäfer, Jörgen (in Verbindung mit Merte, Angela): Dada in Köln. Ein Repertorium. Frankfurt/M. u. a. 1995.

Schäfer, Roland: Leipzig als Zentrum des deutschen Verlagswesens im 19. Jahrhundert. In: Leipziger Jahrbuch zur Buchgeschichte 1, 1991, 249–261.

Schäffner, Gerhard: Heinrich Mann – Dichterjugend. Eine werkbiographische Untersuchung. Heidelberg 1995 (= Reihe Siegen, 128).

Schalk, Fritz: Zur Romantheorie und Praxis von Emile Zola. In: Koopmann, Helmut/Schmoll, J. Adolf (Hrsg.): Beiträge zur Theorie der Künste im 19. Jahrhundert. Bd. I. Frankfurt/M. 1971, 337–351.

Schanze, Helmut: Der Experimentalroman des deutschen Naturalismus. Zur Theorie der Prosa um 1900. In: Koopmann, Helmut (Hrsg.): Handbuch des deutschen Romans. Düsseldorf 1983.

Schanze, Theater Schanze, Helmut: Theater – Politik – Literatur. Zur Gründungskonstellation einer ›Freien Bühne‹ zu Berlin 1889. In: Bayerdörfer, Hans-Peter/Conrady, Karl Otto/Schanze, Helmut (Hrsg.): Literatur und Theater im Wilhelminischen Zeitalter. Tübingen 1978, 275–291.

Scharfschwerdt, Jürgen: Thomas Mann und der deutsche Bildungsroman. Eine Untersuchung zu den Problemen einer literarischen Tradition. Stuttgart u. a. 1967.

Schauer, Begriff Schauer, Rudolf: Zum Begriff der unzüchtigen Schrift. Ein Beitrag zur Erläuterung des §184 R. St. G. B. Leipzig 1893.

Schauer, Buchkunst Schauer, Georg Kurt: Die deutsche Buchkunst im 19. und 20. Jahrhundert. In: Schauer, Georg Kurt (Hrsg.): Internationale Buchkunst im 19. und 20. Jahrhundert. Ravensburg 1969, 307–354.

Scheerbart, Arbeiten Scheerbart, Paul: Gesammelte Arbeiten für das Theater. Hrsg. v. Mechthild Rausch. 2 Bde. München 1977.

Schefold, Zensur Schefold, Dian: Zensur. In: Sandkühler, Hans Jörg (Hrsg.): Europäische Enzyklopädie zu Philosophie und Wissenschaft. Bd. IV. Hamburg 1990, 985–987.

Scheichl, Sigurd P./Timms, Edward (Hrsg.): Karl Kraus in neuer Sicht. Londonder Kraus-Symposium. München 1986.

Scheideler, Beruf – Berufung Scheideler, Britta: Zwischen Beruf und Berufung. Zur Sozialgeschichte der deutschen Schriftsteller von 1880 bis 1933. Frankfurt/M. 1997 (= Sonderdruck aus dem Archiv für Geschichte des Buchwesens 46, 1997).

Schels, Tradition Schels, Evelyn: Die Tradition des lyrischen Dramas von Musset bis Hofmannsthal. Frankfurt/Bern/New York/Paris 1990.

Scherer, Herbert: Bürgerlich-oppositionelle Literaten und sozialdemokratische Arbeiterbewegung nach 1890. Die ›Friedrichshagener‹ und ihr Einfluß auf die sozialdemokratische Kulturpolitik. Stuttgart 1974.

Scherer, Wilhelm: Vorträge und Aufsätze zur Geschichte des geistigen Lebens in Deutschland und Österreich. Berlin 1974.

Scherpe, Klaus R.: Der Fall Arno Holz. Zur sozialen und ideologischen Motivation der naturalistischen Literaturrevolution. In: Mattenklott, Gert/Scherpe, Klaus R. (Hrsg.): Positionen der literarischen Intelligenz zwischen bürgerlicher Reaktion und Imperialismus. Kronberg 1973, 121–178.

Scherrer, Paul/Wysling, Hans: Quellenkritische Studien zum Werk Thomas Manns. Bern, München 1967.

Scheuer, Arno Holz Scheuer, Helmut: Arno Holz im literarischen Leben des ausgehenden 19. Jahrhunderts (1883–1896). Eine biographische Studie. München 1971.

Scheuer, Hasenclever Scheuer, Helmut: Walter Hasenclever: ›Der Sohn‹. In: Interpretationen. Dramen des 20. Jahrhunderts. Bd. I. Stuttgart 1996, 127–156 .

Scheuer, Naturalismus Scheuer, Helmut (Hrsg.): Naturalismus. Bürgerliche Dichtung und soziales Engagement. Stuttgart/Berlin/Köln/Mainz 1974.

Scheuer, Selicke Scheuer, Helmut: Arno Holz/Johannes Schlaf: ›Die Familie Selicke‹ (1890). In: Interpretationen. Dramen des Naturalismus. Stuttgart 1988, 67–106.

Scheuer, Sozialismus Scheuer, Helmut: Zwischen Sozialismus und Individualismus – Zwischen Marx und Nietzsche. In: *Scheuer, Naturalismus*, 150–174.

Scheuer, Väter und Töchter Scheuer, Helmut: Väter und Töchter. Konfliktmodelle im

Familiendrama des 18. und 19. Jahrhunderts. In: Der Deutschunterricht 46/1, 1994, 18–31 .

Schier, Rudolf D.: Die Sprache Georg Trakls. Heidelberg 1970.

Schivelbusch, Paradies Schivelbusch, Wolfgang: Das Paradies, der Geschmack und die Vernunft. Eine Geschichte der Genußmittel. München/Wien 1980.

Schlawe, Zeitschriften Schlawe, Fritz: Literarische Zeitschriften 1885–1910. (Teil I). Stuttgart ^{2}1965.

Schlawe, Zeitschriften Schlawe, Fritz: Literarische Zeitschriften (Teil II). 1910–1933. Stuttgart ^{2}1973.

Schlenstedt, Gruppe Schlenstedt, Silvia: Gruppe, Zeitschrift, Verlag – zu Lebensformen des literarischen Expressionismus. In: März, Roland/Kühnel, Anita (Katalogbearb.): Expressionisten. Die Avantgarde in Deutschland 1905–1920 Berlin 1986, 37–45.

Schlenther, Finsternis Schlenther, Paul: Freie Bühne: Die Macht der Finsternis. In: Freie Bühne, 1890, 12–14. Neudruck in: *Hoefert, Russische Literatur*, 83–88.

Schley, Freie Bühne Schley, Gerno: Freie Bühne in Berlin. Der Vorläufer der Volksbühnenbewegung. Ein Beitrag zur Theatergeschichte in Deutschland. Berlin 1967.

Schlinkmann, Adalbert: ›Einheit‹ und ›Entwicklung‹. Die Bildwelt des literarischen Jugendstils und die Kunsttheorien der Jahrhundertwende. Diss. Bamberg 1974.

Schlüpmann, Heide: Unheimlichkeit des Blicks. Das Drama des frühen deutschen Kinos. Basel/Frankfurt/M. 1990.

Schmid-Bortenschläger, Sigrid/Schmedl-Bubenicek, Hanna: Österreichische Schriftstellerinnen 1880–1938. Eine Bio-Biliographie. Stuttgart 1982.

Schmid, Martin: Symbol und Funktion der Musik im Werk Hugo von Hofmannsthals. Heidelberg 1968.

Schmidt-Bergmann, Hansgeorg: Die Anfänge der literarischen Avantgarde in Deutschland. Über Anverwandlung und Abwehr des italienischen Futurismus. Ein literarhistorischer Beitrag zum expressionistischen Jahrzehnt. Stuttgart 1991.

Schmidt, Christoph: ›Ehrfurcht und Erbarmen‹. Thomas Manns Nietzsche-Rezeption 1914 bis 1947, Trier 1997.

Schmidt, Darwinismus Schmidt, Günter: Die literarische Rezeption des Darwinismus. Das Problem der Vererbung bei Emile Zola und im Drama des deutschen Naturalismus. Berlin 1974.

Schmitz, Elf Scharfrichter Schmitz, Walter: ›Die Elf Scharfrichter‹. Ein Kabarett in der ›Kunststadt‹ München. In: Prinz, Friedrich/Krauss, Marita (Hrsg.): München – Musenstadt mit Hinterhöfen. Die Prinzregentenzeit 1886–1912. München 1988, 277–283, 362–364.

Schmitz, Gerhard: Der verhinderte Naturalismus. Untersuchungen zur Theorie der literarischen Moderne in Deutschland. Diss. Frankfurt/M. 1983.

Schmitz, Münchner Moderne Schmitz, Walter (Hrsg.): Die Münchner Moderne. Die literarische Szene in der ›Kunststadt‹ um die Jahrhundertwende. Stuttgart 1990.

Schmitz, Walter/Schneidler, Heribert (Hrsg.): Expressionismus in Regensburg. Texte und Studien. Regensburg 1991.

Schnack, Ingeborg: Rainer Maria Rilke. Chronik seines Lebens. Bd. I. Frankfurt/M. 1975.

Schneider, Christian Immo: Hermann Hesse. München 1991.

Schneider, Kaffeehaus Schneider, Rolf: Das Kaffeehaus: Eine Weltanschauung. In: Sotriffer, Christian (Hrsg.): Das größere Österreich. Geistiges und soziales Leben von 1880 bis zur Gegenwart. Wien 1982, 143–147.

Schneider, Karl-Ludwig: Zerbrochene Formen. Wort und Bild im Expressionismus. Hamburg 1967.

Schneider, Lektorat Schneider, Ute: Das Lektorat – eine Bestandsaufnahme. Wiesbaden 1997 (= Mainzer Studien zur Buchwissenschaft, 6).

Schneider, Manfred: Die erkaltete Herzensschrift: Der autobiographische Text im 20. Jahrhundert. München 1986.

Schneider, Nina (Hrsg.): Ernst Stadler und seine Freundeskreise. Geistiges Europäertum zu Beginn des Zwanzigsten Jahrhunderts. Mit Bild- und Textdokumenten. Hamburg 1993.

Schneider, Peter Paul u. a. (Bearb.): Literatur im Industriezeitalter. Eine Ausstellung des Deutschen Literaturarchivs im Schiller-Nationalmuseum Marbach am Neckar. Bd. I und II. Marbach 1987 .

Schnurbein, Stefanie von: Religion als Kulturkritik. Neugermanisches Heidentum im 20. Jahrhundert. Heidelberg 1992 (= Skandinavist. Arb., 13).

Schober, Rita: Emile Zolas Theorie des naturalistischen Romans und das Problem des Realismus. Habil.schrift Berlin 1953.

Schoeller, Bekenntis Schoeller, Wilfried F.: Das Bekenntnis zum Übernationalen. Heinrich Manns Abschied von Deutschland. In: Heinrich Mann-Jahrbuch 7, 1989, 171–188.

Schöffling, Insel Verlag Schöffling, Klaus: Die ersten Jahre des Insel Verlags 1899–1902. Begleitband zur Faksimileausgabe der Zeitschrift ›Die Insel‹. Frankfurt/M. 1981.

Scholz, Wilhelm von: Eine Jahrhundertwende. Lebenserinnerungen. Leipzig 1936.

Schönert, Jörg (Hrsg.): Carl Sternheims Dramen. Zur Textanalyse, Ideologiekritik und Rezeptionsgeschichte. Heidelberg 1975.

Schönert, Jörg/Segeberg, Harro (Hrsg.): Polyperspektivik in der literarischen Moderne. Studien zu Theorie, Geschichte und Wirkung der Literatur. Karl Robert Mandelkow gewidmet. Frankfurt/M. 1988.

Schorske, Wien Schorske, Carl E.: Wien. Geist und Gesellschaft im Fin de siècle. Frankfurt/M. 1982.

Schöttker, Detlev: Politik unterm Buntpapier. Plädoyer für eine Würdigung der Insel-Bücherei aus Anlaß von zwei neuen Gesamtbibliographien. In: Wolfenbütteler Notizen zur Buchgeschichte 13, 1988, 58–85.

Schrimpf, Hans Joachim (Hrsg.): Gerhart Hauptmann. Darmstadt 1976.

Schrimpf, Struktur Schrimpf, Hans Joachim: Struktur und Metaphysik des sozialen Schauspiels bei Gerhart Hauptmann. In: H. J. S. (Hrsg.): Literatur und Gesellschaft vom 19. ins 20. Jahrhundert. Bonn 1963.

Schuller, Im Unterschied Schuller, Marianne: Im Unterschied: Lesen, Korrespondieren, Adressieren. Frankfurt/M. 1990.

Schulz, Gerhard: Arno Holz. Dilemma eines bürgerlichen Dichterlebens. München 1974.

Schulz, Naturalismus Schulz, Gerhard: Naturalismus und Zensur. In: *Scheuer, Naturalismus*, 93–121.

Schulz, Theorie Schulz, Gerhard: Zur Theorie des Dramas im deutschen Naturalismus. In: Grimm, Reinhold (Hrsg.): Deutsche Dramentheorien. Beiträge zu einer historischen Poetik des Dramas in Deutschland. Bd. II. Frankfurt/M. 1977, 394–428.

Schultze, Studien Schultze, Brigitte: Studien zum russischen literarischen Einakter. Von den Anfängen bis A. P. Cechov. Wiesbaden 1984.

Schumacher, Michael: Avantgarde und Öffentlichkeit. Zur Soziologie der Künstlerzeitschrift am Beispiel von ›De Stijl‹. Diss. Aachen 1979.

Schünemann, Peter: Georg Trakl. München 1988.

Schuster, Ingrid/Bode, Ingrid (Hrsg.): Alfred Döblin im Spiegel der zeitgenössischen Kritik. Bern, München 1973.

Schuster, Peter-Klaus: Theodor Fontane: Effi Briest – ein Leben nach christlichen Bildern. Tübingen 1978.

Schutte, Jürgen: Lyrik des deutschen Naturalismus (1885–1893). Stuttgart 1976.

Schutte, Jürgen/Sprengel, Peter (Hrsg.): Die Berliner Moderne 1885–1914. Stuttgart 1987.

Schwab-Felisch, Die Weber Schwab-Felisch, Hans (Hrsg.): Gerhart Hauptmann. ›Die Weber‹. Vollständiger Text des Schauspiels. Dokumentation. Frankfurt/M./Berlin/Wien 1959.

Schwabach-Albrecht, Schillerstiftung Schwabach-Albrecht, Susanne: Zur Gründung der Deutschen Schillerstiftung. In: Buchhandelsgeschichte 4, 1995, B 129–143.

Schweiger, Kokoschka Schweiger, Werner J.: Oskar Kokoschka und ›Der Sturm‹. Die Berliner Jahre 1910–1916. Eine Dokumentation Wien/München 1986.

Schweinitz, Automobile Schweinitz, Jörg: Von Automobilen, Flugmaschinen und einer versteckten Kamera. Technikfaszination und Medienreflexivität in Richard A. Bermanns Kinoprosa von 1913. In: *Müller/Segeberg, Modellierung.*

Schweinitz, Kintopp Der selige Kintopp(1913/14). Eine Fundsache zum Verhältnis von literarischem Expressionismus und Kino. Hrsg. v. Jörg Schweinitz. In: Paech, Joachim (Hrsg.): Film, Fernsehen, Video und die Künste. Strategien der Intermedialität. Stuttgart/Weimar 1994, 72–88.

Schweinitz, Prolog Schweinitz, Jörg (Hrsg.): Prolog vor dem Film. Nachdenken über ein neues Medium 1909–1914. Leipzig 1992.

Schweppenhäuser, Kafka Schweppenhäuser, Hermann (Hrsg.): Benjamin über Kafka. Frankfurt/M. 1981.

Schwerte, Literatur Schwerte, Hans: Deutsche Literatur im Wilhelminischen Zeitalter. In: Žmegač, Victor (Hrsg.): Deutsche Literatur der Jahrhundertwende. Königstein/Ts. 1981, 2–17 (= Neue wissenschaftliche Bibliothek 113, Literaturwissenschaft).

Schwingel, Markus: Kunst, Kultur und Kampf um Anerkennung. Die Literatur- und Kunstsoziologie Pierre Bourdieus in ihrem Verhältnis zur Erkenntnis- und Kultursoziologie. In: IASL 22/2, 1997, 109–151.

Seehaus, Wedekind Seehaus, Günter: Wedekind und das Theater. München 1964.

Segeberg, Literatur Segeberg, Harro: Literatur im technischen Zeitalter. Von der Frühzeit der deutschen Aufklärung bis zum Beginn des Ersten Weltkriegs. Darmstadt 1997.

Segeberg, Mobilisierung Segeberg, Harro (Hrsg.): Die Mobilisierung des Sehens. Zur

Vor- und Frühgeschichte des Films in Literatur und Kunst. München 1995 (= Mediengeschichte des Films, 1).

Segeberg, (Stadt-)Wahrnehmung Segeberg, Harro: Von der proto-kinematographischen zur kinematographischen (Stadt-)Wahrnehmung. Texte und Filme im Zeitalter der Jahrhundertwende. In: Segeberg, Die Mobilisierung des Sehens, 327–358.

Seibert, Salon Seibert, Peter: Der literarische Salon. Tübingen 1995.

Selbmann, Rolf (Hrsg.): Zur Geschichte des deutschen Bildungsromans. Darmstadt 1988.

Selbmann, Rolf: Selbstmord als Literatur. Zur geschichtlichen Einordnung des expressionistischen Dichterbewußtseins bei Johannes R. Becher. Mit einem dokumentarischen Anhang. In: Jahrbuch der Deutschen Schillergesellschaft 30, 1986, 511–532.

Sembach, Klaus-Jürgen: Jugenstil. Die Utopie der Versöhnung. Köln 1990.

Sendlinger, Angelika: Lebenspathos und Décadence um 1900. Studien zur Dialektik der Décadence und der Lebensphilosophie am Beispiel Eduard von Keyserlings und Georg Simmels. Frankfurt/M. u. a. 1994.

Serner, Walter: Letzte Lockerung. manifest dada (Die Silbergäule). Hannover 1920.

Sheppard, Richard: Richard Huelsenbeck (1892–1974): DaDa and psychoanalysis. In: Literaturwissenschaftliches Jahrbuch 26, 1985, 271–305.

Sheppard, Schriften Sheppard, Richard W. (Hrsg.): Die Schriften des Neuen Clubs 1908–1914. 2 Bde. Hildesheim 1980/83.

Siebenhaar, Klaus (Hrsg.): Das poetische Berlin. Metropolenkultur zwischen Gründerzeit und Nationalsozialismus. Wiesbaden 1992.

Siegert, Relais Siegert, Bernhard: Relais. Geschichte der Literatur als Epoche der Post. Berlin 1993.

Simmel, Georg: Die Großstädte und das Geistesleben. In: G. S.: Das Individuum und die Freiheit. Essais. Berlin 1984, 192–204.

Simmel, Philosophie Simmel, Georg: Philosophie des Geldes. Hrsg. v. David P. Frisby und Klaus Christian Köhnke. Frankfurt/M. 1982.

Simon, Walter (Hrsg.): Die Weise von Liebe und Tod des Cornets Christoph Rilke. Text-Fassungen und Dokumente. Frankfurt/M. 1974.

Smith, Robert: Derrida and Autobiography. Cambridge 1995.

Soergel, Dichtung Soergel, Albert: Dichtung und Dichter der Zeit. Eine Schilderung der deutschen Literatur der letzten Jahrzehnte. Neue Folge: Im Banne des Expressionismus. Leipzig [5]1928.

Soergel/Hohoff, Dichtung und Dichter Soergel, Albert/Hohoff, Curt: Dichtung und Dichter der Zeit. Vom Naturalismus bis zur Gegenwart. Bd. I. Düsseldorf 1961.

Sokel, Narzißmus Sokel, Walter H.: Narzißmus, Magie und die Funktion des Erzählens in Kafkas ›Beschreibung eines Kampfes‹. Zur Figurenkonstellation, Geschehensstruktur und Poetologie in Kafkas Erstlingswerk. In: Kurz, Gerhard (Hrsg.): Der junge Kafka. Frankfurt/M. 1984, 133–153.

Sokel, Walter H.: Franz Kafka. Tragik und Ironie. Zur Struktur seiner Kunst. München/Wien 1964.

Sollmann, Kurt: Literarische Intelligenz vor 1900. Studien zu ihrer Ideologie und ihrer Geschichte. Köln 1982.

Sommer, Theaterzensur Sommer, Maria: Die Einführung der Theaterzensur in Berlin. In: Kleine Schriften der Gesellschaft für Theatergeschichte, 14, 1956, 32–42.

Sørensen, Bengt Algot: Jens-Peter Jacobsen. München 1991.

Sørensen, Herrschaft Sørensen, Bengt Algot: Herrschaft und Zärtlichkeit. Der Patriarchalismus und das Drama im 18. Jahrhundert. München 1984.

Sorge, Giselher: Die literarischen Zeitschriften des Expressionismus. Diss. Wien 1967.

Spicker, Friedemann: Deutsche Wanderer-, Vagabunden- und Vagantenlyrik in den Jahren 1910 bis 1933. Wege zum Heil – Straßen der Flucht. Berlin 1976.

Spielhagen, Friedrich: Beiträge zur Theorie und Technik des Romans. Leipzig 1883.

Spies, Werner: Der literarische Geschmack im Ausgang des 19. Jahrhunderts im Spiegel der deutschen Zeitschriften. Eine Studie zur Geschichte des literarischen Geschmacks und des Zeitschriftenwesens in Deutschland. Diss. Bonn 1953.

Sprengel, Peter: Gerhart Hauptmann. Epoche – Werk – Wirkung. München 1984.

Sprengel, Peter: Literatur im Kaiserreich. Studien zur Moderne. Berlin 1993.

Sprengel, Peter: Literaturtheorie und Theaterpraxis des Naturalismus. In: Der Deutschunterricht 40/2, 1988, 89–99.

Sprengel, Schall und Rauch Sprengel, Peter (Hrsg.): Schall und Rauch. Erlaubtes und Verbotenes. Spieltexte des ersten Max-Reinhardt-Kabaretts (Berlin 1901/02). Berlin 1991.

Sprengel/Streim, Moderne Sprengel, Peter/Streim, Gregor: Berliner und Wiener Moderne. Vermittlungen und Abgrenzungen in Literatur, Theater, Publizistik. Wien/Köln/Weimar 1998.

Stach, Kafka Stach, Rainer: Kafkas erotischer Mythos: eine ästhetische Konstruktion. Frankfurt/M. 1987.

Stadler, Peter: Memoiren der Neuzeit: Betrachtungen zur erinnerten Geschichte. Zürich 1995.

Stappenbacher, Zeitschriften Stappenbacher, Susi: Die deutschen literarischen Zeitschriften in den Jahren 1918–1925 als Ausdruck geistiger Strömungen der Zeit. Diss. Erlangen-Nürnberg 1961.

Stark, Censorship Stark, Gary D.: The Censorship of Literary Naturalism, 1885–1895: Prussia and Saxonia. In: Central European History 18, 1985, 326–343.

Stark, Für und wider Stark, Michael: Für und wider den Expressionismus. Die Entstehung der Intellektuellendebatte in der deutschen Literaturgeschichte. Stuttgart 1982.

Stark, Intellektuelle Stark, Michael (Hrsg.): Deutsche Intellektuelle 1910–1933. Aufrufe, Pamphlete, Betrachtungen. Heidelberg 1984.

Stark, Kondor-Krieg Stark, Michael (Hrsg.): Der ›Kondor-Krieg‹. Ein deutscher Literaturstreit. Bamberg 1996 (= Fußnoten zur Literatur, 36).

Stauffacher, Werner (Hrsg.): Internationale Alfred-Döblin-Kolloquien Münster 1989, Marbach 1991. Bern u. a. 1993.

Steffen, Hans (Hrsg.): Der deutsche Expressionismus. Formen und Gestalten. Göttingen 1965.

Stein, Jack M.: Richard Wagner an the Synthesis of Arts. Detroit 1960.

Steinecke, Hartmut: Romanpoetik von Goethe bis Thomas Mann. Entwicklungen und Probleme der ›demokratischen Kunst‹ in Deutschland. München 1987.

Steinecke, Hartmut: Romantheorie und Romankritik in Deutschland. Die Entwicklung des Gattungsverständnisses von der Scott-Rezeption bis zum programmatischen Realismus. Bd. I. Stuttgart 1975. Bd. II. Quellen. Stuttgart 1976.

Steiner, Wilfried: Rausch – Revolte – Resignation. Eine Vorgeschichte der poetischen Moderne von Novalis bis Georg Heym. Wien 1993.

Steinhilber, Rudolf: Eduard von Keyserling. Sprachskepsis und Zeitkritik in seinem Werk. Darmstadt 1977.

Steinmetz, Interpretation Steinmetz, Horst: Suspensive Interpretation. Am Beispiel Franz Kafkas. Göttingen 1977.

Stenzel, Burkhard: Harry Graf Kessler. Ein Leben zwischen Kultur und Politik. Köln u. a. 1995.

Stephan, Inge: ›Grenzgängerin‹ zwischen Psychoanalyse und Literatur. Lou Andreas-Salomé. In: I. S.: Die Gründerinnen der Psychoanalyse. Eine Entmythologisierung Sigmund Freuds in zwölf Frauenportraits. Stuttgart 1992, 129–152.

Stephan, Inge/Schilling, Sabine/Weigel, Sigrid (Hrsg.): Jüdische Kultur und Weiblichkeit in der Moderne. Köln/Weimar/Berlin 1994.

Stern, Kulturpessimismus Stern, Fritz: Kulturpessimismus als politische Gefahr. Eine Analyse nationaler Ideologie in Deutschland. Bern u. a. 1963.

Stern, Martin (Hrsg.): Expressionismus in der Schweiz. 2 Bde. Bern/Stuttgart 1981.

Stern, War Stern, Guy: War, Weimar and Literature. The Story of the Neue Merkur 1914–1925. University Park and London 1971.

Sternberger, Jugendstil Sternberger, Dolf: Über Jugendstil. Frankfurt/M. [2]1977.

Stichweh, Entstehung Stichweh, Rudolf: Zur Entstehung des modernen Systems wissenschaftlicher Disziplinen. Physik in Deutschland 1740 – 1890. Frankfurt/M. 1984

Stieg, Gerald: Der Brenner und die Fackel. Ein Beitrag zur Wirkungsgeschichte von Karl Kraus. Salzburg 1976 (= Brenner-Studien, 3).

Stieg/Witte, Abriß Stieg, Gerald/Witte, Bernd: Abriß einer Geschichte der deutschen Arbeiterliteratur. Stuttgart 1973.

Stölzl, Kafkas böses Böhmen Stölzl, Christoph: Kafkas böses Böhmen. Zur Sozialgeschichte eines Prager Juden. München 1975.

Strieder, Gesellschaft Strieder, Agnes: ›Die Gesellschaft‹ – Eine kritische Auseinandersetzung mit der Zeitschrift der frühen Naturalisten. Frankfurt/M./Bern/New York 1985.

Stuby, Anna Maria: Liebe, Tod und Wasserfrau. Mythen des Weiblichen in der Literatur. Opladen 1992.

Stumpf, Gerhard: Michael Georg Conrad. Ideenwelt – Kunstprogrammatik – Literarisches Werk. Frankfurt/M. u. a. (Diss. Würzburg 1984).

Szeemann, Harald (Hrsg.): Der Hang zum Gesamtkunstwerk. Europäische Utopien seit 1800. Aarau/Frankfurt/M. 1983.

Székely, Johannes: Franziska Gräfin zu Reventlow. Leben und Werk. Diss. Köln 1977.

Szondi, Drama Szondi, Peter: Das lyrische Drama des Fin de siècle. Hrsg. v. Henriette Beese. Frankfurt 1975.

Szondi, Theorie Szondi, Peter: Theorie des modernen Dramas (1880–1950). Frankfurt/M. 1977 (1. Aufl. 1956).

Tenbruck, Friedrich H.: Die kulturellen Grundlagen der Gesellschaft. Der Fall der Moderne. Opladen 1989.

Tenorth, Heinz Elmar: Jugend und Generationen im historischen Prozeß. Historische Befunde und Probleme ihrer Analyse. In: IASL 13, 1988, 107–139.

Tenorth, Heinz Elmar: Walter Benjamins Umfeld. Erziehungsverhältnisse und Pädagogische Bewegungen. In: Doderer, Klaus (Hrsg.): Walter Benjamin und die Kinderliteratur. Aspekte der Kinderkultur in den zwanziger Jahren. Weinheim, München 1988, 31–67.

Thackeray, William Makepeace: The Paris Sketch Book of Mr. M. A. Titmarsh. New York 1911.

Thamer, Historismus Thamer, Jutta: Zwischen Historismus und Jugendstil. Zur Ausstattung der Zeitschrift ›Pan‹ (1895–1900). Frankfurt/M./Bern/Circenster/U. K. 1980 (= Europäische Hochschulschriften, 28/8).

Thomé, Autonomes Ich Thomé, Horst: Autonomes Ich und ›Inneres Ausland‹. Studien über Realismus, Tiefenpsychologie und Psychiatrie in deutschen Erzähltexten (1848–1914). Tübingen 1993 (= Hermea, 70).

Thomsen/Holländer, Augenblick Thomsen, Christian W./Holländer Hans (Hrsg.): Augenblick und Zeitpunkt. Studien zur Zeitstruktur und Zeitmetaphorik in Kunst und Wissenschaften. Darmstadt 1984.

Titzmann, Drama Titzmann, Michael: Das Drama des ›Expressionismus‹ im Kontext der ›Frühen Moderne‹ und die Funktion dargestellter Delinquenz. In: Verbrechen – Justiz – Medien. Konstellationen in Deutschland von 1900 bis zur Gegenwart. Hrsg. v. Joachim Linder und Claus-Michael Ort in Zusammenarbeit mit Jörg Schönert und Marianne Wünsch, Tübingen 1999.

Titzmann, Konzept Titzmann, Michael: Das Konzept der ›Person‹ und ihrer ›Identität‹ in der deutschen Literatur um 1900. In: Pfister, Manfred (Hrsg.): Die Modernisierung des Ich (Passauer Interdisziplinäre Kolloquien, Bd. 1). Passau 1989, 36–52.

Todorov, Einführung Todorov, Tzvetan: Introduction à la littérature fantastique, Paris 1970 (zit. a.: Einführung in die fantastische Literatur, München 1972).

Tönnies, Gemeinschaft Tönnies, Ferdinand: Gemeinschaft und Gesellschaft. Grundbegriffe der reinen Soziologie. Berlin [2]1912.

Traill, Possible Worlds Traill, Nancy H.: Possible Worlds of the Fantastic: The Rise of the Paranormal in Fiction, University of Toronto Press 1996.

Treder, Ute: Hexe und Hysterikerin. München 1981.

Trommler, Frank (Hrsg.): Deutsche Literatur. Eine Sozialgeschichte. Bd. VIII. Jahrhundertwende. Vom Naturalismus zum Expressionismus, 1880–1918. Reinbek 1982.

Trommler, Sozialistische Literatur Trommler, Frank: Sozialistische Literatur in Deutschland. Ein historischer Überblick. Stuttgart 1976.

Ulbricht, Justus H.: Der Mythos vom Heldentod. Entstehung und Wirkungen von Walter Flex' ›Der Wanderer zwischen beiden Welten‹. In: Jahrbuch des Archivs der deutschen Jugendbewegung 16, 1986/87, 111–156.

Um die Jahrhundertwende. Künstlergeschichten von Peter Hille, Detlev von Liliencron, Arthur Schnitzler u. a. Auswahl und Nachwort von Heinz Lüdecke. Berlin 1959.

Ungern-Sternberg, Rezension Ungern-Sternberg, Wolfgang von: Rezension zu Wolfgang Martens: Lyrik kommerziell. In: IASL 3, 1978, 245–258.

Urban, Bernd: Franz Werfel, Freud und die Psychoanalyse. Zu unveröffentlichten Dokumenten. In: DVjs 47, 1973, 267–285.

Urban, Hofmannsthal Urban, Bernd (Hrsg.): Hofmannsthal, Freud und die Psychoanalyse. Quellenkundliche Untersuchungen. Frankfurt/M. 1978.

Urner, Schweiz Urner, Klaus: Die Deutschen in der Schweiz. Von den Anfängen der Kolonialbildung bis zum Ausbruch des Ersten Weltkrieges. Frauenfeld u. a. 1976.

Utitz, Emil: Naturalistische Kunsttheorie. In: Zeitschrift für Ästhetik und allgemeine Kunstwissenschaft 5, 1910, 87–91.

Vaget, Hans Rudolf: Die Erzählungen. In: Koopmann, Helmut (Hrsg.): Thomas-Mann-Handbuch. Stuttgart 1990, 534–618.

Vallès, Jules: Jacques Vingtras. Geschichte eines Insurgenten. Dt. von Thomas W. Schlichtenkrull. Hamburg 1951.

Vallès, Jules: Les Réfractaires. Paris 1955.

Vattimo, Gianni: Friedrich Nietzsche. Eine Einführung. Stuttgart/Weimar 1992.

Veigl, Legenden Veigl, Hans (Hrsg.): Lokale Legenden. Wiener Kaffeehausliteratur. Wien 1992.

Viehöfer, Erich: Der Verleger als Organisator. Eugen Diederichs und die bürgerlichen Reformpädagogen der Jahrhundertwende. Frankfurt/M. 1988 (= Sonderdruck des Archiv für Geschichte des Buchwesens 1988).

Viesel, Hansjörg: Der Verleger Heinrich F. S. Bachmair 1889–1960. Expressionismus, Revolution und Literaturbetrieb. Ausstell. d. Akademie der Künste 6. Oktober bis 19. November 1989. Berlin 1989.

Viesel, Literaten Viesel, Hansjörg (Hrsg.): Literaten an der Wand. Die Münchner Räterepublik und die Schriftsteller. Frankfurt/M. 1980.

Vietta/Kemper, Expressionismus Vietta, Silvio/Kemper, Hans-Georg: Expressionismus. München 1975.

Vinçon, Anmerkung Vinçon, Hartmut: Anmerkung zu einer neuen Leseausgabe von Frank Wedekinds Werken. In: Wirkendes Wort 41, 1991, 316–321 .

Vinçon, Wedekind Vinçon, Hartmut: Frank Wedekind. Stuttgart 1987.

Völpel; Christiane: Hermann Hesse und die deutsche Jugendbewegung. Eine Untersuchung über die Beziehungen zwischen Wandervogel und Hermann Hesses Frühwerk. Bonn 1977.

Vogel, Fiktionskulisse Vogel, Benedikt: Fiktionskulisse. Poetik und Geschichte des Kabaretts. Paderborn/München u. a. 1993 (= Explicatio. Analytische Studien zur Literatur und Literaturwissenschaft).

Vogel, Klaus: Der Wilde unter den Künstlern. Zur Strategie des Anderen seit Friedrich Hölderlin. Berlin 1991 (= Reihe Historische Anthropologie).

Vogl, Gewalt Vogl, Joseph: Ort der Gewalt. Kafkas literarische Ethik. München 1990.

Vogl, Vierte Person Vogl, Joseph: Vierte Person. Kafkas Erzählstimme. In: DVjs 68, 1994, 745–756.

Vogler, Süddeutsche Monatshefte Vogler, Felicitas: Die ›Süddeutschen Monatshefte‹ von 1904–1914. Diss. München 1949.

Voigt, Barbara: Programmatische Positionen zum Roman im deutschen Naturalismus. Die Auseinandersetzungen um Zolas Romantheorie. Diss. Berlin (DDR) 1983.

Vollhardt, Friedrich: Hermann Brochs geschichtliche Stellung. Studien zum philosophischen Frühwerk und zur Romantrilogie ›Die Schlafwandler‹ (1914–1932). Tübingen 1986.

Vondung, Apokalypse Vondung, Klaus: Die Apokalypse in Deutschland. München 1988.

Vordtriede, Fränze: Der Imagismus. Sein Wesen und seine Bedeutung. Diss. Freiburg i. Br. 1935.

Vordtriede, Werner: Richard Wagner als Vermittler. In: W. V.: Novalis und die französischen Symbolisten. Stuttgart 1963, 158–183.

Voswinkel, Naturalismus Voswinkel, Gerd: Der literarische Naturalismus in Deutschland. Eine Betrachtung der theoretischen Auseinandersetzungen unter besonderer Berücksichtigung der zeitgenössischen Zeitschriften. Diss. Berlin 1970.

Wagenbach, Kafka Wagenbach, Klaus: Franz Kafka. Eine Biographie seiner Jugend. Bern 1958.

Wagenbach, Kafka Wagenbach, Klaus: Franz Kafka mit Selbstzeugnissen und Bilddokumenten. Reinbek 1964.

Wagner, Geist und Geschlecht Wagner, Nike: Geist und Geschlecht. Karl Kraus und die Erotik der Wiener Moderne. Frankfurt/M. 1981.

Walden/Schreyer, Der Sturm Walden, Nell/Schreyer, Lothar (Hrsg.): Der Sturm. Ein Erinnerungsbuch an Herwarth Walden und die Künstler aus dem Sturmkreis. Baden-Baden 1954.

Wallas, Armin A.: Albert Ehrenstein. Mythenzerstörer und Mythenschöpfer. München 1994.

Wallas, Armin A.: Zeitschriften und Anthologien des Expressionismus in Österreich. Analytische Bibliographie und Register. 2 Bde. München u. a. 1995.

Wallas, Beitrag Wallas, Armin A. (Hrsg.): Texte des Expressionismus. Der Beitrag jüdischer Autoren zum österreichischen Expressionismus. Linz/Wien 1988.

Wallas, Zeitschriften Wallas, Armin A.: Zeitschriften des Expressionismus und Aktivismus in Österreich. In: *Amann/Wallas, Expressionismus in Österreich*, 49ff.

Walser, Martin: Beschreibung einer Form. Versuch über Franz Kafka. München 1961.

Wais, Vater-Sohn Wais, Kurt K. T.: Das Vater-Sohn-Motiv in der Dichtung 1880–1930. Berlin/Leipzig 1931.

Weber, Ethik Weber, Max: Protestantische Ethik. München/Hamburg 1969.

Weber-Kellermann, Familie Weber-Kellermann, Ingeborg: Versuch einer Sozialgeschichte der Familie. Frankfurt/M. 1974.

Weber, Sozialismus Weber, Max: Der Sozialismus. In: M. W.: Gesammelte Aufsätze zur Soziologie und Sozialpolitik. Hrsg. v. Marianne Weber. Tübingen 1988, 492–518.

Weber, Wirtschaft Weber, Max: Wirtschaft und Gesellschaft. Grundriß der verstehenden Soziologie. Hrsg. v. Johannes Winckelmann. Tübingen 1972 (5. revidierte Aufl.).

Wedekind, Frank: Die Tagebücher. Ein erotisches Leben. Hrsg. v. Gerhard Hay. Frankfurt/M. 1986.

Wegehaupt, Heinz: Deutschsprachige Kinder- und Jugendliteratur der Arbeiterklasse von den Anfängen bis 1945. Bibliographie. Berlin 1972.

Wehler, Gesellschaftsgeschichte Wehler, Hans-Ulrich: Deutsche Gesellschaftsgeschichte. Bd. III: Von der »deutschen Doppelrevolution« bis zum Beginn des Ersten Weltkriegs 1849–1914. München 1995.

Wehler, Hans-Ulrich: Das deutsche Kaiserreich 1871–1918. Göttingen 1973.

Wehler, Hans-Ulrich: Krisenherde des Kaiserreichs 1871–1918. Studien zur deutschen Sozial- und Verfassungsgeschichte. Göttingen 1970.

Wehler, Modernisierungstheorie Wehler, Hans-Ulrich: Modernisierungstheorie und Geschichte. Göttingen 1975.

Weiss, Schnitzler Weiss, Robert (Hrsg.): Arthur Schnitzler, Aphorismen und Betrachtungen. Frankfurt 1967.

Weisser, Michael: Ornament und Illustration um 1900. Handbuch für Bild- und Textdokumente bekannter und unbekannter Künstler aus der Zeit des Jugendstils. Frankfurt/M. 1980.

Weisstein, Ulrich (Hrsg.): Expressionism as an International Literary Phenomenon. 21 Essays and a Bibliography. Paris/Budapest 1973.

Welsch/Wiesner, Andreas-Salomé Welsch, Ursula/Wiesner, Michaela: Lou Andreas-Salomé: Vom ›Lebensurgrund‹ zur Psychoanalyse. München/Wien 1988.

Wenig, Theater Wenig, Heribert: Der Beitrag der akademisch-dramatischen Vereinigungen zur Entwicklung des deutschen Theaters 1890–1914. Diss. München 1954.

Werner, Renate: Skeptizismus, Ästhetizismus, Aktivismus. Der frühe Heinrich Mann. Düsseldorf 1972.

Westerfrölke, Hermann: Englische Kaffeehäuser als Sammelpunkte der literarischen Welt im Zeitalter von Dryden und Addison. Jena 1924 (= Jenaer Germanistische Forschungen, 5).

Weyergraf, Weimarer Republik Weyergraf, Bernhard (Hrsg.): Literatur in der Weimarer Republik 1918 – 1933. München/Wien 1955.

White, Futurism White, John J.: Literary Futurism. Aspects of the First Avant Garde. Oxford 1990.

Wiethege, Katrin: Jede Metapher ein kleiner Mythos. Studien zum Verhältnis von Mythos und moderner Metaphorik in frühexpressionistischer Lyrik. Münster 1992.

Willemsen, Roger: Robert Musil. Vom intellektuellen Eros. München/Zürich 1985.

Windhöfel, Paul Westheim Windhöfel, Lutz: Paul Westheim und Das Kunstblatt. Eine Zeitschrift und ihr Herausgeber in der Weimarer Republik. Köln/Weimar/Wien 1995 (= Dissertationen zur Kunstgeschichte, 35).

Winkler, Michael: George-Kreis. Stuttgart 1972.

Winter, Helmut: Der Aussagewert von Selbstbiographien. Zum Status autobiographischer Urteile. Heidelberg 1985.

Winter, Naturwissenschaft Winter, Helga: Naturwissenschaft und Ästhetik. Untersuchungen zum Frühwerk Heinrich Manns. Würzburg 1994 (= Epistemata, 113).

Wirkner, Kafka Wirkner, Alfred: Kafka und die Außenwelt. Quellenstudium zum ›Amerika‹-Fragment. Stuttgart 1976.

Witkowski, Dramen Witkowski, Georg: Dramen in einem Akte. Bühne und Welt 4, 1902, 857–866.

Wittmann, Geschichte Wittmann, Reinhard: Geschichte des deutschen Buchhandels. Ein Überblick. München 1991.

Wolf, Leo Hans: Die ästhetische Grundlage der Literaturrevolution der achtziger Jahre. Die ›Kritischen Waffengänge‹ der Brüder Hart. Diss. Bern 1922.

Wolf, Siegbert: Gustav Landauer. Bibliographie. Grafenau/Döffingen.

Wolff, Einakter Wolff, Karl: Einakter. Das litterarische Echo 9, 1906/07, Sp. 200–203.

Wolff, Heinrich Mann Wolff, Rudolf (Hrsg.): Heinrich Mann. Das essayistische Werk. Bonn 1986.

Wolff, Janet: The Invisible Flaneuse: Woman and the Literature of Modernity. In: Benjamin, Andrew (Hrsg.): The Problem of Modernity. London: Routledge 1989, 141–156.

Wolff, Kurt: Autoren, Bücher, Abenteuer. Betrachtungen und Erinnerungen eines Verlegers. Berlin [2]1965.

Wolters, Friedrich: Stefan George und die Blätter für die Kunst. Berlin 1930.

Wolzogen, Ansichten Wolzogen, Ernst von: Ansichten und Aussichten. Ein Erntebuch. Berlin 1908.

Worbs, Nervenkunst Worbs, Michael: Nervenkunst. Literatur und Psychoanalyse im Wien der Jahrhundertwende. Frankfurt/M. 1988.

Wucherpfennig, Wolf: John Henry Mackay. Dichter, Anarchist, Homosexueller. In: Jahrbuch des Institus für Deutsche Geschichte 12, 1983, 229–254.

Wucherpfennig, Wolf: Kindheitskult und Irrationalismus in der Literatur um 1900. München 1980.

Wunberg, Gotthart (Hrsg.): Die literarische Moderne. Dokumente zum Selbstverständnis der Literatur um die Jahrhundertwende. Frankfurt/M. 1971.

Wunberg, Gotthart (Hrsg.): Die Wiener Moderne. Literatur, Kunst und Musik zwischen 1890 und 1910. Stuttgart 1981.

Wunberg, Hofmannsthal Wunberg, Gotthart: Der frühe Hofmannsthal. Schizophrenie als dichterische Struktur. Stuttgart 1965.

Wunberg, Wien Wunberg, Gotthart (Hrsg.): Das junge Wien. Österreichische Literatur- und Kunstkritik 1887–1902. Bd. I. Tübingen 1976.

Wünsch, Fantastische Literatur Wünsch, Marianne: Die Fantastische Literatur der Frühen Moderne (1890–1930). Definition. Denkgeschichtlicher Kontext. Strukturen. München [2]1998.

Wünsch, Modell Wünsch, Marianne: Das Modell der »Wiedergeburt« zu »neuem Leben« in erzählender Literatur 1890–1930. In: Klassik und Moderne. Hrsg. v. Karl Richter und Jörg Schönert, Stuttgart 1983, 379–408.

Wünsch, Realismus Wünsch, Marianne: Vom späten »Realismus« zur »Frühen Moderne«. Versuch eines Modells des literarischen Strukturwandels. In: Modelle des literarischen Strukturwandels. Hrsg. v. Michael Titzmann. Tübingen 1991, 187–203.

Wyneken, Gustav: Schule und Jugendkultur. Jena 1913.

Wysling, Hans: Narzißmus und illusionäre Existenzform. Zu den Bekenntnissen des Hochstaplers Felix Krull. Bern/München 1982.

Wysling, Hans: Thomas Manns Rezeption der Psychoanalyse. In: Bennett, Benjamin u. a. (Hrsg.): Probleme der Moderne. Studien zur deutschen Literatur von Nietzsche bis Brecht. Festschrift für Walter H. Sokel. Tübingen 1983, 201–222.

Zammito, The great debate Zammito, John H. The great debate. ›Bolshvism‹ ans literary left in Germany 1917 – 1930. New York u. a. 1984.

Zanasi, Il caso Zanasi, Giusi: Il caso Gross. L'anima espressionista, la psicanalisi e l'utopia della felicità. Napoli 1993.

Zeller, Borchardt/Heymel/Schröder Zeller, Bernhard (Bear.): R. Borchardt, A. W. Heymel, R. A. Schröder. Eine Ausstellung des Deutschen Literaturarchivs Marbach. München 1978.

Zeller, Buchkunst Wende der Buchkunst. Literarisch-künstlerische Zeitschriften aus den Jahren 1895 bis 1900. Einführung und Auswahl der Texte Bernhard Zeller. Stuttgart 1962 (= Höhere Fachschule für das Graphische Gewerbe Stuttgart, Jahresgabe 1962).

Zeller, Die Insel Zeller, Bernhard (Bearb.): Die Insel. Eine Ausstellung zur Geschichte des Verlages unter Anton und Katharina Kippenberg. Stuttgart 1965 (= Sonderausstellungen des Schillernationalmuseums, 15).

Ziolkowski, Theodore: Der Schriftsteller Hermann Hesse. Wertung und Neubewertung. Frankfurt/M. 1979.

Zischler, Kafka Zischler, Hanns: Kafka geht ins Kino. Reinbek bei Hamburg 1996.

Žmegač, Geschichte Žmegač, Victor (Hrsg.): Geschichte der deutschen Literatur vom 18. Jahrhundert bis zur Gegenwart. Bd. II/2. Königstein/Ts. 1980.

Žmegač, Jahrhundertwende Žmegač, Viktor: Zum Begriff der Jahrhundertwende (um 1900). In: V. Z. (Hrsg.): Deutsche Literatur der Jahrhundertwende. Königstein/Ts. 1981, IX–LI (Neue wissenschaftliche Bibliothek 113).

Zohner, Griensteidl Zohner, Alfred: ›Café Griensteidl‹. In: Deutsch-Österreichische Literaturgeschichte. Ein Handbuch zur Geschichte der deutschen Dichtung in Österreich-Ungarn. Unter Mitwirkung hervorragender Fachgenossen nach dem Tode von Johann Willibald Nagl und Jakob Zeidler hrsg. von Eduard Castle. Bd. IV. Wien o. J., 1715–1736.

Zwick, Erinnerungskultur Zwick, Jochen: Akademische Erinnerungskultur, Wissenschaftsgeschichte und Rhetorik im 19. Jahrhundert. Über Emil Du Bois-Reymond als Festredner. In: Scientia Poetica 1, 1997, 120–139.

Register

Das Register verzeichnet Personennamen, Primärtexte und Zeitschriften in strikt alphabetischer Reihenfolge. Sekundärliteratur und Anthologien wurden nicht berücksichtigt, Zeitschriften sind mit ihrem Titel und nicht unter dem Namen ihrer Herausgeber erfaßt.

Inhaltsverzeichnis